Von Wolf Serno sind außerdem erschienen:
Der Chirurg von Campodios
Die Mission des Wanderchirurgen
Tod im Apothekenhaus
Die Hexenkammer
Der Balsamträger
Der Puppenkönig

Über den Autor:
Wolf Serno wurde 1944 in Hamburg geboren. Er arbeitete nach seinem Studium als Texter und Creative Director in großen Werbeagenturen und war Dozent an der Werbefachschule Hamburg. 1997 beschloss Wolf Serno, nicht mehr für andere, sondern für sich selbst zu schreiben. Das Ergebnis ist sein Erstling *Der Wanderchirurg*, in dem sich vieles wiederfindet, was seine Persönlichkeit ausmacht: seine Verbundenheit mit der See und der Seefahrt sowie seine Leidenschaft für Medizingeschichte. Wolf Serno lebt mit seiner Frau in Hamburg.
Besuchen Sie auch die Homepage des Autors:
www.wolf-serno.de

O

Der Wanderchirurg

Roman

Knaur Taschenbuch Verlag

Bitte besuchen Sie uns im Internet:
www.knaur.de

Vollständige Taschenbuchausgabe 2002
Droemersche Verlagsanstalt Th. Knaur Nachf., München
Copyright © 2001 bei Droemersche Verlagsanstalt
Alle Rechte vorbehalten. Das Werk darf – auch teilweise –
nur mit Genehmigung des Verlages wiedergegeben werden.
Umschlaggestaltung: ZERO Werbeagentur, München
Umschlagabbildungen: AKG, Berlin (3); Artothek, Peißenberg (2)
Satz: Ventura Publisher im Verlag
Druck und Bindung: CPI – Clausen & Bosse, Leck
Printed in Germany
ISBN 978-3-426-62164-6

18   19   17

»Siehe, ich treibe böse Geister aus
und mache gesund heut und morgen,
und am dritten Tage werde ich am Ziel sein.
Doch muss ich heute und morgen
und am Tage danach noch wandern.«

Lukas 13, 32–33

Die Operationen und Behandlungen
in diesem Buch spiegeln den wissenschaftlichen Stand
des 16. Jahrhunderts wider.
Zwar gab es schon damals Eingriffe,
die sich im Prinzip bis in unsere Tage nicht verändert haben,
und auch die Kräuter wirken heute nicht anders
als vor über vierhundert Jahren,
doch sei der geneigte Leser dringend vor Nachahmung
und Anwendung gewarnt.

Für mein Rudel:
Micky, Fiedler und Sumo

PROLOG

Das Wimmern der Frau drang durch die Decksplanken hinauf bis zum Achterkastell der großen Galeone. Es war ein Wimmern, wie Kapitän Hippolyte Taggart es noch nie gehört hatte: lang gezogen, klagend, immer wieder unterbrochen von einem kurzen, keuchenden Stöhnen. Es erinnerte Taggart an die Laute, die manche Huren ausstießen, wenn sie dem Freier höchste Lust vorgaukeln wollten. Doch Taggart wusste, dass hier nicht ein Akt der Fleischeslust stattfand, sondern vielmehr die Folge davon:

Im Unterdeck seines Schiffs wurde ein Kind geboren.

Taggart wandte sich um und blickte mit grimmiger Miene achteraus. Sein Gesichtsausdruck rief bei manchem seiner Männer noch immer eine Gänsehaut hervor, obwohl jeder wusste, dass Taggart nicht anders dreinblicken konnte. Dafür hatte vor Jahren ein spanisches Schwert gesorgt, das ihm die linke Gesichtshälfte gespalten hatte. Die Wundränder hatten sich beim Zusammenwachsen verzogen, wodurch ihm fortan der linke Mundwinkel herabhing.

Heute jedoch entsprach seine Miene genau seiner Stimmung. Auf ihrer Reise in die Neue Welt, zu der sie am 28. Januar anno 1556 von Portsmouth ausgelaufen waren, hatten sie vor zwei Tagen die Scilly-Inseln an Steuerbord passiert, und bis dahin war die Fahrt planmäßig verlaufen. Dann aber schien sich alles gegen sie verschworen zu haben. Das Wetter war umgeschlagen, schwarze Wolken hatten sich am Horizont zusammengeballt. Stürmische Böen aus West hinderten sie seitdem hartnäckig daran, sich von der französischen Küste freizusegeln. Ihm war nichts anderes übrig geblieben, als so hoch wie irgend möglich an den Wind zu gehen, um wenigstens Kurs Südwest zu halten – immer in der Hoffnung, dem Sturm davonzusegeln und ablandigen Wind zu erwischen. Doch sie waren jetzt schon fast auf Höhe von La Rochelle, und wenn das so weiterging, würden sie an der nordspanischen Küste zerschellen. Taggart schnaufte verächtlich. Die Galeone, die er befehligte, war kaum besser zu segeln als das Nachtgeschirr einer alten Jungfer. Das Schiff, das man vor kurzem in *Thunderbird* umgetauft hatte, war zwar riesig in seinen Ausmaßen, aber wie alle in Spanien gebauten Galeonen auch äußerst hochbordig, mit schwerem Kastell auf dem Vor- und Achterschiff. Das hatte zur Folge, dass es bei rauem Seegang wie ein Rohr im Winde schwankte und schlecht auf Kurs zu halten war.

Doch Taggart hatte sich sein Schiff nicht aussuchen können. Nachdem bei der Admiralität in London wieder einmal Ebbe in der Kasse geherrscht hatte, war es ihm wie vielen seiner Marinekameraden ergangen: Man hatte sie vorübergehend ausgemustert und auf Halbsold gesetzt. So war er froh gewesen, diesen Posten überhaupt bekommen zu haben. Maggy und die Kinder zu Hause in Cowes auf der Isle of Wight mussten etwas zu beißen haben, und überhaupt waren die Zeiten nicht rosig.

Wieder erklang das Wimmern.

Eine Frau an Bord!, dachte Taggart zornig. Er bildete sich zwar ein, nicht abergläubisch zu sein, aber er hatte trotzdem ein ungutes Gefühl dabei. Frauen an Bord zogen nichts als Ärger nach sich. Und die Frau, die jetzt da unten ihrer schwersten Stunde entgegensah, war dafür der beste Beweis. Abermals das Wimmern.

Taggart musste zugeben, dass die Frau ausgesehen hatte wie eine richtige Lady, als sie vor wenigen Tagen an Bord gekommen war, auch wenn sie, wie Lord Pembroke betont hatte, weder seine Gattin war noch sonst irgendwie mit ihm verwandt. Aber wer war die Lady dann? Eigentlich eine krasse Unhöflichkeit des Lords, sie ihm nicht vorgestellt zu haben! Und schwanger war sie auch noch! Taggart zuckte mit den Schultern und beschloss, sich wieder seinen Pflichten zu widmen. Aus steifen Böen war in der letzten halben Stunde ein ausgewachsener Sturm geworden. Ihm davonzusegeln schien aussichtslos. Jetzt durfte keine Zeit mehr vergeudet werden.

»Mister Gordon! Mister Loom!«

»Sir?« Zwei Männer, die in respektvollem Abstand an der Querreling gestanden hatten, eilten herbei und nahmen Haltung an. Sie wussten, dass Taggart auf strenge Disziplin achtete und niemals ein Fehlverhalten durchgehen ließ, auch bei Offizieren nicht. Gordon, der Erste Offizier, war der Kleinere von beiden, ein drahtiger Mann mit flachsblondem Haarschopf und hektischen Bewegungen. Loom, der Segelmeister, war das genaue Gegenteil: groß, schwer, mit gewaltigem Brustkorb, über dem sich ein salzfleckiges Lederwams spannte.

»Mister Loom, was haltet Ihr von der Lage? Werden wir dem Sturm noch entwischen können?«

Der Segelmeister zögerte. Sein Kopf wanderte nach Steuerbord, wo eine turmhohe Wolkenwand nur noch wenige Meilen entfernt war. »Ich sag's nicht gern, Sir«, meinte er dann, »aber wir schaffen's wohl nicht. Fürchte, wir haben's bisher nur mit 'nem kleinen Vorgeschmack zu tun. Das dicke Ende kommt erst noch. Wir sollten Tuch wegnehmen, um westlicher halten zu können.«

Seine Hand rieb unwillkürlich über das Wams. Taggart sah, dass die Stelle darunter wie eine Speckschwarte glänzte. »Können nur hoffen, dass der Orkan erst dann richtig einsetzt, wenn wir uns ums Cabo de Finisterre herumgestohlen haben. Anderenfalls ...« Seine Hand rieb stärker. »Die Strömungen an Spaniens Küste sind so zahm wie ein Pitbull in der Grube.«

»Hm.« Was Loom gesagt hatte, entsprach genau Taggarts Befürchtungen. Himmel und Hölle und bei den Arschbacken Poseidons! Was würde er jetzt für ein gutes Schiff geben! Für eine englische Galeone mit niedrigem Schwerpunkt, die höher an den Wind gehen konnte und dadurch bessere Möglichkeiten böte, schnell aus diesem Schlamassel herauszusegeln! Taggart gab sich einen Ruck. Es half nichts, er musste es auch so schaffen.

»Ihr habt Recht, Mister Loom! Wir müssen da durch.« Sein Kopf wies in Richtung Wolkenwand. »Auf Biegen oder Brechen! Mister Gordon, bitte lasst ›Alle Mann!‹ pfeifen.«

»Aye, aye, Sir!« Gordon beeilte sich, den Befehl weiterzugeben.

»Bis auf das Marssegel am Fockmast sind sämtliche Segel in zehn Minuten gerefft, oder die Neunschwänzige tanzt einen Hornpipe auf den Rücken der Männer!«

»Aye, aye, Sir!«

Täuschte er sich, oder hatte der Wind tatsächlich nach Nord gedreht?

»Wind dreht nach Nord, Sir!«, meldete Gordon in diesem Moment.

»Was Ihr nicht sagt! Das Marssegel vom Fockmast wird als Vortrieb genügen, gleichzeitig fangen wir nicht mehr so viel Wind, die Krängung wird geringer, und die Steuerfähigkeit erhöht sich.«

»Recht so, Sir«, pflichtete Loom ihm bei, »wenn wir dem Sturm schon nicht entwischen können, sollten wir ihn abwettern! Was meint Ihr, Sir, sollen wir für alle Fälle Ersatztuch bereitlegen, falls uns das Marssegel wegreißt?«

»Macht das. Und lasst Äxte und Entermesser ausgeben, damit wir notfalls stehendes Gut kappen können.«

»Aye, aye, Sir!«

»Wer steht am Ruder?«

»Higgins, Sir.«

»Ablösen, den Mann. Er ist nicht erfahren genug. Wir sind dabei, dem Teufel ein Ohr abzusegeln. Rushmont soll seinen Posten einnehmen. Clyde unterstützt ihn. Ich will, dass wir mindestens Westsüdwest steuern. Die Männer sollen den Kolderstab so ruhig halten wie ein Waliser seinen Langbogen!« Taggart hielt inne und überlegte kurz. »Mister Gordon!«

»Sir?«

»Ihr begebt Euch ebenfalls hinunter an den Kolderstab und achtet persönlich darauf, dass jede Mütze Wind genutzt wird, um auf ablandigen Kurs zu kommen!«

»Aye, aye, Sir!«

Beide Männer beeilten sich, die Befehle ihres Kommandanten auszuführen. Taggart war fürs Erste beruhigt. Er hatte getan, was man unter diesen Umständen tun konnte. Der Rest lag in Gottes Hand. Sein Blick ging nach vorn, wo das Vorschiff mit dem gewaltigen Kastell mühsam durch die immer höher werdenden Wogen stampfte. Weiß schäumende Gischt spritzte an Backbord und Steuerbord hoch und setzte das Hauptdeck wieder und wieder unter Wasser. Die Mannschaft, die unter äußerster Anspannung schuftete, war bereits völlig durchnässt. Taggart wünschte sich sehnlichst, die Männer würden ihr Handwerk besser verstehen, aber sie waren, wie so oft in dieser Zeit, ein bunt zusammengewürfelter Haufen, der von guter Seemannschaft so viel verstand wie die Kuh vom Tanzen. Auch die Decksoffiziere und Offiziere waren nicht mehr das, was er seinerzeit als Captain Seiner Majestät Heinrichs VIII. gewohnt war. Gut, Gordon und Loom vielleicht ausgenommen ...

Taggart seufzte. Sein Blick wanderte weiter nach Westen, dorthin, wo das Unwetter sich immer drohender zusammenzog. Er schätzte, dass der Sturm innerhalb der nächsten Minuten Orkanstärke erreichen würde. Doch die Maßnahmen, die er befohlen hatte, zeigten jetzt erste Wirkung. Die Männer am Kolderstab korrigierten behutsam die Kursrichtung. Gut so!, dachte er. Noch hatte er alles unter Kontrolle. Seine Hand packte die reich verzierte Reling der Steuerbordseite fester, während er mit den Beinen das Schlingern des Schiffsrumpfes ausglich. Er würde diesen Riesenkahn schon über das Westmeer bringen. Auch wenn die *Thunderbird* das erste Schiff spanischer Bauart war, das er führte. Lord Pembroke, dem es gehörte, hatte es der Englischen Krone abgekauft, die es ihrerseits einem Korsaren verdankte, der es unter dem Namen *Santa Esmeralda* gekapert hatte. Nun, Taggart sollte das recht sein, auch wenn eine Laune des Schicksals es wollte, dass die Galeone nun wieder in die Gewässer zurücksegelte, in denen sie einst aufgebracht worden war.

Er hatte sein Wort gegeben, Pembroke mitsamt seiner schönen Unbekannten an einen Ort zu bringen, der Roanoke Island genannt wurde und rund fünfhundert Meilen nördlich

einer Halbinsel lag, die auf spanischen Seekarten als La Flori-
da bezeichnet wurde. Er würde es schon schaffen! Zumal der
Lord ihm für den erfolgreichen Abschluss der Reise ein hüb-
sches Sümmchen zugesichert hatte.

Bildete er es sich ein, oder hatte das Wimmern aufgehört?
Er schnaufte ärgerlich. Lord Pembroke würde es ihm gleich
höchstpersönlich verraten. Sein Kopf schob sich in diesem
Augenblick Stufe um Stufe den Niedergang empor.

»Captain Taggart, Sir! Ich muss dringend mit Euch reden!«
Die Stimme von Lord Pembroke wirkte alles andere als ade-
lig. Der Mann hatte offenbar Angst.

»Was gibt's, Mylord?« Taggart bemühte sich, seinen Tonfall
nicht allzu gereizt klingen zu lassen. Er schätzte es nicht,
wenn Landratten seinen Kommandostand auf dem Achterkastell enterten – und wenn sie zehnmal Lord Pembroke hie-
ßen. »Nun ... äh ...«, Pembroke suchte nach Worten, »Captain Taggart, ich mache mir offen gestanden große Sorgen um
meine ... äh ... Schutzbefohlene. Ihr habt vielleicht schon gehört, dass sie ... äh ... in gesegneten Umständen ist und ein
Kind bekommt?«

»Das habe ich allerdings gehört, Mylord.« Taggart hoffte, dass
die Doppeldeutigkeit seiner Worte dem Lord nicht entgehen
würde.

»Nun ... äh ...«, die müden Züge von Pembroke nahmen jäh
eine grüne Farbe an; er wandte sich nach Steuerbord und
beugte den Kopf über die Reling, um sich zu erleichtern.

»Nicht hier!«, schrie Taggart barsch und dirigierte den Mann
blitzschnell nach Backbord. »Solche Dinge erledigt man besser in Lee.« Mein Gott, womit habe ich das verdient!, dachte
er. Ich halte hier diesen zuckenden Blaublüter über Bord, nur
damit er sauber abkotzt, als hätte ich nichts anderes zu tun!

Pembroke zuckte und würgte eine kleine Ewigkeit. Dann richtete er sich keuchend wieder auf. »Ich danke Euch. Ich fürchte ... äh ... ich habe keine besonders gute Figur gemacht.« Seine Gesichtsfarbe wurde wieder etwas menschenähnlicher. »Ich möchte Euch bitten ... äh ... mir in die Kabine der Lady zu folgen, damit Ihr Euch selbst ein Bild von ihrem Zustand machen könnt.«

»Lord Pembroke«, Taggart merkte, wie ihm die Galle endgültig hochkam, »nicht nur, dass Ihr mir eine Frau an Bord gebracht habt, nicht nur, dass Ihr mir ihren Zustand verschwiegen habt, nein, jetzt soll ich auch noch den Geburtshelfer spielen.« Er tat einen Riesenschritt auf den Lord zu, denn in diesem Augenblick hob ein gewaltiger Brecher das Achterkastell hoch und brachte selbst seine seefesten Beine aus dem Gleichgewicht. »Nein, Mylord!«, schrie er unmittelbar vor Pembrokes gequältem Gesicht. »Ich stehe zwar in Euren Diensten, aber was zu weit geht, geht zu weit!«

»Sie stirbt, Captain Taggart!«

Des Lords Gesicht war aschfahl geworden. Taggart nahm es nur schemenhaft wahr, denn der Westwind, der jetzt Orkanstärke erreicht hatte, hüllte das gesamte Schiff in Millionen feinster Wasserpartikel ein.

»Was? Bei Satan, Beelzebub und Luzifer!« Taggart war jetzt richtig wütend. Ein toter Matrose an Bord, das mochte angehen und war fast etwas Normales, aber ein toter Passagier? Zudem eine Lady, die schwanger war und die Geburt nicht überlebt hatte? Bei Gott, das roch nach Ärger. Außerdem war er sicher, dass der Lord, wenn sie jemals wieder heil an Land kämen, nicht mehr so kleinlaut sein würde. Taggart beschloss, gute Miene zum bösen Spiel zu machen. Sein Blick prüfte noch einmal Kurs und Segelstellung der *Thunderbird,* dann ergab er sich in sein Schicksal.

»Gehen wir, Mylord«, sagte er, jetzt wieder ruhiger, »aber ich sage Euch gleich, mehr als zehn Minuten habe ich nicht. Das Schiff braucht mich.«

Beim Eintreten in die schmale Kabine wäre Pembroke fast über das Süll gestolpert und der Länge nach hingeschlagen. Taggart folgte ihm und erblickte eine füllige Person, auf deren Nase eine gewaltige Warze den Mittelpunkt bildete. »Äh ... das ist Miss Bloomsdale, die Hebamme!«, stellte Pembroke vor.

Die Geburtshelferin nickte nur kurz, während sie sich an ein Balkenknie klammerte. Offenbar hielt sie nicht viel von Männern, die in ein Geburtszimmer eindrangen.

»Ich bin Captain Taggart!«, knurrte Taggart, der sich ebenfalls kaum Mühe gab, höflich zu sein. »Habt die Güte und tretet einen Schritt beiseite, damit ich mir ein Bild machen kann.« Er umkurvte die Dicke und näherte sich der Koje. Seine Hand schob den Vorhang beiseite. Auf dem Rand saß breitbeinig eine leichenblasse junge Frau, die stark schwitzte und heftig nach Luft rang. Ihre Kleider waren nach oben gerafft, darunter wölbte sich der Leib, einem Kürbis gleich, nach vorn. Die Oberschenkel schimmerten weißlich im Dämmerlicht.

»Halt!« Die Stimme der Hebamme übertönte spielend das Heulen des Sturms. »Ihr mögt der Kapitän sein, aber der Anstand verbietet, dass Ihr auch nur einen einzigen Blick auf die Gebärende werft.« Sie stemmte die Arme in die Hüften. »Solange Emily Bloomsdale noch einen Atemzug tun kann, wird sie verhindern, dass lüsterne Männeraugen sich am Fleisch einer Frau erfreuen.«

Taggart staunte.

Noch nie hatte es jemand gewagt, in diesem Ton mit ihm zu reden. Es juckte ihm in den Fingern, die dreiste Person eigenhändig über Bord zu werfen, doch er wusste, dass es keinen Zweck hatte, jetzt einen Streit vom Zaun zu brechen. Ihr großflächiges, maskenhaftes Gesicht erinnerte ihn an die Galionsfigur unter dem Bugspriet – einen aztekischen Krieger in voller Rüstung. Er stellte sich vor, dass anstelle des Indianers die Hebamme dort hinge. Das erheiterte ihn.

»Ihr habt ganz Recht, ich bin der Kapitän dieses Schiffs«, sagte er laut, »deshalb erwarte ich auch von jedem an Bord, dass er sein Handwerk beherrscht. Das gilt für die Offiziere ebenso wie für den jüngsten Matrosen.« Seine Stimme nahm einen drohenden Unterton an: »Und das gilt erst recht für Hebammen! Warum also, Miss Bloomsdale, seht Ihr Euch nicht in der Lage, die Aufgabe zu erfüllen, um deretwillen Ihr an Bord gekommen seid?«

Die Dicke schnappte nach Luft und wollte etwas sagen, doch Taggart kam ihr zuvor: »Warum holt Ihr das Kind nicht aus dem Bauch dieser Frau heraus?« Die Geburtshelferin schluckte. Taggart setzte nach: »Warum sorgt Ihr nicht dafür, dass ich wieder meiner Arbeit nachgehen kann und dieses Schiff rette?«

»Nun, Captain Taggart«, die Hebamme hatte ihre Sprache wieder gefunden, wenn auch einiges von ihrer Selbstsicherheit verschwunden war, »vielleicht wisst Ihr, dass ein Fötus normalerweise mit dem Kopf nach unten liegt. Hier aber ist das nicht der Fall, und darin besteht die Schwierigkeit. Das Fruchtwasser ist bereits vor Stunden abgegangen, seitdem quält sich die Arme.«

»Ich fürchte, ich kann Euch nicht ganz folgen.« Taggart hatte mit Maggy zwar selbst drei Kinder, aber keine Ahnung, wie sie auf Gottes Welt gekommen waren.

»Das Kind hat eine komplizierte Stellung, es liegt seitlich vor der Geburtsöffnung und kann nicht heraus. Ich habe versucht, es zu drehen, aber es war vergebens. Dazu kommt, dass die Mutter kaum noch in der Lage ist, richtig zu pressen.«

»Was bedeutet das?«

»Nun, wenn das Kind nicht innerhalb der nächsten Stunde geboren wird, dann stirbt es höchstwahrscheinlich. Und die junge Mutter dazu. Überhaupt ist es eine Sünde, so ein junges Ding mit einem derart schmalen Becken zu schwängern. Man sollte …«

»Schon gut!« Taggart hatte keine Lust auf einen weiteren Disput mit der streitbaren Hebamme. »Irgendwie muss das Kind doch herauszuholen sein! Gibt es denn gar keine Möglichkeit?«

»Es gibt eine. Aber ich habe von dieser Methode nur gehört: Man schneidet der Kreißenden den Leib auf, öffnet die Gebärmutter und holt den Fötus auf diese Weise heraus. Für das Kind mag diese Möglichkeit gut sein, für die Mutter allerdings …« Miss Bloomsdales Stimme nahm fast einen mitleidigen Klang an: »Doch ich denke, alles, was geschieht, ist Gottes Wille. Und wenn Mutter und Kind sterben sollen, so haben wir Menschen das hinzunehmen.« Sie blickte nach oben zu den hin- und herschwingenden Decksbalken und schlug ein Kreuz.

»Nein!« Lord Pembrokes Stimme mischte sich überraschend scharf ein: »Ich habe die Verantwortung für die junge Lady, und ich bestehe darauf, dass alles Menschenmögliche unternommen wird, um wenigstens sie zu retten.«

Die Hebamme schnaubte wütend: »Bei allem Respekt, Mylord, aber …«

»Genug jetzt!« Taggart war zu einem Entschluss gekommen.
Er steckte den Kopf aus der Kabinentür, wo ihm augenblick-
lich der Orkan den Kopf zur Seite riss, und schrie nach einem
Läufer.

Kurz darauf meldete sich John, ein klatschnasser Schiffsjunge, der kaum älter als vierzehn Jahre alt war. Taggart betrachtete missbilligend die Wasserbäche, die sich auf die Teppiche
ergossen, sagte aber nichts. »Meine Empfehlung an Mister
Whitbread, den Wundarzt. Er möge umgehend in die Kabine
der jungen Lady kommen.«

»Aye, aye, Sir!« Der Junge drehte ab und wollte loslaufen.

»Halt! Mister Whitbread soll sein chirurgisches Besteck mitbringen. Du bist mir persönlich dafür verantwortlich, dass er
es nicht vergisst.«

»Aye, aye, Sir!«

Einige Zeit später erschien Jonathan Whitbread – und mit ihm
eine mächtige Alkoholfahne. Rasch versuchte Taggart abzu-
schätzen, wie stark Whitbread dem Branntwein schon zuge-
sprochen hatte. Ein betrunkener Chirurg nützte hier so viel
wie gar keiner.

»Ihr habt mich rufen lassen, Captain?«

Gottlob, Whitbreads Zunge war nicht so schwer, dass er sich
nicht ausreichend verständlich machen konnte. Seine Chirur-
gentasche hatte er ebenfalls bei sich, der Junge trug sie für ihn.
Trotzdem war es ein nicht hinzunehmender Ungehorsam,
dass er während des Dienstes Alkohol trank. Taggart musste
an sich halten, um Whitbread, der immerhin Offizier war,
nicht vor den Anwesenden abzukanzeln. Er schob den Ge-

danken beiseite. Was er jetzt brauchte, war ein Chirurg, der sein Fach wahrlich verstand. Und Whitbread tat das. Wenn er sich nicht gerade dem Alkohol widmete, war er ein Mediziner, der mit großem Geschick Stoß-, Hieb- und Splitterwunden versorgen konnte. Er hatte jahrelange Erfahrung im Richten von gebrochenen Knochen und verstand darüber hinaus einiges von der Urinschau. Aber wusste er auch etwas von der Anatomie einer Schwangeren? Taggart bezweifelte es. Trotzdem musste der Versuch gewagt werden.

»Mister Whitbread, ich möchte, dass Ihr Euch diese junge Frau anseht und dafür sorgt, dass sie entbinden kann. Sie versucht seit Stunden, das Kind herauszupressen, aber irgendwie klappt es nicht. Das ist alles.«

»Aber Sir, ich habe noch nie ...«

»Das kann ich mir denken!«, unterbrach Taggart barsch. »Lasst Euch von Miss Bloomsdale einweisen und tut Eure Pflicht.« Es war immer gut, die Männer an ihre Pflicht zu erinnern. Es führte dazu, dass sie weniger darüber nachdachten, ob das, was sie tun sollten, richtig oder falsch war. Sie taten es einfach. »Ich verlasse mich auf Euch. Ich habe mich um das Schiff zu kümmern. Meine Damen, Mylord ...« Er verneigte sich und verließ die Kabine.

Whitbread stand da und wusste kaum, wie ihm geschehen war. Eben noch hatte er in seiner Kammer gesessen und den Herrgott um besseres Wetter angefleht, wobei ihm ein Krug mit Brandy Gesellschaft geleistet hatte, jetzt fand er sich in einer Situation wieder, wie er sie noch nie hatte bestehen müssen. Seine Ausbildung, wenn man von einer solchen überhaupt sprechen konnte, hatte er in jungen Jahren im Süden Englands erfahren, genau genommen in Plymouth, wo anno 1539 ein privates Seemannshospital gegründet worden war.

Dort hatte er zunächst als Mädchen für alles, später als Knochenschiener und Wundenvernäher gearbeitet. Weil er sich dabei geschickt angestellt hatte und sein Wissen im Laufe der Jahre immer größer geworden war, hatte man ihn eines Tages gefragt, ob er nicht als Wundchirurg auf einem Schiff Seiner Majestät fahren wolle. Der Sold und der Status eines Offiziers, der sich damit verband, hatten ihn gereizt, und er hatte zugesagt. Damals pflegte man noch nicht lange zu fragen, ob ein Schiffsarzt über ein anerkanntes Examen verfügte – wenn er nur sein Handwerk verstand.

Und nun diese blasse Frau dort auf dem Kojenrand. Whitbreads Schädel schmerzte, die Gedanken brummten wie Fliegen in seinem Schädel. Abgesehen von der Tatsache, dass seine Erfahrungen mit dem weiblichen Genitalbereich sich nur auf die Tätigkeit beschränkten, die jedem Mann geläufig war, verbot ihm auch der Kodex eines Arztes, diesen näher in Augenschein zu nehmen. Andererseits musste er sich ein Bild von der Problematik machen.

»Untersteht Euch, die junge Lady anzuschauen, geschweige denn anzufassen!« Miss Bloomsdale wollte weiteren Sittenverfall von vornherein im Keim ersticken. Sie schob ihren breiten Körper vor die Koje, sodass Whitbread die Sicht versperrt war. »Ihr könnt mir glauben, dass alles getan wurde, um eine Geburt einzuleiten, aber der Herrgott im Himmel hat anders entschieden.«

Sie blickte Whitbread streng an, wobei ihre Warze im fahlen Licht schimmerte. »Dennoch kann ich Euch Eure Arbeit nicht verbieten. Wenn Ihr also eine Idee habt oder einen Handgriff ausführen wollt, so werde ich Euer Werkzeug sein!«

»Tja, hm.« Whitbread wusste nicht, was er sagen sollte.

»Ich sehe, dass Ihr mit Eurem Latein am Ende seid, noch bevor Ihr mit der Behandlung begonnen habt.« Miss Bloomsdale konnte eine gewisse Genugtuung kaum verbergen: »Macht Euch nichts draus. Bei einer Geburt sind wir Hebammen ohnehin die besseren Ärzte.«

»Mag sein.« Whitbreads Kopf wurde allmählich klarer, er begann sich über diese fette Person zu ärgern. Immerhin galt er unter seinen Kollegen als einer der Geschicktesten mit dem Skalpell. Im Übrigen hatte er einen Befehl vom Kapitän. Und der hob alles andere auf. Auch das Anstandsempfinden von Hebammen. Sein Blick fiel auf die Wasserschüssel und die blutigen Tücher. Er wusste zwar noch nicht, was er unternehmen würde, aber er hatte in vielen Jahren gelernt, dass heißes Wasser und saubere Tücher bei der Wundbehandlung von Nutzen waren. Bedauerlich nur, dass man beides viel zu selten während eines Gefechts zur Hand hatte. »John!«

»Sir?«

»Du besorgst mir heißes Wasser, so viel wie möglich, und dazu dünnes Leinen. Außerdem«, er überlegte kurz, »benötige ich drei Sturmlaternen. Überprüfe, bevor du sie bringst, ob noch genug Öl drin ist.«

»Mit Verlaub, Sir«, John wirkte verlegen, »die Laternen und die Tücher dürften kein Problem sein, aber Ihr wisst selbst, dass bei Sturm das Feuer in der Kombüse gelöscht werden muss, heißes Wasser gibt es zurzeit auf dem ganzen Schiff nicht.«

»Dann muss das Feuer neu entfacht werden. Wenn der Koch sich nicht traut, besorge dir eine Extragenehmigung vom Kapitän.« Whitbread wirkte jetzt sehr entschlossen: »Und wenn du schon in der Kombüse bist, halte Ausschau nach einem gebratenen Hühnchen oder einem anderen Federvieh. Die

Wahrscheinlichkeit, dass du so etwas findest, ist zwar gering, aber …«

»Möglicherweise besteht da doch eine Aussicht, Mister Whitbread.« Pembroke mischte sich vorsichtig ein: »Wir … äh … hatten gestern Morgen in Erwartung der Geburt, sozusagen zur Feier des Anlasses … äh … eine Gans in der Kombüse braten lassen …« Er schien froh, etwas zum Gespräch beitragen zu können, auch wenn ihm schleierhaft war, wozu eine Gans bei der Geburtshilfe dienlich sein sollte.

»Umso besser. Alles kapiert, John?«

»Aye, aye, Sir! Bin schon unterwegs.« John stürzte hinaus auf das sturmgepeitschte Deck.

Langsam fühlte Whitbread sich wohler. Er hatte etwas unternommen, und das war allemal besser als gar nichts zu tun. Er kramte in seiner Erinnerung, ob er jemals bei einer Geburt dabei gewesen war, aber das war natürlich nicht der Fall. Er hatte von den einzelnen Schritten, in denen so etwas ablief, nicht den leisesten Schimmer. Das Einzige, was er ein paarmal gesehen hatte, waren Muttersäue, die Ferkel warfen. War das so viel anders als eine menschliche Geburt?

Er wandte sich erstmals an die junge Lady, die noch immer apathisch auf der Koje saß. »Mylady, könnt Ihr mich hören?«

Keine Antwort.

»Mylady, ich werde versuchen, Euch zu helfen. Aber es wird unumgänglich sein, dass ich Euch dabei … ahem … anschaue. Wenn Euch das stört, sagt es bitte gleich.«

Wieder bekam er keine Antwort. Die junge Frau stöhnte lediglich ein paarmal leise. Dann begann sie wieder zu wimmern. Whitbread griff behutsam nach ihrer linken Hand, die ein rotes Damasttuch umklammert hielt. »Bitte lasst einen Augenblick los, damit ich Euch den Puls fühlen kann.«

Die Frau schien ihn nicht zu hören und wimmerte weiter. Whitbread wurde von einer plötzlichen See zur Seite geschleudert und landete unsanft vor einer eichenen Wiege in der Ecke des Raums. Er rappelte sich auf, ohne die schadenfrohen Blicke der Hebamme zu beachten.

»Mylady, bitte …« Er nahm abermals ihre Hand und löste sie mit sanfter Gewalt von dem Tuch. Ihr Puls war unregelmäßig und schwach. Im Übrigen war sie so kalt, dass ein Aderlass sich von selbst verbot. Ein Blutverlust würde ihr nur weitere Wärme entziehen. Aber Wärme war genau das, was sie jetzt am dringlichsten brauchte. Er griff zu seinem Chirurgenkoffer, öffnete ihn und betrachtete eine kleine braune Flasche. Sie enthielt hochprozentigen Branntwein. Ihn der Lady einzuflößen, sollte seine erste medizinische Maßnahme sein. Er wandte sich an den Lord und die Hebamme, die an einem Wandregal Halt gesucht hatten. »Bitte stützt die Lady von beiden Seiten ab, ich will versuchen, sie auf der Koje festzuschnallen.«

»Wir werden unser Bestes tun«, versprach der Lord. Beide traten heran, und die Hebamme zog als Erstes das Kleid der jungen Frau herunter.

Whitbread zeigte ihnen, wie sie Oberarm und Schenkel halten sollten. Dann wandte er sich der gegenüberliegenden Wand zu, an der einige Waffen befestigt waren, darunter eine Harpune mit einem langen Seil. Er löste das Seil mit einiger Mühe vom Stiel und reichte es seinen beiden ungewöhnlichen Assistenten. »Bitte schlingt das Seil in Achselhöhe um ihren Körper, am besten unter den Armen hindurch.«

Sie taten, wie er es gewünscht hatte. Er nahm beide Enden und verknotete sie an der Wand hinter der Koje, wo einige Krampen im Schiffsleib steckten. Offenbar dienten auch sie als Waffenhalterungen.

»Wozu soll das Ganze eigentlich gut sein?«, fragte Miss Bloomsdale misstrauisch.

»Das will ich Euch gerne sagen«, entgegnete Whitbread. »Das Wichtigste vor einer Operation ist das Fixieren des Körpers. Ihr seht selbst, dass der Oberkörper der Lady jetzt fest mit der Bordwand verschnürt ist. Das Becken hat sich dadurch wie von selbst nach vorn geschoben, und die Lady sitzt sicher auf der Kojenkante.«

»Ein Gebärstuhl wäre sehr viel nützlicher, das habe ich Seiner Lordschaft auch schon gesagt und …«

»Haben wir einen Gebärstuhl?«

»Natürlich nicht, sonst hätte ich …«

»Da seht Ihr, wozu das Ganze gut ist!« Whitbread fühlte sich immer besser. Da bei diesem Seegang ein wohl dosiertes Einflößen des Branntweins aussichtslos war, hielt er der Lady kurzerhand die Nase zu, was sie dazu zwang, ihre Lippen zu öffnen. Er kippte die Flasche über ihrem Mund aus, und die Flüssigkeit gluckerte hinein. Dies wiederholte er drei-, viermal.

Plötzlich begann die Lady zu husten, sie zuckte und schüttelte sich. Ihr Gesicht bekam etwas Farbe. Sie blickte ihn kurz an und schloss erneut die Augen. Eine gehörige Alkoholisierung, dachte Whitbread, konnte ihr bei der Sache, die da auf sie zukam, nur gut tun. Er setzte die Branntweinflasche an die eigenen Lippen und nahm selbst einen kräftigen Schluck.

Dann betrachtete er seine Hände, spreizte die Finger und sah mit Befriedigung, dass sie nicht zitterten.

»Ich habe alles, Sir!«, rief John stolz, als er bald darauf in Begleitung eines kräftigen Matrosen auftauchte. Gemeinsam schleppten sie eine größere Kiste herbei, in der die gewünschten Dinge verstaut waren.

»Gut, mein Junge, häng als Erstes die Laternen auf, dann leg die Tücher bereit. Was ist in der bauchigen Flasche da?«

»Das heiße Wasser, Sir!«

»Sehr gut, lass es erst mal drin, wir geben es später in die Schüssel. Hast du auch die Gans?«

»Ja, Sir, ich konnte sie gerade noch vor den langen Fingern der Mannschaft retten.«

»Fein. Dann werde ich mich ihr jetzt widmen.«

»Unerhört!« Miss Bloomsdale stemmte die Arme in die Hüften. »Wie könnt Ihr in dieser Minute ans Essen denken!«

»Verehrte Miss Bloomsdale«, freute sich Whitbread, denn die Dicke reagierte genauso, wie er es vorausgeahnt hatte, »Ihr irrt, mir geht es keineswegs ums Essen. Aaah … sehr gut, John!« Der Schiffsjunge hatte inzwischen die Sturmlaternen an die Decksbalken gehängt. Die Lampen schwangen zwar klappernd hin und her, aber die Helligkeit, die sie abgaben, war ausreichend.

Whitbread bedeutete John, den knusprigen Vogel zu halten, während er nach einem kleinen Skalpell aus seinem Koffer griff. Zwei Zoll vom Bürzel entfernt vollzog er damit einen ringförmigen Schnitt. Dann umschloss er mit beiden Händen die gesamte Brustseite der Gans, drückte fest zu und schob die Finger kraftvoll in Richtung Bürzel. Aus dem ringförmigen Einschnitt quoll weißliches Gänsefett hervor wie aus einer Ölpresse. Whitbread strich es ab und sammelte es in einem kleinen Porzellangefäß.

»Was hat das nun wieder zu bedeuten?«, verlangte Miss Bloomsdale zu wissen.

»Das werdet Ihr gleich sehen«, versetzte Whitbread, der sich nochmals an John wandte: »Ich brauche dich nicht mehr. Nimm deinen Kameraden, und melde dich beim wachhabenden Offizier.«

»Aye, aye, Sir!«

»Mister Whitbread, wenn Ihr nichts dagegen habt, würde auch ich mich gern entfernen«, ergriff der Lord die Gelegenheit beim Schopf, »ich müsste in meiner Kabine noch einiges ... äh ...«

»Selbstverständlich, Mylord«, sagte Whitbread. Ihm war es recht, der Lord war sowieso keine große Hilfe. »So, und nun zu uns, Miss Bloomsdale, bitte habt die Freundlichkeit und geht mir zur Hand, wie Ihr's vorhin versprochen habt. Als Erstes hebt den Rock der Lady wieder hoch, damit ich selbst sehen kann, welcher Umstand das Kind an seiner Geburt hindert.«

Zu Whitbreads Verwunderung erhob die Hebamme keine Einwände. Er nahm eine gehörige Portion des eben gewonnenen Fetts und rieb sich damit Hände und Unterarme ein. Dann trat er vor die junge Frau, die abermals nur halb bei Bewusstsein schien, und kniete sich hin. Er blickte in eine große, oval geöffnete Vagina mit Schamlippen, die so intensiv leuchteten, dass sie sich farblich von den überall vorhandenen Blutspuren kaum unterschieden. Seine Gefühle waren zwiespältig. Einerseits war ihm der Anblick des weiblichen Geschlechts peinlich, andererseits bestätigte er ihn in dem Einfall, den er vorhin gehabt hatte:

Er hatte sich erinnert, was Bauern bei schwierigen Geburten im Stall taten: Sie rieben sich den Arm bis zur Schulter mit Fett ein und schoben ihn in den Geburtskanal, um die Position des Fötus zu erkunden. Wenn nötig, konnten sie dann seine Lage verändern und die Geburt einleiten. Genau das wollte er hier auch versuchen. Das Licht war ausreichend. Doch er musste alles noch genauer sehen. Er ließ sich von Miss Bloomsdale ein frisches, in heißes Wasser getauchtes Tuch reichen und begann den Bereich um die Schamlippen zu säubern. Plötzlich stöhnte die Schwangere heftig, eine Wehe durchzog ihren Leib. Sie presste. Whitbread beobachtete, wie die Vagina sich faustgroß öffnete, und blickte fasziniert darauf wie auf ein lebendes Tier. Er sah ein winziges Körperteil in der Öffnung erscheinen, konnte aber nicht sagen, ob es sich dabei um ein Bein oder einen Arm handelte.

Die Wehe ging vorüber, der Spalt wurde wieder kleiner. Whitbread machte seine rechte Hand so schlank wie möglich, schob zunächst die Fingerspitzen in den Kanal, dann die halbe Hand. Es ging überraschend leicht, das Gänsefett tat seinen Dienst. Er versuchte, etwas zu erfühlen, und bekam zwischen Daumen und Zeigefinger ein Händchen zu fassen. Es war so klein wie das einer Puppe. Das winzige Ärmchen und die Schulter dazu lagen links davon. Irgendwo dahinter vermutete er das Köpfchen.

»Ich glaube, Ihr habt Recht«, wandte er sich an die gespannt zusehende Miss Bloomsdale, »das Kind liegt seitlich vor dem Geburtskanal.«

»Und was gedenkt Ihr zu tun?«

»Nun«, Whitbread zögerte, »ich werde mich bemühen, die Schulter des Kindes zu erfassen und seinen Körper nach rechts hinten zu drücken, somit müsste es in die richtige Stellung rutschen. Wenn das gelungen ist, sollte die Mutter das Kind herauspressen können.«

»Wenn sie dazu noch in der Lage ist.«

»Hoffen wir's«, sagte Whitbread und tastete sich erneut vor. Er glaubte die Rundung der kleinen Schulter zu erfühlen und schob sie sanft ein wenig nach rechts hinten. Der Körper des Kindes machte die Bewegung mit. Er drückte weiter, wobei die rechte Schamlippe sich stark nach außen dehnte. Er wunderte sich, wie außerordentlich dehnungsfähig das weibliche Geschlecht war. Wie selbstverständlich erschien plötzlich die Schädeldecke des Kindes in der Öffnung. Ein paar blonde, verklebte Härchen wurden sichtbar. Whitbread jubelte innerlich. Das war geschafft! Jetzt musste die Mutter nur noch pressen.

»Nun, Miss Bloomsdale«, sagte er und versuchte, seine Stimme nicht allzu stolz klingen zu lassen, »ich denke, das war's. Überlassen wir den Rest der Natur.« Er stand schwankend auf, denn der Orkan hatte weiter an Stärke gewonnen, doch die Hebamme hielt ihn zurück:

»Mister Whitbread, ich fürchte, Ihr freut Euch zu früh. Seht nur, das Köpfchen ist schon wieder verschwunden.« Zu Whitbreads Überraschung schwang in ihrer Stimme Bedauern mit.

Er versuchte es insgesamt noch neunmal, aber immer wieder rutschte der Kopf zurück in die falsche Lage. »So kommen wir nicht weiter«, sagte er schließlich verzweifelt. »Die Mutter wird außerdem mit jeder Minute schwächer. Ich sehe nur eine einzige Möglichkeit, aber die ist eher theoretischer Natur.«

»Was meint Ihr?«, fragte Miss Bloomsdale.

»Ich meine, man müsste es schaffen, die Geburtsöffnung so stark zu vergrößern, dass durch sie das Kind bequem herauskommt. Das hätte den zusätzlichen Vorteil, dass die Mutter nicht mehr pressen muss.«

»Es gibt eine andere Möglichkeit«, nahm Miss Bloomsdale

den Gedanken auf, »man nennt sie Bauchschnittmethode, dabei wird der Leib geöffnet und das Kind herausgehoben.«

»Vielleicht ist das die beste Lösung. Wie wird der Schnitt angesetzt – längs oder quer?«

»Ich habe keine Ahnung.«

»Hm«, der Wundarzt überlegte laut, »egal, ob längs oder quer, er müsste wohl sechs bis acht Zoll lang sein.« Er betrachtete den dick geschwollenen Leib und dann seine chirurgischen Instrumente. Die vor ihm liegende Aufgabe verlangte viel Feingefühl, sie war ganz anders als die Tätigkeiten, die er üblicherweise auszuführen hatte. Sein Blick fiel auf eine Reihe kleinerer Skalpelle. Er überlegte und entschied sich für eines, das einen langen, gebogenen Griff aufwies und dadurch besonders gut in der Hand lag. Der Stahl selbst war nur so kurz wie das Glied eines Fingers. Sollte er während des Schnitts abrutschen, würde die Klinge nicht allzu tief eindringen.

Er nahm das Skalpell und kniete sich abermals breitbeinig vor die junge Frau. Es war nichts Neues für ihn, in den Leib eines Menschen zu schneiden, denn er hatte schon viele Stichwunden im Bauchraum versorgt. Er wusste, dass er zunächst die Hautschichten durchtrennen musste, wobei darauf zu achten war, dass die Blutung ihn nicht zu sehr behinderte. Miss Bloomsdale würde die Wunde mit zwei Haken auseinander halten und das Blut mit einem Schwamm wegtupfen. So weit, so gut. Dann würde er auf das Bauchfell stoßen und darunter …

Er zögerte. Was erwartete ihn darunter? Das Kind? Nun, er würde es sehen. Er hob die Hand zum Schnitt – und ließ sie wieder sinken. Er spürte einen heftigen Widerstand in sich. Eine Bauchoperation war grundsätzlich hochinfektiös, er hatte selten gesehen, dass ein Mann sie überlebte. Hier aber handelte es sich um eine Frau, wobei erschwerend hinzukam, dass sie äußerst geschwächt war und ihr Puls sehr unregelmäßig schlug. Whitbread zögerte noch immer. Er fragte sich, ob er nicht verpflichtet sei, wenigstens das Kind zu retten.

Da plötzlich kam ihm eine Idee.

Er selbst hatte von einer Vergrößerung der Vaginaöffnung gesprochen. Dabei hatte er allerdings an einen die Vagina verlängernden Schnitt nach oben, in Richtung Bauch, gedacht, was natürlich völlig unmöglich war. Das verbot die Anatomie des Weibes. Auf das Naheliegendste war er nicht gekommen: auf den Schnitt, der am unteren Ende der Vagina ansetzte und in Richtung Damm führte!

»Miss Bloomsdale, ich bin zu einem Entschluss gekommen«, sagte er, sich umwendend, zu der Hebamme: »Ich werde nicht die Bauchschnittmethode anwenden, sondern versuchen, den eigentlichen Geburtskanal operativ zu vergrößern.«

»Und wie wollt Ihr das anstellen?«

Whitbread erklärte es ihr. Die schwere Frau war sofort einverstanden. Es schien so, als hätte sie vorübergehend das Kriegsbeil begraben.

Er beugte sich vor, setzte die Spitze des Skalpells an und schnitt so vorsichtig ins Fleisch, dass es einem Ritzen gleichkam. Doch durch die Spannung sprangen die Schnittränder sofort auseinander. Miss Bloomsdale tupfte ein wenig Blut fort.

Er wollte erneut das Skalpell ansetzen, doch durch die Schwangere lief plötzlich ein Zittern, und sie bäumte sich auf.

»Was ist los?«, fragte Whitbread entsetzt.

»Eine Wehe steht bevor, vielleicht können wir sie nutzen.«

»Hoffen wir's.« Rasch und konzentriert schnitt Whitbread zum zweiten Mal ein. Plötzlich sprang der Damm auseinander, der Geburtsweg vergrößerte sich, Blut schoss ihm entgegen. Geistesgegenwärtig griff er mit der ganzen Hand in die Öffnung, tastete, fühlte und bekam den Kopf zwischen seine Finger. Er dirigierte ihn vor die Öffnung, während Miss Bloomsdale leicht und rhythmisch auf den Bauch der Schwangeren drückte.

Der Kopf trat ein Stück hervor. »Ich glaube, es kommt!«, schrie Whitbread.

»Ja, jetzt lasst mich den Rest erledigen.« Mit wenigen geschickten Handgriffen holte die Hebamme das Kind heraus und hielt es an den Beinchen hoch. Dann gab sie ihm einen Klaps auf das winzige Hinterteil. Augenblicklich fing es an zu schreien.

»Ein schönes Kind«, sagte Whitbread. Und es waren seine letzten Worte. Denn in dieser Sekunde brach der Hauptmast und schlug krachend auf das Achterkastell nieder. Er durchbrach die Decksbalken wie eine riesige Axt, traf auf den Kopf des Wundarztes und zerschmetterte ihm den Schädel.

Taggart befand sich auf seinem Kommandostand und betrachtete das Schiff, das aussah wie nach einem schweren Gefecht. Überall schwangen Taue lose herum, gebrochene Planken ragten aus dem Schiffskörper empor, Spieren und Grätings waren zerschlagen, von den drei Masten der *Thunderbird* stand keiner mehr.

Doch Taggart wollte sich nicht beklagen. Alle Männer, bis auf Whitbread, waren mit dem Leben davongekommen, sogar die weiblichen Passagiere. Und er selbst hatte es geschafft, wenn auch um Haaresbreite, mit einem Notrigg um die Nordwestspitze Spaniens herumzumanövrieren. Natürlich ließ der Zustand des Schiffs es nicht mehr zu, den großen Schlag über das gefährliche Westmeer zu segeln, aber die Schäden waren reparabel. Er nahm sich vor, die Hafenstadt Vigo anzulaufen und das Schiff dort in die Werft zu geben. Pembroke und seine Lady würden sich für die Zeit der Reparaturen in Geduld üben müssen. Und zahlen würde Pembroke auch, denn er konnte es sich leisten.

Wie auf Bestellung kam der Lord in diesem Augenblick aufs Achterkastell geklettert.

»Captain Taggart, Sir!«

»Was kann ich für Euch tun, Mylord?«

»Ich möchte Euch aus ehrlichem Herzen ein Kompliment machen. Ihr habt mit Eurer Mannschaft während des Sturms wirklich Großartiges geleistet. Meine Gebete sind erhört worden. Ihr habt uns allen das Leben gerettet! Ich danke Euch, auch im Namen der ... äh ... der jungen Lady, der Hebamme und natürlich des Kindes.«

»Nicht der Rede wert, Mylord. Was ist es denn, ein Junge oder ein Mädchen?«, fragte Taggart höflich.

»Nun ... äh ... ein Junge.«

DER ABT HARDINUS

»Ich war mir sicher, dass es dich reizen würde,
dem Geheimnis auf den Grund zu gehen.
Aber es will wohl überlegt sein,
wohin du dich wendest.«

G ott hat mich vergessen«, pflegte Abt Hardinus lächelnd zu sagen, wenn man ihn auf sein hohes Alter ansprach. Und um Missverständnissen vorzubeugen, fügte er stets noch ein spitzbübisches »Bisher jedenfalls« hinzu. Denn natürlich wusste er, dass Gott keine Fehler machte und auch ihn eines Tages zu sich rufen würde.

Schließlich, in seinem zweiundneunzigsten Lebensjahr, spürte Hardinus, dass es bald so weit sein würde. Begonnen hatte es fast unmerklich. Kurze Momente waren es zunächst gewesen, in denen er nichts mehr sehen konnte. Schwindelanfälle waren hinzugekommen. Es folgten Lähmungserscheinungen in den Füßen, den Beinen und sogar in den Armen. Einzig sein messerscharfer Verstand hatte noch keinen Schaden genommen. So war er in der Lage, den Verfall seines Körpers interessiert wie ein Arzt zu verfolgen.

An dem Tag, da er morgens fühlte, dass er sein Lager nicht mehr verlassen würde, war er deshalb nicht unvorbereitet. Er blieb ganz ruhig, obwohl er spürte, dass seine Lebensuhr fast abgelaufen war. Er legte seine Hände zusammen, schloss die Augen und betete:

»Allmächtiger Gott, Du Gnadenreicher,
ich bitte Dich, gib mir in meinen letzten Stunden
die Weisheit, das Richtige zu tun.
Auf dass ich mein Haus bestelle und fröhlich
vor Dich hintreten kann …«

Er hielt inne und versuchte, die ihm verbliebenen Kräfte zu sammeln. Er hoffte, sie würden ausreichen, um die notwendigen Gespräche mit den Brüdern zu führen und um anschließend, noch bei Bewusstsein, das heilige letzte Sakrament zu empfangen.

Würde Gott ihm diese Gnade erweisen?

Er öffnete die Augen wieder und blickte nach oben, in stiller Zwiesprache mit seinem Schöpfer. Dann glitt ein Lächeln des Verstehens über seine Züge. Er kannte jetzt die Antwort.

»Amen!«, sagte er fest.

Mühsam wandte er sich zur Seite und tastete nach dem Glöckchen, das neben ihm auf einem Holzschemel lag.

Er klingelte.

Wenige Augenblicke später erschien Gaudeck, sein persönlicher Sekretär. Pater Gaudeck stammte aus dem Fränkischen; er war Mitte vierzig, groß, kräftig – und die Zuverlässigkeit in Person. Er diente dem Abt schon seit zehn Jahren und war unverbrüchlich treu.

»Guten Morgen, Ehrwürdiger Vater«, sagte Gaudeck freundlich, als er sich dem Lager näherte, »die Brüder haben Euch schon bei der Prim vermisst. Ich hoffe, Ihr habt gut geschlafen? Darf ich Euch etwas bringen?«

»Danke. Du bist fürsorglich wie stets, mein lieber Gaudeck. Aber alles, was ich brauche, ist Ruhe. Und die habe ich schon.«

»Kann ich denn gar nichts für Euch tun?«

»Doch. Bitte lasse Pater Thomas und Pater Cullus rufen. Und gib auch Vitus Bescheid. Ich möchte, dass sie, zusammen mit dir, in meinen letzten Stunden bei mir sind.«

»Wie Ihr wünscht, Ehrwürdiger Vater.« Gaudeck tat zwei Schritte und erstarrte mitten in der Bewegung. Die ganze Tragweite der Bitte wurde ihm erst jetzt bewusst. Ungläubig hob er die Hände. »Eure letzten Stunden?« Rasch trat er ans Bett. »Ehrwürdiger Vater, Ihr macht einen Scherz!«

»Ich scherze nicht.«

»Ihr wolltet doch immer hundert Jahre alt werden, und ich bin sicher, dass Ihr das …«

»Gib dir keine Mühe, mein Sohn«, unterbrach ihn Hardinus sanft, »du warst noch nie ein guter Lügner. Tue lieber, um was ich dich bitte.« Sacht legte er Gaudeck seine Hand auf den Kopf. »Und freue dich mit mir, dass Gott mich nicht vergessen hat.«

Pater Thomas, der Prior und Arzt des Klosters, wurde am Ausgang des Refektoriums von der Nachricht überrascht, gerade als er auf dem Weg zum Herbularium war, dem medizinischen Kräutergarten. Hier hatte er nach einigen seiner Neuzüchtungen sehen wollen, die er aus dem Schwarzen Senf und dem Ruchgras gewann. Sie standen zur Zeit im Mittelpunkt seiner Forschungen, und er durfte von sich behaupten, mit ihnen schon einige beachtliche Erfolge gegen den Rheumatismus erzielt zu haben.

»Nein!«, war das einzige Wort, das er hervorbrachte, als er die Botschaft vernahm. Seine hohe Gestalt schien plötzlich von aller Spannkraft verlassen. »Es ist unvorstellbar …«, murmelte er verstört, »einfach unvorstellbar.«

Seine Hände suchten an der Gebäudewand Halt. Schwarzer

Senf und Ruchgras waren vergessen. »Doch des Allmächtigen Wille geschehe.«

Pater Cullus, ein überaus dicker, freundlicher Mann, saß in seiner Zelle und freute sich auf ein paar erbauliche Stunden in strenger Abgeschiedenheit. Er wollte sich wieder einmal mit den Werken des Publius Ovidius Naso beschäftigen, jedoch nicht mit den bekannten *Metamorphosen,* sondern mit der *Ars amatoria,* dem Lehrbuch des Liebens. Mit einer Lektüre also, die sich für ihn verbot, denn sie war nicht nur heidnisch, schlimmer noch, ihr Genuss kam einer Sünde gleich. Doch auch Pater Cullus war nur ein Mensch, und wer ihn zur Rede gestellt hätte, warum er Ovid lese, dem hätte er geantwortet, dass es nur wegen des herrlich elegischen Versmaßes sei. So war er mit sich und der Welt zufrieden, zumal ihm eine gut gefüllte Schüssel rotbackiger Äpfel Gesellschaft leistete.

Da donnerten jählings Faustschläge gegen seine Tür, und eine hektische Stimme rief: »Bruder, Bruder!«

Cullus schreckte auf. »*O tempora, o mores!*«, rief er. »Was hat das zu bedeuten?«

»Abt Hardinus liegt im Sterben! Kommt schnell zu seiner Schlafkammer!«

Mit einer für seine Leibesfülle erstaunlichen Geschwindigkeit sprang Cullus auf die Füße, versteckte das Buch, ergriff geistesgegenwärtig noch einen Apfel und eilte hinaus.

Unweit des Klosters, in einem hölzernen Verschlag, der gewöhnlich ein paar Ziegen als Unterschlupf diente, kniete ein junger Mann von zwanzig Jahren. Er hatte eine Reihe chirurgischer Instrumente vor sich im Stroh ausgebreitet und wirkte sehr konzentriert. Neben ihm hockte ein Knabe, der angestrengt auf einen kleinen Hütehund einsprach:

»Ruhig, Pedro, ganz ruhig, gleich ist es vorbei.«

Der Schwanz des Hundes klopfte wild auf den Boden. Es war unverkennbar, dass die Unsicherheit des Knaben sich auf das Tier übertrug. »Ich weiß nicht, ob ich ihn halten kann!«, jammerte er laut.

»Du kannst es.« Der Jüngling prüfte zwei verschieden große Lanzetten und entschied sich für die kleinere. »Du musst dem Hund den Fang so weit wie möglich aufhalten, nur dann komme ich heran und kann die Entzündung aufstechen.«

»Werdet Ihr ihm sehr wehtun?«, fragte der Knabe ängstlich.

»Nein, es wird nur ein kurzer Schmerz sein. Wenn es ein Stielabszess ist, was ich vermute, kommt es nur darauf an, den Eiterkanal richtig zu treffen.«

»Und dann?«

»Dann weicht der Druck aus der Wunde, weil die kranken Säfte abfließen können. Es wird eine große Erleichterung für Pedro sein.«

Die Stimme des Jünglings war ruhig, ebenso wie seine Bewegungen. Nichts deutete darauf hin, dass er innerlich ähnlich erregt war wie der Knabe. Diese Fähigkeit, sich zu beherrschen, war eine Eigenart an ihm, die ihn älter wirken ließ, als er an Jahren war. Er hob die rechte Hand und führte das Instrument behutsam gegen die linke Innenseite der Lefze. Ein schneller, entschlossener Stich, eine Drehung, und der Hund heulte auf.

»Pedro, es ist schon vorbei!«, schrie der Junge erleichtert. Der kleine Mischlingsrüde schüttelte heftig den Kopf, schnaubte und schmatzte und riss die Schnauze mehrmals auf, während er mit der Pfote von außen gegen die Stelle fuhr. Plötzlich schoss ein gelblicher Strahl zur Erde und zeigte an, dass die Operation geglückt war.

»Siehst du, die schlechten Säfte fließen schon ab, gleich geht es ihm besser«, versicherte der junge Mann.

»Ich kann's gar nicht glauben, dass es wieder gut sein soll«, stammelte der Knabe, »ich danke Euch, Vater, ich danke Euch so sehr ...«

»Mach nicht so große Worte.« Der Jüngling legte dem Knaben die Hand auf die Schulter. »Und sag nicht ›Vater‹ zu mir. Das Schlimmste ist jetzt vorbei. Die Wunde wird sich in zwei oder drei Tagen schließen. Bis dahin fließt noch ein paarmal Eiter ab, aber das ist normal. Lass Pedro jetzt für eine Weile in Ruhe, dann kann er dir schon morgen wieder beim Hüten deiner Herde helfen.«

Über die energischen Gesichtszüge des jungen Mannes huschte ein Lächeln. Er gab dem Hund einen leichten Klaps und wandte abrupt den Kopf, denn draußen hatte ein großes Geschrei angehoben. Er konnte zwar nichts Genaues verstehen, aber er hörte mehrfach seinen Namen:

»Vitus!«

Nacheinander betraten sie die Sterbekammer. Gaudeck, Thomas, Cullus und zuletzt Vitus. Schweigend stellten sie sich an der Längsseite des Raums auf und bekreuzigten sich angesichts des kleinen Kruzifixes, das über dem Lager hing. Dann senkten sie die Köpfe.

»Setzt nicht solche Leichenbittermienen auf, Brüder, nur weil ich bald dem Erhabenen gegenüberstehe!«, kam es aufmunternd aus der anderen Ecke. Abt Hardinus winkte sie mit der Hand heran. »Wenn ich nicht irre, schreiben wir heute Dienstag, den 13. März im Jahre des Herrn 1576, und dieser Tag ist wunderbar – wie jeder Tag, den der Allmächtige werden lässt. Mein Tod ändert daran überhaupt nichts!«

»So solltet Ihr nicht sprechen, Ehrwürdiger Vater.« Pater Cullus hob sein rosiges Gesicht. Er hatte sich als Erster gefangen. »Bedenkt nur, was Ihr noch alles in Eurem Leben schaffen wolltet. Und vergesst nicht, es ist allein Euer Verdienst, dass dieses Kloster als ein Hort der Frömmigkeit, der Gelehrsamkeit und des Friedens gilt!«

»Unsinn, Bruder.« Die Stimme von Hardinus klang überraschend kräftig: »Wie kannst du nur glauben, alles sei mein Verdienst? In diesem Kloster leben einhundertvierundzwanzig Mönche, neun Novizen und elf *Pueri oblati*. Alle tun ihre Arbeit und loben den Herrn. Und da soll ich allein wichtig sein? Nein, Schluss damit!«

Hardinus winkte den dicken Mönch heran. »Klage nicht, Bruder, sondern freue dich. Und hole mir einen Becher Wasser, es gibt noch manches zu sagen.«

Cullus schniefte, murmelte eine Entschuldigung und eilte hinaus.

»Er trägt sein Herz auf der Zunge, aber ich liebe ihn dafür«, sagte Hardinus lächelnd. »Ich liebe euch alle, kein Mensch ist ohne Schwächen. Ich selbst bin der beste Beweis dafür. Ich bin so schwach, dass mein Körper euch noch in dieser Stunde verlassen wird. Aber mein Geist wird weiter bei euch sein.«

Er musterte Gaudeck, Thomas und Vitus, und ihm wurde bewusst, wie jung sie waren. Selbst Pater Thomas, der Älteste unter ihnen, war mehr als dreißig Jahre später als er geboren. Doch was waren schon dreißig Jahre! Seine Gedanken begannen zurückzuwandern in eine Zeit, da er selbst noch ein junger Mann war, vor fünfundsiebzig Jahren …

Damals, im Juli anno 1501, war er über das Asturische Hochgebirge hinunter an den Golf von Biscaya gekommen. Ein 600-Meilen-Fußmarsch hatte hinter ihm gelegen, von

Pamplona am Fuß der Pyrenäen quer durch den Norden Spaniens, westwärts, den beschwerlichen Jakobsweg entlang, durch Burgos und León und viele andere Städte, bis hin nach Santiago de Compostela, den Ort des heiligen Jakobs, wo die Wallfahrer sich seit Hunderten von Jahren in der Kathedrale treffen. Dort hatte er das ersehnte Zertifikat empfangen, das ihn zum echten Jakobspilger machte – die Garantie, dass ihm zweihundert Tage des Fegefeuers erlassen werden würden.

Doch nachdem das erste Glücksgefühl gewichen war, hatte sich ein sehr irdisches Problem bei ihm gemeldet: der Hunger. Er war kein Pilger mehr, und die Leute gaben ihm nicht länger Almosen. Das Einzige, was er noch besessen hatte, waren die drei Begleiter des Jakobspilgers: der kräftige, mannshohe Wanderstab, der gleichzeitig Waffe gegen Wölfe und Wegelagerer ist, der Kürbis als Flüssigkeitsbehältnis und die Jakobsmuschel, die als Löffel dient.

Von keinem dieser Gegenstände wurde man satt.

Ein paar Wochen hatte er sich durchgeschlagen, indem er den Fischern beim Netzeflicken half. Dann war er nach Osten weitergezogen und hatte sich als Wasserholer verdingt. Die Arbeit war sehr hart gewesen. Er hatte sie schon nach wenigen Tagen wieder aufgeben müssen. Sein Körper war schwächer und schwächer geworden. Deshalb hatte er der Küste wieder den Rücken gekehrt, in der Hoffnung, landeinwärts sein Brot verdienen zu können. Wegen der unsicheren Zeiten wäre er gern zu zweit oder zu dritt marschiert, doch niemand hatte sich gefunden, der denselben Weg nahm wie er. So hatte er sich, wie schon zuvor, auf seinen mannshohen Stecken verlassen müssen.

Eines Morgens, er wanderte gerade durch ein ausgetrocknetes Flussbett, hatte er ein liebliches Tal erblickt, an dessen Ende, dort, wo die Hänge bereits wieder sanft anstiegen, ein uraltes Zisterzienserkloster stand – Campodios. Er hatte den Stecken in den Boden gerammt und sich schwer atmend darauf gestützt. Andächtig hatten seine scharfen Augen den von strengen Regeln geprägten Baustil bewundert. Er hatte die lange, kreuzförmige Basilika erkannt und an der Ostseite des Querhauses eine Reihe von Kapellen entdeckt. Die gesamte Anlage mit ihren einfachen Formen, den hohen Rundbogenfenstern und den roten, spitz zulaufenden Satteldächern hatte einen tiefen Eindruck auf ihn gemacht. Und er hatte die Unerschütterlichkeit gespürt, die diesen Mauern innewohnte.

Dann, plötzlich, war ihm, als wolle der Stecken sich seiner Hand entwinden, doch konnte er sich auch getäuscht haben, weil er im gleichen Augenblick ohnmächtig wurde. In jedem Fall war Campodios sein Schicksal und seine Erfüllung geworden.

Eine rasche Bewegung schreckte Hardinus auf. Pater Cullus stand vor ihm mit einem Becher Wasser. »Ganz frisch aus dem Brunnen, Ehrwürdiger Vater!«

»Danke, lieber Cullus.« Hardinus nahm schlürfend einen Schluck, während seine Gedanken wieder in die Gegenwart zurückkehrten. Er fragte sich, wie die Brüder wohl seine letzten Wünsche aufnehmen würden – besonders Pater Thomas. Thomas war ein großer, ernster Mann von asketischer Gestalt, der sich seit frühester Jugend der Cirurgia und der Kräuterheilkunde verschrieben hatte. Er war Autor eines Werkes namens *De morbis hominorum et gradibus ad sanationem*, kurz *De morbis* genannt, eintausendzweihundert Seiten stark, mit prachtvollen Illustrationen. Ein Werk, das ihn mit Stolz erfüllte – und deshalb manchmal dazu verleitete, Novizen, die des Lateinischen nicht so mächtig waren, die Übersetzung des

Titels gleich mitzuliefern: *Von den Krankheiten der Menschen und den Schritten zur Heilung.* So gesehen, bildete das Buch für ihn auch eine ständige Mahnung, dass Stolz eine Untugend war.

Seine Hände waren die eines Chirurgen, lang, schmal und außerordentlich geschickt. Schon manches Mal waren sie seine wichtigsten Instrumente gewesen. So auch vor einigen Jahren, als Pater Cullus es zu lange versäumt hatte, seinen stark entzündeten Daumen behandeln zu lassen. Am Ende hatte der Finger wie eine Runkelrübe ausgesehen. Eine Amputation war unvermeidlich geworden. Dennoch konnte Cullus sich nicht beklagen: Durch Thomas' ärztliche Kunst und Vitus' geschickte Assistenz war die Operation ohne Komplikationen verlaufen, wenngleich der Daumen ihm fortan fehlte. Doch war es ohnehin nur der linke. So tat der Verlust weder seinem fröhlichen Gemüt noch seinem nie endenden Appetit Abbruch.

Daneben Gaudeck, der die Mathematik so liebte! Seit mehreren Jahren leitete er astrologische Seminare, die sich unter den Brüdern großer Beliebtheit erfreuten. Auch einen regen Schriftwechsel führte er, unter anderem mit einem gewissen Tycho Brahe, einem für seine jungen Jahre schon recht berühmten dänischen Astronomen. Ja, Gaudeck ist ein kluger Kopf und ein treuer Freund!, dachte Hardinus. Er wird mir ein guter Nachfolger sein.

Endlich war da noch Vitus, sein persönlicher Schützling, den er wie einen Sohn liebte. Mit ihm würde er ganz zuletzt reden. Allein.

»Thomas, würdest du mir einen Wunsch erfüllen?«

»Alles, was in meiner Macht steht, Ehrwürdiger Vater.«

»Ich möchte, dass du dein Wissen um die Heilmöglichkeiten

nicht nur in Buchform festhältst, sondern es mit möglichst vielen Menschen teilst.«

»Aber Ehrwürdiger Vater, wie soll das geschehen?« In Pater Thomas' Gesichtszügen begann es zu arbeiten.

»Ich möchte, dass du eine Schule aufbaust, in der du den Menschen dein medizinisches Wissen mündlich vermittelst – in ihrer Umgangssprache. Es ist zwar in vielen Familien üblich, dass die Mutter ihre Hausrezepte an die Tochter weitergibt und diese wiederum an ihre Tochter. Ein gewisses Grundwissen darf also vorausgesetzt werden. Dennoch ist die Hausmedizin etwas, das sich nur auf die Erfahrungen der Alten verlässt und neue Erkenntnisse nahezu ausschließt. Die Menschen aber sollen nach dem Neuen fragen: nach besseren, wirksameren Behandlungsmöglichkeiten. Nicht jedes böse Leiden muss gottgewollt zum Tode führen. Du, Thomas, sollst derjenige sein, der sie anleitet. So werden sie lernen, was bei Krankheiten, die sie bislang nicht heilen konnten, zu tun ist. Was hältst du von meinem Vorschlag?«

»Nun, Ehrwürdiger Vater ...« Pater Thomas versuchte, sich für den Plan zu erwärmen. Eine Schule aufbauen und Unterricht abhalten! Wenn das so einfach wäre! Bei den *Pueri oblati,* jenen Knaben, die unter der Obhut des Klosters standen, damit sie etwas lernten und den Weg zum rechten Glauben fanden, lag der Fall anders: Die beherrschten leidlich Latein und hatten schon einen gewissen Bildungsgrad. Aber die Menschen da draußen? Immerhin, man konnte zunächst mit einer kleinen Klasse beginnen. Allerdings würde der Unterricht Zeit kosten. Zeit, die er eigentlich für seine Forschung brauchte. Andererseits, die Überlegungen des Abtes waren nicht von der Hand zu weisen ...

»Ich stimme Euch zu«, sagte er schließlich. »Ich denke an einen Unterricht nach athenischem Vorbild, bei dem die Erkenntnisse in freier Rede und Gegenrede erarbeitet und auf ihre Richtigkeit überprüft werden. Das scheint mir didaktisch am sinnvollsten. Der Unterricht sollte winters in einem überdachten Raum stattfinden. Sommers und bei schönem Wetter dagegen im Klostergarten unter der alten Platane.«

Er ertappte sich dabei, wie er sich vorstellte, als eine Art Sokrates inmitten seiner Schüler zu sitzen. Der Gedanke gefiel ihm.

»Schau einfach dem Volk aufs Maul, und sprich mit ihnen über das, was du weißt«, lächelte Hardinus und unterbrach damit Thomas' gedanklichen Höhenflug.

»Äh … jawohl, Ehrwürdiger Vater.«

»Aber auch die Kunst des Lesens sollte unterrichtet werden.«

»Den Leseunterricht könnte ich übernehmen!«, schaltete sich Pater Cullus eifrig ein. »Und natürlich auch den Schreibunterricht, denn beides ist gleich wichtig einzuschätzen. Ich kann mich noch genau entsinnen, wie eine alte Frau im letzten August einen Gemüsehändler fragte, ob seine Pferdebohnen auch wirklich frisch seien. ›Aber natürlich, gute Frau‹, antwortete der mit treuherzigem Augenaufschlag und deutete auf zwei Wörter, die an seinem Karren standen, ›hier steht es.‹ Er las die Wörter einzeln vor: ›Frische Pferdebohnen‹. Natürlich hätte jeder, der des Lesens mächtig ist, den Schwindel sofort durchschaut. Dort stand ›José Gonzales‹, also nichts weiter als der Name des Schwindlers.«

»Ich danke dir für diese Geschichte, Cullus«, sagte der Abt leise, »ein besseres Beispiel für die Bedeutung des Leseunterrichts hättest du nicht geben können. Was jetzt noch fehlt, ist jemand, der dem Volk das Rechnen beibringt.« Fragend schaute er Gaudeck an.

»Ehrwürdiger Vater, diese Aufgabe werde ich übernehmen.«

»Aber eines ist dabei sehr wichtig, mein lieber Gaudeck.« In den Augen des alten Mannes blitzte Schalk auf.

»Ja, Ehrwürdiger Vater?«

»Lass Gnade walten beim Unterricht. Vergiss nie, es sind Unwissende, von denen viele gerade nur so weit zählen können, wie sie Finger an den Händen haben.«

»Gewiss, Ehrwürdiger Vater. Doch beispielsweise die Winkelfunktionen …«

»Gnade, Gaudeck! Lehre sie einfach, Zahlen zusammenzuzählen, voneinander abzuziehen, malzunehmen und zu teilen. Das genügt, um auf dem Wochenmarkt nicht betrogen zu werden.« Hardinus' Atem rasselte. »Komm, gib mir noch etwas von dem Wasser, das Cullus gebracht hat.«

Gaudeck setzte ihm behutsam den Becher an die Lippen. Der alte Abt trank langsam, mit kleinen vorsichtigen Schlucken. Sein Gesicht, einst von kraftvollen Zügen geprägt, wirkte jetzt wie eine Totenmaske. Er spürte, dass seine Füße bereits abgestorben waren und dass die Kälte unaufhaltsam in seinen Beinen hochkroch. Aber noch steckte Leben in ihm. Und das, was er zu sagen hatte, würde er auch zu Ende bringen.

»Höret, Brüder«, sagte er, bemüht, trotz seiner Schwäche deutlich zu sprechen, »die Dinge, die mir am Herzen liegen, sind damit fast alle geklärt. Vielleicht wundert ihr euch, dass meine letzten Gedanken den Menschen da draußen vor unseren Mauern gelten. Aber sie sind Gottes Werk, und unser Schöpfer liebt sie alle, jeden Einzelnen. Gott, meine Brüder, ist groß, gütig und allwissend. Er steckt in jedem Stückchen Brot, das uns sättigt, in jedem Sonnenstrahl, der uns wärmt, in jedem Lächeln, das uns begegnet. Vergesst das nie. Gebt den Menschen da draußen ein wenig mehr von diesem Gott. Gerade auch, weil die Inquisition Seinen Namen befleckt, indem sie im Zeichen des Kreuzes so verblendet tötet.«

Er trank abermals.

»Was nun das Innere dieser Mauern betrifft, so wird in ihnen ein neuer Abt zu wählen sein. Ich habe auch hier einen letzten Wunsch, und es wäre schön, wenn alle Brüder ihn bei der Wahl berücksichtigen würden.«

Seine Stimme klang jetzt sehr offiziell: »Ich möchte, dass Pater Gaudeck an meine Stelle rückt. Ich weiß selbst«, fuhr er rasch fort, »dass eigentlich Pater Thomas als unser Prior mein natürlicher Nachfolger wäre. Aber Thomas ist mit Leib und Seele Heilkundiger, und man täte ihm einen schlechten Dienst, würde man ihn mit der Bürde des Klostervorstehers belasten. Nicht wahr, Bruder?«

Thomas nickte ernst. Er dachte an seine Forschungen und die einzurichtende Schule. Beides würde ihm in der Tat kaum Zeit lassen, den Pflichten eines Abtes nachzukommen. »Ihr habt Recht, Ehrwürdiger Vater. Niemand kennt mich besser als Ihr.«

»Dann wäre das geklärt. Gaudeck, würdest du mir ein zweites Kissen unter den Kopf schieben?«

Der Sekretär, der wie die anderen von dem Wunsch des alten Mannes völlig überrascht war, griff zerstreut zu einem mit Rosshaar gefüllten Leinenkissen. »Äh, ja, sofort.«

»Ich helfe Euch«, sagte Vitus. Vorsichtig hob er Kopf und Oberkörper des Greises an, damit Gaudeck das Kissen darunter stopfen konnte.

»Danke. Und nun, ihr lieben Brüder, möchte ich mit Vitus allein sein. Doch bevor ihr geht, noch eines: Für das heilige letzte Sakrament könnte ich mir keinen Besseren wünschen als dich, mein lieber Cullus.«

»Jawohl, Ehrwürdiger Vater.« Pater Cullus senkte in Demut sein Haupt.

Als die Brüder gegangen waren, spürte Hardinus, wie die Kälte weiter in seinem Körper emporkroch. Oberschenkel und Beckenbereich begannen bereits gefühllos zu werden. Er wusste, wenn die Kälte sein Herz erreichte, würde der Tod seine Arbeit vollendet haben. Bis dahin galt es durchzuhalten.
»Vitus?«
»Ehrwürdiger Vater?«
»Komm her, gib mir deine Hand.« Der Jüngling gehorchte und setzte sich auf den Bettrand. Die Greisenhand fühlte sich an wie ein Stück Pergament.
»So ist es gut. Es gibt ein paar Dinge, die ich dir jetzt sagen muss. Sie sind wichtig für dein weiteres Leben.« Der alte Mann zögerte. »Bisher magst du geglaubt haben, dass du, wie manche *Pueri oblati,* als Säugling von deinen Eltern nach Campodios gebracht wurdest, aber bei dir war es anders. Du wurdest nicht abgegeben, sondern gefunden – von mir. Du lagst eines Tages als kleines wimmerndes Menschlein vor dem Haupttor.«
»Ihr ... Ihr habt mich gefunden?« Vitus verschlug es fast die Sprache. Er wusste, dass den Schülern häufig absichtlich verschwiegen wurde, wer ihre Eltern waren, denn die Mönche auf Campodios vertraten die Meinung, dass zu starke irdische Bande den Weg zu Gott versperrten. Vitus hatte deshalb nie nach seinen leiblichen Eltern gefragt. Er hatte gelernt, den Abt als seinen Vater und die Brüder als seine Familie zu betrachten. Doch er hatte darauf vertraut, dass man ihm eines Tages seine Herkunft nennen würde.
»Ja, Vitus. Es war vor zwanzig Jahren, anno 1556.«

»Aber warum habt Ihr mir das nie erzählt, Ehrwürdiger Vater?«

»Ich wollte dich nicht damit belasten. Außerdem hatte ich immer noch die Hoffnung, dass du einmal die Gelübde ablegen und unser schlichtes Gewand tragen würdest.«

»Das müsst Ihr mir näher erklären!« Ein eiserner Ring legte sich um Vitus' Brust. »Wie habt Ihr mich gefunden? Warum glaubt Ihr, dass ich die Kutte niemals tragen werde?«

»Bitte beruhige dich und lass mir etwas Zeit.« Der alte Mann atmete mühsam. »Du stellst viele Fragen auf einmal.«

Liebevoll musterte er das Gesicht des Jungen. Da waren die grauen Augen, die ihn voller Konzentration anblickten. Die hohe, von blondem Haar eingerahmte Stirn, die schmale Nase, der energische Mund und nicht zuletzt das, was Vitus' heimlicher Kummer war: das tiefe Grübchen in der Mitte des Kinns.

Alles in dem Gesicht war ihm so vertraut ...

Vitus war kerngesund, von mittelgroßer Statur und angenehmen Körpermaßen. Damit nicht genug, hatte der Allmächtige in seiner Gnade noch mehr für ihn getan – und ihn mit einem besonders wachen Geist ausgestattet. Die Leistungen, die er in den Freien Künsten, den *Artes liberales,* und dazu der Cirurgia und der Pflanzenheilkunde zeigte, waren der beste Beweis dafür. Kein Wunder, dass er sich mit Pater Thomas so gut verstand.

»Ich werde versuchen, alle deine Fragen zu beantworten.« Der alte Mann nickte mit geschlossenen Augen. »Nun, du willst wissen, warum ich denke, dass du das Mönchsgewand niemals tragen wirst. Meine Antwort ist: Solange du diesen großen Wissensdrang in dir spürst, wirst du nicht in der Lage sein, deine ganze Kraft auf den Glauben zu konzentrieren.

Und das genügt Gott nicht. Auch denke ich, dass du zu den Menschen gehörst, die für alles, was sie glauben sollen, einen Beweis brauchen. Gott aber hat es nicht nötig, sich zu beweisen.«

»Ich bete täglich darum, noch fester glauben zu können«, seufzte Vitus.

»Tröste dich, mein Sohn: Es gibt sehr viele berühmte Männer, die in ihrer Jugend genau wie du gezweifelt haben. Doch mit jedem Jahr, da sie mehr Wissen erworben hatten, stieg ihre Ehrfurcht vor dem, was sie nicht wussten – und ihre Ehrfurcht vor Gott.«

Eine Pause entstand zwischen ihnen. Vitus brauchte Zeit, um das, was der alte Mann gesagt hatte, zu verarbeiten. Aber es stimmte. Immer öfter hatte er sich in den letzten Monaten gefragt, ob er sich ein Leben wünschte, das Tag für Tag, Jahr für Jahr nach denselben Regeln ablief. Und tief in seinem Inneren war eine Stimme immer lauter geworden, die ihm zurief, dass dies nicht der Fall war. Doch wenn er im Kloster nicht bleiben konnte, wohin sollte er sich dann wenden?

»Wisst Ihr denn gar nichts über meine Herkunft, Ehrwürdiger Vater?«

»Ich will dir erzählen, was sich damals an jenem 9. März 1556 zutrug.«

»An meinem Geburtstag?«

»Genau genommen ist der 9. März nicht dein Geburtstag. Es ist der Tag, an dem ich dich fand. Aber wir haben ihn zu deinem Geburtstag erklärt.« Der Greis holte rasselnd Luft und sprach weiter: »Es war ungefähr zwei Stunden vor der Prim, unserem Gebet zur ersten Tagesstunde, als ich Campodios durch das Haupttor verließ, um nach Punta de la Cruz zu gehen. Dort lag ein Bauer im Sterben, den ich seit vielen Jahren kannte. Ein frommer Christ, der die Letzte Ölung wahrlich verdient hatte. Mit meinen Gedanken war ich schon bei den Worten, die ich ihm für seine letzte Reise sagen wollte, da hörte ich plötzlich ein Geräusch, das seitlich aus den wilden Rosen kam. Zunächst dachte ich, ich hätte mich verhört, doch alsbald ertönte es wieder. Vorsichtig näherte ich mich, denn ich glaubte, es handele sich um einen Wurf junger Katzen, der von seiner wehrhaften Mutter verteidigt würde. Um so überraschter war ich, als ich stattdessen ein Kind entdeckte, das in ein rotes Tuch gewickelt war.«

»Und dieses Kind war ich?«

»Richtig, mein Sohn. Doch lass mich weiter erzählen. Ich hob dich also auf und betrachtete dich eingehend. Ich verstand nicht viel von Säuglingen, aber zwei Dinge waren mir sofort klar: dass es sich um ein wenige Wochen altes Kind handelte und dass dieses Kind ernsthaft krank sein musste. Sein Gesicht hatte eine blaurote Farbe, und die kleinen Wangen fühlten sich eiskalt an, während der übrige Körper glühte. Nun, ich schaute mir die Sache genauer an und erkannte, dass ich einen Knaben im Arm hielt. Wie lange mag er schon in der Kälte liegen?, fragte ich mich. Mir war klar, dass hier sofort Abhilfe geschaffen werden musste! Ich kehrte noch einmal um und übergab dich Pater Thomas, in der Hoffnung, dass er dir helfen könne.

Erst am darauf folgenden Abend kehrte ich zurück nach Campodios, denn der alte Bauer war lange und schwer gestorben. Als ich durch die Tür des Krankenzimmers trat, sah ich schon an den Mienen der Umstehenden, dass es nicht gut um dich bestellt war. Der Befund lautete auf beidseitige Lungenentzündung. Keiner unter uns glaubte, dass du es schaffen würdest. Dennoch tat Pater Thomas alles, was in seiner Macht

stand. Er flößte dir einen heißen, fiebersenkenden Weidenrindensud ein, rieb deine Brust mit Kampferöl ab, um dir das Atmen zu erleichtern, und machte kalte Wickel um deine winzigen Waden. Er kümmerte sich wirklich rührend um dich. Ich
hatte ihn noch nie so gesehen.

Als Pater Thomas gegen Mitternacht einnickte, übernahm ich
seine Arbeit, doch auch ich muss gegen Morgen eingeschlafen sein. Ich wachte erst auf, als es heller Tag war. Der ganze
klösterliche Tagesablauf war für mich durcheinander geraten. Mein erster Gedanke galt der Morgenmesse, die ich versäumt hatte – und damit die Gelegenheit, ein letztes Gebet
für dich zu sprechen. Als Antwort auf meine krausen Gedanken vernahm ich ein kräftiges Geschrei aus der anderen
Ecke des Zimmers. ›Gelobt sei Jesus Christus!‹, rief ich und
konnte es kaum glauben. Doch es war Wirklichkeit: Du hattest die Nacht überstanden und die Krisis gemeistert. Der
Allmächtige hatte dir das Leben ein zweites Mal geschenkt.
›Leben‹, lateinisch *vita*, in seiner männlichen Form *vitus* ... ja,
das sollte dein Name sein! Ich beschloss, dich fortan Vitus zu
nennen.«

Vitus' Lippen formten den Namen, der für ihn plötzlich eine
ganz neue Bedeutung hatte: »Vitus ... Und es gibt wirklich
nicht den kleinsten Anhaltspunkt für meine Herkunft?«

»Nun«, der Greis sprach kaum hörbar, »es gibt vielleicht ein
Zeichen. Aber ich will nicht, dass du dir falsche Hoffnungen
machst. Wahrscheinlich hat es nichts zu bedeuten.«

»Ein Zeichen? Was für ein Zeichen?«

»Einen Augenblick, das Luftholen fällt mir immer schwerer.«
Hardinus versuchte, tief zu atmen, um seine nahezu ver-
brauchte Lebenskraft noch einmal zu aktivieren. Mühsam
blinzelte er, denn auch sein Augenlicht schwand. Dann hob er

nochmals an: »Als ich dich fand, fiel mir etwas auf – ein schwerer roter Damaststoff, der dir als Wickeltuch diente.«

»Damast?«, fragte Vitus verwundert, »ein ungewöhnlicher Stoff für eine Kinderwindel!«

»Richtig, aber das eigentlich Besondere war ein aufgesticktes Wappen.« Der Greis deutete in die hintere Ecke der Kammer. »Siehst du dort meine alte Eichentruhe?«

»Natürlich, Ehrwürdiger Vater.«

»Darin liegt es.«

Vitus war mit wenigen Schritten bei der Truhe und holte das Tuch hervor. Es war ein schwerer Stoff, ungefähr von der doppelten Größe einer Windel, ziemlich zerknittert im Laufe der Jahre, aber sonst unbeschädigt.

»Gib es mir in die Hand, ich muss es fühlen … Ja, das ist das Tuch, ein Zweifel ist ausgeschlossen.« Die knöchernen Finger ertasteten den golddurchwirkten Faden, der im oberen Bereich einen fauchenden Löwen zeigte. Schlangengleich wand er sich über einer ringförmigen Figur. »Sieh her, dieser Ring unter dem Löwen könnte eine Weltkugel darstellen.« Die Finger wanderten weiter. »Bei flüchtiger Betrachtung wirst du im Zentrum nur ein stilisiertes Schiff erkennen, aber bei näherem Hinsehen bemerkst du, dass seine beiden Segel nicht nur dreieckig sind, sondern einander auch spiegelverkehrt gegenüberstehen.«

»Ich sehe es.« Vitus war Feuer und Flamme. »Und was hat es mit dem Löwen auf sich?«

»Der Löwe als Wappentier sagt leider nicht viel. Er findet sich überall auf der Welt. Möglicherweise einmalig ist jedoch das Doppelsegel, zumal jedes einzelne einen Gegenstand zeigt.«

Die Hände des Greises strichen den Stoff glatt, damit Vitus

alle Feinheiten erkennen konnte. Er starrte gebannt auf die gleich großen Flächen. »Im linken erkenne ich ein Kreuz, im rechten ein Schwert!«

»So ist es, aber nun betrachte den Schiffsrumpf: Der Kiel ist halbrund – und verläuft damit genau parallel zur Linie der Erdkugel; so entsteht der Eindruck, als würde das Schiff auf einer Kreisbahn fahren.«

»Was«, fragte Vitus aufblickend, »könnte das bedeuten?«

»Darüber habe ich lange nachgedacht. Vorausgesetzt, der Kreis steht tatsächlich für die Kugelform der Welt – du weißt, wie umstritten diese These in der Kirche ist und wie viele Menschen schon dafür in den Tod gingen –, dies also vorausgesetzt, könnte es bedeuten, dass die Träger des Wappens Seefahrer und Navigatoren waren.«

Der alte Mann machte eine Pause. »Eindeutiger dagegen erscheint mir die Abbildung von Schwert und Kreuz: Beides ist wohl ein Hinweis auf die Kampfstärke und die Frömmigkeit der Männer.«

»Glaubt Ihr, Ehrwürdiger Vater, dass dieses Wappen mein Familienwappen ist?«

»Ach, Vitus.« Der Abt presste die Lippen zusammen. »Das Damasttuch allein muss noch nichts heißen. Wer weiß, wem es gehörte. Irgendwer kann dich darin eingewickelt und vor unser Haupttor gelegt haben. Ich weiß nur eines: Das Wappen gehört keinem spanischen Geschlecht.« Er lächelte matt. »Wenn es dein Wappen wäre, würde es bedeuten, dass du nicht spanischer Herkunft bist. Was nicht verwundert, denn wie ein feuriger Iberer hast du noch nie ausgesehen.«

Vitus, der sehr nachdenklich geworden war, strich mechanisch über den Stoff. Zwar hatte er nie gewusst, wer seine Eltern waren, aber er hatte sich immer als Spanier gefühlt. Jetzt war er ein Niemand: Er hatte keine Eltern, keine Heimat, keine Zukunft, selbst seinen Namen verdankte er letztlich nur einer Krankheit.

Einsamkeit umklammerte ihn.

Er blickte zur Seite, um seine Schwäche zu verbergen, doch die Hand des Greises zog ihn zurück. »Sei tapfer, mein Sohn«, flüsterte Hardinus, und Vitus sah erstaunt, dass auch der Alte den Tränen nahe war. »Beginne ein neues Leben, ziehe hinaus, stelle dich zum Kampf. Wie gern würde ich an deiner Seite sein.« Die Hand klopfte ihm kaum merklich den Rücken. »Bitte öffne noch einmal die Truhe. Ganz unten am Boden findest du einen Lederbeutel.«

Vitus räumte den Inhalt der Truhe aus. Er bestand größtenteils aus Folianten. »Ich habe ihn, Ehrwürdiger Vater!«

»Leere ihn hier auf dem Schemel.«

Klingend fiel eine Reihe großer Münzen heraus. Selbst im Halbdunkel der Kammer blitzten sie auf. Sie waren aus purem Gold.

»Es sind fünf doppelte Goldescudos«, flüsterte Hardinus, »und sie sind dein.«

»Ehrwürdiger Vater, ich brauche kein Geld.«

»Ich bestehe darauf. In der Welt da draußen ist nichts umsonst.«

Widerstrebend sammelte Vitus die Münzen auf und steckte sie in den Beutel zurück. Er wusste nur wenig von den Ländern dieser Welt, und er wusste noch weniger, wohin er sich wenden sollte. Trotzdem spürte er, wie es ihn hinauszog.

Hardinus, der Vitus' Gedanken erraten hatte, flüsterte: »Ich war mir sicher, dass es dich reizen würde, dem Geheimnis auf den Grund zu gehen. Aber es will wohl überlegt sein, wohin du dich wendest.«

»Ja, Ehrwürdiger Vater. Aber ich habe das Gefühl, als müsste ich eine Nadel im Heuhaufen suchen.«

»Richtig, deshalb werden wir den Heuhaufen verkleinern.«

»Wie meint Ihr?«

»Wir müssen den Heuhaufen gedanklich verkleinern. Indem wir ein, zwei Dinge als wahrscheinlich annehmen. Erstens gehen wir davon aus, dass dieses Wappen dein Familienwappen ist. Dadurch ist auszuschließen, dass du spanischen Geblüts bist. Nehmen wir zweitens dein Aussehen hinzu: Es ist ein Indiz dafür, dass du eher aus dem Norden Europas stammst.«

»Aber auch der Norden ist groß.« Vitus war noch immer skeptisch.

Abt Hardinus schüttelte den Kopf und versuchte, seine letzten Energien zu konzentrieren. Die Kälte schlich sich immer höher. Schon griff sie nach seinem Herz. Der Tod hatte es eilig. Nun, er brauchte nicht mehr viel Zeit. Hardinus sprach weiter: »Ich meine das Englische Königreich. Gehe nach England. London ist ein Knotenpunkt für Kontakte aus aller Welt. Dort findest du vielleicht jemanden ...«

Er schwieg erschöpft.

»England«, wiederholte Vitus. Der alte Mann hatte mit wenigen Überlegungen das Schlüsselwort herausgefiltert. Auf einmal schien alles ganz logisch.

War England die Nadel im Heuhaufen?

Vitus wusste über dieses Land so gut wie nichts. Tüchtige Händler und mutige Seeleute sollten dort leben. Ihre Schiffe allerdings galten als lächerlich klein und hielten einem Vergleich mit den spanischen Galeonen nicht stand. Um nach England zu kommen, würde er eine Schiffspassage brauchen.

»Ein Schiff nach England ...«, flüsterte Hardinus. Er war kaum noch zu verstehen. Seine Gesichtszüge erstarrten. Er spürte jetzt deutlich, dass seine Lebenskraft nicht mehr bis zum heiligen letzten Sakrament reichen würde. Doch auch das war schließlich Gottes Wille. Und Gott hatte ihm dies bereits angekündigt. Es war gut so.

»Geh nach Santander ... dort ... ein Schiff nach London ...« Entkräftet schwieg er.

Und langsam, ganz langsam hob der Abt Hardinus ein letztes Mal seine Hand, um das Kreuz zu schlagen. »Gib mir ... das ... Kruzifix.«

Vitus' Gedanken überstürzten sich, während er auf den Schemel stieg und seine Hand nach der kleinen Figur tastete. Er blickte hinab. Was er sah, war nur noch ein kleiner, alter Mann, dessen Geist sich anschickte, den Körper zu verlassen. Vitus legte das Kruzifix auf die eingefallene Brust und fügte die Hände darüber zusammen.

»Ehrwürdiger Vater«, hörte er sich stammeln, »bitte, Vater, bitte! Ihr dürft noch nicht sterben!« Unaufhaltsam stiegen ihm die Tränen in die Augen. Seine Schultern begannen zu zucken. Aus seinem Inneren kamen Laute, die er noch nie von sich gehört hatte: klagend, schluchzend, verzweifelt.

Und noch einmal vernahm er die Stimme, die schon nicht mehr von dieser Welt war:

»Wer mit Gott ... lebt ... stirbt auch ... mit Gott.«

DER FUHRMANN EMILIO

»Ich hab gelernt, dass es Menschen gibt,
mit denen man eng zusammenlebt und die einem trotzdem
nie näher kommen. Und dann gibt es welche,
die kennt man kaum,
und doch schließt man sie gleich ins Herz.«

Mit quietschenden Angeln fiel das Klostertor an der Nordmauer ins Schloss. Vitus trat zögernd ins Freie. »Gott sei mit dir!«, hörte er hinter sich Bruder Castor brummen. Der Torsteher war ein vom Alter gebeugter, stets kummervoll dreinblickender Mönch. Dass er auch an diesem Morgen Dienst tun musste, vermochte seine Laune nicht zu bessern. Mit einiger Anstrengung schob er die eisernen Riegel wieder vor. In dem schweren, rumpelnden Geräusch lag etwas Endgültiges.

Vitus schaute sich um. Die Nebel der Nacht hingen noch über dem Tal, und die Berge am Horizont bekamen eben erst Konturen. Es war schneidend kalt. Er hielt einen Kapaun in der Hand, den ihm der Küchenmeister von Campodios, Bruder Festus, vor wenigen Minuten zugesteckt hatte. Alle nannten Festus ›Cupa dicens‹, das sprechende Fass, und wer ihn ansah, musste zugeben, dass der Spitzname nicht übertrieben war.

»So, verlassen willst du uns also!«, hatte das Fass gedröhnt, als Vitus sich von ihm verabschiedete. »Das tut mir Leid. Ich hörte bereits davon. Hast dir zum Reisebeginn ausgerechnet die Fastenzeit ausgesucht, mein Junge, da hab ich kaum was Rechtes als Wegzehrung.«

Suchend hatte der Küchenmeister sich umgeblickt und dabei laut überlegt: »Es gibt Klößchen von gehackten Fischen heut, mit Petersilienwurzeln und Weißbrot drin, abgewürzt mit Pfeffer und Safran ... nicht schlecht für eine Fastenspeise, aber als Marschverpflegung? Doch halt! Hier haben wir das Richtige!«

Rasch hatte Cupa dicens einen knusprig gebratenen Kapaun aus dem Ofen geholt und verschwörerisch den Finger an die Lippen gelegt: »Wenn jemand fragt, weißt du von nichts! Der Vogel ist dir einfach zugeflogen, klar?«

»Klar!«, hatte Vitus geantwortet.

»Lass ihn dir schmecken. Essen hält Leib und Seele zusammen! Denk an meine Worte, wenn es dir einmal schlecht ergeht.«

Bevor Vitus sich bedanken konnte, hatte Cupa dicens sich abgewandt und ein großes Küchentuch ergriffen, um damit das Fett von seinen gewaltigen Pranken zu wischen. Zufrieden vor sich hin summend hatte der Küchenmeister sich anschließend wieder seinen Töpfen und Schüsseln gewidmet, hier etwas abgeschmeckt, da eine Zutat geprüft. Vitus schien er völlig vergessen zu haben. »Ist noch was, Junge?«, hatte er gefragt, als Vitus nach einer Weile noch immer an seiner Seite stand.

»Äh, nichts, aber ich danke Euch herzlich.«

Das Fass hatte irgendetwas gebrummt und so beschäftigt gewirkt, dass Vitus sich schließlich entfernte. Offenbar mochte Cupa dicens keine Abschiedsszenen.

Vitus wog den Kapaun in der Hand und fragte sich, wie er ihn am besten transportieren sollte. Ein leiser Schnarchton durchbrach seine Gedanken. Bruder Castor! Er musste grinsen. Der alte Mönch machte seinem Ruf, nicht gerade der Wachsamste zu sein, wieder einmal alle Ehre. Ton für Ton wurde sein Schnarchen lauter. Ein sicheres Zeichen, dass er ins Land der Träume hinabtauchte.

Wohin nun mit dem Kapaun? Klar war, dass er zum Marschieren freie Hände brauchte. Also würde es am besten sein, den Vogel noch irgendwie in der Kiepe, die er auf dem Rücken trug, unterzubringen. Er nahm sie ab und betrachtete ihren Inhalt:

Zuoberst lag da ein einfaches Kochgeschirr, bestehend aus Topf und eisernem Dreibein. Ein Geschenk von Bruder Grimm aus der Klosterschmiede. Die nächste Schicht bildeten zwei Hemden aus grobem Leinen. Darunter hatte seine Ersatzhose Platz gefunden, ein Kleidungsstück, das diese Bezeichnung kaum verdiente, denn es war im Laufe der Jahre unzählige Male geflickt worden. Weiter unten befand sich ein grob gestricktes Wollwams und ganz am Boden schließlich ein Paar rindslederner Sandalen von sehr guter Qualität, frisch aus der Schuhmacherei von Campodios.

Die Kiepe selbst wies eine Besonderheit auf, die sich als großer Vorteil herausgestellt hatte: Sie besaß einen doppelten Boden. Der Geheimraum war gerade groß genug, um eine der seltenen Abschriften des Werkes *De morbis* aufzunehmen, die Pater Thomas ihm zum Abschied geschenkt hatte.

»Nimm es als meinen Dank für die Assistenz bei vielen Wundbehandlungen und für die Inspiration, die du mir bei der Erforschung der Kräuter gegeben hast«, hatte er am gestrigen Abend gesagt. »Es ist ein Duplikat, in dem manche Illustrationen sogar noch schöner gelungen sind als im Original.« Zögernd hatte Vitus nach dem kostbaren Exemplar gegriffen.

»Ich weiß nicht, wie ich Euch danken soll. Ich …« Ihm hatten vor Freude die Worte gefehlt.

»Lass nur, Vitus. Wie du siehst, wird das Buch an der offenen Seite durch ein starkes Schloss zusammengehalten. Der Grund dafür ist einfach: Das Buch kann Leben retten, aber auch den Tod herbeiführen – wenn es in falsche Hände gerät. Gib deshalb immer darauf Acht.« Der hagere Mann hatte ihm ein ledernes Band über den Kopf gestreift, an dem der Schlüssel zum Schloss hing. »Lebe wohl, Vitus, der Herr sei mit dir und halte seine Hände schützend über dich!«

Neben einigen Heilpflanzen und chirurgischen Instrumenten, die ebenfalls im Geheimfach lagen, war dies schon alles, was er bei sich trug.

Ähnlich versteckt wie das Buch waren auch das rote Damasttuch und die Goldescudos: geschützt vor neugierigen Blicken trug er das Tuch direkt auf dem Leib; die Escudos hatte er im Saum seines Mantels eingenäht, Stück für Stück, damit sie beim Gehen nicht gegeneinander klirrten.

Nachdem auch der Kapaun verstaut war, schulterte er die Kiepe erneut und marschierte entschlossen los. Der Weg führte in sanften Biegungen vom Kloster fort. Links und rechts traten vereinzelt graue Gesteinsblöcke auf, unterbrochen von niedrigen, immergrünen Bodenpflanzen. Langsam schob die Sonne sich am Horizont empor, gewann an Kraft und sandte ihre ersten warmen Strahlen zur Erde.

Nach vier Meilen führte der Weg durch einen torähnlichen Felsen, in dessen Innerem ein Madonnenschrein zum Gebet einlud. Vitus murmelte ein rasches Ave-Maria, bevor er auf der anderen Seite den Weg nach Porta Mariae einschlug, einem Ort, der seinen Namen dem Felstor verdankte. Hier traf er außer ein paar gackernden Hühnern und ein paar tratschenden Frauen niemanden an, denn an diesem Tag fand kein Markt statt.

Er verließ den Ort. Nach einer weiteren Meile erreichte er den Pajo, ein Flüsschen, dessen Bett im Sommer regelmäßig ausgetrocknet war. Doch jetzt führte es noch reichlich Wasser. Er trat ans Ufer. Mitten im Fluss entdeckte er einen Ginsterbusch, an dem die Fluten gurgelnd vorbeischossen.

Prüfend tauchte er einen Fuß ins Wasser. Die Strömung war stark, aber der Busch stand da wie ein Fels, breit ausladend und mannshoch. Vitus fühlte sich unwiderstehlich von ihm angezogen.

Ohne nachzudenken, watete er durch das Wasser, bis er ganz dicht davorstand. Sein Blick fiel auf einen Zweig, der sich durch seine Beschaffenheit von allen anderen unterschied: Er war gerader und stärker und von besonderer Ebenmäßigkeit. Vitus beugte sich vor. Seine Finger reichten knapp heran. Er griff zu und zog, doch es war, als wollten die anderen Zweige ihm das Gewünschte verwehren, so widerspenstig zeigten sie sich. Endlich, nach einem heftigen Ruck, kam etwas ans Licht, das aussah wie ein Wanderstecken: zwei Männerdaumen dick und gute fünf Fuß lang. An einem Ende war der Stecken halbrund gebogen – wie ein Jakobsstab.

Staunend bemerkte Vitus, wie ausgewogen er in seiner Hand lag. Er packte ihn fest und spürte, wie die Wärme des Holzes in seine Arme überging. Probehalber ließ er ihn durch die Luft sausen. Einmal ... zweimal ... dreimal.

Das singende Geräusch machte ihm Mut.

»So ein Mist!« Ozo fluchte leise vor sich hin. »Nie geht etwas so, wie ich's will!« Er hockte am Rande einiger Haselnusssträucher, die den Weg nach Punta de la Cruz säumten, und starrte trübselig auf eine kleine Schafherde, die ungeachtet seiner Laune friedlich auf den Flusswiesen des Pajo graste. Wieder einmal hatte sich kein anderer finden lassen, um auf die blöden Viecher aufzupassen! Und alles nur, weil die Alten immer bestimmten. Dabei war er mit seinen vierzehneinhalb Jahren selber schon so gut wie erwachsen. Er war ein Mann, der wusste, was er zu tun und zu lassen hatte! Zum Angeln hatte er heute Morgen gehen wollen, aber wie immer war seine Mutter anderer Meinung gewesen. Eine Predigt hatte sie ihm gehalten über die Aufgaben von Knaben in seinem Alter, von den allgemeinen Pflichten eines Kindes und von der Freude, die man seinen Eltern, besonders aber seiner Mutter, machen sollte, und so weiter und so weiter …

Eine endlose Litanei, die er auswendig kannte. Dabei hatte seine Mutter selber nicht die Arbeit erfunden und galt als eine der größten Plaudertaschen weit und breit.

Und nun saß er hier und musste Schafe hüten. Er nahm sein Gürtelmesser und begann lustlos an einem Ast herumzuschnipseln. Sollte er eine Lockpfeife für die Entenjagd schnitzen? Das hatte er noch niemals versucht. Ob er's konnte? Egal, er hatte sowieso nichts anderes vor, und die Schafe versorgten sich von alleine. Er setzte das Messer an und flitschte den ersten Span ab.

Nach einiger Zeit erinnerte ihn sein Machwerk weniger an eine Entenpfeife als an sein Ding zwischen den Beinen. Allein der Gedanke daran versetzte ihn schon in Erregung. Das war ihm in letzter Zeit häufiger passiert, und immer, wenn er sich unbeobachtet fühlte, hatte er heftig daran gerieben, so lange, bis ein überwältigendes Gefühl ihn erfasste und aus seinem Glied einige milchige Tropfen hervorspritzten.

Beim Allmächtigen, tat das gut!

Er fragte sich, ob das die Fleischeslust war, die von den Priestern und den alten Frauen ständig verteufelt wurde, während seine rechte Hand tastend nach unten fuhr. Niemand hatte ihm je gesagt, was genau die Fleischeslust war. Irgendetwas unerhört Verwerfliches, das zwischen Mann und Frau geschah. Wenn das stimmte, umso besser: Er war schließlich allein. Also war dies keine Sünde? Er wusste es nicht. Und was man nicht wusste, konnte man auch nicht beichten. Eigentlich gut so. Er beschloss, sich das große Gefühl umgehend zu verschaffen, und drückte sich tief in die Sträucher, bis er sicher war, dass niemand ihn beobachten konnte.

»Meister Euklid, was lehrtet Ihr über das rechtwinklige Dreieck? Das Quadrat über einer Kathete ist gleich groß der Fläche … äh, wartet, ich hab's gleich …«

Ozo hielt erschreckt inne. Was war das für eine Stimme? Er spähte durch die Sträucher auf den Weg. Ein komischer Kauz kam daher, sichtlich bemüht, ein strammes Tempo vorzulegen. Ozo, der schon Soldaten hatte marschieren sehen, verzog abfällig den Mund. Der da hatte keine Ahnung vom schnellen Gehen, denn er bewegte sich viel zu verkrampft. Und statt ein kerniges Lied zu singen, rief er einen unsichtbaren Meister an. Was dem fehlte, war die lässige Geschmeidigkeit, mit der altgediente Landsknechte ausschritten. Von dem ging bestimmt keine Gefahr aus! Allerdings, dieser Kiepenträger schien ein seltsamer Geselle zu sein. Eine Mischung aus Kräuterhexe und Mönch. Bei Gott! Jetzt legte er sich auch noch den Wanderstab quer über die Schulter, bog den Rücken durch und beschleunigte den Schritt. Er sah aus wie der Herr Jesus am Kreuz. Ganz so wie in der Kirche, die Ozo jeden Sonntag besuchen musste. Ein ungeheuerlicher Gedanke schoss in ihm hoch:

War das überhaupt ein Mensch? War das vielleicht …?

Jetzt machte der Wanderer eine weit ausladende Geste und hob erneut die Stimme: »Ich hab's, ich hab's! Das Quadrat über einer Kathete ist flächengleich dem Rechteck aus der Hypotenuse und der Projektion der Kathete auf die Hypotenuse, stimmt's?«

Ozo fing an zu zittern. Mit wem sprach der Unheimliche bloß? Er duckte sich noch tiefer ins Gesträuch. Gott sei Dank, der Wanderer mit den unbegreifbar gefährlichen Worten ging vorbei, ohne ihn bemerkt zu haben.

Für Ozo war klar, dass er hier keine Minute länger bleiben durfte; er musste nach Hause und den Vorfall melden.

Vitus saß am Wegrand und massierte seine Füße. An beiden Ballen saßen dicke, prallvolle Blasen, die scheußlich schmerzten. Gott war sein Zeuge, das Marschieren hatte er sich leichter vorgestellt!

Er blickte auf die Stiefel, die neben ihm lagen. Während der letzten Meile hatte er das Gefühl gehabt, auf einer Raspel zu gehen, so gnadenlos hatte sich das Leder an immer denselben Hautstellen gerieben. Er dachte daran, dass es noch fast neunzig Meilen bis Santander waren, eine Strecke, die ihm genauso lang erschien wie die Entfernung zum Mond. Seine Marschleistung schätzte er auf kümmerliche sechs Meilen, und die Zeit, die er dazu gebraucht hatte, kam ihm vor wie eine Ewigkeit. Dabei hatte er sich ständig abgelenkt, indem er die griechischen Philosophen und Mathematiker zitierte …

Seufzend erhob er sich. Seine brennenden Füße erinnerten ihn an seine Stiefel, die noch im Gras lagen. Er nahm sie auf und beschloss, fürs Erste barfuß weiterzugehen. Dann ergriff er den Wanderstab und legte ihn sich wieder quer über die

Schultern. So konnte er beim Gehen die Arme ausbreiten und die Hände bequem über die Stockenden hängen. Eine gute Gangart, wie er glaubte, denn sie erzwang eine gerade Körperhaltung.

»Bei allen Heiligen«, rief er laut, »ich werd's schon schaffen! Thales von Milet, jetzt seid Ihr dran!«

Er machte ein paar entschlossene Schritte, schüttelte die Kiepe zurecht und fuhr fort: »Alle Winkel, deren Scheitel auf einem Halbkreis ...«

»He, du da!« Eine krächzende Stimme ließ ihn herumfahren. Auge in Auge stand er einem riesigen Maultier gegenüber, das vor einen vierrädrigen Karren gespannt war. Der Aufbau des Wagens war so windschief wie eine alte Scheune. Vorn auf einem Brett, das als Kutschbock diente, hielt ein knochiger, grauhaariger Fuhrmann die Zügel. Sein Gesicht wirkte wächsern; die kleinen, wachen Äuglein saßen in dunklen Höhlen, umrahmt von unzähligen Fältchen. Misstrauisch musterte er Vitus von oben bis unten. »Bist du vom Teufel besessen?«

»Ich?«

»Ja, du, ich sehe sonst niemanden.«

»Natürlich nicht. Wie kommt Ihr darauf?«

»Wie ich darauf komme? Das will ich dir saha ...« Jäh blieb dem Fuhrmann die Luft weg, er griff sich an die Brust, ein Zittern durchlief seinen Körper. Dann begann er qualvoll zu husten, mit keuchenden Lauten, die an das Kläffen eines Hundes erinnerten, wobei sein Körper wie von einer Riesenfaust hin- und hergeschüttelt wurde. Das Maultier spielte nervös mit den Ohren.

Nachdem der Hustenanfall vorüber war, spuckte der Alte aus und traf zielsicher eine Eidechse, die sich auf einem Stein wärmte. Anschließend nestelte er ein großes Tuch hervor und wischte sich den Mund ab. Den hellroten Blutflecken im Stoff schenkte er dabei keine Beachtung. Anfälle dieser Art schienen ihm nichts Neues zu sein.

»Ich an Eurer Stelle würde etwas gegen meinen Husten tun«, meinte Vitus.

»Was du nicht sagst!« Der Fuhrmann blickte eine Spur freundlicher, knüllte das Tuch zusammen und scheuchte damit eine Fliege von der Stirn. Sein Argwohn schien so schnell zu verschwinden wie das davonschwirrende Insekt. »Wohin willst du denn so alleine, Söhnchen?«, fragte er.

»Ich bin auf dem Weg nach Santander, will dort eine Schiffspassage nach England nehmen.« Vitus blieb förmlich, denn die Anrede »Söhnchen« störte ihn.

»Hm«, machte der Alte, »Santander kenne ich, war als junger Dachs mal da, aber England?« Auf seiner Stirn bildeten sich noch mehr Falten. »Dieses England liegt nicht in Spanien, oder?«

»Nein, jenseits der Biscaya, es soll eine weite Schiffsreise dorthin sein.«

»Mein Ältester ist auch zur See gegangen. Hab nie wieder was von ihm gehört. Steig auf, Söhnchen!« Energisch schnalzte der Alte mit der Zunge. »Isabella wird nichts dagegen haben, dich ein Stückchen in Richtung England mitzunehmen. Hüaa, altes Mädchen!«

Gehorsam trottete das Maultier los.

Nachdem sie eine Weile unterwegs waren, drehte der Alte beiläufig den Kopf: »Du musst entschuldigen, dass ich am Anfang etwas gallig war«, sagte er, »aber diese Strecke ist gefährlich. Bin zwei, drei Male den Strauchdieben nur um Haaresbreite entwischt.«

Er streckte seinen nackten Fuß vor und rieb mit der Ferse zärtlich über das ausladende Hinterteil des Maultiers. »Wenn meine Isabella nicht jedes Mal so schnell davongelaufen wäre, würd ich jetzt nicht neben dir sitzen.«

»Ist schon gut.« Vitus war nicht nachtragend.

»Die Spitzbuben denken sich dauernd was Neues aus. Mal treten sie als Bettler auf und rühren an dein Christenherz: Dir bleibt nichts anderes übrig, als anzuhalten, und schon haben sie dich beim Schlafittchen.« Seine Hand fuhr unmissverständlich an die Kehle. »Ein anderes Mal tun sie so, als wären sie sterbenskrank, legen sich quer über die Straße und jammern gottserbärmlich. Hinterher bist du es selbst, der da liegt und stöhnt.«

Er bohrte den Zeigefinger in Vitus' Seite. »So was wie dich hab ich allerdings noch nie erlebt. Du riefst irgendwas von geheimnisvollen Winkeln und Kreisen und hast dich mit einem Unsichtbaren unterhalten. Es erinnerte mich sehr stark an Hexerei.«

»Unsinn!«

»Doch«, beharrte der Fuhrmann, »wenn du nicht so blond wie der Erzengel Gabriel wärst, hätt ich Isabella die Peitsche gegeben, und du hättst zur Seite hüpfen müssen wie ein Frosch.«

»Und wenn mir das nicht gelungen wäre, hättet Ihr mich überfahren? Einfach so?«

»Beruhige dich, Söhnchen, ich hab's ja nicht getan. Außerdem scheinst du wirklich nicht zu wissen, wer sich heutzutage auf den Straßen rumtreibt.«

Vitus betrachtete die friedliche Landschaft, die gemächlich an ihnen vorbeirumpelte. »Es gibt keine Hexen und auch keine Hexer«, entgegnete er schließlich.

»Hast du eine Ahnung!« Aufmunternd tippte der Alte mit seiner Gerte gegen Isabellas Hinterhand, denn vor ihnen lag eine längere Steigung. »Jeder weiß, dass es sie gibt. Und nur ein toter Hexer ist ein guter Hexer, so wahr ich Emilio Ragoza heiße und aus Punta de la Cruz komme. Kannst im Übrigen ruhig Emilio zu mir sagen, alle tun's in dieser Gegend.«

»Ihr kommt, äh … du kommst aus Punta de la Cruz?« Vitus spürte ein vertrautes Gefühl.

»Richtig. Bin auf dem Wege nach San Cristobal, um eine Ladung Brennholz zu holen, unseres im Dorf ist kaum abgelagert und noch zu feucht.«

»Kennst du vielleicht den Abt Hardinus? Er war früher öfter in Punta de la Cruz.«

»Den Abt Hardinus? Ich erinnere mich an einen Mönch namens Hardinus, aber es muss Jahre her sein, seit er das letzte Mal im Dorf war.« Der Alte schlug mechanisch das Kreuz. »Ich weiß, dass die Ältesten von uns ihn sehr verehren, denn es gab Zeiten, da hatten wir keinen Priester, und Vater Hardinus kam jede Woche einmal vorbei und kümmerte sich um unser Seelenheil. Als ich klein war, brachte er mir und ein paar anderen sogar ein bisschen Lesen und Schreiben bei. Doch das ist Vergangenheit, und wir werden mit jedem Jahr weniger im Dorf. Die Jungen zieht's halt hinaus.«

Wieder schlug er das Kreuz, diesmal bewusst und langsam. »Wie geht es ihm, er muss doch bald hundert Jahre alt sein?«

»Er ist tot.« Vitus wunderte sich, wie leicht ihm die Antwort über die Lippen kam. »Er starb friedlich, denn er hatte sein Haus bestellt. Jeder wusste, was er zu tun hatte – auch ich.«

»Du gehörst zum Kloster?« Etwas wie Bewunderung erschien in Emilios Augen, er wandte sich nach vorn: »Hast du das gehört, Isabella? Das Söhnchen hier …«, er unterbrach sich, »wie heißt du eigentlich?«

»Vitus.«

»… also dieser Vitus, den du hier ziehst, mein Mädchen, kommt von Campodios und ist sicherlich ein hochgelehrter Mensch, der sogar lesen und schreiben kann, stimmt's, Söhnch … äh, Vitus?«

»Nun ja, natürlich. Aber ich gehöre nicht mehr zum Kloster.«

»Aha. Und was willst du in diesem England, wo du doch angenehm auf Campodios leben könntest und immer satt zu essen hättest?«

Vitus zögerte, doch er sah keinen Grund, Emilio nicht die Wahrheit zu sagen. »Ich will herausfinden, wie meine Eltern heißen und wo sie leben.«

Der Alte starrte ungläubig. »Wie? Du weißt nicht, wer deine Eltern sind?«

»Es hört sich seltsam an, aber es stimmt. Der einzige Anhaltspunkt, den ich habe, ist ein altes Familienwappen.«

»Ein Familienwappen? Donnerwetter! Und du glaubst, das könnte aus diesem England sein?«

»Wer weiß.«

Wieder fuhren sie schweigend dahin. Jeder hing seinen Gedanken nach. Vitus fragte sich, was ihn in England erwartete. Er wusste noch immer nicht viel von diesem Land, denn er hatte kaum Zeit gefunden, etwas darüber in Erfahrung zu bringen. In den letzten Wochen hatte Campodios einem brodelnden Wasserkessel geglichen. Kein Tag war vergangen, an dem nicht etwas Außergewöhnliches den Klosteralltag durchbrochen hätte.

Nach dem Tod des Hardinus hatte man seinen Leichnam hergerichtet und in der kleinen Klosterkapelle aufgebahrt, die der

Verstorbene so geliebt hatte. Gaudeck, Thomas, Cullus und Vitus hatten in der darauf folgenden Nacht die Totenwache am Katafalk gehalten, jeder eine Kerze in der Hand und die alten Choräle singend.

Am anderen Tag hatte Pater Gaudeck eine Messe zelebriert und Pater Cullus das heilige letzte Sakrament verabreicht. Hunderte von Trauernden, Mönche ebenso wie Menschen aus der nahen und fernen Umgebung, waren gekommen, um dem alten Abt Lebewohl zu sagen.

Danach hatte Cullus die Tränen nicht mehr zurückhalten können. Schnüffelnd und sich die Nase wischend hatte er aus den Oden des Horaz zitiert: »*Multis ille bonis flebilis occidit!*« und für die *Pueri oblati* die Übersetzung gleich mitgeliefert: »Er starb, von vielen Guten beweint!«

Als einer der Letzten war Vitus an den Sarg herangetreten und hatte ein Gebet gesprochen, von dem er wusste, dass der alte Abt es besonders geliebt hatte:

»Ewiges Licht, scheine in unsere Herzen,
Ewige Güte, erlöse uns von dem Bösen,
Ewige Weisheit, vertreibe das Dunkel unserer
Unwissenheit,
Ewige Trauer, habe Gnade mit uns,
dass wir mit unserem Herzen, unserem Verstand,
unserer Seele, unserer Kraft Dein Angesicht erkennen
und dass Deine unendliche Gnade
uns zu Deiner Göttlichkeit führt.
Amen.«

Es war ein Gebet aus dem 8. Jahrhundert, das ursprünglich aus England kam. England …

Wieder kreisten Vitus' Gedanken um das, was ihn dort erwartete.

Würde er dort das Geheimnis seiner Herkunft lösen?

Plötzlich legte sich ein Arm um seine Schulter. »Es muss schlimm sein, Vater und Mutter nicht zu kennen«, sagte Emilio.

Am Nachmittag fuhren sie an mehreren großen, noch unbestellten Feldern vorbei, deren dunkle Erde sich durch die Sonne grau zu verfärben begann. In einiger Entfernung entdeckten sie elf Gestalten, die sich, nebeneinander gehend, langsam über den Acker auf sie zubewegten. Unter ihnen waren sechs Kinder und mehrere Halbwüchsige. In ihrer Mitte rollte ein klappriger Karren.

»Es sind Verwandte von mir!«, freute sich Emilio. »Sie bilden eine Kette und lesen die Steine auf, die jeden Winter durch den Frost nach oben gedrückt werden.«

Vitus sah, dass sie sich von Zeit zu Zeit bückten und Steine, Wurzeln und Geröll auf den Wagen warfen. Ab und zu blitzte ein Messer auf, wenn eine der unausrottbaren Disteln ausgestochen wurde.

»Je besser der Acker vorbereitet ist, desto leichter das Pflügen«, erklärte Emilio. »He, ihr da! Ihr seid spät dran dieses Jahr.«

»Auch der Frühling ist dieses Jahr spät dran.« Ein breitschultriger, vierkant gebauter Mann schob sich vor und grinste fröhlich. »Oder hat sich das noch nicht bis Punta de la Cruz herumgesprochen?« Er drehte sich um und winkte die anderen heran. Dann streckte er die Rechte vor. »Ich bin Carlos Orantes.«

»Ich bin Vitus.«

Orantes packte Vitus' Hand und bearbeitete sie kraftvoll wie einen Pumpenschwengel. Dann stellte er die Mitglieder seiner Familie vor: »Ana, meine Ehefrau. Tritt heran, Weib.«

»Guten Tag, Vitus«, sagte eine gutmütig aussehende, rundliche Frau, die sich noch rasch die Hände an der Schürze abgewischt hatte.

»Dann haben wir da Antonio und Lupo, meine beiden Ältesten.« Orantes deutete auf zwei Jungen, die einander aufs Haar glichen. »Wie du unschwer erkennen kannst, hat Ana, mein treues Weib, es hier doppelt gut gemeint.« Er zwinkerte fröhlich. »Hier folgt unsere Nina, die schon heute viele Verehrer hat.«

Vitus blickte in ein Mädchengesicht von sanfter Schönheit. Die Kleine war vielleicht vierzehn Jahre alt.

»Nun zum jungen Gemüse«, fuhr Orantes zielstrebig fort, denn was er einmal angefangen hatte, das führte er auch zu Ende. »Conchita, Blanca, Pedro, Maria, Manoela, ja auch du, Gago, sagt Vitus ›guten Tag‹.«

Ein kleiner Junge, Vitus schätzte ihn auf fünf, trat als Letzter vor, wobei er den Kopf krampfhaft gesenkt hielt. »Gut-gutten T-t-tag«, nuschelte er in Richtung Erdboden.

»Gago, mein Söhnchen«, sprach Orantes mit gespielter Strenge, »hab ich dir nicht beigebracht, dass man den Leuten ins Gesicht schaut, wenn man sie begrüßt? Komm, versuch es gleich noch mal!«

Ängstlich blickte der Kleine auf. Der Grund für seine Unsicherheit wurde offenbar: Seine Oberlippe war unterhalb der Nase von einer Hasenscharte entstellt, die dem kleinen Gesicht etwas Fratzenhaftes verlieh. »Gut-gut-ten T-t-tag.« Gagos Mund arbeitete heftig bei dem Versuch, das Stottern zu vermeiden.

»Bravo, das war schon viel besser!«, strahlte der Papa, wobei er seinem Jüngsten liebevoll eine Kopfnuss verpasste. »Warum nicht gleich so? Und weil wir so jung nicht wieder zusammenkommen, sollten wir jetzt eine kleine Pause machen und ein Schwätzchen halten.«

Offensichtlich war Orantes auch ein Mensch, der aus jeder Situation das Beste machte.

Kurz darauf saßen sie alle gemeinsam im Gras und tauschten Neuigkeiten aus, während Isabella, die etwas abseits angepflockt war, sich zufrieden aus einem umgehängten Sack versorgte, den Emilio zuvor mit Haferschrot gefüllt hatte.

»Komm, Vitus, bis San Cristobal ist es noch weit«, sagte der Fuhrmann schließlich und klopfte sich den Staub von der Hose. »Ich möchte noch im Hellen dort ankommen.«

»Recht so«, bekräftigte Orantes, der sich ebenfalls erhob. »Man kann nicht vorsichtig genug sein.« Und wie um seinen Worten noch mehr Nachdruck zu verleihen, nickte seine Familie einträchtig: »Gott sei mit euch!«

»Gott sei mit euch!«, antworteten beide, und Isabella zog den Karren wieder auf die Straße.

Der nächste, weitaus schlimmere Anfall kam zwei Stunden vor Sonnenuntergang.

Wie mit stählernen Klauen presste der Husten Emilios Lungen zusammen, und in Sekundenschnelle verfärbte sein Gesicht sich blaurot. Die Augen quollen hervor. Blut trat stoßweise aus seinem Mund, während er, von Krämpfen geschüttelt, fahrig in die Luft griff, außer Stande, sich selbst von den Qualen zu befreien.

Vitus saß daneben – versteinert und fasziniert zugleich.

Isabella war stehen geblieben und stampfte unruhig mit den

Hufen. Jetzt hob sie den Kopf, und Vitus hörte zum ersten Mal, wie laut ein Maultier schreien kann.

Das löste seine Erstarrung. Er packte den zuckenden Emilio, hielt ihn fest, damit er nicht vom Bock fiel, und sprach besänftigend auf ihn ein. Jäh wurde ihm klar, wie hilflos er war. Sein Herz begann hart und schnell zu schlagen.

Bleib ruhig! Bleib ruhig! Bleib um Gottes willen ruhig!

Endlich schien sich der Anfall zu legen. Emilio hing leblos wie eine Puppe in seinem Arm.

Er blickte sich um. Isabella hatte vor einer Gruppe hoher Koniferen Halt gemacht, die einen lockeren Halbkreis bildeten und dadurch einen windgeschützten Platz zum Übernachten boten. Dahinter lag ein kleines Gewässer. Für den Anfang, entschied er, war das nicht schlecht. Scheinbar gelassen zog er dem Alten das Tuch aus dem Rock und tupfte ihm das Blut von den Lippen. »Mach dir keine Sorgen, Emilio. Wir werden hier Rast machen, bis es dir besser geht.«

Der Kranke nickte schwach, unfähig zu sprechen.

»Der Anfall scheint vorüber zu sein. Atme nicht zu tief ein, das könnte den Hustenreiz wieder wecken. Warte, ich hebe dich runter … So, das hätten wir. Ich lehne dich mit dem Oberkörper an diesen Stamm. Versuche, dich gerade zu halten und weiter ruhig zu atmen, ich besorge nur schnell eine Leine.«

Sekunden später hatte er einen Lederriemen vom Karren geholt und um die Brust des Fuhrmanns geschlungen. Hinter dem Baumstamm machte er einen Knoten. »Jetzt kannst du nicht mehr umfallen. Konzentriere dich ganz auf das ruhige Atmen.«

Schnaufend gehorchte der Kranke. Seine Gesichtsfarbe normalisierte sich langsam.

»Gut so, ich glaube, du hast das Schlimmste hinter dir.«

»Vitus?«

»Sprich besser nicht. Was ist?«

»Du bist ein feiner Kerl.«

»Blödsinn.«

Er nahm mehrere Decken vom Wagen und hängte sie so in die Zweige, dass sie eine geschützte Ecke bildeten, dann ging er Wasser in seinem Kochgeschirr holen und suchte trockene Äste zusammen. Wieder bei Emilio, griff er zu einem besonders harten Zweig und rollte ihn senkrecht zwischen seinen Handflächen, wobei er die Spitze des unteren Endes auf ein anderes Holzstück presste. Geraume Zeit mühte er sich ab, doch nichts geschah.

»Was hast du vor?«, krächzte Emilio, dessen Lebensgeister sich zurückmeldeten.

»Ich mache Feuer, um einen Kräutertrank zu brauen.«

»So wird das nichts.«

»Wieso? Ich habe gehört, dass unterschiedlich harte Holzarten, schnell aneinander gerieben, so viel Hitze entwickeln, dass Feuer entsteht.«

»Ach ja?« In Emilios Augen zeigte sich ein Funke Spott. »Ihr gelehrten Brüder wisst immer alles so genau. Aber ich wette, du kannst reiben bis zum Jüngsten Gericht, und trotzdem wird nichts passieren, außer dass du dir Schwielen an den Fingern holst. Guck mal in den Kasten unter dem Bock.«

Vitus gehorchte. »Da sind zwei dunkle Steine drin. Und eine Menge Sägemehl.«

»Richtig erkannt, Söhnchen. Das Sägemehl verdanken wir dem Holzwurm, der seit Jahren in meinem Karren haust. Jetzt schlag die Steine gegeneinander.«

Es gab ein helles, metallisch klingendes Geräusch, gleichzeitig sprang ihm ein roter Funke aus den Händen. »Donnerwetter!« Wieder schlug er die Steine aneinander, und abermals schoss ein großer Funke hervor.

»Das sind Eisensteine«, erklärte Emilio mit wissender Miene, »deine Holzreibemethode in Ehren, aber Eisensteine sind besser.«

Vitus betrachtete die Oberfläche neugierig: »Es ist Pyrit«, verkündete er, »man sieht hier kleine metallische Einschlüsse. Sie sind für das Entstehen der Funken verantwortlich.« Er hielt die Nase an beide Stücke. »Und ich rieche Schwefel!«

»Das ist Eisenstein«, entschied Emilio, »und es ist schon immer Eisenstein gewesen. Mach jetzt Feuer.«

Schon beim zweiten Versuch gelang es Vitus, stetig pustend, dem Sägemehl ein zartes Flämmchen zu entlocken, das sich schnell zu einem prasselnden Feuer vergrößerte. Er besann sich und überlegte, welches Medikament Pater Thomas bei einer Schwindsucht verordnet hätte. Ihm war klar, dass auch die Heilkunst eines Thomas hier scheitern musste, denn die Krankheit war bereits so weit fortgeschritten, dass sie allenfalls gelindert werden konnte. Am besten würde es sein, Emilio etwas Laudanum zu geben, aber er hatte keines. Er besaß zwar eine kleine Portion Opium, aber keinen Alkohol, um damit eine Tinktur herzustellen. Nun gut, dann musste es eben ein Kräutertrank tun, dem er etwas Opium beigab. Wichtig war auch, dass er Zuversicht ausströmte.

»Siehst du, schon brennt es«, sagte er und versuchte einen Scherz: »Ich werde dir jetzt einen Zaubertrank aus meiner Hexenküche zubereiten, dass dir der Husten ein für allemal vergeht.« Ein bisschen Übertreibung konnte nicht schaden. »Er wird dir nicht besonders schmecken, aber deinen Bronchien gut tun. Und deinem rauen Hals auch.«

In Ermangelung eines Lotes maß er mit Daumen, Zeige- und Mittelfinger die entsprechenden Kräutermengen aus seinem Vorrat ab, zerbröselte dazu ein winziges Quantum Opium und warf alles in das heiß werdende Wasser. »Die Extrakte müssen eine Weile ziehen, damit die Heilstoffe ihre Wirkung voll entfalten können.«

Er nutzte die Zeit, um Isabella aus dem Geschirr zu nehmen. Leise redete er auf das Tier ein und klopfte ihm beruhigend den Hals. Isabella antwortete mit einem zarten Spiel ihrer langen Ohren. Dann führte er das Tier zum Feuer, wo es Futter und Wasser bekam.

Als es satt war, verhielt es einen Augenblick und legte sich dann neben Emilio nieder, als wüsste es, dass sein Körper dem Kranken zusätzlich Wärme bot. Langsam wurde es dunkel, die Zikaden sangen ihr Lied, das Wasser im Topf begann zu brodeln. Vitus band Emilio los und legte ihn neben die wärmende Glut, in unmittelbare Nähe von Isabella. Das Maultier senkte den Kopf und begann an Emilios Ohrläppchen zu schnuppern, was einer Liebeserklärung gleichkam.

»Sie merkt, dass es dir besser geht«, sagte Vitus.

»Ja, sie ist ein kluges Mädchen, obwohl ihr Vater ein Esel war«, grinste Emilio. Sein Humor gewann langsam wieder die Oberhand. Inzwischen war der Kräutertrank durchgezogen und genügend abgekühlt, sodass er ihn trinken konnte. »Aaah, das wärmt die Brust von innen«, grunzte er. »Ich fühle mich wie neugeboren!«

»Wie lange hast du schon diesen Bluthusten?«, fragte Vitus und legte etwas Brennholz nach.

»Das weiß ich nicht genau. Vielleicht zwei Jahre? Vielleicht drei?« Emilio nahm einen weiteren Schluck. »Du hast Recht, schmecken tut's abscheulich.«

»Du müsstest im Süden leben, wo das Klima trockener ist, das würde dein Leiden vielleicht lindern«, sagte Vitus nachdenklich. »Jeder weiß, dass in feuchter Luft unsichtbare Stoffe schweben, die sich auf die Lunge niederschlagen können. Wie steht es überhaupt mit deinem Hunger? Ich habe einen Kapaun.«

»Jesus und Maria, bloß nichts zu essen!«, wehrte der Fuhrmann ab. Sein Blick ging nach Westen, wo die Sonne tiefrot hinter den Bergen versank. Er war glücklich, wieder beschwerdefrei atmen zu können. Der Kräutertrank mit dem Opium schien nicht schlecht zu sein. »So komisch es klingt«, sagte er nach einer Weile, »ich weiß nicht, ob ich achtundfünfzig oder neunundfünfzig Jahre alt werde. Niemand kann es sagen. Obwohl mein Geburtsdatum auf dem Altarflügel unserer Kirche eingetragen ist, ›29. Juli anno 1517‹ steht da neben meinem Namen. Aber irgendjemand hat die Jahreszahl geändert und aus der Sieben eine Acht gemacht. Das Dumme ist, es kann auch genau umgekehrt gewesen sein. Meine Mutter, die es wissen müsste, starb bei meiner Geburt, und mein Vater nahm sich kurz danach eine andere, mit der er für immer verschwand.«

»Das tut mir Leid.«

»Braucht es nicht. Ich will damit nur sagen, dass ich schon ziemlich alt bin und dieses Land nicht verlassen werde, nur weil ich einen Husten hab.«

»Vielleicht hast du Recht.«

»Alte Bäume soll man nicht verpflanzen, Söhnchen. Komm, wir hauen uns aufs Ohr.«

Vitus stand auf, um seinen Stecken vom Karren zu holen. »Ich glaube, ich halte besser Wache. Du hast selbst gesagt, wie unsicher die Gegend ist.«

»Das überlasse getrost Isabella, die hat bessere Ohren als wir beide zusammen.« Emilio drehte sich demonstrativ auf die andere Seite und ließ knarrend einen Wind fahren. »Gute Nacht, Vitus.«

»Äh, gute Nacht, Emilio.«

Er gähnte ausgiebig und setzte sich. Langsam fiel der Tag von ihm ab. Mit einer Nadel ritzte er vorsichtig seine Blasen auf, drückte die Flüssigkeit heraus und umwickelte die Ballen fest mit einem Stoffstreifen.

Später, einer plötzlichen Eingebung folgend, holte er das Buch *De morbis* hervor. Vielleicht fand sich darin doch eine wirksame Arznei gegen Emilios Bluthusten? Behaglich lehnte er sich gegen die Flanke des Maultiers, während er das schwere Buch aufschloss. Gleich zu Beginn sah er eine vielfarbige, in feinsten Federstrichen ausgeführte Illustration, die Jesus von Nazareth bei der Heilung einer Aussätzigen zeigte. Danach folgte ein längeres Vorwort des Autors:

An den geneigten Leser dieses Werkes.

Die Versuche, das medizinische Wissen auf der Welt Unseres Erhabenen Schöpfers fortzuentwickeln, sind so mannigfaltig wie die Sandkörner an den Gestaden des Meeres. Und dennoch können alle Erkenntnisse und Aufzeichnungen nur unvollkommen sein, solange sie der Feder eines Einzelnen entspringen.

Dieses Werk ist darum das Werk von vielen. Eines, welches die wichtigsten Entdeckungen der Wissenden in einem gesammelten medizinischen Komplex erfasst – auf dass es dem Ärzte Rat gebe, dem Studierenden zur Verfügung stehe und dem Kranken Linderung bringe.

De morbis hominum et gradibus ad sanationem ist ein mehrgeteilt Werk, gegliedert in die Lehre von den Kräutern als

Quelle aller Heilkraft, gefolgt von der Lehre über die Pharmakologie und den Kapiteln zur Wundchirurgie und Geburtshilfe.

Neben den bescheidenen Beiträgen des Autors wird dem Leser ein nicht geringer Teil der Praktiken des hoch geschätzten Susruta von Benares zur Kenntnis gebracht, dessen bedeutsamem Wissen wir neben vielen erstaunlichen Beobachtungen die besondere Kunst des Starstechens verdanken. Ausdrücklich muss indes betont werden, dass seine Lehrmeinung, zur absoluten Erkenntnis sei das Sezieren des entseelten Körpers unabdingbar, keinesfalls der Auffassung eines Christenmenschen entsprechen kann.

Hippokrates von Kos als der bedeutendste Arzt der Antike muss mit Susruta im gleichen Atemzuge genannt werden. Ihm verdankt die medizinische Kunst ihren endgültigen Wandel zur Erfahrungswissenschaft.

Der große Galenos aus Pergamon hat, aufbauend auf den Lehren des Aristoteles, die Vier-Säfte-Lehre des Körpers zur Vollkommenheit entwickelt.

Dioskurides aus Anazarbos war, ebenso wie Galenos, ein berühmter Pharmakologe. Als Militärarzt unter den Cäsaren Claudius und Nero erwarb er sich große Verdienste und erscheint hierselbst mit praktischen Ratschlägen in der Behandlung von Hieb- und Stichwunden. Soranos von Ephesos, ein Heilkundiger, der im 2. Jahrhundert nach Unseres Heilands Geburt lehrte, darf hier nicht unerwähnt bleiben, da er als Verfasser eines Hebammenbuches noch heutigentags unschätzbare Hilfe den Frauen in ihrer schwersten Stunde bringt.

Ibn Sina, ein großer persischer Arzt, der in der Gelehrtenwelt besser unter dem Namen Avicenna bekannt ist, soll ebenfalls mit seinen wichtigsten diagnostischen Erkenntnissen vertreten sein, zu denen er mittels Stuhl- und Harnuntersuchungen gelangte.

Endlich sei neben den siebenunddreißig anderen Ärzten, Philosophen und Astrologen, die hier zu nennen nicht der Platz ist, noch Professor Paracelsus namentlich erwähnt, der zu seinen Lebzeiten dem Verfasser gut bekannt war.

Paracelsus, welcher in Wahrheit Theophrastus Bombastus von Hohenheim hieß, verdanken wir wertvolle Behandlungsmethoden gegen die Pest und die um sich greifende Syphilis – die jüngste Geißel aus Neu-Spanien. Auch ist es sein Verdienst, dass die Pflanzenkunde und das Wissen um die geheimnisvollen Kräfte der Kräuter heute wieder im Mittelpunkt so mancher Forschung stehen.

Möge das Werk seinen Dienst tun, vor Gott und der Welt!

Campodios, anno domini 1575.

Thomas

priesterlich geweihet im Herrn und Pater im Orden der Zisterzienser (SOrdCist).

Vitus blätterte weiter, gefesselt von der Ausführlichkeit, mit der jedes einzelne Leiden beschrieben wurde. Schließlich fiel sein Blick auf mehrere Zeichnungen, die dem Leser in einzelnen Schritten die Vorgehensweise beim Starstich zeigten. Die Krankheit, die auch ›Graue Augen‹ genannt wurde, war Vitus wiederholt begegnet. Neugierig las er, was der große Arzt Susruta im Einzelnen vorschrieb:

... bei mittlerer Temperatur, auf einem hellen Platz, am Vormittag, lasse sich der Arzt auf einer Bank, die so hoch wie sein Knie ist, gegenüber dem Patienten nieder, der sich gewaschen und gegessen hat und gebunden auf dem Boden sitzt. Nachdem er mit dem Hauch seines Mundes das Auge des Kranken erwärmt, es mit dem Daumen gerieben und in der Pupille die gebildete Unreinigkeit erkannt hat, nehme er, während der Kranke auf seine Nase blickt und fest am Kopf gehalten wird, die Lanzette mit dem Zeigefinger, Mittelfinger und Daumen fest in die Hand und führe sie ein, in Richtung nach der Pupille hin, auf der Seite, eine halbe Fingerbreite vom Schwarzen und eine viertel Fingerbreite vom äußeren Augenwinkel, indem er sie nach oben hin- und herbewegt. Er durchbohre das linke Auge mit der rechten Hand oder das rechte mit der linken. Hat er richtig gestochen, so gibt es ein Geräusch, und ein Wassertropfen tritt schmerzlos aus ...

Vitus schaute weiter, in der Hoffnung, etwas Heilsames gegen die schon fortgeschrittene Schwindsucht zu erfahren. Doch außer lindernden Kräuteraufgüssen, dem Warmhalten der Brust und dem Vermeiden von jedweder Anstrengung wussten die Weisen auch keinen Rat. Einige Fälle jedoch waren bekannt geworden, wo es Kranke tief in den Süden der afrikanischen Barbareskenstaaten verschlagen hatte. Im dortigen Wüstenklima waren sie, wie durch ein Wunder, genesen. Er überlegte, ob die heißen Winde die bösen Säfte in der Brust ausgetrocknet hatten oder worauf sonst diese Heilungen zurückzuführen waren. Die Zeilen begannen vor seinen Augen zu verschwimmen. Er klappte das Buch zu und schloss es ab. Ohne es zurückzulegen, schlief er ein.

Noch vor Sonnenaufgang wurde er von einem köstlichen Duft geweckt. Emilio hockte pfeifend am Feuer und briet dicke Brotscheiben in Olivenöl. Isabella stand etwas abseits und rupfte an den ersten saftigen Halmen, wobei ihr samtiges Maul völlig im Gras verschwand. Emilios Handgriffe waren schnell und geschickt, es schien, als hätten die Geschehnisse des vergangenen Abends nie stattgefunden.

»Komm ans Feuer und iss«, befahl der Fuhrmann, während er die fast fertig gerösteten Scheiben noch einmal wendete. Dann griff er hinter sich und holte ein hohes, leicht bauchiges Gefäß hervor. »Das ist Garón! Es gibt nichts Besseres auf geröstetem Brot.« Er tauchte eine Scheibe hinein und biss schmatzend ab. »Versuch's selbst.«

Vitus steckte die Nase in das Gefäß und schloss die Augen, um sich besser auf den Duft konzentrieren zu können. »Es riecht kräftig nach Kräutern und ein wenig streng.« Er schnupperte erneut. »Nach Fisch.«

»Richtig, Söhnchen«, kaute Emilio mit offenem Mund, »es ist eine Würztunke, von der man sagt, dass schon die Römer sie gekannt haben. Ihre Zubereitung ist ziemlich aufwendig, aber glaub mir, der Geschmack lohnt jede Mühe.«

»Und wie macht man diese Wundertunke?«

»›Mit Kräutern, Fisch und viel Geduld‹, wie meine Nachbarin, die alte Magdalena, immer zu sagen pflegt. Man braucht dazu einen irdenen Topf mit nicht zu großer Grundfläche. Dahinein gibt man immer abwechselnd eine Lage Fisch, eine Schicht Salz und eine Lage Kräuter. Anschließend wird umgerührt, jeden Tag einmal kräftig, insgesamt drei Wochen lang. Danach presst man die Masse durch ein Leinentuch – Tropfen für Tropfen. Das Ergebnis ist Garón.« Ich sag es nochmal: Es gibt nichts Besseres auf geröstetem Brot.

Vitus kostete. »Es riecht zwar streng, aber es schmeckt pikant. Welche Kräuter sind denn drin?«

»Ach, daraus macht jede Frau ein großes Geheimnis. Magdalena nimmt immer so ziemlich alles, was ihr Kräutergarten hergibt: Dill, Betonie, Feldkümmel, Leberklette ...«, er runzelte die Stirn und überlegte, »das ist aber noch lange nicht alles: Liebstöckel, Weinraute und Poleiminze tut sie ebenfalls hinein. Ich glaube, auch Oregano ... oder war es Rosmarin? Egal, Hauptsache, der Geschmack des einen Krauts erschlägt nicht den des anderen.«

»Das Rezept muss ich mir merken.«

»Etwas Thymian kann auch noch hinein.«

»Ah ja.«

»Und ein Lorbeerblatt.«

Vitus musste lachen: »Andromachus hätte seinen Theriak nicht aufwendiger herstellen können.«

»Andromachus, Theriwas?«, fragte Emilio verständnislos.

Vitus lachte noch immer. »Nero, der römische Kaiser, hatte einen Leibarzt namens Andromachus, der berühmt war für seinen Theriak – ein Heilmittel gegen vielerlei Beschwerden.«

»Ja und?«

»Und dieses Heilmittel setzt sich aus siebzig verschiedenen Kräutern und Essenzen zusammen, ist also fast so aufwendig herzustellen wie dein Garón.«

»Und der Geschmack von diesem Theriak?«

»Ist eher beißend. Zumal in einen wirksamen Theriak heutzutage auch ein gutes Stück Venezianische Viper gehört. Das macht den Trank besonders wirksam gegen Schlangenbisse.«

»Brrr.« Emilio schüttelte sich. »Willst du mir den Appetit verderben?«

»Nein, nein. Lass es dir weiter schmecken.« Vitus langte selber kräftig zu und stellte fest, dass ihm selten ein Frühstück so gut gemundet hatte. Dann stand er auf und steuerte hinter das Halbrund der Koniferen. »Ich verschwinde mal.« Rasch hob er die Kutte und holte sein Glied hervor. In der versunkenen Art, die allen Männern beim Wasserlassen zu eigen ist, betrachtete er den Strahl. Sein Blick fiel auf den nahen See, er überlegte, ob er noch ein Bad nehmen sollte, da trat Emilio unvermittelt hinzu.

»Wir brechen gleich auf, will nur noch schnell das Kochgeschirr sauber machen.«

»Ist recht!« Hastig wandte Vitus sich ab. Er war es nicht gewohnt, dass man ihn beim Wasserlassen ansprach. Die Mönche von Campodios waren stets darauf bedacht, einander nicht unliebsam zu überraschen.

»Du bist recht ordentlich bestückt, Söhnchen«, hörte er Emilio kichern, »lass dich nicht stören.«

Zehn Minuten später waren sie wieder unterwegs. Der Tag war wärmer als der vorangegangene, die Nebel des Morgens waren gar nicht erst aufgekommen. Die Hand des Alten wies nach oben, wo in einiger Entfernung ein Bussard kreiste. Plötzlich kippte der Vogel ab und raste im Sturzflug der Erde entgegen. Wenige Fingerbreit über dem Boden spreizte er die Schwingen und stieß die scharfen Krallen vor. Ein kurzes Flügelschlagen, ein spitzer Schrei, und der Kampf war zu Ende. Gelassen blickte der Vogel zu ihnen herüber, bevor er sich seiner Beute widmete.

»Wahrscheinlich eine Feldmaus«, überlegte der Fuhrmann. »Die Großen fressen die Kleinen. Das ist nun mal so bei den Tieren. Und bei den Menschen ist's nicht anders.«

»Ich wüsste gern, ob das ein gutes oder schlechtes Zeichen für mich war«, überlegte Vitus.

Emilio lachte. »Du als Gottesmann wirst mir doch nicht abergläubisch werden?« Und wie so oft sprach er mit Isabella weiter: »Was glaubst denn du, mein Mädchen?«

Er legte die Hand hinters Ohr, wartete ein wenig, und tat so, als würde das Maultier eine Antwort geben. Er nickte. »Jaja, könnte sein, dass du Recht hast. Vitus soll genauso zielbewusst vorgehen wie der Raubvogel.« Abermals lauschte er. »Hm ja. Erfolg wird er haben, das dachte ich mir. Nur muss er zu jeder Zeit wachsam sein und seine Umgebung im Auge behalten.«

Verschmitzt grinsend wandte er sich Vitus wieder zu: »Na bitte, es besteht überhaupt kein Anlass zur Besorgnis, das solltest du dir merken.«

»Danke, Emilio.«

»Schon gut. Siehst du die Weggabelung da vorn? Es ist der Punkt, an dem wir uns trennen werden. Du musst dich links halten in Richtung Dosvaldes, und ich biege rechts ab nach San Cristobal. Aber vorher möchte ich dir noch etwas sagen: Ich hab gelernt, dass es Menschen gibt, mit denen man eng zusammenlebt und die einem trotzdem nie näher kommen. Und dann gibt es welche, die kennt man kaum, und doch schließt man sie gleich ins Herz. Du gehörst zur zweiten Sorte. Du wirst mir fehlen.«

»Danke, Emilio.«

»Sag nicht dauernd ›Danke, Emilio‹, sondern komm her.« Er nahm Vitus kurz und heftig in die Arme und küsste ihn geräuschvoll auf beide Wangen. »Mach's gut, Söhnchen. Ich glaube, ich werfe dich hier schon raus, denn gerade ist mir was ins Auge geflogen.«

Er rieb sich schnaufend über Stirn und Augen, fasste sich und sagte fast barsch: »Also dann, leb wohl!«

»Leb wohl, Emilio, Gott sei mit dir.«

Langsam weitergehend blickte Vitus dem davonrumpelnden Karren nach. Als er sich nach links wandte, spürte er etwas Hartes in seiner Tasche. Er griff hinein und holte es heraus.

Es waren Emilios Eisensteine.

DER ZWERG TOXIL

»Ich bin aus dem Askunesischen, Kuttengeier.
Aus den Landen östlich vom Rhein,
wennste das besser begneißt.
Hier im Spanischen hab ich 'ne Menge Namen.
Pedro oder Franco. Oder Jaime oder Juan oder sonst wie.
Kannst dir einen ausklauben.«

Er schritt wieder kräftig aus. Der Ehrgeiz, am zweiten Tag
weiter zu kommen als am ersten, beflügelte ihn. Nach
zwei Stunden strammen Marsches erblickte er in einiger Entfernung ein merkwürdiges Wesen am Wegrand. Der sitzenden
Haltung nach konnte es ein Hund sein, doch näher kommend
erkannte er, dass es ein Mensch war. Alles an dem Mann war
außergewöhnlich klein. Nur zwei Dinge stachen hervor: der
gewaltige Kopf und der fassähnliche Buckel, der übergangslos
darunter ansetzte. Weder das fröhlich leuchtende Hellblau
des Rocks noch der an einem Riemen über der Schulter hän-
gende rote Holzkasten konnten das monströse Bild mildern.
Keine Bewegung verriet, ob Leben in der seltsamen Gestalt
wohnte.

»Woher kommste?« Urplötzlich taxierten ihn zwei halb ge-
schlossene Äuglein. Sie standen direkt über einer kaum sichtbaren Nase und einem rosigen Mündchen, das sich beim Sprechen fischähnlich nach vorn stülpte. Augen, Nase und Mund
verloren sich in einer riesigen Gesichtsfläche, die von rötlichen Haarbüscheln umrahmt wurde.

»Woher kommste?«, fragte das Fischmündchen abermals.

»Haste Heu?«

»Äh, bitte?«

»Obde Geld hast, Kuttengeier!«

»Nein ... das heißt, doch.« Vitus wollte nicht lügen. Dennoch konnte er nicht jedem sagen, dass er Goldescudos besaß. »Ich brauche kein Geld«, versicherte er schnell. Zumindest stimmte das bis jetzt, und überdies klang es so, als habe er keins.

»Wennste Heu hättst, könntste was zum Schnappen kitschen«, fistelte das Mündchen. »Kennste nich das La Rosa? Ist'n Schwuderbeiß, 'ne Kaschemme drei Meilen weiter runter.« Ein Arm, kaum größer als der eines Kindes und ebenso unbehaart, deutete vage in die Richtung. »Haste nu Heu oder nich?«

»Tut mir Leid.« Vitus zuckte mit den Schultern. »Ich verstehe dich nicht.«

»Ich verstehe dich nicht«, äffte das Männchen ihn nach, »bist dir zu fein für die Sprache der Wolkenschieber, hä?«

Vitus beschloss, nicht darauf einzugehen: »Wenn du etwas essen willst, ich habe einen Kapaun«, sagte er. »Es wäre mir ein Vergnügen, ihn mit dir zu teilen.«

»Redste immer so kariert? Kommst aus der Krax, wie?« Der Zwerg rückte mit einer ungeduldigen Bewegung seinen Schulterriemen zurecht. »'nen kastrierten Korporal haste also. Ich hab schon mieser gespachtelt. Haste auch Bauerndegen?« Als Vitus ihn fragend ansah, besann er sich: »Obde Bohnen oder so was dazu hast.«

»Nein. Nur den Kapaun. Warte, ich packe ihn aus.« Vitus rammte den Wanderstab in die Erde und nahm die Kiepe ab. Als er sich neben dem Zwerg niederließ, entstand ein helles

Geräusch. Hatte es da eben geklimpert? Bei allen Heiligen, seine Goldmünzen! Er setzte eine gleichgültige Miene auf, bevor er den Kopf hob – und in zwei ungeheuer wachsame Äuglein blickte.

»Diese Kiepe macht immer so seltsame Laute beim Absetzen«, hörte er sich verlegen lachen. »Willst du vom Bein oder vom Flügel?«

»Wiewas?« Die Äuglein glitzerten. Widerstrebend richteten sie sich auf den Kapaun.

»Gibste gern, gibste von beidem«, vermeldete die Fistelstimme dann. Vitus beeilte sich, dem Wunsch nachzukommen. Rasch zerteilte er den Vogel und präsentierte ihn seinem Gegenüber im Kochgeschirr: »Hier, bedien dich, äh … wie ist eigentlich dein Name?«

Der Winzling, der sich gerade anschickte, mit gekonntem Griff das größte Stück zu nehmen, verhielt mitten in der Bewegung. Wollte dieser Stürchenschnalzer, dieser Strohputzer ihn etwa auskeilen? Dachte der vielleicht, dass man ihn, den listigen Toxil, so einfach ausfragen konnte? Fast musste er grinsen über so viel Unbedarftheit. Sein Blick erfasste sekundenschnell den kleinen hölzernen Kasten, den er immer bei sich trug. Der Inhalt würde ihm auch dieses Mal sehr zustatten kommen. Kaum ein ungebetenes Augenpaar hatte je die darin verborgenen zwölf speziellen Fläschchen betrachtet, deren Pulver und Tinkturen er regelmäßig nachfüllte. Sie gaben ihm seinen Stolz, und sie gaben ihm die Macht, die andere mittels Kraft oder Reichtum ausübten.

Das hatte auch der vierschrötige Mann zu spüren bekommen, mit dem er vor kurzem in einer Bodega gezecht hatte. Ihm, dem listigen Toxil, war dabei etwas Unverzeihliches passiert: Er hatte im Rausch über seine Gifte gesprochen, und es hatte sich angehört, als würde er von seiner Liebsten schwärmen. Der Mann hatte ihn schallend ausgelacht.

Seitdem schmeckte dem Kerl kein Essen mehr, und er wurde von Tag zu Tag schwächer.

Ein anderer hatte ihn bei einer öffentlichen Hinrichtung unsanft beiseite gestoßen. Als Toxil kreischend protestierte, war ihm der Bursche mit einem gewaltigen Satz auf den Buckel gesprungen. »So bleib, wo du bist!«, hatte er gerufen. »Ich will dir deinen Platz nicht streitig machen!«

Die Umstehenden hatten gegrölt vor Lachen und den Kreis um ihn so eng geschlossen, dass er nicht vor- und zurückkonnte und den Spaßvogel wohl oder übel tragen musste. Der hatte die gute Aussicht sichtlich genossen und die Menge mit lustigen Sprüchen auf dem Laufenden gehalten.

Doch auch die längste Hinrichtung geht einmal zu Ende, und als die Leute nach Hause drängten, konnte der Spaßvogel ihnen nicht folgen.

Jemand hatte ihm Salzsäure auf die Füße gegossen.

»Ich bin aus dem Askunesischen, Kuttengeier. Aus den Landen östlich vom Rhein, wennste das besser begneißt. Hier im Spanischen hab ich 'ne Menge Namen. Pedro oder Franco. Oder Jaime oder Juan oder sonst wie. Kannst dir einen ausklauben.«

Toxil griff sich das nächste Stück aus dem dargebotenen Topf und biss zufrieden hinein. Er war sicher, dass er ziemliche Verwirrung bei diesem Grünschnabel ausgelöst hatte – nicht zuletzt wegen der rotwelschen Sprachbrocken, die er, einer alten Gewohnheit folgend, in seine Rede einfließen ließ. Doch es wurde Zeit, den Spieß umzudrehen und wieder selbst die Fragen zu stellen:

»Und? Wie heißt'n du mit Namen?«

»Vitus.«

»Vitus? Duller Name.« Wieder biss der Zwerg kräftig zu und riss ein großes Stück Fleisch mit den Zähnen ab. Sie waren klein und nadelspitz. »Willste selbst nix schnappen?«

»Doch, schon.« Vitus bewegte sich mit äußerster Vorsicht, um nicht mit dem Rocksaum zu klimpern. Der Zwerg aß unterdessen mit bemerkenswerter Schnelligkeit. Vitus lächelte mühsam und ergriff einen Flügel. Der Kapaun war auch am zweiten Tag noch eine Delikatesse. Kein Wunder, dass es dem Winzling so schmeckte.

Nach wenigen Minuten war die Mahlzeit beendet, wobei der Zwerg sich den Löwenanteil gesichert hatte. Er rülpste ungeniert und rieb sich die Finger am Rock ab. Dann streckte er sich und stieß ächzend seine kurzen Ärmchen in die Luft. Zwei Trinkschläuche wurden dabei an seinem Gürtel sichtbar. Er nahm einen und hielt ihn Vitus entgegen: »Kannste mal 'n bisschen Wasser keckeln? Da hinterm Knick ist 'n kleiner Bach. Bin selbst nich so gut auf den Stelzen.«

Das hat mir gerade noch gefehlt!, dachte Vitus und erhob sich, als ginge er auf rohen Eiern. »Gern.«

»Danke, Vitus«, sagte der Zwerg mit honigsüßem Unterton. Seine Äuglein verfolgten aufmerksam die sich entfernende Gestalt. »Wenn der da nich reichlich Mücken im Übermann hat, will ich nich mehr Toxil heißen«, kicherte er. Rasch packten seine Miniaturhände das Holzkästchen und öffneten es. »Aaah, was haben wir denn da! 'nen Schoppen kleine, knäbbige Fläschchen, wie?«

Einzeln nahm er die Flaschen heraus und hielt sie liebevoll gegen das Licht. Die erste enthielt den hochgiftigen, dicklichen Sud des Knollenblätterpilzes, die zweite eine Tinktur, deren Hauptbestandteil aus den Blüten der Tollkirsche gewonnen wurde, die dritte barg Schierling, die vierte einfachen Gips, der aber unter den Händen des Zwergs eine fatale Wirkung entfaltete, denn der Giftmischer verstand es, daraus Kugeln zu formen, die er mit feuchter Hühnerhaut überzog. Listig pries er sie als Wundermittel gegen jede Art von Leibschmerzen an. Hatte er sie verkauft, verschwand er meistens schnell, denn wer eine solche Wärmkugel schluckte, dem wurde der Magen zwar zunächst warm, doch anschließend bleischwer. Übelkeit und Atemnot stellten sich ein. Wer die Wärmkugel auf natürliche Weise wieder ausscheiden konnte, durfte sich glücklich schätzen. Wer nicht, musste mit Schlimmerem rechnen.

Die fünfte Flasche enthielt Arsenik, ein hochtoxisches, weißes Pulver, das der Zwerg durch Erhitzen von Arsenerz persönlich herstellte ...

Und so ging es weiter. Jede Flasche wurde eingehend begutachtet. Endlich kam der Winzling zum letzten Behältnis, einem kleinen Glashafen, der sich nach oben verjüngte und an der Spitze mit rotem Wachs verschlossen war. »Stechapfelmehl«, fistelte er selig, brach den Verschluss auf und schnupperte daran wie ein Hündchen.

»Kommt's auf die Messerspitze pur,
schwinden dir die Sinne nur,
kommt's auf den ganzen Löffel gar,
frisst es dich mit Haut und Haar.«

Er lächelte zufrieden. »Ein Schlappstock voll muss es schon sein.« Aufblickend vergewisserte er sich, dass Vitus noch in sicherer Entfernung war, und füllte das Pulver mittels eines kleinen Löffels in den verbliebenen Schlauch. Dann schüttelte er ihn kräftig durch.

»So, hier, erfrisch dich.« Vitus war zurück und übergab den gefüllten Wasserschlauch.

»Danke.« Der Bucklige zeigte sich von seiner freundlichsten Seite und trank glucksend. »Sollst selbst aber auch was schmettern«, piepste er und bot den präparierten Schlauch an. Vitus kostete. »Das ist ja Wein!«, entfuhr es ihm. »Warum trinkst du nicht auch davon?«

»Der Funkel will mir nich so bekommen«, klang es scheinheilig herauf. »Aber dir schmerft er, oder nich?«

»Doch, ja.« Vitus nahm höflich einen großen Schluck. »Ein bisschen ungewohnt vielleicht.«

»Wui, wui, 's kann schon sein. Aber das is'n Wein, der is nich von hier. Der wird mit jedem Schluck besser, das kannste holmen.« Der Winzling gluckste unterdrückt.

»Ich bin so viel Wein nicht gewohnt.« Vitus wollte den Schlauch zurückgeben.

Das Mondgesicht lief rot an: »Schmetter schon!«

Vitus trank nochmals. Der Wein war irgendwie scharf und billig, anders als alle, die er kennen gelernt hatte. Aber vielleicht lag es daran, dass die Mönche in Sachen Wein Feinschmecker waren und die Meinung vertraten, dass ein guter Tropfen in Maßen durchaus im Einklang mit ihrem Glaubensbekenntnis stand. »Tut mir Leid, der Wein schmeckt bitter.«

»Nur noch ein, zwei Schlückchen, und's wird dich nich mehr anfechten. Das schwör ich bei der heiligen Marie!«

»Wenn du unbedingt willst.« Vitus tat noch einen Zug, und plötzlich verlor das Gesicht seines Gegenübers die rote Farbe, wurde violett und blassgrün. Merkwürdig schmal schien es jetzt, es zerfloss förmlich, waberte auseinander und teilte sich schließlich ruckartig. Er hörte eine Stimme wie aus weiter Ferne:

»Se werden Reißtag mit dir halten, stanzen werden se dich, zwicken, beuteln, zerren …« Vier stechende Äuglein kreisten umeinander und hielten seinen Blick gefangen. Immer mehr wurden es. Noch mehr und noch mehr. Zahllose kaulquappengleiche Mäulchen öffneten und schlossen sich in stetem Wechsel: »Kraute zu Korbe, Kuttengeier!«, fistelten sie. »Träume süß! Mein biste, mein!«

Die Erde hob sich ihm entgegen, als würde sie hochgeklappt, stieß krachend gegen seine Stirn und hinterließ eine grenzenlose Leere.

Der Magister García

»Vielleicht bin ich nicht der Schwächste.
Aber ich habe sehr viel für die Schwachen übrig.«

Er trug einen steifen Mantel, der über und über mit Goldescudos besetzt war. Strahlendes Licht sandte dieser Mantel aus, so hell, dass seine Augen ihn schmerzten. Er kam nur langsam voran, denn der Mantel war unsagbar schwer. Seine Schritte wurden langsamer. Die Felssteine unter seinen Füßen fühlten sich rau und uneben an, bei jeder Berührung gab es ein hässliches Rumpeln. Zwei schwarze Vögel schrien gellend am Himmel, flogen pfeilschnell heran und stießen ihm ihre Schnäbel in die Seiten. Immer neue flogen herbei, hackten auf ihn ein und fielen als Kapaune zur Erde. Er versuchte, ihnen auszuweichen, indem er weiterging. Doch mit jedem Schritt nach vorn wurde er kleiner. Es war, als ginge er zu ebener Erde eine Treppe hinab. Schließlich war er so winzig, dass er mit einem Schritt aus dem Mantel heraustreten konnte, während die goldene Hülle hinter ihm stehen blieb.

Er blickte um sich. Seitlich standen Pater Gaudeck und Pater Thomas, die rhythmisch den Kopf schüttelten. Dann schreckten sie zurück, denn der Mantel verpuffte mit einem lauten Geräusch, fiel in sich zusammen und war nur noch ein Haufen Goldstaub. Eine Schlange wand sich daraus hervor. Gaudeck und Thomas zischten. Ihre Köpfe verschwanden im Nebel. Die Schlange züngelte gierig, kroch auf ihn zu und biss ihm ins Handgelenk. Gaudeck und Thomas zischten abermals. Wieder biss die Schlange zu, diesmal ins andere Handgelenk. Jählings wurde ihm klar, dass ihr Körper eine untrennbare Verbindung zwischen seinen Armen bildete. Gaudeck und Thomas traten heran und zerrten an ihr …

»He, du da!«, rief eine kräftige Stimme an seinem Ohr, »lebst du überhaupt?«

Irgendjemand rüttelte ihn. Mühsam öffnete er die Augen und sah – nichts. Er lag in einem Raum, der nahezu stockdunkel war. Die Stimme, die ihn angesprochen hatte, gehörte einem Mann, den er nur schemenhaft wahrnehmen konnte. Sein Kopf glühte, in seinem Magen drehte sich alles. Beißender Gestank von Fäkalien nahm ihm den Atem. »Wasser, bitte«, flüsterte er schwach. Ein Becher wurde ihm an die Lippen gesetzt. Er nahm einen tiefen Schluck, dann wurde ihm schlecht. Er musste sich zur Seite erbrechen.

»Er lebt«, stellte die Stimme zufrieden fest.

»Wo bin ich?«, fragte er. Eine neue Welle der Übelkeit erfasste ihn. Wieder übergab er sich, diesmal heftiger als zuvor.

Der Mann mit der kräftigen Stimme wischte das Erbrochene fort. Offenbar machte es ihm nichts aus, dass Vitus sich so gehen ließ. »Du bist im Kerker. In einem Ort namens Dosvaldes. Du wurdest von der Inquisition verhaftet und hierher gebracht.«

»Jawohl, du bist im Arsch der Kirche«, kicherte eine andere Stimme.

Nur langsam kam ihm die Erinnerung. »Wo sind meine Sachen? Was ist mit dem Buckligen?«

»Keine Aufregung, mein Junge.« Die kräftige Stimme klang beruhigend. »Die persönliche Habe der Verhafteten wird normalerweise registriert und verwahrt. Vorausgesetzt, sie ist nicht viel wert. Von einem Buckligen weiß ich nichts. Wenn er dein Freund war, hat er Glück gehabt, denn du warst allein, als du eingeliefert wurdest.«

»Wer bist du?«, fragte Vitus.

»Ich bin Ramiro García, komme aus La Coruña im äußersten Westen.« Der Schatten bewegte sich, der dazugehörige Arm machte eine wegwerfende Geste. »War Magister dort und lehrte die Rechte. Interessierte mich zu sehr für die Wissenschaft und zu wenig für die Lehre unserer lieben katholischen Kirche. Deshalb bin ich hier.«

»Mich nennt man Vitus …« Er brach ab, denn sein Magen zog sich erneut zusammen.

»Und mich rufen alle Magister. Kannst mich also auch so nennen.«

»He, Magister, halt die Klappe, wir wollen schlafen«, meldete sich eine Stimme neben der Kicherstimme.

Der Magister ignorierte es. »Wir reden morgen weiter«, sagte er freundlich, »dann kannst du mir deine Geschichte erzählen.«

Früh am anderen Tag, als das Licht durch drei schmale Mauerschlitze in den Kerker fiel, sah er, dass die kräftige Stimme einem überraschend kleinen Mann gehörte. Vitus schätzte ihn auf Anfang dreißig. Sein Gesicht war von klaren Zügen geprägt. Er hatte kurzes braunes Haar, das sich über einer hohen Stirn kräuselte. Die freundlichen, klugen Augen blinzelten häufig, denn er war stark kurzsichtig. Vitus mochte ihn von Anfang an.

»Ich hoffe, du fühlst dich besser«, sagte der Magister. Er lag rechts neben Vitus und stützte sich mit dem Ellenbogen ins Stroh. In den Händen hielt er einen Stoffstreifen, den er sich mit geübten Bewegungen vor die Augen band. Er sah aus wie ein Kind, das Blindekuh spielen will.

Vitus rappelte sich auf, um das seltsame Tun seines Nachbarn besser sehen zu können. Seine Handgelenke schmerzten, doch er achtete nicht darauf. »Danke, es geht schon.«

»Freut mich!« Der verbundene Kopf nickte. »Um deiner Frage zuvorzukommen, erkläre ich dir lieber gleich, warum ich mir die Augen verbinde. Allerdings gibt es darauf zwei Antworten: eine physische und eine metaphysische. Welche möchtest du zuerst hören?«

»Ich verstehe nicht …«

»Fangen wir mit der physischen an.« Der Magister war offenbar froh, einen Zuhörer gefunden zu haben: »Wie du sicher bemerkt hast, herrscht in diesem Loch ein nahezu unerträglicher Gestank nach menschlichen Ausscheidungen. Die Ursache dafür ist der Abtritt hier rechts neben mir in der Ecke. Ich befürchte, dass in den Gestankspartikeln Miasma enthalten ist, das meine Augen angreifen könnte. Du musst wissen, ich habe sehr empfindliche Augen.«

»Miasma?« Vitus, der diesen unsichtbaren Stoff als Ursache der Pest kannte, wunderte sich.

»Genau. Krank machende Materie, die über die Pupillen ins Hirn dringt und Wahnsinn verursacht.«

Vitus hatte von derlei Gefahren noch nicht gehört. »Warum machst du die Augen nicht einfach zu?«, fragte er.

»Wer mag schon den ganzen Tag mit geschlossenen Augen verbringen?«, fragte der Magister zurück. »Außerdem«, fuhr er fort, »hält Hanf, und dieses Tuch ist aus Hanf, das Miasma physisch besser zurück als die dünne Haut eines Augenlids.«

»Und der metaphysische Grund?«

»Oh, der metaphysische Grund sind die Bilder, die auf diese

Weise vor meinem geistigen Auge entstehen. So kann aus einer Kerkermauer die Felsenküste meiner Heimat werden, aus dem Strohsack, auf dem ich liege, eine blühende Wiese, aus einem schmutzstarrenden Häftling eine verführerische Jungfrau ...«

»Jetzt verstehe ich. Du benutzt deine Phantasie, um dich gewissermaßen zu befreien.«

»Wann immer ich will«, nickte der Magister. »Das Gute daran ist, ich kann mit offenen Augen träumen, und das Miasma vermag mir trotzdem nichts anzuhaben! Aber ich habe noch etwas anderes festgestellt.«

»Was denn?«

»Dass ein Tuch vor dem Kopf die Beobachtungsgabe erheblich schärft: Erst wenn du dir die Augen bedeckst und versuchst, die Besonderheiten an Menschen und Gegenständen zu beschreiben, merkst du, wie wenig du vorher darauf geachtet hast. Deshalb bemühe ich mich, die Dinge immer genau zu erfassen, um sie dann – mit verbundenen Augen – richtig wiedergeben zu können.«

Wie um sich selbst zu bestätigen, nickte der schmächtige Mann abermals. »Außerdem ist es eine gute Übung, um hier nicht zu verblöden. Nehmen wir zum Beispiel dich: Du wurdest letzte Nacht in unsere Zelle gestoßen und bliebst reglos liegen. Ich fragte mich, ob du tot seist, denn du gabst eine geraume Weile keinen Muckser von dir. Dann fiel mir ein, dass ein Toter im Kerker keinen Sinn macht, also musstest du noch leben. Ich sprach dich an, und siehe da, du lebtest!«

»Mir ging's hundsmiserabel.«

»Das hab ich gemerkt, hast gespuckt wie ein seekranker Fisch.« Der Magister grinste. »Heute Morgen dann habe ich dich genau betrachtet: Du bist jung, um die zwanzig Jahre alt, das sagt mir dein Gesicht. Deine Hände sind gepflegt, deine Fingernägel bemerkenswert sauber. Das heißt, du gehst keiner körperlichen Arbeit nach. Du könntest von Adel sein, denn unter deinem Hemd trägst du einen weinroten Stoff mit einem seltsamen, kreisrunden Wappen. Ich kenne das Wappen nicht, daraus schließe ich, dass du zumindest nicht aus der Gegend von La Coruña bist. Wahrscheinlich kommst du nicht einmal aus Spanien, immer vorausgesetzt, es ist dein Wappen. Deiner adeligen Abstammung entgegen steht allerdings der billige Mantel, den du trägst. Die Kapuze ist abgetrennt worden, sodass er ursprünglich mal eine Kutte gewesen sein mag. Vielleicht hast du ihn einem Mönch abgekauft? Doch das Bemerkenswerteste an deinem Mantel ist der aufgeschlitzte Saum. Ich vermute, du hattest Münzen darin eingenäht. Wahrscheinlich hat man dich überfallen und es dir geraubt. Das Einzige, was man dir gelassen hat, sind zwei Steine. Ich muss zugeben, ich habe keine Idee, wozu sie gut sein könnten.«

Vitus spürte am Oberschenkel den Druck von Emilios Eisensteinen. Es war ein gutes, vertrautes Gefühl. Auch der Schlüssel zu dem Werk *De morbis* hing noch um seinen Hals. »Von einer Kiepe und einem Stecken weißt du nichts?«, fragte er.

»Eine Kiepe und ein Stecken? Nein.« Der Magister löste das Kopftuch und blinzelte. »Was hat es mit ihnen auf sich?«

»Das ist eine lange Geschichte, zu lang, um sie jetzt zu erzählen.« Vitus blickte in die Runde. Außer ihm und dem Magister befanden sich fünf zerlumpte Gestalten in dem Gelass. Jeder der Männer hatte Stroh um sich herum aufgehäuft, um sich vor der Kälte zu schützen. Wie lebende Garben lagen sie da, eng an die Wände gepresst.

In der Mitte des Raums war eine Fläche frei geblieben. Hier trat das nackte Gestein hervor. Rechts an der hinteren Wand lagen zwei jüngere Männer eng beieinander. Sie schienen verlegen, als Vitus sie musterte. In einem von ihnen glaubte er den Kicherer der vergangenen Nacht zu erkennen.

In der hinteren Ecke links kauerten drei Männer mit dunklen Augen, die seinen Blick nicht erwiderten. Sie kapselten sich offenbar ab. Das Hervorstechendste an ihnen war ihre äußerliche Ähnlichkeit. Alle drei hatten eine kräftige Nase, schwarze Haare und olivfarbene Haut.

Schließlich betrachtete er sich zum ersten Mal selbst. Zwischen seinen Stiefeln entdeckte er einen eisernen Ring, der im Felsboden eingelassen war. Das Mittelstück einer Kette, die aus neun starken Gliedern bestand, war durch diesen Ring gezogen worden. Jeweils vier Glieder führten links und rechts davon zu zwei eisernen Manschetten. Und in den Manschetten steckten – seine Hände.

Man hatte ihn in Ketten gelegt.

Jetzt war auch klar, warum seine Handgelenke so schmerzten. Die Haut war beim Anschmieden versengt worden. Zorn und Verzweiflung packten ihn. »Was soll das?«, rief er laut. »Ich verlange, dass man mich augenblicklich losmacht.« Er wollte aufspringen, doch die Kette riss ihn zurück.

Einen Augenblick lag er ruhig. Dann bäumte er sich abermals auf. »Heee! Ich habe nichts verbrochen! Das Ganze ist ein Irrtum! Ich will raus! Ich …«

»Lass gut sein«, beschwichtigte der Magister. »Außer uns hört dich sowieso keiner.«

»Aber ich bin wirklich unschuldig!«

»Dass du unschuldig bist, glaub ich dir gerne. Alle in diesem Kerker sind es.«

»Ich will wissen, warum ich hier festgehalten werde.«

»Das erfährst du noch früh genug, und zwar bei der Befragung durch den Inquisitor. Vermutlich wird er dich der Häresie anklagen, der Ketzerei also. Das ist immer am einfachsten. Denn Häresie schließt jedes Verhalten ein, das Gott nicht gefällt. Und was dem Herrgott nicht gefällt, ist tausendfach interpretierbar.«

Vitus beruhigte sich mühsam. »Warum sind die anderen hier?«

»Nach allem, was mir Habakuk, der kleinste der drei Juden, erzählt hat, verhält es sich bei ihnen so …«, der schmächtige Mann häufelte noch etwas Stroh um sich auf, denn der Morgen war kalt, »Habakuk, David und Solomon sind Brüder. Sie stammen aus der Familie Hebron, die ursprünglich in Murcia saß, das war in den achtziger Jahren des letzten Jahrhunderts. Damals wurden alle Hebrons gezwungen, sich taufen zu lassen. Aber heimlich hielten sie an ihrem Glauben fest. Man schimpfte sie Marranen, und die Inquisition verfolgte sie. Deshalb flüchteten sie anno 1492 übers Meer und siedelten sich auf der Baleareninsel Menorca an.«

Der Magister hielt inne, um einen Strohhalm, der ihn im Rücken kratzte, zu entfernen. »Heute betreiben Habakuk, David und Solomon eine Schiffsausrüsterei dort. Ihr Fehler war es, Anfang des Jahres aufs Festland zurückzukommen, um hier Geschäfte zu machen. Wie du vielleicht weißt, ist es Juden in diesem Land verboten, Handel zu treiben oder ein Handwerk auszuüben. Wie dem auch sei, die Häscher unserer heiligen Mutter Kirche schnappten sie und brachten sie hierher. Die drei sind schon mehrmals kurz verhört worden. Sie hoffen, der Einfluss ihrer Familie reicht so weit, dass man sie bald laufen lässt.«

»Warum tragen sie keine Ketten?«

»Vermutlich, weil ihre Familie die Inquisition mit einer kleinen Zuwendung unterstützt hat.«

»Und die zwei in der anderen Ecke?«

»Felix und Amandus. Von allen in dieser Zelle sind sie wahrscheinlich am glücklichsten. Sie waren ursprünglich in verschiedenen Zellen untergebracht, worunter sie sehr litten. Irgendwie haben sie es dann geschafft, zusammengelegt zu werden. Seitdem sind sie hier.«

Er beugte sich zu Vitus vor, denn das, was er jetzt sagte, war nicht für ihre Ohren bestimmt. »Sie legen besonderen Wert auf körperliche Reinigung. Ein bisschen übertrieben, wie ich finde, aber es soll ja typisch sein für Männer, die einander in, äh ... widernatürlicher Liebe zugetan sind. Sie stöhnen zwar wie alle unter den Zuständen hier, trotzdem sind sie glücklich. Wie du noch bemerken wirst, kümmert sich Amandus, der Kleinere, mit großer Hingabe um Felix. Er fordert ihn ständig auf, sich zu schonen, gibt ihm stets von seinem Essen ab, wobei er das Brot vorher in der Suppe einweicht, sorgt sich um ihn, wenn die Nächte kalt sind und so weiter. Felix dagegen nimmt alles mit der größten Selbstverständlichkeit hin. Man kann sagen, Felix ist ganz Ehemann.«

Vitus ertappte sich dabei, wie er neugierig hinüberblickte, obwohl die Liebe zwischen Männern ihm nicht unbekannt war. Sie kam im Kloster häufiger vor. Aber noch nie hatte er gesehen, dass zwei sich so offen dazu bekannten. »Wenn man ihnen das zum Vorwurf macht, dürften sie bald als Sodomiten verurteilt werden«, flüsterte er zurück. »Diese Art der Liebe ist eine schwere Sünde.«

»Richtig. Aber Nunu erzählte mir, dass sie auch der Hexerei bezichtigt werden.«

»Heutzutage scheint jeder ein Hexer zu sein.« Vitus schüttelte den Kopf. »Und wer ist Nunu?«

»Nunu ist ein Koloss. Ein Bulle in Menschengestalt, den ein böses Schicksal zu unserem Kerkermeister bestimmt hat. Gleichzeitig ist er Folterknecht. Er hat ungeheure Kräfte, dabei ist er dumm wie Stroh. Eine Kombination, die bei der Spezies Mensch nicht selten vorkommt. Außerdem hinkt er. Sein Gehilfe, den alle ›Ratte‹ nennen, sagt, er hätte ein offenes Bein. Oberhalb des Knöchels sei ein Loch, das nicht verheilt. Das Einzige, was Nunu dazu einfällt, ist immer: ›Nu, nu, da kamma nix machen, 's wächst einfach nich zu.‹ Deshalb sein Name.«

Plötzlich verzog der Magister gequält die Nase, denn einer der Insassen erleichterte sich auf dem Exkrementekübel.

Vitus schaute fort und bemühte sich, den Atem anzuhalten. Die Situation hatte etwas Groteskes: neben ihm der nach Luft ringende Magister und dahinter, gleichsam im Takt, die blubbernden Geräusche eines sich entleerenden Darms.

»Wenn du erst ein paar Tage bei uns bist«, schnaufte der kleine Gelehrte, »nimmst du den Gestank als gottgegeben hin. Und wenn der Nächste uns verlässt, rücken wir beide eins weiter, fort von diesem widerlichen Abtritt.« Er schüttelte sich. »Wir handhaben das hier immer so: Die Neuen und Schwächsten haben den Platz am Exkrementekübel.«

»Aber du sitzt direkt daneben, und du bist nicht neu hier! Und der Schwächste bist du auch nicht, oder?«

Der kleine Mann lächelte. »Vielleicht bin ich nicht der Schwächste. Aber ich habe sehr viel für die Schwachen übrig.«

Gegen Mittag wandte der Magister plötzlich den Kopf zur Kerkertür. »Hinkende Schritte! Das muss Nunu sein!«, verkündete er.

Ein Schlüssel drehte sich im Schloss, quietschend flog die schwere Tür auf.

Im Rahmen stand eine riesige Gestalt.

Vitus hatte noch nie einen solchen Mann gesehen. Er hatte Beine wie Säulen und einen Leib wie ein Kloß. Darauf saß ein massiger Schädel, aus dem kleine, misstrauische Augen hervorlugten. Die wenigen Haare fielen in fettigen Strähnen schulterlang herab. Er trug ein löchriges Hemd mit weitem Halsausschnitt, dazu eine ausgefranste Hose, die von einem Gürtel mit Silberschnalle gehalten wurde. Alle Kleidungsstücke starrten vor Schmutz, gerade so, als säße er selbst seit Monaten im Kerker.

»Hier, euer Fraß!« Nunus Stimme kam wie aus einer Tonne. Er schob einen Eimer Suppe in die Mitte. Dazu stellte er zwei Krüge Wasser und eine Holzschüssel mit Hartbrot. Ohne ein weiteres Wort hinkte er hinaus.

»Halt!«, rief Vitus.

Wie eine Maschine blieb der Riese stehen.

»Mein Name ist Vitus. Ich verlange, sofort zum Leiter des Gefängnisses gebracht zu werden!«

»Halt's Maul.«

Vitus wurde weiß vor Wut. »So kannst du nicht mit mir reden! Ich habe nichts verbrochen. Ich …«

»Maul halten, Milchgesicht!« Mit erstaunlicher Geschwindigkeit kam Nunu zurück und riss Vitus am Mantelkragen hoch. Auf halber Höhe stoppte die Kette die Bewegung. Vitus' Nase prallte gegen Nunus Unterleib. Scharfer, stinkender Uringeruch schlug ihm entgegen.

»Maul halten«, sagte der Riese zum dritten Mal. Dann ließ er Vitus fallen wie einen Sack Zwiebeln. Sekunden später war er verschwunden.

Vitus weinte.

Vitus weinte vor Wut, vor Scham, vor Verzweiflung. Er versuchte, sein Schluchzen zu unterdrücken, um vor den anderen nicht das Gesicht zu verlieren, doch es war unmöglich. Seine Schultern zuckten verräterisch weiter.

Schließlich erhob sich Amandus, nahm im Vorbeigehen ein Stück Hartbrot auf und blieb vor ihm stehen. »He, Junge!«

Vitus weinte weiter.

Amandus packte ihn am Arm. »Heee! Siehst du das hier?« Er zeigte ihm das Hartbrot.

Vitus nickte widerstrebend.

»Ein ganz normales Stück Brot. Ich lege es jetzt auf meinen Handteller, siehst du, so … Jetzt nimm's hoch, betrachte es von allen Seiten, und leg's wieder zurück.«

Was sollte das? Doch Vitus tat, was der andere wollte.

»Ist dir was an dem Brot aufgefallen?«

»Nein.«

»Gut, dann pass auf.« Amandus drehte seine Hand langsam, bis der Daumen nach oben stand. Zu Vitus' Verblüffung blieb das Brot wie fest geklebt an seiner Stelle. Amandus drehte die Hand weiter, bis der Daumen nach unten stand. Der Handrücken verdeckte jetzt das Brot.

»Wo ist es jetzt?«

»Hinter deiner Hand natürlich.« Vitus ging es mittlerweile etwas besser.

»Wenn du dich da mal nicht irrst.« Blitzschnell drehte Amandus die Hand zurück.

Das Brot war verschwunden.

Er zeigte seine andere Hand. Auch sie war leer.

Amandus blickte vorwurfsvoll: »Irgendwer hat mich bestohlen! Ich glaube, du warst es, Vitus.«

»Ich? Ich habe dein Brot nicht!«

»Doch, du hast es, ich bin ganz sicher.« Amandus lächelte süß. Rasch beugte er sich vor, griff Vitus unter den Mantelkragen, und schon lag das Brot wieder in seiner Hand. »Na bitte!«, rief er vergnügt, »ich hatte doch Recht, du hast mich bestohlen! Ist das nicht wundervoll?«

»Alle Achtung!« Vitus konnte schon wieder lächeln. »Hast du noch mehr solcher Tricks drauf?«

»Genug der Hexerei!«, mischte sich der Magister ein. »Jetzt, wo das Brot wieder da ist, wird gegessen.«

Er nahm die große Kelle und begann schwungvoll die Suppe umzurühren.

»Ich kriege nichts runter«, sagte Vitus, »du kannst meine Ration mitverteilen.«

»Kommt gar nicht in Frage! Nimm wenigstens Brot und Wasser. Es nützt niemandem, wenn du nicht bei Kräften bleibst.«

»Also gut, dann Brot und Wasser für mich und meine Suppe für einen anderen.«

»Ich schlage vor, für Amandus. Er hat es sich mit seiner Vorstellung verdient.«

Amandus errötete verlegen. »Das ist lieb von dir, Magister, ich teile die Portion mit Felix.« Er blickte seinen Nachbarn liebevoll an. Felix blickte liebevoll zurück.

»Also dann.« Der Magister schritt zur Tat.

Nachdem jeder seine Portion erhalten hatte, setzte sich der kleine Gelehrte wieder zu Vitus und begann übergangslos zu essen. Die Suppe war eine dünne, bräunliche Brühe, in der hier und da ein schleimiges Kohlblatt schwamm. Der Magister genoss sie sichtlich. Plötzlich hielt er inne. »Ich Hornochse! Du kommst ja gar nicht an deine Ration heran!« Rasch gab er Vitus ein Stück Brot und einen Becher Wasser.

»Danke.« Das Wasser schmeckte abgestanden, schien aber sonst in Ordnung zu sein. Vitus griff zu seinem Brot, doch der Magister hielt ihn zurück:

»Du klopfst es am besten erst mal aus, pass auf, so …« Er schlug es ein-, zweimal kräftig auf die Erde, woraufhin ein paar weißliche Maden herausfielen. Ihrer Behausung so plötzlich beraubt, wanden sie sich aufgeregt am Boden. »Possierlich, nicht?«

»Hm, ja.« Vitus überwand sich und biss in den Kanten. Er konnte von Glück sagen, dass er gute Zähne hatte, denn das Brot war steinhart. Krachend kaute er, während sein Blick über die Wände mit ihren obszönen Malereien wanderte.

Der Magister beobachtete ihn. »Seidentapeten sind natürlich schöner«, grinste er, »aber wir konnten uns die Unterkunft nicht aussuchen. Hauptsache, die Zeit geht rum. Mein Spielchen mit dem Kopftuch habe ich dir ja schon erklärt …«

Er unterbrach sich, denn ihm kam ein Gedanke: »Ich wette, dass ich jeden Quadratzoll der Wände in diesem Loch kenne! Siehst du in der rechten hinteren Ecke die siebente Ziegelreihe von unten?«

»Ja natürlich.«

»Und findest du auch den neunten Ziegel von rechts?«

Vitus' Augen suchten und fanden den Stein. »Da ist ein ziemlich großer, äh … erigierter Penis eingeritzt.«

»So ist es. Ein Prachtexemplar. Ich wette, ich könnte diese Manneszierde genauso klar mit verbundenen Augen sehen und beschreiben – vorausgesetzt, du würdest mir ihre Position vorher präzise genannt haben. Ja, ich würde sogar noch mehr sagen können: dass nämlich dieser Penis unter den vielen, die hier an die Wände geschmiert wurden, einzigartig ist. Er ist beschnitten, was du daran erkennst, dass unterhalb der Eichel die Ringe der zurückgezogenen Vorhaut fehlen. Die Vermutung liegt nahe, dass der Urheber dieses ›Kunstwerks‹ ein Araber oder Jude war.«

»Äh, ja.« Vitus fand, dass der Magister zu sehr in die Einzelheiten ging. Er sah sich um. »Ganze Generationen von Gefangenen scheinen sich hier verewigt zu haben.«

»Du sagst es.« Der Magister kratzte den letzten Rest aus seinem Teller und band sich das Kopftuch um. »Mein Gehirn braucht schon diese Übung, sonst rostet es ein. Gilt die Wette?«

»In Ordnung.«

»Du nennst die genaue Position, und ich sage dir, was auf dem Stein ist.«

»Und was bekomme ich, wenn du's nicht schaffst?«

»Für jeden Fehlversuch bekommst du von mir eine Golddublone. Und für jede richtig erkannte Zeichnung bekomme ich eine von dir.«

Vitus lächelte schief. »Du musst ein reicher Mann sein. Ich für meinen Teil habe nicht mal mehr einen kupfernen Maravedi. Aber auch das hast du ja schon erkannt.«

Der Magister lachte schallend. »Ich bin so arm wie du! Aber vielleicht sitzen wir ja nicht ewig in diesem Loch. Stell dir vor, du wärst bis über beide Ohren verschuldet, aber dafür in Freiheit. Ist das nicht ein herrlicher Gedanke!«

Vitus lachte mit. »In der Tat! Fangen wir an.« Er entdeckte im hinteren Teil der Zelle über den Köpfen von Felix und Amandus ein hingekritzeltes Datum:

16. August A. D. 1575

Er maß mit den Augen die Position des Steins. »Was steht an der Wand gegenüber in der fünfzehnten Reihe von unten, elfter Ziegel von rechts?«

Das Gesicht des Magisters konzentrierte sich unter dem Tuch, dann kam die Antwort: »Das ist leicht, da steht ein Datum. Es lautet ›16. August A. D. 1575‹. Wenn du allerdings genau hinsiehst, wirst du bemerken, dass noch etwas davor steht, nämlich das Wörtchen *in*.«

»Stimmt, aber warum fandest du die Aufgabe leicht?«

»Es ist der Tag, an dem ich in dieser traulichen Herberge Unterschlupf fand, deshalb auch das *in* vor dem Datum. Ich war damals ganz allein in der Zelle. Drei oder vier Wochen lang war ich angekettet, genau dort, wo du heute sitzt. Dann hatte ich Glück: Nunu war auf dem Markt in Porta Mariae beim Kauf einer Schweinehälfte betrogen worden, und ich konnte ihm einen juristischen Rat geben. Daraufhin zeigte er so etwas wie Dankbarkeit und nahm mir die Eisen ab. Ich war überglücklich, die Welt war ein wenig erträglicher geworden.«

Der Magister wischte eine Fliege fort, die unter das Tuch krabbeln wollte. »Als Erstes versuchte ich, Kontakt zu anderen Gefangenen aufzunehmen. Deshalb klopfte ich sämtliche Wände ab und hoffte auf ein Echo. Ich bekam's auch. Von Nunu, der plötzlich hinter mir stand und mir eine verpasste. Egal, dieser Ziegel jedenfalls stellte sich als locker heraus. Man kann ihn leicht entfernen, wenn man's weiß.«

Die Fliege war hartnäckig. Abermals musste der kleine Mann sie verscheuchen, dann bekam seine Stimme einen fast feierlichen Klang: »Ich habe diesen Ziegel zu meinem Schicksalsstein erklärt. Er ist für mich ein Symbol, dass alles seine zwei Seiten hat. Deshalb habe ich auf seiner Vorderseite mein Einlieferungsdatum eingeritzt.«

»Und weiter?« Vitus verstand nicht ganz.

»Und auf der Rückseite kratze ich irgendwann mein Entlassungsdatum hinein, und zwar mit dem Wörtchen *ex* davor. Künftige Insassen erfahren auf diese Weise, dass man hier nicht nur eingelocht wird, sondern eines Tages auch wieder rauskommen kann.«

»Ich hoffe, der Stein bringt dir Glück.«

»Wir werden's sehen. Doch jetzt mach weiter, bin gespannt, wie gut mein optisches Gedächtnis arbeitet.«

»Linke Wand, dritte Reihe von oben, vierter Stein von links.«

»*Mors non curat munera.* Ein lateinischer Spruch, der so viel bedeutet wie: Der Tod lässt sich durch Geld nicht abwenden.«

Sie trieben das Spiel noch eine ganze Weile, und jedes Mal wusste der Magister die richtige Antwort. Schließlich lehnte er sich zufrieden zurück: »Siehst du, mein Grips funktioniert noch. Siebzehn Golddublonen schuldest du mir. Kannst sie mir im späteren Leben geben.«

Die Tage vergingen in ewiger Gleichförmigkeit. Jeden Morgen ritzte Vitus einen Strich in den Felsboden zu seinen Füßen ein. Und jeden Morgen zählte er die Striche nach: dreiundvierzig waren es heute. Das entsprach dreiundvierzig Tagen voller Warten und Hoffen, Ängsten und Schikanen …

Und dreiundvierzig Nächten.

Nächten voller Einsamkeit, Sehnsucht und Verzweiflung. Es waren dunkle Stunden, in denen er nur das Schnarchen der anderen hörte oder, immer dann, wenn sie glaubten, dass alle schliefen, das unterdrückte Keuchen und Flüstern von Amandus und Felix.

Er erinnerte sich noch genau an eine Nacht, in der ihr Liebesgeflüster von einem scharrenden Geräusch unterbrochen wurde. Es war von der Klappe in der Kerkertür gekommen. Augenblicklich waren sie verstummt, und Vitus hatte ihre Angst gespürt, eine Angst, die den ganzen Raum füllte. Kurz darauf hatten sich leise Schritte entfernt ...

Trübselig kratzte sich Vitus den Rücken. Er nahm dazu das Löffelende, das ihm zum Einritzen diente.

Und was war mit ihm?

Niemand hatte ihm gesagt, warum er einsaß.

Keiner hatte nach ihm gefragt.

Es schien, als hätte es einen Vitus von Campodios niemals gegeben.

Das tägliche Einerlei ging sogar schon dem Magister auf die Nerven. Jeder kannte inzwischen die Gewohnheiten der anderen wie seine eigenen. Vitus wusste, wie seine Mitgefangenen aßen, schliefen, redeten, lachten, fluchten, weinten, hofften, beteten. Ja, er wusste sogar, wie jeder Einzelne von ihnen seine Notdurft verrichtete. Nicht, weil er sich dafür besonders interessiert hätte, sondern einfach, weil er gar nicht anders konnte, als es mitzuverfolgen.

Amandus und Felix waren dabei stets in größter Verlegenheit, was Vitus dazu bewog, jedes Mal wegzuschauen. Doch was seine Augen nicht sahen, nahmen Nase und Ohren umso intensiver wahr.

Die Juden hatten eine eigene Methode entwickelt: Immer, wenn einer der drei auf den Abtritt musste, bat er die beiden anderen, ihn mit ihrem Körper abzuschirmen. So halfen sie sich gegenseitig, die Intimsphäre zu wahren.

Der Magister war der Souveränste von allen. Er hockte nicht, er thronte. Freundlich unterhielt er sich während seines Geschäfts weiter, gerade so, als wäre eine unsichtbare Wand zwischen ihm und den anderen.

Und er selbst, Vitus, hatte es von allen vielleicht am schwersten, denn zu der Peinlichkeit des Vorgangs kam bei ihm die Behinderung durch die Kette. Sie engte ihn so ein, dass er nur dann mit dem Gesäß an den Kübel heranreichte, wenn er sie mit ausgestreckten Armen bis zum Äußersten fortzog. Der Magister musste dazu jedes Mal Platz machen, was er stets mit dem empörten Ausruf »Ja musst du etwa schon wieder? Mir bleibt auch nichts erspart!« kommentierte. Erst später war Vitus dahinter gekommen, dass der kleine Gelehrte damit die anderen ablenkte.

Er war in den letzten Wochen, so kann man sagen, ein guter Freund geworden.

Abermals blickte Vitus auf die dreiundvierzig Striche zu seinen Füßen. Die Kette klirrte. Mechanisch zerdrückte er eine Wanze auf dem Knie. Er hätte es ebenso gut lassen können, denn es gab Hunderte, vielleicht Tausende von ihnen im Kerker. Sie waren einfach überall. In den ersten Tagen hatten ihre Bisse ihn noch höllisch gejuckt, doch mit der Zeit war es besser geworden. Interessiert hatte Vitus registriert, dass sein Körper kaum noch darauf reagierte. Wie bei den anderen hatte bei ihm der Gewöhnungseffekt eingesetzt.

Dann, mit fortschreitender Jahreszeit, hatten die Fliegen Einzug gehalten. Mit jedem Tag waren es mehr geworden. Schließlich waren sie so zahlreich, dass im Kerker ein ständiges Summen herrschte. Zwar bissen sie nicht wie die Wanzen, doch waren sie auf andere Weise genauso widerlich: magisch angezogen von der Quelle des Gestanks, umkreisten sie den Abtritt, setzten sich immer wieder darauf, tauchten ihre Rüssel in die Fäkalien, flogen schließlich auf, um sich irgendwo erneut niederzulassen – nicht selten auf einem Gesicht. Anfangs hatten die Häftlinge noch nach ihnen geschlagen, aber bald darauf hatten sie es aufgegeben. Die Biester waren einfach zu schnell.

Auch jetzt am Morgen klang es schon wie in einem Bienenstock, doch keiner nahm es mehr wahr. Jeder war mit seinen Gedanken irgendwo da draußen …

Vitus sah, dass Amandus ein Stück Brot in der Hand hielt, das er spielerisch immer wieder verschwinden ließ. Jedes Mal, wenn es fort war, griff er Felix ins Hemd und holte es von dort wieder hervor. Obwohl Vitus nicht die kleinste Bewegung entging, hatte er keine Ahnung, wie Amandus das anstellte.

»Wie machst du das bloß?«, fragte er.

Amandus spitzte schelmisch die Lippen: »Das werde ich dir nicht auf die Nase binden, Süßer! Nimm an, es ist Zauberei.«

»Was soll die Geheimniskrämerei?«

»Komm, das musst du verstehen.« Amandus' Ton wurde versöhnlich. »Wer Zaubertricks beherrscht, verrät sie nicht. Zauberer leben nun mal davon, dass die Zuschauer nicht wissen, wie sie's machen.«

»Tja, und wenn sie's niemandem verraten, kommt mancher schnell auf die Idee, dass es bei ihnen nicht mit rechten Dingen zugeht – und nennt das Ganze Hexerei«, mischte sich der Magister ein.

»In der Tat ist es das, was man uns vorwirft«, sagte Felix. Es war eines der ganz wenigen Male, wo er sich an der Unterhaltung beteiligte. »Aber niemand kann so dumm sein und ernsthaft glauben, dass böse Mächte im Spiel sind, wenn ein Stück Hartbrot unter dem Hemd verschwindet.«

»Ich bin nicht so dumm«, bestätigte ihm der Magister, »aber gilt das auch für die Inquisition?«

»Kommt, Kinder, streitet euch nicht.« Amandus hob theatralisch die Hände. »Vitus, ich würde dir gern etwas vorführen, das jeder sehen kann und das nichts mit Zauberei zu tun hat. Aber leider geht's nicht.«

»Und was ist das?«

Amandus schwieg. Er genoss es, wieder Mittelpunkt zu sein.

»Komm, spuck's aus«, forderte der Magister.

»Nun ja, ich habe früher häufig mit Bällen jongliert, es ist eine Kunst, die beim Publikum immer gut ankommt.« Amandus griff Felix ins Hemd und holte zum x-ten Mal das Brot hervor. »Man muss tagein, tagaus üben, um seine Geschicklichkeit zu erhalten. Ich konnte am Schluss mit fünf Bällen gleichzeitig jonglieren. Schade, dass ich's nicht vorführen kann.«

Der Magister blinzelte ungläubig. Dann gab er sich süffisant: »Und ich konnte sogar mit sieben Bällen jonglieren. Aber da ich keine habe, kann ich's ebenfalls nicht vorführen.«

»Du glaubst mir wohl nicht, du gemeiner Kerl?«, kreischte Amandus. Er stieß Felix in die Seite. »Tu doch was! Tu doch was!«

»Ruhe!«, rief Vitus, dem ein Gedanke gekommen war. »Du behauptest also, du könntest mit fünf Bällen jonglieren?«

»So wahr ich hier sitze.« Amandus war beleidigt.

Vitus erklärte seine Idee.

Am sechsundvierzigsten Tag seiner Einkerkerung hatte Vitus fünf Stücke Hartbrot gesammelt, und er begann seine Idee in die Tat umzusetzen.

Das Brot lag gestapelt neben ihm auf dem Boden, während er breitbeinig dasaß, ebenso viele Becher zwischen seinen Knien. Aus einem Krug goss er Wasser in jedes Gefäß, bis es halb voll war. Dann tat er in jeden Becher ein Stück Hartbrot.

Nach einer Stunde waren die Stücke so aufgequollen wie ein

nasser Schwamm. Vitus stülpte einen der Becher um und fing den Brotschwamm auf. Dann knetete er ihn wie einen Schneeball, bis er rund wie eine Kugel war. »Da hätten wir den ersten Ball! Er muss nur noch durchtrocknen.«

Rasch halfen ihm die anderen bei den restlichen Kugeln.

Am Abend lagen fünf hühnereigroße Brotbälle vor Amandus. Sie waren trocken, hart, nahezu rund und ungefähr gleich groß. Amandus nahm zwei auf und wog sie prüfend in den Händen. »Als Jonglierbälle sind sie ein bisschen zu leicht, ich glaube, es geht nicht.«

»Nur keine falsche Scham«, sagte der Magister.

»Wenn die Bälle zu leicht sind, fliegen sie anders.« Amandus nahm drei in die rechte und zwei in die linke Hand. Dann fasste er sich ein Herz und stand auf. Rasch warf er die Kugeln nacheinander in die Luft, wobei er ihre Bahn mit den Augen verfolgte. Von den fünfen brachte er drei in Umlauf, aber zwei fielen herab.

Beim zweiten Versuch fiel nur noch eine Kugel herab, beim dritten gelang es ihm, alle fünf für kurze Zeit in der Luft zu halten. Geschickt fing er die Kugeln nacheinander wieder auf, machte eine tiefe Verbeugung und strahlte über das ganze Gesicht.

»Na bitte«, grinste der Magister, »ich hab's doch immer gewusst.«

Zwei Wochen später wachte Vitus eines Morgens sehr früh auf. Er rieb sich die Augen und stellte fest, dass die Dämmerung gerade erst einsetzte. Sein Blick fiel auf die fünf Brotkugeln, die zwischen ihm und dem Magister lagen. Seit Amandus' erfolgreicher Vorführung war kein Tag vergangen, an dem nicht jeder dieses Kunststück versucht hätte. Zu Vitus'

Überraschung hatte der Magister sich von allen als der Geschickteste erwiesen.

Doch wie alle neuen Dinge hatte auch das Jonglieren allmählich seinen Reiz verloren. Langeweile war wieder eingekehrt. Vitus beschloss, dass es Zeit sei, sich dem Magister anzuvertrauen. Er rüttelte ihn am Arm. »He, Magister!«

Der kleine Mann schmatzte im Schlaf und kam nur langsam zu sich. Dann gähnte er ausgiebig. »Was ist los, Vitus? Ich sehe keinen Grund, mich zu wecken. Es sei denn, die Stunde des Jüngsten Gerichts schlüge.«

»Ich habe nachgedacht, ich möchte dir meine Geschichte erzählen.«

»Dann sei dir verziehen. Schieß los, ich bin ganz Ohr.«

Und Vitus begann. Er berichtete mit leiser Stimme von dem Leben im Kloster, von Gaudeck, Thomas, Cullus und den vielen anderen Brüdern, von der Ausbildung, die er erhalten hatte, und davon, dass der alte Abt Hardinus wie ein Vater für ihn gewesen war. Er erzählte, wie Pater Thomas ihn geduldig in die komplizierten Bereiche der Cirurgia und der Kräuterheilkunde eingeführt hatte und wie im Laufe der Jahre sein Wissen größer und größer geworden war.

Der Magister erwies sich als guter Zuhörer. Er unterbrach selten und wenn, dann nur, um einen scheinbaren Widerspruch zu klären: »Es war also alles wunderschön im Kloster«, sagte er einmal, »ich frage mich nur, warum du es verlassen hast.«

»Es war gar nicht so ›wunderschön‹, wie du vermutest. Gerade in den letzten Monaten ging mir das Leben dort mehr und mehr auf die Nerven, obwohl ich als *Puer oblatus* viel mehr Freiheiten hatte als ein Mönch.«

»Ist man als Mönch denn unfrei?«

»In gewisser Hinsicht schon. Wer Mönch ist, ist es in der Re-

gel sein Leben lang. Er unterwirft sich einer strengen Disziplin: Die Tagesabläufe sind immer gleich, Lachen ist verboten, Schweigen ist Pflicht. Alle Dinge müssen mit großem
Ernst verrichtet werden. Der Blick soll zu Boden gerichtet
sein, die Hände sind stets in den Ärmeln der Kutte zu halten,
es sei denn, man braucht sie zum Beten oder zur Arbeit.«

»Hm«, machte der Magister.

»Dreißig, vierzig, vielleicht sogar fünfzig Jahre lang betend,
schweigend und sich selbst kasteiend in einem Kloster zu sitzen, das ist nichts für mich.«

»Verstehe, und deshalb bist du eines Tages klammheimlich
verschwunden.«

»Ganz im Gegenteil. Ich ging mit dem Einverständnis von
Abt Hardinus, der mir zur Aufgabe gemacht hatte, meine
wahre Identität zu finden.« Vitus erzählte, wie der Abt noch
kurz vor seinem Tod das golddurchwirkte Wappen interpre-
tiert hatte, berichtete von seinem Aufbruch aus dem Kloster,
erwähnte die eingenähten Escudos, die Kiepe mit dem darin
versteckten Buch *De morbis* und die vielen kleinen und großen Begebenheiten auf seiner Wanderung. Schließlich endete
er bei seinem Treffen mit dem räuberischen Zwerg.

Nach einer Weile sagte der Magister sinnend: »Der Abt Hardinus muss ein kluger Kopf gewesen sein, alles, was er aus
dem Wappen herausgelesen hat, ist zwar nicht sicher, aber
in hohem Maße wahrscheinlich. Ich persönlich glaube auch,
dass England dein Ziel sein sollte – für den Fall, dass sie dich
irgendwann hier rauslassen. Ich hoffe nur, dass ich dann an
deiner Seite sein werde, schließlich schuldest du mir ein er-
kleckliches Sümmchen.«

Er blinzelte. »Den Zwerg übrigens kann ich in gewisser Weise
verstehen. Überleg doch mal: Wovon soll so ein Gnom leben,

wenn nicht vom Klauen? Es ist die Intoleranz unserer Gesellschaft, die ihn dazu zwingt.«

»Nimmst du ihn etwa in Schutz?«

»Das nicht gerade. Rechtlich gesehen war's natürlich eine hübsche Latte von Tatbeständen: Körperverletzung, Freiheitsberaubung, Diebstahl, um nur einiges zu nennen. Aber bedenke: Ein Winzling wie er hat's schwer in dieser Welt. Keiner gibt ihm Arbeit. Keiner mag ihn. Keiner nimmt ihn ernst. Hand aufs Herz: Hast du dich ihm gegenüber normal verhalten?«

»Ehrlich gesagt, nein. Ich war ziemlich befangen. Er sah einfach zu unmenschlich aus mit seinen winzigen Augen und dem Fischmündchen. Und dann noch dieser enorme Buckel.« Vitus deutete die Ausmaße an. »Dass er mir mein Geld gestohlen hat, nehme ich ihm nicht einmal so übel. Viel schlimmer ist, dass er mich der Inquisition ausgeliefert hat. Manchmal denke ich, ich könnte ihn töten.«

»Sag so etwas nicht.« Der Magister hob abwehrend die Hand. »Das klingt mir zu sehr nach Kopf-ab-Gerechtigkeit. Davon haben wir in diesem Land schon genug. Aber so langsam wird mir einiges klar: Der Zwerg hat dich wahrscheinlich bei der Inquisition als Häretiker denunziert. Dann hat er den Herren ›zum Beweis‹ seiner Ehrlichkeit ein oder zwei Goldstücke gegeben, mit dem Hinweis, er habe sie bei dir gefunden. Den Rest hat er natürlich behalten. Mag sein, dass er auch durchblicken ließ, du hättest an einem geheimen Ort noch mehr versteckt. Das wäre für ihn die Garantie gewesen, dass sie dich hier behalten, denn sicher weiß er, dass die Inquisitoren einen Gefangenen so lange ausquetschen, bis sie das letzte Gold aus ihm herausgeholt haben. Ein überaus tückischer Plan, wenn sich wirklich alles so zugetragen hat. Hoffen wir trotzdem, dass du bald als freier Mann dort rausgehen wirst.« Er nickte mit dem Kopf in Richtung Kerkertür.

Wie auf ein Stichwort öffnete sie sich.

Nunu hinkte herein und baute sich auf. »Los, Rechtsverdreher, zum Verhör!« Er packte den schmächtigen Mann, hob ihn auf die Beine und schob ihn, ehe er sich's versah, hinaus. Erst draußen auf dem Gang begann der Magister sich zu wehren: Er zappelte mit Armen und Beinen und sah aus wie ein Insekt, das man am Hinterleib packt. Und genauso vergebens war auch sein Widerstand.

»Halt!«, rief Vitus. »Halt!«

»Mach dir keine Sorgen!«, schrie der kleine Mann wild zurück. »Unkraut vergeht nicht!«

Krachend schloss sich die Kerkertür.

Wem der Prozess gemacht wurde, der musste mit allem rechnen. Das geringere Übel dabei war noch die Befragung, die Interrogatio: häufig eine stundenlange Konfrontation mit immer neuen Spitzfindigkeiten, bösartigen Behauptungen und geschickt herbeigeführten Missverständnissen. Im Glücksfall gab sich der Inquisitor zufrieden, wenn dem Angeklagten tatsächlich nichts nachzuweisen war. Doch der Befragte konnte trotzdem bestraft werden, wenn auch in der Regel milder, zum Beispiel, indem man ihm, seiner Familie oder seinen Verwandten für alle Zukunft die Ausübung eines öffentlichen Amts verbot.

Wer jedoch der Ketzerei überführt war, tat besser daran, seine ›Schuld‹ einzugestehen und abzuschwören – geschah dies, konnte er dennoch nicht sicher sein, ungeschoren davonzukommen. Denn war die Kirche der Meinung, Haus und Grund des Angeklagten seien lohnend, verurteilte sie ihn zum Tod oder zu lebenslanger Haft, um sich anschließend seines

Besitzes zu bemächtigen. Ausnahmen gab es natürlich auch hier. Gehörte das Opfer einer vermögenden Familie an, war es häufig einträglicher, es gegen ein hohes Lösegeld freizusetzen. Man konnte den Sünder ja später aufs Neue verhaften – und abermals freikaufen lassen.

Das Schlimmste jedoch, was einem Angeklagten widerfahren konnte, war die Folter. Sie kam immer dann zum Einsatz, wenn das Geständnis hartnäckig verweigert wurde. Wobei dem Eingestehen der Schuld deshalb so große Bedeutung beikam, weil es die Grundlage für jede Verurteilung war. Das Geständnis war der Beweis. Fehlte es, gab es keinen eindeutigen Straftatbestand.

Ganze Verhöre waren deshalb von der Kirche auf penibelste Weise mitgeschrieben worden; sie sollten als Leitfaden für spätere Verhandlungen dienen. Alles, um das eine, das große Ziel zu erreichen: das unter Qualen herausgeschriene Geständnis »Ja, ich bin ein Ketzer! Ja, ich habe gesündigt! Ja, ich bin mit Satan im Bunde!«

Was würden die Folterer dem Magister antun?

Die Stunden zogen sich endlos dahin. Schließlich, niemand vermochte mehr zu sagen, wie lange sie gewartet hatten, sprang die Kerkertür plötzlich auf. Ein schmächtiger Körper taumelte ihnen entgegen und brach mit einem dumpfen Geräusch vor ihnen zusammen. Es war der kleine Gelehrte. Er zitterte am ganzen Leib.

»Der Magister!«, kreischte Amandus.

Die Kerkertür wurde zugeschlagen.

»Ruhig Blut!« Vitus reagierte sofort. Er winkte David und Habakuk heran: »Dreht ihn auf den Rücken, und zieht ihn zu mir her, damit ich an ihn herankomme.«

Als sie in das Gesicht des kleinen Mannes blickten, verschlug es ihnen den Atem: von der Nasenwurzel bis zum Haaransatz zog sich eine fünf Zoll lange Wunde – verbranntes Fleisch in Form eines Kreuzes.

Vitus nahm das Handgelenk des Gefolterten und prüfte den Puls. Er war hart und unregelmäßig. Kein gutes Zeichen. Als Nächstes betrachtete er die Verletzungen. »Die Wunde auf der Stirn ist sehr tief«, stellte er fest, »teilweise ist sogar das Stirnbein zu sehen. Die Schmerzen müssen furchtbar sein. Warum nur haben sie ausgerechnet die Stirn für ihre Folterung gewählt?«

»Weil ich sie ihnen geboten habe«, flüsterte der Magister. Er grinste schief. Doch keinem war nach Lachen zu Mute.

»Ab jetzt hast du Sprechverbot«, entschied Vitus.

»Sprechen lenkt aber von den Schmerzen ab.«

»Bist du ein Medicus oder so etwas?«, schaltete sich David ein, der paradoxerweise der größte der Juden war.

»Medicus wäre zu viel gesagt. Aber ich weiß, wie der Magister behandelt werden muss.«

»Was würdest du denn benötigen?«, fragte Habakuk.

Vitus überlegte: »Ich brauche Scharpie, Heilpflanzen, fiebersenkende Mittel, Verbandstoff, frisches Wasser, eine Kochstelle, Feuerholz und vieles mehr. Warum willst du das überhaupt wissen?«

»Und wie viel würde das alles zusammen kosten?«

»Keine Ahnung. Ist doch einerlei, wir kriegen's ja ohnehin nicht.«

»Vielleicht doch.« Habakuk tauschte einen schnellen Blick mit David. Der senkte zustimmend die Lider. Dann wandten sich beide an Solomon. Hastig redeten die drei miteinander. Kurz darauf waren sie sich einig. »Entschuldigt uns einen Augenblick!«, bat Habakuk höflich. Solomon ging zum Abtritt,

Habakuk und David folgten ihm, um ihn mit ihrem Körper abzudecken.

Kurz darauf traten sie zur Seite und gaben den Blick auf Solomon frei, der sich aufrichtete und dabei einen kleinen Gegenstand mit Stroh abwischte. Alle drei schienen plötzlich sehr verlegen. Dann nahm Habakuk den Gegenstand und gab ihn Vitus.

Es war ein silberner Achterreal.

»Ja woher habt ihr …«, entfuhr es ihm. Doch dann hatte er begriffen. »Äh … ich danke euch! Ich weiß gar nicht, was ich sagen soll.«

»Vielleicht sollten wir als Nächstes Nunu rufen«, erwiderte Habakuk sanft. »Soviel ich weiß, ist bei ihm für Geld so ziemlich alles zu haben.«

Wenig später erschien der Hinkende. »Was is?«, knurrte er, »euern Fraß habter doch schon.« Er vermied es, den Magister anzusehen.

»Ich möchte dich bitten, mir Arzneien zu besorgen«, sagte Vitus höflich, »der Magister muss dringend behandelt werden.«

Nunu stemmte die Arme in die Hüften. »Die Behandlung von Ketzern is nich üblich, un überhaupt nur, wenn's der Inquisitor gesacht hat!«

Vitus hielt ihm die Münze hin.

»Das is was andres.« Der Kerkermeister hob sie prüfend ins Licht. Dann tat er etwas, womit keiner gerechnet hatte: Er biss darauf.

Sie sahen sich an und mochten nicht glauben, was sie gesehen hatten. Dann grinsten sie, stießen sich in die Seite, prusteten los, brüllten schließlich vor Lachen.

»*Pecunia non olet!*«, krächzte der Magister.

Jetzt lachte nur Vitus.

»Maul halten, ihr Ketzerschweine!« Der Koloss wusste zwar nicht, warum sie lachten, aber er begriff, dass er die Zielscheibe ihres Spotts war. Er besann sich auf das Wichtigste: »Die is jedenfalls echt. Was willste haben?«

»Zunächst einmal brauche ich Feder und Papier, um alle Dinge aufzuschreiben. Der Apotheker im Ort kann sicher lesen. Er soll die Heilmittel sorgfältig zusammenstellen. Anschließend bringst du die Sachen her. Dann sehen wir weiter.«

»Ach, un das is schon alles?«, fragte der Riese ironisch.

»Nein. Du musst mich noch von diesem Ring im Boden losmachen, sonst kann ich die Behandlung nicht durchführen.«

»Das geht nich!«

»Dann vergessen wir das Ganze, gib die Münze wieder her!«

In Nunus Gesicht arbeitete es. Er schwankte zwischen Geldgier und Pflichtgefühl. Die Geldgier siegte. »Nu, nu, wenn's nich anders geht, schließ ich dich vom Ring ab. Aber nich für lange!«

»Natürlich«, sagte Vitus.

Am späten Vormittag des nächsten Tages begann die Behandlung. Vitus genoss seine neue Freiheit. Er trug zwar noch immer die Kette, aber er konnte aufstehen, umhergehen und alles eigenhändig vorbereiten.

Obwohl der Magister große Schmerzen litt, wollte er über jeden Schritt genau informiert werden, vielleicht auch, um dadurch auf andere Gedanken zu kommen. »Was ist das?«, fragte er, als Vitus eine Hand voll Körner in kochendes Wasser warf. »Das ist Leinsamen.«

Der Magister öffnete den Mund, um die nächste Frage zu stellen, doch Vitus kam ihm zuvor: »Lass die Fragerei, Magister, es ist besser, wenn du nicht so viel redest. Ich erklär's dir schon: Die Verletzung auf deiner Stirn ist eine schwere Verbrennung. Das heißt, es handelt sich um eine Wunde, in der sich sehr viel Hitze befindet. Und Hitze durch Feuer ist immer wild. Nach der Vier-Säfte-Lehre des Galenos bekämpft man sie am besten durch einen Stoff, der gegensätzlich wirkt, in diesem Fall durch den Lein, denn Lein ist warm und sanft. Man kocht ihn in Wasser und durchtränkt mit dieser Flüssigkeit ein Tuch. Das Tuch legt man auf die Brandwunde, alsdann wird der Lein sämtliche Giftstoffe herausziehen und dafür sorgen, dass die Hitze entweicht.«

»Das klingt gut«, sagte der Magister.

»Ich hoffe, es wirkt auch so.« Mit Hilfe von Habakuk führte Vitus die einzelnen Behandlungsschritte aus.

Siebzehn Stunden danach, im ersten Morgengrauen, wurde Vitus vom Magister geweckt.

»Ich glaube, es geht mir schon besser!«, rief er munter.

»Hoffentlich übertreibst du nicht«, freute sich Vitus. Er griff zum Handgelenk des Kranken. Eine Zeit lang schwieg er konzentriert. Dann tastete er die Achseln des Magisters ab. Seine Miene verdüsterte sich. »Dein Puls geht ziemlich schnell, und unter den Armen bist du heiß. Ich fürchte, du hast Fieber.«

»Aber die Wunde schmerzt nicht mehr so stark.«

»Das ist gut. Aber das Fieber muss runter, es schwächt dich zu sehr.«

»In Ordnung, ich mache alles mit. Übrigens: Habe ich immer noch Sprechverbot?«

»Du hältst dich ja sowieso nicht daran.« Vitus lächelte flüchtig: »Hier, schluck das erst einmal.«

»Was ist das?«

»Ein Beruhigungstrank, der gleichzeitig die Körpertemperatur reguliert. Bis er wirkt, kannst du mir erzählen, was dir im Einzelnen widerfahren ist.«

Der Magister trank mit zusammengekniffenen Augen, bevor er antwortete: »Mein Glaube passt ihnen nicht.«

»Wenn das alles ist, dann haben sie nicht das Recht, dich so unmenschlich zu quälen!«

»Pah! Recht? Sie nennen Recht, was ihnen in den Kram passt!« Die Hand des Magisters fuhr an das Brandmal, doch zog er sie schnell wieder zurück, denn die Wunde pochte stark und war sehr empfindlich. »Die Folter ist völlig legitim, spätestens, seit Seine Heiligkeit Papst Innozenz IV. ihre Anwendung ausdrücklich erlaubte.«

Er spie das »Seine Heiligkeit« förmlich aus. »Das war anno 1252, dem wahrscheinlich schwärzesten Jahr, seit Unsere Liebe Frau dem Herrgott Seinen eingeborenen Sohn schenkte. Innozenz, dieser Teufel in Menschengestalt, hielt sich nicht nur Spitzel, die ihm verdächtige Menschen ans Messer lieferten, er ließ sogar die untersuchenden Richter in die Rolle des verständnisvollen Beichtvaters schlüpfen – alles nur, um den Ahnungslosen einen Strick daraus drehen zu können. Aber weißt du, Vitus, was das Schlimmste bei alledem ist?«

»Was denn?«

»Es ist heute noch genauso wie vor über dreihundert Jahren.«

»Ja, ich habe davon gehört.« Willkür und Gräueltaten der Kirche waren auch auf Campodios bekannt. »Ich verstehe nur nicht, warum die Kirche so viele Opfer will. Und warum sie so versessen auf vermögende Sünder ist. Der Vatikan nagt doch nicht am Hungertuch!«

»Die Wahrheit ist«, antwortete der Magister, der sich langsam beruhigte, »dass es der Kirche ursprünglich nicht um irdische Güter ging, sondern um die Reinheit und die Verbreitung des allein selig machenden Glaubens. Das war auch der eigentliche Grund, warum die abendländischen Ritter anno 1096 ins Heilige Land aufbrachen, um Jerusalem zu befreien. Heute nennen wir dieses Unternehmen den 1. Kreuzzug …«

Der kleine Mann gähnte.

»Erzähl mir den Rest später«, schlug Vitus vor.

»Vielleicht hast du Recht.« Ganz gegen seine sonstige Natur willigte der kleine Mann ein. Der Trank tat seine Wirkung.

»Er wird jetzt ein paar Stunden schlafen«, sagte Vitus zu den anderen. Dann begann er mit seiner Arbeit. Er wechselte die Leinsamenpackung auf der Stirn gegen Scharpie aus, die er zwischen seinen Händen so flach ausgerollt hatte, dass sie sich der Länge und der Breite nach in die kreuzförmige Wunde legen ließ. Daraufhin griff er zu Nadel und Faden. Sorgfältig nähte er die Wundränder über der Scharpie zusammen.

Auf Habakuks fragenden Blick hin erklärte er: »Scharpie regt den Eiterfluss an, um den Heilungsprozess zu beschleunigen. Eine Methode, die nicht unumstritten unter den Ärzten ist. Aber ich wende sie an, weil ich nichts unversucht lassen möchte.«

Am Nachmittag schlief der Magister noch immer. Vitus setzte einige Egel, um das Blut des Kranken zu reinigen. Am Abend begannen er und Habakuk, mehrere große Lauchstangen feinzuhacken und die Stückchen in ein Tuch einzuschlagen. Das so entstandene Paket drückten sie, sich ständig abwechselnd, gegen die Fußsohlen des Magisters, damit der austretende Saft in die Haut einziehen konnte.

»Wozu soll das nun wieder gut sein?«, fragte der Magister, als er wach wurde.

»Wir kämpfen gegen das Fieber in dir.«

»Scheint nicht ganz leicht zu sein«, murmelte der kleine Gelehrte. Zum ersten Mal klang seine Stimme etwas kleinlaut.

Nach einem weiteren Tag hatte sich der Zustand des Magisters deutlich verschlechtert. Das Fieber war trotz aller Bemühungen gestiegen, und der Kranke klagte häufig über Durst. Vitus versuchte, Ruhe zu bewahren. »Was erwartet ihr eigentlich?«, fragte er in die Runde, »dass er nach drei Tagen wieder aufersteht wie unser Heiland? Er ist ein Mensch wie wir alle und braucht Zeit, um die Krankheit zu überwinden.«
Sie stimmten ihm zu, wenn auch nicht überzeugt. Vitus dachte nach und fragte, ob Solomon noch eine zweite Münze an dem bewussten Ort verborgen hielte.
Dem war so. Sie wurde auf die bekannte Art bereitgestellt, und Vitus konnte weitere Arzneien und eine matt schimmernde Perle besorgen lassen. Dann bat er Amandus, ihm den Datumstein aus der Mauer zu holen. Er nahm ihn und begann darauf die Perle zu zerreiben. Als dies getan war, zerkleinerte er einige große Blätter des Sauerampfers und presste das Kleingehackte aus. Schließlich nahm er noch eine Hand voll Blüten des Gurkenkrauts, die er auskochte. Den so gewonnenen Sud reicherte er mit dem Sauerampfersaft an und streute zum Schluss das Perlenpulver hinein.
»Und das soll helfen?«, fragte Solomon. Man sah ihm an, dass es ihm um die Perle Leid tat.
»Es ist das teuerste, aber auch wirksamste fiebersenkende Mittel, das die Wissenschaft kennt.«
»Ich kenne auch noch eins«, mischte sich der Magister ein, »es ist das Gespräch.«
»Was sagst du da?«
»Lass mich ein bisschen weitererzählen. Es tut mir gut.«

Vitus seufzte. »In Gottes Namen. Aber erst schluckst du diesen Sud.«

»Mach ich. Wo war ich stehen geblieben?« Der Magister schlürfte die Flüssigkeit. »Ach ja, ich glaube, beim 1. Kreuzzug. Wenn du mich fragst, war das der einzige ehrliche Kreuzzug, der jemals stattfand, alle anderen waren nur vorgeschoben, um Geldgier und Abenteuerlust zu bemänteln.«

»Ich habe davon gehört.« Vitus kannte sich ebenfalls in Kirchengeschichte aus.

»Später sind die hohen Herren dann auf den Geschmack gekommen: das Kreuz ständig hoch haltend, haben sie in diesem Zeichen gemordet, gebrandschatzt und Berge von Gold angehäuft. Und immer, wenn der Kirche ein gehöriger Teil davon zufiel, hat sie das Ganze abgesegnet.«

»Da magst du Recht haben.«

»Vielleicht fragst du dich, warum ich dir das alles so episch breit erzähle, aber es ist ganz einfach: Auch die Inquisition ist ein Kreuzzug. Ein Kreuzzug nach innen. Inquisitio ist, wie du vielleicht weißt, lateinisch und heißt so viel wie ›Befragung‹, ›Erkundung‹.«

»Ich kann Latein«, sagte Vitus.

»Du warst ja Klosterschüler, insofern dachte ich es mir.« Der Magister sah ihn prüfend an. »Du hättest sonst auch nicht gelacht, als ich Nunu ›Pecunia non olet!‹ zurief. Du warst der Einzige, der wusste, dass diese Worte ›Geld stinkt nicht‹ bedeuten. Um aber meinen Gedanken vom inneren Kreuzzug zu Ende zu bringen: Ursprünglich bestand auch hier die beste Absicht, alle Andersdenkenden auf den rechten Glaubenspfad zurückzuführen, doch die Kirche erkannte alsbald, wie lukrativ es sein kann, dem vermeintlichen Sünder nicht zu vergeben, sondern ihm stattdessen seinen Besitz zu rauben.

Und warum das alles? Nun, die über jeden Zweifel erhabene Mutter Kirche mit ihren Gottesstreitern, vor denen der kleine Mann in Ehrfurcht erblasst, weil er in ihnen so etwas wie den göttlichen Strahl vermutet, diese erhabene Mutter Kirche also ist in Wahrheit nichts weiter als abgrundtief schlecht. So schlecht, so böse, so verdorben, wie ein einzelner Sterblicher gar nicht sein kann. Die Kirche ist nicht Gottes-, sie ist Menschenwerk. Denn Heuchler und Meuchler sind es, die sie verkörpern. Niemand ist Gott ferner als die Kirche.«

»Ich glaube nicht, dass alle Gottesstreiter schlecht sind«, widersprach Vitus. Er dachte an die in großer Bescheidenheit lebenden Brüder von Campodios.

»Und ich glaube, dass du da schief gewickelt bist!«, entgegnete der Magister eigensinnig. Er blinzelte heftig. »Aber wir wollen uns nicht streiten.«

Der darauf folgende Tag sollte der schlimmste überhaupt werden. Alles, was Vitus unternommen hatte, schien umsonst gewesen zu sein. Nach einer eingehenden Untersuchung am Morgen war ihm klar geworden, dass der Magister vielleicht nur noch wenige Stunden zu leben haben würde. Seine linke Schläfenader war rot und geschwollen, und in der linken Achselhöhle saß ein dicker Knoten. Um das vernähte Kreuzmal herum hatte die Haut blasenförmige Abhebungen gebildet, die Wundränder waren violett verfärbt, aus den Nähten drang Fäulnisgeruch. Kein Zweifel: Der Magister hatte Gangrän, den gefürchteten Wundbrand. Die Säfte seines Körpers befanden sich in völliger Dyskrasie. Kraftlos lag er da und glühte vor Fieber. Nicht einmal reden mochte er mehr, was besonders bedenklich war.

Über eine Stunde saß Vitus neben ihm und grübelte. Dann stand sein Entschluss fest. Er bat die Juden, ihm dabei zu helfen, den Körper des Magisters von sämtlichen Wickeln, Salben, Rupfen und Packungen zu befreien. Alles hatte nichts genützt, also musste auch alles fort! Gemeinsam zogen sie ihn aus, bis er nackt und schmächtig vor ihnen lag. Er war nicht mehr bei Sinnen. Er phantasierte wirres Zeug und gestikulierte wild in der Luft. Es stand sehr schlecht um ihn.

Alles musste fort, auch die Scharpie. Vitus nahm eine Pinzette und erfasste damit die Scharpiespitzen an den Endpunkten des Kreuzes. Langsam zog er die Stoffrollen unter den Nähten hervor. Der Gestank der Wunde verstärkte sich. Endlich war die Arbeit getan.

Sie wickelten den Magister in zwei Mäntel und warteten weiteres ab.

Auf Vitus' energische Bitte hin reichte Nunu im Laufe des Vormittags ein Säckchen mit Rotem Sonnenhut herein. Er nahm die Blätter, wässerte sie sorgfältig. Dann legte er sie auf den Knoten in der Achsel und auf die geschwollene Schläfe. Alle Stunde erneuerte er die Packung.

Abermals blieb ihnen nichts als abzuwarten.

Gegen Abend schien die Temperatur noch immer nicht nachzulassen. Allerdings war der Knoten in der Achsel etwas kleiner geworden. Auch die Schläfe schien nicht mehr so angeschwollen zu sein.

Die Nacht über verhielt der Kranke sich ruhig. Vitus, Amandus, Felix und die Juden wachten abwechselnd an seinem Lager.

Sie beteten um sein Leben, jeder nach seinem Glauben.

Am anderen Morgen war das Fieber immer noch erschreckend hoch. Allen war klar: Lange würde der kleine, zähe Mann es nicht mehr machen. Es musste zusätzlich etwas geschehen. Vitus straffte sich. Jetzt konnte nur noch eines helfen. Er rief laut nach Nunu.

Der Hinkende erschien nach geraumer Weile. »Nu, nu, was is nu schon wieder?«

»Der Magister stirbt, du musst uns noch einmal helfen.«

»Ihr macht 'n Aufhebens um die halbe Portion, als wär's der König selbst.«

»Und wenn schon, für die zweite Silbermünze bist du uns noch was schuldig.«

»Werd nich frech, Ketzerdokter! Noch so'n Wort, un ich dreh dem Winkeladvokaten 'n Hals um. Dann is Ruhe!«

»Schon gut.« Für ein Streitgespräch war keine Zeit. »Worum ich dich bitte, ist etwas, das dich nichts kostet. Ich brauche nur ein paar Weidenäste. Solche, wie sie überall wachsen. Du schneidest sie ab und gibst sie mir. Das ist schon alles.«

»Meinetwegen.« Nunu verzog sich und kam kurz darauf wieder. Er bündelte die Zweige und schob sie durch die Klappe in der Kerkertür. »'s is das Letzte, was ich tu, kapiert?«

Vitus schälte die Weiden ab, trocknete die Rindenstreifen über dem Feuer und pulverisierte sie, indem er sie über dem Datumstein abzog. Er war dankbar für die mühselige Arbeit, denn sie lenkte ihn ab. Als er auf diese Weise eine Hand voll Weidenrindenpulver gewonnen hatte, warf er alles in einen Topf mit kaltem Wasser. Langsam brachte er die Flüssigkeit zum Sieden und ließ sie geraume Zeit köcheln. Nachdem die Abkochung Trinktemperatur erreicht hatte, flößte er sie, sich mit Habakuk abwechselnd, vorsichtig dem Magister ein.

Am Nachmittag schien die Temperatur etwas gefallen zu sein. Am späten Abend konnte kein Zweifel mehr bestehen: Das Fieber sank! Sie schöpften neuen Mut und verdoppelten ihre Anstrengungen.

Gegen Mitternacht schlug der Magister die Augen auf. Sie schauten ihn an und jubelten im Stillen. Seine Pupillen waren klar.

»Ich werde gesund«, erklärte er.

»Aber nicht, wenn du gleich wieder Monologe hältst!«, sagte Vitus froh.

»Muss ich aber.«

»Nein.«

»Bitte, glaub mir. Ich weiß, dass ich wieder gesund werde. Ich habe mit Conradus Magnus im Traum darüber gesprochen. Er ist tot, aber ich werde leben.«

»Du phantasierst schon wieder!«

»Nein, ich bin ganz klar. War nie klarer in meinem Leben.«

Vitus zögerte. Wenn er dem Magister jetzt das Sprechen verbot, würde er damit vielleicht mehr Schaden anrichten, als wenn er ihn reden ließe. »Also gut. Erzähle.«

»Bin schon dabei.« Der Magister blinzelte und drehte sich auf die Seite, um es bequemer zu haben. Eine Kakerlake huschte davon. Unbeirrt begann er: »Wenn ich mich recht erinnere, haben wir uns beim letzten Gespräch fast gestritten, als du die Kirche in Schutz nahmst. Ich muss dazu sagen, dass ich dir deshalb so vehement widersprochen habe, weil ich die ganze Zeit das Schicksal meines Freundes Conradus Magnus vor Augen hatte. Doch lass mich etwas weiter ausholen …«

»Nicht, bevor du etwas Weidenrindensud genommen hast.«

»Tu ich ja.« Der Magister schlürfte geräuschvoll den Trank. »Herrgott im Himmel, ist das ein bitteres Gesöff.« Dann begann er erneut: »Wie du weißt, komme ich aus La Coruña. Dort verbrachte ich die letzten vierzehn Jahre meines Lebens, die meiste Zeit davon als Magister, der die Jurisprudenz an einer Privatschule lehrte. Die Stadt ist im Großen und Ganzen

ein angenehmer Ort, wenn man von den paar Prügeleien absieht, die von den Fischern und Seefahrern immer mal wieder
angezettelt werden. Ich hatte also ein recht beschauliches Da-
sein. Bis eines Tages ein Mann in unsere Stadt kam, der mein
ganzes Leben verändern sollte. Sein Name war Conradus
Magnus. Er war das, was man einen Alchemisten nennt. Ich
begegnete ihm das erste Mal am Strand in der Nähe des Torre
de Hércules, des alten Leuchtturms aus der Römerzeit. Es
war kurz vor Sonnenuntergang. Er blickte sinnend aufs Meer,
während er eine Hand voll Sandkörner durch seine Finger
rinnen ließ. ›Es ist ein seltsam Ding‹, sagte er zu mir, als ich
neben ihn trat, ›nehmt diesen Sand, nehmt das Meer, nehmt
die Luft, nehmt das Feuer – jedes dieser vier Elemente ist nur
eine vorübergehende Zustandsform, mehr nicht.‹
›Zustandsform? Von was?‹, fragte ich erstaunt.
›Von der allem zugrunde liegenden Materie‹, antwortete er,
›sie ist das zustandslose Nichts, das wir 'Prima materia' nennen, und dieses Nichts kann sich wandeln, mal in dieses, mal
in jenes Element.‹
›Das hört sich ziemlich philosophisch an‹, sagte ich skeptisch.
›Das ist es in der Tat‹, erwiderte er ernst, ›nach der griechischen Naturphilosophie kann die Umwandlung nur mit Gottes Hilfe durchgeführt werden, sie ist also eine himmlisch be-
einflusste Geburt auf chemischer Ebene, wenn Ihr so wollt.
Da wir die Umwandlung des Nichts gedanklich mit einer
stofflichen Stufenleiter der Vollkommenheit verbinden, steht
am Ende dieser Leiter der wertvollste Stoff überhaupt: das
Gold.‹
›Wenn ich Euch richtig verstehe‹, sagte ich nach einer Weile,
denn ich brauchte etwas Zeit, um seine Gedanken nachzuvollziehen, ›ist das Meer hier vor uns also potenziell Gold?‹

›Wie der Sand, die Luft, das Feuer oder jede Mischform der vier Elemente‹, anwortete Conradus Magnus.

›Das fällt mir schwer zu glauben‹, sagte ich nachdenklich, ›wo in aller Welt hält sich in einem Tropfen Wasser ein Körnchen Gold versteckt?‹

›Das Geheimnis ist der Same, der einem dieser Stoffe entzogen werden muss, um ihn in einem anderen Stoff keimen zu lassen, denn nur so entsteht in der Theorie Gold.‹

›Und warum setzt Ihr Euer theoretisches Wissen nicht in die Praxis um?‹, wollte ich wissen, denn als Jurist hatte ich gelernt, Angaben auf ihren praktischen Wert zu überprüfen.

›Darum bemühen sich die Alchemisten schon seit Jahrhunderten‹, lächelte er und hob erneut eine Hand voll Sand auf, ›denn was bis zum heutigen Tage nicht gefunden wurde, ist das Mittel, um diesen Prozess in Gang zu setzen. Wir nennen es den Stein der Weisen.‹

›Wenn ich's recht sehe‹, erwiderte ich und bückte mich ebenfalls nach einer Hand voll Sand, ›steckt auch in diesen Körnchen der Same für Gold, welches Ihr lediglich mit dem Stein der Weisen ans Tageslicht bringen müsstet – vorausgesetzt, Ihr hättet den Stein.‹

›Im Prinzip ja.‹

›Heißt das nicht Gott versuchen?‹

›Im Prinzip nein, denn wenn Gott wollte, wäre es ihm ein Leichtes, aus Sand Gold zu machen – und es einem Auserwählten zu zeigen.‹

›Aha‹, sagte ich, ›Ihr tut also nichts weiter, als Gott ein wenig über die Schulter zu blicken, um herauszufinden, wie er's macht. Tretet Ihr ihm da nicht doch ein wenig zu nahe?‹

Als ich dies sagte, erschien ein leichtes Misstrauen in seinen Augen. ›Man sagt, wir Alchemisten stünden immer mit einem

Bein auf dem Scheiterhaufen‹, antwortete er, ›weil viele Menschen unsere wissenschaftlichen Untersuchungen als Scharlatanerie abtun. Aber Naturforschung kann nicht darauf Rücksicht nehmen, dass ihr Weg vielleicht zu einer Erkenntnis führt, die mit dem Göttlichen nicht im Einklang steht. Wer solche Konsequenz fürchtet, wird die Wissenschaften nicht weiterbringen.‹

›Ich verstehe die Problematik‹, sagte ich, ›nichts für ungut, es ist nur alles neu für mich. Erzählt bitte weiter ...‹ Tja«, der Magister gähnte und rieb sich die Augen, »so fing unsere Freundschaft an.«

»Und du hörst jetzt mit deiner Geschichte auf«, sagte Vitus, »nimm noch einen Becher von dem Weidenrindensud.«

Doch es stellte sich heraus, dass der Magister schon eingeschlafen war.

Er wachte erst am anderen Morgen auf, verkündete aber sogleich, er müsse weitererzählen. Vitus erlaubte es ihm, nachdem er ihn eingehend untersucht und zu seiner Freude festgestellt hatte, dass sein Patient weiter auf dem Wege der Besserung war.

»Es dauerte nicht lange«, setzte der Magister seine Geschichte fort, »da verbrachten Conradus Magnus und ich fast jeden Abend miteinander. Wir diskutierten stundenlang über Gott und die Welt, während Conradus unermüdlich hinter seinen Tiegeln, Kolben und gläsernen Gefäßen experimentierte. Er war ein angenehmer Mann von geschliffener Höflichkeit und universellem Wissen, dabei scheu und von so sanftem Wesen, dass er keiner Fliege etwas zu Leide tun konnte.

Doch nach einiger Zeit begannen die Leute über ihn zu reden. Erst tuschelten sie hinter seinem Rücken, dann zerrissen sie sich das Maul. Conradus wurde zur Zielscheibe sämtlicher böser Verdächtigungen, zu denen Menschen fähig sind: Hexer, Kinderfresser, Vampir, Ketzer und Ähnliches waren noch die mildesten Beschuldigungen. Und alles nur, weil er Dinge tat, die für sie unbegreiflich waren. Zum Verhängnis wurde ihm wahrscheinlich, dass er sich eines Tages vor dem Rathaus mit den Leuten auf ein Streitgespräch über die Form unseres Planeten einließ. Heute, im Rückblick auf die Geschehnisse, bin ich sicher, dass Conradus provoziert wurde, aber damals konnten das weder er noch ich ahnen. Immer wieder betonte Conradus in seiner ruhigen Art, dass nach den Erkenntnissen der Wissenschaft nicht die Sonne um die Erde kreise, sondern die Erde nur ein Planet von vielen sei, die um die Sonne kreisten. In den Augen der Menge war das Gotteslästerung. Die Leute lachten ihn aus und schrien ihn nieder.

Natürlich ergriff ich Partei für ihn. Schließlich hatte er nichts anderes verkündet als das, was auch für mich schon seit Jahren feststand. ›Hört, Leute!‹, rief ich ihnen zu, ›als Einwohner unserer schönen Stadt werdet ihr genau wie ich den Torre de Hércules häufiger weit draußen vom Meer aus gesehen haben, stimmt's?‹

›Na und‹, antworteten sie, ›was heißt das schon?‹

›Dann werdet ihr sicher auch beobachtet haben, dass bei klarer Sicht aus großer Entfernung nur die Spitze des Turms zu erkennen ist, nicht aber der untere Teil!‹

›Na und‹, riefen sie wieder, ›was heißt das schon?‹

›Begreift ihr denn nicht?‹, schrie ich, ›es bedeutet nichts anderes, als dass die Erde tatsächlich eine Kugel ist!‹

Als Antwort lachten die Leute mich aus. Da fiel mein Blick auf ein kleines Mädchen, das mit einer Kugel aus Holz spielte. Ich nahm die Kugel und hielt sie mit der linken Hand in die Höhe. ›Seht her, was ich meine!‹, rief ich. Dann schob ich meinen rechten Zeigefinger hinter der Kugel nach oben. ›Aus dieser Perspektive lässt sich nur die Spitze meines Fingers erkennen, nicht aber der Rest! Der Grund ist einfach: Die Kugelform verdeckt den unteren Teil meines Fingers! Würde ich statt der Kugel eine Scheibe davorhalten, könnte ihn jeder von oben bis unten sehen.‹

Ich blickte triumphierend in die Runde. ›Genauso ist es mit dem Torre de Hércules. Wer draußen auf See ist, kann nur den oberen Teil des Turms erkennen, weil die Erde eine Kugel ist!‹ Spätestens jetzt hatte ich uneingeschränkte Zustimmung erwartet, stattdessen schlug mir eisiges Schweigen entgegen. Nach einigen Augenblicken ereiferte sich ein dürrer Alter: ›Du bist genau wie jener‹, giftete er, wobei sein gichtiger Zeigefinger in Richtung Conradus fuchtelte, ›versuchst uns mit deinem wissenschaftlichen Gewäsch einzulullen und vergleichst die Schöpfung des allmächtigen Gottes mit einer Holzkugel! Ketzer seid ihr, einer wie der andere!‹ –

Heute bin ich sicher, dass einer aus diesem Pöbel meinen Freund bei der Inquisition denunzierte, denn schon einen Tag später wurde er verhaftet. Weil Conradus Magnus jedoch einen hervorragenden Ruf in der Gelehrtenwelt genoss, hielt man ihn tagsüber noch in seinem Haus gefangen; erst in der Nacht traute man sich, ihn abzuholen. Kurz bevor er fortgeführt wurde, hatte ich noch einmal Gelegenheit, ihn zu sehen.

›Ramiro‹, sagte er in seiner ruhigen Art zu mir, ›was jetzt auf mich zukommt, habe ich lange vorhergesehen, deshalb trifft es mich nicht unvorbereitet. Ich gehe den Weg, der mir bestimmt ist. Aber du musst auf dich achten. Sieh zu, dass du La Coruña noch heute verlässt!‹

Wie Recht er hatte! Es waren nur wenige Stunden vergangen, da standen die Häscher auch vor meinem Haus. Durch die

Tür fragte ich, wessen man mich beschuldigte. Die Antwort lautete: Ketzerei! Und das nur, weil ich einer Menge von Ignoranten die Erdkrümmung erklären wollte! Nun«, der Magister grinste nicht ohne Selbstzufriedenheit, »während sie vorne noch mit dumpfer Gewalt gegen meine Haustür traten, verschwand ich schnell durch den Hintereingang. Wollte nach San Sebastian, wo ein Vetter von mir eine Weinhandlung hat …«

Er verschnaufte und zuckte mit den Schultern: »Wie ihr seht, hab ich's nicht ganz geschafft. In der Verfolgung vermeintlicher Ketzer sind sie zäh. Auch wenn man nur ein armer Rechtsgelehrter ist wie ich.«

»Eine außergewöhnliche Geschichte«, meinte Vitus beeindruckt, »doch sie erklärt nicht, warum du vorhin so sicher warst, dass du leben würdest.«

»Stimmt«, gab der Magister zu, »aber als ich im Fieber phantasierte, hatte ich irgendwann ganz deutlich wieder die Szene vor Augen, in der Conradus mir den Rat gab, La Coruña so schnell wie möglich zu verlassen. Im Traum nun ging die Handlung weiter, so klar, als wäre sie wirklich geschehen: ›Ramiro!‹, rief Conradus, als ich mich umdrehte und davoneilen wollte, ›ich möchte dir noch etwas auf den Weg mitgeben, das ich als unbedingte Wahrheit erkannt habe: Man wird mich in wenigen Tagen als Hexer anklagen … nein, unterbrich mich nicht!‹, sagte er ungewöhnlich schroff, als ich das bezweifeln wollte, ›ich werde hier in La Coruña auf dem Scheiterhaufen sterben, das ist so sicher wie das Amen in der Kirche. Aber ebenso sicher ist, dass du, Ramiro, leben wirst! Und noch etwas: Du wirst einen Freund finden, der dich genauso schätzt wie ich. Was immer auch passiert, er wird zu dir halten. Sorge dich also nicht um deine Zukunft, lebe!‹«

Der Magister blickte Vitus an.

Vitus nickte und drückte die Hand des kleinen Mannes. »Da hat er wohl Recht gehabt. Und was ist aus ihm geworden?«

»Es ist alles genauso gekommen, wie er es vorhergesehen hatte. Ich erhielt vor einiger Zeit einen Kassiber, in dem man mir mitteilte, dass er tatsächlich verbrannt wurde. Ich hingegen lebe, auch wenn ich noch keine Bäume ausreißen kann.« Der Magister richtete sich halb auf. »Aber zur Abwechslung habe ich auch mal eine Frage.«

»Ja?«

»Was hat dich bewogen, zu jenem Zeitpunkt, als alles bei mir verloren schien, allein auf den Weidenrindensud zu setzen?«

Vitus lächelte. »Auch mir hat er einmal das Leben gerettet.«

DER LANDSKNECHT
MARTÍNEZ

»Du schläfst mit offenen Augen,
Kamerad, sonst wäre dir aufgefallen,
dass dies meine Mahlzeit ist. Bestell dir selbst was.«

Am 15. Juni desselben Jahres näherte sich ein Mann mit schweren Schritten auf der Calle San Antonio, die von Süden kommend direkt in den Ortskern von Dosvaldes führte. Es war später Vormittag, und die Sonne brannte seit über einer Stunde unbarmherzig aus einem wolkenlosen Himmel herab. Der Mann blieb stehen, um kurz zu verschnaufen. Er fühlte sich müde und zerschlagen. Die letzten einhundertfünfzig Meilen war er ausschließlich zu Fuß marschiert, denn das Pferd, das er besaß, hatte sich in der Nähe von Guadalajara ein Vorderbein gebrochen, und er hatte es töten müssen. Die letzte warme Mahlzeit hatte er vor drei Tagen in einem Kloster von gastfreundlichen Zisterziensermönchen bekommen. Seitdem knurrte ihm der Magen, was seine Stimmung nicht gerade hob. Die Straße war sehr staubig. Er hustete und spuckte in hohem Bogen aus. Einige hundert Schritt weiter am Wegrand erkannte er ein paar einfache Hütten – den Ortsrand von Dosvaldes.

»Möchte wissen, was mich in diesem Kaff erwartet!«, sagte er laut zu sich selbst und nahm sein Barett ab, um sich den Schweiß von der Stirn zu wischen. Die Kopfbedeckung war schön, aus grüner und roter Seide gefertigt, allerdings hatte sie schon bessere Tage gesehen. Ihr abgetragener Eindruck konnte auch durch die lange Reiherfeder, die unternehmungslustig an der Seite wippte, kaum wettgemacht werden. »Wird Zeit, dass Juan Martínez mal wieder 'ne Taverne von innen sieht und was Richtiges zu fressen und zu saufen kriegt«, fuhr der Mann entschlossen fort. »Auch wenn's mit der Bezahlung hapert.« Schwungvoll setzte er das Barett wieder auf und schritt erneut aus. Sein Gang war jetzt zielstrebiger, sein Gesichtsausdruck forscher. Martínez hatte einen schmalen, männlichen Mund und markante Züge. Er war fast vierzig Jahre alt, aber er wirkte jünger. Viele Frauen hätten ihn als gut aussehend bezeichnet, wenn sein rechtes Auge nicht gewesen wäre. Es war blind, ein Zustand, den man ihm überdeutlich ansah, denn es schimmerte weiß wie die Spitze eines gepellten Eis.

Der Verlust des Augenlichts war bei Martínez nicht Folge eines Unfalls, sondern berufsbedingt: Er war Landsknecht, und ein überaus kampferprobter dazu. Doch nützte ihm das wenig, denn niemand brauchte in diesen Tagen eine Klinge, die für ihn focht. Unwillkürlich tastete er nach seinem alten Degen. Die Waffe stammte aus Toledo, und ihr Stahl war so hart, dass er damit das beste Kettenhemd durchtrennen konnte.

Der Ort kam näher. Die Aussicht auf einen herzhaften Happen und einen guten Tropfen beschleunigte seinen Schritt. Als er die ersten Hütten erreicht hatte, schulterte er sein Bündel und blickte neugierig in die offenen Fenster hinein, doch nirgendwo konnte er eine Menschenseele entdecken. Was ist mit diesem Kaff los?, fragte er sich. Ist hier die Pestilenz ausgebrochen? Das Mückenfieber? Die rote Scheißerei?« Während er langsam weiterging, beschloss er, die Gunst der Stunde zu nutzen und sich in den Häusern ein wenig umzusehen …

Eine halbe Stunde später stand Martínez am Ende der Calle San Antonio und wusste, warum die Häuser des Ortes wie leer gefegt waren: Auf der Plaza de la Iglesia vor ihm sollte eine öffentliche Verbrennung stattfinden. Ein Spektakel, das die Menschen anzog wie das Fleisch die Fliegen und entsprechende Sicherheitsvorkehrungen erforderte. Einige Hellebardisten hatten deshalb den Platz zur Straße hin abgesperrt. Sie musterten Martínez, und Martínez blickte zurück. Die Männer waren verweichlicht, das sah er sofort. Sein Auge wanderte weiter. Die Plaza war schwarz vor Menschen, vielleicht würde sich später die Möglichkeit ergeben, einen gut gefüllten Geldbeutel den Besitzer wechseln zu lassen, denn außer ein paar armseligen Kupfermünzen und einigen Vierern hatte er in den Häusern nichts gefunden.

Hungerleider, die Leute hier!, dachte Martínez verdrossen. Hatten nichts, für das es sich lohnte, lange Finger zu machen! Er beschloss, sich am Anblick der Verbrennung schadlos zu halten. Die Vorbereitungen auf dem Platz, dessen Fläche vielleicht fünfzig mal fünfzig Schritt im Geviert maß, schienen abgeschlossen zu sein. Links im Vordergrund stand ein Gotteshaus mit separatem Glockenturm, davor ein kleineres Gebäude mit drei Fenstern. Wahrscheinlich das Wohnhaus des Priesters. Rechter Hand, am Rande des Platzes, befand sich ein weiß getünchtes Steinhaus von einiger Größe, über dessen Tür »Alcalde« stand. Martínez konnte das Wort nicht lesen, aber an der Form der Buchstaben erkannte er, dass dies die Bürgermeisterei sein musste.

Weiter hinten stand das zweifellos schönste Haus der Plaza: ein Anwesen mit einer herrlichen Gartenanlage, die sich längs des Platzes erstreckte. Sein Besitzer hatte es ganz im maurischen Stil erbauen lassen. Vor dem Haus standen die Menschen erhöht auf einer Brücke, die einen Fluss überspannte, der Pajo genannt wurde. Die übrigen Menschenmassen waren von den Hellebardisten zurückgedrängt worden, denn in der Mitte der Fläche brauchte die Inquisition Platz: Ein hölzernes Podest mit Fahnenmast war hier errichtet worden.

Am Himmel zogen jetzt Wolken auf, die einen leichten Südwestwind mit sich brachten. Träge begann die Fahne Kastiliens zu flattern. Zwanzig Schritt vom Fahnenmast entfernt hatte man zwei Holzpfähle in den Boden gerammt und davor jeweils einen großen Berg aus Holz und Reisig angehäuft – die Scheiterhaufen.

Ein erwartungsfrohes Summen lag über der Menge. Durch die Postenkette schlüpfte ein Narr und begann Purzelbäume zu schlagen. Die Leute lachten, einige Hellebardisten stimmten mit ein. Der Narr nutzte seine Freiheit und paradierte im Stechschritt auf und ab.

»Ich bin Locolito!«, rief er mit schriller Stimme. »Bin der schaurigste Hexer und der wärmigste Schwule im ganzen Land!«

Auch Martínez amüsierte sich. Endlich bekam man hier etwas geboten! Die Hellebardisten dachten nicht mehr daran, den Narren zurückzuschicken.

Locolito trug ein Wams, dessen linke Seite rot und dessen rechte Seite gelb war. Bei der hautengen Hose war es genau umgekehrt. Seine Hand deutete zum Herzen: »Bin Hexer hier ... geheimnisvoll!« Dann tippte er sich auf die rechte Brustseite: »Und Schwuler hier ... so liebestoll!«

Die Leute jubelten und klatschten. Jetzt tippte seine Hand schnell hintereinander aufs linke Bein, aufs rechte Bein, zum Herzen, zur rechten Seite und wieder zurück, während er zu hüpfen begann und im Rhythmus seiner Sprünge schrie:

»Bin mal Hexer
und mal Schwuler,
bin mal Hetzer
und mal Buhler,
ich hexe und buhle
und buhle und hexe …«

Er hielt inne. »Und auch ich hätte ganz bestimmt den Tod verdient …«, er verbeugte sich theatralisch, »wenn ich nicht ein so grooooßer Narr wäre!«

Für den Bruchteil einer Sekunde schwieg die Menge. Dann brüllte sie auf vor Lachen.

Schnell nahm der Narr seine Kappe und ging mit ihr herum. Die Leute spendeten reichlich. »Ich danke euch! Ich danke euch, ihr guten Leute!«

»Schafft den Narren fort!«, unterbrach plötzlich eine herrische Stimme. Unbemerkt von Martínez und der Menge war der Inquisitor aus der Kirche getreten, einen Priester und einen Protokollanten in seinem Gefolge.

»Ein Autodafé ist kein Spaß.« Der Inquisitor blickte suchend um sich. »Zugführer …?«

»Hochwürden?« Der Anführer der Hellebardisten eilte mit strammem Schritt herbei.

»Ihr seid mir persönlich dafür verantwortlich, dass derlei Pannen vor der Urteilsverkündung nicht noch einmal passieren. Die Kirche schätzt es nicht, wenn man sie veralbert.«

»Jawohl, Hochwürden!« Der Zugführer grüßte zackig und entfernte sich, sehr froh, dass der Auftritt des Narren keine schlimmeren Folgen für ihn hatte.

Langsam schritt der Inquisitor mit seinen Begleitern zum Holzpodest in der Mitte des Platzes.

Dort trafen sie mit zwei aufwändig gekleideten Herren zusammen, die aus der Bürgermeisterei gekommen waren. Martínez vermutete, dass es sich bei ihnen um die Vertreter der weltlichen Macht handelte. Der eine, weniger prächtig Gekleidete, war sicher der Alcalde, ein dicker Mensch mit einem Gesicht wie ein Molch; der andere, ein Mann mit gezierten, weibischen Bewegungen, mochte ein Adliger sein. Beide Gruppen begrüßten sich. Hochwürden schlug ein Kreuz und sagte etwas, das Martínez nicht verstand. Der Inquisitor war groß gewachsen, doch sein Körper war knochig wie der eines Kleppers. Wie bei vielen langen Menschen neigte sein Oberkörper sich leicht nach vorn. Er trug ein purpurfarbenes Gewand aus feinstem Atlas. Ein handtellergroßes, mit Rubinen besetztes goldenes Kreuz hing vor seiner Brust. Ab und zu holte er etwas aus der Tasche, steckte es in den Mund und kaute darauf. Martínez konnte nicht erkennen, was es war, aber auch er hatte Hunger. In den Häusern, die er auf dem Weg zur Plaza durchsucht hatte, war außer den paar Maravedis und Vierern nur noch ein halbes Fladenbrot für ihn abgefallen. Nicht genug für einen ausgewachsenen Mann …

Die fünf Personen erklommen das Podest. Der Protokollant hob den Arm und gebot Ruhe. »Das Autodafé möge beginnen!«, rief er mit voll tönender Stimme.

Aus Richtung Kerkergebäude, einem massiven Bau aus Felsgestein, der hinter der gegenüberliegenden Seite des Platzes lag, schob sich eine Menschengruppe heran. In der Mitte gingen zwei Männer, denen man den leinenen Sanbenito übergezogen hatte, einen ärmellosen Kittel, der mit Teufelsköpfen und Flammen bemalt war. Die Kappen, die sie trugen, waren von gleicher Art. Jeder schleppte eine lange Leiter auf dem Buckel. Alle paar Schritte strauchelten sie vor Schwäche, rafften sich wieder auf und gingen weiter. Martínez vermutete, dass es sich bei ihnen um die Delinquenten handelte. Wahrscheinlich hatten sie eine Behandlung auf der Streckbank hinter sich. Martínez hatte einen Blick für so etwas.

Die Kerle daneben, das mussten der Henker und seine vier Helfer sein. Sie hielten dicke Stricke und Luntenstöcke in den Händen. Martínez fiel auf, dass der kleinere der beiden Leiterträger eine eher frauliche Figur hatte. Er war nicht besonders kräftig und hatte erhebliche Mühe mit dem Schleppen. Eskortiert wurde die Gruppe von sechs Hellebardisten. Sie sollten offenbar dafür sorgen, dass die Gefangenen nicht flüchteten. Martínez hüstelte verächtlich. Die beiden Männer standen nicht mehr gut im Saft. Schon nach wenigen Schritten würde man sie eingeholt haben.

Mittlerweile war die Gruppe vor den beiden Scheiterhaufen angelangt. Die Menge hielt den Atem an. Den Delinquenten wurde bedeutet, die Leitern parallel auf den Boden zu legen. Beide taten es widerstrebend.

»Henker, walte deines Amtes!«, rief jetzt der Priester. Er hatte eine helle Stimme, die nicht zu seiner klobigen Figur passte.

»Legt euch der Länge nach auf die Leiter!«, befahl der Henker barsch. »Aber nicht direkt ans Ende. Lasst mindestens fünf Fuß Abstand!« Er ging zwischen den Leitern hin und her und zeigte auf den entsprechenden Punkt. »Hier die Füße hin!«

Die Gefangenen schienen zu gehorchen, doch plötzlich lief der Kleinere zu dem Großen und warf sich schluchzend an seine Brust. Der Große streichelte ihm beruhigend den Rücken und flüsterte auf ihn ein, aber man sah, wie verzweifelt er selbst war.

Der Henker ging dazwischen. »Schluss jetzt! Legt euch hin, aber ein bisschen plötzlich!« Widerstrebend gehorchten sie.

»Bindet sie!« Die vier Helfer traten hinzu und schlangen Stricke um Brust und Beine der Gefangenen.

»Den Großen besonders eng binden, sein Brustkorb ist breiter als die Leiter. Wehe, er rutscht nachher runter!« Der Henker überzeugte sich, dass bei ihm die Knoten besonders fest saßen. »Und nun stellt sie auf!«

Die Helfer zogen die Leitern zu den Holzpfählen, wo sie aufgerichtet und gegen die Pfähle gelehnt wurden. Beide Delinquenten hingen jetzt auf gleicher Höhe über den Scheiterhaufen.

Der Henker meldete dem Priester: »Alles vorbereitet, Vater.«

Der Priester nickte und wandte sich an den Protokollanten.

»Bitte notiert, dass dem Procedere bisher ordnungsgemäß Genüge getan wurde.«

»Jawohl.« Der Protokollant saß an einem kleinen Tisch und schrieb etwas in die Vollstreckungsurkunde.

Der Priester schaute nach links und rechts. »Es ist so weit alles vorbereitet. Darf ich mit der Verlesung beginnen?«, fragte er den Inquisitor.

»Bitte«, antwortete Hochwürden knapp.

»Nur zu.« Der Adlige winkte zustimmend mit der Hand.

»Ich komme nunmehr zur Urteilsverkündung!«, rief der Priester über den Platz. Er entrollte ein Pergament und begann laut abzulesen:

»Im Namen der Großen Alleinseligmachenden Mutter Kirche, hier vertreten durch Hochwürden Ignatio, priesterlich geweihet als Dominikaner und eingesetzt als Inquisitor auf Geheiß Seiner Heiligkeit Gregors XIII. in Rom, ferner vertreten durch mich, Pater Diego, Pfarrer von Dosvaldes, sowie durch Pater Alegrio, ordentlich berufener Protokollführer … gleichermaßen im Namen Seiner Allerkatholischsten Majestät König Philipps II., hier repräsentiert durch den Conde Alvaro de Lunetas sowie durch Don Jaime de Vargas, Alcalde von Dosvaldes, wird vor Gott und der Welt für Recht befunden: Pablo Sategui, der sich Amandus rufen lässt, ist schuldig der satanischen Hexerei, der falschen Magie und des geisterhaften Spuks. Ihm wird besonders zur Last gelegt, dass er nicht reuig war, wie sich's geziemet hätte, sondern erst unter verschärfter Folter sein Ketzertum zu gestehen bereit war. Pablo Sategui ist eine Malefizperson voller Hexenwahn, die den ›Teufel- und Dämonenpakt‹ geschlossen hat, in dem es heißt:

›Alle Werke der Zauberer haben ihre Kraft und Wirkung aus dem ausdrücklichen oder stillschweigenden Versprechen mit dem leidigen Teufel, dass der Zauberer allzeit, wenn er etwas wirken will, den Teufel ausdrücklich oder stillschweigend anrufe und ihm satanische Hilfe gewährt werde.‹

Pablo Sategui nennt seine höllischen Verfehlungen ›Kunststücke‹, doch der Herr der Himmlischen Heerscharen hat in seiner unermesslichen Gnade das Gericht für wahr erkennen lassen, dass seine Machenschaften Teufelswerk sind.

Denn so heißt es im 5. Buch Mose, Kapitel 9., im Gesetz über Wahrsager und Propheten:

›Es soll in deiner Mitte kein Wahrsager, kein Zeichendeuter, kein Schlangenbeschwörer oder Zauberer gefunden werden … denn ein Gräuel ist dem Herrn ein jeder, der solches tut …‹

Es ist der Satan in Pablo Sategui, der ihn befähigt, Objekte verschwinden zu lassen, welche, auf magische Weise wandernd und dem menschlichen Auge verborgen, später an anderer Stelle wieder ans Tageslicht geraten. So, wie er Materie und Gegenstände dem Auge entzieht, so ist er auch in der Lage, Güte und Liebe aus eines Menschen Seele herauszuhexen und stattdessen

Hass und Wollust dort einziehen zu lassen, sodass die Unsterblichkeit der Seele für immer verloren geht. Dafür gibt es glaubhafte Zeugen …«

»Neiiiiin!«, schrie Amandus. »Ich bin unschuldig! Um der barmherzigen Mutter Gottes willen, so glaubt mir doch!« Er zappelte und ruckte verzweifelt an seinen Stricken. »Ich kann es beweisen. Es ist alles nur ein Geschicklichkeitstrick! He, ihr guten Leute, ich will's euch zeigen …«
Ein Schlag mit dem Luntenstock brachte ihn zur Ruhe. Wimmernd und unverständliche Worte vor sich hin brabbelnd hing er am Leitergestell.
»Ich fahre mit der Urteilsverkündung fort!«, sagte Pater Diego ungerührt:

»Lonzo Árbol, genannt Felix, wurde für schuldig befunden, den Pablo Sategui verhext zu haben, auf dass er ihm zu Willen sei und widernatürlich wie eine Frau mit ihm verkehre. Er hat dem Pablo Sategui die Mannesseele fortgehext und stattdessen Frauensinn in sein Hirn eingepflanzt.
Lonzo Árbol, so die Aussage glaubhafter Zeugen, nahm Jungfernwachs und Pech, mischte beides unter Anrufung Luzifers und der Rezitierung dreier Vaterunser zu einer Paste, mit der er Pablo Sategui während dreier Nächte zwischen den Schultern unter nochmaliger Anrufung Satans einsalbte. So geschah es, dass Pablo Sategui ihm hörig wurde und allzeit bereit war, mit ihm der Fleischeslust zu frönen. Er hat Unzucht getrieben und sich der Wollust hingegeben, schlimmer als es Paulus im 1. Kapitel seines Briefes an die Römer beschreibt:
›… die Männer verließen den natürlichen Verkehr mit der Frau und entbrannten gegeneinander in ihrer Begierde, sodass

Männer mit Männern Schande trieben und den verdienten Lohn ihrer Verirrung an sich selbst empfingen. Und wie sie es verworfen haben, Gott recht zu erkennen, so gab sie Gott in einem verworfenen Sinn dahin, zu tun, was sich nicht geziemet!‹«

Die Zuschauer wurden langsam ungeduldig. Sie waren nicht gekommen, um lange Litaneien zu hören. Sie wollten Tod und Tränen sehen. Sie wollten was zu gaffen haben, und sie wollten den schaurigen Nervenkitzel spüren, der sich einstellt, wenn andere ihr Leben aushauchen.

»Macht schon, beeilt euch!«, schrie einer.

»Steckt endlich die Hexer an!«, rief ein anderer.

»Ja, setzt den Roten Hahn auf die Scheiterhaufen!«, tönte ein Dritter.

Und eine besonders schrille Stimme schrie: »Alle Sodomiten und Hexer sollen auf ewig in der Hölle schmoren!« Sie gehörte dem Narren.

»Ruhe, Leute! Ruhe!«, verschaffte sich der Henker Gehör. »Alles zu seiner Zeit! Das Urteil muss zu Ende verlesen werden.«

Pater Diego übergab das Schriftstück an Don Jaime als Vertreter der weltlichen Macht, damit dieser die Strafzumessungen verlesen konnte. Der Alcalde ergriff das Pergament und las mit dröhnender Stimme ab:

»Nach eingehender Beratung und innerer Zwiesprache mit Gott dem Allmächtigen ist das Gericht, bestehend aus den fünf Vorgenannten, einstimmig zu folgendem Ergebnis gekommen: Pablo Sategui und Lonzo Árbol werden verurteilt zum Tode durch Verbrennen. Das Urteil ist sofort zu vollstrecken.«

Don Jaime blickte auf. »Die Schuldigen haben das letzte Wort.«

Felix bewegte sich nicht. Er hielt die Augen fest geschlossen. »Wenn es einen Gott gibt, so möge er Euch verzeihen«, sagte er leise. Er wandte den Kopf zu Amandus. »Sei tapfer, mein Kleiner, wir sehen uns bald wieder.«

»Ich liebe dich«, schluchzte Amandus. Auch er hatte die Augen geschlossen. »Ich liebe dich, ich liebe dich …«

Unbewegt sprach Pater Diego zu Pater Alegrio: »Bitte haltet fest, dass die beiden Schuldigen selbst im Angesicht des Todes keine Reue zeigten. Notiert Datum, Ort und Zeit und lasst genügend Raum, damit Hochwürden und ich sowie Conde Alvaro de Lunetas und Don Jaime die Vollstreckung später per Unterschrift bestätigen können.«

Der Alcalde gab die Schriftrolle an Pater Diego zurück. Wie auf ein Zeichen begann die Menge wieder zu johlen.

So muss es in der Arena des Circus maximus zugegangen sein, dachte Pater Diego angewidert. Nur dass diese beiden Sünder keine Märtyrer waren. Doch egal, ob sie Schuld auf sich geladen hatten oder nicht, dem Mob ging es nur um die makabre Unterhaltung. Die Sorgen der Kirche um das Seelenheil ihrer Schafe teilte die Menge nicht im Geringsten. Pöbel!, dachte er weiter, während er vom Podest herabstieg und zu den beiden Gefangenen hinüberschritt.

»Der Herr sei eurer sündigen Seele gnädig!«, rief er laut und schlug das Kreuz: »*Pater noster qui es in caelis, sanctificetur …*« Der Jubel der Menge schwoll an. Als er das Vaterunser beendet hatte, schaute Pater Diego fragend auf Hochwürden Ignatio. Der nickte dem Alcalden zu.

»Tue, was du tun musst«, sagte der Bürgermeister von Dosvaldes zum Henker.

»Legt Feuer!«, befahl dieser, und seine Helfer hielten die Lunten an die Scheiterhaufen.

Schnell stiegen die Flammen empor, wurden größer und begannen um die Füße der Delinquenten zu züngeln. Amandus und Felix versuchten, die Beine anzuziehen, doch die Hitze kroch unaufhaltsam an ihnen hoch. Beide hatten noch immer die Augen fest geschlossen. Rauch bildete sich und umhüllte von Zeit zu Zeit ihre Körper. Martínez stellte fest, dass der Südwest stärker geworden war. Man konnte es an der Fahne sehen, die fast waagerecht im Wind stand. Die Flammen hatten jetzt vollständig die Scheiterhaufen erfasst – sie glichen zwei glühenden Feuerbällen.

Nur ab und zu waren Amandus und Felix noch zwischen den Rauchschwaden zu sehen. Umso mehr konnte man sie hören. Ihre Schreie klangen wie die von eingeschlossenen Ratten in einem brennenden Raum: hoch, schrill, verzweifelt.

Der Wind hatte noch weiter zugenommen. Er blies aus Richtung Kirche, pfiff um ihre Ecken herum, verwirbelte davor und fuhr in die Scheiterhaufen. Die Farbe der Flammen, anfangs noch gelb, wurde weißlich. Die Temperatur stieg an. Die Kleidung von Amandus und Felix brannte bereits lichterloh. Beide schrien, doch konnte man sie kaum noch hören, so laut war jetzt das Prasseln des Feuers. Schwere Rauchwolken trieben auf die gegenüberliegende Seite der Plaza zu. Die Menge hustete. Augen tränten. Mütter nahmen ihre Kinder beiseite. Schon begannen einige Alte abzuwandern.

Amandus und Felix waren jetzt still. Sie hingen mit weit offenen Mündern an ihren Leitern. Die Haut in ihren Gesichtern war aufgeplatzt. Martínez vermutete, dass sie ohnmächtig waren. Vielleicht hatte sie auch schon ein gnädiger Tod erlöst. Ihre Körper waren schwarz gebrannt. Leitern, Stricke und

Pfähle hatten ebenfalls Feuer gefangen. Immer mehr Menschen wanderten auf der anderen Seite davon. Der ganze Platz war voller Rauch. Die fünf Würdenträger auf dem Holzpodest hielten sich Tücher vor Mund und Nase. Die Stimme des Alcalden erklang scharf: »Die Hellebardisten bleiben bis zuletzt auf ihren Posten!«

Martínez sah, wie die verbrannten Stricke sich lösten und beide Körper fast gleichzeitig in die heruntergebrannten Scheiterhaufen fielen. Pater Diego näherte sich vorsichtig den Delinquenten. Sie waren völlig verkohlt.

Ein zierlicher Mann, der sich bislang abseits gehalten hatte, trat mit einem Instrumentenkasten hinzu. Das muss der Arzt sein, dachte Martínez. Der Zierliche musterte eingehend die Verbrannten, dann sprach er auf Pater Diego ein. Der nickte. Er ging zurück zum Podest und berichtete den anderen.

Der Alcalde rief mit mächtiger Stimme: »Das Autodafé ist beendet! Die Ketzer sind tot. Geht nach Hause, Leute.«

Der Zugführer gab ein paar Kommandos und marschierte mit seinen Männern ab.

Die Geistlichen verschwanden in Richtung Kirche. Die Weltlichen in Richtung Bürgermeisterei. Plötzlich stand Martínez allein da. Langsam ging er zu den noch glimmenden Scheiterhaufen. Die Leichen lagen auf dem Bauch mit hochgebogenem Kreuz da. Die Hitze hatte ihre Körper wie einen Brückenbogen verformt. Unwillkürlich legte Martínez seine Hand auf den Rücken des Mannes, der einmal Amandus geheißen hatte.

Der Körper zerbrach wie ein verkohlter Ast.

Eine Woche später hielt sich Martínez noch immer in Dosvaldes auf. Irgendwie war er hängen geblieben. Er saß vor einem alten Haus, dessen Grundriss dreieckig war. Der Wirt, dem das Haus gehörte, betrieb in den unteren Räumen eine Taverne. Sie hieß sinnigerweise Trescantos. Hier hatte Martínez die letzten Tage und Nächte verbracht. Solange er noch bare Münze gehabt hatte, waren alle sehr zuvorkommend zu ihm gewesen. Besonders die Huren. Sie hatten ihm schöne Augen gemacht und sehr verliebt getan. Aber sie hatten ihm nichts vormachen können. Der Geschlechtsakt war für ihn ein Geschäft auf Gegenseitigkeit, mehr nicht. Die Hure gab ihren Körper, und er gab sein Geld. Liebe hatte dabei nichts zu suchen. Martínez liebte die Frauen nicht. Ebenso wenig wie die Männer. Martínez liebte nur Martínez. Das sagte er jedem, der es wissen wollte. Eine Art Selbsterhaltungstrieb. Davon allerdings hatte er in den letzten Tagen eine Menge gebraucht, besonders, als sein Geld zur Neige gegangen war:

Zuerst hatte er bei einem jüdischen Pfandleiher seinen Toledaner versetzen müssen. Dass die Klinge alt und schartig war, hatte dieser Geier natürlich sofort erkannt. Ständig dienernd hatte er ihm nur eine lächerliche Summe dafür geboten. Und Martínez hatte eingeschlagen – zähneknirschend. Immerhin, für ein paar starke Räusche hatte es gereicht. Dann war sein schönes Barett mit der Reiherfeder über den Tisch gegangen. Es hatte kaum den Gegenwert einer guten Mahlzeit erbracht. Und jetzt war er schon wieder blank.

Missmutig blickte Martínez sich um. Das Trescantos lag an der rückwärtigen Seite des maurischen Anwesens, direkt am Flussufer des Pajo, der sich an dieser Stelle teilte. Der linke Arm floss geradeaus weiter zur Plaza de la Iglesia, der rechte parallel zum Anwesen, bis er sich auf der anderen Seite wieder mit dem linken Arm vereinte. So kam es, dass das maurische Haus mit seinem schönen Garten wie auf einer Insel lag.

Der Pajo plätscherte lustig, die Vögel in den Bäumen zwitscherten lustig, die Gäste im Trescantos sangen lustig, alles war lustig … nur ihm, Martínez, war nicht lustig zumute. Irgendwie, und zwar möglichst schnell, musste er wieder zu Geld kommen. Zumindest eine gute Mahlzeit wollte er in den Magen kriegen. Gleich jetzt wollte er den fetten Wirt fragen, ob er noch einmal ein Essen springen ließ. Abrupt stand Martínez auf – und stieß mit einem drahtigen Mann zusammen, der in diesem Augenblick die Taverne betreten wollte.

»Du schläfst mit offenen Augen, Kamerad«, sagte der Mann und musterte ihn kühl. »Aber wie ich sehe, hast du nur noch eins.« Er war einen Kopf kleiner als Martínez und wog vielleicht die Hälfte. Doch er strahlte jene Selbstsicherheit aus, wie sie aus vielen gewonnenen Zweikämpfen hervorgeht. Seine Augen waren hell wie Wasser und beobachteten scharf. Sein schmales Gesicht war gut geschnitten und wies kaum Falten auf. Auf Stirn und Wangen allerdings trug er zahlreiche Narben.

Der Kerl ist weder Bauer noch Händler noch sonst was, sagte sich Martínez. Der kommt nicht aus der Gegend, das zeigen die abgelaufenen Stiefel. Wahrscheinlich ist er ein Landsknecht wie ich – und ein Messerstecher dazu. Einer von der Sorte, die sich gern mit anderen anlegt.

Jetzt wandte der Fremde den Blick von Martínez' totem Auge. »Kriegsverletzung?«, fragte er lässig, während er sich abwandte, um das Trescantos zu betreten.

»Das geht dich einen Scheißdreck an.« Martínez war gerade in der richtigen Stimmung für eine Prügelei. Noch dazu, wo der andere ihn wie einen Depp hatte stehen lassen. Er wollte hinter ihm her, doch ein plötzlicher Einfall hielt ihn zurück. Über seine Gesichtszüge ging ein Lächeln. Er atmete tief durch und setzte sich erst einmal wieder. Der Bursche mit dem vorlauten Maul wusste es zwar noch nicht, aber er würde ihm dabei behilflich sein, gleich mehrere Fliegen mit einer Klappe zu schlagen …

Nach einer Weile erhob sich Martínez – und setzte sich sogleich wieder. Eine innere Stimme warnte ihn. Der Bursche war einfach zu selbstsicher. Welche Tricks hatte er im Köcher? Wie stark war er? Wie schnell? Man durfte ihn nicht unterschätzen. Doch Martínez hatte seinen Entschluss gefasst.

Er stand auf, ging die wenigen Schritte bis zum Eingang der Schenke und blieb im Türrahmen stehen, um sich an das Dämmerlicht zu gewöhnen. Wie das Haus war auch der Schankraum im Grundriss dreieckig. An beiden Seiten links und rechts des Eingangs standen lange Eichentische, an denen mehrere Männer zechten. An der Rückwand, gleichsam der Hypotenuse, befand sich eine offene Tür, die zur Küche führte. Martínez sah den Wirt geschäftig darin hantieren. Neben der Tür hing ein Hirschgeweih. Und gleich rechts vorn saß der Mann, dem Martínez eine Lektion verpassen wollte. Ein Ausdruck der Genugtuung huschte über sein Gesicht. Es war so, wie er es erwartet hatte: Der Fremde saß vor einer reichlichen Mahlzeit, bestehend aus dicken Schinkenscheiben in Knoblauchöl, duftendem Brot, einem großen Stück Käse, grünen Oliven und einem Becher Wein.

Martínez ging auf ihn zu und setzte sich neben ihn. Der Fremde kaute mit vollen Backen. Erst jetzt sah er auf. Martínez griff mit großer Selbstverständlichkeit nach einer Scheibe Schinken und ließ sie sich genüsslich in den Mund gleiten: »Du schläfst mit offenen Augen, Kamerad, sonst wäre dir aufgefallen, dass dies meine Mahlzeit ist. Bestell dir selbst was.« Er nahm sich eine weitere Scheibe.

Der andere brauchte nur den Bruchteil einer Sekunde, um zu begreifen. »Das werde ich nicht«, entgegnete er ruhig. Plötzlich verstummten die Gespräche im Raum. Der Fremde schaute nach hinten. »He, Wirt, bestätige mir, dass dies mein Essen ist.«

Der Wirt kam aufgeregt näher, sich fahrig die Hände abtrocknend. »Ja … äh, nein, also eigentlich … also hört mal zu, ihr Burschen. Ich will keinen Ärger, ich bringe jetzt noch mal dasselbe, und die Sache ist ausgestanden, in Ordnung?«

»Nichts ist in Ordnung«, widersprach Martínez mit vollem Mund. Er hatte sich gerade das Stück Käse einverleibt. »Der Hänfling hier wollte mir mein Essen stehlen.«

»Am besten, du gehst wieder in deine Küche, Wirt«, meinte der Fremde kühl. »Und ihr, Leute, haltet euch raus. Es wird nicht lange dauern.«

»Nein, das wird es nicht!«, bekräftigte Martínez.

Blitzschnell zog der Fremde seinen Dolch und stieß ihn in das Brot, das Martínez gerade greifen wollte. »Ich fordere dich zum Zweikampf!«

»Das dachte ich mir«, sagte Martínez. Bisher war alles genauso gelaufen, wie er es vorausgeplant hatte. Hoffentlich konnte er das am Ende des Kampfes auch noch sagen. Er stand auf. »Dann nimm die Fäuste hoch, und wir kämpfen um dein Essen, dein Geld und deinen Dolch.«

»Nein.« Der Fremde lächelte kalt. Er zog die Klinge aus dem Brot und hielt Martínez die Spitze unters Kinn. »Du kämpfst um dein Leben.«

Beide sprangen auf und standen sich auf der freien Fläche zwischen den Tischen gegenüber. Die Zecher bildeten einen Halbkreis. Martínez riss sich das Hemd vom Körper und wickelte es sich um den linken Arm, zum Schutz vor den Stößen.

Der Fremde erwies sich als außerordentlich schnell. Leichtfüßig umkreiste er Martínez, während er spielerisch mit dem Dolch zustieß, immer gerade so weit, dass er seinem Gegner die Haut leicht einritzte. Martínez hatte den Eindruck, dass der andere ihn jederzeit treffen konnte, wenn er nur wollte.

»Du kämpfst um dein Leben!«, wiederholte der Fremde.

»Genau wie du!«, versetzte Martínez und schlug mit der rechten Faust zu. Der Hieb ging ins Leere. Wieder lief der andere im Kreis um ihn herum, und Martínez drehte sich mit. Er kam sich vor wie ein Tanzbär. Beim Blute Christi, er war zu langsam für diesen Bastard! Der Fremde machte einen Ausfallschritt und stieß zu. Martínez konnte gerade noch seinen Arm hochreißen. Das war knapp! Ruhig bleiben!, ermahnte er sich. Das ist nicht die erste brenzlige Situation, in der du steckst. Versuche, selbst die Initiative zu ergreifen. Versperr ihm den Weg, wenn er dich umkreisen will. Pack den Messerarm, dann hat er verspielt: Du hältst den Arm eisern fest, ziehst den Burschen an dich und hebelst ihm den Dolch aus der Hand, so, wie du's schon Dutzende Male vorher getan hast!

Wieder attackierte der Fremde. Mit katzenartiger Geschmeidigkeit brachte er eine Finte an. Martínez riss seinen Armschutz hoch, doch diesmal war er zu langsam. Noch während sein Arm hochflog, hatte der andere ihm einen Stich in die Hüfte verpasst. Martínez spürte einen beißenden Schmerz. Etwas Warmes rann ihm die Hose hinab. Triumph stand in den Augen seines Gegners.

Abermals griff er an, doch nun war Martínez schneller. Der Stoß endete wirkungslos im Stoff. Gleichzeitig landete er einen krachenden Faustschlag an der Schläfe des Fremden. Der andere zeigte sich beeindruckt. Er schüttelte den Kopf, um den Schlag zu verdauen.

Gut so, Bastard!, dachte Martínez, noch hast du mich nicht im Sack. Rasch trat er einen Schritt zurück, griff mit der rechten Hand nach hinten, nahm abermals eine Scheibe Schinken vom Teller und steckte sie sich in den Mund. »Deine Mahlzeit schmeckt mir immer besser, Hanswurst!«, rief er. Zum ersten Mal sah Martínez so etwas wie Wut in den Augen des anderen aufblitzen. Er spuckte dem Fremden ins Gesicht, um ihn noch mehr zu reizen. Doch nun schien sein Gegner sich wieder gefangen zu haben. Abermals begann er ihn zu umkreisen. Martínez wollte das verhindern und machte einen langen Schritt nach vorn. Er drosch dem Fremden den Stoffarm vor die Brust und stieß ihn zurück in Richtung Wand. Jetzt musste der andere ins Licht blicken. Martínez beabsichtigte, diesen Vorteil zu nutzen. Was du kannst, kann ich schon lange!, dachte er grimmig. Er tat so, als wolle er nach den Genitalien seines Gegners treten, doch täuschte er die Bewegung nur an, der Mann wich zurück, Martínez wollte erneut einen Schwinger ansetzen, aber er war zu langsam.

Der andere lächelte maliziös. Er stand jetzt unmittelbar vor dem Hirschgeweih. »Ich bin wohl doch zu schnell für dich«, höhnte er. Noch immer war er kaum außer Atem.

»Das werden wir sehen!« Martínez stürzte vor und wollte die Dolchhand seines Gegners packen, doch der wich mit dem Oberkörper zurück und stieß mit dem ausgestreckten Arm zu. Er traf Martínez oberhalb des linken Schlüsselbeins. Der Stoß war so stark, dass die Klinge tief in die Muskulatur eindrang. Martínez spürte einen Schlag, aber keinen Schmerz. Er nutzte den Schwung seiner Bewegung, packte seinen Gegner unter den Achseln und stemmte ihn hoch. Dann schleuderte er ihn mit brutaler Kraft gegen die Wand. Der Fremde krachte mit dem Rücken in das Geweih. Ein spitzes Ende durchstieß seinen Körper und trat an der Brustseite wieder hervor – wie der Stachel eines Rieseninsekts. Für ein, zwei Sekunden hing der Fremde am Geweih, dann löste es sich aus seiner Befestigung und stürzte polternd mit seiner Last zu Boden.

Erst jetzt spürte Martínez den Schmerz in der Schulter. Er nahm den Stoffballen und drückte ihn gegen die Wunde, um die Blutung zu stillen. Der Wirt kam und gab ihm einen Becher Wein. Martínez trank durstig. Dann ging er zu seinem Gegner, der sich mit dem Geweih im Rücken am Boden wälzte. Der Fremde stöhnte. Der Dolch entglitt seiner Hand. Martínez gab den Becher zurück. »Du lässt sofort einen Wundarzt holen«, befahl er dem Wirt.

Kurz darauf erschien ein zierlicher Mann mit einem Koffer in der Hand. Martínez glaubte in ihm den Arzt vom Autodafé wieder zu erkennen. »Seid Ihr der Feldscher, der auch bei der Verbrennung dabei war?«, fragte er.

»Ja.« Der kleine Mann hielt sich nicht mit langen Reden auf. Rasch kniete er neben dem Fremden nieder und untersuchte ihn. Dann richtete er sich wieder auf. »Am besten wäre es, ihn mit einer Trage in meine Praxis zu transportieren, dort habe ich alles Notwendige für eine Operation.« Er wandte sich an den Wirt: »Könnt Ihr dafür sorgen?«

»Ich denke schon.« Der Wirt kratzte sich seinen schwammigen Bauch. »Wir hängen die Tür aus und tragen ihn darauf zu Eurem Haus.«

»Danke. Bis Ihr dort seid, kann ich den Kontrahenten untersuchen.« Der Arzt blickte abschätzend auf Martínez, der sich noch immer den Stoffknäuel gegen das Schlüsselbein drückte. »Ihr müsst beträchtliche Körperkräfte haben!«

»Nun ja.« Martínez war geschmeichelt.

»Allerdings scheinen Eure geistigen Kräfte es mit Euren

körperlichen nicht aufnehmen zu können, sonst wäret Ihr einem Messerkampf aus dem Wege gegangen. Wo ist übrigens der zweite Dolch?«

»Es gibt nur den einen, ich habe ohne Dolch gekämpft.«

»Soso. Ich nehme an, Ihr seid Landsknecht, weil Ihr mich vorhin Feldscher genannt habt?«

»Äh, ja. Mein Name ist Martínez.«

»Ich nenne mich Manutus Corte. Ich habe meinen *Doctorus medicinae* in Italien an der Universität zu Salerno erworben. Ihr könnt von Glück sagen, dass ich kein Feldscher bin. Euer Gegner hätte in diesem Fall noch geringere Aussichten zu überleben.«

»Steht es so schlecht?«, fragte Martínez erschreckt.

»Vielleicht. Vielleicht auch nicht. Das Geweihende hat von hinten die rechte *scapula* durchbohrt, also das rechte Schulterblatt. Der Stoßkanal liegt erfreulicherweise ziemlich hoch, zwischen der dritten und vierten Rippe, sodass die Lunge wahrscheinlich keinen Schaden genommen hat. Dafür spricht übrigens auch die Tatsache, dass dem Verwundeten kein Blut aus dem Mund läuft. Das herausragende Ende steht drei Fingerbreit über der Brustwarze. Viel wird davon abhängen, wie kompliziert die Verletzungen im Brustraum sind. Doch nun zu Euch: Nehmt den Stoffknäuel fort, damit ich mir ein Bild von Eurer Wunde machen kann.«

Martínez tat es. Der kleine Doctorus schaute sich die Verletzung, die immer noch stark blutete, genau an. »Der Schmerz dürfte größer sein als die Gefahr, die von dieser Stichwunde ausgeht«, sagte er endlich. »Ihr habt großes Glück gehabt, dass die *Arteria subclavia,* die Schlüsselbeinschlagader, nicht verletzt wurde. Der Dolch hat den *Musculus trapecius* nahezu durchstoßen, den Kapuzenmuskel, wenn Ihr das besser versteht. Wie bei allen Wunden im Muskelbereich ist es auch hier zu einer starken Blutung gekommen. Ihr habt gut daran getan, den Stoffballen die ganze Zeit darauf zu drücken. Ich werde Euch einen Tampon formen, den ich in der Einstichstelle platziere. So wird einerseits die Blutung gestillt, andererseits entsteht der Effekt einer Drainage, falls die Wunde eitert. Anschließend müsst Ihr den Arm sicher für ein paar Tage in der Schlinge tragen. Muskelfasern heilen schlecht.«

»Warum gebt Ihr mir keine Scharpie?«, fragte Martínez.

Der kleine Arzt runzelte die Stirn. »Ich vergaß, dass Ihr sicher schon des Öfteren mit Feldschern zu tun hattet. Wisset also, dass ich vom Scharpisieren nichts halte. Eine Scharpie besteht aus Wolle oder Rupfen, ist häufig unsauber und regt deshalb, zumindest meiner Theorie nach, den Eiterfluss an. Ich hingegen vertrete die Meinung, dass Eiter gar nicht erst entstehen sollte. Die Körpersäfte geraten auf diese Weise nicht so durcheinander, und die Wunde heilt schneller. Das ist auch der Grund, warum ich für meine Verbände nur gewaschenes Leinen verwende.«

Mit geschickten, schnellen Handgriffen tat er seine Arbeit. Martínez biss die Zähne zusammen, um sich den Schmerz nicht anmerken zu lassen. Als der Doctorus seine Behandlung beendet hatte, fiel sein Blick auf Martínez' linken Fuß, neben dem sich eine Blutlache gebildet hatte. »Was ist das? Habt Ihr noch eine weitere Verletzung?«

»Ja, hier an der Hüfte.« Martínez zeigte die Stelle. Abermals untersuchte der kleine Arzt ihn sehr sorgfältig. »Ein Kratzer nur, nicht besonders tief. Ich lege Euch eine Kompresse darauf.«

Wenig später war auch diese Arbeit getan, und der zierliche Doctorus richtete sich auf. »Ich gehe jetzt in meine Praxis.

Die Behandlung Eures Gegners duldet keinen Aufschub. Ihr könnt die Daumen drücken, dass meine Heilkunst ausreicht, ihn vor dem Tod zu bewahren. Anderenfalls könntet auch Ihr des Todes sein. Die Justiz in diesem Ort macht mit Leuten Eures Schlages kurzen Prozess. Wie steht es übrigens mit der Bezahlung für meine Dienste? Ich pflege nicht für Gotteslohn zu arbeiten.«

»Ich habe kein Geld«, antwortete Martínez verdrossen, »aber der andere bestimmt. Schaut nur in seine Taschen.«

Nach einer weiteren Woche hielt Martínez sich noch immer in Dosvaldes auf. Inzwischen ging es seiner Schulter besser, die Schmerzen hatten nachgelassen. Seit zwei Tagen musste er den Arm nicht mehr in der Schlinge tragen. Trotzdem konnte er noch keine Bäume ausreißen. Alles in allem hatte er großes Glück gehabt und dies in doppelter Hinsicht, denn sein Gegner befand sich ebenfalls auf dem Wege der Besserung. Der kleine Doctorus hatte ihn kunstvoll operiert und bestens versorgt. Offenbar hatte der Fremde einen gut gefüllten Geldbeutel in der Tasche getragen. Martínez schnaufte grimmig. Er kannte jemanden, der dieses Geld viel dringender brauchte. Nun, wenigstens war er einer Anklage durch die örtliche Justiz entgangen.

Es war ein schöner Morgen, viel zu schön, um trübseligen Gedanken nachzuhängen. Er lehnte sich bequem an eine Mauerecke, die schräg gegenüber dem maurischen Haus lag, und zog gedankenverloren den Dolch hervor. Seit die Waffe in seinen Besitz gekommen war, hatte er sie noch kein einziges Mal richtig begutachtet. Jetzt sah er, dass es ein wertvolles Stück war, mit fein ziselierter Klinge und einem Griff aus Silber. Er fragte sich gerade, was sie wohl bei dem Judengeier bringen würde, als plötzlich mit scharfem Knall eine Kugel auf die Klinge traf. Erschreckt blickte Martínez auf.

Vor ihm, in der Mitte der Gasse, standen drei abgerissene Bengel, von denen der größte sich an ihn heranmachte. »Entschuldigt, Señor, kann ich den Kirschkern wiederhaben?« Fordernd streckte er seine schmutzige Hand aus.

Erst jetzt bemerkte Martínez, dass es keine Bleikugel war, die seinen Dolch getroffen hatte. Misstrauisch nahm er das runde Ding auf und betrachtete es. Tatsächlich, es war ein harmloser Kirschkern. Er war ausgebleicht und abgeschliffen und etwas feucht. Martínez gab ihn zurück.

»Danke, Señor!« Wie selbstverständlich schob der Junge die verschmutzte Kugel in den Mund und eilte zu seinen Kameraden zurück. Er nahm hinter einer in den Staub gezogenen Linie Aufstellung und fixierte einen alten, zerbeulten Kessel, der in einiger Entfernung am Boden stand. »Ich bin noch mal dran!«, rief er, holte tief Luft und spuckte den Kern mit aller Kraft in Richtung Kessel. Die Kugel prallte eine gute Armlänge entfernt gegen eine Wand und sprang zurück. Wieder landete sie in unmittelbarer Nähe von Martínez. Die drei Burschen zögerten. Keiner hatte den Mut, den aus seinem heilen Auge finster dreinblickenden Martínez nochmals zu stören. Stattdessen zog einer der beiden Kleineren ein knuspriges Stück Fladenbrot aus der Hose und wollte hineinbeißen.

Da kam Martínez die Idee.

»Halt!«, rief er. »Worum spielt ihr Burschen?«

Noch immer zögerten die drei. Doch der Kleinste, der mit dem Brot, fasste sich ein Herz. »Wir spielen Kirschkernspucken, Señor. Wer den Kessel als Erster trifft, hat gewonnen.«

Martínez, der sich genau das gedacht hatte, setzte nach: »Und was erhält der Sieger?«

»Der Sieger? Äh, nichts …«

»Nichts?«

»Wir haben ja nichts, Señor!«

»Da habt ihr Recht.« Martínez war die Gleichgültigkeit selbst. »Doch wie ich sehe, habt ihr immerhin ein Brot. Das ist zwar nichts Besonderes, aber besser als gar nichts.« Er schnippte mit den Fingern, als käme ihm plötzlich ein großartiger Einfall. »Ich sag euch was: Das Brot ist mein, wenn es mir gelingt, von hier den Kessel zu treffen.«

Die drei knufften sich verstohlen in die Seite und grinsten schief. Es war offensichtlich, dass sie Martínez für einen Aufschneider hielten. »Und was bekommen wir, wenn Ihr es nicht schafft?«, fragte der Große listig.

Martínez hielt seinen Dolch ins Licht, sodass die fein ziselierte Klinge in der Sonne blitzte. »Diesen Dolch, den mir Seine Majestät König Philipp II. für besondere Tapferkeit persönlich überreichte.«

»Oh, ist der schön!«, staunte der Große. Seine Augen leuchteten begehrlich.

»Und König Philipp hat Euch den persönlich geschenkt?«, fragten die beiden anderen.

»So wahr ich hier stehe!« Martínez wollte versuchen, noch ein wenig mehr herauszuholen. Er tat, als zögere er. »Natürlich ist der Dolch hundertmal mehr wert als euer Brot, eigentlich sollte ich das Spiel nicht mitmachen …«

»Ich habe noch eine Silbermünze«, sagte der Große schnell. Entschlossen holte er eine stark angelaufene, kleine Münze aus der Tasche. Der Himmel mochte wissen, wo er sie herhatte.

»Zeig mal.« Martínez nahm das Geldstück und rieb damit kräftig an der Mauer. Die aufgekratzte Stelle blinkte hell und silbern. »In Ordnung«, nickte er. »Meinen Dolch gegen diese Münze und das Brot.«

»Abgemacht, Señor!«, rief der Große schnell. Die Vorfreude auf den Dolch stand ihm ins Gesicht geschrieben.

Martínez ließ sich den Kirschkern geben und musterte ihn kurz, dann schob er ihn sich in den Mund, nahm sorgfältig Maß und schickte mit einem schmatzenden Laut die Kugel auf die Reise.

Der Kirschkern traf den Kessel genau in der Mitte.

»Ihr habt das Brot und die Münze gewonnen, Señor!« Der große Bursche war tief enttäuscht. »Ihr hättet uns sagen müssen, dass Ihr ein Meister im Spucken seid.«

»So, hätte ich das?«, fragte Martínez ironisch.

»Noch nie habe ich jemanden gesehen, der so zielsicher spucken kann!«, seufzte einer der beiden Kleineren.

»Ich auch nicht!«, warf unverhofft eine weibliche Stimme ein. Sie kam von der anderen Flussseite. Martínez fuhr herum und starrte in das harte Gesicht einer Frau, die aus einem Rundbogenfenster des maurischen Hauses herüberschaute. Ihr Alter war schwer einzuschätzen. Sie hatte rabenschwarzes Haar, doch hier und da zeigte sich bereits eine graue Strähne. Die Frau war keine zwanzig mehr, so viel stand fest, allerdings war sie auch noch keine fünfunddreißig, dafür war ihre Haut zu jugendlich glatt. Zwischen ihren schmalen Lippen hielt sie eine Haarnadel, während sie sich geschickt einen Knoten aufsteckte.

»Ich bin Elvira, die Besitzerin dieses Bordells. Vielleicht hätte ich eine Verwendung für dich.« Sie überprüfte ihre Frisur in einem kostbaren Handspiegel. »Du müsstest allerdings zu mir herüberkommen.«

Das ließ sich Martínez nicht zweimal sagen. »Bin schon unterwegs!«, rief er, nahm, was jetzt ihm gehörte, und stürmte eiligen Schritts zum maurischen Haus hinüber. Immer zwei Stufen auf einmal nehmend, sprang er im Innenhof die Treppe zum oberen Stockwerk hinauf. Oben angekommen eilte er auf die Bordellbesitzerin zu, doch Elvira riss ihre Hand hoch. Martínez blickte auf spitze, mit Henna gefärbte Fingernägel.

»Nicht so stürmisch, mein Freund. Ich bin nicht im Dienst, und du bist kein Freier. Und selbst, wenn du einer wärst, ich würde dich kaum zum Zuge kommen lassen.« Sie nahm den Arm herunter und strich sich ihr schwarzes Seidengewand glatt.

Martínez stand verdattert da. Er war es nicht gewohnt, dass Huren so mit ihm umgingen. »Zu Euren Diensten, Gnädigste«, brachte er schließlich hervor und fragte sich, was sie von ihm wollte.

»Bist du immer so zielsicher im Spucken, mein Freund?« Sie ging auf eine Ecke zu, in der mehrere perlenbestickte Kissen zum Sitzen einluden. Mit einer graziösen Bewegung ließ sie sich nieder. »Nimm Platz.«

»Besten Dank.« Martínez war noch immer beeindruckt.

»Du hast meine Frage nicht beantwortet.«

»Ach so.« Martínez setzte sich, nicht ohne gebührenden Abstand zu wahren. »Ich treffe alles, was ich treffen will«, sagte er dann nicht ohne Stolz. »Ob mit Kirschkern oder Speichel, Kugel oder Pfeil, Speer oder Messer, ich verfehle mein Ziel nie.«

Plötzlich lachte sie und entblößte dabei zwei Reihen starker weißer Zähne: »Auch Leiber sollst du punktgenau auf Hirschgeweihe spießen können, wie man hört!« Sie hielt inne. »Das warst du doch?«

»Jawohl, das war ich: Juan Martínez.« Martínez fühlte Stolz in sich aufwallen.

»An der Variante mit dem Speichel wäre ich unter Umständen interessiert.« Die Bordellbesitzerin wies auf einen Krug mit Wein. »Bedien dich.«

»Ich danke Euch.« Martínez schenkte sich ein und führte den Becher zum Mund. »Oh, Verzeihung, Ihr möchtet sicher auch …«

Seine Gastgeberin winkte ab. »Ich trinke niemals am Tag. Aber tu dir deshalb keinen Zwang an.«

»Salud!« Martínez nahm einen kräftigen Schluck. Der Wein war stark und süß. Er spürte, wie er die Kehle hinunterrann und den Magen wärmte. »Was kann ich für Euch tun?«

»Du sollst mich unterstützen, einen unsichtbaren Kampf zu gewinnen.«

»Natürlich, gern.« Martínez verstand kein Wort.

Elvira wurde genauer: »Bis vor wenigen Wochen war dieses Haus eines der erfolgreichsten in Kastilien. Ich hatte außergewöhnlich hohe Einkünfte. Dann aber geschah es, dass eine ganz bestimmte Gruppe von Freiern – nämlich die, die ich persönlich zu bedienen pflege – nach der Liebe die Zahlung verweigerte. Die Herren lachten mich einfach aus und gingen wieder. Nicht einer oder zwei, nein, alle taten es.«

Sie nahm eine kandierte Kirsche und biss mit ihren starken Zähnen hinein. »Ich bin sicher, dass sie sich abgesprochen haben.«

»Aber warum?«

»Neid und Missgunst, vermute ich. Was sonst? Alles, was du hier siehst, gehört mir. Bezahlt mit dem Geld meiner Freier. Doch um welchen Preis? Als Hure stehst du ständig zwischen Macht und Ohnmacht. Der Geschlechtstrieb ist die stärkste

172

Kraft der Welt. Er treibt den Mann in meine Arme. Der Kerl frisst mir aus der Hand. Er verspricht mir goldene Berge. Er macht mir Komplimente. Er will mir die Sterne vom Himmel holen. Kurz: Er will mich vögeln. Aber kaum ist er zum Schuss gekommen und der Trieb dahin, sieht alles ganz anders aus. Dann nämlich geht's ans Bezahlen. Und die Ohnmacht der Hure beginnt. Was kann sie dagegen tun, wenn ein Freier nicht löhnen will? Nichts!«

»Ein schlechtes Geschäft«, sagte Martínez nachdenklich. Er ertappte sich bei dem Gedanken, dass auch er sich schon ums Bezahlen gedrückt hatte – allerdings bei billigen Huren, die im Tross der Truppe mitzogen. Er nahm noch einen Schluck Wein. »Warum verweigert Ihr Eure, äh … Dienste nicht einfach?«

»Das kann ich mir nicht leisten. Meine Freier gehören zu den führenden Männern der Stadt. Wenn ich mich ihnen verweigern würde, könnte mir viel größerer Schaden entstehen als ein entgangener Liebeslohn. Denk nur daran, wie schnell ein Haus bis auf die Grundmauern abbrennt. Und wie schleppend sich eine Untersuchung auf Brandstiftung hinziehen kann – nur um am Ende im Sande zu verlaufen.«

Sie nahm ein kunstvoll bemaltes, pergamentenes Rad und fächelte sich damit Luft zu. »Eines steht jedenfalls fest. Keine Ehefrau in diesem Ort würde auch nur eine Träne vergießen, wenn mir etwas Derartiges zustieße.«

»Aber Ihr habt einen Plan?« Martínez war eingefallen, dass Elvira von einer »Verwendung« für ihn gesprochen hatte.

»Ja, ich habe einen Plan. Wenn ich für meine Dienste schon keine Entlohnung bekomme, will ich wenigstens Rache. Die Rache soll in einer Demütigung meiner saumseligen Zahler bestehen. Was ich will, ist eine sehr feine, wohl ausgewogene

Demütigung: Sie darf auf keinen Fall öffentlich sein, weil ich dann für mich und meinen Besitz fürchten müsste, andererseits soll sie groß genug sein, um meine Wut stillen zu können.«

»Das würde bedeuten, die Demütigung müsste in diesen Räumen stattfinden?«, fragte Martínez, der mittlerweile die Karaffe geleert hatte. Gern hätte er noch einen weiteren Becher Wein getrunken, aber er traute sich nicht zu fragen.

»Du sagst es.« Die Bordellbesitzerin ergriff den Weinkrug und stellte ihn demonstrativ fort. »In diesen Räumen, an einem ganz bestimmten Ort. Folge mir.«

Martínez schritt hinter ihr her und kam sich wie ein folgsames Hündchen vor. Er bewunderte die vielen Kunstgegenstände, die in den Räumen standen. Elvira war eine Hure, die zweifellos Geschmack besaß. Schließlich erreichten sie einen mittelgroßen Raum und traten ein. Die Bordellbesitzerin blieb vor einem hohen schwarzen Vorhang stehen, der das ganze Zimmer beherrschte. »Hier ist es«, sagte sie. »Gib Acht.« Sie zog an einer dicken Kordel, und der Vorhang teilte sich.

»Bei den Titten der Aphrodite!«, entfuhr es Martínez. Ein solches Bett hatte er noch nie gesehen. Die Lagerstatt war riesig, über und über bedeckt mit farbigen Seidenkissen. Die vier Seiten wurden von dem schwarzen Vorhang eingerahmt – zum Schutz vor neugierigen Blicken. Einladend wie der Schoß einer Jungfrau!, dachte Martínez und stellte sich vor, mit Elvira auf diesen daunenweichen Kissen zu liegen. Sein Auge erblickte links am Fußende ein goldenes Tablett, auf dem zwei Kristallgläser neben einer Karaffe standen, die, wie er verlangend feststellte, noch voll war. Daneben stand ein Teller mit gebratenem Kaninchen, ein Korb mit Brot, Wurst,

Schinken und Schafskäse, dazu eine Schüssel mit feinsten kandierten Früchten.

»Glotz nicht so!«

»Ja, Herrin«, antwortete Martínez beflissen.

»Ich habe einen Freier, der mich aus bestimmten Gründen immer am Nachmittag aufsucht. Er wird in einer knappen Stunde hier sein. Ich werde ihm in diesem Bett den Himmel auf Erden bescheren. Und du wirst, ganz in Schwarz gekleidet, für einen weiteren Höhepunkt sorgen.«

»Was soll ich tun?«, fragte Martínez begierig.

»Nicht das, was du dir vielleicht erhoffst. Höre mir jetzt genau zu.«

Und sie erzählte ihm ihren Plan.

Martínez stand hinter dem Vorhang und schaute durch ein kleines Loch, das unsichtbar in einer Falte angebracht war. Er befand sich, von der Tür aus gesehen, auf der rechten Seite der Lagerstatt, ungefähr auf halber Höhe.

Natürlich hatte Elvira ihm befohlen, nicht durch das Loch zu sehen, sondern lediglich anwesend zu sein, während sie und ihr Besucher sich vergnügten. »Das gilt auch für die Zeit, bis der Freier eintrifft!«, hatte sie hinzugefügt.

Selbstverständlich hielt Martínez sich nicht daran. Solange er sich ruhig verhielt, konnte sie ihm sowieso nichts nachweisen. Das Bett mit seinen bunten Kissen war in schwaches, von drei Kerzen herrührendes Licht getaucht. Elvira saß ihm zugewandt darauf und löste sich die Haare. Sie war völlig nackt. Er musste an sich halten, um nicht einen anerkennenden Pfiff auszustoßen. Die Bordellbesitzerin hatte den straffen Leib einer Achtzehnjährigen. Ihre Brüste hingen weder herab noch waren sie unterschiedlich groß, wie Martínez mit Kennerblick feststellte. Sie waren makellos. Welch ein Weib! Sein sexueller Appetit regte sich und sorgte dafür, dass der Vorhang vor ihm sich ausbuchtete. Hastig trat er einen halben Schritt zurück.

Die Haare der Bordellbesitzerin fielen jetzt wie ein Wasserfall von ihren Schultern und bedeckten zur Hälfte die Brüste. Sie lehnte sich bequem zurück und öffnete ihre Schenkel. Martínez sah ein schwarz schimmerndes Dreieck aus fein gekräuselten Härchen, das in der Mitte durch einen rosafarbenen Spalt geteilt wurde. Du infames Biest!, keuchte er innerlich. Du hast mir verboten, dich zu betrachten, aber du warst sicher, dass ich es trotzdem tun würde! Und jetzt machst du mich geil wie einen Hirsch in der Brunst und weißt genau, dass ich mich nicht rücken und rühren kann! Er spürte, wie er eine gewaltige Erektion bekam. Elvira räkelte sich auf den Kissen. Ihr köstlicher Schoß hob und senkte sich dabei unwiderstehlich. Martínez knirschte mit den Zähnen vor Verlangen.

Da klopfte es.

Zu Martínez' Überraschung gab Elvira keine Antwort. Stattdessen schob sie sich ein Kissen unter das Gesäß, was ihren Schoß noch verführerischer emporhob. Martínez musste all seinen Verstand zusammennehmen, um sich nicht auf sie zu stürzen.

Wieder klopfte es. Diesmal rhythmisch und abgehackt. Offenbar handelte es sich um ein abgesprochenes Zeichen.

»Tacktack ... tack ... tacktacktack.«

Elvira blieb noch immer stumm.

Sie will ihren Freier zappeln lassen!, schoss es Martínez durch den Kopf. Genau wie mich!

»Tacktack ... tack ... tacktacktack!«, machte es erneut, diesmal drängender, ungeduldiger. Endlich bequemte sich Elvira zu einer Antwort: »Komm herein!«

Schritte näherten sich, und durch den Vorhang trat Hochwürden Ignacio.

Martínez brauchte mehrere Augenblicke, um zu begreifen, was sein eines Auge sah.

»Du kommst spät«, sagte Elvira und räkelte sich.

»Ich hatte noch anderes zu tun. Außerdem muss mich nicht jeder sehen, wenn ich dein Haus betrete.« Hochwürdens Stimme klang herrisch. Seine Augen wanderten über Elviras Körper und bekamen einen begehrlichen Glanz. Er nahm sein goldenes Kreuz ab und ließ es achtlos zu Boden fallen. »Du bist die schönste Hure der Christenwelt!«

»Ich weiß.« Ihre Stimme hatte einen schläfrigen Beiklang.

»Das sagst du mir jedes Mal. Zieh dich aus.«

Hochwürden Ignacio bückte sich, ergriff den Saum seines unauffälligen Gewandes und riss es sich mit einer einzigen Bewegung über den Kopf. Martínez sah, dass er darunter völlig nackt war. Ignacio trat einen Schritt vor und wollte sich auf das Bett gleiten lassen, doch Elvira hielt ihn zurück:

»Halt, mein Lieber! Heute will ich dich einmal in Ruhe betrachten. Von oben bis unten. Sonst sehe ich von dir immer nur ein schweißnasses Gesicht und ein auf und ab zuckendes Becken. Bleib so!«

»Was soll das?«, knurrte Ignacio. »Wir sind hier nicht auf einem Sklavenmarkt!«

»Du bist sehr stattlich«, sagte sie doppeldeutig, »hast kräftige Knochen und Muskeln, bist nicht so verweichlicht wie die meisten meiner Freier.« Plötzlich beugte sie sich vor und tätschelte ihm anerkennend den linken Oberschenkel.

Sie spricht zu ihm wie zu einem Pferd, dachte Martínez. Der

Vergleich stimmt auch äußerlich, überlegte er weiter, der Kerl hat einen gewaltigen Pimmel! Martínez, der nicht ohne Stolz auf seine eigene Männlichkeit war, fühlte Neid. Er sah, wie Elvira plötzlich das hoch aufragende Glied des Priesters mit beiden Händen packte und es herunterbog, weiter und weiter, bis Ignacio nichts anderes übrig blieb, als vor ihr auf die Knie zu fallen.

»Nimm mich!«, befahl sie.

»Oh Herr, wie ich dagegen angekämpft habe!«, rief Ignacio plötzlich. Hektisch begann er sie am ganzen Körper zu küssen. »Aber die Fleischeslust war wieder einmal stärker.« Er knetete ihre Brüste. »Wie oft habe ich den Allmächtigen schon gebeten, mir mehr Kraft zu schenken, damit ich widerstehe!«

»Nimm mich«, befahl sie abermals.

»Ich bin schwach, schwach, schwach, trotz aller meiner Gebete!«, klagte er.

»Nimm mich endlich!« Sie zog ihn über sich.

»Allmächtiger«, flüsterte er.

Mit einer schlängelnden Bewegung schob sie ihr Becken unter das seine und führte sein Glied bei sich ein. Besitzergreifend schlangen sich ihre Schenkel um seinen Rücken.

»Oh Gott, verzeih mir!«, rief er inbrünstig, und mit jeder Silbe führte er einen Stoß aus. »Oh – Gott – ver – zeih – mir! Oh – Gott – ver – zeih – mir! Oh – Gott – ver – zeih – mir! Oh – Gott …«

Hochwürden Ignacio stieß einen markerschütternden Schrei aus und zuckte am ganzen Körper, während er sich ergoss. Dann sank er über Elvira zusammen und schnappte nach Luft wie ein Fisch auf dem Trockenen. Martínez hinter seinem Vorhang erging es ähnlich. Er sah, wie Elvira sich unter dem

Körper des Geistlichen hervorschob und ihn beiseite drückte. »Für heute ist es genug«, sagte sie.

Ignacios Atem normalisierte sich wieder. Sein Blick wurde lüstern. »Spiel mit meinem Ding«, forderte er, »dann les ich dir gleich noch mal die Messe!«

»Nein!«, beharrte sie. »Ich fühle mich ein wenig wund.« Sie richtete sich auf und kroch ans Fußende, wo sie sich ein Seidenhemd überstreifte. »Stärke dich lieber.« Sie wies auf die leckere Mahlzeit. »Wir wollen essen und trinken. Und vergiss danach nicht wieder, mich zu bezahlen.«

»Ich soll dich entlohnen?« Ignacio tat, als denke er darüber nach. Dann lächelte er überlegen. Bis jetzt hatte die Hure ihn beherrscht. Aber nun, wo er bekommen hatte, was er wollte, beherrschte er sie. »Du solltest dich glücklich schätzen, der Kirche umsonst einen Dienst erwiesen zu haben.«

»Bezahle mich. Jetzt gleich!«

»Eher geht ein Kamel durch ein Nadelöhr.«

Elvira, die eben noch vor dem goldenen Tablett gestanden hatte, kam nun auf Martínez' Seite herüber. Ignacios Kopf drehte sich mit, sodass sein Gesicht jetzt Martínez halb zugewandt war. »Du verweigerst mir also meinen Lohn?«, fragte sie kalt.

»So, wie du dich mir eben verweigert hast. Ich habe nicht im Mindesten das bekommen, wofür zu zahlen sich lohnen würde.« Hochwürden Ignacio lächelte noch immer überlegen.

Elvira schaute ihn starr an und sagte betont langsam:

»Dann verschwinde, und lass dich hier nie wieder blicken, du geistlicher TEUFEL.«

TEUFEL! Das war das Stichwort, auf das Martínez gewartet hatte. Fast hätte er es überhört, so gebannt war er dem Geschehen gefolgt. Doch jetzt holte er tief Luft, spitzte die Lippen und spuckte mit aller Kraft durch das Loch im Vorhang. Der Speichelstrahl flog geradewegs in Ignacios Gesicht und landete klatschend auf dem linken Auge. Die Gesichtszüge des Geistlichen versteinerten. Elvira lachte schrill: »Da hast du dein Weihwasser, Teufel! Ich sehe, du scheust es! Und nun verschwinde, ehe ich dich hinauswerfen lasse!«

»Das ist Blasphemie! Das wirst du bitter bereuen!«, zischte Ignacio und blickte in die Richtung, aus der Martínez gespuckt hatte. »Wer war das?« Er machte Anstalten, hinter den Vorhang zu sehen.

»Wage es nicht, wenn dir dein Leben lieb ist«, warnte Elvira ihn kalt. »Ich habe neuerdings Freunde, die genauso einflussreich sind wie die deinen. Vielleicht sogar noch einflussreicher. Einer davon steht hinter diesem Vorhang.«

Ignacio schreckte zurück. Sein Gesichtsausdruck schwankte zwischen Wut und Verblüffung, während er hastig sein Gewand überzog. Er wandte sich zum Gehen. »Ich verfluche dich dreimal und flehe zu Gott, dass er dich zur Hölle schickt!«

»Vergiss dein goldenes Kreuz nicht«, sagte Elvira.

Der nächste zahlungsunwillige Freier war ein reicher Tuchhändler. Er erschien am darauf folgenden Abend, »um meiner Freundin Elvira wieder einmal meine Aufwartung zu machen«, wie er sich ausdrückte. Auch diesmal hielt Martínez sich nicht an Elviras Diskretionsbefehl. Er blickte durch das Loch im Vorhang und sah einen kleinen, dicken, prächtig gekleideten Mann, der als Erstes eine Rute auf das Bett legte.

»Ich sehe, du hast dein Spielzeug dabei«, sagte Elvira, die sich wie am Vortag im Schein der Kerzen auf dem Bett räkelte. Der dicke Händler hob theatralisch die Arme: »Oh Elvira, meine Holde! Ein wenig kitzeln und zwicken muss es schon! Du selbst weißt am besten, wie fade ein bloßer Geschlechtsakt ist. Nein, wir wollen es subtiler treiben, uns langsam gegenseitig stimulieren, anstacheln, entflammen, bis wir es nicht länger aushalten und uns einander schenken müssen!«

Er hielt inne und begann hastig an den oberen Knöpfen seines Wamses zu nesteln. »Bitte gehe mir beim Ausziehen zur Hand.«

Elvira, die bereits völlig nackt war, erhob sich vom Bett, um ihrem Freier zu helfen. Unter ihren geschickten Händen entledigte sich der Tuchhändler rasch seiner Kleidung. Dazu gehörten eine üppige Spitzenhalskrause, eine goldene Kette, an der ein taubeneigroßer Amethyst hing, ein langärmeliges Wams aus Atlasseide, eine bestickte Weste, ein Hemd mit Applikationen aus Brüsseler Spitze, ein weites Unterhemd, eine Leibbinde, ein breiter Gürtel mit lederner Gürteltasche, eine gepolsterte, mit Schlitzen versehene Oberschenkelhose aus schwerem Brokat, eine enge Seidenstrumpfhose, ein Sacktuch und nicht zuletzt ein Paar schön gearbeitete Lederstiefel. Martínez fühlte sich an das Schälen einer Zwiebel erinnert.

»Endlich, Geliebte«, rief er enthusiastisch, »stehe ich vor dir, wie Gott der Herr mich erschuf!« Er setzte einen Fuß auf das Bett und beugte sich vor, um die Rute zu ergreifen. Martínez sah, dass nicht nur seine Brust und sein paukengleicher Bauch, sondern auch Schultern und Rücken von einem dichten Haarteppich bedeckt waren.

»Ob er dich wirklich so erschaffen hat, mein lieber Fadrique, möchte ich stark bezweifeln«, erwiderte Elvira trocken. »Lass uns anfangen.«

Fadrique heißt du dicke Qualle also, dachte Martínez.

»Oh ja, meine Schöne!«, rief der Tuchhändler. »Ich kann es

kaum erwarten, mich von dir liebkosen zu lassen!« Er krabbelte auf das Lager und legte sich der Länge nach auf den Bauch, gleichzeitig gab er Elvira die Rute. Sie bestand aus zähen Riedgrashalmen, die von einem schönen Silbergriff zusammengehalten wurden. »Fang an!«, bettelte er.

Elvira holte aus und schlug ihm sanft zwischen die Schulterblätter.

»So ist's gut. Stärker!«

Elvira schlug mehrmals zu, diesmal etwas kräftiger.

»Jajaja!«

Elvira verstärkte ihre Bemühungen, die Rute zischte durch die Luft, die Schläge klatschten auf das Fleisch, die dichte schwarze Behaarung des Rückens gab den Hieben einen dumpfen Unterton.

»Hör nicht auf!«, quengelte Fadrique, »um der Heiligen Mutter Gottes willen hör nicht auf, hör nie mehr auf!«

Du scheinst mehr Zeit zu haben als Hochwürden!, dachte Martínez grinsend hinter seinem Vorhang. Elvira hatte ihm erzählt, dass Ignacio seine Liebesbesuche auf den Nachmittag beschränken musste, um rechtzeitig zur Abendmesse in der Kirche zu sein.

Elvira hieb weiter auf Fadrique ein. Martínez sah, dass die Haut unter der Behaarung langsam rot anlief. »Das genügt«, sagte sie und legte die Rute beiseite.

»Nein!«, flehte Fadrique. »Bitte nicht! Ich war schon fast ersteift! Mach nur noch einen kleinen Augenblick weiter!«

»Meinetwegen.« Sie begann wieder auf den Rücken einzuschlagen. Endlich entrang sich dem kleinen, dicken Mann ein jauchzender Laut:

»Jetzt!«, jubelte er und drehte sich, flink wie ein Kreisel, auf den Rücken.

Das, was er sah, hätte Martínez fast laut auflachen lassen. Das Glied des Tuchhändlers war winzig klein und stach wie ein rotes Zweiglein aus der Wolle seines Unterleibs hervor.

»Siehst du, meine Köstliche? Ich habe nicht zu viel versprochen. Hier ist mein Phallus, steil und stolz! Bereit, dich zu durchbohren!«

»Ich erkenne ihn«, sagte Elvira. Ihre Stimme klang gleichgültig. Sie spreizte die Schenkel und stieg über ihn. Das Zweiglein verschwand zwischen ihren Gesäßbacken. Langsam bewegte sie ihr Becken auf und nieder, auf und nieder …

»Oh meine Prachtvolle!«, stöhnte der kleine Mann unter ihr. »Weiter so! So kann ich's stundenlang zurückhalten.«

»Ich werde dich melken wie eine Kuh.« Elvira begann ihr Gesäß in kreisende Bewegungen zu versetzen.

»Nein!«, schrie der Tuchhändler. »Bitte nicht das, meine Unersättliche! Du weißt, dass du mich damit in Sekunden schwach machst! Ich will, dass es länger dauert … ooohhhhhhh!«

Während des kurzen Höhepunkts ruderte er mit Armen und Beinen wie ein auf dem Rücken liegender Käfer. Dann streckte er die Gliedmaßen von sich. »Du hast mich überlistet«, maulte er wie ein Kind.

»Meine Zeit ist knapp, mein kleiner Stier. Nachher kommt noch ein anderer Freier. Ich habe einen aufwendigen Lebenswandel, wie du weißt, und die Kasse muss stimmen. Dazu hast du in letzter Zeit allerdings nichts beigetragen, obwohl du meine Dienste mehrfach in Anspruch genommen hast. Du schuldest mir drei Golddublonen.«

»Drei Golddublonen? Wofür?« Augenblicklich legte Fadrique die Rolle des bettelnden Liebhabers ab und war wieder ganz der geizige Handelsmann. »Du hast mir kaum Lust verschafft! Wenn ich's recht bedenke, hast du mich nur gequält. Du sprachst sogar davon, mich wie eine Kuh behandeln zu wollen. Und dafür drei Golddublonen? Kommt überhaupt nicht in Frage!«

»Ich bestehe darauf.«

»Pah!« Fadrique machte eine wegwerfende Geste. »Ich bin Geschäftsmann, und die Zeiten sind unsicher. Du glaubst doch wohl selbst nicht, dass ich eine solche Summe bei mir trage.«

Elvira stand inzwischen am Fußende des Bettes, wo die Kleider des dicken Freiers am Boden einen bunten Haufen bildeten. »Wenn du mich nicht bezahlen willst, helfe ich mir eben selbst.« Sie zog die goldene Kette mit dem Amethyst hervor.

»Das behalte ich. Und nun schnapp dir deine Sachen, und komm erst wieder, wenn du meinen Lohn dabeihast.«

»Nein, nicht meinen Geburtsstein!« Der Dicke krabbelte mit bemerkenswerter Geschwindigkeit zum Fußende.

»Doch.« Elvira beugte sich vor und blies die Kerzen aus. Augenblicklich war es so dunkel, dass man die Hand nicht vor Augen sehen konnte. Fadrique hielt erschreckt inne.

Martínez, für den das Lichtausblasen das Zeichen zum Einschreiten war, stand an gleicher Stelle wie am Vortag. Er hatte sich die Position des dicken Händlers genau gemerkt. Rasch teilte er den Vorhang und sprang mit einem einzigen Satz auf das Bett – exakt dorthin, wo der Händler verharrte. Martínez fühlte einen kleinen, kugeligen Kopf zwischen seinen Händen. Er kniete sich hin, zog den Schädel an den Haaren heran und klemmte ihn sich zwischen die Beine. Die Arme des Dicken fuchtelten hilflos in der Luft. Martínez drückte seine Schenkel zusammen, so fest er konnte. Der Händler heulte dumpf. Vergeblich versuchte er, seinen Widersacher abzuschütteln. Martínez tastete unterdessen nach der Rute. Da war sie schon! Er nahm sie, holte weit aus und schlug mit aller Kraft zu. Es gab einen hässlichen, klatschenden Laut, als sich die scharfkantigen Halme ins Fleisch fraßen. Fadrique schrie wie am Spieß.

»Ich hoffe, dass dir das mehr Lust verschafft.« Elviras Stimme klang höhnisch.

»Wer ist das?«, jammerte Fadrique. »Wer schlägt mich da?« Er zappelte mit aller Kraft, doch die Schenkel von Martínez hielten ihn wie stählerne Klauen. »Bitte, haltet ein!«

»Aber warum denn?«, fragte die Bordellbesitzerin kalt. »Ich werde dir zwanzigmal zu höchster Lust verhelfen.«

Wieder schlug Martínez mit aller Kraft zu.

»Eins«, zählte Elvira.

»Bitte, lasst mich gehen!«, heulte Fadrique dumpf zwischen den Schenkeln. Martínez schlug abermals zu.

»Zwei«, zählte Elvira …

Nach dem zwanzigsten Schlag vernahm Martínez nur noch ein Schluchzen zwischen seinen Beinen. Er warf die Rute fort und stieß den dicken Händler zurück. Etwas Feuchtes klebte ihm die Finger zusammen. Blut! Er tastete sich nach rechts und verschwand wieder hinter dem Vorhang. Alsbald hörte er, wie Elvira die Kerzen wieder entzündete. Sein eines Auge suchte und fand das Guckloch. Fadrique lag auf dem Bett, sein Rücken hatte blutige Spuren auf den Kissen hinterlassen. »Ich denke, fürs Erste bist du bedient, mein kleiner Stier.« Die Bordellbesitzerin wirkte sehr zufrieden. »Jetzt solltest du aber gehen.«

Mühsam begann der Tuchhändler sich zum Bettrand zu bewegen. Elvira hatte sich mittlerweile ein Gewand übergeworfen. Der Amethyst funkelte zwischen ihren Brüsten. »Beim

Ankleiden musst du dir schon selbst helfen. Sollte dir demnächst wieder der Sinn nach einer Lustlektion stehen, vergiss nicht, dass ich mit Dublonen oder Goldescudos bezahlt werde.«

Sie wandte sich ab und verschwand durch den Vorhang.

Auch Martínez machte sich davon.

An den folgenden Abenden erging es einer ganzen Reihe angesehener Bürger von Dosvaldes ähnlich: dem Apotheker, dem Goldschmied, dem Baumeister und einigen mehr.

Gegen Ende der Woche erschien der Alcalde. Er wurde, wie die anderen zuvor, eher lustlos von Elvira bedient. Doch bevor er ging, zahlte er.

»Wer war das?«, fragte Martínez hinterher. »Ich konnte ihn nicht genau erkennen.«

»Der Alcalde«, antwortete sie.

»Gehörte er auch zu den Nichtzahlern?«

»Ja.« Sie lächelte mit ihren starken Zähnen. »Ich glaube, wir haben die Festung geknackt!«

Am Morgen darauf ließ Elvira ausrichten, Martínez möge sie in ihrem Wohnzimmer aufsuchen.

Als er kurz darauf erschien, sah er sie, die Tarotkarten in der Hand, am Spieltisch sitzen. Was wollte sie von ihm? Und warum saß sie dort? Spieltische, das wusste er, bargen gemeinhin nicht nur Spiele, sondern auch ein Geheimfach. Und darin lag meistens ein Batzen Geld. Er war sicher, dass es bei diesem nicht anders war. Schon in den vergangenen Tagen hatte er sich magisch von dem Möbel angezogen gefühlt. Vielleicht ergab sich jetzt eine unverfängliche Gelegenheit, es näher zu studieren.

»Was kann ich für Euch tun, Herrin?«, fragte er.

»Du kannst nichts mehr für mich tun, Martínez«, antwortete Elvira in ihrer direkten Art. »Was ich erreichen wollte, habe ich erreicht – dank deiner Hilfe. Die Freier zahlen wieder, mein Geschäft floriert wie früher.«

Sie blickte ihn überraschend freundlich an. »Ich bin jemand, der für gute Arbeit gutes Geld zahlt, und der Dienst, den du mir erwiesen hast, war in der Tat Gold wert. Du bekommst deshalb von mir zehn Escudos.« Sie legte die Karten beiseite und gab Martínez einen kleinen Ledersack. »Ich danke dir.«

»I … ich danke Euch auch, Herrin«, stotterte Martínez. Seinen Abschied von diesem Haus hatte er sich anders vorgestellt. »Glaubt Ihr wirklich, dass ich Euch in keiner Weise mehr dienen kann?«

»Ja, Martínez, das glaube ich. Unsere Wege trennen sich heute. Ich mag auf die Dauer keinen Mann unter meinem Dach.«

»Ich habe Euch gern geholfen, Herrin.« Martínez wog das Geldsäckchen in seiner Hand und suchte krampfhaft nach einem Grund, das Haus noch nicht verlassen zu müssen. Sein Blick fiel auf den Amethyst, den Elvira auch heute trug. Ein Gedanke kam ihm: »Gestattet Ihr mir, bevor ich mich verabschiede, noch eine Frage, Herrin?«, sagte er und gab seiner Stimme einen bescheidenen Klang.

»Natürlich.«

»Dieser Stein, den Ihr dort tragt: Er ist, glaube ich, von diesem Fadrique. Als er nicht zahlen wollte und Ihr ihm deshalb den Stein fortnahmt, kreischte er so etwas wie ›Nein, nicht meinen Geburtsstein!‹ Wisst Ihr, Herrin, was er damit gemeint haben könnte?«

»Ja.« Elvira lehnte sich zurück. »Ich verstehe einiges von Edelsteinen, das bringt mein Beruf mit sich.«

»Und was versteht man unter einem Geburtsstein, Herrin?«, hakte Martínez nach. Sein Auge wanderte von der Tischplatte zu den kleinen Schubfächern, die darunter lagen und Platz für Spielkarten und Würfel boten. Ihm war klar, dass ein Geheimfach keine normalen Spalten aufweisen würde, das widersprach der Natur der Sache.

»Es gibt Edelsteine, die den verschiedenen Sternzeichen zugeordnet werden«, erklärte Elvira.

»Sternzeichen?«, gab sich Martínez verwundert. Die ihm zugewandte Seite des Tisches wies eine Reihe schmaler Schubladen auf, von denen jede mit einem bronzenen Beschlag versehen war, offenbar, um sie damit öffnen zu können. Auf seiner Seite, so viel stand fest, saß das Geheimfach nicht.

»Jeder Mensch ist in einem bestimmten Zeichen geboren. Der Monat, in dem man zur Welt kommt, bestimmt das Sternzeichen. Jemand, der zum Beispiel im März das Licht der Welt erblickt hat, wurde im Zeichen der Fische geboren. Der Edelstein, der den Fischen zugeordnet ist, heißt Amethyst. Der Amethyst ist deshalb der Geburtsstein der Fische-Geborenen. Ebenso wie der Bergkristall der Stein für die Löwen ist und der blutrote Karneol der Stein für die Skorpione. Man schreibt allen Geburtssteinen eine Schutzfunktion für seinen Träger zu.«

»Demnach müsste Fadrique im März geboren sein?«, fragte Martínez. Die beiden weiteren für ihn sichtbaren Seiten des Spieltisches sahen nicht viel anders aus. Das legte die Vermutung nahe, dass Elvira direkt vor ihrem Geheimfach saß. Natürlich! Sie hatte daraus das Säckchen mit dem Geld hervorgeholt.

»Ja, zufällig weiß ich, dass Fadrique im März Geburtstag hat. Doch weil auch ich im Zeichen der Fische geboren bin, kann ich den Amethyst genauso gut tragen. Vielleicht schenkt er mir mehr Schutz als Fadrique.«

Ja, vielleicht, dachte Martínez. Vielleicht aber auch nicht. Es kommt ganz darauf an, ob ich eine Gelegenheit erhalte, mir deine Geheimfachseite genauer anzuschauen.

»Doña Elvira, Doña Elvira!«, ertönte in diesem Augenblick ein Ruf von außen durchs Fenster. »Hört Ihr mich? Hier ist Alberto, der Gemüsehändler. Ich habe die bestellte Ware abgeladen und in Eure Küchenräume geschafft, aber Eure Köchin ist nicht da, um mich zu bezahlen! Doña Elvira, hört Ihr mich?«

»Ja doch!«, murrte Elvira und erhob sich. »Die Köchin hat Ausgang, die Gehilfinnen sind alle fort, um irgendwo eine Hochzeit zu feiern, und meine Mädchen schlafen natürlich noch. Die Einzige, die immer da ist, das bin ich.« Sie schritt zum Fenster und lehnte sich hinaus. »Es ist gut, Alberto, ich komme hinunter und gebe dir dein Geld!«

»Danke, Doña Elvira!«

»Warte, bis ich zurück bin, Martínez. Es gibt da noch einen Punkt, den ich dir sagen muss.«

»Ja, gerne, Herrin.« Martínez konnte sein Glück kaum fassen. Kaum war Elvira fort, ging er um den Tisch herum und unterzog die vierte Seite einer eingehenden Untersuchung. Ein Geheimfach, überlegte er, war nicht sichtbar, es musste also genau dort sitzen, wo im Holz keine Spalten, Fugen oder Veränderungen zu entdecken waren. Er betrachtete jede einzelne Holzfaser auf das Genaueste. »Hier!«, entfuhr es ihm plötzlich. Er hatte zwei winzige Nähte im Holz entdeckt, feiner als ein Spinnenfaden. Dazwischen musste das Fach liegen. Geschickt drückte und zog er an verschiedenen Stellen. Plötzlich gab es einen leisen, knarzenden Laut, und die Lade sprang auf.

Martínez erblickte in dem kleinen Fach einen kunstvoll bestickten Stoffbeutel, der prallvoll war. Er nahm ihn heraus und wog ihn in der Hand. Sein Auge glitzerte. Er fühlte schwere Münzen. Es mussten Dutzende sein. Die Zukunft sah rosig aus! Rasch drückte er die Lade wieder zu.

Er beschloss, so schnell wie möglich zu verschwinden.

Martínez eilte, sein Bündel fest an die Brust gepresst, mit schnellen Schritten durch den Innenhof des maurischen Hauses zum Straßentor. Er blickte hinter sich, doch niemand folgte. Vorsichtig bog er in den Torweg und stand – vor Elvira. Die Bordellbesitzerin runzelte unmutig die Stirn:

»Ich hatte dir doch gesagt, dass ich noch einen wichtigen Punkt mit dir zu besprechen hätte. Wieso gehst du einfach?«

»Einen wichtigen Punkt?« Martínez gab sich unwissend. »Ich dachte, wir hätten uns verabschiedet?« Er trat einen Schritt auf Elvira zu und zwang sich zu einem Lächeln. »Es kann sich nur um ein Missverständnis handeln, Herrin! Wenn Ihr noch etwas auf dem Herzen habt, warum sagt Ihr es mir nicht gleich hier?«

»Ja, warum eigentlich nicht. Also höre: Ich möchte, dass du mit keinem Menschen über deine Tätigkeit in meinem Haus redest. Heute nicht und auch an keinem anderen Tag, den Gott werden lässt. Niemals!«

»Ihr könnt Euch auf mich verlassen, Herrin.« Martínez schlug die Augen nieder. »Ich schwöre es bei der Heiligen Mutter Gottes!«

»Schön.« Elviras Gesicht nahm einen spöttischen Ausdruck an. »Nur für den Fall, dass dein Gedächtnis etwas nachlassen sollte: Diese Stadt ist ein Dorf. Neuigkeiten verbreiten sich wie ein Lauffeuer. Und wenn gewisse Herren erfahren, wer der große Unbekannte ist, der sie in meinem Schlafzimmer gedemütigt hat, würde ich für das Leben dieses großen Unbekannten keinen Pfifferling geben. Habe ich mich klar genug ausgedrückt?«

»Das habt Ihr, Herrin!« Martínez war ehrlich erschreckt. Von dieser Seite hatte er seine Dienste noch nicht betrachtet. Doch wenn er dichthielt, konnte eigentlich nichts passieren. Zumal die Angestellten des Hauses keine Ahnung hatten von dem, was im schwarzen Schlafgemach geschehen war. Blieb noch Elvira selbst. Würde sie etwas ausplaudern, um ihm zu schaden? Kaum. Es sei denn, sie kam in den nächsten Stunden hinter den Diebstahl aus dem Spieltisch ... Es würde gut sein, sich so schnell wie möglich zu verdrücken.

»Das Beste wäre, du würdest Dosvaldes noch heute den Rücken kehren!«, sagte Elvira.

»Worauf Ihr Euch verlassen könnt, Herrin«, grinste Martínez.

Die kleine Brücke, die auf der Rückseite des maurischen Hauses über den Pajo führte, wurde nachmittags viel genutzt. Die Einwohner aus dem östlichen Randbezirk passierten sie, um die schöne Gartenanlage von Elviras Anwesen zu umrunden, dabei den Anblick der vielfältigen Pflanzen zu genießen und auf der Vorderseite des Hauses weiter in Richtung Plaza zu schlendern, wo sie schließlich in der Kirche an der Sechs-Uhr-Messe teilnahmen.

Martínez, dem das Gespräch mit Elvira nicht aus dem Kopf ging, überquerte diese Brücke ebenfalls, allerdings in entgegengesetzter Richtung. Er wollte so schnell wie möglich aus der Stadt, und zwar ohne dabei über den belebten Platz gehen zu müssen. Auf der anderen Seite der Brücke, rechter Hand, lag das Trescanto, doch er hatte wenig Lust auf einen Rausch. Der Boden von Dosvaldes war zu heiß geworden, das spürte er in allen Knochen. Er wandte sich deshalb nach links und ging rasch weiter. Zwei kleinere Jungen liefen seit ein paar Schritten hinter ihm her und kicherten und tuschelten irgendetwas, aber Martínez war viel zu sehr in Gedanken, als dass er darauf geachtet hätte.

»Hallo, Señor, da seid Ihr ja wieder!«, erscholl plötzlich eine Stimme. Martínez hob den Blick. Vor ihm stand der große Junge, dem er im Wettspucken die Silbermünze abgenommen hatte. Er befand sich exakt an der Stelle, an der er seine Niederlage hatte einstecken müssen: Es war die Mauerecke, hinter der eine kleine Quergasse von rechts einmündete. Wer um diese Ecke bog, musste aufpassen, einem anderen, der von dort kam, nicht in die Arme zu laufen. Erst jetzt wurde Martínez bewusst, dass er die beiden Knirpse, die sich an seine Fersen geheftet hatten, kannte. Sie gehörten zu dem großen Burschen.

»Was willst du?«, fragte Martínez barsch. Ihm stand nicht der Sinn nach einer Unterhaltung.

»Wir wollten Euch eine neue Wette vorschlagen, Señor. Allerdings ist die Aufgabe so schwierig, dass kein Mensch sie schaffen kann. Meine beiden Freunde glauben trotzdem, dass Ihr es könnt, aber ich sage, das gelingt Euch nie!« Er blickte Martínez herausfordernd ins Gesicht.

»Was wollt ihr, worum geht's?«, fragte Martínez knapp. Er begann sich über den Großen zu ärgern.

Der Junge hielt ihm die geöffnete Hand hin. Sie war voller kleiner Silbermünzen. Der Scheitan mochte wissen, wo er sie herhatte. Martínez merkte, wie er begehrlich darauf blickte. »Was soll ich dafür tun?«

»Unseren alten Kessel mit abgedecktem Auge treffen!«, antwortete der Große prompt. »Aber das ist noch nicht alles. Ich werde den Kessel hochhalten, sodass Ihr ihn in der Luft treffen müsst. Erst dann ist die Aufgabe erfüllt. Sagt ruhig, wenn Ihr es Euch nicht zutraut!«

»Das schaffe ich dreimal hintereinander, wenn's sein muss, vorausgesetzt, du machst keine Mätzchen und nimmst die Hand nicht runter, wenn ich spucke.«

»Nein, das tu ich nicht. Ich schwöre es«, sagte der Große ernst.

»Hm.« Waren die Jungen so beschränkt und verlangten tatsächlich keine Gegenleistung für den Fall, dass er verlor? Eine Stimme in seinem Innern sagte ihm, dass er ihr Geld nicht brauchte und dass er die Finger von diesem Spielchen lassen sollte. Doch er wollte sich vor diesen Bengeln keine Blöße geben. Überdies war er sicher, den Kessel zu treffen. »Gebt mir euren verdammten Kirschkern.«

»Das ist die weitere Schwierigkeit«, sagte der Große. »Ihr dürft keinen Kirschkern nehmen, denn damit wär's zu leicht. Es muss ein ganz normaler Qualster sein. Und jeder Spritzer Eurer Spucke muss treffen!«

»Hm«, machte Martínez abermals. Das war in der Tat eine Schwierigkeit. Aber er hatte nichts zu verlieren, und er wollte jetzt die Sache hinter sich bringen. Er legte sein Bündel ab. »Fangen wir an.«

»Gut, Señor. Seht her, ich halte den Kessel in Augenhöhe, hier, direkt an der Straßenecke. Ich werde ihn sehr ruhig halten, das verspreche ich Euch.«

»Schon recht. Womit soll ich mein Auge abdecken?«

»Hiermit, Señor.« Der Kleinste der Jungen griff unter sein Hemd und gab ihm etwas in die Hand.

Es war eine Teufelsmaske.

Martínez erstarrte. Die Maske sah zum Fürchten aus. Aus den bizarren Zügen stachen zwei bedrohliche Hörner hervor. Ihr Blick wirkte seelenlos, denn die Augen waren zugeklebt. Die einzige Öffnung war ein kreisrundes Mundloch – dahindurch sollte Martínez spucken.

»Ich würde verstehen, wenn Ihr es Euch anders überlegt, Señor«, sagte der Große scheinheilig.

»Nichts da!« Martínez hatte sich wieder gefangen

»Umso besser, Señor. Wenn ich ›jetzt‹ sage, müsst Ihr sofort spucken. Aber erst bei ›jetzt‹, in keinem Fall früher, ist das klar?«

»Ich bin ja nicht blöd.« Martínez merkte sich die genaue Position des Kessels und hob die Maske vors Gesicht. Alles in ihm konzentrierte sich auf das gezielte Ausspucken. Er würde mit Sicherheit treffen, das wusste er.

»Jetzt!«, schrie plötzlich der Große. Martínez holte tief Luft und schickte den Qualster auf die Reise … Klatsch! Er hatte getroffen. Ein höhnisches Gelächter erklang. Es kam von dem großen Bengel. Schritte entfernten sich schnell. Was hatte das zu bedeuten? Rasch nahm er die Maske herunter.

Die Jungen waren verschwunden.

Dort, wo eben noch der Kessel in die Luft gehalten worden war, erblickte Martínez das Gesicht eines Mannes, der wie vom Donner gerührt dastand. Der Kerl musste eben um die Ecke gebogen sein. Martínez begann zu ahnen, dass man ihn geleimt hatte. Er sah, dass sein Schuss voll im Ziel gelandet war. Der Speichel lief dem Mann aus der Stirn über das linke Auge herab auf die Wange. Martínez hielt die Luft an. Er kannte den Mann. Es war der Inquisitor, den er bei der Verbrennung auf der Plaza de la Iglesia beobachtet hatte – und bei Elvira …

Langsam wischte sich Hochwürden Ignacio mit einem Taschentuch den Speichel ab, während er Martínez eingehend
musterte.

Dann begriff er.

Seine Gesichtszüge verzerrten sich vor Wut. »Dafür vermo-
derst du im Kerker!«, zischte er.

DER INQUISITOR
IGNACIO

»Sagt einfach nur:
›Ja, ich schwöre, dass der Leibhaftige in mir ist
und von mir Besitz ergriffen hat,
so wahr mir Gott helfe!‹«

Der Magister stieß Vitus ganz verhalten in die Seite: »Hörst du das? Hinkende Schritte! Der von uns so geschätzte Kerkermeister gibt sich wieder einmal die Ehre.« Der kleine Mann lauschte erneut. »Allerdings begleitet ihn jemand. Gleich werden wir erfahren, ob freiwillig oder unfreiwillig.«

Quietschend drehte sich der Schlüssel im Schloss. Die Tür wurde aufgestoßen. Die Eingekerkerten erblickten einen Mann, der mit wildem Gesichtsausdruck in die Zelle trat. Der Kerl war fast so groß wie Nunu, allerdings lange nicht so fett. Mit einigem Wohlwollen hätte man sein Gesicht als gut aussehend beschreiben können, doch stand diesem Urteil ein starr blickendes Auge entgegen. Vitus vermutete, dass es irgendwann einmal ausgestochen worden war. Der Augapfel schimmerte abstoßend weiß.

Plötzlich zuckte der Unbekannte zusammen. Nunu hatte ihm einen unsanften Stoß versetzt. »Schlaf nicht ein«, knurrte der Koloss. »Hier links beim Abtritt kannste dich ins Stroh haun.« Der Neue betrachtete den Platz kritisch.

»Keine Sorge, das Stroh ist ziemlich sauber«, meinte der Magister zuvorkommend. »Bis vor kurzem haben darin zwei, äh … Freunde gelegen. Nachdem sie fort waren, weil man sie … nun, das tut nichts zur Sache, also, nachdem sie fort waren, haben wir die Halme zum Lüften ausgebreitet. Die zwei waren sehr reinlich.«

»Hinterlader waren's«, sagte Nunu zum Neuankömmling. »'s dürft für dich also genau der richtge Platz sein.« Er lachte hässlich und wollte gehen.

»Blödes Arschloch!«, knurrte der Einäugige.

Die Luft im Kerker stand still.

Noch nie hatte jemand es gewagt, Nunu zu beleidigen. Der Magister wisperte Vitus zu: »Egal, warum der Bursche hier ist, Mut hat er.«

»Sach das noch mal«, sagte Nunu.

Der Neue blickte dem Koloss direkt in die Augen. Sein Mund verzog sich zu einem spöttischen Grinsen. Betont langsam wiederholte er: »Blödes Arschl …«

Doch er kam nicht dazu, die Beleidigung vollends auszusprechen, denn mit einer Schnelligkeit, die keiner für möglich gehalten hätte, rammte Nunu ihm den Ellenbogen in die Magengrube. Der Mann wurde quer durch den Raum geschleudert; sein Rücken krachte mit solcher Wucht gegen die Kerkerwand, dass die Luft pfeifend aus seinen Lungen wich. Benommen landete er auf dem Hintern – genau zwischen Vitus und dem Magister.

»Sach das noch mal«, sagte Nunu.

Der Fremde schüttelte den Kopf.

»Merk's dir ein für alle Mal, mit Nunu fängt man keinen Streit nich an.« Der Koloss hinkte hinaus.

»Willkommen in unserem Kreis«, sagte der Magister, als der

Neue sich erholt hatte. Er schien ein zäher Kerl zu sein. Statt einer Antwort stand er ächzend auf.

Der Magister, Vitus und die Juden beobachteten schweigend, wie er zu den schmalen, schießschartenartigen Fenstern aufsah, unter denen Vitus und der Magister lagen. Seit Amandus und Felix den Kerker verlassen hatten, waren alle Insassen im Uhrzeigersinn weitergerückt, sodass der Platz neben dem Abort frei geworden war.

Der Fremde stellte sich auf die Zehenspitzen, um hinausblicken zu können, doch er konnte nichts erkennen, obwohl er hoch gewachsen war. Seine Hände tasteten die Fensteröffnungen ab. »Fast so schmal wie der Schlitz einer Frau«, brummte er. »Da schlüpft nicht mal 'ne Katze durch.«

Er machte einen Schritt zurück, wobei er dem Magister auf die Hand trat. Der kleine Gelehrte fuhr hoch: »Autsch!«

»Stell dich nicht so an.« Der Unbekannte wandte sich an Vitus. »Du trägst 'ne schwere Kette, scheinst ein besonderer Fall zu sein.«

»Ich wüsste nicht, warum«, entgegnete Vitus kühl. Er verspürte keine Lust auf eine Unterhaltung mit dem Neuen, doch das beruhte offenbar auf Gegenseitigkeit, denn der Unbekannte ging ohne ein weiteres Wort zum Exkrementekübel. »Die Latrine sieht recht ordentlich aus«, befand er. »Ihr scheint nicht oft danebenzuscheißen.«

Als die Antwort ausblieb, begann er systematisch die Wand an seiner Seite abzuklopfen. »Nichts«, murmelte er nach einer Weile. »Schauen wir mal nach, was mit der Tür ist.« Er pochte ein paarmal kräftig dagegen. »Massives Eichenholz und ein schweres Eisenschloss«, stellte er fest. »Da ist kein Durchkommen.«

Schließlich wandte er sich der letzten Seite des Raums zu: dem

Platz rechts vom Eingang, an dem Felix und Amandus noch vor kurzem gelegen hatten und der jetzt von den Juden eingenommen wurde. Er untersuchte auch diese Wand peinlich genau. »Holla!«, rief er plötzlich. »Hier ist ein Ziegel locker!« Er hielt den Stein des Magisters hoch. »Da ist was eingeritzt!«

»Das ist mein Datumstein«, sagte der Magister.

»Was für ein Stein?«

Der kleine Gelehrte erklärte die Bewandtnis des Steins. Dann stand er auf und ging zu dem Unbekannten hinüber. »Ich denke, es ist Zeit, dass wir uns vorstellen: Die Männer hier heißen Habakuk, David und Solomon. Sie wollten als Juden auf dem spanischen Festland Handel treiben. Das erklärt, warum man sie einsperrte.«

Die drei nickten dem Neuen zu.

»Dort an der Fensterseite«, fuhr der Magister fort, »liegt mein Freund Vitus, er ist ein ehemaliger Klosterschüler. Warum er eingelocht wurde, wissen wir noch nicht. Ich selbst heiße Ramiro García und werde Magister genannt, bin Rechtsgelehrter und mit der Kirche über Kreuz.« Er deutete eine kurze Verbeugung an. »Darf ich fragen, wer du bist und was dich, sozusagen, herführt?«

»Ich bin Martínez«, antwortete Martínez, »und was mich hierher führt, geht dich einen Scheißdreck an.«

»Warum so unhöflich, mein Freund?« Der Magister blinzelte konsterniert.

»Ich bin nicht dein Freund«, blaffte Martínez. »Ich bin niemandes Freund. Und schon gar nicht der Freund eines Paragraphenreiters. Schreib dir das hinter die Ohren, wenn du mit mir auskommen willst.«

Er schob den Datumstein wieder zurück in die Lücke. »Von frömmelnden Klosterbrüdern halte ich ebenfalls nichts. Und von Juden erst recht nichts. Die bescheißen einen, wo sie nur können!«

»Wir sind ehrliche Händler«, verwahrte sich Habakuk. »Wir haben noch nie jemanden übervorteilt, da kannst du fragen, wen du willst. Gott ist mein Zeuge!«

»Ihr Juden seid Christusmörder, allesamt!« Für Martínez war das Thema erledigt. Er war enttäuscht von den Leuten, mit denen er die Zelle teilen musste. Mit so was konnte man keinen Ausbruch planen. Alles durchgeistigte Waschlappen und Händlerseelen. Er musste sehen, wie er allein zurechtkam. Am ehesten würde er noch Hilfe von diesem Fleischklops erwarten können. Er kannte keinen Kerkermeister, der nicht bestechlich war. Zu dumm, dass er ihm nichts anbieten konnte. Er knirschte mit den Zähnen, als er daran dachte, dass man ihm seinen Geldbeutel und den Dolch abgenommen hatte.

»Dein Verhalten ist nicht nur fehl am Platz, sondern extrem ungerecht!«, hörte er den Magister scharf sagen. »Wie kannst du die Juden, die in unserer Zeit leben, für das verantwortlich machen, was ihre Vorfahren einst getan haben! Ich nenne dir einen Vergleich: Nimm an, dein Großvater hätte vor Jahrzehnten jemanden erschlagen, und der Gesetzgeber verböte dir deshalb heute die Ausübung eines Berufs, sagen wir, den des Holzhändlers. Was würdest du dazu sagen?«

Martínez verspürte wenig Lust, sich mit dem Magister einzulassen. Doch der Blick des kleinen Mannes strahlte große Willenskraft aus, sodass er sich zu einer Antwort bemüßigt fühlte. »Verdammt, ich würde sagen, dass das eine mit dem anderen nichts zu tun hat, Rechtsverdreher!«

Um die Mundwinkel des Magisters bildete sich ein Lächeln: »Und wie ist das nun mit den Juden? Richtig, ihre Vorväter haben Christus getötet, aber warum sollen Habakuk, David und Solomon deshalb keinen Handel treiben dürfen? Warum sollen sie kein Handwerk erlernen können? Warum sollen sie keine andere ehrbare Tätigkeit ausüben? Du musst zugeben, dass das genauso wenig miteinander zu tun hat.«

»Juden sind Pfandleiher und Wucherer! Sie nutzen die Not anderer aus, um sich zu bereichern!«

»Sie sind Pfandleiher und Kreditgeber, weil sie gar keine andere Möglichkeit haben! Man zwingt sie doch förmlich dazu! Dein Zorn sollte sich gegen diejenigen richten, die solche Gesetze erlassen.«

»Wenn ein Jude mir meinen guten Degen beleiht, muss er mir deshalb noch lange nicht nur ein Almosen dafür geben!« Martínez dachte an seine schöne Klinge aus Toledo. Aber genau darauf spekulierten ja die Pfandleiher: wertvolle Gegenstände niedrig zu beleihen, in der Hoffnung, dass sie nicht rechtzeitig ausgelöst wurden, woraufhin sie mit großem Gewinn verkauft werden konnten.

»Welcher Jude hat deinen Degen zu niedrig beliehen?«

»Der Pfandleiher hier in Dosvaldes.«

»Schwarze Schafe gibt es doch überall«, versuchte der Magister die Wogen zu glätten. »In jedem Land, in jedem Volk, in jedem Beruf. Man darf nicht alle über einen Kamm scheren.«

»Scheiß drauf.« Martínez war nicht zu besänftigen. »Wenn die drei hier so edel und großherzig sind, wie du glaubst, dann sollen sie dafür sorgen, dass ich meinen Degen wiederkriege.« Er wandte sich direkt an Habakuk, David und Solomon: »Ihr Nackteicheln steckt doch alle unter einer Decke.«

»Das … das … das ist doch die Höhe!« Dem kleinen Gelehrten fehlten die Worte nach dieser Schmähung. Er zitterte am ganzen Körper. Tonlos öffnete und schloss sich sein Mund. Martínez sah es und konnte nicht widerstehen: Als die Lippen wieder auseinander standen, spuckte er gezielt in die Öffnung.

Vitus sprang mit klirrender Kette auf: »Augenblicklich entschuldigst du dich bei meinem Freund!«

Plötzlich fühlte Martínez sich großartig. Er strafte den Jüngling mit Nichtachtung und blickte voll Genugtuung auf den kleinen Mann, der jetzt angeekelt seinen Speichel ausspie.

»Den Teufel werde ich!« Dieser Klosterschüler konnte ihm keine Angst einjagen.

Doch dann trat etwas ein, womit er nicht gerechnet hatte.

Der Jüngling legte blitzschnell die Arme aneinander, holte seitlich aus und schlug ihm seine Kette gegen die Beine.

Martínez krachte zu Boden wie ein gefällter Baum.

Augenblicklich kam er wieder auf die Füße. Heiße Wut schoss in ihm hoch und ließ ihn den Schmerz in seinen Schienbeinen vergessen. Er stürzte sich auf den Jüngling, doch der kleine Mann warf sich dazwischen. Mit einer Handbewegung fegte Martínez ihn beiseite. Wieder war der Weg frei, er wollte diesem Muttersöhnchen aus dem Kloster eine verpassen, aber Habakuk hatte sich an seinen rechten Arm gehängt. Solomon und David waren ebenfalls hinzugesprungen, sie bearbeiteten seinen Kopf mit Faustschlägen. Martínez heulte auf. Er riss die Arme auseinander, um sich seiner Angreifer zu entledigen, aber sie hingen an ihm wie Kletten. Ihre Schläge prasselten auf ihn nieder und trafen ihn überall. Er hieb und stieß und schlug dagegen an, doch jetzt begann sein verwundeter linker Arm zu schmerzen, und er konnte ihn kaum noch einsetzen. Sein rechter Arm erlahmte …

Mit vereinten Kräften zogen sie an ihm, brachten ihn aus dem Gleichgewicht, bis Martínez taumelte. Er fiel. Die anderen waren über ihm. Das Gewicht ihrer Körper erstickte seine

Schläge, doch verbissen kämpfte er weiter. Er war Soldat, und er hasste Niederlagen.

Noch einmal traf ihn die Kette, diesmal am Kopf. Ein Nebel legte sich über sein sehfähiges Auge. Er konnte kaum noch etwas erkennen. »Ich gebe auf!«, keuchte er.

»Ich hasse mich dafür«, sagte der Magister. Er saß wie ein Häufchen Elend im Stroh und rieb sich die schmerzenden Stellen. »Ich, ein Mann des Rechts, der für die Gewaltlosigkeit eintritt, habe mich geprügelt wie ein Gassenjunge.«

Alle Kerkerinsassen lagen wieder an ihrem Platz, schwer atmend wie nach einem schnellen Lauf. Jeder von ihnen hatte Blessuren davongetragen, doch Martínez war am übelsten dran. Er saß im Stroh neben dem Abtritt und betastete die offenen Schürfwunden an seinen Schienbeinen.

»Es gibt Situationen, in denen man sich selbst nicht wieder erkennt«, ächzte Vitus. Er hatte ein blaues Auge davongetragen und eine Reihe von Kratzspuren im Gesicht. »Nimm's nicht so schwer, Magister.«

»Ich würde viel darum geben, den Vorfall ungeschehen machen zu können.«

»Du kannst doch von uns allen am wenigsten dafür«, ließ sich Habakuk von der anderen Wand vernehmen. »Der, der das alles provoziert hat, sitzt dort.« Sein Kopf wies in Richtung Martínez.

»Ich habe noch schmerzstillende Kräuter von der Behandlung des Magisters übrig.« Zögernd blickte Vitus zu Martínez hinüber. »So wie's aussieht, hast du am meisten abbekommen, Martínez. Ich könnte etwas für deine Schienbeine tun. Wie wär's?«

»Kümmer dich um deinen eigenen Mist.« Tatsächlich litt

Martínez große Schmerzen, gern hätte er ärztliche Hilfe in Anspruch genommen, aber dieser Klosterlümmel war der Letzte, von dem er sich behandeln lassen wollte. »Hast selbst 'n Auge wie ein Veilchenstrauß.« Der Gedanke, dass er es war, der für diese Verletzung gesorgt hatte, gab ihm Auftrieb. Er sah, wie dieser Vitus sich vom Magister ein Tuch geben ließ, das er in einen Krug mit Wasser tauchte. Jetzt wrang er es aus und band es sich um den Kopf.

Der Kerl verschafft sich Linderung, dachte er, während ich Höllenqualen leide! Ohne zu überlegen, sprang er auf die Füße. Mit zwei, drei großen Schritten war er drüben bei dem Klosterlümmel und riss ihm das Tuch vom Kopf. »Runter mit dem Fetzen!«

»Bist du von Sinnen?«, fragte Vitus erschreckt.

»Gib das Tuch zurück. Sofort!«, rief der Magister.

»Ich denke nicht dran!« Martínez hielt dem kleinen Gelehrten den Lappen vor die Nase. Der griff danach. Martínez hob das Tuch hoch, gerade so viel, dass es außer Reichweite war. Abermals griff der Magister zu – wieder vergebens. Es sah aus, als würde man einem Kind die Süßigkeit verweigern. Martínez fand Gefallen an dem Spiel. »Der Rechtsverdreher war nicht brav zu Martínez«, säuselte er. »Und die anderen auch nicht!«

»Schluss jetzt!«, rief Vitus energisch. »Du hast genug Unfrieden gestiftet. Gib das Tuch heraus, oder du beziehst erneut Prügel!«

»So, werde ich das?«, fragte Martínez höhnisch. »Dann passt mal auf, was ich mit diesem Lappen mache.« Er nahm das Tuch und zerriss es. »Das!« Die beiden entstandenen Hälften riss er nochmals auseinander. »Und das! Und das! Und das!« Jedes Stückchen Stoff warf er dem Magister vor die Füße.

Der kleine Gelehrte war den Tränen nahe: »Du weißt nicht, was du mir damit angetan hast«, flüsterte er.

Am Abend erschien Nunu noch einmal. Er trug den Suppentopf bis zur Mitte des Raums und setzte ihn dort krachend ab. Ein Teil der Brühe schwappte über den Rand. Keiner sagte etwas, auch Martínez nicht. Nunu schob noch eine Holzschüssel mit Hartbrot nach. »Hau dich voll, Bursche«, sagte er zu Martínez. »Vielleicht wirste dann noch mal so stark wie ich!« Er schlurfte hinaus.

»Blödes Arschloch«, sagte Martínez. Aber er sagte es, nachdem Nunu schon draußen war. Und er sagte es ziemlich leise. Der Magister stand auf und klopfte sich das Stroh von der zerlumpten Hose. »Dann wollen wir mal.« Er blickte in den Topf. »Ich sehe, es gibt die Suppe, die es immer gibt. Etwas anderes hätte mich auch überrascht.«

Er nahm den Schöpflöffel zur Hand und wandte sich an Martínez. »Die Brühe ist undefinierbar, aber ich nehme an, dass auch du nicht zu den Verwöhnten im Lande gehörst. Du wirst sie deshalb runterkriegen. Lass uns jetzt gemeinsam essen, und wir vergessen, was vorgefallen ist. Ich mag keinen Streit.«

»Wer verteilt die Suppe?«, fragte Martínez abwartend.

»Ich«, antwortete der Magister, »das hat sich so eingespielt. Ich habe die meiste Übung darin, und ich sorge dafür, dass jeder die gleiche Menge erhält.«

»Kommt nicht in Frage.«

»Misstraust du mir etwa? Ich garantiere bei allem, was mir heilig ist, dass jeder die gleiche Portion erhält.«

Das ist es ja gerade, was ich vermeiden will, du Rechtsverdreher!, dachte Martínez. Laut sagte er: »Beim Essenfassen vertraue ich niemandem, nur mir selbst!« Das war, wie sich in seinem langen Soldatenleben herausgestellt hatte, die sicherste Methode, um an größere Portionen heranzukommen. »Gib schon her!« Er riss dem Magister den Schöpflöffel aus der Hand. »Wer was zu fressen haben will, stellt sich an!«

Am Morgen danach kam Nunu ungewöhnlich früh.
Er stapfte quer durch die Zelle geradewegs auf Vitus zu. »Der Ketzerdokter zum Verhör inne Bürgermeisterei!« Seine Hand schoss vor, packte Vitus, der noch nicht richtig wach war, und stellte ihn auf die Beine. »Mach schon, 's is nich gut, wenn der Inquisitor warten muss.«
Vitus spürte Angst in sich hochsteigen. »Was wirft man mir vor?« Seine eigene Stimme klang ihm fremd: »Du hast doch sicher etwas gehört?«
»Ich weiß nix, bei der Jungfernschaft der Heiligen Mutter Gottes!« Der Koloss schob Vitus zum leeren Suppenkessel. »Tragen!«, befahl er. »Wennste schon mit rausgehst, kannste den auch tragen.«

Hochwürden Ignacio hatte beschlossen, andere Saiten aufzuziehen. Er war nicht länger gewillt, untätig zuzusehen, wie das Ketzertum in Nordspanien immer mehr um sich griff. Im letzten Jahrzehnt war es auf der Iberischen Halbinsel, wenn man von einem guten Dutzend Hexenprozessen in Aragon und Navarra absah, zu erschreckend wenig Anklagen gegen Häretiker gekommen. Ganz anders als in Italien, Deutschland, Ungarn, Böhmen, England oder Schottland, wo die Inquisitoren kurzen Prozess machten.
Doch nun war er, Gonzalode Ignacio, da, und erste Erfolge hatten sich bereits eingestellt, wie der Prozess gegen die Ketzer Pablo Sategui und Lonzo Árbol bewies. Ein Fall, der aller-

dings ohne sein Wollen eskaliert war und zum Autodafé geführt hatte. Beide Ketzer hatten sich standhaft geweigert abzuschwören, obwohl es ihnen wieder und wieder anempfohlen worden war. Sie hatten hartnäckig darauf bestanden, ganz normale Menschen zu sein. Wie konnte sich jemand als normal bezeichnen, der einen anderen Mann liebte!

Er zog verächtlich die Nase hoch und ordnete ein paar Pergamente. Ohne aufzublicken, tastete seine Hand nach einer Schale mit Nüssen. Er nahm eine, steckte sie in den Mund, mümmelte wie ein Hase und nahm sie wieder heraus. Er betrachtete sie, grunzte zufrieden und tauchte sie in ein Töpfchen mit feinstem weißem Zucker. Die Nuss verschwand zwischen seinen schmalen Lippen. Es gab einen suckelnden Laut. Seine Gedanken kehrten zu den beiden Ketzern zurück. Wenn es nach ihm gegangen wäre, hätte man ihre Verbrennung vermieden, es wurde hinterher immer viel geredet – und noch mehr gefragt. Dazu kam, dass die beiden arm wie die Kirchenmäuse gewesen waren und nichts hinterlassen hatten. Ein ärgerlicher Umstand, denn der Heilige Vater in Rom pflegte sich für Zuwendungen nicht undankbar zu zeigen ...

Er nahm eine weitere Nuss. Die Eintauchprozedur wiederholte sich. Genüsslich kaute er und wandte seine Gedanken dem Tagesgeschäft zu. Ein junger Bursche, der sich Vitus nannte, sollte mit Geistern und Dämonen im Bunde sein. Ignacio nahm das Protokoll, in dem die Aussagen der Informanten festgehalten waren, und begann zu lesen. Nach der ersten Seite kräuselte sich seine Stirn, er schnaubte vernehmlich durch die Nase. Bei der barmherzigen Mutter Gottes! Dieser Fall versprach interessant zu werden. Er wandte sich nach links, wo Pater Alegrio saß, der bei dem kommenden

Prozess das Protokoll führen sollte. »Habt Ihr nähere Informationen zu diesem, äh …«, er blickte nochmals in seine Unterlagen, »Vitus?«

Alegrio schüttelte den Kopf. »Leider nein, Hochwürden. Außer vielleicht, dass man unter den Gefangenen sagt, er sei ein ungewöhnlich begabter Heiler.«

»Ein Heiler? Ein Wunderheiler gar?«

»Ich weiß es nicht, Hochwürden.« Alegrio zuckte höflich mit den Schultern.

»Wisst Ihr mehr über diesen Burschen, Don Jaime?«, fragte Ignacio nach rechts, wo der Alcalde als ordentlicher Vertreter der weltlichen Macht Platz genommen hatte.

»Tut mir Leid, Hochwürden.« Der Bürgermeister wirkte lustlos. Er war alles andere als erbaut darüber, dass die Prozessteilnahme an ihm hängen geblieben war. Doch selbstverständlich war es unter der Würde des Conde gewesen, hier zu erscheinen. Das ausgeprägte Hierarchieverständnis eines spanischen Edelmannes war durch nichts auf der Welt zu übertreffen.

»Hm, wir werden sehen.« Ignacio ordnete die Zeugenaussagen vor sich. Sein Blick wanderte durch den Raum, in dem die Verhandlung gleich beginnen würde. Es war der Sitzungsraum der Bürgermeisterei von Dosvaldes, der, seiner Schätzung nach, rund zwanzig mal fünfundzwanzig Fuß maß. Von den vergilbten Wänden hingen mehrere schwarze Stoffbahnen mit großen goldenen Kreuzen herab, unterbrochen von der roten Fahne Kastiliens und dem Banner des Königs. Stoffe und Flaggen gaben dem Raum etwas Düsteres; die wenigen, fast blinden Glasfenster, die zur Plaza de la Iglesia hinausgingen, besserten die schlechten Sichtverhältnisse kaum auf. Der Tisch, an dem er saß, war zu klein für die vielen Papiere, die auf ihm lagen. Gottlob war wenigstens der Stuhl, den man ihm zur Verfügung gestellt hatte, weich gepolstert …

Es klopfte. Der Hellebardist, der an der Tür Aufstellung genommen hatte, blickte Ignacio fragend an.

»Ja, bitte.« Ignacios Stimme wirkte sehr beschäftigt.

Der Posten öffnete die Tür und rief stramm: »Hochwürden, ich melde: Angeklagter wie befohlen vorgeführt!«

»Der Ketzerdokter is hier.« Nunu schob einen jungen Mann in den Raum.

»Danke. Nunu, du kannst dich neben die Tür setzen und der Verhandlung folgen.« Ignacios Stimme klang konzentriert. »Angeklagter, komm näher.«

Vor den Tisch trat ein blonder Jüngling mit ausdrucksvollen Gesichtszügen. Sein Blick war angespannt, aber furchtlos. Von seinen Handgelenken hing eine Kette herab. Der abgerissene Mantel, den er trug, schlotterte ihm um die Gliedmaßen, denn er war ziemlich abgemagert. *Vix ossibus haeret,* er hängt kaum in den Knochen, dachte Ignacio, doch sei's drum, die Inquisition hat nicht die Aufgabe, ihre Gefangenen zu mästen. Laut sagte er: »Bevor die Verhandlung beginnt, möchte ich wissen, mit wem ich es zu tun habe. Wie also lautet dein voller Name, Bursche?«

»Ich heiße Vitus. Meinen Familiennamen kenne ich nicht.«

»Soso. Du willst mir damit aber nicht sagen, du hättest keine Familie und seist göttlichen Ursprungs?« Dies war ein erster Versuch, den Jungen aufs Glatteis zu führen. Vielleicht bekannte er von vornherein, dass der Teufel in ihn gefahren war und ihn dazu verleitet hatte, sich als Jesus Christus aufzuführen. Das würde die Sache erfreulich abkürzen.

»Sind wir nicht alle Kinder Gottes?«, fragte der Bursche zurück. »Ich heiße Vitus, mehr kann ich Euch nicht sagen. Ich wäre Euch aber dankbar, wenn Ihr mich nicht duzen würdet. Ich weiß zwar nicht, ob ich von Stand bin, aber ich habe einige Bildung. Ich wuchs auf in einem Kl…«

»Alles zu seiner Zeit! Ich stelle zunächst fest, dass du, äh … dass Ihr mir Euren Nachnamen nicht nennen könnt. Oder wollt. Nun denn, Pater Alegrio, haltet bitte fest, dass vor dem Inquisitionsgericht, bestehend aus meiner Person, Hochwürden Ignacio, dem Alcalden von Dosvaldes, Don Jaime de Vargas, und Euch, Pater Alegrio, dem Protokollführer, erschienen ist: ein Mann namens Vitus. Alter: … Wie alt bist du, Bursche, äh … seid Ihr?«

»Zwanzig Jahre, Hochwürden.«

»Gut, Alter also zwanzig Jahre. Ort: Bürgermeisterei zu Dosvaldes. Datum: 6. Juli anno domini 1576.« Er wartete eine Weile, während die Feder des Protokollführers über das Papier kratzte. »Habt Ihr das?«

»Jawohl, Hochwürden.«

Ignacio blickte in die Runde. »Die Verhandlung ist eröffnet.« Er sah auf den Tisch, wo die Papiere sich türmten. Ganz obenauf hatte er sich den Leitfaden für eine effiziente Interrogatio zurechtgelegt; sie stammte aus dem Band *Practica* des Bernhard Guidonis. »Doch zunächst möchte ich einige Punkte für den Angeklagten klarstellen: Ihr seid nicht hier, um in jedem Fall verurteilt zu werden. Wenn Ihr die Wahrheit sagt und bereit seid, zum rechten Glauben zurückzufinden, braucht Ihr um Euer Leben nicht zu fürchten. Und solltet Ihr vom Satan besessen sein, wird alles getan werden, um ihn mit Gottes Hilfe aus Eurer Seele zu treiben.«

»Ich fürchte mich nicht«, antwortete Vitus fest. Er blickte die Männer vor sich an. »Wie kommt Ihr darauf, ich könnte vom Satan besessen sein?«

»Ein weiterer Punkt ist, dass nicht Ihr die Fragen stellt, sondern das Gericht. Ihr habt zu antworten.« Ignacio spürte Unmut. Der Angeklagte schien eines dieser neunmalklugen Bäuerlein zu sein, die sich listig und wortreich zu verteidigen wussten. Nun, da kam sein Leitfaden aus der *Practica* gerade recht. Genau für Ketzer dieses Schlages war er geschrieben worden. Ignacio lehnte sich vor, um sich nochmals eine Nuss zu gönnen. Sie waren heute besonders lecker, wie er fand. Sein Ellenbogen streifte einen Stoß Papiere auf dem Tisch. Er fiel zu Boden. Ignacio sah, wie der Alcalde grinste, er dachte einen sehr unpriesterlichen Gedanken und war froh, ihn nicht ausgesprochen zu haben. »Nunu, komm her, sammle diese Papiere auf.«

Nunu hinkte herbei und tat wie befohlen. Er hatte Mühe, die einzelnen Blätter mit seinen dicken Fingern zu greifen.

»Mach schon!«

»Nu, nu, Hochwürden, 's geht halt nich schneller.« Der Koloss legte als Letztes den Band der *Practica*, der ebenfalls herabgefallen war, zurück.

»Danke.« Ignacio schlug erneut die Abhandlung auf, in der ein erfahrener Inquisitor den typischen Ablauf für eine erfolgreiche Befragung festgehalten hatte. Der Text las sich wie folgt:

Ich: Ihr seid angeklagt, ein Ketzer zu sein und anderes zu glauben und zu lehren als die heilige Kirche.

Angeklagter: (Indem er seine Augen gen Himmel erhebt und eine Miene gläubiger Frömmigkeit annimmt) O Gott, du weißt, dass ich dessen unschuldig bin und dass ich niemals irgendeinen anderen Glauben bekannt habe als den des wahren Christentums.

Ich: Ihr nennt Euren Glauben christlich, weil Ihr unseren für falsch und ketzerisch anseht; aber ich frage Euch, ob ihr jemals einen anderen Glauben für ebenso wahr gehalten habt als den, welchen die Römische Kirche für wahr hält.

A: Ich glaube den wahren Glauben, den die Römische Kirche glaubt und den Ihr uns öffentlich lehrt.

Ich: Vielleicht leben einige von Eurer Sekte in Rom. Diese nennt Ihr die Römische Kirche. Wenn ich predige, so rede ich von vielen Dingen, von denen einige uns beiden gemeinsam sind, zum Beispiel, dass es einen Gott gibt, und Ihr glaubt etwas von dem, was ich predige. Nichtsdestoweniger könnt Ihr ein Ketzer sein, weil Ihr andere Dinge glaubt als die, welche geglaubt werden müssen.

A: Ich glaube alles, was ein Christ glauben muss.

Ich: Ich kenne Eure Schliche. Was die Mitglieder Eurer Sekte glauben, das haltet Ihr für das, was ein Christ glauben muss. Aber wir verlieren Zeit bei diesem Wortstreite. Sagt einfach: Glaubt Ihr an den Einen Gott, den Vater, den Sohn und den Heiligen Geist?

A: Ich glaube es.

Ich: Glaubt Ihr an Jesum Christum, geboren aus der Jungfrau, der gelitten hat und auferstanden und aufgefahren ist gegen Himmel?

A: (freudig und schnell) Ich glaube.

Ich: Glaubt Ihr, dass bei der von dem Priester zelebrierten Messe das Brot und der Wein durch göttliche Kraft in den Leib und das Blut Christi verwandelt werden?

A: Sollte ich das nicht glauben?

Ich: Ich frage nicht, ob Ihr das nicht glauben sollt, sondern ob Ihr es glaubt …

Und so ging es immer weiter. Ignacio schenkte sich den mittleren Teil des Elaborats und überflog noch einmal den Schluss:

> … Wenn jemand darin einwilligt zu schwören, dass er kein Ketzer ist, so sage ich zu ihm: »Wenn Ihr nur schwören wollt, um dem Scheiterhaufen zu entgehen, so wird weder ein Eid noch zehn noch hundert noch tausend genügen, weil Ihr Euch gegenseitig von einer gewissen Zahl von Eiden, die Ihr in der Zwangslage geleistet habt, dispensiert; ich werde daher unzählige Eide fordern. Außerdem werden Eure Eide, wenn ich, wie ich glaube, Beweise wider Euch besitze, Euch nicht vor dem Feuertode bewahren. Ihr werdet nur Euer Gewissen beflecken, ohne dem Tode entgehen zu können.
> Wenn Ihr dagegen einfach Euren Irrtum bekennt, könnt Ihr Gnade finden!« Ich habe Menschen gesehen, die, solcher Art befragt, Geständnisse ablegten!

Hochwürden Ignacio blickte auf und erhob sehr förmlich seine Stimme: »Vitus ›Ohnenachnamen‹, Ihr seid angeklagt, ein Ketzer zu sein und anderes zu glauben und zu lehren als die heilige Kirche.«

»Ich? Ein Ketzer? Das glaubt Ihr doch wohl selbst nicht!«

Der Angeklagte versucht es also auf die rhetorische Art, dachte Ignacio. Nun gut, soll er! Der Inquisitor schaute wieder in seine *Practica* und fuhr unbeirrt fort: »Ihr nennt Euren Glauben christlich, weil Ihr unseren für falsch und ketzerisch anseht, aber ich frage Euch, ob Ihr jemals einen anderen Glauben für ebenso wahr gehalten habt als den, welchen die Römische Kirche für wahr hält.«

»Wie bitte?« Vitus brauchte eine Weile, um die Ungeheuerlichkeit der Worte zu begreifen. »Ich soll meinen Glauben für christlich und Euren für ketzerisch halten? Wie kommt Ihr überhaupt auf diesen Gedanken?«

»Ich bin es, der die Fragen stellt. Antwortet.«

Vitus merkte, wie Zorn in ihm aufwallte. Was sollte dieser Unsinn? Wollte man ihn mit solchen absurden Anschuldigungen verunsichern? Er zwang sich, ruhig zu bleiben und konzentriert zu antworten. »Ich halte meinen Glauben in der Tat für christlich«, sagte er beherrscht, »und ich bin sicher, dass der Eure, wenn er dem meinen entspricht, ebenso unantastbar christlich ist.«

»Das habt Ihr hübsch gesagt.« Ignacio war nicht unbeeindruckt. Der Bursche verstand sich auszudrücken. Aber schon mit der nächsten Frage würde er ihm ins Netz gehen: »Vielleicht leben einige von Eurer Sekte in Rom, diese nennt Ihr die Römische Kirche. Wenn ich predige, so rede ich von vielen Dingen, von denen einige uns beiden gemeinsam sind, zum Beispiel, dass es einen Gott gibt, und Ihr glaubt etwas von dem, was ich predige. Nichtsdestoweniger könnt Ihr ein Ketzer sein, weil Ihr andere Dinge glaubt als die, welche geglaubt werden müssen.«

Vitus merkte erst jetzt, dass der Inquisitor seine Fragen ablas. Er musste an die Worte des Magisters denken, der ihm von komplett vorformulierten Verhören berichtet hatte. »Könnt Ihr Eure Frage bitte wiederholen?«, sagte er höflich.

»Natürlich.« Ignacio beugte den Kopf in seine Unterlagen und las erneut: »Vielleicht leben einige von Eurer Sekte in Rom. Diese nennt Ihr ...«

»Danke«, unterbrach Vitus, »darauf will ich Euch gern eine Antwort geben. Einige dieser ›Sekte‹ leben tatsächlich in Rom. Andere leben in Frankreich, England, Irland, Schottland, in den skandinavischen Ländern, in Deutschland, in den slawischen Gebieten Osteuropas und in der Schweiz.«

»Und wie heißt diese Sekte, von der Ihr sprecht?« Ignacio, der eben eine weitere Nuss nehmen wollte, hielt freudig in der Bewegung inne.

»Es sind die Zisterzienser.«

»Die Zisterzi …!« Ignacio schnappte nach Luft. Die Zisterzienser waren selbstverständlich keine Sekte, sondern ein ebenso über jeden Zweifel erhabener Orden wie die Dominikaner. Es dämmerte ihm, dass dieser Jüngling ihn auf den Arm genommen hatte. Schlimmer noch, wenn der Bursche ein Zisterzienser war, konnte er, Ignacio, von seiner *Practica* keine große Hilfe mehr erwarten. Genau genommen waren seine Unterlagen nun Makulatur. Er fasste sich: »Ihr behauptet also, ein Zisterzienser zu sein?«

»Nein, das behaupte ich nicht. Ich habe Euch lediglich das Verbreitungsgebiet der Zisterzienser genannt. In ihrem Geiste wurde ich als *Puer oblatus* im Kloster Campodios erzogen, habe aber nie die Gelübde abgelegt. Stattdessen habe ich viele Jahre als medizinischer Assistent von Pater Thomas gearbeitet und dadurch einige Kenntnisse in der Cirurgia und der Kräuterheilkunde erworben.«

»Dann seid Ihr also der ›Wunderheiler‹, von dem man allenthalben spricht?«, fragte Ignacio süffisant.

»Wenn Ihr damit die Heilung des Mannes meint, der sich Magister nennt, kann ich Euch sagen, dass er um ein Haar nicht überlebt hätte. Aber mit Gottes Hilfe wurde er gesund. Mein Beitrag dazu war bescheiden genug.« Vitus schaute seinem Gegenüber direkt in die Augen. »Ihr meintet mit Eurer Bemerkung doch sicher die Heilung von seiner unmenschlichen Folterverletzung?«

»Die alchemistischen Ansichten, die dieser Mann vertritt, stempeln ihn zum Ketzer. Teuflische Gedanken steckten hinter seiner Stirn, wir mussten sie deshalb mit Kreuz und Feuer läutern.«

Ignacio wollte sich nicht weiter zu dem Fall äußern. Der Gedanke an die Folterung des Mannes war ihm ohnehin nicht angenehm. Da hatte er seinerzeit nicht genügend Weitsicht bewiesen; er war an jenem Nachmittag anderweitig aufgehalten worden, und Pater Alegrio hatte die Tortur wie üblich durchführen lassen. Ein Fehler, denn der Gefolterte war ein enger Vertrauter von Conradus Magnus gewesen, welcher vor nicht allzu langer Zeit als Ketzer hatte verbrannt werden müssen. Ein Vorfall, tragisch zwar, aber gottgewollt. Fatal nur, dass Conradus Magnus zum Dominikanerorden gehört hatte und somit als ein schwarzes Schaf in der Herde des Ordens bekannt geworden war. Ein Politikum fürwahr, auch innerhalb der gesamten katholischen Kirche …

Ignacio nahm sich vor, dafür zu sorgen, dass der widerspenstige Rechtsgelehrte García so bald wie möglich entlassen wurde. Und der seltsame Spucker Martínez gleich mit.

»Warum habt Ihr die Gelübde nicht abgelegt, Angeklagter?«, fragte der Alcalde. Der Dialog zwischen dem Inquisitor und dem jungen Burschen begann ihn zu interessieren. Dies versprach ein anderes Verhör zu werden als das, was er normalerweise bei einer Interrogatio erlebte.

»Ich will herausfinden, woher ich stamme und wer meine Eltern sind«, entgegnete Vitus.

»War es nicht vielmehr so, dass Ihr an der christlichen Lehre, wie sie die Römische Kirche vorschreibt, gezweifelt habt?«, ergriff Ignacio wieder das Wort. Es passte ihm nicht, dass Don Jaime sich eingemischt hatte. Es genügte schon, dass ein Vertreter der weltlichen Macht als Beisitzer unvermeidlich war. Auf dessen Fragen aber konnte er gut verzichten.

»Ich will herausfinden, woher ich stamme und wer meine Eltern sind«, wiederholte Vitus.

»Ihr habt also gezweifelt!«, stellte Ignacio triumphierend fest.

»Ja! Wenn ich mich jedoch recht erinnere, werft Ihr mir vor, ein Ketzer zu sein. Aber nicht jeder, der zweifelt, ist ein Ketzer. Ich nehme an, dass auch Ihr auf dem langen Weg zu Gott irgendwann einmal von Zweifeln geplagt wart. Würdet Ihr Euch deshalb als Ketzer bezeichnen? Wohl kaum.«

»Die Fragen stelle ich!« In der Stimme des Inquisitors schwang Ärger mit.

»Das hatten wir schon.«

»Werdet nicht unverschämt!«

»Da, wo ich herkomme, herrscht ein anderer Ton. Ich bin es nicht gewohnt, dass man so mit mir redet.«

»Was Ihr nicht sagt.« Ignacio kam ein Gedanke. »Woher soll ich überhaupt wissen, dass Eure Behauptung, Ihr kämt von Campodios, stimmt? Könnt Ihr das beweisen?«

»Fragt im Kloster nach. Alle dort kennen Vitus. Jeder kann bezeugen, dass ich Vitus bin.«

»Ihr macht einen Fehler, wenn Ihr glaubt, dass die Inquisition irgendetwas tun müsste, um Euch zu entlasten.«

»Wie soll ich etwas beweisen, wenn man mich eingekerkert hält?«

»Die Fragen stelle ich!«

»Allmächtiger Gott im Himmel«, stöhnte Vitus.

»Seid Ihr sicher, dass Ihr in diesem Augenblick denselben Gott anruft, den auch die Römische Kirche als den ihren preist?«, fragte Ignacio vieldeutig. Der Gefangene hatte soeben Nerven gezeigt. Das musste ausgenutzt werden.

»Ich kann nur sagen, dass ich ein gläubiger Mensch bin. Das allein dürfte wohl nicht für einen Schuldspruch ausreichen.« Vitus hatte sich wieder in der Gewalt. »Gibt es sonst etwas, das man mir vorwirft?«

»Sektierertum.«

»Ihr wiederholt Euch. Wenn Ihr Eure Anschuldigungen nicht konkretisieren könnt, verlange ich, sofort freigelassen zu werden.«

»Und ob ich das kann!« Ignacio nahm fahrig eine Nuss und steckte sie sich in den Mund. Er spürte den Geschmack kaum. Nicht nur, dass der Bursche seine Selbstsicherheit wieder gefunden hatte, jetzt wollte er auch noch auf freien Fuß gesetzt werden! Überhaupt war die Verhandlung bisher ganz anders verlaufen, als er es geplant hatte. Er dachte daran, welch große Leistungen die Kirche in ihrem Bemühen um die Ausmerzung der Ketzerei vollbracht hatte, besonders in der Person von Thomas Torquemada, dem Dominikanerprior von Santa Cruz in Segovia. Torquemada war so beseelt von seinem Kampf gegen die Häresie gewesen, dass er anno 1484 vierzig Leichen von Ketzern ausgraben ließ, mit den Worten: »… da wir wissen, dass die Genannten in geweihter Erde liegen, und da kein Ketzer, Apostat, Exkommunizierter … dort liegen darf; da wir wissen, wie man sie fortschaffen kann, ohne dass die Gebeine der getreuen Katholiken berührt werden, befehlen wir, dass sie ausgegraben und den Flammen übergeben werden.«

Seine Heiligkeit Sixtus IV. hatte daraufhin an Torquemada geschrieben: »… deine Taten erfüllen mich mit großer Freude … und wenn du so fortfährst, wirst du die höchste päpstliche Gunst erwerben.«

Ignacio war entschlossen, ein neuer, erfolgreicher Thomas

Torquemada zu werden. Seine Gedanken konzentrierten sich wieder auf den Burschen, der da so selbstsicher in Ketten vor ihm stand. »Ihr werdet bezichtigt, am helllichten Tag Geister und Dämonen angerufen sowie Zwiesprache mit ihnen gehalten zu haben.«

»Wer behauptet das?«

»Das werde ich Euch nicht sagen. Ich fordere Euch auf, zu dieser ernsten Anschuldigung Stellung zu nehmen.«

»Wenn das alles ist«, Vitus hob die Hände, wobei seine Kette klirrte, »ich weiß wirklich nicht, wovon Ihr sprecht.«

»Dann will ich versuchen, Eurem Gedächtnis auf die Sprünge zu helfen. Ihr werdet ferner beschuldigt, in die Rolle Jesu Christi geschlüpft zu sein. Das ist, ich muss es Euch nicht sagen, Teufelswerk und schlimmste Gotteslästerung.«

»Ich verstehe immer noch nicht.«

Zum wiederholten Male wallte Ärger in Ignacio auf. Verstellte der Bursche sich nur, oder war er wirklich so beschränkt? Nein, Letzteres kam selbstverständlich nicht in Frage. Sein Instinkt sagte ihm, dass dieser Bursche nicht gefeit war gegen ketzerisches Gedankengut. Doch was verbarg er? Der Inquisitor beschloss, sich weiter in Geduld zu üben. Die Wahrheit würde, so es Gott dem Allmächtigen gefiel, früher oder später ans Licht kommen. »Ihr seid in der Nähe des Dorfes Porta Mariae gesehen worden, wie Ihr, den Kopf himmelwärts gerichtet, mit einem Unsichtbaren gesprochen habt. Es mag ein Geist, ein Dämon oder der Satan selbst gewesen sein«, sagte Ignacio streng.

»Ich fürchte, ich kann Euch noch immer nicht folgen«, entgegnete Vitus achselzuckend. Doch leise regte sich ein Verdacht in ihm.

»Ihr rieft mit lauter Stimme nach einem Meister Eklund und

wolltet mit ihm über mystische Figuren reden.« Ignacio schaute in das Protokoll, das bei Vitus' Einkerkerung aufgenommen worden war und worin sich ein gewisser Zwerg namens Askunesius geäußert hatte. Leider war dieser Zwerg nicht selbst Zeuge der Dämonenanrufung gewesen, sondern hatte sein Wissen von einem Jungen namens Ozo Perpiñas aus Porta Mariae, aber immerhin …

»Wie Euch bekannt sein dürfte«, fuhr Ignacio fort, »ist Eklund ein Name, der aus dem Norden stammt, wo heidnische Götter wie Odin und Tor noch heute verehrt werden.« Er beugte sich vor. Sein Finger stieß auf Vitus zu, als wolle er ihn durchbohren. »Gebt zu, dass der Teufel in Euch war, als Ihr mit diesem Meister Eklund spracht!«

Vitus lachte. Er lachte laut und lange. Denn endlich hatte er begriffen.

»Das Lachen wird Euch noch vergehen«, schnauzte Ignacio. Wo nahm dieser Bengel nur seine Furchtlosigkeit her? War er vielleicht begütert; ein verrückter Spross einer reichen Familie? Aus den Unterlagen ging nichts dergleichen hervor. Allerdings, man hatte festgestellt, dass der Saum seines Mantels aufgeschnitten worden war, ein Zeichen dafür, dass vordem Münzen darin gesteckt hatten. War er nun begütert oder nur ein Räuber, der selbst beraubt worden war?

Angesichts dieser zwei Möglichkeiten schien es Ignacio äußerst unwahrscheinlich, dass der Bursche von Campodios kam.

»Ich bitte um Entschuldigung«, sagte Vitus. »Das war unziemlich. Aber Eure Vermutungen sind einfach zu absurd. Könnt Ihr noch einmal den Namen nennen, den ich gerufen haben soll?«

»Der Name ist Eklund. Ihr rieft ihn, während Ihr mit weit

auseinander gestreckten Armen dahergingt. Es wird hier glaubwürdig behauptet, dass Ihr Euch den Anschein geben wolltet, Jesus Christus zu sein.«

»Ich weiß jetzt, was Ihr meint. Es gibt für alles eine ganz einfache Erklärung: Ich rief nicht ›Meister Eklund‹, sondern ›Meister Euklid‹, und ich sprach nicht mit heidnischen Göttern, sondern zitierte die Sätze des Euklid, die Euch, da Ihr sicherlich ebenfalls in den *Artes liberales* unterrichtet wurdet, bekannt sein dürften.«

»Das klingt vernünftig«, ließ sich Don Jaime vernehmen.

»Aber es erklärt noch immer nicht, warum der Angeklagte, wie am Kreuze hängend, mit weit gespreizten Armen spazieren ging«, blaffte Ignacio in die Richtung des Bürgermeisters. Er ärgerte sich, dass der Alcalde ihm in den Rücken fiel. Hier führte er, Ignacio, die Verhandlung und sonst niemand.

»Auch dafür gibt es einen einfachen Grund«, sagte Vitus. »Ich bin das Gehen nicht gewohnt, deshalb taten mir die Füße weh. Ich fand heraus, dass es sich besser marschieren lässt, wenn man einen Stecken quer über der Schulter trägt und die Arme darüberhängt. Das ist alles.«

»Und das soll ich Euch glauben?« Die Erklärung erschien Ignacio zu glatt und zu selbstverständlich. Bei der Heiligen Jungfrau! Wer war bloß dieser Bursche?

»Das ist die Wahrheit, der Allmächtige ist mein Zeuge! Ich hatte mich an diesem Tag von Campodios aufgemacht, um auf die Suche nach meiner Familie zu gehen. Ich wollte zunächst nach Santander. Von dort sollte mich ein Schiff nach England bringen. England war mein Ziel, weil ich mit Abt Hardinus – Gott hab ihn selig – auf seinem Sterbebett darüber sprach, dass dort die Aussichten am günstigsten wären, die Familie aufzuspüren, deren Wappen dem meinen entspricht. Mein

Wappen ist auf einem Damasttuch eingewebt, das ich um den Leib trage.«

Vitus riss seinen Mantel auseinander, sodass der rote Stoff sichtbar wurde. »Ich bin dankbar dafür, dass man es mir bei meiner Einkerkerung nicht genommen hat. Für die Reise hatte mir Abt Hardinus Goldescudos gegeben, die ich erst nicht annehmen wollte, aber er versicherte mir, dass ich Geld für meine Suche brauchen würde.«

»Und das soll ich Euch glauben?«, wiederholte Ignacio. Er kniff die Augen zusammen und griff geistesabwesend in die Nussschale – sie war leer. Die Geschichte des Burschen klang für ihn mit jedem Satz unwahrscheinlicher. Gewiss, manches von dem, was der Angeklagte erzählte, entsprach der Wahrheit. Er, Ignacio, wusste natürlich, dass der alte Abt von Campodios Hardinus geheißen hatte und dass dieser erst vor wenigen Monaten verstorben war. Aber das wussten viele. Und dass Hardinus Goldescudos besessen haben sollte, hielt Ignacio für absolut unwahrscheinlich.

Dennoch: die Sache mit dem Wappen, daran konnte etwas sein. War der Kerl am Ende doch ein Sohn aus reichem Hause? Wenn ja, musste man prüfen, ob seine Freilassung nicht von einem stattlichen Lösegeld abhängig gemacht werden konnte. Doch so weit war es noch nicht.

»Und wenn Ihr zehnmal den alten Abt Hardinus gekannt habt, so könnt Ihr doch ein Ketzer sein«, erwiderte Ignacio. Sein Gefühl, dass irgendetwas mit diesem Burschen nicht stimmte, hatte sich noch verstärkt.

»Jeder, den Ihr auf Campodios nach mir befragt, wird Euch gern bezeugen, dass ich kein Ketzer bin. Erkundigt Euch bei dem neuen Abt Gaudeck oder bei Pater Thomas oder bei Bruder Cullus. Ich sage die Wahrheit!«

»Ich denke, dass man das überprüfen sollte, Hochwürden Ignacio«, meldete sich der Alcalde erneut zu Wort. »Es bereitet wenig Mühe, und ein Bote zu Pferde könnte innerhalb weniger Stunden wieder zurück sein.« Don Jaime begann sich zu langweilen, außerdem hatte er, im Gegensatz zu Hochwürden Ignacio, mittlerweile einige Zweifel an der Schuld des Angeklagten. Dazu kam, dass die Mittagszeit näher rückte und sein Magen knurrte.

»Nun gut, ich werde sehen, was sich machen lässt«, sagte Ignacio. Ein strenger Blick streifte Vitus. »Die Verhandlung ist für heute geschlossen und wird morgen zur selben Zeit fortgesetzt.«

»Wie war es?«, fragte der Magister gespannt. »Hast du sie von deiner Unschuld überzeugen können?«

»Ich fürchte, nein«, seufzte Vitus. Er saß neben dem Freund im Stroh und schenkte sich einen Becher Wasser ein. »Dieser Ignacio ist ein misstrauischer Kerl. Er glaubt einem nichts, alles, was man sagt, wird einem zum Nachteil ausgelegt. Ich habe den Eindruck, der Mann hat sich selbst zum Erfolg verdammt.«

»Glaubenseifer, der in Fanatismus ausartet, ist so ziemlich das Schlimmste, was man sich vorstellen kann«, pflichtete ihm der Magister bei. »Hat er dir mit der Folter gedroht?«

»Bis jetzt noch nicht.«

Der kleine Gelehrte blinzelte. »Ignacio ist unberechenbar. Als er mich verhörte, hatte ich den Eindruck, als ginge es ihm gar nicht um die Wahrheit, sondern ausschließlich um die Verurteilung. Die Wahrheit scheint ihm nur dann willkommen zu sein, wenn sie einer ketzerischen Handlung entspricht. Er gab sich gewaltige Mühe, mich zu einem ›Geständnis‹ zu bewegen, schrie dauernd ›Schwört Eurem Alchemistenglauben ab!‹ und Ähnliches. Aber ich habe mich geschickt verteidigt, das darf ich wohl behaupten. Allerdings …«, er zerdrückte eine Wanze auf seinem Knie, »war ich vielleicht sogar zu geschickt, denn je länger das Verhör andauerte, desto gereizter wurde der Inquisitor. Am Ende war er so wütend, dass er ›In die Folterkammer mit diesem Ketzer!‹ schrie und ›Dort traktiere man ihm die Stirn mit glühendem Eisen, bis er sich eines Besseren besinnt!‹ Das Ergebnis kennst du ja.« Der Magister deutete auf das Mal über seinen Augen.

»Ich werde morgen sehr aufpassen müssen«, überlegte Vitus. »Aber vielleicht habe ich Glück. Gegen Ende der Verhandlung habe ich mich auf Abt Gaudeck und andere Brüder von Campodios bezogen und gesagt, sie würden für mich sprechen. Der Inquisitor schien nicht abgeneigt zu sein, diesen Vorschlag aufzugreifen. Vielleicht hat man bereits einen Reiter nach Campodios geschickt.«

»Vergeudete Zeit.« Es war Martínez, der ihr Gespräch unterbrach. »Mit einem Jüngelchen wie dir sollte man nicht viel Federlesens machen. Wippe oder Streckbank, das ist es, was dir mal gut tun würde!«

Der Landsknecht hatte beim Stichwort Campodios aufgehorcht, denn er war vor einiger Zeit dort freundlich aufgenommen worden. Die gewaltigen Essensportionen des dicken, gutmütigen Kochs waren ihm noch in bester Erinnerung. Eine Erinnerung, die einem allerdings verleidet wurde, wenn man bedachte, dass dieser Klugscheißer von dort kam.

»Du bist die Fleisch gewordene Bosheit!«, fauchte der Magister. Wütend eilte er hinüber zu Martínez und fuchtelte wild mit dem Zeigefinger unter dessen Nase. »Nimm das augenblicklich zurück!«

»Einen Scheißdreck werde ich!« Martínez versetzte dem Magister einen Stoß, dass er quer durch den Raum wieder zurückflog. Der Landsknecht wollte nachsetzen, doch Vitus ging dazwischen. Er schüttete dem Angreifer den Becher Wasser ins Gesicht. Überrascht hielt Martínez inne. Sein eines Auge zuckte heftig.

»Helft uns!«, schrie der Magister. Habakuk, David und Solomon sprangen hinzu und drehten dem Angreifer die Arme auf den Rücken. Mit vereinten Kräften stießen sie ihn zu Boden. Martínez landete direkt im Exkrementekübel.

»Die Verhandlung ist eröffnet«, sagte Hochwürden Ignacio. Sein Blick schweifte in die Runde. Alle Personen des gestrigen Prozesstags waren wieder erschienen. Und wie am Tag zuvor stand der Angeklagte konzentriert und furchtlos vor ihm. Doch das würde sich in Kürze ändern, so hoffte der Inquisitor.

Er hatte sich, damit die heutige Interrogatio erfolgreicher verliefe, eine Abhandlung des katalanischen Inquisitors Nicolaus Eymericus besorgt, deren Titel *Directorium inquisitorum* lautete. Dazu den legendären *Hexenhammer,* ein Handbuch der beiden berühmten Inquisitoren Sprenger und Institoris, das erstmals anno 1489 in der deutschen Stadt Köln veröffentlicht worden war. Es galt auch heute noch als eines der ausführlichsten Werke zur Verfolgung von Hexen und Zaubermeistern. Wie brillant dieses Werk war, konnte man schon daran erkennen, dass es sogar von Seiner Heiligkeit Innozenz VIII. die päpstliche Zustimmung erhalten hatte. Ignacio legte beide Bücher so vor sich, dass er sie jederzeit gut einsehen konnte. Mit ihrer Hilfe würde die Wahrheit schon bald ans Licht treten.

»Pater Alegrio, würdet Ihr so freundlich sein und die letzte Aussage des Angeklagten wiederholen?«, fragte Ignacio aufgeräumt.

»Gerne, Hochwürden.« Alegrio blickte in sein Protokoll. »Die Aussage lautete: ›Jeder, den Ihr auf Campodios nach mir befragt, wird Euch gern bezeugen, dass ich kein Ketzer bin. Erkundigt Euch bei dem neuen Abt Gaudeck oder bei Pater Thomas oder bei Bruder Cullus. Ich sage die Wahrheit!‹«

»Danke«, murmelte Ignacio abwesend. Er war dabei, in den *Hexenhammer* zu blicken, um sich daraus inspirieren zu lassen.

»Darf ich erfahren, ob in der Zwischenzeit nach Campodios geschickt wurde, damit einer der Brüder für mich sprechen kann?«, fragte Vitus.

»Was sagtet Ihr?« Ignacio hatte nicht zugehört.

»Von meiner Seite aus ist nichts geschehen«, beantwortete Don Jaime Vitus' Frage, »allerdings war ich der Auffassung, dass Hochwürden etwas in dieser Richtung unternehmen würde.«

»Selbstverständlich habe ich etwas unternommen!« Ignacio blickte steif zu Alegrio hinüber: »Das braucht Ihr nicht ins Protokoll aufzunehmen.«

»Jawohl, Hochwürden.« Pater Alegrio strich die letzten Passagen mit kratzender Feder durch.

»Und was, wenn ich fragen darf?« Vitus trat einen Schritt näher an den Richtertisch heran.

»Das würde mich auch interessieren«, sagte Don Jaime.

»Nunu, führe die Zeugen aus dem Nebenraum herein.«

»Ja, Hochwürden.« Der riesige Kerkermeister verschwand und kehrte gleich darauf mit zwei Zeugen wieder, die Vitus noch nie im Leben gesehen hatte. Es waren eine breithüftige

Frau mit derben Gesichtszügen, aus denen ein Paar flinke Äuglein hervorstachen, und ein Knabe, der an der Schwelle zum Jünglingsalter stand. Er hatte pechschwarzes Haar und so starke Augenbrauen, dass sie wie aufgeklebt wirkten. Sein pickliges Gesicht zeigte einen wichtigtuerischen Ausdruck.

Vitus, der die Brüder aus Campodios erwartet hatte, musste an sich halten, um seine Enttäuschung zu verbergen. Was hatte das zu bedeuten?

»Danke, Nunu.« Ignacio wandte sich den Zeugen zu und nannte Namen und Funktion der Anwesenden. »Und nun«, fuhr er leutselig fort, »stell dich und deinen braven Sohn bitte vor, meine Tochter. Wer seid ihr, woher kommt ihr?«

»Jawohl, Hochwürden!« Die Dickliche machte einen tiefen Knicks vor dem Inquisitor, wobei sie dessen Hand ergriff und einen Kuss darauf hauchte. »Ich heiße Maria Perpiñas, und das ist mein Sohn Ozo.«

Sie stieß ihrem Sprössling in die Seite, worauf dieser sich zu einem Diener bequemte und »Guten Morgen, Hochwürden« nuschelte.

»Wir kommen aus der Nähe von Porta Mariae, wo mein braver Mann und ich Pächter eines kleinen Bauernhofes sind«, fuhr sie eifrig fort. »Wir sind arme, gottesfürchtige Leute, Hochwürden! Die Tage im Jahr, an denen ich nicht zur Kirche gehe, könnt Ihr an einer Hand abzählen. Kein Sonntag, an dem ich nicht eine Kerze dort anzünde, um für meine Familie und mich den Segen unseres allmächtigen Schöpfers herabzuflehen. Ich darf Euch …«

»Schon recht, meine Tochter«, unterbrach Ignacio ihren Redefluss. »Ich muss dir zunächst einen heiligen Eid abnehmen, dass von dem, was du mit deinem Sohn hier aussagst, kein Sterbenswörtchen den Raum verlässt.«

»Selbstverständlich, Hochwürden!« Maria machte abermals einen Knicks. »Ich will tot umfallen, wenn ich ...«

»Gut gut. Ich spreche Euch jetzt die Eidesformel vor.« Ignacio stand auf, um die Bedeutung des Schwurs zu unterstreichen.

> *»Beim erhabenen Gott, unserem allmächtigen Schöpfer,*
> *bei unserem Heiland Jesus Christus, der geboren,*
> *gestorben und wieder auferstanden ist, und endlich auch*
> *beim Heiligen Geist schwören wir, Maria Perpiñas und Ozo*
> *Perpiñas, dass wir das Gesetz der heiligen Inquisition*
> *achten werden, nach dem es bei Strafe der Exkommunikation*
> *verboten ist, den Inhalt eines Ketzerprozesses im Wortlaut,*
> *in Teilen des Wortlautes oder auch nur dem Sinn nach*
> *weiterzugeben. Wir schwören, über diese Verhandlung*
> *Stillschweigen zu bewahren, solange wir leben ...*

Hebt jetzt die rechte Hand und sagt: Ich schwöre es, so wahr mir Gott helfe.«

»Ich schwöre es, so wahr mir Gott helfe.« Mutter und Sohn murmelten einträchtig die Formel und blickten dabei feierlich drein wie bei einer Messe.

»Schön, das wäre erledigt.« Ignacio wirkte sehr zufrieden. Es war eine eherne Regel der Inquisition, dass die Inhalte von Ketzerprozessen geheim gehalten werden mussten. Als Erstes wollte er sich den Jungen der dicken Bauersfrau vornehmen.

»Ozo, mein Sohn«, sagte er jovial, »schildere mir doch einmal die schreckliche Begebenheit, die du an jenem bewussten Tag erlebt hast.« Er blickte in seine Papiere. »Du hattest unserem Informanten erzählt, dass du gerade dabei warst, Schafe zu hüten.«

»So ist es, Hochwürden!«, sprudelte Maria hervor. »Er kam ganz verwirrt nach Hause und erzählte, er hätte unseren Heiland Jesus Christus gesehen. Ich fragte ihn, ob er sicher sei, und er sagte ja, und ich glaubte ihm, denn es wäre nicht das erste Mal, dass jemand in unserer Familie eine Erscheinung gehabt hat. Meine Tante Araña erzählt immer wieder von einem Traum, in dem ihr die Jungfrau Maria erschien, die ihr ...«

»Lasst Euren Sohn selbst antworten«, unterbrach der Alcalde, der sich damit schon zum zweiten Mal an diesem Tag einschaltete. »Er wird selbst am besten wissen, was er gesehen hat.«

»Natürlich, sehr gerne, Don Jaime.« Maria schob Ozo nach vorn: »Nun sag schon, was du gesehen hast!«

»Ja, Mutter. Also ... also, ich war gerade beim Schafehüten unten bei den Flusswiesen, da kam auf einmal einer daher, der sah ganz komisch aus. Der ging auch so komisch, als ob er gar nicht auftreten wollte«, Ozos große Augenbrauen zogen sich angestrengt zusammen, »gerade so, als ob er am liebsten in der Luft gehen würde!«

»Das ist sehr interessant, Ozo«, nickte Ignacio. »Pater Alegrio, habt Ihr das Wort für Wort protokolliert?«

»Selbstverständlich, Hochwürden.«

»Gut, fahre fort, mein Sohn.«

»Tja ... und dann, dann sah er aus wie der Herr Jesus selbst!«, platzte Ozo heraus. »Und er rief immer so seltsame Meister an und redete von Kreisen und Figuren und ... also, das war bestimmt kein Mensch, der sah nur so aus, das war ein Geist oder so was!«

»Genau, Hochwürden«, fiel Maria ein. »Er hatte dabei die Arme gehoben, als würde er am Kreuz hängen, und ging dabei durch die Luft wie damals unser Heiland, als er über den See Genezareth wandelte und ...«

»Jetzt ist es aber genug!«, schrie Vitus dazwischen. Er konnte diesen Unsinn nicht länger mit anhören. »Ich habe bereits gestern gesagt, dass mir die Füße wund waren und dass ich meinen Stecken über die Schulter gelegt hatte, damit ich die Arme darüber hängen konnte. Das ist alles. Ich bin ein ganz normaler Mensch, der ganz normal zu Fuß nach Santander wollte. Nennt mir eine einzige Stelle in der Bibel, in der steht, dass das verboten ist oder gar mit Ketzerei zu tun hat!«

»Hilfe! Zu Hilfe, Hochwürden!« Bei Vitus' Ausbruch hatte Maria sich theatralisch ans Herz gefasst, jetzt rang sie vor Aufregung nach Luft und schlug mehrmals das Kreuz in Richtung Vitus. »Weiche von mir, Satan! Weiche von mir, Satan!«

»Nunu, gib der Frau deinen Stuhl«, befahl Ignacio. Die Dicke setzte sich, immer noch nach Luft ringend. »Da seht Ihr, was Ihr angerichtet habt!«, schalt Ignacio den Angeklagten.

Vitus hatte sich noch immer nicht unter Kontrolle. »Die Frau ist doch nicht normal!«

»Wer hier normal ist und wer nicht, das wird diese Verhandlung bald genug erwiesen haben, Angeklagter.« Ignacio sprach jetzt mit heller, metallischer Stimme. »Hier sind zwei glaubhafte Zeugen, die als gottesfürchtige Menschen bekannt sind. Ihre Aussage steht gegen Eure, ich sehe keinen Grund, warum ich Euch mehr glauben sollte als ihnen!«

»Dann will ich Eurer Einschätzung der Lage ein wenig auf die Sprünge helfen.« Vitus' Stimme war schneidend vor Zorn. »Erstens wundert es mich, dass Ihr den beiden Zeugen lediglich den Eid abgenommen habt, über diese Verhandlung Stillschweigen zu bewahren, aber keinen darauf, die Wahrheit – und nichts als die Wahrheit – zu sagen.«

Vitus sah, wie der Alcalde bei seinen Worten nickte.

»Und zweitens habe ich den Eindruck, dass die Mutter bei meiner so genannten ›Geisteranrufung‹ überhaupt nicht dabei war. Wenn das aber so ist, ersuche ich Euch dringend, nur den Jungen zu befragen, und zwar so, dass man sich ein Bild von der Glaubwürdigkeit seiner Aussagen machen kann.«

Wieder sah Vitus, dass der Alcalde zustimmend nickte. Deshalb fügte er etwas hinzu, das er eigentlich nicht hatte sagen wollen: »Eure Art der Verhandlung macht dem Schimpfwort *Domini canes* für Euch und die Dominikaner alle Ehre!«

Ignacio sprang auf. Sein Gesicht nahm eine purpurrote Farbe an, während er, sprachlos vor Zorn, nach Worten suchte. *Domini canes* hieß frei übersetzt ›Spürhunde des Herrn‹. Als solche hatten sie in ganz Europa seit Jahrhunderten Hexen, Dämonen und Ketzer aufgespürt und abgeurteilt. Ihre ursprüngliche Absicht, die Menschen zu bekehren, hatte sich dabei allzu oft in das alleinige Bestreben nach Abstrafung gewandelt. »Spürhunde des Herrn«, mit keinem Wort konnte man die Dominikaner mehr treffen – vielleicht auch deshalb, weil sie fühlten, dass ein wahrer Kern darin lag.

»Sagt das noch einmal!«, zischte Ignacio endlich.

»Ihr habt mich wohl verstanden.«

»Nun, Angeklagter …« Ignacio setzte sich langsam wieder. Er durfte sich nicht gehen lassen. Seine Stimme klang beherrscht: »Ihr benutzt da ein Schlagwort, das Ihr wahrscheinlich irgendwo aufgeschnappt habt. Den wahren Hintergrund kennt Ihr natürlich nicht. *Domini canes,* die Hunde Gottes, nennen wir Dominikaner uns mit Stolz, denn wir führen den Hund in unserem Wappen, nach dem Traum, den die Mutter des heiligen Dominikus einst hatte: Sie träumte, sie würde ein Kind gebären, das wie ein Hund aussieht, und aus dem Fang des

Hundes schlüge eine feurige Flamme, mit der die ganze Welt entzündet würde. Und genau so ist es schließlich auch gekommen: Wir Dominikaner lassen uns in der Verbreitung und Bewahrung des rechten Glaubens von niemandem übertreffen!« Er winkte Pater Alegrio. »Streicht die letzten Sätze des Angeklagten aus dem Protokoll.«

»Jawohl, Hochwürden.«

»Und ihr beide«, er wandte sich Ozo und seiner Mutter zu, »seid entlassen. Ich danke euch, und vergesst den Schwur nicht, den ihr geleistet habt.«

Maria machte scheu einen Knicks und bekreuzigte sich.

»Hochwürden, ich …«

»Genug!« Ignacio machte eine herrische Geste zu Nunu. Der Koloss drängte die zwei aus dem Raum.

»Nun zurück zu Euch.« Ignacio musterte Vitus scharf. »Ich verbiete Euch, den heiligen Orden der Dominikaner zu verunglimpfen! Eine solche Schmutzbesudelung aller Brüder und ganz besonders unseres Gründers, des heiligen Dominikus, ist bis jetzt noch immer auf denjenigen zurückgekommen, der sie ausgesprochen hat.«

»Darum mache ich mir keine Sorgen, denn die Bezeichnung ist durchaus zutreffend. Schon Euer Gründer Dominikus war derart von fanatischem Glaubenseifer durchdrungen, dass er kurz nach der Ordensgründung nicht weniger als dreihundert so genannte Ketzer in Burgos verbrennen ließ.«

»Das ist nicht wahr!«, keuchte Ignacio.

»Das ist wahr, und Ihr wisst es. Vielleicht wäre es besser gewesen, wenn Papst Innozenz anno 1215 Eurer Ordensgemeinschaft die Approbation nicht erteilt hätte, wie er es zunächst vorhatte.«

»Wollt Ihr mir eine Lehrstunde über meinen eigenen Orden

erteilen? Wenn Ihr so viel wisst, dann ist Euch sicher auch bekannt, dass Innozenz bald darauf einen Traum hatte, in dem die Basilika des Laterans schwankte und umgefallen wäre, wenn es nicht einen Mann gegeben hätte, der sie mit seinen starken Schultern stützen konnte – und dieser Mann war Dominikus! So von Gott belehrt, dass das zusammenbrechende Gebäude der Kirche nur von einem Mann mit derart religiösem Eifer gehalten werden könne, billigte er die Gründung des Ordens.« Ignacios Laune hob sich wieder. »Was wollt Ihr mit Euren unerhörten Beleidigungen überhaupt bezwecken?«, fragte er.

»Ich will Euch davon überzeugen, dass ich ein Klosterschüler auf Campodios war. Ihr verlangt von mir einerseits ständig Beweise für meine Unschuld, gebt mir andererseits aber nicht die Möglichkeit, sie zu liefern. Also nenne ich Euch einen anderen Beweis für meine Herkunft: Ich kenne mich gut in Kirchengeschichte aus. Ein Wissen, das sich, wie Ihr zugeben werdet, kaum außerhalb von Klostermauern erwerben lässt.«

»Ich verbitte mir nochmals, dass Ihr Dominikus und die erlesensten Köpfe unseres Ordens angreift. Ihr habt Euch damit aufs Schlimmste versündigt! Jedes weitere Wort, und ich übergebe Euch Nunu und der Folter, damit Euch diese Teufelsgedanken ausgetrieben werden. Wer so redet wie Ihr, kann nur vom Satan besessen sein!«

»Und ich sage Euch offen, dass Ihr verblendet seid.« Nur für einen kurzen Moment war Vitus sich der Gefahr bewusst, in der er sich befand. Er musste an die warnenden Worte des Magisters denken. Aber er wollte jetzt nicht zurückstecken:

»Warum könnt Ihr nicht glauben, dass ich ein ganz normaler Mensch bin, der nach Santander wollte?«, fragte er eindringlich. »Wenn mich dieser kleine Wichtigtuer Ozo nicht zufällig gesehen hätte, und wenn seine pubertäre Phantasie nicht mit ihm durchgegangen wäre, würde ich heute nicht hier stehen. Habt Ihr das einmal bedacht?«

»Die Tatsache, dass Ihr gesehen wurdet, ist Gottes Wink, den Ihr als solchen nicht zu erkennen vermögt. Gott wollte damit der Inquisition ein Zeichen geben, denn der himmlische Vater selbst«, Ignacios Stimme nahm einen ironischen Ton an, »das wird Euch als Kirchengeschichtskenner interessieren, der himmlische Vater selbst also war der erste Inquisitor überhaupt. Er saß über Adam und Eva zu Gericht, nachdem der Teufel in Gestalt der Schlange sie versucht hatte. Jetzt aber bin ich Euer Inquisitor, und ich verlange die Wahrheit!«

»Wollt Ihr Euch mit Gott vergleichen?«

»Allmächtiger im Himmel, strafe diese elende Kreatur für ihre ketzerischen Worte!« Ignacio rang in echter Verzweiflung die Hände. »Gottvater, gib mir die Kraft, diesem Satan in Menschengestalt gründlich das Handwerk zu legen, gib mir Geduld und Zähigkeit, gib mir Scharfsinn und Erkenntnis, auf dass dieser Ketzer die Wahrheit erkenne und sie vor Dir und der Welt endlich aussprechen möge!«

Er setzte sich, bemüht, seine Fassung wiederzugewinnen. Die Frage, ob er sich mit Gott vergleichen wolle, hatte ihn allzu sehr daran erinnert, welch schwacher Mensch er mitunter war. Die häufigen Besuche bei Elvira, der köstlichen Hure, waren ein beredtes Zeugnis dafür. Oft hatte er sich für seinen Trieb geschämt und den Herrn angefleht, er möge ihn davon befreien, aber der Allmächtige hatte ihn stets mit seiner Schwäche allein gelassen, und so war er damit nicht fertig geworden. Immer wieder hatte die Hure ihn wie mit magischer Kraft angezogen, und er hatte, trotz der Gefahr, die sich für ihn mit diesem Tun verband, seine Besuche fortgesetzt. Es war zu hoffen, dass sie schwieg und von alledem nichts nach Rom durchsickern würde …

Er zwang seine Gedanken wieder in die Gegenwart: »Durch Eure Zunge spricht der Teufel, Gottloser! Gebt endlich zu, dass Ihr ein Ketzer seid. Sagt es, sprecht es aus, befreit Euch von Euch selbst, wenn Ihr gesündigt habt!«

»Wenn ich gesündigt haben sollte, bin ich gern bereit, mir von Euch die Beichte abnehmen zu lassen. Aber dann im Beichtstuhl, unter vier Augen und nur im Beisein von Gott dem Herrn. Ganz so, wie die Römische Kirche es vorsieht. Und noch etwas: Wir alle sind Sünder, auch Ihr, Hochwürden, denn Ihr seid ein Mensch!«

Ignacios Finger umklammerten die Tischkante so fest, dass die Knöchel weiß hervortraten. »Ihr gebt also zu, dass Ihr gesündigt habt?«

»So viel oder so wenig wie jeder andere. Mit Euren Anschuldigungen habe ich nichts zu tun. Ich sag es Euch offen: Ich bin mir keiner Sünde bewusst, aber ich zähle auf die Beichte, die ich mir gern von Zeit zu Zeit abnehmen lasse.«

Ignacio lehnte sich zurück. Der Bursche hatte sich dazu bekannt, ein Sünder zu sein. Das war wenigstens ein Anfang. »Ihr seid ein Sünder, wie Ihr selbst eben zugegeben habt!«, rief er laut. »Und jedes weitere Wort, mit dem Ihr mir als Vertreter Gottes so hartnäckig Widerstand leistet, ist eine neue Sünde, die Ihr auf Euch ladet. Gebt endlich zu, dass Ihr mit dem Teufel im Bunde seid, und es wird Euch sogleich besser gehen.«

»Ich bin im katholischen Glauben nach den Ordensregeln der Zisterzienser aufgewachsen. Ich habe nichts abzuschwören.«

»Es geht um Euch und Eure unsterbliche Seele. Schwört ab, Mann! Ich habe nichts gegen Zisterzienser, aber schwört um Gottes willen ab!«

»Vielleicht habt Ihr nichts gegen die Zisterzienser, aber gewiss habt Ihr etwas gegen die Franziskaner.«

»Was soll ich gegen die Franziskaner haben? Ich persönlich habe nichts gegen sie, wenn sie auch in der Auslegung mancher Glaubensfragen im Irrtum sind.«

»Euer Orden liegt seit über zweihundert Jahren mit den Franziskanern im Streit, und zwar über Dinge, die jeder normal denkende Mensch als Haarspaltereien bezeichnen würde.«

»Lenkt nicht ab, Mann, es geht hier um Euch.«

»Es geht um den Geist, in dem diese Verhandlung geführt wird. Ich behaupte, Ihr seid ein typischer Vertreter jenes Kleingeistes, wie er sich im Zwist zwischen Eurem Orden und den Franziskanern widerspiegelt.«

»Das geht Euch nichts an. Ihr habt soeben bereits zugegeben, dass Ihr ein Sünder seid.«

»Und hinzugefügt ›so viel oder so wenig wie jeder andere‹! Ich rede von kleingeistigen Haarspaltereien. Nur aufgrund solcher Denkart stehe ich hier. Ich werde Euch ein Beispiel nennen für Eure geistige Haltung und die Eures Ordens: Es ist das Verbot, das anno 1351 der Dominikaner-Inquisitor Nicolaus Roselli beim Papst erwirkte. Darin wurde dem Franziskanerguardian von Barcelona die Verbreitung einer ganz bestimmten Behauptung untersagt. Es war die Behauptung, dass das von Jesus Christus bei der Passion vergossene Blut seine göttliche Natur verloren habe, weil es auf der Erde geblieben sei.«

»Ich frage mich, was das mit Eurem Ketzertum zu tun hat, Angeklagter. Aber egal: Diese Maßnahme war nicht nur richtig, sondern auch bitter notwendig. Alles an Jesus Christus ist göttlicher Natur, egal wie, wo und zu welchem Zeitpunkt der Mensch es betrachtet.«

»Seht Ihr, Ihr redet wie Euer Ordensbruder vor über zweihundert Jahren. Die Franziskaner würden Euch jetzt entgegenhalten, dass das Passionsblut Jesu Christi an vielerlei Orten zur Verehrung durch die Gläubigen ausgestellt ist. Es ist so viel, wie ein einzelner Körper gar nicht enthalten kann. Woher nun soll man wissen, welches echt und welches falsch ist? Welches heilig und welches nicht?«

»Ich wiederhole: Alles an Jesus Christus ist göttlicher Natur, das ist so sicher wie das Amen in der Kirche. Woher wollt Ihr wissen, dass es nicht so ist?«

»Wo in der Bibel steht, dass es so ist? Nennt mir die Stelle, aus der das hervorgeht.«

»Ich habe anderes zu tun!«

»Ihr könnt es nicht! Weil es eine solche Bibelstelle nicht gibt. Wo in der Heiligen Schrift sollte auch stehen, dass die Vorhaut Jesu Christi göttlicher Natur ist? Nichtsdestoweniger wird sie als heilig verehrt, sowohl im Lateran als auch in der königlichen Kapelle von Frankreich! Sie wird als Reliquie verehrt wie alles andere: Blut, Barthaare, Stirnlocken bis hin zu abgeschnittenen Fingernägeln!«

Don Jaime räusperte sich vernehmlich. Auf seiner Stirn bildete sich eine Zornesfalte.

Ignacio war bleich geworden. »Satan«, murmelte er, »Satan, ich habe dich erkannt. Weiche aus diesem armen Körper, weiche, weiche!«

Vitus wischte die Bemerkung mit einer Handbewegung fort. »Was ich sage, hat mit dem Satan nicht das Geringste zu tun. Ich will Euch nur deutlich machen, wie sinnlos es ist, über zweihundert Jahre darüber zu streiten, ob eine Vorhaut göttlich ist oder nicht. Haare spalten nenne ich so etwas. Und nichts anderes tut Ihr die ganze Zeit mit mir!«

Ignacio war ganz ruhig geworden. »Nunu«, sagte er, »führ diesen armen Verirrten ab. Bring ihn in die Folterkammer und foltere ihn peinlich. So lange, bis er endlich zugibt, dass er des Teufels ist. Ich bete zum Allmächtigen, dass dies rasch der Fall sein wird, denn dann ist auch Hoffnung, dass er endlich abschwört.«

»Das kann nicht sein!«, schrie Vitus. »Wie borniert seid Ihr bloß? Was muss ich tun, damit Ihr mir endlich glaubt?«

»Abschwören, mein Sohn.« Ignacio lächelte matt. »Sagt einfach nur: ›Ja, ich schwöre, dass der Leibhaftige in mir ist und von mir Besitz ergriffen hat, so wahr mir Gott helfe.‹«

»Zum hundertsten Male: Ich habe nichts abzuschwören! Ich habe …«

Vitus fühlte den eisernen Griff von Nunu an seinem Arm.

»Nu komm schon, Ketzerdokter!«

»Ich habe nichts abzuschwören, Herrgott im Himmel, schenke diesen Verblendeten die Gnade des gesunden Denkens!«

Ignacio wandte sich an Pater Alegrio: »Ihr begleitet Nunu und den Angeklagten auf dem Weg zur Folterkammer. Ich wünsche, dass Ihr direkt dorthin geht.« Er überlegte kurz. »Wir haben jetzt Mittagszeit, lasst Euch, wenn Ihr hungrig seid, Essen aus der Gefängnisküche kommen. Die Folter wird am Nachmittag beginnen und, falls notwendig, bis Mitternacht andauern. Der Alcalde und ich werden uns rechtzeitig einfinden, um als Vertreter der weltlichen und kirchlichen Macht dem Geschehen beizuwohnen.«

Er erhob sich. »Ich darf annehmen, dass Ihr mit dieser Vorgehensweise einverstanden seid, Don Jaime?«

»Das dürft Ihr«, antwortete der Alcalde.

Der Kerkermeister
Nunu

»Das hier sin Daumenschrauben.
Der Ketzer tut die Daumen auf 'ne eiserne Platte,
wo Spitzen rausgucken, un von oben kommt genau
so 'ne Platte. Die Platte oben dreh ich über'n Gewinde immer
weiter runter, bis die Daumen platt sin.
Wenn der Ketzer nich gestehen will, hau ich mit'm Hammer
noch drauf. Da spritzt das Blut nur so, Ketzerdokter!«

Ich kann allein gehen, Nunu!«
»Nix kannste, sicher is sicher.« Der Kerkermeister hatte
Vitus mit der Faust am Kragen gepackt und schob ihn mit je-
dem seiner hinkenden Schritte ein Stück vor, fing mit dem ge-
sunden Bein die Bewegung ab, brachte ihn dadurch fast zum
Stehen, hinkte erneut vor, verzögerte, hinkte wieder … Vitus
fühlte sich wie auf einer Ruderbank.
»Das Sprechen mit dem Angeklagten ist verboten!«, rief Pater
Alegrio scharf.
»Hab doch nix gesagt, Vater!«, maulte der Koloss.
Sie gingen quer über die Plaza de la Iglesia zurück zum Inqui-
sitionsgefängnis, in dem sich die unterirdische Folterkammer
befand. Der Platz lag im schönsten Sonnenschein. Jetzt, zur
Mittagszeit, waren nur wenige Menschen auf den Beinen. Die
Einwohner von Dosvaldes zogen es vor, während der größten
Tageshitze die Mauern ihrer Häuser nicht zu verlassen.

Pater Alegrio strafte Nunus Erwiderung mit Nichtachtung. Seit dem Ende der Verhandlung hatte sich seine Laune rapide verschlechtert. Es war eine ungeheuerliche Taktlosigkeit von Hochwürden Ignacio gewesen, ihn die Kirchenhierarchie derartig spüren zu lassen! Der Herr Inquisitor tafelte jetzt mit dem Alcalden in der Bürgermeisterei, während er, Alegrio, diese zwei armseligen Gestalten in die Folterkammer begleiten musste, um sich dort ein karges Mahl aus der Gefängnisküche kommen zu lassen. Dabei war er genauso priesterlich geweiht wie Ignacio, nur die Funktion war es, durch die sie sich unterschieden – und durch die Tatsache, dass Ignacio aus einer begüterten Familie stammte, deren Einfluss in Rom beträchtlich war. Er verdankte die Würde des Inquisitors weniger seinem herausragenden Können als vielmehr dem Geld seines Vaters. Simonie hieß das in einschlägigen Kreisen; gemeint war damit der Verkauf von Ämtern und Pfründen.

Pater Alegrio seufzte verbittert. Auch heutzutage war es noch genauso wie vor hundert odert zweihundert Jahren: Die am meisten verehrten »Heiligen« in der Ewigen Stadt waren »Sankt Goldtaler« und »Sankt Silbergroschen«, wie der römische Volksmund sie treffend bezeichnete. Ohne die Überzeugungskraft dieser beiden konnte ein Mann noch so fähig sein, der andere, der die »Heiligen« auf seiner Seite hatte, bekam dennoch den Posten.

Doch wenn man gewissen Gerüchten Glauben schenkte, war der Lebenswandel von Ignacio nicht so untadelig, wie er eigentlich hätte sein sollen, angeblich hatte sich das schon bis nach Rom herumgesprochen. Man würde sehen, ob etwas daran war oder nicht. Und wenn ja, ob dem Inquisitor sein Geld auch in diesem Fall etwas nützen würde.

»Es war meine Schuld, Pater Alegrio«, sagte Vitus. »Nunu kann nichts dafür, dass ich ihn angesprochen habe.«

»Schon gut.«

»Wäre es Euch recht, wenn wir etwas langsamer gingen?« Vitus fragte mit ausgesuchter Höflichkeit. »So habe ich mehr von der frischen Luft, dem Wind, der Sonne … Im Kerker, nun, Ihr wisst selbst, wie's dort zugeht.«

»Hm, ja.« Alegrio war kein Unmensch, zumal die Aussicht, schon in wenigen Minuten in die Dunkelheit der Folterkammer hinabsteigen zu müssen, auch für ihn nicht verlockend war. »Nunu, geh etwas langsamer.«

Nunu gehorchte. Dann blieb er plötzlich stehen. Auf der gegenüberliegenden Seite der Plaza hatte er einen kleinen Mann in einem gelbroten Kostüm entdeckt. Der Kleine gestikulierte wild vor einer Gruppe Frauen, die wie gebannt jede seiner Bewegungen verfolgten.

»'s is der Narr Locolito!«, rief der Koloss freudig aus.

Auch Vitus und Pater Alegrio sahen jetzt das bunt gekleidete Männchen. Unbewusst änderten sie ihre Richtung und traten näher. Der Narr trug auf dem rechten Zeigefinger eine Puppe, die glatzköpfig war und in einer prächtigen, purpurfarbenen Kutte steckte.

Locolito wandte sich an die Puppe: »Verzeihung, darf ich fragen, ob Ihr jetzt könnt, Hochwürden?«

»Ich kann immer!« Die Puppe sprach mit quäkendem Tonfall und breitete großspurig die Arme aus.

»Ihr könnt immer?«, fragte Locolito, der jetzt wieder mit eigener Stimme sprach. »Donnerwetter!«

Die Frauen hielten sich kichernd die Hand vor den Mund, um nicht mit lautem Lachen hervorzuplatzen.

»Mit Gottes Hilfe!«, quäkte die Puppe.

Nunu beobachtete wie gebannt den Miniaturmönch auf dem Finger. In seinen Gesichtszügen arbeitete es: »Das is … das is garnich die Puppe, du redst mit 'm Bauch, Locolito, stimmt's?«, platzte er dazwischen.

»Pssssst!«, machten die Leute.

Locolito blickte ärgerlich.

»Mit Gottes Hilfe!«, quäkte die Puppe abermals.

»Aha, mit Gottes Hilfe.« Locolito nickte verständig. »Aber doch nicht ohne Frau?«

»Nicht ohne Frau, nicht ohne Frau!«, bestätigte Hochwürden. »Aber habt Ihr denn nicht das Keuschheitsgelübde abgelegt?« Locolito drohte Hochwürden mit dem anderen Zeigefinger.

»Dochdochdoch!« Die Puppe nickte eifrig. »Natürlich habe ich es abgelegt.« Der kleine Kopf senkte sich, als suche er etwas auf dem Boden. »Ich weiß nur nicht mehr, wo!«

Die Frauen kreischten auf. Derlei Späße waren nach ihrem Geschmack.

Nunu glotzte mit offenem Mund. Er hatte nichts verstanden.

»Wenn Ihr schon Euer Gelübde nicht findet, wo treibt Ihr denn eure Frauen auf?«, verlangte der Narr zu wissen.

»Darauf kannst du dir wohl keinen Reim machen, was?«, gab die Puppe selbstzufrieden zurück. »Aber ich! So gib denn Acht:

Nicht im Wald, nicht im Feld, im Hurenhaus für teuer Geld.«

Wieder kreischten die Frauen.

Nunu lachte dröhnend.

»Und woher habt Ihr das viele Geld, Hochwürden?«, wollte Locolito mit gespielter Verwunderung wissen. Er holte tief Luft und präzisierte seine Frage, indem er wie ein gregorianischer Chormönch sang:

»Seid Ihr denn reicher Leute So-hooohn?«

Hochwürden schüttelte den Kopf, hob die Arme und antwortete in ähnlich quäkendem Singsang:

»Inquisitio-hooon!«

Locolito holte abermals Luft und sang laut die nächste Frage heraus:

»Was ruft der Papst auf seinem Thro-hooon?«

Hochwürden antwortete prompt:

»Inquisitio-hooon!«

»Wo fließt das Blut so rot wie Mo-hooohn?«

»Inquisitio-hooon!«

»Schluss jetzt!« Pater Alegrio stieß den Narren zur Seite. »Genug der Posse. Das ist nicht mehr witzig. Wer über so etwas lacht, riskiert seine unsterbliche Seele.«

Einige der Frauen bekreuzigten sich erschreckt. Alegrio sah es mit Zufriedenheit. Es hatte ihm zwar insgeheim Freude bereitet, wie Ignacio auf die Schippe genommen wurde, aber was zu viel war, war zu viel. Als Vertreter der Kirche konnte er bei derlei Verunglimpfungen nicht untätig zusehen.

»Vorwärts, Nunu!« Der Protokollführer wandte sich abschließend zu der Gruppe: »Geht heim, ihr guten Frauen, und vergesst, was ihr hier gesehen habt. Jede von euch betet zu Hause fünf Ave-Maria, damit ihr diese Sünde vergeben werde.«

Die Frauen nickten betreten.

»Und dir, Locolito, gebe ich einen guten Rat: Auch Narren sind vor dem Zorn Gottes nicht sicher. Ebenso wenig wie vor dem Zorn der Inquisition.«

Locolito verbeugte sich theatralisch devot. »Jawohl, hochwürdigster Vater!«

»Denk daran, bevor du deine nächste Vorstellung gibst.«

»Ich denke dran,
so oft ich kann!
Doch auch ein Narr muss schließlich leben,
drum müsst Ihr etwas Geld mir geben!«

Fordernd hielt er seine Hand auf.
»Werde nicht unverschämt. Mach, dass du fortkommst!«
Langsam wurde es Pater Alegrio zu bunt. Der Narr machte
ein zerknirschtes Gesicht, steckte die Fingerpuppe ein und
entfernte sich hüpfend.
Alegrio fiel noch etwas ein: »Am besten wird es sein«, rief er
den sich entfernenden Frauen nach, »ihr berichtet Pater Diego
von diesem Vorfall, wenn er euch das nächste Mal die Beichte
abnimmt.« So war sichergestellt, dass auch der Pfarrer von
Dosvaldes von dem Gerücht über Ignacio erfahren würde.
Die Frauen nickten gehorsam.
»Der Herr sei mit euch, meine Schafe.«

Im Kerkergebäude schloss sich ihnen ein kleiner, engbrüstiger
Mann an, der ein Frettchengesicht hatte – das musste die
»Ratte« sein. Der Gang, der ins Innere führte, war schmal,
was ein zügiges Fortkommen erschwerte. Nunu und Vitus
gingen voran, Pater Alegrio und die Ratte folgten.
Tausend Gedanken schwirrten durch Vitus' Kopf.
Mit welchen Folterwerkzeugen würden sie ihn quälen?
Sollte er nicht doch nachgeben und einfach sagen, was der In-
quisitor hören wollte?
Um sich abzulenken, zählte er die Schritte mit. Beim einund-
zwanzigsten endete der Gang. Sie bogen rechts ab. Ein neuer
Gang tat sich auf. Er sah genauso aus wie der erste, aber Vitus
erkannte, dass es der Gang war, von dem seine Zelle abging.

Sie schritten an der Tür vorbei. Plötzlich hörte er ein kräftiges Pochen von innen. Ohne zu überlegen, rief er zurück: »Bist du das, Magister?«

»Ja!«, war die Stimme des kleinen Gelehrten zu vernehmen. »Ich höre, dass du in großer Begleitung daherkommst. Schatze, sie wollen dich ein bisschen zwicken. Lass dich nicht unterkriegen!«

»Maul halten!«, schrie Nunu dazwischen. Er stieß Vitus grob die Faust ins Kreuz.

»Vorwärts!«, befahl Pater Alegrio hinter ihnen.

»Unkraut vergeht nicht!«, rief Vitus.

Der Magister lachte glucksend.

Sie gingen weiter. Auch dieser Gang hörte nach einundzwanzig Schritten auf. Vitus schloss daraus, dass der Kerkerkomplex quadratisch angelegt war. Abermals wandten sie sich nach rechts, doch hier versperrte ihnen eine Tür den Weg. Nunu schloss auf. Der vor ihnen liegende Gang wies keine Zellentüren auf, bis auf eine, die ganz am Ende auftauchte. Vitus fragte sich, was sich dahinter verbarg. Gefangene schienen nicht darin zu sein.

Sie wandten sich zum dritten Mal nach rechts und sahen eine Steintreppe vor sich, die steil hinabführte. Vitus zählte elf Stufen. Langsam gewöhnten sich seine Augen an die Dunkelheit. Rechts und links verlief felsiges Gestein, an dem Schwitzwasser in kleinen Rinnsalen herablief – ein Zeichen dafür, dass sie tief unter der Erde waren. Vor einer schweren, granitenen Platte machten sie Halt. Es war jetzt nahezu stockdunkel. Nunu schob die Platte beiseite wie eine Papierwand. »Ratte, geh mal vor un mach Licht.«

Nachdem sie eingetreten waren, erblickte Vitus einen Raum, in dem gleich vorn zur Rechten ein Richtertisch mit drei Stühlen stand; darüber an der Wand hing eine Fackel, die trübes Licht verteilte.

»Da wären wir.« Pater Alegrio breitete seine Protokolle auf dem Tisch aus und setzte sich. »Nunu, du kannst jetzt das Mittagessen aus der Gefängnisküche besorgen.«

»Hol mal Essen, Ratte«, sagte Nunu.

»Wieso ich?«, quengelte sie.

»Biste nu mein Hilfsmann oder nich?«

»Ja doch, bin ich.« Die Ratte schickte sich an, den Raum zu verlassen.

»Einen Moment!« Pater Alegrio hob Einhalt gebietend die Hand. »Für mich brauchst du keine Portion zu berücksichtigen.« Es war zwar nicht so, dass er keinen Hunger hatte, aber gegen ein Mittagessen an diesem Ort sprach zweierlei: erstens die Qualität des zu erwartenden Mahls und zweitens die Gesellschaft, in der er es zu sich nehmen musste. Da hungerte er lieber.

»Ja, Vater.« Die Ratte huschte davon.

Vitus nahm den Raum näher in Augenschein. Das Gelass wies in der Mitte und an den Wänden eine Reihe seltsamer Gegenstände auf: drohende, metallisch blinkende Apparaturen aus Schrauben, Stacheln, Schellen, Winden und anderen unerklärbaren Dingen. Rechts hinter dem Richtertisch führte eine Treppe nochmals hinab; sie endete vor einer Maueröffnung, die ihm schwarz entgegengähnte.

Eine Gänsehaut lief ihm über den Rücken.

»Hier ist das Essen.« Die Ratte schleppte einen Kessel herbei, in dem ein Eintopf träge schwappte.

»Was gibt's?«, fragte Nunu.

»Suppe.«

Nunu steckte seine Nase in den Topf. »Hm, 's riecht gut, dürfen wir uns setzen, Vater? 's schmeckt nich im Stehen.«

»Meinetwegen.« Ignacio, da war Alegrio sicher, hätte das keinesfalls erlaubt. Dem wäre es egal gewesen, ob es einem Ketzer und zwei Folterern schmeckte oder nicht. Ärgerlich über sich selbst räumte er ein paar Papiere beiseite, um Platz zu machen. »Aber gnade euch Gott, wenn etwas auf meine Unterlagen spritzt.«

»Wir passen schon auf, Vater«, versicherte Nunu.

»Wir sehen uns vor«, bekräftigte die Ratte.

»Ich möchte nichts«, sagte Vitus. An Essen war für ihn nicht zu denken. Je weiter die Zeit fortschritt, desto mehr Kraft kostete es ihn, Ruhe zu bewahren.

»Selber schuld«, zischte die Ratte und zog einen Löffel aus der Tasche. »Dann haben wir mehr. Ist besonders guter Eintopf. Sind dicke Saubohnen drin und große Brocken Ziegenfleisch.« Er setzte sich und begann die Suppe in sich hineinzuschlürfen. Nunu hatte sich ebenfalls niedergelassen und aß schmatzend.

Pater Alegrio blickte sie vorwurfsvoll an: »Ihr hättet wenigstens ein Tischgebet sprechen können.«

Die beiden sahen auf.

»'tschuldigung, Vater«, sagte Nunu.

»Wir wurden noch aufgehalten, deshalb ist es etwas später geworden!« Hochwürden Ignacio trat geschäftig an den Richtertisch und stellte als Erstes die obligaten Schälchen mit Nüssen und Puderzucker darauf ab. »Don Jaime, bitte nehmt zu meiner Rechten Platz. Pater Alegrio, Ihr zu meiner Linken.«

»Wir sollten es schnell hinter uns bringen«, brummte der Alcalde, sich ächzend niederlassend.

»Ihr sprecht mir aus der Seele«, antwortete Ignacio. »Seid Ihr bereit, Pater Alegrio?«

»Seit geraumer Zeit«, erwiderte der Protokollführer. Er gab sich kaum Mühe, den spitzen Unterton in seiner Stimme zu verbergen.

»Gut denn! Ich stelle fest, dass das Gericht wieder vollzählig versammelt ist. Da die Verhandlung fortgesetzt wird, muss das Verfahren nicht neu eröffnet werden.«

Ignacio ließ seinen Blick in die Runde schweifen. Vor dem Richtertisch stand der Angeklagte, der wie immer einen sehr gefassten Eindruck machte. Doch halt! War da nicht ein Fünkchen Angst in seinen Augen? Wenn ja, war das zu begrüßen. Angst war ein guter Wahrheitsfinder.

Neben dem Angeklagten standen Nunu und die Ratte. Sie wirkten schläfrig. Nun, er würde dafür sorgen, dass es hier bald lebendiger zuging. Ignacio erhob sich, um seinen Worten offizielleren Charakter zu verleihen: »Angeklagter Vitus ›Ohnenachnamen‹, Ihr habt nun mehrere Stunden Zeit gehabt, Eure Situation noch einmal zu überdenken. Ich frage Euch deshalb: Gebt Ihr zu, mit dem Teufel oder seinen Dämonen im Bunde zu sein?«

»Was geschieht, wenn ich es zugebe?«

»Aha!« Angenehm überrascht sank Ignacio zurück auf seinen Stuhl. Er nahm eine Nuss, suckelte daran, tauchte sie in den Puderzucker, drehte sie sorgfältig, bis sie vollends eingestaubt war und schob sie sich in den Mund. Er mümmelte zufrieden. Der Anblick der Folterkammer mit ihren martialischen Instrumenten tat offenbar schon seine Wirkung. Er überlegte rasch. »Nun, wenn Ihr es zugäbt und bei der Heiligen Mutter Gottes dem Teufel abschwört, kommt es zunächst darauf an, ob wir Euch Glauben schenken. Bei diesem Schwur ist wichtig, dass Ihr, Vitus, es wirklich seid, der ihn leistet. Schließlich könnte der Teufel noch immer durch Euren Mund sprechen, um uns zu täuschen. Deshalb will wohl überlegt sein, welche Maßnahmen zu unternehmen sind, um Eure Seele zu retten.«

»Ich gebe nichts zu«, sagte Vitus.

»Wie bitte? Ihr habt doch gerade …« Ignacio unterbrach sich, um seines aufsteigenden Ärgers Herr zu werden. Wollte dieser Bursche ihn etwa schon wieder zum Narren halten? Er rang um Gelassenheit. Die Folter, wenn sie sich denn als notwendig erweisen sollte, würde die Verhandlung sicher im gewünschten Sinne weiterbringen. »Ihr gebt also nichts zu?«

»Das habt Ihr richtig verstanden.«

»Dann bleibt mir nichts anderes übrig, als das peinliche Verhör einzuleiten! Pater Alegrio, habt Ihr festgehalten, dass der Angeklagte auch nach neuerlicher Befragung und im Angesicht der Folterinstrumente hartnäckig jedes Geständnis verweigert?«

»Ich bitte um Entschuldigung, Hochwürden, aber das habe ich nicht. Ich konnte es nicht.« Alegrio wies auf die eine Fackel, die das Gelass nur in trübes, unruhiges Licht tauchte. »Es ist zu dunkel zum Schreiben.«

»Hm.« Ignacio winkte Nunu herrisch zu: »Bring ein paar Kerzen, Nunu, aber schnell!«

»Ratte, hol mal Kerzen«, befahl Nunu.

Die Ratte schaute Ignacio fragend an.

Nunu reckte seine plumpe Gestalt: »Ich bin Kerkermeister un Folterknecht, un gleich kommt diese *Terri … Terri … Tizilalis,* Ihr wisst schon, was ich mein, Hochwürden, un das muss ich machen, das kann die Ratte nich.«

»Ahem, ja.« Ignacio hüstelte. »Da hast du wohl Recht.« Er blickte Pater Alegrio an. »Die entsprechende Eintragung ins

Protokoll könnt Ihr später nachholen. Der Gehilfe von Nunu besorgt Kerzen, und wir beginnen mit der Bezeichnung der Folterinstrumente, dabei braucht Ihr nichts mitzuschreiben.«

»Jawohl, Hochwürden.«

»Seid Ihr einverstanden, Don Jaime?«

»Sicher, sicher.« Die Stimme des Alcalden klang ungeduldig.

»Angeklagter, ich sage Euch, was jetzt geschieht: Wir gehen streng nach der Inquisitionsprozessordnung vor und beginnen mit der *Territio verbalis*. Nunu, du weißt ja, was du zu tun hast.«

»Jawohl, Hochwürden.«

Der Koloss drehte sich Vitus zu: »Pass jetzt auf, Ketzerdokter, ich sach dir, wie die Geräte heißen.« Er hinkte auf einen Schemel zu, auf dem ein eiserner Handschuh lag. »Das is der Glühende Handschuh.« Er legte ihn sorgfältig zurück, dann nahm er ein paar gelbliche, spitz zulaufende Holzstäbe auf. »Das sin Schwefelhölzer.« Er ging weiter. »Das is das Streckbett, un hier, an der Wand, is die Streckleiter.«

»Was soll das Ganze?«, fragte Vitus in Richtung Ignacio.

Der Inquisitor runzelte die Stirn. »Bei der *Territio verbalis*, Vitus ›Ohnenachnamen‹, werden dem Angeklagten die Folterinstrumente nur gezeigt und einzeln benannt. Er hat zu diesem Zeitpunkt noch immer die Möglichkeit abzuschwören. Wollt Ihr jetzt abschwören?«

»Nein.«

»Nunu, fahre fort.«

»Jawohl, Hochwürden.« Der Koloss trat an einen kleinen Tisch, auf dem ein eisernes Gerät mit zwei Gewindebolzen stand. »Das sin Daumenschrauben.« Er griff nach dem birnenähnlichen Ding daneben. »Das is ne Mundbirne.« Er trat einen Schritt nach links und hob vom Boden ein Paar Eisenplatten auf, die mit Spitzen und Schellen versehen waren. »Das sin Spanische Stiefel.« Er legte die Platten wieder ab und deutete auf den Stuhl vor dem Tischchen. »Das is unser Stachelstuhl.«

Er wandte sich zur Mitte des Raums, wo drei schwere Steine lagen. Mit einer vagen Geste wies er auf sie und auf das Seil, das zu einer Rolle an der Decke führte. »Un das is der Trockene Zug.«

Ignacio unterbrach ihn. »Nun, Angeklagter, habt Ihr es Euch überlegt?«

»Nein.«

»Weiter, Nunu!«

»Jawohl, Hochwürden. Das hier is'n Block. Un hier, das is der Trichter. Der Block is für die Füße oder für die Hände, bei der Ziegenfolter isses so ...«

»Halt!«, unterbrach Ignacio. »Noch keine Erklärungen.« Er blickte Vitus an: »Ich vermute, Ihr wollt Eure Meinung noch immer nicht ändern?«

»Richtig.«

Ignacio zuckte mit den Schultern. »Wir kommen dann zur *Territio realis,* Angeklagter. Hierbei wird Euch erklärt, wozu die einzelnen Instrumente da sind. Während der *Territio realis* habt Ihr zum allerletzten Male die Möglichkeit, ohne Qual abzuschwören. Danach setzt die Folter ein. Nunu, beginne mit der *Territio realis.*«

»Jawohl, Hochwürden. Wo war ich? Ach ja. Der Block hier is der untere Block. Der is wie 'ne Wand aus Holz, un wie du siehst, nich höher als dein Knie. Oben sin zwei Mulden drin, da tut der Ketzer die Handgelenke rein ...« Er wuchtete einen zweiten Block auf den ersten, wodurch die Wand sich erhöhte. Dann verschraubte er beide Teile.

Der zweite Block war das genaue Gegenstück zum ersten; er wies an der Unterkante ebenfalls zwei halbrunde Mulden auf. Durch das Aufsetzen hatten sich zwei Löcher gebildet. Der Delinquent, der vorher seine Handgelenke auf die unteren Mulden gelegt hatte, konnte nun die Hände nicht mehr herausziehen.

Nunu erklärte weiter: »… un dann sin die Hände fest, un der Folterknecht kann damit machen, was er will.«

Er ging hinüber zum Schemel und brachte die daraufliegenden Gegenstände mit. Zuerst hielt er Vitus die gelben Hölzchen unter die Nase. »Die Schwefelhölzchen wer'n unter die Fingernägel geschlagen un angezündet, 's gibt 'n lustiges Feuer.«

Dann nahm er den eisernen Handschuh und stülpte ihn Vitus über die Rechte. »Passt«, sagte er. »Aber weil's der Glühende Handschuh is, muss er aus'm Feuer kommen, sonst zwickt's ja nich!«

»Hast du nicht die Anwendungsmethoden beim Block vergessen, Nunu?«, mahnte Ignacio.

Der Kerkermeister guckte dumpf, dann lachte er hässlich auf. »Wenn man im Block die Füße drinne hat, läuft die Ziegenfolter un im Mund die Urinfolter.« Fragend blickte er zu Ignacio und Don Jaime.

»Erkläre die beiden Methoden«, nickte Ignacio. »In allen Einzelheiten.«

»Jawohl, Hochwürden. Die Ziegenfolter is mit Salz auf'n Sohlen. Die Ziege leckt's Salz ab, und's kitzelt 'n bisschen. Aber's kommt immer wieder Salz drauf, un die Ziege leckt immer weiter, un weilse so 'ne raue Zunge hat, leckt se die Haut un das Fleisch un alles ab, bis auf'n blanken Knochen.« Vitus merkte, wie ihm übel wurde.

Ignacio griff mit Appetit nach einer Nuss.

»Nu, nu, die Ziegenfolter macht immer die Ratte«, fuhr Nunu fort, »un am Kopf steh ich un mach die Urinfolter: Die Hände vom Ketzer sin dabei gefesselt, un um'n Hals is'n Strick, der Ketzer kann sich nich rücken un rühren. Dann drück ich ihm den Trichter tief in'n Hals rein, un ich gieß Pisse in'n Trichter. Der Ketzer muss nu schlucken, ob er will oder nich.«

Vitus übergab sich. Das Erbrochene spritzte auf den Boden.

»Dummes Ketzerschwein!« Der Kerkermeister stürzte sich auf Vitus, doch die Stimme von Ignacio hielt ihn zurück:

»Das Züchtigen mit der bloßen Hand ist während der Folter nicht zulässig! Mach weiter, Nunu, und kümmere dich nicht darum.«

»Jawohl, Hochwürden.« Widerstrebend fügte sich der Koloss.

»Bitte einen Becher Wasser«, stöhnte Vitus.

»Haben wir Wasser für den Angeklagten?«, fragte Ignacio.

»Nein«, antwortete Pater Alegrio. »Nunus Gehilfe hat heute Mittag nur Suppe geholt, ich hoffe, er bringt etwas Wasser mit, wenn er mit den Kerzen zurückkommt.«

»Wo bleibt der Mann bloß so lange?«, wunderte sich der Inquisitor. »Nunu, fahre fort.«

»Jawohl. Also, der Ketzer muss die Pisse schlucken, ob er will oder nich. Die Pisse ham wir aus'm Exkrementekübel oder«, er grinste viel sagend, »wir helfen uns selber.« Er ging zur Mitte des Raums und deutete nach unten. »Die Steine da sin für'n Trockenen Zug. Dem Ketzer wer'n die Hände hinterm Rücken gebunden, un am Knoten wird er mit'm Seil hochgezogen. Weil die Arme hinterm Rücken sin, kugeln die Schultern aus, un die Ketzer schreien.« Nunu lächelte. »Wenn die

Schultern nich auskugeln wolln, hängen wir noch 'n Stein an die Füße, 'n kleinen oder 'n großen oder alle.«

»Richtig«, schaltete sich Ignacio ein, »wenn der Delinquent dergestalt hängt, dauert es meistens nicht lange, bis das Geständnis fällig ist. Wie steht's jetzt damit, Angeklagter?«

Vitus biss die Zähne zusammen und schwieg.

»Wenn das Geständnis beim Trockenen Zug nicht kurzfristig kommt«, fuhr Ignacio fort, »gehen das Gericht und die Folterer meistens zu Tisch und lassen den Delinquenten mit sich und seinem Schmerz allein. Spätestens um Mitternacht allerdings sind sie zurück, denn nach der Prozessordnung hat die Folter zu diesem Zeitpunkt zu enden. Am folgenden Tag in der Frühe ist sie dann fortzusetzen.«

»Is 'ne hübsche Übung«, grinste Nunu. Er bückte sich und hob die zwei mit Eisenspitzen gespickten Platten auf. »Die Spanischen Stiefel setz ich vors Schienbein, un von hinten kommen die Schellen rum. Schellen un Platten haben Gewinde un Muttern, un ich dreh so lange an 'n Muttern, bis du die Eisenspitzen im Knochen hast, Ketzerdokter, un dein Schienbein bricht. 's tut höllisch weh!«

»Nunu«, befahl Ignacio unwillig, »beschränke deine Erklärungen auf Funktion und Anwendung der Instrumente. Das muss laut Prozessordnung genügen. Es ist nicht statthaft, dem Delinquenten mit den sich daraus ergebenden Schmerzen zu drohen.«

»Jawohl.« Nunu wirkte ein wenig enttäuscht. Dann setzte er seine Ausführungen fort, indem er auf den Stuhl wies, der an dem kleinen Tisch stand. »Der Stachelstuhl is wie 'n Igel, nur härter. Sitz un Armlehnen sin mit Eisenspitzen gespickt. 's is genau das Richtige, wenn man die Stiefel schon anhat.«

Er ging an den Tisch. »Die Mundbirne hat acht Flügel un in

der Mitte 'n Gewinde mit 'ner Mutter«, er deutete auf die Mutter, »die is da, wo bei 'ner richtigen Birne der Stängel is. Unsre Birne kommt mit'm dicken Ende in'n Mund, un ich dreh an der Mutter, un im Mund gehn die Flügel auseinander, un der Ketzer kriegt dicke Backen un kann nix mehr sagen. Un wenn er doch schreit, dreh ich un dreh ich, un die Backen platzen.«

»Das hast du sehr schön erklärt«, lobte Ignacio, »auch wenn du erneut in den Fehler verfallen bist, die entstehenden Schmerzen anzudeuten.«

»Danke, Hochwürden.« Nunu strahlte. Mit neuem Schwung machte er weiter. »Das hier sin Daumenschrauben. Der Ketzer tut die Daumen auf 'ne eiserne Platte, wo Spitzen rausgucken, un von oben kommt genau so 'ne Platte. Die Platte oben dreh ich über'n Gewinde immer weiter runter, bis die Daumen platt sin. Wenn der Ketzer nich gestehen will, hau ich mit'm Hammer noch drauf. Da spritzt das Blut nur so, Ketzerdokter!«

Vitus blickte zur Seite und sagte nichts.

Auch Ignacio schwieg diesmal, obwohl der Kerkermeister abermals gegen die Norm verstoßen hatte.

»Das is das Streckbett.« Nunu ging zur Wand, wo das Bett stand. Am Kopfende, ungefähr auf Schulterhöhe, befand sich auf jeder Seite ein aufrechtes Rundholz. »Die Hölzer steh'n aus'n Achseln raus«, erklärte er, »wenn ich an'n Füßen zieh, hängt der Ketzer fest un wird immer länger.« Er hinkte weiter zum Fußende. »Hier is 'ne Winde mit'm Seil. 's Seil is mit'n Füßen verknotet. Ich dreh anner Winde, un der Ketzer streckt sich; ich dreh weiter, un der Ketzer wird noch länger.«

»Der Körper des Delinquenten ist so weit zu strecken, bis

man das Licht einer Kerze durch seinen Leib schimmern sehen kann«, ergänzte Ignacio. Seine Stimme klang sachlich.

Nunu nahm vom Streckbett eine dünne eiserne Stange und hielt sie hoch. Sie hatte ungefähr die Länge eines Männerarms. »Das is unser Brandeisen, 's is für die Feuerfolter.«

Vitus bemerkte, dass es eine kreuzförmige Spitze aufwies. Ein Gedanke schoss ihm durch den Kopf: Das muss das Instrument sein, mit dem der Magister gefoltert wurde! Doch wenn das stimmte, woher nahmen die Peiniger das Feuer, um die Spitze zu erhitzen? Nirgendwo im Raum befand sich ein Ofen oder eine Esse. Vitus nahm an, dass die Feuerstelle vier Stufen tiefer, im unteren Raum, lag. Das rußige Mauerwerk über der Türöffnung sprach dafür.

»Das is 'ne Rute«, setzte Nunu seine Erklärungen fort, »da brauchen wir viele von, weil die beim Schlagen schnell kaputtgehn.«

»Die Rute kommt nur zum Einsatz in Verbindung mit anderen Foltermethoden, allein gilt sie nicht als vollwertiges Werkzeug«, ergänzte Ignacio. Er griff in die Schale und nahm eine Nuss. Der Vorgang des Lutschens und Mümmelns wiederholte sich. »Die Rute muss vor jedem Einsatz sorgfältig in Weihwasser getränkt werden, wobei ein Ave-Maria zu beten ist. Fahre fort, Nunu.«

»Die Streckleiter is wie's Streckbett, nur isses im Stehen.«

»Gut, das war's, Nunu«, sagte Ignacio. »So weit die *Territio realis*.« Er blickte fragend auf Vitus.

Vitus schaute durch ihn hindurch.

»Wenn Ihr einverstanden seid, Don Jaime«, sagte der Inquisitor, »beginnen wir mit Folterstufe eins, den Daumenschrauben.«

»Ich bin einverstanden«, sagte der Alcalde. Er rutschte ein

paarmal auf seinem Stuhl hin und her, um es sich für das Kommende bequem zu machen.

»Bevor ich es vergesse«, sagte Ignacio, »ich schlage vor, dass wir dem Angeklagten während des ersten Foltergrades erlauben, seine Kleidung anzubehalten, obwohl das eigentlich nicht statthaft ist. Ihr wisst, dass der Delinquent nackt zu sein hat und allenfalls seine Blöße mit einem Schamtuch bedecken darf.«

»Schon recht«, sagte der Alcalde. Man sah ihm an, dass er diesen Punkt nicht für wichtig hielt.

»Nunu, walte deines Amtes.«

»Hochwürden Ignacio!«, unterbrach Alegrio. Seine Stimme klang wichtig.

»Was gibt es nun schon wieder, Pater Alegrio?«

»Ich muss Euch darauf aufmerksam machen, dass ich noch immer nicht in der Lage bin, ein ordnungsgemäßes Protokoll zu führen. Das Licht reicht einfach nicht aus, um die Folter in ihren verschiedenen Graden festzuhalten.«

»Ja, hm.« Was Alegrio sagte, stimmte. Das Licht war tatsächlich sehr schummrig. Die Fackel flackerte schon und war fast abgebrannt. Wo blieb Nunus Gehilfe nur? Ein ungutes Gefühl beschlich den Inquisitor. Er überlegte kurz, ob er die Folter unterbrechen sollte, um den Kerkermeister seinem Gehilfen nachzuschicken, doch er ließ den Gedanken fallen. »Ihr habt Recht, Pater Alegrio, bei diesem Licht könnt Ihr nicht schreiben. Aber ich denke, im Sinne einer zügigen Abwicklung sollten wir dennoch fortfahren. Ich bin sicher, der Angeklagte wird innerhalb der nächsten Minuten gestehen, dann ist immer noch Zeit, die entsprechenden Vermerke nachzutragen.«

»Jawohl, Hochwürden.«

»Nunu, bitte.«

Der Kerkermeister schob den Stachelstuhl ein Stück näher an das Tischchen heran, auf dem die Daumenschrauben standen. Er machte eine übertrieben einladende Geste: »Nimm Platz, Ketzerdokter!«

Vitus ging um den Stuhl herum und betrachtete die Sitzfläche. Nadelspitze eiserne Dornen ragten dicht an dicht empor. Er überlegte, dass er sich am besten so setzen musste, dass Oberschenkel und Gesäß eine gerade Ebene bildeten, dadurch wäre die Fläche größer und der Druck geringer, mit dem die Spitzen in seine Haut dringen würden. Sein Mantel würde vielleicht einen weiteren Teil des Drucks aufhalten. Er setzte sich mit einer gleitenden Bewegung.

Für den Bruchteil einer Sekunde spürte er nichts.

Dann kam die Qual.

Wie ein nadelspitzer Rosendorn, der die Fingerkuppe durchbohrt, überfiel ihn der Schmerz. Er griff an tausend Punkten gleichzeitig an, flutete wie eine Welle im Körper hoch, lief durch alle Gliedmaßen und teilte sich auch der letzten, der kleinsten Faser mit. Vitus brach der Schweiß aus. Wie aus weiter Ferne hörte er die Stimme von Nunu:

»Leg die Arme auf die Lehnen, Ketzerdokter, musst richtig sitzen, sonst kann's nich weitergehen.«

Er reagierte nicht. Es war unmöglich. Er konzentrierte alle seine Gedanken fort von dem Schmerz, um ihn besser ertragen zu können.

Nunu wurde ungeduldig. Er packte Vitus' Arme wie zwei Äste und legte sie auf die Lehnen. Die Kette klirrte, als sie gegen den Tisch schlug. Vitus spürte die Eisenspitzen der Armlehnen, wie sie in seine Unterarme drangen, doch die Tortur war nichts gegen das, was er an Gesäß und Oberschenkeln litt.

»Das hätten wir«, sagte Nunu. »Gleich wird's noch'n bisschen mehr zwicken.« Er schlang um Arme und Armlehnen je
einen Lederriemen. »So!« Er zog die Riemen zu, die Eisenspitzen bohrten sich tiefer ins Fleisch.

Vitus hielt die Luft an, die Schmerzen jagten wie Schauer
durch seinen Körper.

»Ich zieh zwei Löcher fester, sonst glaubste noch, ich kann
meine Arbeit nich, Ketzerdokter. Sooo, un sooo ...«

Vitus keuchte, er atmete qualvoll und schnell. Mit der gan-
zen Kraft, die ihm zu Gebote stand, versuchte er an etwas
anderes zu denken, an irgendetwas, das ihn die unbeschreibli-
che Qual für einen gnädigen Augenblick vergessen ließ. Das
Werk *De morbis* kam ihm in den Sinn. Vor seinem geistigen
Auge blätterte er es auf und verhielt bei einer Seite, auf der die
Zubereitung von Kräuteraufgüssen behandelt wurde. Nur die
Schmerzen nicht ins Bewusstsein dringen lassen ...

»Un jetz die Hände vor.« Weil Vitus nicht gehorchte, ergriff
Nunu seine Daumen und legte sie auf die Unterplatte der
Daumenschrauben. Dann machte er sich am oberen Gegenstück zu schaffen und drehte links und rechts an den Flügelschrauben; tiefer und tiefer senkte sich die Platte mit ihren eisernen Dornen ...

»Nun, habt Ihr mir etwas zu sagen, Angeklagter?« Wie durch
eine Nebelwand hörte Vitus die Stimme von Ignacio.

Er schüttelte wild den Kopf.

»Weitermachen, Nunu!«

»Jawohl.«

Die obere Platte bekam Kontakt. Neue Schmerzwellen rasten durch Vitus' Körper, trafen auf die Torturen, die von unten seinen Leib durchdrangen, und vereinigten sich zu einer
neuen unvorstellbaren Peinigung. Ohne dass er es bemerkte,

zuckten seine Daumen hin und her, rissen sich blutig, fort, nur fort von den alles zerquetschenden Platten! Aber die Daumenschrauben waren wie stählerne Klauen. Unentrinnbar ...

»Ich leg noch mal 'ne Umdrehung zu«, grunzte Nunu. Seine plumpen Hände fingerten an den Muttern. Abermals erhöhte sich der Druck ...

»Aaaaaaaaaahhh ...!« Vitus' markerschütternder Schrei endete in einem Röcheln.

»Nun, schwört Ihr endlich ab?« Von irgendwoher meldete sich die Stimme von Ignacio.

»Es gibt«, schrie Vitus in höchster Qual, »drei Arten der Kräutertrankbereitung: Mazerat, Infus und Dekokt.« Sein Kopf fiel kraftlos nach vorn. Dann bäumte er sich wieder auf. »Der Mazerat ist der Kaltansatz, die Kräuter werden mit kaltem Wasser übergossen ... Dann lässt man sie eine oder mehrere Stunden ziehen ... Nach dem Abfiltern erfolgt die Erwärmung auf Trinktemperatur. Der Infus ist die am häufigsten ...«

»Nunu, weiter!«

»Jawohl, Hochwürden.«

»Aaaaahhh! ... Der Infus ist die am häufigsten verwendete Trankzubereitung!« Seine Stimme wurde heiser, die Bekämpfung der Schmerzen kostete übermenschliche Kräfte. Krächzend stammelte er weiter: »Dabei werden die Kräuter ... mit kochendem Wasser übergossen ... bei Kräutern mit öligem Aroma ... muss der Aufguss abgedeckt werden ... die Stoffe ... sonst ... sich verflüchtigen ...«

»Halte ein, Nunu!« Ignacio blickte fragend auf Pater Alegrio, der wie gebannt dasaß.

Auch Don Jaime wirkte verstört.

»Er ist tatsächlich wirr im Kopf«, stellte Ignacio fest. »Bist du es, Satan, der aus diesem armen Körper spricht?«

Aus dem Angeklagten drang kein Laut.

»Seid Ihr Hochwürden Gonzalo de Ignacio!« Eine fremde, befehlsgewohnte Stimme ließ ihn herumfahren. In der Tür zum Gang stand ein unbekannter Wachsoldat. Er trug einen prächtigen eisernen Helm mit rotem Federbusch, Jacke und Hose wiesen breite gelbe und blaue Streifen in Längsrichtung auf. Er verharrte in militärischer Haltung.

»So ist es. Und wer seid Ihr?«, fragte Ignacio unwillig zurück. Dies war der denkbar schlechteste Zeitpunkt für eine Unterbrechung.

»Mein Name ist Gotthardt Fietler von Bernershofen, ich bin stellvertretender Kommandant der Schweizergarde Seiner Heiligkeit des Papstes in Rom. Ich bitte um Entschuldigung für die Störung, Hochwürden, aber ich habe eine Botschaft von äußerster Dringlichkeit für Euch.« Er verbeugte sich knapp und übergab Ignacio eine Schriftrolle.

Ignacio nahm sie. »Danke, Ihr könnt gehen.«

»Bedaure, Hochwürden, aber ich habe Order, mich davon zu überzeugen, dass Ihr das Schriftstück lest. Ich wäre Euch dankbar, wenn Ihr es gleich jetzt tätet.«

»Das ist doch die Höhe!«, entfuhr es Ignacio. »Wer wagt es, mich …«, doch unversehens beschlich ihn ein ungutes Gefühl. Rasch erbrach er das päpstliche Siegel und entrollte das Schriftstück, während er an die Fackel herantrat, um den Inhalt besser lesen zu können.

Alegrio beobachtete ihn neugierig. Es war mehr als ungewöhnlich, dass der Vollzug der Folter unterbrochen wurde. Hier musste ein ganz besonderer Grund vorliegen, zumal die Botschaft Gregors XIII. durch einen Offizier der Schweizergarde überbracht wurde. Er sah, wie der Inquisitor schon nach den ersten Zeilen stutzte. Sein Körper spannte sich. Seine Bewegungen wurden unsicher.

Ignacio hob den Kopf. »Don Jaime, äh … ich fürchte, Ihr müsst die Folterung ohne meine Anwesenheit fortsetzen. Als Vertreter der weltlichen Macht könnt Ihr …«

»Aber wieso denn, warum denn?« Der Alcalde wirkte erschreckt.

»Nun, äh … ich bekomme hier eine Botschaft, nach der ich mich mit Pater Alegrio unverzüglich an einen bestimmten Ort zu begeben habe. Der Befehl duldet nicht den geringsten Aufschub.«

»Ich soll mit Euch gehen?«, fragte Alegrio entsetzt. Was hatte das nun wieder zu bedeuten? Er hatte sich doch nichts zu Schulden kommen lassen! »Um der Barmherzigkeit Jesu willen, was steht in dem Schreiben, Hochwürden?«

»Ich kann Euch nur so viel sagen, dass Ihr mich zu begleiten habt.«

»Jawohl, Hochwürden.« Pater Alegrio fügte sich in das Unvermeidliche.

Ignacio bemühte sich um Haltung. Der Soldat stand noch immer in der Tür und wartete. »Habt Ihr nicht gesehen, dass ich das Schreiben gelesen habe?«, fragte er scharf.

»Das habe ich, Hochwürden.«

»Und worauf wartet Ihr dann noch?«

»Auf Euch und den Pater. Meine Vorgesetzten meinten, es sei besser, ich würde Euch meinen Begleitschutz anbieten.«

»Ahem, ja. Natürlich.« Ignacio schluckte. »Pater Alegrio, wir gehen.«

»Augenblick, Augenblick!« Don Jaime erhob sich umständlich. »Wenn Ihr geht, komme ich mit! Ihr könnt nicht erwarten, dass ich die Folter allein fortsetze …« Er hielt inne, denn er spürte, wie hilflos seine Worte wirkten. »Allein schon wegen der Inquisitionsprozessordnung, die vorschreibt, dass dabei das Gericht vollzählig anwesend sein muss!« Froh, dass ihm diese Begründung eingefallen war, fuchtelte er mit seinem Zeigefinger vor Ignacios Gesicht.

»Das allerdings ist richtig, Alcalde. Dennoch solltet Ihr bestrebt sein, die Folter fortsetzen zu lassen, damit dieser Ketzer als Dämon entlarvt wird.« Ignatio blickte viel sagend in die Runde. »Möglicherweise als ein sehr begüterter Dämon.«

Äußerlich gefasst trat er zurück an den Tisch und bediente sich mechanisch aus dem Nussschälchen. »Nunu! Wenn wir gegangen sind, räumst du auf und löst die Daumenschrauben. Der Gefangene ist wieder zu inhaftieren, bis äh … bis das Gericht erneut zusammentritt.«

»Jawohl, Hochwürden.«

Hoch erhobenen Hauptes verließ der Inquisitor den Raum. Hinter ihm ging der Alcalde, gefolgt von Pater Alegrio und dem Schweizergardisten.

»Nu sin wir unter uns«, sagte Nunu nach einer Weile.

Vitus' Atem ging rasselnd. Er hatte die Vorgänge kaum wahrgenommen.

»Ich soll dich losmachen, hamse gesacht. Aber vielleicht kannste ja noch'n bisschen lauter quieken, wolln doch mal sehn.« Er fingerte an den Daumenschrauben.

»Aaaaaa … aaa … ahhh!«

»Nu, nu«, freute sich Nunu, »schrei nur, Ketzerdokter, wir sin ganz unter uns.« Er hinkte zur Seite und begann auf dem Richtertisch Ordnung zu schaffen. Dann hinkte er zum Streckbett, um das Brandeisen wieder an seinen Platz zu legen. Nachdem das erledigt war, hinkte er zurück, hinkte hierhin, hinkte dorthin … Vitus nahm es, halb ohnmächtig, wahr. Das Hinken, immer das Hinken … Es hatte doch eine Ursache … Durch die Nebel seiner Schmerzen kam ihm plötzlich die Eingebung:

»Warum zerstörst du meine Hände?« Seine Stimme war kaum mehr als ein Flüstern. »Sie können dein Hinken heilen.«

»Was sachste, Ketzerdokter?«

»Meine Hände … sie können dein Hinken heilen.«

Nunu blieb vor Vitus stehen und stemmte die Arme in die Hüften: »Mein Hinken, sachst du? Nu, nu, da kann man nix mehr dran machen!«

»Doch.«

»Erzähl nix.«

»Ich schaff's. Genauso, wie ich den Magister geheilt habe!«

»Hm. Un dann muss ich nich mehr hinken?«

»Ich schwöre es bei der Heiligen Jungfrau, nur mach mich endlich los.«

»Wenn du's nich schaffst, zieh ich noch fester!«

»Ich schaff's bestimmt, glaub mir doch, bitte!«

Nunu begann, die Flügelschrauben zu lösen. »Aber wehe, du nimmst mich auf'n Arm.«

»Bestimmt nicht. Ohhh ist das gut!« Eine unsägliche Erleichterung durchströmte ihn, während der Schmerz ihn verließ.

Nunu nahm die obere Platte der Daumenschrauben ab und legte sie fort. Dann löste er die Riemen an den Armlehnen. »Nu kannste aufstehen. Hast Glück gehabt, Ketzerdokter, dass Hochwürden was dazwischengekommen is, sonst würdste jetz deine Knochen einzeln sortieren.« Er nickte ernsthaft. »Kannst mir glauben, 's war erst der Anfang.«

»Ich glaube dir.« Vitus erhob sich vorsichtig und wankte hinüber zum Streckbett, auf das er sich langsam bäuchlings niederließ. Er konnte die Stichwunden, die der Stachelstuhl seinem Gesäß und seinen Oberschenkeln zugefügt hatte, nicht sehen, aber der Anblick seiner Unterarme gab ihm einen Eindruck davon. Die Einstichstellen saßen dicht an dicht und waren von Blutergüssen umgeben.

Seine beiden Daumennägel waren dunkelblau angelaufen. Er bewegte die Hände vorsichtig, die Finger hatten ihre Gelenkigkeit uneingeschränkt behalten, doch im vorderen Glied seiner Daumen brüllte der Schmerz. Vitus wedelte mit den Händen, die Bewegung tat ihm gut, sie lenkte von den Qualen ab.

»Was is nu mit deiner Medizin gegen's Hinken?«

Vitus besann sich. »Die Heilung eines offenen Beins geht nicht von heute auf morgen. Ich brauche dazu viele Medikamente.« Er überlegte weiter, ein neuer Gedanke nahm Gestalt an. »Vor allem: Ich brauche Platz und ein großes Bett, die Behandlung offener Beine ist im Stehen oder Sitzen unmöglich. Sie muss im Liegen geschehen.«

Falls Nunu mir ein Bett beschafft, dachte er, könnte ich die nächsten Wochen auf dem Bauch schlafen, dann würden meine Wunden nicht so schmerzen. »Du wirst einen Heiltrank zu dir nehmen müssen, den ich dir frisch zubereite«, sagte er laut. »Und du wirst dein Bein mit heißem Wasser waschen müssen, jeden Tag.«

Er wedelte weiter mit den Händen. Der Schmerz ließ nach, er spürte, wie das Blut wieder in seinen Daumen zirkulierte. »Ich werde dein Bein jeden Tag untersuchen müssen, um den Heilungsprozess zu verfolgen.«

»Das is aber'n ziemliches Trara, wasde da machen willst.« Der Riese blickte misstrauisch.

»Stell dir vor, du müsstest nie wieder hinken, hättest nie wieder Schmerzen im Bein!«

»Hm, tja. 's hört sich gut an.« Nunu legte ein paar weitere Gegenstände an ihren Platz zurück. »Komm hoch, Ketzerdokter.«

Er führte Vitus aus der Folterkammer hinaus, vorbei an der granitenen Platte bis hin zur Treppe. Dann, beim Erklimmen der elf Stufen, trug er ihn halb und bog anschließend mit ihm in den letzten der einundzwanzig Schritt langen Gänge ab. Vitus spürte, wie das Gehen ihm mit jeder Minute leichter fiel.

Abrupt blieb der Koloss stehen. »Hier isses.« Er wies auf die Tür, die Vitus schon vom Morgen her kannte, weil sie die einzige auf dem Gang war.

»Wieso hier? Ich will in die alte Zelle, zu den anderen.«

»Kommt nich in Frage. Ich sperr dich hier ein.« Nunu stieß die Tür auf, Vitus blickte in einen sauberen Raum, an dessen linker Wand ein großes Bett mit Strohsack stand. Sogar ein klappriger Tisch und ein Stuhl gehörten zum Inventar. »'s is meine Kammer, wenn's beim Foltern später wird. Will nich, dass die andern mich sehn, wenn du an mei'm Bein rumfummelst.«

»Aber eine Feuerstelle, in der alten Zelle …«

»Nix da! Kannst hier 'n Kohlebecken kriegen, wie inner alten Zelle. 's Feuer is hier sogar viel näher.«

»Welches Feuer?«

»'s Feuer vonner Schmiede inner Folterkammer.«

»Du meinst in der unteren Kammer?«

»Ja, wo die Eiserne Jungfrau is.«

»Die Eiserne Jungfrau, wer ist das?«

»Frach nich so viel. Erfährst's vielleicht noch früh genug. Jetzt halt's Maul, un hau dich hin. Nachher hol ich dir was zu fressen.«

»Bring Feder, Tinte und Papier mit, ich will die Arzneien aufschreiben, die ich für dein Bein brauche.«

»Wenn's sein muss.«

»Und wenn du an der Zelle vom Magister vorbeikommst, grüße ihn von mir und bestelle ihm: ›Das Unkraut ist nicht vergangen!‹«

»Das Unkraut is nich ... was soll'n der Blödsinn?«

»Sag's ihm einfach. Bitte.«

»Das Unkraut is nich vergangen, das Unkraut is nich vergangen, das Unkraut is nich vergangen, so'n gottverdammter Blödsinn.« Kopfschüttelnd entfernte sich der Koloss.

Vorsichtig legte Vitus sich mit dem Bauch aufs Stroh. Er war froh, ein Bett zu haben, denn trotz seiner Schmerzen merkte er, wie müde er war. Er verspürte ein tiefes Glücksgefühl, dass er der Folter entgangen war, auch wenn er die Zusammenhänge nicht ganz verstand.

Unvermittelt schlief er ein.

»He, Ketzerdokter, wach auf, 's is heller Tag!« Nunu rüttelte unsanft an Vitus' Schulter. »Schläfst seit gestern durch! Hab dir Essen gebracht, aber's haste gar nich gemerkt, da hab ich's wieder mitgenommen, selber schuld.«

Er hinkte zum Tisch. »Hier is das Schreibzeugs. Was is nu mit meinem Bein?«

»Warte.« Vitus richtete sich mühsam auf. Brennende Schmerzen schossen ihm durch die Glieder. Die Daumennägel pochten dumpf. Wieder wedelte er mit den Händen. Beide Daumen wiesen jetzt auf ganzer Länge einen blauschwarzen Bluterguss auf. Das obere Glied war noch immer kaum zu bewegen. Das Schreiben würde ihm schwer fallen. »Ich brauche meine Kiepe.«

»Was für'n Ding?

Vitus seufzte, der Koloss war wirklich schwer von Begriff. »Du weißt doch, was eine Kiepe ist?«

»'ne Kiepe? Ja doch.«

»Gut.« Vitus hoffte, dass der tückische Zwerg ihm seine Habseligkeiten gelassen hatte. »Erinnerst du dich an den Tag, an dem man mich hierher brachte?«

»Nu, nu, du hattest so'n Korb mit Riemen dran. Den hat die Ratte sich unter'n Nagel gerissen, ich guck mal.« Der Koloss hinkte zur Tür und drehte sich noch einmal um. »Der Magister spinnt langsam, hab ihm deinen Satz gesacht, un er hat auf einmal ganz feuchte Augen gekriegt und gefaselt, wie gern er Unkraut hat. Naja, 's war sowieso 's letzte Mal, dass ich was ausgerichtet hab.«

Kurz darauf war er zurück und hielt tatsächlich die Kiepe in der Hand. »Issie das?«

»Großartig! Das ist sie.«

Rasch durchwühlte Vitus seine Sachen und stellte fest, dass nichts fehlte.

»Wie willst'n du mit den ollen Klamotten mein Bein heil kriegen?«, fragte Nunu misstrauisch.

»Das wirst du schon sehen.« Vitus überlegte. Nunu wirksam zu kurieren würde eine Zeit lang dauern. Er musste sich einen genauen Vorgehensplan zurechtlegen und eine Liste der Medikamente aufstellen. Dazu würde er in Ruhe das Werk *De morbis* durchlesen und sich bei den alten Meistern Rat holen müssen.

»Lass mich jetzt allein«, bat er, »ich habe versprochen, dir zu helfen, und das werde ich auch.«

»Meinetwegen.«

»Komm heute Abend noch mal vorbei, dann habe ich die Liste mit den Arzneien fertig. Und besorg mir bis dahin noch was zu essen.«

»Mal sehn.« Der Koloss verschwand. Vitus stellte mit Befriedigung fest, dass er einen gewissen Einfluss auf den Kerkermeister gewonnen hatte. Doch durfte man sich nicht täuschen. Der Riese war tückisch wie ein alter Bulle.

Gespannt schaute Vitus in den doppelten Boden der Kiepe. Ja! Da war das Buch, unversehrt, wie er es weggepackt hatte. Mit dem Schlüssel, den er die ganze Zeit wie ein Kleinod gehütet hatte, schloss er den Folianten auf.

Bald hatte er, mit dem geöffneten Buch auf und ab wandernd, alles um sich herum vergessen. Die Welt der großen Ärzte mit ihren faszinierenden Erkenntnissen zog ihn wie immer in ihren Bann. Nach einiger Zeit hatte er drei Autoren gefunden, die sich fundiert zu dem Problem eines offenen Beins äußerten. Es waren Hippokrates, Galenos und Paracelsus. Vitus verglich die verschiedenen vorgeschriebenen Medikamente und Behandlungsschritte und stellte viele Parallelen fest. Er merkte sich die Gemeinsamkeiten, um die Liste zu schreiben. Doch er konnte die Feder nicht richtig halten, da sein oberes Daumenglied noch fast steif war. Schließlich klemmte er die Feder zwischen Zeige- und Mittelfinger und benutzte die Maus des Daumens, um dagegen zu drücken. Er brauchte zum Schreiben über eine Stunde, und als er fertig war, sah die Liste so aus:

Medikamente zur Behandlung eines offenen Beins:
zur Herstellung des Heiltranks:

Arzneikräuter (getrocknet)   Unzen

Johanniskraut	10
Schafgarbe	15
Arnikawurzeln	15

zur Herstellung von Asklevirium:

Frischpflanzen	Unzen
Rosskastanien	60
Wilde Malve	80
Arnika	100
Steinklee	50

Er überlegte, dann tauchte er die Feder erneut ins Tintenglas und schrieb weiter:

Honigsalbe	30
Seifenkraut (getrocknet)	20
Thymian (getrocknet)	10
Leinen, Verbandszeug	

Die letzten Posten hatte er für seinen eigenen Bedarf aufge-schrieben. Mit der Honigsalbe wollte er seine Verletzungen behandeln, und das Seifenkraut sollte der täglichen Körper-pflege dienen. Das Verbandszeug schließlich war sowohl für ihn als auch für Nunu vorgesehen. Abermals machte er eine Pause und dachte nach. Dann fertigte er eine zweite Liste an:

Notwendige Gegenstände:

Waschschüssel
Schüssel

Wasserkrüge
Becher
Kohlebecken/Holzkohle
Kessel
Mörser mit Stößel
Holzlöffel
Kerzen

Nachdem er die zweite Liste geschrieben hatte, fühlte er, wie die Müdigkeit ihn abermals überkam. Er legte sich auf den Bauch und zwang sich, vor dem Einschlafen Bewegungsübungen mit seinen Daumen zu machen. Mit dem Gedanken, dass er für den Augenblick nicht mehr tun konnte, fielen ihm die Augen zu.

Nunu erschien spät in der Nacht und rüttelte ihn unsanft am Arm. Er fuhr hoch, schlaftrunken und voller Schmerz.
»He, was ist?«
»Konnt nich früher kommen, Ketzerdokter, hab aber was zu fressen dabei!« Der Koloss rückte den wackligen Tisch ans Fenster, damit das Mondlicht darauf fallen konnte. Dann knallte er einen großen Holznapf mit Ziegenkäse und Weintrauben auf die Platte. Einige der Früchte sprangen hoch und kullerten über Vitus' Listen. Er beachtete es nicht. »Hättste nich gedacht, dassde noch mitten inner Nacht was kriegst, he?«
»Ich danke dir, Nunu.« Vitus nahm mühsam eine Weintraube auf, um sie zu probieren. »Sie ist köstlich!«
»'s will ich meinen. Hab meine Beziehungen spielen lassen.« Der Koloss setzte sich ächzend an den Tisch. Sein Blick fiel auf das beschriebene Papier. »Was is nu mit meinem Bein?«
»Das sind zwei Listen mit Dingen, die du besorgen musst, da-

mit ich dir helfen kann.« Vitus griff zur ersten. »Mit dieser Aufstellung gehst du zum Apotheker von Dosvaldes. Sag ihm, er soll dir die einzelnen Pflanzen in Kräutersäckchen mitgeben. In der zweiten Liste sind die Gegenstände aufgeführt, die ich brauche, um die Arzneien herzustellen. Geh damit zu jemandem von der Gefängnisverwaltung, der lesen kann. Je schneller du mit den Sachen wiederkommst, desto früher kann ich mich um dein Bein kümmern.«

»Nu, nu, will sehn, was ich machen kann.« Der Koloss erhob sich ächzend und hinkte zur Tür.

Erst am Nachmittag des übernächsten Tages erschien Nunu wieder. Er war in Begleitung der Ratte, die ihm tragen half. Gemeinsam schleppten sie einen großen Weidenkorb herbei, in dem sich alles befand. Wie Vitus es gewünscht hatte, waren die Kräutersorten einzeln in Säckchen verpackt. Die anderen Gegenstände wurden nach und nach im Raum aufgestellt.

»Was willst du bloß mit dem ganzen Kram?«, zischte die Ratte. »Fehlen nur noch Bilder an der Wand!«

Vitus ging nicht darauf ein. »Ich habe gestern den ganzen Tag nichts zu essen bekommen.«

»Kann nich alles auf einmal«, brummte Nunu. »Entweder ich hol das Zeugs vom Apotheker, oder ich fütter dich.«

»Ich brauche Essen!«, beharrte Vitus. »Wenn du mir nicht jeden Tag etwas bringst, werde ich immer schwächer. Dann kannst du sehen, wer dir dein Bein kuriert.«

In Nunus Gesicht arbeitete es. »Das is was andres«, sagte er endlich, »mein Bein muss gesund wer'n, 's Hinken is nich gut, 's tut weh, un die Weiber lachen mich auch immer aus.«

»Ich brauche noch heute eine Feuerstelle und frisches Wasser. Beides habt ihr vergessen.«

»Besorg das, Ratte«, sagte Nunu.

»Wie denn? Das Feuer in der Folterkammer ist aus, und das Wasser muss ich auch erst vom Brunnen holen!«

»Ich zähl bis drei …« Nunu hob drohend den Arm.

»Verzähl dich nicht.« Die Ratte guckte böse, doch dann huschte sie eilig davon.

»Was sagtest du, Nunu?«, fragte Vitus, »die Weiber lachen dich aus?« Er legte sich wieder vorsichtig auf den Bauch. Der Koloss setzte sich an den Tisch und zündete eine Kerze an, denn es begann dämmrig zu werden.

»Weil ich ja hink. Wenn ich 'ne Frau will, muss ich nach'm Puff. Kann's mir aber von mei'm Hungerlohn nich leisten, un Elvira is sowieso nich zu bezahlen.«

»Elvira?«

»Elvira is die schönste Hure, die's gibt. Sie hat's Bordell an der Plaza, das mit'n runden Fenstern.« Nunu seufzte. »Das is 'ne Hure, Ketzerdokter, da zieht dein Schwanz dich hin, obde willst oder nich.« Er seufzte abermals, diesmal schwerer. »Aber Elvira is einfach zu teuer, un nur aus Freundschaft tut sie's nich.«

»Du müsstest etwas haben, das sie verliebt in dich macht. Verliebte Frauen tun einfach alles, genau wie Männer.« Vitus kam sich vor wie ein Bauer, der vom Fischfang redet. Er hatte keine Ahnung von Frauen. Doch er hatte gehört, dass Verliebte alles um sich herum vergaßen – auch Geld.

»Nu, nu, sach, haste nich'n Kraut oder so was, dasse willig macht?«

»Wo denkst du hin!«, wehrte Vitus ab – und hatte in diesem Augenblick eine Idee. »Schließlich bin ich kein Zauberer. Und der Teufel sitzt auch nicht in mir.«

Der Koloss musterte ihn misstrauisch: »Weiß nich. Vielleicht

ja, vielleicht nein. Hochwürden un ich hätten's aus dir rausge-
quetscht, das kannste glauben.«

Die Tür flog auf. Die Ratte erschien und schaffte ein Wasser-
fässchen herbei, dazu eine eiserne Schale mit Kohlen und
Glut. »Danke. Stell alles dort an die Wand. Und jetzt lasst
mich allein. Bei der Zubereitung der Arzneien könnt ihr mir
sowieso nicht helfen.«

Die Ratte verzog böse ihren spitzen Mund: »Tu bloß nicht so
gelehrt, du, du …«

»Komm lass, Ratte!« Der Koloss zog den giftenden Gehilfen
mit nach draußen.

Als beide fort waren, atmete Vitus durch. Alles, was er notiert
hatte, schien vorhanden zu sein. Es war mittlerweile schon
später Abend, aber er beschloss trotzdem, sich ausgiebig zu
reinigen. Er füllte die Waschschüssel auf, griff zum Seifenkraut und rieb es so lange im Wasser, bis es schaumig wurde.
Dann wusch er sich vorsichtig von Kopf bis Fuß, wobei er immer wieder Wasser nachgab. Als er fertig war, tauchte er, einem spontanen Entschluss folgend, das rote Damasttuch ins
Waschwasser und walkte es kräftig durch. Er staunte, wie
kraftvoll die rote Farbe anschließend wieder leuchtete. Morgen früh, wenn das Tuch getrocknet war, würde er es wieder
um den Leib binden.

Er ertappte sich dabei, wie er ein Lied pfiff, und wunderte
sich, mit wie wenig ein Mensch schon zufrieden sein konnte. Summend nahm er ein Hemd und die Ersatzhose aus seiner Kiepe, bevor er sich Arme, Oberschenkel und Gesäß mit
der Honigsalbe einrieb und die verletzten Stellen verband. Als
er die frische Kleidung anzog, fühlte er sich wie ein neuer
Mensch.

Was wohl der Magister jetzt machte?

Wenig später setzte er Wasser im Kessel aufs Feuer, um sich einen Thymiantrank zu kochen. Anschließend legte er die Substanzen zur Herstellung des Askleviriums bereit. Er würde das Tonikum am anderen Morgen zubereiten, ebenso wie den Infus aus Johanniskraut, Schafgarbe und Arnikawurzeln.

Der Thymiantrank schmeckte köstlich. Vitus blies in die heiße Flüssigkeit und zog das Aroma der ätherischen Öle tief in sich hinein. Die Bemerkung von Nunu, dass die Weiber über ihn lachten, ging ihm nicht aus dem Kopf. Was würde passieren, wenn er ihm eine Art Zaubermittel anböte, von dem er behauptete, es mache die Frauen gefügig? Vorausgesetzt, ihm fiele ein solches Mittel ein, was könnte er dafür verlangen? Langsam nahm seine Idee vom Nachmittag Gestalt an. Doch zunächst waren noch einige andere Dinge zu klären. Vitus nahm einen letzten Schluck, löschte die Kerze und legte sich wieder bäuchlings hin.

Ab morgen würde alles besser werden, das schwor er sich.

Vitus schlief traumlos. Als er erwachte, spürte er zum ersten Mal keine Schmerzen mehr. Neugierig betrachtete er seine Hände. Das erste Glied der Daumen schwoll langsam ab, doch schon bei geringer Beanspruchung waren die Schmerzen wieder da. Ähnlich verhielt es sich mit den Oberschenkeln. Trotzdem: In ein paar Tagen würde er wiederhergestellt sein! Er gähnte ausgiebig und trat ans Kohlebecken. Ein Rest an Glut war noch vorhanden. Mit wenigen Handgriffen entfachte er das Feuer neu und gab Kohlen hinzu. Die Wärme, die dem Becken entströmte, tat ihm gut. Dann setzte er Wasser auf und gab in den Krug die drei Kräutersorten für den Heiltrank: Johanniskraut mit seiner wundheilenden, schmerzlindernden Wirkung, Schafgarbe als Blutmittel und Arnikawurzeln mit ihrer bemerkenswerten Heilkraft bei Venenstauungen.

Als das Wasser kochte, goss er es auf die Kräuter und ließ das Ganze eine Weile ziehen. Dann nahm er mit dem Holzlöffel die Kräuter aus dem Krug. Er schenkte sich probeweise einen Becher ein und kostete. Der Trank schmeckte nicht sonderlich, aber er war sicher, dass er ihm ebenso helfen würde wie Nunu.

Danach stellte er den zweiten Krug bereit und machte sich an die Zubereitung des Venentonikums Asklevirium. Dazu nahm er Blätter und Früchte der Rosskastanie. Die Blätter gab er einfach so ins Gefäß, die Früchte zerdrückte er im Mörser zu Bröckchen. Dann tat er Wilde Malve, zerstoßene Arnika und Steinklee dazu. Wieder verfuhr er wie bei der ersten Zubereitung, nur nahm er weniger Wasser.

Als auch diese Arznei fertig gestellt war, griff er zum Buch *De morbis* und blätterte darin. Die von ihm vorbereiteten Medikamente waren noch nicht alles, was für die Behandlung notwendig war. Nunu würde noch eine Reihe weiterer Dinge beachten müssen.

Gedankenverloren las er und setzte sich. Mit einem Schmerzensschrei sprang er wieder auf. Die Wunden des Stachelstuhls taten noch immer teuflisch weh. Doch, wenn er sich nicht täuschte, nicht mehr ganz so stark. Vorsichtig setzte er sich abermals. Es ging! Es war zwar nicht sonderlich bequem, aber es ging! Rasch stand er wieder auf. Er nahm sich vor, noch einen oder zwei Tage zu warten, bevor er den nächsten Versuch wagte. Aber er war sicher, dass er die kommende Nacht nicht mehr auf dem Bauch schlafen musste.

Er blätterte weiter im Handbuch *De morbis*. Wie immer nahm ihn die Lektüre so gefangen, dass er Zeit und Ort vergaß.

Nunu erschien gegen Mittag und hatte Essen dabei. »'n Fladenbrot un'n Stück Speck!«, sagte er und drückte Vitus beides in die Hand.

»Danke, Nunu.«

»Was is mit meinem Bein?«

»Die Behandlung beginnt jetzt. Als Erstes muss ich mir die Wunde ansehen. Leg dich aufs Bett, und zieh den linken Strumpf aus. Das Loch im Bein ist doch links?«

»Hmja.« Nunu gehorchte umständlich.

»Lass mal sehen.« Vitus hockte sich daneben und nahm den schmutzigen Lappen fort, mit dem die Stelle abgedeckt war. Interessiert betrachtete er die Wunde. Es war ein nahezu kreisrundes Loch von dreieinhalb Zoll Durchmesser, nicht sehr tief, aber übel riechend. Es saß außen, zwei Fingerbreit über dem Knöchel. Die Ränder waren blaurot verfärbt, da und dort hatte sich wildes Fleisch gebildet.

»Dass du bis heute keinen Wundbrand bekommen hast, grenzt an ein Wunder«, murmelte Vitus. »Die Säfte deines Körpers sind im Ungleichgewicht, die offene Stelle ist zu heiß, viel zu heiß.« Er überlegte, ob ein Wundkissen mit Leinsamen in Frage käme, denn Lein war sanft und warm und somit als Mittel des Gegensatzes geeignet. Aber er hatte bereits bei der Brandwunde des Magisters Leinsamen eingesetzt, und der kleine Gelehrte war trotzdem fast gestorben.

Vitus beschloss, sich streng an die Anweisungen im Werk *De morbis* zu halten. »Ich werde zuerst die Wunde reinigen und dann das faule Fleisch an den Rändern entfernen«, sagte er. »Das wird wehtun. Aber jemandem wie dir, der mit Schmerzen umgehen kann, macht das ja sicher nichts aus.«

»Ja«, krächzte Nunu. Der Hintersinn der Worte war ihm entgangen.

Vitus tupfte die Wunde vorsichtig ab. In der Mitte nässte sie. Berührungen in dieser Zone mussten sehr schmerzhaft sein. Wenn man bedachte, dass die Wolle des Strumpfs sich bei jedem Schritt an der Wunde scheuerte, war es kein Wunder, dass Nunu hinkte. Vitus hörte, wie der Koloss mit den Zähnen knirschte. Er nahm aus seiner Kiepe die chirurgischen Instrumente, prüfte die einzelnen Geräte sorgfältig und entschied sich für den Scharfen Löffel.

»Was is das, was soll das?«, fragte Nunu misstrauisch.

»Das nennt man einen Scharfen Löffel. Ich brauche ihn, um das wilde Fleisch fortzuschneiden.«

Nunu schnellte mit dem Oberkörper vor: »An mir wird nich rumgeschnippelt, Ketzerdokter! Gib mir 'ne Salbe oder sonst wie 'ne Medizin un fertig!«

»Leg dich wieder hin, ohne den Löffel geht's nicht.« Behutsam begann er die Wundränder sauber zu schneiden. Plötzlich fühlte er einen stechenden Schmerz am Hals. »Jesus Maria!« Er fuhr hoch und sah einen Dolch in Nunus Hand.

Der Koloss blickte finster: »Damit mach ich dich alle, wenn du mit dem Löffeldings auf dumme Gedanken kommst, 's geht ganz schnell, kannste mir glauben.«

Der Dolch sah gefährlich aus. Es war ein schönes Stück mit fein ziselierter Klinge. »Nimm das sofort weg! Wie soll ich operieren, wenn du mich bedrohst? Oder hast du Angst vor einem kleinen Löffel?«

»Nee, 'türlich nich.« Der Kerkermeister wurde unsicher. »Aber mach keine Fisimatenten, ich dreh dir'n Hals auch mit'n bloßen Händen um!«

»Keine Sorge. Ich mache so etwas nicht zum ersten Mal.« Vitus schob den Löffel unter das wilde Fleisch und löste es mit leichten, grabenden Bewegungen ab. Nunu stöhnte und begann tief durchzuatmen. Seine riesigen Fäuste öffneten und schlossen sich. Vitus beobachtete es nicht ohne Genugtuung. Das Leben ging doch seltsame Wege: Erst vor vier Tagen hatte dieser Mann ihn brutal gefoltert, und heute war er es selbst, der die Qualen ertragen musste.

»Bis du bald fertig?«, ächzte Nunu.

»Für dieses Mal, ja.« Vitus legte den Scharfen Löffel weg und tupfte das hervorsickernde Blut ab. Er griff zur Honigsalbe und rieb damit vorsichtig die Ränder ein. Nunu schielte erleichtert aus seiner liegenden Position. Vitus legte eine leichte Kompresse auf die Wunde und verband sie. »Das Bein muss alle zwei Tage kontrolliert werden. Das heißt: Verband abmachen, Wundränder überprüfen, ob sie zuwachsen, einreiben mit Honigsalbe, neuen Verband anlegen.«

»Un wie lange dauert's, bisses heil is?«

»Ein, zwei Monate bestimmt.«

»Was, so lange! Un alle zwei Tage den ganzen Zinnober?«

Vitus erhob sich. »Was sein muss, muss sein. Komm mal mit rüber zum Tisch.« Der Koloss folgte ihm wie ein Schoßhündchen. »Hier sind zwei Krüge, im ersten ist ein spezieller Heiltrank, der deinem Blut gut tut.«

»Was hat'n das mit mei'm Bein zu tun?«

»Blut darf nicht vergiftet sein wie bei dir. Wenn es rein ist, kann es besser Schorf bilden, und die Wunde schließt sich. Im zweiten Krug ist ein Venentonikum, es heißt Asklevirium und unterstützt den Heilprozess von innen.«

»Hmja.« Nunu war beeindruckt.

»Von dem Heiltrank musst du dreimal täglich einen Becher trinken: morgens, mittags und abends. Der Trank muss stets frisch aufgebrüht sein, damit die Stoffe gut wirken; von dem Tonikum musst du zur gleichen Zeit je einen Löffel nehmen.

Du musst also dreimal täglich zu mir kommen, damit ich dir die Arzneien geben kann.«

»Un damit du dreimal täglich was zu fressen kriegst, was?« In mancher Hinsicht war Nunu nicht auf den Kopf gefallen.

»Du musst die Medikamente wirklich so oft einnehmen, und es ist besser, du tust es hier. Wenn du jedes Mal was zu essen mitbrächtest, wär's mir allerdings schon recht.« Vitus grinste. Es hatte keinen Zweck, Nunu etwas vormachen zu wollen. »Nimm jetzt die Medikamente.«

Nunu gehorchte.

»Bevor du gehst, muss ich dir noch sagen, dass alles das nichts nützen wird, wenn du nicht ein paar weitere Dinge beachtest.«

»Was'n noch alles?«, fragte der Koloss entsetzt.

»Du musst von heute an viel Wasser trinken und den Alkohol meiden, am besten, du trinkst gar keinen. Du musst dich viel bewegen, das ist besser für die Wunde. Und du darfst kein fettes Fleisch essen, nichts vom Schwein oder Ochsen, und wenn, dann nur Lamm oder Ziege. Am besten aber gar keins. Iss dafür lieber Brot und Gemüse. Wenn du dich daran hältst, wird dein Bein gesund werden.«

Nunus Gesicht verfinsterte sich: »Ich glaub, du willst mich auf'n Arm nehmen, was du da sachst, is doch kein Leben für'n richtigen Mann.«

»Ein ›richtiger‹ Mann hinkt auch nicht. Und ein ›richtiger‹ Mann kommt bei Frauen an, vergiss das nicht!«

»Ja, ach ja …« In Nunus Zügen arbeitete es.

Vitus wusste, an wen er dachte.

»Wenn ich nu schon so viel nehmen muss, haste nich auch noch was für Elvira, damitse willig is?«, kam es prompt.

»Vielleicht. Ich muss darüber nachdenken.« Vitus gab sich ablehnend. »Nimm erst ein paar Tage die Medikamente, dann sehen wir weiter.«

»Is gut, Ketzerdokter.«

Vitus wusste nicht, ob sich Nunu in der Folgezeit an das Alkohol- und Fleischverbot hielt, aber er stellte nach zehn Tagen erstmals fest, dass die Wunde sich zu schließen begann. Kaum merklich zwar, aber für den, der genau hinsah, konnte kein Zweifel bestehen. Zudem hatten die Wundränder ihre blaurote Farbe verloren; die Haut sah nahezu wieder normal aus.

»Du machst Fortschritte, Nunu«, lobte Vitus. »Dein Hinken ist auch schon besser geworden.«

»'s is mir auch schon aufgefalln, un die Schritte tun nich mehr weh, jedenfalls nich viel.« Der Koloss strahlte wie ein Vollmond.

»Die Säfte scheinen langsam wieder ins Gleichgewicht zu kommen. Ich wette, dass du in ein paar Tagen nicht mehr hinkst. Wirst einen stattlichen Anblick abgeben, wenn du dann aufrecht über die Plaza schreitest.« Beim letzten Satz krümmte sich Vitus' Zunge, aber er hatte ihn ganz bewusst gesagt.

»Meinst du?« Der Kerkermeister fühlte sich geschmeichelt. Doch dann verdüsterte sich seine Miene, er reagierte wie beabsichtigt. »Aber die Weiber, ich weiß nich, bin nur scharf auf Elvira. Das is 'ne Stute, wenn ich die mal reiten könnt …« Er blickte Vitus treuherzig an: »Haste nich irgend'n Mittel, dasse willig macht? Bitte, Ketzerdokter!«

»Vielleicht.« Vitus gab sich weiterhin zugeknöpft.

»Du hastes! Du hastes!«, rief der Koloss aufgeregt.

»Und wenn es so wäre, was wäre dir das wert?«

»Ahhh, so läuft der Hase.« Nunus Gesichtsausdruck wurde

von einer Sekunde zur anderen misstrauisch. »Was willste haben, Ketzerdokter?«

Vitus holte tief Luft. »Ich möchte, dass der Magister in meine Zelle verlegt wird.«

»Das geht nich!« Die Antwort kam so schnell wie die Kugel aus dem Lauf.

»Überleg es dir. Du musst dich ja nicht jetzt entscheiden.«

»Das geht nich! Selbst wenn ich's wollt, 's würd mir 'ne Menge Ärger bringen.«

»Von wem?«

»Tja, äh …«

»Hochwürden Ignacio ist fort«, setzte Vitus nach, »und Pater Alegrio auch. Ein neuer Inquisitor ist nicht in Sicht, und der Alcalde will am liebsten mit Ketzerprozessen nichts zu tun haben. Keiner ist an mir interessiert. Und an dem Magister auch nicht. Mit wem also solltest du Ärger kriegen? Hier im Gefängnis kann dir sowieso keiner was sagen. Hier bist du der Kerkermeister, oder etwa nicht?«

»Du redst süßer als 'ne Engelszunge, Ketzerdokter.«

»Ich sage nur, wie es ist. Überleg es dir.«

»Da bin ich!«, rief der Magister. Er stürmte in die Zelle hinein und umarmte Vitus. »Lass dich angucken! Gut siehst du aus!« Er hielt Vitus auf Armlänge von sich und blinzelte heftig. »Nunu scheint dich zu mästen!«

Der Riese schob sich dazwischen. »Quatsch nich so'n Mist, Magister. Ketzerdokter, was is'n nu mit'm Mittel für Elvira?«

»Wir brauchen noch ein Bett für den Magister und einen zweiten Stuhl, dann sehen wir weiter.«

»Ich will's Mittel für Elvira! Jetzt!«

»Jetzt geht es nicht. Es gibt drei oder vier Medikamente, die in

Frage kommen, ich muss mir noch überlegen, welches bei deinem Problem am stärksten wirkt. So lange musst du noch warten.«

»Hm. 's wusst ich nich. Aber mach hin!« Notgedrungen zog sich der Koloss zurück.

»Nunu?«

»Was is nu noch, Ketzerdokter?«

»Bring uns was zu essen mit.«

»Du scheinst den Koloss gut im Griff zu haben«, freute sich der Magister, als der Kerkermeister den Raum verlassen hatte.

»Hat das mit dem Mittel für Elvira, die Hure, zu tun?«

»So ist es.« Vitus erzählte die Hintergründe.

Der kleine Gelehrte lachte. »Ich verdanke mein Hiersein also den Liebessehnsüchten eines Monsters! Nun, dir wird dazu schon das rechte Kraut einfallen! Aber nun lass erst einmal sehen, was die Inquisition dir angetan hat.«

Vitus zeigte seine Verletzungen. »Hier, die Stichstellen am Hintern und an den Oberschenkeln sind vom Stachelstuhl, genau wie die an den Unterarmen.«

Der Magister nickte sachverständig. »Der Stachelstuhl löst grausame Schmerzen aus, allerdings wird er nur im Stadium der so genannten ›Gelinden Frage‹ eingesetzt. Bei der ›Schweren Frage‹ werden die Foltermethoden erst richtig infam. Der Trockene Zug und die Spanischen Stiefel gehören dazu. Ich nehme an, dass man dir die Werkzeuge bis ins Kleinste erklärt hat?«

»Das hat man. Nunu versuchte alles, mich das Fürchten zu lehren. Ich hatte auch Angst, aber nicht so viel, dass ich dem Inquisitor nicht kräftig Contra gegeben hätte. Ich glaube, ich bin keine Antwort schuldig geblieben.«

»Das Ergebnis kann man an deinem Körper ablesen.« Der

Magister runzelte die Stirn, wobei seine Kreuznarbe sich zusammenzog. »Was wedelst du eigentlich dauernd mit den Händen?«

Vitus zeigte seine Daumen.

»Donnerwetter! Dieses abscheuliche Gesindel! Sie haben dir auch noch die Daumenschrauben angesetzt, stimmt's?«

»Ja. Mittlerweile kann ich aber das oberste Glied wieder ganz gut bewegen, nur die Nägel werden wohl abfallen.«

»Diese Schweine!«

»Ich mache uns einen Thymiantrank.« Vitus stocherte in der Glut des Kohlebeckens und setzte den Wasserkessel auf.

»Wieso hat man eigentlich bei dir damals nach der Feuerfolter nicht weitergemacht?«

Der Magister setzte sich aufs Bett. »Weil der Alcalde zu Tisch wollte. Hochwürden Ignacio sah zwar aus, als würde er in ein Dutzend saure Äpfel gleichzeitig beißen, aber gegen den Wunsch des Bürgermeisters konnte er nichts einwenden. Und ohne den Bürgermeister geht's nicht. Also musste Ignacio das Verhör abbrechen.«

»Und warum hat man bei dir die Folterung nie fortgesetzt?«

»Das weiß ich auch nicht. Vielleicht ist man zur Ansicht gekommen, dass der Tod von Conradus Magnus schon Wellen genug geschlagen hat.« Der kleine Gelehrte sah neugierig zu, wie Vitus die Trinkgefäße füllte: »Ich habe noch nie Thymian in flüssiger Form probiert, wie schmeckt das?«

»Hier, versuch mal.« Vitus reichte einen Becher hinüber.

Der Magister schlürfte vorsichtig. »Puh, ist das heiß.«

»Aber auch aromatisch. Du wirst gleich merken, wie gut so etwas tut.«

Beide genossen einträchtig das heiße Getränk, Vitus im Stehen, der Magister bequem auf dem Bett sitzend.

»So lass ich's mir gefallen«, seufzte der kleine Gelehrte. Sein Kopf fiel vornüber, und er nickte ein.

»So, ihr Ketzer.« Nunu humpelte mit einem Schemel und einem Strohsack in den Raum. Er hielt inne und wandte den Kopf zurück zur Tür. »Ratte, wo bleibste?«

»Komm ja schon.« Die Ratte betrat mit einem Essenskübel den Raum und stellte den Behälter auf dem Tisch ab. »Linsensuppe mit bester Fleischeinlage, dazu Hartbrot. Beißt euch die Zähne dran aus!«

»Danke, Ratte«, sagte Vitus.

»Hau ab, Ratte!«, befahl Nunu.

»Du kannst mich mal!«, zischte sie, aber sie huschte hinaus.

»Was is nu mit mei'm Mittel für Elvira?« Der drohende Unterton in Nunus Stimme war nicht zu überhören.

»Leg dich erst einmal aufs Bett, du scheinst vergessen zu haben, dass ich mir dein Bein ansehen muss.«

»Meinetwegen, aber dann sachst du mir's Mittel, sonst werd ich ungemütlich.«

»Sicher.« Vitus nahm den Verband ab und betrachtete das Bein. »Du machst weiterhin Fortschritte.« Die Wunde schien tatsächlich abzuheilen. Als er mit der Behandlung begann, hatte er kaum damit gerechnet, dass die Medikamente anschlagen würden, zu sicher war er gewesen, dass Nunu seine Anweisungen nicht befolgen würde. Doch der Koloss schien ein gehorsamer Patient zu sein, vielleicht, weil er verliebt war. Wenn nicht alles täuschte, hatte Nunu sogar etwas an Gewicht verloren. »Hier, dein Heiltrank, und nimm das Asklevirium.«

»Ja doch, Ketzerdokter.«

Vitus schmierte die Wunde mit Honigsalbe ein und erneuerte den Verband. »Um deine Frage zu beantworten, Nunu: Das

Mittel, das du Elvira geben musst, ist ein sehr, sehr seltenes. Aber bevor ich es dir verrate, wollte ich dich bitten, nachher die Kerkertür offen zu lassen, damit der Magister und ich uns mal die Beine vertreten können.«

Der Koloss fuhr hoch wie vom Skorpion gestochen. »Biste bekloppt? Kommt nich in Frage!«

»Aber warum denn nicht? Wir können doch nicht fliehen! Die Gangtür am Ende hältst du doch sowieso immer verschlossen, oder nicht?«

»Das ja.« Der Kerkermeister kämpfte mit sich. »Aber ihr könnt dann immer noch inne Folterkammer, un das geht nich.«

»Die Folterkammer interessiert uns einen Dreck, die haben wir beide in keiner guten Erinnerung, wie du dir denken kannst«, ließ sich der Magister vernehmen.

»So ist es«, bekräftigte Vitus. »Wir wollen einfach nur ab und zu ein paar Schritte auf dem Gang tun, damit wir nicht einrosten.« Er gab seiner Stimme einen geheimnisvollen Klang: »Wenn ich an das Mittel denke, dass ich für Elvira vorgesehen habe …«

»Was isses nu für'n Mittel?«, unterbrach Nunu ungeduldig.

»Wie gesagt, es ist sehr, sehr selten, ich würde es dir auch sofort nennen, wenn du unsere Kerkertür offen ließest.«

»Ja gut, ich versprech's!«

»Schwöre bei der Heiligen Jungfrau!«

»Ich schwör's, weiß Gott, ich schwör's! Un wie heißt nu das Mittel?«

Vitus beugte sich vor und flüsterte geheimnisvoll: »Es ist das Galgenmännchen.«

»Galgenmännchen …«, wiederholte der Koloss ehrfürchtig.

»Ja, auch bekannt unter dem Kräuternamen Alraune. Dieses Galgenmännchen musst du dir besorgen.« Vitus hob mahnend den Finger. »Doch freu dich nicht zu früh, denn das Männchen ist scheu und schwer zu finden. Du musst es unter dem Galgen eines Gehenkten ausgraben, und zwar ein Jahr nach seiner Hinrichtung. Am besten, du setzt dich dazu mit dem Henker von Dosvaldes in Verbindung. Dosvaldes hat doch einen Henker?«

»Doch, ja.« Nunus Stimme war heiser vor Erregung.

»Gut, frage ihn, wo er vor einem Jahr jemanden gehenkt hat. Dort grabe. Aber sei vorsichtig: Wenn du die Wurzel verletzt, stößt das Männchen tödliche Schreie aus. Am besten ist, du machst es wie die Kräuterhexen: Die lassen die Wurzel von einem Hund ausscharren.«

»Bist du ein He … du bist doch …« Nunus Pupillen begannen sich zu weiten.

»Nein, ich bin kein Hexer, und auch der Satan ist nicht in mir. Ich weiß einfach nur Bescheid.«

»Nicht jeder, der ein wenig mehr weiß als andere, ist automatisch ein Hexer«, sagte der Magister.

»Wenn du das Galgenmännchen besitzt«, fuhr Vitus mit wichtiger Miene fort, »betrachte es genau: Je mehr Kopf und Rumpf einem männlichen Glied ähneln, desto größer ist seine Wirkung!«

»Ja, Ketzerdokter.« Wie gebannt hing der Koloss an Vitus' Lippen. »Un wie wirkt das Galgenmännchen nu?«

»Das Galgenmännchen musst du Elvira geben und dafür sorgen, dass sie es isst. Je später am Abend, desto besser. Am größten ist die Wirkkraft, wenn es kurz vor Mitternacht verspeist wird. Dazu sagst du folgenden Reim:

Aus dem Totenreich der Erde
wieder neu lebendig werde!

Wecke Minne, wecke Liebe,
wecke auf die stärksten Triebe!«

Nunu murmelte ein paarmal mühsam die ersten Worte der Formel, doch es war klar, dass er sich die Zeilen nicht merken konnte. »'s is aber verteufelt schwer zu behalten!«

»Du musst den Vers nicht unbedingt aufsagen«, tröstete ihn Vitus, »allerdings ist die Wirkung dann nicht ganz so stark.«

»Hm. Un wenn ich nu so'n Männchen überhaupt nich unterm Galgen find?«

»Du musst es auf jeden Fall versuchen. Wenn es dir nicht gelingt, kannst du immer noch zum Apotheker gehen und dir eine Alraune kaufen. Ich habe das für dich vorbereitet.« Er reichte Nunu ein kleines Blatt Papier, auf dem stand:

Mandragora officinalis

»Das gibst du dem Apotheker von Dosvaldes.«

»Is gut!« Der Riese nahm das Blatt, faltete es sorgfältig zusammen, schob es unter sein speckiges Hemd und entfernte sich ohne ein weiteres Wort.

Die Kerkertür ließ er offen.

»Du bist ein Genie!«, platzte der Magister heraus, als der Koloss gegangen war. »Du hast an die Wirkweise deines Galgenmännchens so viele Bedingungen gestellt, dass Nunu mit Sicherheit nicht alle erfüllen kann. Elvira, dieses Teufelsweib, dürfte kaum von ihm behelligt werden.«

Vitus lächelte. »Wir werden sehen. Lass uns jetzt zusammen essen. Darauf habe ich mich die ganzen letzten Tage gefreut.« Er schob den Schemel an den Tisch, entzündete eine Kerze und schenkte den großen Holznapf voll Linsensuppe. Dann legte er ein übrig gebliebenes Stück Ziegenkäse und etwas Speck dazu. »Jetzt fehlt uns nur noch Wein.«

»Wie Recht du hast.« Der Magister schnitt mit einem Skalpell Speckstücke ab und tunkte sie in die Linsensuppe. »Aber wir wollen nicht undankbar sein. Die Zukunft sieht rosig aus, zumal Nunu uns kaum noch einmal in der Folterkammer piesacken dürfte. Ohne Inquisitionsgericht kann er das nicht. Man munkelt übrigens, dass Hochwürden Ignacio die Hosen gestrichen voll hatte, als er sich mit Pater Alegrio nach Rom aufmachte. Er soll sich dort persönlich vor Gregor XIII. für seinen verdammenswürdigen Lebenswandel verantworten. Wie man hört, war er, wie so viele andere, Stammgast bei Elvira. Ich bezweifle, dass wir ihn jemals wieder sehen.«

»Dass Hochwürden Ignacio nach Rom beordert wurde, hat mir Nunu schon erzählt«, sagte Vitus, »aber dass er zu Elvira ging, wusste ich nicht.«

»Der Lebenswandel dieses hohen kirchlichen Herrn ist wieder einmal Wasser auf meine Mühlen!«, stellte der Magister fest, während er seinen Löffel von allen Seiten ableckte. »Aber ich will nicht schon wieder dieses leidige Thema strapazieren. Der Abend ist viel zu schön dafür. Wann schauen wir uns denn mal um? Die offene Kerkertür ist wie eine Einladung für mich.«

»Lass uns das morgen früh machen. Heute Abend will ich mit dir einfach nur am Tisch sitzen, reden und Muße haben.«

»Einverstanden! Ein Vorschlag, der meinem Hang zur Bequemlichkeit durchaus entgegenkommt. Meinst du, dass wir von hier fliehen können?«

»Schwer zu sagen.« Vitus stellte Teller und Essenskübel fort. Dann kümmerte er sich um die Glut im eisernen Becken. Er legte ein paar Kohlen nach, damit das Feuer bis zum anderen Morgen durchbrannte. »Wir müssen da draußen jeden Fußbreit absuchen, besonders in der Folterkammer.«

»Wieso in der Folterkammer?«

»Weißt du, was eine Eiserne Jungfrau ist?«, fragte Vitus dagegen.

»Eine Eiserne Jungfrau? Aber ja, in La Coruña hatte ich mal ein Mädchen, das wurde von allen so genannt.« Der Magister grinste. »Aber Spaß beiseite, ich habe keine Ahnung.«

»Vielleicht erfahren wir es morgen früh. Neben der ersten Folterkammer gibt es offenbar eine zweite, vier Stufen tiefer. Dort soll sich die Dame aufhalten.«

Vitus hatte seine Aufräumarbeiten beendet: »Ich denke, wir schlafen erst einmal. Du kriegst das Bett.«

»Kommt überhaupt nicht in Frage! Das Bett nimmst du, zumindest, solange du diese Verletzungen hast. Ich hau mich auf den Boden, bin's schließlich gewohnt.«

Vitus lächelte: »Wenn du so ein Gesicht ziehst wie jetzt, ist mit dir nicht zu reden. Gut, dann nehme ich das Bett. Wir können uns später ja ablösen.«

»Ich wusste, dass ich dich überzeugen kann«, kicherte der kleine Gelehrte und machte es sich raschelnd am Boden bequem.

Vitus blies die Kerze aus und legte sich ebenfalls hin. Zu seiner Freude konnte er ohne große Schmerzen auf dem Rücken liegen. »Schlaf gut, Magister.«

»Gute Nacht, du Unkraut!«

Beim ersten Licht des neuen Tages erhoben sie sich.

»Nach dir«, grinste der Magister, als sie auf den Gang hinaustraten. Vitus blickte gespannt nach links. Wie nicht anders zu erwarten, hatte Nunu die Tür am Ende zugesperrt.

Da war kein Durchkommen.

Der Gang selbst wies einige vergitterte Fenster auf, hinter denen der Himmel ein erstes Blau zeigte. Vitus lauschte. Ein schwaches, kaum vernehmbares Rauschen drang an sein Ohr. Es erinnerte ihn an Blätter im Wind, aber er wusste, dass keine Bäume in der Nähe des Gefängnisses standen. Das muss Wasser sein, schoss es ihm durch den Kopf. Richtig, der Fluss! Irgendwo am Gebäude strömte der Pajo vorbei. Normalerweise wäre das Rauschen kaum hörbar gewesen, aber so früh am Morgen waren die Geräusche der Stadt noch nicht erwacht.

Der Magister musterte mit Kennerblick die Fenster. »Schweres Gittereisen«, stellte er fest, »da ist nichts zu machen. Es sei denn, der heilige Franz von Assisi verwandelt uns in eines seiner Vögelein.«

»Warte mal.« Vitus ging noch einmal zurück in die Zelle und kam kurz darauf wieder. In der einen Hand hielt er einen der tönernen Krüge, in der anderen eine brennende Kerze. »Der Krug ist nicht ideal zum Transport von Glut, aber besser als gar nichts.«

»Du denkst an alles.«

»Nimm.« Vitus drückte dem kleinen Gelehrten den Krug in die Hand. Dann wandte er sich nach rechts und schritt mit der Kerze voran um die Ecke des Gangs. Vor ihnen lag die elfstufige Treppe, die zur Folterkammer führte. Gebückt tasteten sie sich die steinernen Stufen hinab.

In der Kammer trat Vitus hinter den Richtertisch, nahm die Fackel von der Wand und tauchte sie in den Krug. Es gab ein brutzelndes Geräusch, dann züngelte die Flamme hoch. Augenblicklich wurde es hell. Zu seiner Freude erkannte Vitus, dass Nunu die alte Fackel gegen eine neue ausgetauscht hatte.

Ohne es zu wissen, hatte er dafür gesorgt, dass sie bei ihrer Suche genügend Licht haben würden.

»Komm.« Die Fackel hoch vor sich herhaltend, ging er weiter, kam zur vierstufigen Treppe, zögerte kurz und stieg dann entschlossen hinunter ins unbekannte Dunkel.

Unten angelangt erblickten sie eine Kammer, die etwa ebenso groß war wie die obere, aber offenbar keine Folterinstrumente enthielt. Nur rechts hinten in der Ecke war ein Schmiedeofen aufgemauert. Darüber befand sich ein Rauchabzug und davor eine Werkbank.

»Beim Blute Christi!« Unverhofft krallten sich die Finger des Magisters in Vitus' Arm. »Dahinten! In der linken Ecke!«

Ein totes Lächeln stand dort im Raum.

Es kam aus einem Mund, der so schmal war wie ein Messerrücken. Er war der Mittelpunkt eines madonnenhaften Gesichts, dessen Züge sich im unruhigen Licht der Fackel bewegten, während der Körper darunter sich still wie eine Statue verhielt. Die Gestalt trug einen Mantel, der bis zum Boden reichte und so aussah, als wäre er nur über die Schultern geworfen, denn die Figur besaß keine Arme. Sie schien aus Metall zu sein, denn ab und zu blinkte sie geheimnisvoll auf.

»Das muss die Eiserne Jungfrau sein«, flüsterte der Magister, als er sich von seinem Schrecken erholt hatte. »Leuchte mal, ich schaue sie mir näher an.« Er ging vor und stolperte über mehrere große Steine, ähnlich derer, wie sie in der oberen Kammer beim Trockenen Zug zum Einsatz kamen.

Vitus half ihm auf. »Tu's besser nicht. Ich habe ein ungutes Gefühl. Irgendetwas stimmt mit der Figur nicht.«

»Wenn du meinst.« Leicht enttäuscht gab der Magister nach. »Dann sehe ich mir mal die Schmiede an.«

Er untersuchte den Ofen mit dem verrußten Abzug, konnte

aber nichts Ungewöhnliches entdecken. »Ist sicher ein paar Wochen her, dass hier ein Feuerchen gemacht wurde«, verkündete er. »Mal sehen, was mit der Werkbank ist.«

Er kramte auf der Platte herum. »Nichts ... doch! Warte mal, hier ist eine Schublade!« Er zog sie auf und holte ein großes Buch hervor. »Mal schauen, wie der Titel heißt, komm mal mit der Fackel her.«

Vitus leuchtete ihm.

»Liber dolorum Dosvaldensis«, las der kleine Gelehrte laut. »Ich werd verrückt: *Das Buch der Schmerzen von Dosvaldes.*«

Er schlug das Werk auf und blätterte interessiert darin. »Ich glaube, es ist ein Verzeichnis der Folterwerkzeuge in den Kammern. Aber ich kann's nicht so gut lesen. Versuch du es mal.« Er gab Vitus das Buch und nahm dafür die Fackel.

Vitus bestätigte die Vermutung. »Die Kammern werden als Cella I und Cella II bezeichnet. Was in der ersten Cella vorhanden ist, wissen wir bereits, und in Cella II ... ja, da steht's: hier befindet sich die Eiserne Jungfrau, auch ›Schmerzensreiche Mutter‹ oder *Madre dolorosa* genannt.«

»Und wie funktioniert die Dame? Steht das auch da?«, drängte der Magister.

Vitus las vor:

»... item muss der verurteilte Suender verbundenen Auges dem weiblichen Automath entgegenschreithen, alsdann dieser sich oeffnet wie die Schenkel eines wolluestigen Weibes und also ihn zersthöret.«

»Wie und wodurch öffnet sich die Dame wohl?«, fragte der kleine Mann neugierig. Er näherte sich der Figur vorsichtig und betrachtete sie von oben bis unten. »Du hast Recht, sie hat etwas Unheimliches. Sie ist das personifizierte Böse.«

»Vorn an ihrem Mantel sind zwei Griffe, dort, wo auf einer Schürze die Taschen sitzen«, sagte Vitus.

»Stimmt. Sollen wir dran ziehen?« Der Magister steckte die Fackel in eine Wandhalterung, um beide Hände frei zu haben. »Ja, los.«

»Halt!« Plötzlich hielt der kleine Gelehrte inne: »Hörst du das? Es klingt, als ob starker Regen gegen eine Mauer prasselt.«

»Jetzt höre ich es auch. Es kommt von der Figur. Irgendetwas hat sie damit zu tun. Lass uns versuchen, sie zu öffnen. Du nimmst den linken, ich den rechten Griff.«

»In Ordnung, entkleiden wir die Dame.«

Sie zogen ein-, zweimal kräftig, dann, mit einem kreischend-metallischen Laut, öffneten sich beide Mantelhälften weit.

Die Eiserne Jungfrau war innen hohl. In den Mantelhälften blinkten Dutzende nach innen gerichtete Stacheln und Schwertklingen.

»Was hat das nun wieder zu bedeuten?«, fragte der Magister entsetzt. Abermals schauten sie in das Buch:

»… der Haerethiker mag sein letztes Spruechlein sagen, bis dass die Jungfrau sich schließet und ihn vielthausendfach durchbohret.«

»Jetzt ist mir klar, warum dem Delinquenten vorher die Augen verbunden werden«, sagte der Magister schaudernd.

»… solcherart perforirt zu werden, ist als ›der Kuss der Jungfrau‹ bekannt.«

»Niemand würde sich freiwillig in ein solches Waffenarsenal stellen«, sprach der Magister kopfschüttelnd weiter, und ...«
Er verstummte. »Hörst du das? Es rauscht jetzt so laut wie ein Wasserfall.«

Vitus klappte das Buch zu. »Ich glaube, ich weiß, was die Ursache ist. Es ist der Pajo, der unter uns fließt. In dem Buch steht auch, dass der Delinquent beim Schließen des Mantels zerstückelt wird, woraufhin er nach unten in fließendes Wasser fällt und seine Überreste fortgeschwemmt werden.«

»Wenn das so ist, muss es hier irgendwo etwas geben, das eine Falltür oder etwas Ähnliches auslöst. Wahrscheinlich außerhalb der Dame, irgendwo hier im Raum.«

Der Magister blickte sich suchend um. »Dort.« Ein unscheinbarer hölzerner Hebel ragte neben der Jungfrau aus dem Mauerwerk. »Ich ziehe mal.«

Mit lautem Knarren schwang der Boden unter der Figur beiseite. Das Rauschen verstärkte sich noch einmal. Die Freunde traten an den Rand der Öffnung und versuchten, etwas zu erkennen, doch sie blickten nur gegen eine schwarze Wand.

»Wie tief man wohl fällt?«, fragte der Magister.

Beide dachten dasselbe: Wer hier noch bei lebendigem Leibe nach unten fiel, der kam spätestens im Fluss durch Ertrinken zu Tode.

»Adios, Fluchtweg!«, seufzte der Magister.

»Gehen wir zurück«, sagte Vitus.

DER ANGEBER OZO

»Ich hab unseren Herrn Jesus vor ein paar Monaten gesehen,
ich glaub, es war im März, unten an den Fluss-
wiesen vom Pajo, wo ich unsere Schafe immer hüte.
Er hat sich mir gezeigt. Mir und keinem anderen!«

Ozo stellte den zweirädrigen Wagen an der Stadtmauer ab und verschnaufte erst einmal. Der Karren war schwer und hoch beladen. Das Gefährt zu schieben hatte ihn größere Anstrengung gekostet, als er sich eingestehen wollte. Alles, was sich irgendwie zu Geld machen ließ, türmte sich darauf: drei Kisten früher Äpfel, Körbe mit frischen Bohnen, Kräuter, zwei Schinken, mehrere Krüge Olivenöl, ein Dutzend Garnknäuel aus gesponnener Schafswolle und vieles mehr. Sogar ein quiekendes Ferkel war dabei.

Es war Markttag in Porta Mariae.

Und wie immer, wenn es galt, eine Arbeit zu verteilen, war die Wahl seiner Mutter auf ihn gefallen: »Sieh zu, dass du das ganze Zeug gut verkaufst«, hatte sie gesagt, sich umgedreht und mit ihrer Nachbarin weitergetratscht. Doch im Gegensatz zu sonst hatte Ozo sich die Laune nicht verderben lassen. Heute nicht.

Denn er war verliebt. Und er hoffte, dass Nina auch diesmal wieder auf dem Markt sein würde. Sie war das schönste Mädchen, das er je gesehen hatte, ihr Haar war wie Seide, ihre Augen schwarz und voll verhaltener Glut, ihre zarte Figur bewegte sich grazil wie ein kleiner Vogel. Unzählige Male schon hatte er sich vorgestellt, wie er sie küssen würde, sie umarmen würde, die Schwellungen ihrer Brüste fühlen würde … Unwillkürlich wanderte sein Blick zu dem Platz links neben dem seinen, dorthin, wo ihr Vater, Carlos Orantes, seine Waren feilzubieten pflegte. Doch Orantes und seine Tochter ließen heute auf sich warten.

Viele andere Bauern und Händler hatten bereits damit begonnen, ihre Waren entlang der Markteinfriedung auszubreiten. Beunruhigt begann Ozo selbst abzuladen. Früchte, Kräuter, Wolle und Schinken richtete er so aus, dass sie in wenigen Minuten, wenn die Sonne über die Mauer stieg, vorteilhaft im Licht liegen würden. Das Schwein ergriff er bei den Hinterläufen und sperrte es in eine kleine Kiste. Es quiekte ängstlich. Immer wieder wanderte Ozos Blick nach links, aber noch war von seiner Angebeteten nichts zu sehen.

Doch da! Da kam sie! Der klapprige Blockwagen von Orantes wurde um eine Hausecke geschoben und näherte sich. Über Ozos Züge ging ein Strahlen. Wie süß Nina aussah! Sie hatte zwar nur einen vielfach geflickten Arbeitskittel an, aber Ozo war es, als trüge sie das schönste Kleid der Welt. Ihr Vater schien heute nicht mitzukommen. Nina war allein. Ozo konnte sein Glück kaum fassen. Er würde sie ansprechen können, ohne von den misstrauischen Blicken ihres Vaters durchbohrt zu werden. Er würde ihr sagen …

»Ist das ein Schaf, das unsere Schwester da so anglotzt?«, hörte Ozo eine Stimme hinter sich. Er fuhr herum. Ninas Zwillingsbrüder standen vor ihm und feixten. Einer ihrer üblichen Scherze. Ozo wusste nicht, ob der, der die Beleidigung ausgesprochen hatte, Antonio oder Lupo hieß. Er konnte sie nicht auseinander halten, niemand konnte das. Der andere jedenfalls, wie immer er hieß, stemmte die Arme in die Hüften und runzelte die Stirn:

»Das ist eine schwierige Frage, Bruder«, sagte er und schien angestrengt nachzudenken. »Ich glaube fast, hier steht wirklich ein Schaf vor uns. Der blöde Gesichtsausdruck lässt keinen anderen Schluss zu. Allerdings«, er unterbrach sich und legte die Hand grübelnd an die Schläfe, »sind da diese gewaltigen, buschigen Augenbrauen …«

»Du meinst, die findet man bei Schafen nicht?«, fragte der erste Bruder, jetzt ebenfalls sehr nachdenklich.

»Auf keinen Fall! Jedenfalls nicht bei normalen Schafen.«

»Vielleicht ist es ein besonders dämliches Schaf?«, überlegte der erste.

»Nein, nein, damit hat es sicher nichts zu tun«, wehrte der zweite Bruder ab. »Ich hab's! Mit diesen Augenbrauen lässt sich trefflich der Boden aufwischen!«

»Wie das?«, fragte der erste Bruder erstaunt.

»Man nimmt den Kopf, drückt ihn herab und bewegt ihn hin und her, ganz einfach.«

»Hm, du hast Recht«, stimmte der erste Bruder zu, »aber ich kenne nur einen, der solche Missgestaltung im Gesicht trägt, und der heißt Ozo.«

»Richtig!« Der zweite schlug sich mit der flachen Hand gegen die Stirn. »Ozo! Dass wir ihn nicht gleich erkannt haben!«

Beide traten dicht an den Gehänselten heran. Sie waren einen halben Kopf größer als er. »Bist du Ozo?«

»Ihr Hornochsen …«

»Wie bitte?«, erklang es unisono. »Hat das Schaf was gesagt?«, fragte der erste Bruder den zweiten.

»Hast du was gesagt?«, fragte der zweite Ozo.

»Ach, nichts.« Ozo blickte zu Boden. Nina war derweil herangekommen, er wollte sich vor ihr keine Blöße geben. Außerdem waren die Zwillinge mindestens anderthalb Jahre älter als er. Eine Keilerei wäre aussichtslos gewesen. Nina begann den Stand aufzubauen. Rasch trat Ozo auf sie zu. »Soll ich dir helfen?«, fragte er ritterlich.

»Nicht nötig«, mischten die Brüder sich ein, »das schaffen wir auch ohne dich.« Tatsächlich packten sie kräftig mit an, und in wenigen Augenblicken waren die Waren ausgebreitet. Ozo sah, dass Ninas Angebot sich an diesem Tag zum großen Teil mit dem seinen deckte. Das war schlecht, zu viel Ware von einer Sorte drückte die Preise. Doch vielleicht bestand die Möglichkeit, den einen oder anderen Betrag vorher abzusprechen. Das würde ihm die Gelegenheit geben, sich mit Nina zu unterhalten.

Inzwischen hatte sich die Szenerie belebt. Frauen und Mägde gingen durch die einzelnen, aus Ständen gebildeten Gassen und verglichen die Waren. Ab und zu war ein Bauer dazwischen, der nach Federvieh Ausschau hielt. Ozo hoffte, dass die Brüder bald verschwinden würden. Doch das Gegenteil trat ein: Plötzlich erschien auch Orantes auf der Bildfläche. Nicht ganz sicheren Schrittes, aber glänzender Laune. Offenbar war er schon vor Ozo da gewesen und hatte sich zwischenzeitlich ein paar Gläschen in der Ortsschenke gegönnt.

»Na, ihr Lausebande!«, rief er aufgeräumt, »schon was verkauft?«

»Nein, Vater, noch nicht.« Die Zwillinge klangen plötzlich lammfromm. Kein Zweifel: Orantes hatte in seiner Familie das Sagen. So freundlich und humorvoll er war, pariert werden musste bei ihm. Keinem seiner Kinder wäre eingefallen, ihm eine vorlaute Antwort zu geben, nur weil er einen über den Durst getrunken hatte.

»Wir haben gerade erst aufgebaut, Vater«, sagte Nina mit ihrer süßen Stimme.

»Wie schön«, rief Orantes und machte eine ausholende Geste, »dass man sich als alter Vater auf seine Brut verlassen kann! Macht weiter so, Kinder, in ein, zwei Stunden schau ich noch mal vorbei. Adios!« Schwungvoll entfernte er sich.

Ozo blickte ihm nach und hätte viel darum gegeben, wenn seine Söhne ihm gefolgt wären. Doch die Zwillinge hatten offenbar den Auftrag, Nina beim Verkauf der Waren zu unterstützen. »Noch nicht viel los, Bruder«, meinte der erste und ließ sich ächzend an der Stadtmauer nieder.

»Hast Recht«, sagte der zweite und setzte sich daneben. »Am besten, wir machen noch ein Nickerchen, bevor der Trubel richtig einsetzt.«

Zu Ozos Verwunderung schlossen beide die Augen und waren nach wenigen Augenblicken eingeschlafen. Nina stand hinter ihrem Wagen und richtete noch einige Früchte aus. Ozo hatte den Eindruck, dass sie absichtlich nicht zu ihm herüberblickte. Ob sie sich nicht traute? Und wenn ja, warum? War sie vielleicht verlegen? Ozo kam sich plötzlich sehr männlich vor. Ein Hund streunte heran und kroch unter Ninas Wagen. Er schnupperte heftig. Dann hob er plötzlich das Bein und pinkelte gegen ein Rad. Ohne nachzudenken, sprang Ozo vor und versetzte dem Tier einen Tritt. Jaulend schoss es davon. Die Zwillinge schnauften im Schlaf, schmatzten mit den Lippen, aber schliefen weiter.

»Der arme Hund! Warum hast du ihn getreten?«, rief Nina vorwurfsvoll.

»Ja, äh …« Die Reaktion Ninas war nicht so, wie Ozo sie sich erhofft hatte. Statt ihm dankbar zu sein, schien sie Mitleid mit dem Köter zu haben. »Er hat an deinen Wagen gepinkelt!« Ozo gab seiner Stimme einen Unterton, von dem er hoffte, dass er empört klang.

»Na und? Ihr Männer pinkelt doch auch überallhin!«

»Ja ...« Ozo merkte, wie er rote Ohren bekam. Erst der Ärger mit den Zwillingen, und nun ließ ihn die Schwester auch noch abblitzen. »Hab's nur gut gemeint«, sagte er mühsam. Er wandte sich beleidigt ab und blickte die Verkaufsgasse entlang. Der Markt hatte sich in den letzten Minuten noch mehr belebt, überall waren jetzt Menschen, die zwischen den Angeboten hin- und herpendelten, sie sorgfältig prüften und darum feilschten.

Ozo beschloss, Nina mit Nichtachtung zu strafen. »Schöne Äpfel, Leute!«, schrie er. »Schöne Äpfel! Neue Ernte, frisch vom Baum!«

»Schrei nicht so.« Einer der Zwillinge räkelte sich. »Wer soll dabei schlafen!«

»Saftiger Schinken, knackige Bohnen, frische Kräuter, feine Wolle!« Ozo wollte sich von den Zwillingen nicht einschüchtern lassen.

Eine alte Frau nahte mit winzigen Schritten und betastete unbeholfen die Knäuel. Sie hatte die Zitterkrankheit, ihre Finger wackelten unkontrolliert in der Luft. »Die – Wolle – sieht – gut – aus«, nuschelte sie mit monotoner, kaum zu hörender Stimme. »Wer – hat – sie – gesponnen?«

»Meine Mutter.«

»Ist – das – Maria – Perpiñas?«

»Richtig, Abuela.« Ozo benutzte absichtlich das vertrauliche »Großmutter«, um die Alte für sich zu gewinnen.

»Dann – will – ich – sie – nicht!« Der Zeigefinger des Mütterchens wackelte unmittelbar vor Ozos Nase, dann schlurfte sie davon.

»Ja, aber ...?« Irgendetwas schien die Alte gegen seine Mutter zu haben.

Ein schwerer Mann schob sich heran. Ozo glaubte in ihm den Kerkermeister von Dosvaldes zu erkennen, aber er war sich nicht sicher, weil der Kerl kaum hinkte.

»Haste auch Galgenmännchen bei deinen Kräutern?«, fragte der Koloss. Er war so riesig, dass er alle Waren mit seinem Schatten überdeckte.

»Galgenmännchen? Tut mir Leid, kenn ich nicht. Was soll das sein, Señor?«

»Nu, nu, Alraune ist's, haste Alraune?«

»Ja, zwei oder drei Wurzeln, Señor.« Ozo grub unter den verschiedenen Kräutersorten nach dem Gewünschten. »Hier, Señor!«

»Die sehn aber nich aus wie'n Pimmel.« Der Koloss beäugte jede einzelne Wurzel genau. »Haste se wenigstens unter 'nem Galgen ausgegraben?«

»Unter einem Galgen?« Ozo durchlief ein Schauer. »Nein, Señor, natürlich nicht. Die Wurzeln sind aus unserem Kräutergarten hinterm Haus.«

»Dann behalt dein'n Kram!«

»Aber Señor, es sind die besten Wurzeln, die …«

»Halt's Maul! Niemand nich hat Galgenmännchen wie'n Pimmel, der Apotheker nich, der Bader nich un du auch nich. 's is wie verhext.« Der Koloss entfernte sich schimpfend.

Ozo starrte dem seltsamen Riesen nach, zuckte mit den Schultern und begann erneut, seine Waren auszurufen: »Frische Äpfel, saftiger Schinken … frische Äpfel, direkt vom Baum!«

»Deine Äpfel und den Schinken kannst du behalten.« Ein dicker Bauer steuerte auf die Kiste zu, in dem das Ferkel saß. »Das Schwein interessiert mich mehr. Ist es gesund?«

»Aber selbstverständlich, Señor, wie ein Fisch im Wasser.«

»Hm.« Der Dicke schniefte, langte in den Kasten und hob das

Ferkel heraus. »Sieht aus, als würdest du die Wahrheit sagen.«
Er hielt das Tier ins Licht. »Es ist 'ne kleine Sau, wo ist der
Rest vom Wurf?«

»Schon verkauft«, log Ozo schnell. Was ging es den Bauern
an, dass der gesamte Wurf nur aus drei Ferkeln bestanden hatte, von denen die beiden anderen kurz nach der Geburt eingegangen waren. Der Himmel mochte wissen, warum. Seine
Mutter hatte zwar die Vermutung geäußert, es läge am Alter
der Muttersau, aber das brauchte niemand zu wissen.

»Verkauft? Wann denn?«, mischte sich einer der Zwillinge ein.
»Davon haben wir nichts mitgekriegt, nicht wahr, Bruder?«

»Nein.« Der andere Zwilling wandte sich treuherzig an den
Bauern: »Und wir waren die ganze Zeit hier. Aber wir wollen
damit natürlich nicht sagen, dass Ozo lügt.«

»Moment mal«, knurrte der Bauer. »Soll ich hier etwa beschissen werden?« Drohend schob er sich auf Ozo zu. Das
Ferkel ließ er achtlos wieder in den Kasten fallen. Die kleine
Sau quiekte protestierend.

»Aber nein, Señor, ich schwöre es bei allen Heiligen!« Angst
kroch in Ozo hoch. »Die anderen Ferkel wurden schon letzte
Woche verkauft.« Hoffentlich nahm ihm der Bauer das ab. Betrug beim Viehhandel war keine Kleinigkeit. Wenn nur diese
verfluchten Zwillinge nicht wären! Er nahm sich vor, es ihnen
bei nächster Gelegenheit heimzuzahlen. Doppelt und dreifach.

»Seht doch, Señor«, er nahm das Ferkel erneut aus der Kiste
und hielt es dem Dicken vor die Nase, »schaut es Euch genau
an: Ein gesünderes Schwein hat's nie gegeben!«

»Und wie viel soll's kosten?« Der Bauer war immer noch
misstrauisch.

»Der Preis ist nicht der Rede wert, Señor. Ich will mich nicht
an Euch bereichern, so wahr es Jesus Christus gibt.«

»Versündige dich nicht an Jesus, unserem Herrn!«, mischte sich da schon wieder einer der Zwillinge ein. Seine Stimme klang sehr fromm.

»Ja, lass das besser sein«, sagte der andere. »Unser Herr Jesus hat anderes zu tun, als auf Marktplätzen kleine Jungen zu beobachten, die Ferkel verkaufen. Er sitzt bekanntlich zur Rechten Gottes und ...«

»... und manchmal wandelt er auch auf Erden und zeigt sich denen, die auserwählt sind!«, platzte Ozo heraus. Er wusste nicht, warum er dies gesagt hatte, aber es war ihm plötzlich in den Sinn gekommen, denn er hatte das Gefühl, dass er damit dem Gespräch eine andere Wendung geben konnte.

»Was wird hier gespielt?« Der Bauer begriff überhaupt nichts mehr.

»Jetzt fehlt nur noch, dass du behauptest, Jesus habe sich dir auf Erden gezeigt«, grinste der erste Zwilling breit.

»Womöglich, während du ein Ferkel auf deinen starken Armen trugst?«, ergänzte der andere süffisant.

»Nimm mir die Sau vom Gesicht weg«, sagte der Bauer.

Ozo tat es. »Aber genauso war's!«, rief er. »Ich hab unseren Herrn Jesus vor ein paar Monaten gesehn, ich glaub, es war im März, unten an den Flusswiesen vom Pajo, wo ich unsere Schafe immer hüte. Er hat sich mir gezeigt. Mir und keinem anderen!«

»Angeber!«, rief der erste Zwilling.

»Sag das noch mal«, sagte der zweite Zwilling zu Ozo.

»Er trug einen grauen Kittel, der aussah wie 'ne Mönchskutte, er hatte blonde, lange Haare wie 'n Engel, und er unterhielt sich mit unsichtbaren Geistern.«

»Jetzt ist er total übergeschnappt«, stellte der erste Zwilling fest.

»Völlig plemplem«, bestätigte der zweite.

Der Bauer schlug hastig das Kreuz.

»Er hatte sich einen Stock oder so was über die Schultern gelegt, und er hinkte.« Nachdem er nun einmal davon angefangen hatte, wollte Ozo nicht zurückstecken, zumal er merkte, dass Nina ihn interessiert musterte.

»Wie sah er denn aus?«, fragte sie mit ihrer süßen Stimme. Offenbar war sie die Einzige, die nicht von vornherein an seinen Worten zweifelte.

»Oh, er hatte ein wundervolles, strahlendes Antlitz. So erhaben! Die Augen waren zum Himmel gerichtet, irgendwie war so ein leidender Ausdruck drin!« Ozo hatte das Gesicht seinerzeit gar nicht sehen können, aber seine Phantasie hatte diesen, in seiner Erinnerung fehlenden Baustein längst ergänzt.

»Ich habe dieses Gesicht auch schon gesehen«, erklärte der erste Zwilling nach einer Weile.

»Ich auch«, echote der zweite. »Es gehört der geschnitzten Jesusfigur, die in der Kirche über dem Altar hängt.«

Der Bauer hatte sich mittlerweile aus dem Staub gemacht. Stattdessen waren einige andere Marktbesucher herangetreten. Besonders die Frauen verfolgten mit wachsendem Interesse die Unterhaltung.

»Ihr Idioten!«, schrie Ozo erbost. »Ich habe den Herrn Jesus wirklich gesehen. Er trug einen grauen Kittel, und er hatte 'nen Stock quer über die Schultern!« Er merkte nicht, dass er sich vor Aufregung wiederholte, denn Nina schaute ihn unverwandt an. Das tat ihm gut. Mit neuem Schwung redete er weiter. »Ich hab's genau gesehen: Er trug 'ne Kiepe auf dem Rücken. Er war nicht besonders gut zu Fuß, als wär er schon 'ne lange Strecke gegangen, seine Jünger waren nicht bei ihm, aber er sprach die ganze Zeit mit einem Meister. Das war unser Herrgott.«

Ozo war jetzt richtig in Fahrt: »Plötzlich entdeckte er mich. Er ging auf mich zu, und ein wunderbares Gefühl überkam mich. ›Ozo, mein Sohn‹, sagte er, ›ich habe dich auserkoren, etwas ganz Besonderes zu werden: Du sollst der reichste, tapferste Mann von ganz Spanien werden, wenn du nur an mich glaubst!‹ – ›Ich glaube an dich, oh Christus!‹, rief ich und fiel vor ihm auf die Knie. Er hob mich auf, für einen Augenblick konnte ich nichts mehr erkennen, so hell war alles um mich herum. Als ich wieder sehen konnte, war Jesus Christus verschwunden.«

Ozo verhielt für einen Moment. Um ihn herum war es still geworden. Man hätte eine Nadel fallen hören können. Er blickte triumphierend in die Runde: »Das alles habe ich selbst erlebt, ich schwör's bei der Heiligen Jungfrau!«

Ninas süßer Mund stand vor Aufregung offen. Ozo sah es mit Genugtuung.

Die Menge begann unruhig zu werden. Sollte dieser Junge tatsächlich eine Begegnung mit dem Gekreuzigten gehabt haben? Vielen war Ozo als fauler, keineswegs frommer Bengel bekannt, aber man hatte ja schon häufig gehört, wie aus einem Saulus ein Paulus geworden war. Manchen in der Menge beschlich ein unheimliches Gefühl.

»Ich hab alles selbst erlebt, ich schwör's bei der Heiligen Jungfrau!«, beteuerte Ozo nochmals. Er sah, wie die Menge vor ihm hin- und herwogte und sich plötzlich teilte. Orantes trat aus der Masse heraus.

»Was geht hier vor?«, fragte er laut. Seine Aussprache war leicht verwaschen. »Wer schwört hier was bei der Heiligen Jungfrau?«

Leicht schwankend bewegte er sich auf die Zwillinge zu. Als niemand auf seine Fragen einging, herrschte er den ersten der Brüder an: »Noch mal frag ich nicht, Antonio, also, was ist los hier?«

Antonio blickte unschuldig auf: »Nichts weiter, Vater. Nur, dass Ozo unserem Herrn Jesus Christus leibhaftig begegnet ist.«

»Das interessiert die Leute natürlich«, setzte Lupo scheinheilig hinzu.

»Ozo?« Orantes' Kopf fuhr herum. »Welcher Ozo?«

»Ich, Señor.« Ozos Stimme klang bescheiden. Bei dem Vater seiner Angebeteten wollte er einen guten Eindruck machen.

»Du bist doch Ozo Perpiñas, der Sohn von Maria?« Orantes musterte den Jungen von oben bis unten. Er hatte ihn längere Zeit nicht gesehen. Der Bengel war in der Zwischenzeit mächtig ins Kraut geschossen, war fast schon so groß wie seine Zwillinge. Doch bis auf die buschigen Augenbrauen hatte er immer noch das Gesicht eines Grünschnabels. Orantes stellte insgeheim fest, dass er den Jungen nicht mochte.

»Ja, Señor.« Ozo machte tatsächlich so etwas wie eine Verbeugung.

»Unserem Ozo ist im März der Herr Jesus Christus erschienen«, wiederholte Antonio.

»Er ist etwas ganz Besonderes, ein von Christus Auserwählter, der einmal der reichste und tapferste Grande in ganz Spanien sein wird«, ergänzte Lupo.

Antonio nickte ernsthaft, um den Worten mehr Gewicht zu verleihen. »Das hat er uns gerade mitgeteilt, Vater. Wusstest du, dass Christus lange, blonde Haare hat und einen grauen Kittel nebst einer Kiepe zu tragen pflegt?«

»Wollt ihr mich auf den Arm nehmen?« Orantes' Stimme klang drohend. Seine Aussprache war wieder ganz klar.

»Aber nein, Vater! Frag Ozo doch selbst.«

Orantes wandte sich an den Jungen: »Nun, stimmt das?«

»Jawohl, Señor.« Ozo versuchte, seiner Stimme einen festen Klang zu geben. »Ich traf Jesus Christus, so wahr mir Gott helfe. Es war im März, denke ich, ich hab ihn gesehen, als er unten am Flussufer entlangschritt.«

»Soso.« Es war Orantes anzumerken, dass er dem Jungen kein Wort glaubte. »Und weiter?«

»Er hatte so einen alten grauen Kittel an, der wie 'ne Zisterzienserkutte aussah, und er trug 'ne Kiepe auf dem Rücken. Einen langen Stecken hatte er auch dabei, den trug er quer über den Schultern, dazu redete er dauernd mit seinem unsichtbaren Meister. Erst war er mir unheimlich, aber dann wusste ich: Das ist unser Herr Jesus.«

»Soso«, sagte Orantes abermals, jetzt aber sehr nachdenklich. »Kannst du deinen Herrn Jesus noch genauer beschreiben?«

Ozo zuckte mit den Schultern. »Er ging mühsam, als hätte er schon 'ne lange Strecke hinter sich.«

»... als hätte er schon 'ne lange Strecke hinter sich«, wiederholte Orantes, bei dem sich ein Gedanke immer mehr festsetzte. »Kann's denn auch sein, dass er nur deshalb so mühsam ging, weil er's nicht gewohnt war?«

»Ich weiß nicht, Señor. Jedenfalls hinkte er.«

Antonio kicherte: »Man stelle sich vor, unser Herr Jesus hinkte!«

»Halt die Klappe!«, fuhr Orantes ihn an.

»Entschuldige, Vater.«

»Der Herr Jesus hinkte also«, nahm Orantes den Faden wieder auf. »In welche Richtung hinkte er denn, Ozo?«

»Er ging den Weg, der nach Dosvaldes und San Cristobal führt.«

»Das heißt, du sahst diesen Jesus noch vor der Weggabelung?«

»Ja, Señor.«

»Und dass du einen ganz normalen Menschen aus Fleisch und Blut gesehen hast, hältst du nicht für möglich?«

Einige der Zuhörer lachten jetzt und stießen sich in die Seite. Das Gespräch hatte eine unterhaltsame Wendung genommen. Orantes war dabei, einem Aufschneider das Handwerk zu legen. Auch die süße Nina kicherte. Ozo sah es mit Schrecken. Er musste sein Gegenüber davon überzeugen, dass er die Wahrheit sprach. Plötzlich fiel ihm ein großartiges Argument ein:

»All das hab ich auch schon der Inquisition gesagt, und die haben mir geglaubt!«, rief er.

»Wie bitte?«, fragte Orantes konsterniert.

»Die Inquisition hat Jesus angeklagt, ein Ketzer zu sein!« Um seinen Worten mehr Nachdruck zu verleihen, nickte Ozo heftig mit dem Kopf.

Ein Ruck ging durch die Menge. Das Wort »Inquisition« war für alle gleichbedeutend mit Folter, Verbrennung und Tod. Welch schaurig-schöner Gedanke! Wer immer der von diesem Ozo Beobachtete sein mochte: Wenn er in den Fängen der Inquisition gelandet war, drohte ihm ein grauenvolles Schicksal. Neugierig drängten sich die Leute vor.

»Hahaha!« Orantes brüllte plötzlich vor Lachen. »Hahaha! Das ist gut!« Er schlug Ozo so kräftig auf die Schulter, dass dieser in die Knie ging. »Du bist mir vielleicht einer!«

Blitzschnell drängte er den Jungen an die Stadtmauer ab und wandte sich zurück zur Menge: »Das Ganze war ein Scherz!«, rief er fröhlich. »Geht jetzt eurer Wege, Leute! Bei diesem Jesus handelt es sich um einen Schwager von mir. Ozo wollte nur ein bisschen im Mittelpunkt stehen. Wie junge Leute halt sind, ihr versteht schon. Hahaha!«

»Aber nein, ich …«, hob Ozo an, doch ein schmerzhafter Fußtritt von einem der Zwillinge brachte ihn zum Schweigen. Die Menge brauchte einige Zeit, um Orantes' Erklärung zu begreifen. Enttäuschung machte sich breit. »So etwas nenne ich nicht witzig«, empörte sich eine stämmige Magd, die in vorderster Reihe stand.

»Ich auch nicht!«, fielen ein paar andere Frauen ein.

»Seid nicht so streng mit der Jugend!« Orantes trat vor und schob mit sanfter Gewalt die Frauen auseinander. »Es ist schon spät, und ihr habt alle noch nichts gekauft. Was sollen eure Männer sagen, wenn sie hungrig nach Hause kommen und kein Mahl vorfinden!«

Zögernd und immer noch unmutig machten die Weiber sich davon.

»Und nun zu uns beiden.« Orantes musterte Ozo scharf. »Du wirst mir jetzt alles haarklein erzählen, mein Junge, du wirst nichts auslassen und nichts hinzufügen. Der Markttag ist für dich beendet.«

In der darauf folgenden Nacht lag Orantes lange wach. Seine Gedanken kreisten unablässig um den jungen Mann, den er in Begleitung von Emilio kennen gelernt hatte. Alles, was Ozo erzählt und beschrieben hatte, passte auf Vitus. Lange wehrte Orantes sich gegen den Gedanken, Vitus könnte in den Fängen der Inquisition gelandet sein. Doch sein Verdacht verdichtete sich immer mehr. Zu vieles sprach dafür. Auch die Tatsache, dass Vitus seinerzeit erwähnt hatte, er wolle nach Santander, und dass Orantes ein paar Wochen später, als er selbst sich dort aufhielt, vergebens nach ihm gefragt hatte. Niemand wusste von einem jungen Mann, der eine Passage nach England gebucht hatte. Niemand hatte mit dem Namen Vitus etwas anfangen können …

Wenn aber die schreckliche Vermutung Wahrheit war und Vitus sich in der Gewalt der Inquisition befand, wie konnte er ihm helfen? Was war zu tun? Stunde um Stunde grübelte Orantes. Erst gegen Morgen, als der Tag schon graute, kam ihm der rettende Gedanke.

Er fiel in einen unruhigen Schlaf.

DER BISCHOF MATEO

»Dieser Mensch ist angeklagt,
vom Teufel besessen zu sein!
Ihr, Abt Gaudeck, mögt Euch mit dem besten Gewissen
der Welt für den Jungen verbürgen, allein, Ihr kennt weder
die heiligen Pflichten bei inquisitorischen Prozessen,
noch habt Ihr während solcher die vielen Gesichter
des Teufels erblickt.«

… und darf ich Euer Allerkatholischsten Majestät nochmals meinen tiefsinnigen Dank sagen für das Vertrauen, das Euer Majestät in mich zu setzen bereit sind, nachdem Seine Heiligkeit Gregor XIII. in Rom mich mit Euer Majestät gnädigem Einverständnis zum neuen Großinquisitor Kastiliens ernannt hat, auf dass im Norden Eures Reiches den ketzerischen Missständen endgültig Einhalt geboten werde. Also gebe ich Euer Majestät kund und zu wissen, dass es dem Allmächtigen in seiner unermesslichen Gnade gefallen hat, die Heilige Katholische Kirche gegen die Häresie allhier erfolgreich sein zu lassen …

Die mit sorgfältigen Schwüngen über das Pergament gleitende Feder verhielt einen Augenblick, tauchte in ein akkurat ausgerichtetes Tintenfass ein und setzte sich wieder in Bewegung …

… als Euer Majestät gehorsamster Glaubensstreiter darf ich nunmehr vermelden, dass der hiesige Landstrich – dank meiner

Bemühungen – praktisch als ketzerbefreit gelten kann. Alle Marranen, Morisken und Protestanten wurden vor Gott und der Welt zur Rechenschaft gezogen, ordnungsgemäß angeklagt, verhört, geziemend gefoltert und ihrer gerechten Strafe zugeführt.

Durch diese gottgefälligen Maßnahmen kommen dem Reich – und damit Euer Majestät – Gold und Landbesitz in vielfältigem Maße zu.

So wurden von den Marranen insgesamt 161342 Dublonen beschlagnahmt, was ein großes Gezeter unter dem nordspanischen Judentum zur Folge hatte. Von den Morisken, die sich als falsche Mauren erwiesen, weil sie zum Scheine nur dem allein selig machenden Glauben beitraten, erhält die Staatskasse weitere 87991 Dublonen. Die Protestanten endlich sind in dieser Gegend nur spärlich vertreten und steuern neben einigem Landbesitz bescheidene 1478 Dublonen bei. Dennoch könnt Ihr mit summa summarum 250811 Dublonen rechnen, die noch vor Wochenende unter strengster Bewachung nach Madrid abgehen.

Der Schreiber verschwieg an dieser Stelle, dass er zuvor für die Kirche – und natürlich auch für sich selbst – einen Gutteil der Werte vereinnahmt hatte. Schließlich waren schon in der Heiligen Schrift, im Evangelium des Matthäus, Kapitel 22, Vers 21, die Worte Jesu zu lesen: So gebet dem Kaiser, was des Kaisers ist, und Gott, was Gottes ist.

Der Kirche als Vertreterin Gottes und ihm selbst als Vertreter der Kirche stand somit ein Anteil zu. Ein nicht zu kleiner, wie sich von selbst verstand. Dennoch war es klüger, diese Tatsache unerwähnt zu lassen.

Wieder wurde die Feder abgesetzt und neu eingetaucht.

… ferner darf ich Euer Majestät mit dem allergrößten Respekt mitteilen, dass, nachdem Ihr die Gnade hattet, meine Person als Nachfolger des Dominikanerpaters Gonzalo de Ignacio zu bestätigen und mich zum alleinigen Großinquisitor Kastiliens zu ernennen, ich mich unverzüglich zu einem Marktflecken namens Dosvaldes begab, um die letzten hier im Gefängnis einsitzenden Ketzer mit ultimativer Strenge abzuurteilen. Erfreulicherweise stellte sich indes die Unschuld dreier jüdischer Kaufleute heraus, denen vorgeworfen worden war, sie hätten auf dem iberischen Festland Handel getrieben. Es sind die Brüder Habakuk, David und Solomon aus der Familie Hebron.

Das Oberhaupt dieser Familie, ein gewisser Jakob Hebron, lebt mit dem Rest der Sippe auf der Baleareninsel Menorca, von wo aus er der Mutter Kirche eine beachtliche Spende überwiesen hat. Ich darf mir untertänigst erlauben, Euer Majestät Schatzkammer den vorgeschriebenen Teil davon zu übergeben.

Zur Kenntnisnahme aller von mir konfiszierten und erhaltenen Werte darf ich Euer Majestät allergnädigste Aufmerksamkeit auf die beigelegte Liste lenken.

Was meine weiteren Pläne anbetrifft, so erlaube ich mir, Euer Majestät mitzuteilen, dass die mir übertragene Aufgabe der Vernichtung des Unglaubens in Nordkastilien bis auf zwei, drei Fälle als abgeschlossen betrachtet werden darf, und hoffe auf Eure volle Zufriedenheit und Gunst. Ich gedenke, den Marktflecken, in dem ich diese Zeilen niederschreibe, morgigen oder übermorgigen Tages zu verlassen und meinen Weg nach Santander zu nehmen, um dort den Kampf gegen die Häresie aufzunehmen, respektive zum endgültigen Abschluss zu bringen.

Ich bete um Euer Majestät Gesundheit und Wohlergehen und bin bis zu meinem letzten Atemzuge

Euer pflichteifrigster Diener

Mateo de Langreo y Nava
Bischof von Oviedo

Die Feder wurde hochgenommen und so geführt, dass sie einen sauberen Strich unter den Namen setzte. Dann fügte sie Ort und Datum hinzu:

Dosvaldes, am 3. August, Anno Domini 1576

Schließlich wurde sie abgelegt, von einer Hand, an deren Mittelfinger ein schwerer Rubinring saß. Die Hand gehörte einem Mann, der in keiner Hinsicht bemerkenswert war. Sein Gesicht wirkte auf andere so durchschnittlich, dass niemand es zu beschreiben vermocht hätte. Seine Stimme hielt sich, einem Singsang gleich, stets auf einer Höhe. Über seine Zähne ließ sich nichts sagen, denn er lächelte nie. Wenn überhaupt etwas an ihm hervorstach, dann waren es seine abgezirkelten, eckigen Bewegungen. Er wirkte wie eine Marionette – und er war es auch.

Mit knappen Bewegungen streute er Sand über seinen Namenszug, um die Tinte zu löschen. Sein Auge verweilte dabei für einen Augenblick auf der mustergültig gelungenen Unterschrift. »Mateo de Langreo y Nava …«, murmelte er kaum hörbar. Stolz durchfuhr ihn dabei, denn vor dreiundvierzig Jahren hatte er als Tagelöhnersohn das Licht der Welt erblickt, und heute war er ordentlich geweihter Bischof der Diözese Oviedo. Ein Aufstieg, den er nicht zuletzt der Tatsache zu verdanken hatte, dass er niemals Fehler machte – oder besser: seiner Fähigkeit, dafür zu sorgen, dass andere sie machten.

Mateo blickte auf. Er befand sich im Sitzungssaal der Bürgermeisterei von Dosvaldes, einem einfachen, mit Fahnen verhängten Raum, der den Ausdruck Saal keinesfalls verdiente. Obwohl es später Vormittag war, wirkte das Zimmer düster. Der Tisch, an dem er geschrieben hatte, war neu und roh gezimmert. Sein grobes Aussehen bildete einen krassen Gegensatz zu den säuberlich ausgefertigten Dokumenten, die darauf lagen – Stück für Stück peinlich genau im rechten Winkel ausgerichtet. Drei brennende Kerzen warfen spärliches Licht auf Pater Enrique, den Assistenten des Bischofs, der neben ihm saß und schlief. Der Oberkörper des Mannes lag entspannt auf der Tischplatte, nur der Kopf stand mit seltsam starrer Haltung vom Rumpf ab. Sie war typisch für Enrique und der Grund für seinen Spitznamen: Schiefhals.

An der Tür hielten zwei der insgesamt zehn Soldaten Wache, die den Begleitschutz des Bischofs bildeten. Sie stützten sich auf ihre Hellebarden und wirkten nicht viel wacher als Schiefhals. Schlafmützen allesamt!, dachte Mateo und verkniff sich einen Verweis. Immerhin war festzustellen, dass man seine Männer mehr als bescheiden untergebracht hatte und sie deshalb nachts kaum Schlaf fanden. Die Ausnahme bildete natürlich er, Mateo, selbst. Ihn hatte man standesgemäß im ersten Stock der Bürgermeisterei einquartiert. Doch welch eine unerfreuliche Situation! Welch ein armseliges Nest!

Der Bischof gestattete sich ein Hüsteln und erwog, ob er sich höherenorts über die schlechte Behandlung beschweren sollte, doch sogleich verwarf er den Gedanken wieder. Vorsicht ist die Mutter der Karriere! Das war sein Leitspruch. Nicht zuletzt ihm hatte er es zu verdanken, dass er bei König und Papst in so hoher Gunst stand. Und jetzt, durch die Verhaftung Ignacios, war sein Aufgabenbereich sogar noch umfangreicher geworden. Der Dominikanerpater, schon immer von ihm als leidiger Konkurrent im Streit um die wirksamste Ketzerverfolgung verachtet, saß mittlerweile irgendwo in den Katakomben des Laterans, persönlich dazu verurteilt von Gregor XIII. Ein schmales Lächeln stahl sich auf Mateos Lippen. Wie der Pontifex Maximus letztlich Kenntnis von Ignacios gotteslästerlichem Lebenswandel erhalten hatte, ging niemanden etwas an …

»Pater Enrique«, sagte Mateo mit beherrschter Stimme, »erwacht.«

Der Assistent schlief weiter.

Mateo richtete sich korrekt zu voller Sitzhöhe auf, drehte den Kopf, bis er Enrique im Blickfeld hatte, und sprach lauter: »Euer Schlafbedürfnis ist eines Gottesmannes unwürdig.«

Als noch immer keine Reaktion kam, rollte der Bischof das Pergament zusammen und schlug es dem Schläfer mit einer gezielten Bewegung an den Kopf. »Eine Botschaft für Seine Majestät!«

Endlich rührte sich Schiefhals. Er reckte die Arme und gähnte ausgiebig.

»Fertigt eine Abschrift dieses Schreibens für den Heiligen Vater in Rom an und versiegelt dann beide Botschaften. Das Original geht mit dieser Extraliste an den König. Sendet alles noch heute mit berittenem Boten ab.«

Schiefhals gähnte abermals. Dann lächelte er träge, wobei zwei Reihen fauliger Zähne sichtbar wurden. »Gewiss, jawohl, gewiss, mein Bischof.«

»Ein bisschen plötzlich, wenn ich bitten darf.« Dieser Enrique ist schlimmer als Aussatz und Pest zusammen!, dachte Mateo. Nicht nur, dass er ihn hartnäckig mit »mein Bischof« ansprach – »Euer Exzellenz« wäre angemessen gewesen –, er ließ es generell am gebührenden Respekt fehlen. Mateo fühlte sich bemüßigt, diesem Faulpelz einmal kräftig den Marsch zu blasen, doch er unterdrückte den Wunsch. Vorsicht ist die Mutter der Karriere! Es hieß, Enriques Familie sei mütterlicherseits mit dem Hause Habsburg verwandt und darum fließe gewissermaßen das Blut Philipps II. auch in seinen Adern.

»Ei, ei«, sagte Schiefhals, und seine Augen verrieten, dass er die Gedanken seines Bischofs erraten hatte. »Euch wird die Galle doch nicht hochkommen?« Unvermittelt stieß seine Rechte vor, umschloss die Botschaft und ließ sie unter seiner Robe verschwinden. Es sah aus, als ließe ein Chamäleon seine Zunge hervorschnellen.

»Wie wär's mit einem kräftigen Mittagsmahl?«, fragte Schiefhals übergangslos. Essen war seine große Leidenschaft. Er war in der Lage, einfach alles in sich hineinzuschlingen, immer und in nahezu unbegrenzten Massen. Der Geschmack spielte dabei nur eine untergeordnete Rolle. Hauptsache, die Menge stimmte. Das Erstaunliche war, dass Enrique trotz allem dürr wie eine Bohnenstange blieb.

»In Gottes Namen.« Mateo war um Haltung bemüht. »Jetzt geht erst und besorgt meine Aufträge. Anschließend mögt Ihr ein Mahl auftragen lassen. Aber hier im Verhandlungsraum. Wir haben noch zu arbeiten.«

»Ja, mein Bischof.«

»Und sorgt dafür, dass nicht wieder so ein Bauernfraß aufgetischt wird wie gestern.«

»So soll es sein.« Schiefhals grinste hässlich und schob sich gemächlich zwischen den Posten nach draußen.

»Der Wein ist köstlich und süß, wahrscheinlich eine andalusische Traube.« Mit einer automatischen Bewegung betupfte Bischof Mateo seine Lippen mit einer Serviette. Ein kleiner, rosafarbener Fleck verblieb im Tuch. Seine Form war unregelmäßig und daher unkorrekt. Missmutig betrachtete er ihn. »Bedauerlicherweise war der Wein das einzig Gute an dem Mahl.«

»Wieso, mein Bischof?« Schiefhals kaute hingebungsvoll mit offenem Mund; die Speisen darin wurden sporadisch sichtbar.

»Ihr solltet nicht so anspruchsvoll sein.« Dezent versuchte er, ein Rülpsen zu unterdrücken, was ihm allerdings fehlschlug.

»Ich wäre Euch dankbar, Pater Enrique, wenn auch Ihr Euer Mahl langsam beenden könntet. Die Gefahr des Verhungerns dürfte ja kaum mehr bestehen.«

Die mahlenden Kiefer von Schiefhals blieben stehen. »Har-harhar!«, lachte er dann. »Mein Bischof hat einen Witz ge-macht!« Schnaufend schob er ein halbes Dutzend Teller und Platten von sich, auf denen so schmackhafte Speisen wie ge-räucherter Schinken, Sülze, Fasan, Ziegenkäse, Fladenbrot und Obst gelegen hatten. Von alledem war nichts mehr zu se-hen. »Die sechs Gläschen des von Euch gepriesenen Andalu-siers waren mir beim Einspeicheln sehr zu Hilfe! Der beste Grund, ein paar weitere zu trinken.«

Sogleich setzte er sein Vorhaben in die Tat um. Sein Adamsap-fel, der sich im Takt seiner Schlucke bewegte, wanderte emsig auf und nieder. Er trank mit weit zurückgelegtem Kopf.

Wie ein Verdurstender!, dachte Mateo angeekelt.

Inzwischen hatte eine hübsche Magd damit begonnen, den Tisch abzuräumen. Doch Schiefhals, sonst allzeit bereit, sich um das schöne Geschlecht zu kümmern, nahm sie nicht wahr, so sehr wurde seine Aufmerksamkeit von etwas anderem ge-fesselt: Sein sprunghaftes Interesse galt einer Fliege, die flink auf einem Tellerrand hin- und herkroch und ihren Rüssel in die Speisereste senkte. Langsam hob Schiefhals die halb geöff-nete Hand, dann wischte er mit blitzartiger Geschwindigkeit über das Insekt hinweg. Der Tellerrand war leer. Sein Ohr näherte sich der Faust, in der es summte. Langsam drückte er zu. Das Summen setzte aus. Sofort lockerte er den Griff. Das Summen setzte wieder ein. Seine Augen leuchteten. Abermals drückte er zu. Lockerte wieder. Drückte und lockerte … Endlich war er des Spiels müde; er presste die Faust zusammen, bis es knisterte. Dann ließ er das Insekt achtlos fallen.

»Pater Enrique!«

»Ja, mein Bischof?«

»Schluss jetzt mit dem Unsinn. Ich möchte die letzten Verhöre hinter mich bringen.« Mateo kramte in seinen Papieren, wobei er darauf achtete, dass sie nicht in Unordnung gerieten. »Meinen Unterlagen zufolge sitzen noch drei Häretiker im Kerker ein: Es handelt sich um einen Mann namens Ramiro García, einen Jüngling namens Vitus, Nachname unbekannt, und einen Landsknecht, der sich, wartet …« Er blätterte mit spitzen Fingern. »Ja, hier, der sich Martínez nennt. Die beiden Erstgenannten wurden bereits der Ketzerei angeklagt, sie waren aber nicht geständig …« Wieder unterbrach er sich und nahm Einsicht in die Papiere. »Seltsamerweise, denn sie wurden gefoltert.«

»Wie Ihr meint, mein Bischof.« Enrique, der sich mittlerweile wieder dem Wein widmete, hob die linke Gesäßbacke und ließ einen Wind fahren.

»Ja, das meine ich.« Mateo spürte, wie erneut Ärger in ihm aufwallte, doch er war nicht der Mann, der unkontrollierten Gefühlen nachgab. Er wusste, dass er Enrique mit einem einzigen Befehl einkerkern lassen konnte, aber er wusste nicht, was er anschließend von dessen Familie zu erwarten hatte. Bevor er handelte, würde es klug sein, sich über die genauen verwandtschaftlichen Bande Enriques zu informieren. Sollte tatsächlich Habsburger Blut in seinen Adern fließen, wäre seine Person natürlich unantastbar, sollte das aber nicht der Fall sein …

»Bevor es zur Verhandlung kommt, möchte ich mich auf die Fälle vorbereiten, sicher habt Ihr weitere Informationen über die Personen gesammelt«, sagte Mateo laut. »Ramiro García nennt sich selbst Magister, er stammt aus La Coruña und pflegte dort Umgang mit einem Alchemistenketzer namens Conradus Magnus, der verbrannt wurde. Mich würde interessieren, wo und wann García ebenfalls ketzerisches Alchemistenwissen verbreitet hat.« Er blickte Enrique fragend an.

»Keine Ahnung.« Schiefhals zog die Schultern hoch.

Mateo überging die Antwort und blätterte in einem Protokoll. »Der Jüngling Vitus hat in seiner Verhandlung behauptet, er sei *Puer oblatus* auf Campodios gewesen. Ist dem so?«

»Keine Ahnung.«

»Über den Landsknecht Martínez ist so gut wie nichts bekannt. Man sagt, er käme aus dem Süden. Das allein wäre noch kein Grund, ihn als Ketzer einsitzen zu lassen, was gibt es noch über diesen Fall zu sagen, Pater Enrique?«

»Keine Ahnung.«

»Was soll das heißen, Ihr habt keine Ahnung? Als mein Assistent, ich muss Euch nicht daran erinnern, ist es Eure Pflicht, so viele Informationen über die Ketzer zu besorgen wie irgend möglich. Ich darf also annehmen, dass es sich um einen Eurer, äh … Scherze handelt, wenn Ihr mir antwortet, Ihr hättet ›keine Ahnung‹ von den Dingen, die in Erfahrung zu bringen ich für notwendig erachte.«

»Ach, mein Bischof.« Die Stimme von Schiefhals klang, als wollte er ein Kind beruhigen. Er legte die Beine bequem über den Tisch, auf dem die Papiere noch immer peinlich exakt ausgerichtet lagen. Ein paar Erdkrumen lösten sich von seinen Sandalen. »Ihr solltet mich allmählich kennen. Ich habe die Arbeit nicht erfunden, und morgen ist auch noch ein Tag. Lasst uns noch ein, zwei Gläschen lupfen und den schönen Nachmittag genießen. Ich habe gehört, dass in dem maurischen Haus eine großartige Prostituierte ihre Dienste anbietet.«

Sein Mund verzog sich zu einem lüsternen Grinsen. »Sie soll eine sehr gelenkige Zunge haben. Wir beide könnten ihr einen Besuch abstatten; ich würde mich sogar bereit erklären, Euch den Vortritt zu lassen.«

»Ich muss tatsächlich annehmen, dass Ihr einen Eurer, ahem … geschmacklosen Scherze mit mir treibt!« Säuerlich blickte der Bischof auf seinen Rubinring und dachte angestrengt nach. Wenn er nur wüsste, was hinter der aufreizend selbstsicheren Art dieses Proleten steckte! Gewiss, der Mann war tüchtig, sogar außerordentlich tüchtig, wenn er sich erst einmal aufgerafft hatte, seinen Dienst zu tun. Der Spürnase von Schiefhals war es schon häufig zu verdanken gewesen, dass hartnäckige Ketzer, darunter vielfach geschickte Lügner und gute Bibelkenner, überführt werden konnten. Die Fähigkeiten von Enrique standen deshalb außer Zweifel. Wenn nur diese ständigen Unverschämtheiten und Respektlosigkeiten nicht wären! Der Preis, den er, Mateo, für seinen inquisitorischen Erfolg zu zahlen hatte, war wirklich hoch.

Er gestattete sich ein Seufzen. Eingedenk der Qualitäten von Enrique und seiner vermutlich adligen Abstammung würde ihm wohl nichts anderes übrig bleiben, als weiterhin gute Miene zum bösen Spiel zu machen. Sein Blick fiel auf die Füße seines Assistenten, der in diesem Augenblick die Beine übereinander schlug, wodurch abermals ein Klumpen Dreck von den Sandalen herabfiel. Diesmal direkt auf die sauberen Papiere. Es gab ein kleines, dumpfes Geräusch, als der Schmutz beim Aufprall auseinander platzte.

Das war zu viel für Bischof Mateo de Langreo y Nava.

»Verdammt seist du, du dämlicher, dreister, verfressener Abklatsch eines priesterlichen Inquisitors! Wenn du nicht augenblicklich alle notwendigen Informationen für mich herbeischaffst, werde ich dich exkommunizieren!« Mateo schrie seine Wut so laut heraus, dass sein Mund einem schwarzen Loch glich. Erstaunt über sich selbst hielt er inne. So schnell wie der Anfall gekommen war, so schnell war er wieder verflogen. Seiner Natur entsprechend überprüfte er sofort alle möglichen Konsequenzen, die sich aus der Entgleisung für ihn ergeben konnten. Äußerlich ruhig und um Haltung bemüht, setzte er sich wieder. Es sah aus, als hätte er einen Stock verschluckt. Verstohlen musterte er seinen Assistenten.

Schiefhals' Kopf wirkte womöglich noch schiefer. Er blickte eigenartig versunken drein, als hätte er den Vorfall gar nicht wahrgenommen. Dann riss er die Beine vom Tisch und sprang auf die Füße. »Jawohl, Euer Exzellenz. Sofort. Ich werde tun, was ich kann!«

Er stürmte an den Wachen vorbei hinaus und ließ einen höchst verwunderten Bischof zurück.

»Du bist ein guter Koch«, lobte Vitus. Er saß mit dem Magister in seiner Zelle und genoss das Abendessen, das der kleine Gelehrte auf dem Kohlenfeuer zubereitet hatte.

»Wenn die Forelle frisch ist, kann das jeder«, wehrte der kleine Gelehrte ab. »Die Kunst besteht lediglich darin, den richtigen Abstand zwischen Feuer und Bratgut herauszufinden.« Er stand auf und schürte die Glut. Dann nahm er zwei weitere

Fische und steckte ein Holzstäbchen der Länge nach durch die Körper. »Abstand halten und ständig drehen«, dozierte er, »dann verkohlt auch nichts.«

»Eigentlich geht es uns ziemlich gut«, sagte Vitus kauend. »Komm, wir teilen uns das letzte Stück Forelle, bevor du die neuen machst.«

»Kommt nicht in Frage. Ein guter Koch wird allein schon durch die Zubereitung satt.«

»Wenn du meinst.« Vitus nahm sich das Stück unzerteilt und klaubte akribisch die Gräten heraus. Dann tauchte er es in eine Tunke, die ebenfalls vom Magister hergestellt worden war, und schluckte es genussvoll hinunter. »Alles, was das Zellenleben erträglicher macht, besorgt uns Nunu«, stellte er zufrieden fest.

»In der Tat! Nimmt der Herr noch ein Stück Frischgebratenes?«

Vitus lachte: »Nein, oh Meister aller Köche! Ich kann beim besten Willen nicht mehr!«

»In deinem Alter muss ein Mann viel essen, sonst verkümmert er.« Der Magister grinste spitzbübisch. »Siehst es ja an mir.«

»Unsinn.«

»Sind gleich gar, die Kerlchen. Wir können sie morgen kalt essen.« Der kleine Mann drehte die Fische noch einmal um. Dann wurde er ernst: »Es ist nicht auszuschließen, dass Nunu uns das Leben nur so lange versüßt, wie er Hoffnung hat, mittels der Alraune bei Elvira zum Ziel zu kommen. Wir wissen weder, was er unternommen hat, um sich die Liebeswurzel zu besorgen, noch ob es ihm gelungen ist. In dieser Hinsicht war er in letzter Zeit stumm wie eine Auster. Irgendwann jedoch dürfte seine Geduld erschöpft sein. Bleibt nur zu hoffen, dass wir trotzdem weiter Einfluss auf ihn ausüben können.«

»Hast Recht. Auch sein Bein ist so gut wie verheilt.«

»Fast möchte man sagen ›leider‹.« Der Magister nahm die Fische vom Feuer, schob das Kohlebecken zur Seite und begann aufzuräumen. »Am besten wäre es, wir würden uns aus seiner Abhängigkeit befreien.«

»Aus seiner Abhängigkeit oder gleich von ihm selbst.«

»So radikal kenn ich dich ja gar nicht.«

»Das habe ich hier gelernt.«

»Tz, tz!« Der Magister schüttelte sein großes Haupt. »Wenn dir jetzt ein anderer gegenüberstände, hättest du dich gerade um Kopf und Kragen geredet.«

Schwere Schritte erklangen draußen auf dem Gang. Sie waren noch weit entfernt, aber schon deutlich hörbar, denn die Freunde hielten ihre Kerkertür ständig offen. »Nunu naht«, verkündete der Magister.

»Oder ein anderer schwerer, nicht hinkender Mann.«

»Wollen wir wetten?«

»Nicht nötig«, grinste Vitus, der auf den Gang hinausgetreten war. »Du hattest wie immer Recht ... Hallo, Nunu! Gut, dass du kommst, ich möchte mir noch einmal dein Bein ansehen.«

»Gar nix siehste dir an.«

»Warum so unfreundlich?« Vitus folgte dem Koloss in die Zelle und deutete auf das Bett. »Setz dich und roll schon mal den Strumpf runter.«

»Gar nix mach ich.«

»Ist irgendetwas?«, fragte der Magister.

»Nix is, ihr kommt beide mit. Aber'n bisschen plötzlich!«

»Aber wohin denn?« In Vitus kroch eine Ahnung hoch. Der Riese zögerte: »'s geht euch nix an, aber 's is'n neuer Inquisitor da. Is'n Bischof, soll'n scharfer Hund sein, Ignacio war'n Waisenknabe dagegen.«

»Ein neuer Inquisitor? Ein Bischof?«

»Ja, un er hat 'n Assistenten, Schiefhals, der is noch schlimmer.«

»Das mag ja alles sein«, sagte der Magister. »Aber was hat das mit uns zu tun?«

»Biste bekloppt? Wenn der Neue erst spitzhat, dass ihr hier 'ne Extrawurst kriegt, komm ich in Teufels Küche!« Mit seinem schwieligen Zeigefinger fuchtelte er dem Magister vor dem Gesicht herum. »Los, rüber in die alte Zelle!«

»Wir bleiben hier. Denk mal daran, was wir alles für dich getan haben.« Kampflustig wischte der kleine Gelehrte den Finger beiseite.

»Maul halten! Wenn ihr nich wollt, mach ich euch Beine!« Nunu packte den Magister beim Hemdkragen, hob ihn hoch wie einen Bierkrug und stellte ihn hinaus auf den Gang. Drohend kam er wieder zurück: »Kommste freiwillig, Ketzerdokter, oder soll ich nachhelfen?«

»Freiwillig. Aber meine Instrumente und die Arzneien nehme ich mit.«

»Nimmste nich!« Nunus Rechte schoss vor und umschloss Vitus' Hals. »Ich drück dir'n Schlund ab wie 'nem Hühnchen, wennste nich parierst. Was is nu?«

»Ich komme so mit«, krächzte Vitus.

Resignierend ging er nach draußen zum Magister. Ihr Einfluss auf Nunu hatte sich, wenn auch aus ganz anderem Grund, in nichts aufgelöst.

»Das hat mir gerade noch gefehlt!« Martínez spuckte verächtlich aus, als Vitus und der Magister die Zelle betraten. »Der Rechtsverdreher und der Ketzerdokter.«

Ihr alter Raum hatte sich nicht verändert. Alles war so, als hätten sie ihn erst gestern verlassen. Nur dass Martínez jetzt allein darin saß. Er hatte den Platz gewählt, an dem zuletzt die Juden geschlafen hatten.

»Wo sind Habakuk, David und Solomon?«, fragte Vitus.

»Freigelassen!« Martínez spuckte abermals aus. »Wenn's nach mir gegangen wäre, hätt man die Christusmörder ruhig verbrennen können, mitsamt ihren verschnittenen Pimmeln.«

»Das will ich nicht gehört haben«, sagte der Magister scharf.

»Blas dich nicht so auf, Paragraphenreiter!« Martínez erhob sich drohend.

»Deine Worte sind Blasphemie, ich wünschte, sie würden dir im Hals stecken bleiben!«

»Hört auf!« Vitus trat dazwischen.

»Un haltet eure dämlichen Schnauzen.« Nunu sperrte die Tür von außen zu.

»Ich habe kein gutes Gefühl«, flüsterte der Magister bei Anbruch des nächsten Tages. »Auf dem Gang kommen schon wieder schwere Schritte.«

Er und Vitus lagen an ihrem alten Platz unter den Fenstern. Sie hatten sich jeder ein Lager gebaut, doch war es nicht leicht gewesen, in diesen Genuss zu kommen, denn Martínez hatte sämtliches Stroh für sich beansprucht. Nur unter Androhung von Gewalt hatte er sich schließlich von zwei großen Büscheln getrennt.

»Wahrscheinlich ist es Nunu.« Vitus rieb sich die Augen. Er hatte nicht gut geschlafen. Das Lager war zwar einigermaßen weich und die Umgebung vertraut, aber die Atmosphäre war vergiftet. Man konnte nichts tun oder sagen, ohne dass nicht eine gehässige Bemerkung von Martínez kam.

Der Magister war besorgt. »Das Monstrum hat uns gestern

Abend nichts zu essen gebracht. Das muss nichts zu bedeuten haben, kann aber auch ein schlechtes Zeichen sein.«

»Der Herr hat die Gelehrtenhosen voll«, höhnte Martínez aus seiner Ecke.

Die Tür wurde aufgestoßen. Nunu erschien. Vitus registrierte erneut, dass der Koloss nicht mehr hinkte. Ein Gefühl des Stolzes durchfuhr ihn: Seinerzeit hätte er keinen Pfifferling für den Heilerfolg gegeben, doch jetzt war das Bein wieder voll belastbar. »Hallo, Nunu«, sagte er.

Der Koloss winkte nur knapp mit der Hand: »Bewech deinen Arsch, Ketzerdokter. Bischof Mateo will 'ne Verhandlung machen.«

»Also doch!«, entfuhr es dem Magister. Er war leichenblass geworden. »Hat diese Quälerei denn nie ein Ende!«

»Aber gewiss doch«, antwortete Martínez ungefragt. »Wenn dein neunmalkluger Freund als Asche grüßt.«

»Du bist die Fleisch gewordene Bosheit!« Der Magister schoss von seinem Lager hoch und wollte sich auf den Einäugigen stürzen, doch Nunu stand ihm im Weg: »Maul halten, alle!«

Vitus' Gedanken überschlugen sich, während er ruhig zu bleiben versuchte und sich mechanisch das Stroh aus dem Hemd klopfte. Dieser widerliche Martínez! Er wünschte sich, es dem Burschen irgendwann heimzahlen zu können, auch wenn der Gedanke nicht sehr christlich war. Doch erst einmal musste er mit heiler Haut das Verhör überstehen. »Was wirft man mir diesmal vor?«, fragte er.

»Weiß nich.« Nunu drängte Vitus aus der Tür. Der Magister fiel dem Koloss in den Arm:

»Was will Bischof Mateo?«, rief er aufgebracht. »Sag uns alles, was du weißt, um der Heiligen Mutter Gottes willen!«

»Gar nix weiß ich.« Nunu wehrte den kleinen Mann wie eine lästige Fliege ab. »Nur dass Bischof Mateo 'ne Verhandlung machen will un dass Schiefhals ihm hilft.«

Er stieß Vitus mit der einen Hand hinaus, während er mit der anderen die Kerkertür zuschlug.

»Fahrt zur Hölle«, sagte Martínez, während er den beiden zufrieden nachblickte.

»Seid Ihr so weit, Alcalde?«, fragte Bischof Mateo de Langreo y Nava höflich. Es war Punkt 10 Uhr morgens, und er befand sich wieder im Sitzungssaal der Bürgermeisterei von Dosvaldes, wo alles zu seiner Zufriedenheit vorbereitet worden war. Der Inquisitionsprozess konnte beginnen.

»Jawohl, Euer Exzellenz.« Don Jaime schob den Teller, von dem er soeben noch gespeist hatte, beiseite, nahm einen elfenbeinernen Zahnstocher zur Hand und begann sich die Reste seines Frühstücks aus den Zähnen zu klauben.

Mateo betrachtete es missbilligend. »Pater Enrique!«, rief er. Schiefhals, dessen Kopf im Halbschlaf vornübergesunken war, schreckte hoch. »Mein Bischof?«

»Pater Enrique …!«

Der Assistent besann sich: »Euer Exzellenz wünschen?«

»Darf ich davon ausgehen, dass auch Ihr bereit seid?«

»Jawohl, Euer Exzellenz. Alle belastenden Unterlagen für den heutigen Fall sind komplett.«

»Danke, Pater.« Mateo nickte unmerklich. Seitdem er Enrique gestern die Leviten gelesen hatte, war sein Assistent wie umgewandelt – viel dienstbeflissener und deutlich respektvoller. Ein warmes Gefühl der Befriedigung durchströmte ihn. Es war das erste Mal in seinem Leben gewesen, dass er laut geworden war, und er wollte für die Zukunft nicht ausschließen, dass sich so etwas, falls notwendig, wiederholen würde.

»Der Angeklagte mag hereingeführt werden«, sagte er zu einer der beiden Wachen, die an der Tür Posten standen. Der Mann steckte den Kopf nach draußen und rief einen Befehl.

Nunu erschien und mit ihm der Angeklagte, ein mittelgroßer, junger Mann von guter Statur, blond, mit sehr blassem Gesicht.

»Ich grüße Euch, Ihr Herren«, sagte er mit einer Verbeugung. »Darf ich, bevor die Verhandlung beginnt, eine Bitte äußern?«

»Nein, das dürft Ihr nicht.« Bischof Mateo wollte sich das Heft nicht aus der Hand nehmen lassen.

Vitus hatte nach Campodios schicken lassen wollen, damit noch am selben Nachmittag einer der Brüder für ihn sprechen konnte. Doch das war nun, zumindest für heute, ausgeschlossen. Angst kroch in ihm hoch. Erbärmliche Angst.

»Nunu, du kannst gehen. Deine Anwesenheit ist für den Ablauf der Verhandlung nicht notwendig.« Die Stimme des Bischofs klang so präzise wie die Ausrichtung der vor ihm liegenden Papiere. »Wenn Bedarf an deiner Person besteht, werde ich dich rufen lassen.«

»Jawohl, Exzellenz.« Nunu trottete hinaus.

Bischof Mateo blickte sich um. Außer den beiden Wachen und Vitus hatten alle Anwesenden Platz genommen. »Ich stelle fest, dass Don Jaime de Vargas, Alcalde von Dosvaldes, als Vertreter der weltlichen Macht erschienen ist, ferner Pater Diego, Pfarrer hierselbst, als Protokollführer, ferner Pater Enrique als mein Vertreter sowie meine Person, Bischof Mateo de Langreo y Nava, als Großinquisitor von Kastilien und

Beauftragter Seiner Heiligkeit des Papstes in Rom. Das Gericht ist somit vollzählig und beschlussfähig. Die Verhandlung ist eröffnet.«

Mateo wies mit einer eckigen Bewegung auf Schiefhals: »Pater Enrique, Euch als meinen Vertreter bitte ich, das Verhör zu leiten.«

»Jawohl, Euer Exzellenz.« Schiefhals lächelte den Bischof an. Seine Zahnruinen wurden sichtbar. Dann wandte er sich Vitus zu. Sein Gesicht nahm einen gleichgültigen Ausdruck an: »Zunächst will das Gericht wissen, wer vor ihm steht. Dein Name, Angeklagter?«

»Mein Name ist Vitus, von Campodios.«

»Lautet dein Name Vitus von Campodios, oder willst du uns nur glauben machen, du kämst von dort?«

»Ich komme von dort.« Vitus spürte gleichermaßen Angst und Ärger. Als ob dieser hässliche Pater nicht genau wusste, dass Vitus sein einziger Name war. »Jeder auf Campodios kann Euch bestätigen, dass ich Vitus heiße und kein Ketzer bin. Ich beantrage deshalb, einen Bruder Eurer Wahl vor den Richtertisch zu rufen, damit er dieses bezeugen kann.«

»Ich werde zu gegebener Zeit über deinen Vorschlag nachdenken.«

»Ich möchte Euch bitten, mich nicht zu duzen.«

»Wie ich mit dir verfahre, musst du schon mir überlassen.« Schiefhals zeigte abermals seine Zähne. »Pater Diego, die Bemerkung des Angeklagten über die Anredeform sowie meine Antwort kommen nicht ins Protokoll.«

»Jawohl, Pater Enrique.«

Unbeeindruckt setzte Schiefhals seine Befragung fort: »Wann und wo wurdest du geboren?«

»Mein genaues Geburtsdatum kenne ich nicht. Ich wurde

ausgesetzt und am 9. März anno 1556 von Abt Hardinus in der Nähe von Campodios gefunden.«

»Ein Findelkind also? Wie rührend.« Schiefhals lehnte sich bequem in seinem Stuhl zurück. Das Verhör nahm einen Verlauf, der ihm Spaß bereitete. »Das heißt, wir haben es bei dir mit einem Wesen ohne Eltern und Verwandte zu tun. Mit einem Wesen, das irgendwann irgendwie auf Gottes Erdboden erschienen ist, aus dem Nichts, in Selbstzeugung sozusagen. Willst du gestehen, dass du teuflischen Ursprungs bist? Ein Abkomme von Luzifer selbst, mit dem du«, er beugte sich vor und schaute in das von Pater Alegrio bei der ersten Verhandlung erstellte Protokoll, »dich nachweislich zu unterhalten pflegst?«

Vitus schluckte und versuchte, Haltung zu bewahren. Er hatte bereits ein Verhör und eine Folterung hinter sich, und er spürte, dass dieser Schiefhals gefährlicher war als Ignacio. Schiefhals schien direkt auf sein Ziel zuzusteuern, ohne Umwege, ohne Skrupel, ohne Rücksicht zu nehmen auf die elementarsten Regeln der Höflichkeit. »Ich bin ein Mensch aus Fleisch und Blut«, sagte er schließlich.

»Das behaupten alle, die des Teufels sind.«

»Nur weil ich meinen Vater und meine Mutter nicht kenne, unterstellt Ihr mir, teuflischen Blutes zu sein? Das würde bedeuten, dass alle Kinder, deren Eltern unbekannt sind, automatisch Teufel wären! Demnach würde es auf dieser Welt Zehntausende, vielleicht Hunderttausende von Teufeln geben. Das glaubt Ihr doch selbst nicht.«

»Was ich glaube, spielt keine Rolle.« Schiefhals lächelte überlegen. Der Bursche verkaufte sich nicht schlecht. »Es gibt mehr Sünde und Gottlosigkeit auf dieser Welt, als wir alle denken. Im Übrigen hat der Teufel viele Gesichter. Er ist so raffiniert, dass ein wackerer Gottesmann nicht misstrauisch genug sein kann, will er die Seelen der Normalsterblichen seinem Einfluss entziehen. Hast du ein *Stigma diabolicum* an deinem Körper?«

»Ein Teufelsmal? Natürlich nicht.« Vitus hoffte, dass er nicht sofort den Beweis dafür antreten musste, denn in der Tat trug er ein bohnengroßes, rosafarbenes Muttermal an der Innenseite des rechten Oberarms.

»Aha.« Schiefhals schien nichts zu ahnen. Er lehnte sich wieder bequem zurück und tauschte einen Blick mit Bischof Mateo. »Die Perfidie des Teufels besteht nicht zuletzt darin, dass er in eine männliche oder weibliche Hülle schlüpft und aller Welt vorgaukelt, ein normaler Mensch zu sein. Doch diese Normalität verdeckt nur das Satanische.«

»Das glaube ich nicht.«

»Und ich glaube, dass wir es bei dir genau damit zu tun haben. Du bist nicht du. Du bist Illusion. Wahr ist, dass der Teufel in allen möglichen Formen erscheint und verschiedene menschliche Gestalten annimmt. Er nimmt die Seele gefangen und täuscht sie durch Träume, in denen er ihr bald glückliche Ereignisse, bald Unglücksfälle, bald unbekannte Personen zeigt. Auf diese Weise führt er sie auf den Pfad des Irrtums. Obwohl sich dies alles nur in der Seele abspielt, glaubt der Geist, es handele sich bei diesen Phantasmata nicht bloß um Produkte der Einbildungskraft, sondern um Wirklichkeit.« .

»Die Folter, die mir Euer Vorgänger hat angedeihen lassen, war allerdings ein Alptraum.« In Vitus' Stimme schwang bittere Ironie mit.

»Das ist der Beweis!« Schiefhals schnellte von seinem Sitz hoch. »Es war der Teufel in dir, der sich deiner Seele bemächtigt hat und deinen Geist die Wirklichkeit der Folter erleben ließ. Als Ketzer verspürtest du bei den einzelnen Prozeduren, im wahrsten Sinne des Wortes, teuflische Schmerzen!«

»Das ist Spiegelfechterei mit Worten«, entgegnete Vitus mühsam.

»Das ist die Wahrheit!« Schiefhals hatte nicht damit gerechnet, sein Gegenüber so schnell überführen zu können. »Schon Burchard von Worms, ein deutscher Glaubensstreiter, hat diese Thesen vertreten, basierend auf dem *Canon episcopi,* dessen Ursprung auf das Konzil von Ancyra anno 314 zurückgeführt wird. Mithin ist der *Canon episcopi* so alt wie die Kirche selbst.« Schiefhals holte tief Luft: »Willst du etwa die Worte der Kirche in Frage stellen?«

»Natürlich nicht, ich …«

»Das ist gut. So kommen wir weiter …«

»Nein, so kommen wir nicht weiter, Ihr habt mich unterbrochen und …«

»… und du mich!« Schiefhals schoss die Zornesröte ins Gesicht; eine Ader schwoll an seiner Schläfe. »Hüte deine Zunge, Ketzer!«

»Ihr tätet besser daran«, wandte Bischof Mateo sich an Vitus, »der Beweisführung von Pater Enrique keine Widerworte entgegenzusetzen. Kooperiert mit uns, und die Folter kann möglicherweise entfallen.«

Er blickte Verständnis heischend hinüber zum Alcalden: »Ein Autodafé allerdings scheint bei der außerordentlichen Schwere des Falls unabdingbar zu sein.«

»Hm«, machte Don Jaime. »Ich weiß nicht recht, Euer Exzellenz.«

»Aber ich.« Mateo betrachtete den widerborstigen Angeklagten genauer. Der Mann hatte ein für seine jungen Jahre schon recht markantes Gesicht. Seine Haare, wenn auch verfilzt und schmutzig, waren normalerweise wohl blond und lockig, ja geradezu engelgleich … Sehr verdächtig! Eine Notiz fiel ihm ein, die er irgendwo als Randbemerkung auf einem Pergament gelesen hatte und in der die Vermutung geäußert wurde, dass dieser Vitus das Kind einer begüterten Familie sei. Doch wer immer diesen Gedanken gehabt haben mochte, er war des logischen Denkens nicht fähig. Das stand für Mateo fest. Denn vorausgesetzt, die Familie des Angeklagten war wirklich reich, warum hatte die Mutter ihn dann ausgesetzt? Die Antwort lag auf der Hand: Das Kind war ein Bastard und als solcher unerwünscht. Mithin auch nicht erbberechtigt und schon gar nicht begütert.

»Ihr solltet jetzt zugeben«, sagte Mateo mit bemüht väterlicher Stimme, »dass der Teufel in Euch wohnt und Euch dazu verleitete, ein Zwiegespräch mit Geistern und Dämonen zu führen. Gott sei Eurer armen Seele gnädig.«

»Jawohl, gestehe!«, rief Schiefhals.

»Nein.«

Schiefhals, dessen Zorn zwischenzeitlich nachgelassen hatte, lief abermals rot an. Er nahm einen schweren Folianten zur Hand und begann scheinbar beiläufig daraus vorzulesen:

»*Von der Kunst des Verhörens und den Gradationen des Torquierens,* ein Werk des Thomasius von Palencia. Ich zitiere: Der erste Foltergrad besteht im Anlegen der Daumenschrauben, wobei es einfache und doppelte Schrauben gibt; die vorderen Fingerglieder werden unter metallene Spitzen geklemmt, alsdann werden sie so lange zugeschraubt, bis der Delinquent das Geständnis ablegt.«

Schiefhals sah auf und suchte den Blick des Angeklagten. Vitus tat, als schaue er aus dem Fenster. Die Qualen der Daumenschrauben waren bei Gott nicht neu für ihn.

Schiefhals zuckte mit den Schultern. »Der zweite Grad ist der Brummende Trog. Dabei legt sich der Delinquent in eine Art Zwangssarg, dessen Deckel anschließend fest verschlossen wird. Sodann wird durch ein Loch im Holz ein Schwarm Hornissen oder Wespen hineingelassen, welcher mit seinen Stichen den Ketzer torquiert. Sein Leib schwillt bisweilen derart an, dass die genagelten Bretter auseinander gedrückt werden. Der Tod tritt mal rasch, mal erst nach Tagen ein.«

Schiefhals blätterte um und räusperte sich. Er bemerkte, dass die Augen des Alcalden sich vor Schreck geweitet hatten. Bischof Mateo, dem die Passagen des Buches nicht neu waren, betrachtete seine gepflegten Fingernägel.

Der Assistent las weiter: »Der dritte Grad ist die Papageienschaukel. Der Ketzer setzt sich auf den Boden, die Beine bis zur Brust angezogen. Die Hände greifen nach vorn vor die Fußgelenke, wo sie fest zusammengebunden werden. Anschließend steckt der Folterknecht von der Seite eine Stange zwischen Oberarmen und Kniekehlen hindurch. Die Stange wird in Manneshöhe angebracht, der Ketzer hängt gebündelt daran, den Kopf nach unten. Langsam und qualvoll stirbt alles an ihm ab.«

Der Angeklagte war hartnäckig. Er reagierte noch immer nicht.

»Der vierte Grad ist die Feuerfolter. Dabei werden mehrere zu einem Bündel geschnürte Lichter entzündet und unter die Achseln des Delinquenten gehalten. Ist die Haut abgebrannt und das Fleisch offen, wird siedendes Öl oder flüssiges Pech hineingegossen ... Muss ich noch weiterlesen, Angeklagter?«

»Wie es Euch beliebt.« Vitus' Miene war steinern.

»Macht Euch nicht unglücklich, Mann«, sprach der Alcalde plötzlich. Er blickte Vitus aus trägen Augen an. »Ihr macht doch alles nur noch schlimmer, wenn Ihr nicht abschwört! Tut es endlich, vielleicht entgeht Ihr dann der Folter. Eine Teufelsaustreibung mag sich später anschließen, um Eure Seele zu retten.«

»Ich danke Euch, Alcalde, für Eure fürsorgliche Aufforderung«, sagte Bischof Mateo förmlich. Er konnte nicht wissen, dass die Worte des Bürgermeisters durchaus nicht uneigennützig waren, denn die Mittagszeit nahte und Don Jaime verspürte Hunger. Ein baldiger Abschluss der Verhandlung erschien ihm deshalb erstrebenswert. »Allerdings«, schränkte Mateo ein, »bin ich nicht sicher, ob eine exorzistische Sitzung bei dem Angeklagten zum Erfolg führen wird.«

»Ich habe nichts abzuschwören«, beteuerte Vitus. Er fühlte, dass er sich kaum noch in der Gewalt hatte.

»Wie du willst.« Schiefhals las verbissen weiter: »Der fünfte bis siebte Grad ist, je nach Zustand des Ketzers, in der Reihenfolge zu variieren. Es handelt sich um die Baskischen Hosenträger, den Hackerschen Stuhl und den Andalusischen Bock. Bei den Baskischen Hosenträgern verfährt man wie folgt …«

»Hört auf!«, brach es unvermittelt aus Vitus hervor. »Hört auf! Hört auf! Hört auf! Ich ertrage das nicht länger!«

»Aaah, ich sehe, du kommst zur Vernunft.«

»Nein, ich werde verrückt!« Wie eine Welle schlugen Angst, Wut und Verzweiflung über ihm zusammen und raubten ihm die Beherrschung. »Verrückt werde ich! Wenn ich sehe, wie du Schweinehund dich weidest an den Qualen, die deine Foltermethoden hervorrufen, wie du dich suhlst im Todesschmerz anderer! Es widert mich an, wie du dich daran aufgeilst, du, du …«, er holte tief Luft, die Schimpfworte sprudelten nur so aus ihm hervor, »du vermaledeiter, Ekel erregender Pfaffe! Du Geißel Gottes!«

Für einen Augenblick war Schiefhals sprachlos. Dann quollen ihm die Augen aus den Höhlen. »Wie kannst du es wagen, du hergelaufener Sohn einer unbekannten Hure!« Er sprang um den Verhandlungstisch herum und stürzte sich fäusteschwingend auf den Angeklagten. Vitus wich blitzschnell einen Schritt zurück. Instinktiv streckte er die Arme von sich und holte mit der Kette aus, doch Schiefhals war schon heran und landete einen Schlag in seinem Gesicht. Vitus taumelte, riss aber die Arme nach vorn. Die Eisenglieder flogen wie eine Peitsche durch die Luft und krachten klirrend gegen Schiefhals' linke Schulter. Der Vertreter des Bischofs heulte auf und fiel der Länge nach zu Boden. Vitus holte abermals aus ...

»Haltet ein!« Mateos Stimme klang schrill.

Don Jaime nestelte aufgeregt an seinem Zahnstocher.

Pater Diego verharrte wie gelähmt.

Vitus ließ von Schiefhals ab und sprang zur Tür, doch die Wachen versperrten ihm den Weg. Sie richteten ihre Waffen unmissverständlich auf ihn. Dann, plötzlich, traten sie einen großen Schritt auf ihn zu: Die Türflügel in ihrem Rücken waren aufgestoßen worden und hatten sie unsanft nach vorn befördert. Vitus spürte die Spitzen der Hellebarden an seiner Brust. Er sah, wie eine Gruppe von Menschen den Raum betrat, angeführt von einem hoch gewachsenen Mann im weißen Habit mit schwarzem Überwurf.

Es war Abt Gaudeck.

»Ich hoffe, ich komme nicht zu spät«, sagte er, sich umblickend und das Chaos registrierend. »Mein Name ist Gaudeck, ich bin Abt auf Campodios.« Er machte eine Handbewegung zu der Gruppe, die ihn begleitete: »Dies ist Pater Thomas, der Prior und Arzt unseres Klosters, dies Pater Cullus und dies der Bauer Carlos Orantes mit seinen Söhnen Antonio und

Lupo.« Die Vorgestellten verbeugten sich. Gaudeck sprach weiter, wobei er Mateo höflich anblickte: »Ich darf annehmen, dass Ihr Mateo de Langreo y Nava seid, Bischof von Oviedo, von Seiner Heiligkeit Gregor XIII. berufener und von Seiner Majestät König Philipp II. eingesetzter Großinquisitor Kastiliens.«

»So ist es, ehrenwerter Abt«, erwiderte Mateo steif. Die Aufzählung seiner Titel und Ämter war ihm nicht unangenehm, nichtsdestoweniger hatte der Eindringling das Durcheinander im Saal nur noch gesteigert, und Unordnung war ihm ein Gräuel. »Ich weiß nicht, ob es Euch bekannt ist, aber ich führe gerade einen Inquisitionsprozess durch.«

»Genau deshalb bin ich hier.«

»Wie meint Ihr?«

»Ich bin gekommen, weil mir berichtet wurde, dass hier ein junger Mann namens Vitus der Ketzerei angeklagt werden soll. Dem ist doch so?«

»Und wenn dem so wäre?«

»Würdet Ihr einem katastrophalen Irrtum unterliegen, Exzellenz. Ich bin hier, um Euch davor zu bewahren. Zusammen mit meinen Mitbrüdern und Freunden.«

Mateos Ton nahm eine ironische Färbung an: »Ich danke Euch für diesen Akt der Nächstenliebe, lieber Abt, aber ich denke, er ist nicht notwendig.«

»Das wird sich gleich herausstellen!« Gaudeck reckte das Kinn vor: »Vitus, den Ihr hier anklagt, hat zwanzig Jahre auf Campodios gelebt. Eine lange Zeit, in der es weiß Gott Gelegenheiten genug gab, sein Wesen und seinen Charakter genau kennen zu lernen. Ich sage Euch«, Gaudeck betonte jetzt jedes Wort, »es gibt keinen im Kloster, der nicht bei Gott dem Allmächtigen schwören würde, dass er kein Ketzer ist.«

»Ehrwürdiger Vater!« Überwältigt von den Ereignissen trat Vitus auf den hoch gewachsenen Gottesmann zu, bekreuzigte sich und kniete nieder: »Ich bin so froh, dass Ihr gekommen seid! So froh! Ich weiß nicht, wie ich Euch danken soll!«

Gaudeck zog ihn an der Kette hoch. »Das war selbstverständlich, mein Sohn.«

In Vitus' Augen standen Tränen: »Ich danke auch Euch, Pater Thomas und Pater Cullus und ebenso euch, meine Freunde.«

Bischof Mateo klopfte mehrmals mit spitzem Knöchel auf die Tischplatte. »Wenn Ihr gestattet, würde ich den Prozess gern fortsetzen.« Er beugte sich nach vorn, wo Schiefhals sich noch immer am Boden krümmte. »Seht Ihr Euch in der Lage, die Verhandlung weiterzuführen, Pater?«, fragte er.

»Das geht auf keinen Fall«, antwortete Pater Thomas für Enrique. Er hatte sich neben den Verletzten gekniet und ihn rasch, aber gründlich untersucht. »Der Mann leidet unter einem *torticollis*«, erklärte er, »einem Schiefhals.«

Der Arzt kam in ihm durch, und er gab eine genaue Diagnose ab: »Die Ursache für diese Behinderung ist meist eine Verkürzung des *Musculus sternocleidomastoideus,* die wiederum häufig auf einen bei der Geburt entstandenen Bluterguss zurückzuführen ist. Dieser verkürzte Muskel nun ist offenbar durch einen Schlag nochmals in Mitleidenschaft gezogen worden. Ich hoffe, es ist kein Muskelriss. In diesem Fall kann nicht ausgeschlossen werden, dass nach Verheilung der Kopf noch schiefer steht.«

Seine Hände untersuchten weiter. »Ferner ist festzustellen, dass der Schulterkopf allgemein starke Prellungen und Quetschungen aufweist. Das Sinnvollste wäre, sie zu kühlen und den Muskel mit einer durchblutungsfördernden Salbe zu versorgen.« Er stand auf. »Ich schlage vor, Exzellenz, Ihr lasst ihn hinaustragen, und ich kümmere mich um ihn.«

»In Gottes Namen.« Mateo konnte die angebotene Hilfe schlecht abschlagen, auch wenn es ihm wider die Natur ging, dass die Verhandlung immer mehr aus dem Ruder lief. »Wachen, schafft Pater Enrique hinaus, aber vorsichtig.«

Die beiden Hellebardisten taten wie befohlen. Pater Thomas begleitete sie, wobei er darauf achtete, dass sie sich nicht allzu ungeschickt anstellten.

»Euer Exzellenz«, meldete sich Orantes zu Wort, »ich bin zwar nur ein einfacher Bauer, und meine Zwillinge hier sind ganz einfache Jungen, aber auch wir möchten Euch sagen, dass Vitus ganz sicher kein Ketzer ist!« Bewusst hilflos drehte er seine Kappe in den Händen, lächelte schüchtern und blickte zu Boden. Er war zwar ein einfacher Bauer, aber auch ein sehr guter Menschenkenner. Und als solcher hatte er dem Bischof sofort angesehen, wie empfänglich er für devote Gesten war.

»Was weißt du schon von Ketzerei, mein Sohn«, versetzte der Bischof. Seine Worte klangen milde, dennoch war Orantes' Intervention umsonst.

»Euer Exzellenz«. Don Jaime legte den Zahnstocher beiseite, um sich einzumischen. Er hatte bislang wie üblich geschwiegen, doch nun war eine knusprige Lammkeule, gespickt mit Knoblauchzehen und serviert auf blühenden Majoranzweigen, vor seinem geistigen Auge erschienen, und sein Hunger hatte sich mit Macht gemeldet. »Vielleicht sollten wir die Gelegenheit nutzen und ein kleines Mittagsmahl einnehmen?«

»Ja, äh, nein.« Mateo ärgerte sich über die erneute Ablenkung. Langsam wuchs ihm die Situation über den Kopf. Einerseits verspürte er keinerlei Lust, die Verhandlung selbst weiterzuführen, diese Aufgabe überließ er stets Pater Enrique – Vorsicht ist die Mutter der Karriere! –, andererseits wollte er wieder Ordnung in die Abläufe bringen und diesen Ketzer gestehen sehen. »Das Mittagsmahl mag eingenommen werden, aber danach machen wir weiter«, rang er sich durch. »Ich werde die Interrogatio persönlich durchführen.«

»Aber das wird nicht gehen«, wandte Don Jaime sanft ein. Er gab sich Mühe, sein Triumphgefühl nicht durchklingen zu lassen. Endlich hatte er einmal die Möglichkeit, die kirchliche Macht in ihre Schranken zu weisen: »Schon in zwei Stunden muss ich eine Abordnung der Stadt Burgos in diesem Raum empfangen, Exzellenz. Es geht um einen Ausbau der Handelsbeziehungen unserer Städte, von dem ich mir ein weiteres Aufblühen der Region erhoffe. Die Herren werden einige Tage bleiben.«

Er hob bedauernd die Schultern und konnte an Mateos Miene ablesen, dass seine Geste glaubhaft wirkte. Immerhin traf es tatsächlich zu, dass eine Abordnung erwartet wurde, wenn auch erst gegen Abend.

»Tja, dann …« Mateo zögerte.

»Dann wird es am besten sein, wenn ich unseren ehemaligen Zögling gleich mitnehme.« Abt Gaudeck legte den Arm um Vitus. »Ich verbürge mich persönlich dafür, dass er ein gottesfürchtiger Mensch ist.«

»Richtig«, fiel Pater Cullus ein. »Wenn dieser Junge ein Ketzer ist, sind wir alle Ketzer. Wenn er des Teufels ist, sind wir alle des Teufels.«

»Er ist ein guter Mensch, Euer Exzellenz«, bekräftigte auch Orantes, »das habe ich sofort gespürt, als ich ihn kennen lernte. Bitte gebt ihn frei!«

»Nein!« Mateo sprang so plötzlich auf, dass er vorübergehend die Balance verlor. Vor wenigen Augenblicken noch war er im Zweifel gewesen, ob er angesichts des Ausfalls von Enrique den Prozess fortsetzen sollte, schließlich war nicht ganz auszuschließen, dass es sich bei dem Angeklagten um einen Unschuldigen handelte. Doch die Tatsache, dass man ihn, einen geweihten Bischof, jetzt von allen Seiten in einer so distanzlosen Art bedrängte, bewirkte das genaue Gegenteil bei ihm. Er ruderte mit den Armen, um seine Bewegungen wieder in kontrollierte Bahnen zu lenken, und stieß mit dem Finger auf Vitus:

»Dieser Mensch ist angeklagt, vom Teufel besessen zu sein! Ihr, Abt Gaudeck, mögt Euch mit dem besten Gewissen der Welt für den Jungen verbürgen, allein, Ihr kennt weder die heiligen Pflichten bei inquisitorischen Prozessen, noch habt Ihr während solcher die vielen Gesichter des Teufels erblickt!«

»Ich muss keine Inquisitionsprozesse kennen, um zu wissen, dass die Seele dieses Jungen rein und unbescholten ist.«

»Es gibt Zeugen, die ihn bei teuflischer Tätigkeit beobachtet haben!«

Gaudeck nahm Vitus noch fester in den Arm. Die Glieder der Kette klirrten. »Gilt Euch das Wort jener Zeugen mehr als die Bürgschaft eines Abtes?«

»Für mich gilt nur die Frage, ob der Angeklagte schuldig ist oder nicht. Das herauszufinden, wird uns die Folter helfen. Sie ist ein von der heiligen Mutter Kirche gesegnetes Mittel zum Herausfinden der Wahrheit, wie Ihr sicher wisst.«

»Ich weiß es, Exzellenz! Und ich weiß noch vieles mehr. Ich weiß zum Beispiel, dass es im Römischen Recht einen Satz gibt, der da heißt: *In dubio pro reo,* im Zweifel für den Angeklagten, ein Satz, der in Eurem Kirchenrecht völlig unbekannt zu sein scheint.«

»Ihr wisst nichts! Denn das Römische Recht ist heidnisches Recht, und ich warne Euch, mit hexerischem Gedankengut zu argumentieren.« Mateos Stimme überschlug sich fast. Die Verhandlung, ursprünglich angesetzt, um die Schuld, gegebenenfalls auch die Unschuld des Angeklagten ans Tageslicht zu bringen, geriet immer mehr zu einem Streitgespräch zwischen Abt und Bischof:

»Nichts wisst Ihr! Die Kirche befiehlt, dass jeder Zeuge, ich betone: jeder!, der Ketzertum zur Anzeige bringt, ernst genommen werden muss, denn der Allmächtige selbst spricht durch seinen Mund. Nur so ist es in Jahrhunderten gelungen, die Häresie einzudämmen und dem rechten Glauben Bahn zu brechen. Das unumstößliche Mittel dazu, und das wisst Ihr so gut wie ich, ist das Paragraphenwerk, das wir Inquisitionsprozessordnung nennen. Gott selbst hat es durch seine Erdendiener niederschreiben lassen. Mit seiner Hilfe werden Verdächtige angeklagt, bei begründetem Verdacht gefoltert und nach dem Geständnis verbrannt! Oder, in selteneren Fällen, freigesprochen. In aller Regel jedoch zeigt sich der Teufel rasch, spätestens bei der peinlichen Tortur!«

»Und derjenige, der sich anmaßt, den Teufel zu erkennen, ist nicht selten der Teufel selbst.« Gaudecks Augen blitzten kampflustig.

»Ihr vergesst Euch, Herr Abt!« Mateo spürte, dass er nicht mehr lange Herr seiner selbst sein würde. Die Erwiderung von Gaudeck war nicht nur in hohem Maße unziemlich, sie grenzte an Lästerung der Kirche. Die Lust, sein Gegenüber niederzubrüllen, kam in ihm hoch wie Lava in einem Vulkan. Der Ausbruch stand unmittelbar bevor, und er hatte ausnahmsweise nicht die Absicht, sich irgendwelche Zwänge aufzuerlegen:

»Macht, dass Ihr fortkommt mit Eurem lächerlichen Tross!«, schrie er so laut, dass seine Stimme am anderen Ende der Plaza zu hören war.

»Nicht ohne Vitus.«

»Doch! Ohne den Angeklagten! Denn dies ist nicht Euer Prozess! Gnade Euch Gott, wenn Ihr mir meine Kompetenz streitig machen wollt! Und jetzt verschwindet, bevor ich Euch allesamt einkerkern lasse!«

»Das bringt Ihr nicht fertig.«

Mateo öffnete den Mund, um dem Abt die passende Antwort entgegenzuschleudern, als Gaudeck plötzlich beiseite geschoben wurde. Nunu erschien auf der Bildfläche. Der Lärm hatte ihn angelockt.

»Is was, Exzellenz?« Seine Blicke wanderten verständnislos im Raum umher.

»Die Verhandlung ist unterbrochen worden«, erklärte Don Jaime bereitwillig.

»Nunu, du bringst den Angeklagten Vitus auf der Stelle zurück in den Kerker! Der Prozess wird morgen Vormittag zur gleichen Stunde fortgesetzt! Ich werde die Verhandlung zu einem erfolgreichen Abschluss führen, so wahr ich Mateo de Langreo y Nava heiße! Ich werde den Angeklagten foltern lassen, so lange, bis sein Geständnis mit seinem Blut geschrieben werden kann!«

»Ja doch, ja.« Nunu riss Vitus von Gaudeck los.

»Ich protestiere!«, rief Gaudeck. »Ich protestiere auf das Schärfste! Für heute werde ich gehen. Aber ich versichere Euch, Bischof Mateo, dass ich morgen wieder hier an gleicher Stelle stehen werde.«

»Und ich ebenso!«, ergänzte Cullus.

»Zusammen mit uns«, sagte Orantes fest.

Gaudeck, Cullus, Orantes und die Jungen entfernten sich rückwärts gehend aus dem Raum.

»Und wenn es sein muss, auch übermorgen«, rief Gaudeck entschlossen, »so lange, bis Ihr Vitus endlich freigebt!«

DER ABT GAUDECK

»Der Wahlspruch unseres Ordens heißt zwar Ora et labora,
liebe Brüder und Freunde, aber ich denke,
am heutigen Abend können wir ihn um einen
Imperativ erweitern:
celebra.«

Hohl hallten die Schritte von Vitus und Nunu im Gang
wider, als sie sich der Zelle näherten. Ein Kind schien irgendwo in der Ferne zu schluchzen, stoßweise und verzweifelt. Als sie vor der Kerkertür standen, wurde das Schluchzen stärker. »Hörst du das?«, fragte Vitus. »Es klingt, als würde ein Kind weinen.«

»Hier sin keine Kinder nich«, versetzte der Koloss, »'s kommt aus der Zelle.« Er schob den schweren Riegel zur Seite, steckte den Schlüssel ins Schloss und sperrte auf. »Rein mit dir, Ketzerdokter!«

Vitus trat in den Raum und erstarrte.

Die Ursache der Geräusche war der Magister. Er saß zusammengesunken an der Wand, und vor ihm auf dem Boden, in unnatürlichem Winkel ausgestreckt, lag Martínez.

Sein gesundes Auge blickte so tot wie sein blindes.

»Was is?«, fragte Nunu, der sich hinter Vitus in den Raum drängte.

»Ich hab's nicht gewollt!«, schluchzte der Magister. Seine schmalen Schultern zuckten. »Ich hab's nicht gewollt! Bei allen Heiligen, ich hab's wirklich nicht gewollt!«

»Was ist geschehen? Erzähle.« Vitus setzte sich neben den kleinen Mann auf den Boden.

»Wir hatten Streit, wir …«, der Magister krächzte, ihm versagte die Stimme. Er griff sich an den Kehlkopf.

»Lass sehen.« Vitus nahm ihm die Hand fort und untersuchte die Stelle. »Martínez hat dich gewürgt, stimmt's?«

»Ja.« Ein neuerlicher Schluchzanfall schüttelte den kleinen Mann. Er war völlig außer sich. Vitus nahm ihn in den Arm und wiegte ihn wie ein Kind. Langsam beruhigte er sich. Dann begann er zu erzählen, erst stockend, dann immer flüssiger. Das Reden war wie eine Befreiung.

Es war wieder einmal um die Juden gegangen. Martínez hatte eine seiner unflätigen Bemerkungen gemacht, und dem Magister war der Kamm geschwollen. Ein Wort hatte das andere gegeben. Schließlich waren beide wutentbrannt aufeinander losgegangen; der Einäugige hatte den Magister angespuckt und ihm anschließend brutal die Luft abgedrückt. Der kleine Mann war schon fast erstickt, als seine Hand plötzlich an den Datumstein geriet, der hinter Martínez in der Mauer steckte. In seiner Not hatte er den Stein ergriffen und ihn dem Angreifer gegen den Kopf geschmettert. Martínez hatte seinen Griff gelockert und war zurückgetaumelt. Der Magister hatte unter ihm wegtauchen und einen Schritt zurückspringen können. Aus dieser Sicht hatte er alles Weitere wie von einem Logenplatz beobachtet: Der taumelnde Martínez war auf einem Stück Rattenkot ausgerutscht, nach hinten gefallen und mit dem Kopf gegen die Mauer geschlagen. Genau an jene Stelle, wo sich kurz zuvor noch der Datumstein befunden hatte. Am Boden liegend hatte sein kräftiger Körper sich noch einmal aufgebäumt, dann war der Tod eingetreten.

»Es war wie ein Spuk«, flüsterte der Magister.

»Das glaube ich dir«, beruhigte ihn Vitus. Er richtete sich auf und ging zu dem Leichnam. »Nunu, hilf mir, den Mann umzudrehen, ich möchte mir seinen Hinterkopf ansehen.«

»Ja, Ketzerdokter.«

Nach kurzer Untersuchung stand fest: Durch den Datumstein hatte Martínez zwar eine klaffende Schlagwunde an der linken Schläfe davongetragen, doch war diese Verletzung nicht die Todesursache gewesen. Der Exitus war durch den Maueraufprall herbeigeführt worden. Vitus befühlte mit dem Finger die Stelle des Schädels. »Man kann es genau ertasten«, sagte er. »Die Kalotte ist eingedrückt, das Gehirn so schwer verletzt worden, dass der Tod fast übergangslos eintrat.«

»Was machen wir nu, Ketzerdokter, was machen wir nu?« Nunu begriff allmählich den Ernst der Situation. Er starrte ängstlich in die blicklosen Augen des Toten.

»Erst einmal Ruhe bewahren! Eines steht fest, wir müssen den Toten so schnell wie möglich verschwinden lassen. Und, wichtiger noch, niemand darf etwas bemerken, alles muss so sein, als hätte es Martínez nie gegeben. Sonst könntest du, Nunu, es zur Abwechslung sein, der die Kurzweil einer Folter kennen lernt. Schließlich bist du für die Gefangenen verantwortlich.«

Der Koloss wurde blass.

»Ich bin sicher, dass die Ratte viel Vergnügen daran hätte, die Ziegenfolter an dir auszuprobieren.«

»Neinneinnein!« Der bärenstarke, der gewaltige, der unzerstörbare Nunu zitterte plötzlich wie Espenlaub. Ein Gefühl der Genugtuung durchströmte Vitus, und ein Gedanke keimte in ihm auf, ein zartes Pflänzlein zunächst nur, doch je länger er über den Einfall nachdachte, desto machbarer erschien er ihm.

»Es muss jetzt alles sehr schnell gehen!« Vitus sah Nunu eindringlich an. »Jede Sekunde zählt!«

»Jaja, aber was soll'n wir bloß machen?« Es fehlte nicht viel, und der Koloss hätte die Hände gerungen.

»Wir werden Martínez unten in der Cella II dem Pajo übergeben, die Strömung wird seine Leiche fortspülen, irgendwohin, wo ihn niemand kennt.«

»Ja! Gut!« Nunu war Feuer und Flamme. »Wo ihn niemand kennt!«, wiederholte er froh. »Aber wie kommt er'n in den Pajo?« Seine Stirn schlug Falten, dann dämmerte es ihm: »Du kennst die Eiserne Jungfrau!«, platzte er heraus.

»Erraten. Wir lassen die Leiche von der Jungfrau umarmen und betätigen die Falltür. Die zerschnittenen Teile fallen nach unten in den Fluss und werden fortgespült. Eine todsichere Sache.« Vitus wunderte sich, wie unbeteiligt seine Stimme klang.

»Is gut!« Nunu bückte sich nach dem Toten. »Fassde mit an, Ketzerdokter?«

»Nein, die Leiche von Martínez bleibt erst einmal hier. Du gehst allein vor. Du besorgst Eisenketten oder andere Gewichte, mit denen wir den Toten beschweren können. Es wäre verräterisch, wenn die Leichenteile zu früh an die Oberfläche gelangen würden, verstehst du?«

»Ja, ich …«

»Gut. Die Eisenteile legst du vor der Jungfrau ab, griffbereit, wir dürfen keine Zeit verlieren, wenn wir mit dem Toten in der Kammer eintreffen.«

»Ja …«

»Wenn alles vorbereitet ist, kommst du sofort wieder her. Der Magister und ich schaffen's allein nicht, die Leiche so weit zu schleppen, ist das klar?«

»Is klar.«

»Dann schwirr ab. Und mach schnell!«

»Jaja.« Der Koloss stürzte hinaus.

»Was soll das alles, Vitus?«, fragte der Magister müde, als sie allein waren. Er hatte sich etwas beruhigt und konnte wieder klar denken. »Nunu wird zur Rechenschaft gezogen werden, egal, ob Martínez verschwunden ist oder nicht.«

»Natürlich«, antwortete Vitus. »Uns beiden ist das klar. Aber Nunu ist zu beschränkt, um so weit zu denken. Und das ist gut so, denn ich habe einen Plan. Sein Gelingen ist für mich lebensnotwendig, weil ich in größter Gefahr bin. Ich muss fliehen, auf Biegen oder Brechen. Wenn ich es nicht schaffe, wird man mich wieder foltern, und ich bin sicher, dass ich dem Tod nicht ein zweites Mal von der Schippe springen kann. Bischof Mateo war außer sich vor Wut.«

»Erzähl mir alles«, drängte der kleine Gelehrte. »Egal, was passiert, ich bin an deiner Seite.«

Und Vitus berichtete in fliegender Hast. Wie immer war der Magister ein aufmerksamer Zuhörer. Am Ende sagte er: »Es gibt tatsächlich nur eine Möglichkeit für dich, und die heißt Flucht. Da beißt die Maus keinen Faden ab. Aber wie gesagt, ich komme mit, vier Augen sehen mehr als zwei, auch wenn die meinen etwas kurzsichtig sind.« Er blinzelte. »Die Frage ist nur, wie wir von hier fortkommen.«

»Du bist ein guter Freund! Das Ganze wird bestimmt kein Spaziergang.«

»Ach, ich vertrete mir gern mal die Beine. Wie lautet dein Plan?«

»Der Dreh- und Angelpunkt dabei ist Nunu. Ihn müssen wir unschädlich machen, und ich weiß auch schon, wie …«

»'s is alles erledigt, Ketzerdokter!«, rief Nunu schon vom Gang her, während er sich mit eiligen Schritten näherte. Gleich würde er durch die angelehnte Tür hereinkommen.

Vitus nickte dem Magister zu: »Wenn das Monstrum über die Schwelle tritt, handelst du.«

»Ich tu mein Bestes.« Der Magister stellte sich links neben die Tür, dorthin, wo sie nach innen aufschwingen würde. Er presste sich dicht an die Wand, damit Nunu ihn beim Eintreten nicht sehen konnte. »Hoffentlich klappt's!«

Vitus packte den Datumstein fester. »Es muss klappen.«

Die Tür wurde aufgestoßen, der Koloss trat ein.

Sekundenschnell schoss der kleine Mann vor und stellte ihm ein Bein. Nunus schwerer Leib verlor das Gleichgewicht. Er fiel kopfüber in einen großen Haufen Stroh, den Vitus und der Magister in der Raummitte aufgetürmt hatten. Noch ehe er wusste, wie ihm geschah, schlug Vitus ihm mit aller Kraft den Datumstein an den Schädel. Nunu gab einen ächzenden Laut von sich und verlor halb das Bewusstsein.

»Rasch jetzt!«, rief Vitus. »Der Weg ist frei!«

Beide wollten zur Tür hinausstürzen, doch Nunu, obwohl noch benommen, erwischte mit der Hand ein Bein des Magisters und hielt es fest. Geistesgegenwärtig schlug Vitus noch einmal zu, doch in der Eile traf er nur ungenau, der Schlag landete auf Nunus Brust. Der Riese schüttelte sich, das Bein nach wie vor umklammernd. Langsam kam er zu sich:

»Ihr Schweine!«, ächzte er, während er versuchte, sich aufzurichten. Der Magister zappelte wie ein Fisch an der Angel. Vitus wollte abermals zuschlagen, um den Widerstand des Riesen endgültig zu brechen, doch der andere Arm Nunus fuhr jetzt wild in der Luft herum, was einen Schlag unmöglich machte.

»Du hast es nicht anders gewollt«, murmelte Vitus zwischen den Zähnen. Er griff in seine Tasche und holte die zwei Eisensteine hervor. Er streichelte sie kurz. »Emilio, mein Freund, ich danke dir …« Dann schlug er sie aneinander. Ein langer Funke sprang ihm aus der Hand und landete im Stroh. Sofort fing ein Halm Feuer.

»Du hast vielen die Hölle auf Erden bereitet«, sagte er laut zu Nunu, »jetzt schmore selbst darin!«

Das Stroh brannte wie Zunder. Eine Feuersäule schoss empor und lenkte den Riesen ab. Sein Griff lockerte sich. Der Magister befreite mit einem Ruck sein Bein. Nunu versuchte erneut, es zu packen, während er gleichzeitig die Flammen abwehrte. Das Feuer breitete sich rasend schnell aus. Schon hatte es die gesamte Kleidung Nunus ergriffen.

»Komm!«, schrie Vitus. Er packte den kleinen Mann und zog ihn aus der Zelle. Rückwärts blickend sah er, wie Nunu sich auf dem Boden wälzte, um die Flammen an seiner Kleidung zu ersticken, doch genauso gut hätte er versuchen können, einen Waldbrand zu löschen. Schon hatte das Feuer auf Martínez übergegriffen. Auch seine Kleidung stand jetzt in Flammen. Vitus knallte die Zellentür zu. »Den Riegel vor!«

Mit vereinten Kräften versperrten sie die Tür.

»Was nun?«, fragte der Magister atemlos.

»Ruhig Blut, ruhig Blut!« Vitus' Gedanken rasten. Zu welcher Seite des Gangs sollten sie fliehen? Zum Hauptausgang, dorthin, wo die Wachsoldaten standen? Oder in die andere Richtung, hinunter zu den Folterkammern?

»Ihr Schweineee …«, kam es heulend von drinnen. Schritte schleppten sich zur Tür. Vitus bekreuzigte sich. Es grenzte an ein Wunder, dass Nunu noch einmal hochgekommen war. Längst musste er eine lebende Fackel sein. Faustschläge hämmerten gegen die Kerkertür. »Ihr Schw … ooooohh … oooh … oooh …«

Die Stimme erstarb. Sie hörten einen schweren Fall.

»Er verbrennt, mein Gott, er verbrennt!« In der Stimme des Magisters lag blankes Entsetzen.

»Ja, er verbrennt.« Vitus hob beschwörend die Hände. »Bitte glaub mir, ich habe das nicht gewollt, wer konnte auch ahnen, dass er nicht gleich ohnmächtig wird! Wenn alles geklappt hätte, wäre er jetzt bewusstlos und würde irgendwann, auf Stroh gebettet, wieder wach werden. Gott ist mein Zeuge, mir blieb keine andere Wahl, als Feuer zu legen. Vielleicht hat der Allmächtige ihn durch mich strafen wollen.«

»Du bist so kaltblütig, so …«, der Magister schauderte, »so fremd. Ich kenne dich kaum wieder.«

»Ich kenne mich selbst kaum wieder! Vielleicht ist es der Selbsterhaltungstrieb, der mich so handeln lässt. Töten oder getötet werden, eine andere Wahl bleibt mir nicht.«

»Und was nun? Wir müssen verschwinden, bevor man uns entdeckt.«

»Wir nehmen den Weg zu den Folterkammern.« Vitus hatte sich entschieden. Selbst wenn es ihnen gelänge, die Wachen am Tor zu überwältigen, würden sie nicht weit kommen. Man würde sie jagen wie die Vogelfreien und früher oder später fassen. Nein, sie mussten ohne Aufsehen fliehen und möglichst viele Meilen zwischen sich und den Kerker bringen, ehe ihr Verschwinden bemerkt wurde. Nur so hatten sie eine Chance, den Häschern der Inquisition zu entgehen.

So schnell ihre Beine sie trugen, liefen sie nach rechts den Gang entlang und machten Halt an der Tür, die normalerweise verschlossen war. Doch Nunu hatte sie jetzt natürlich offen gelassen.

Sie schlüpften hindurch, den nächsten Gang entlang, an dessen Ende sie bei ihrer komfortablen Zweierzelle anlangten. Ohne zu verweilen, eilten sie weiter, die elf Treppenstufen zu den Folterkammern hinab.

Vitus betrat als Erster die Cella I. Man konnte die Hand nicht mehr vor Augen sehen. Tastend orientierte er sich nach rechts, dorthin, wo die Fackel steckte. Er nahm sie herab und gab sie dem Magister. Dann schlug er mit Emilios Eisensteinen Feuer. Kurz darauf brannte sie.

»Und nun hinunter zur Eisernen Jungfrau!«

Dem Magister dämmerte langsam, was Vitus vorhatte: »Du willst doch nicht etwa …?« Erschrocken hielt er inne.

»Genau das will ich.«

»Aber …«

»Es muss sein, Magister.«

Inzwischen waren sie bei der Frau mit den toten Augen angekommen. Säuberlich aufgereiht lagen mehrere Ketten vor ihr. »Nunu hat gute Arbeit geleistet«, sagte Vitus. »Wenn wir Martínez jetzt dabeihätten, wäre es ein Leichtes, ihn durch die Jungfrau verschwinden zu lassen.«

»Ich fürchte, für uns wird es ungleich schwieriger«, seufzte der kleine Mann.

»Wir werden sehen.« Vitus steckte die Fackel in die Wandhalterung. »Wir klappen die Jungfrau zunächst auf, anschließend drückst du auf den Hebel, um die Falltür zu öffnen.«

»Ist gut.«

Gemeinsam zerrten sie an den Griffen, bis die Hälften des Mantels aufschwangen und das Rauschen des Pajo unter ihnen anschwoll. »Jetzt der Hebel!«

Mit einem knarrenden Laut gab die Falltür nach; das Rauschen unter ihnen verwandelte sich in ein Tosen. »Ganz so laut hatte ich's gar nicht in Erinnerung!«, rief der kleine Gelehrte gegen den Lärm an.

Statt einer Antwort nahm Vitus erneut die Fackel, legte sich bäuchlings vor die Öffnung und hielt sie nach unten. »Absolut nichts!«, meldete er. »Setz dich mal auf meine Unterschenkel, ich brauche Halt, damit ich mit dem Oberkörper in das Loch tauchen kann.«

»Bist du übergeschnappt?« Widerstrebend gehorchte der Magister. So weit es ging, leuchtete Vitus nach unten, doch auch dieser Versuch war umsonst.

»Nichts zu sehen. Beim besten Willen nicht.« Vitus kam wieder hoch und stand auf. »Es hilft nichts, Magister, wir müssen da runterspringen.«

»Du hast gut reden, ich kann nicht schwimmen, ich denke, wir sollten, aaaaahh …!«

Durch den plötzlichen Stoß, den Vitus ihm ganz unverhofft gegeben hatte, fiel der kleine Mann nach hinten, ruderte hilflos mit den Armen und verschwand in der Schwärze des Schachtes.

»Bitte, verzeih mir, mein Freund«, rief Vitus hinter ihm her. Er lauschte angespannt. Da! Ein klatschendes Geräusch übertönte das Rauschen des Flusses. Schnell bekreuzigte er sich:

> »Herr, in Deine Hände befehle ich uns,
> gib uns die Kraft, die wir brauchen,
> die Zuversicht in das Kommende
> und die Gelassenheit,
> die aus dem Glauben an Dich entspringt.
> Amen.«

Er holte tief Luft und sprang hinterher.

Wie eine feuchte Faust traf das Wasser Vitus ins Gesicht, als er mit dem Kopf voran aufschlug. Augenblicklich versank er in den Fluten, wurde wirbelnd herumgerissen und mit unwiderstehlicher Kraft fortgeschleudert. Prustend kam er wieder hoch. Er strampelte mit den Beinen und fühlte plötzlich Grund. Dem Himmel sei Dank!, schoss es ihm durch den Kopf. So wird der Magister nicht jämmerlich ertrinken!

»Magister!«, schrie er, so laut er konnte, doch die Kraft seiner Stimme wirkte lächerlich im Vergleich zum Tosen des Flusses. Noch immer umgab ihn finsterste Dunkelheit. Er machte ein paar Schwimmbewegungen, um schneller mit der Strömung voranzukommen, doch die Eisenkette behinderte ihn stark. Plötzlich prallte er gegen eine steinerne Fläche und wurde durch die Kraft des Wassers wie angenagelt daran festgehalten. Er spürte, dass sich an dieser Stelle ein Seitenarm mit dem Fluss vereinigte. Es gelang ihm, sich zu befreien und sich weiter von der Strömung treiben zu lassen.

Wo der Magister wohl sein mochte? Wieder rief er den Namen des Freundes, und wieder gab ihm nur der Fluss Antwort.

Nach einer Weile schien es ihm, als würde das Wasser wärmer, es begann nach Fäkalien zu stinken, und die Strömung wurde schwächer. Brechreiz überfiel ihn, doch er kämpfte dagegen an, indem er sich ablenkte und abermals Schwimmbewegungen versuchte. Unversehens tauchten zwei Hände vor ihm auf, die das Wasser zerteilten – es waren seine eigenen.

Jäh wurde ihm klar, dass diffuses Licht ihn umgab. Sein Blick ging nach vorn, wo in einiger Entfernung eine halbrunde Öffnung schimmerte. Das Ende des Wassertunnels! Blauer Himmel lockte dort.

Er verstärkte seine Bemühungen und gelangte an die Öffnung, wo er sich mit beiden Händen am Rand des Felsens festhielt. Die Sonne schien so hell, dass er geblendet die Augen schloss.

Als er sie wieder öffnete, sah er, dass der Fluss in einen Teich mündete. Rechts von ihm, nur wenige Körperlängen entfernt, war der Ufersaum von Schilf bedeckt. Es war fast mannshoch, dicht gewachsen und von fahlgelber Farbe. Plötzlich teilten sich die Halme, und ein Kopf mit sehr hoher Stirn wurde sichtbar. Der Magister!

Der kleine Mann winkte heftig. Vitus winkte zurück und legte den Finger an die Lippen. Hoffentlich geht das Temperament nicht mit ihm durch!, dachte er besorgt. Wenn man uns jetzt entdeckt, war alles umsonst!

Doch der kleine Mann schien seine Gedanken zu lesen, denn er sagte kein Wort. Mühsam bewegte Vitus sich zu ihm hinüber.

»Endlich frei!« Der Magister grinste, während er die Halme auseinander hielt, damit Vitus besser in den Schilfwald schlüpfen konnte.

»Pssst!« Abermals legte Vitus den Finger an die Lippen.

»Keine Sorge, hier hört uns niemand, das Schilf schluckt den Schall wie ein Federbett!« Der Vergleich schien dem Magister zu gefallen. Er grinste breiter.

»Bist du unverletzt?«, flüsterte Vitus.

»Ja, alles bestens. Wenn ich gewusst hätte, dass es so einfach ist, wäre ich sogar freiwillig durch die Jungfrau gesprungen.«

»Gott sei Dank! Sprich trotzdem leiser.«

»Wenn es dich beruhigt! Übrigens: Ich habe mich kurz umgesehen, bevor ich mich versteckte. Der Teich scheint eine Art Tränke für Haustiere zu sein. Die Viecher kommen allein hierher, trinken und verschwinden wieder in ihre Ställe. Ich habe Schafe und Ziegen gesehen, sogar ein paar Hühner. Sehr praktisch, das Ganze.« Er blinzelte. »Du kannst sicher sein, dass keine Menschenseele sich hier blicken lässt.«

»Wir sollten trotzdem vorsichtig sein.« Vitus war noch immer misstrauisch.

»Dem Sonnenstand nach zu urteilen hat der Fluss uns nach Norden in Richtung Stadtrand getrieben«, schnitt der Magister ein anderes Thema an. »Ich schlage vor, wir gehen ans Ufer und machen uns aus dem Staub.«

»Kommt nicht in Frage.« Vitus wehrte eine Libelle ab, die ihn hartnäckig umkreiste. »Was meinst du, was in der Stadt los ist, wenn man im Gefängnis unsere Flucht bemerkt! Ein Wespennest ist nichts dagegen.« Die Libelle stand jetzt wie angeklebt in der Luft, nur eine Handbreit von Vitus' Nase entfernt. »Wir müssen bis zum Abend warten. Dann dürfte sich die erste Aufregung gelegt haben.«

»Auch gut. Dann vermuten sie uns überall, nur nicht mehr hier.«

»Im Schutz der Dunkelheit können wir unbemerkt fliehen«, überlegte Vitus weiter. »Wir sollten abseits der Landstraßen gehen. Je weniger Leute uns sehen, desto besser. Erst einmal muss Gras über die Sache wachsen.«

»Stimmt. Komm, wir gehen ans Ufer, dort können wir uns setzen, und es wartet sich netter.«

Gemeinsam schoben sie sich vor, immer darauf achtend, dass die Halme über ihnen sich nicht bewegten. Als das Wasser so flach war, dass es ihnen nur noch bis zu den Knien ging, machten sie Halt. Sie setzten sich Rücken an Rücken, um sich gegenseitig zu stützen. Schon wenige Minuten später spürte Vitus, wie der Körper des Magisters hinter ihm erschlaffte.

»Süß ist der Schlaf der Freiheit«, murmelte der kleine Mann, und seine regelmäßigen Atemzüge verrieten, dass er im Land der Träume angekommen war.

Vitus erwachte von einem unerträglichen Juckreiz. Er fuhr sich mit der Hand ins Gesicht und fühlte zahllose Mückenstiche. Wangen, Stirn und Nase waren eine einzige Schwellung. Sogar in den Ohrmuscheln hatten die Blutsauger sich gütlich getan. Nur nicht kratzen!, fuhr es ihm in den Sinn. Er klopfte mit der flachen Hand auf die Schwellungen und fühlte Erleichterung.

Die Dunkelheit war mittlerweile sehr schnell hereingebrochen. Vitus konnte den Magister hinter sich nur noch schemenhaft wahrnehmen. »He, Magister!«, rief er unterdrückt. »Wach auf!«

Der kleine Mann machte ein schniefendes Geräusch und kam zu sich. »Ja was ... wo bin ... ja bei allen Heiligen, wer hat mich denn so zerstochen? Teufel, wie das juckt!«

»Nicht kratzen! Mit der flachen Hand draufklopfen, das hilft.«

»Wenn du meinst.«

Beide drehten sich einander wieder zu.

Während er sein Gesicht mit der Hand bearbeitete, wurden die Augen des Magisters plötzlich übergroß. »Das gibt's doch nicht!«, stieß er hervor. »Ich kann zwar nicht viel erkennen, aber was ich sehe, sieht aus wie eine aufgepustete Schweinsblase.«

»Wenn du mein Gesicht meinst – deins sieht auch nicht besser aus. Die Sumpfmücken haben uns regelrecht überfallen.«

»... und abgeschlachtet«, ergänzte der kleine Gelehrte, während er weiter mit der Hand in seinem Gesicht herumfuhrwerkte. »Was kann man bloß dagegen machen?«

»Gegen Mückenstiche hilft am besten zerbröselte Efeurinde, die man mit etwas Essigwasser verreibt.«

»Efeu, Efeu!«, brummte der Magister. »Ich sehe nur Schilf.«

»Du hast Recht, machen wir, dass wir hier wegkommen.« Vitus erhob sich und spähte in alle Richtungen. Seine Kette klirrte. Ärgerlich bemühte er sich, die Arme ruhig zu halten. Nochmals sah er sich um. Nichts! Die einzigen Lebenszeichen waren die Laternen an einigen abgelegenen Häusern und das ausdauernde Zirpen der Zikaden.

»Komm, die Luft ist rein!« Er ging voran. Irgendwo quakte ein Frosch. Ihre Füße sanken im sumpfigen Boden so weit ein, dass bei jedem Schritt ein hohles, schmatzendes Geräusch entstand. Endlich erreichten sie festen Untergrund.

»Wir gehen am besten nah am Wasser«, schlug der Magister vor. »Jemand, der aus der Stadt herübersieht, kann unsere Umrisse vor dem Schilf kaum wahrnehmen.«

»Gute Idee. So machen wir's.« Vitus schlich gebückt weiter.

»Iiiiaah!«

»Was war das?« Der Magister erstarrte wie Lots Weib in der Bibel.

»Keine Ahnung.«

»Iiiiaah!« Abermals erklang der Schrei. Gefolgt von einem kräftigen »Brrrh!«

»Hört sich an wie ein Esel oder so etwas«, flüsterte Vitus. Seine Augen suchten das Gelände ab. »Da!« Wenige Schritte neben ihnen tauchte tatsächlich ein Grautier auf.

»Iiiaah!«

»Vielleicht hat der Esel getrunken und fühlte sich durch uns gestört?«, vermutete der Magister.

»Der Esel ist ein Maultier«, stellte Vitus richtig. Er ging hin, um es zu beruhigen. »Das ist doch …«, entfuhr es ihm. »Moment mal.« Er trat ganz dicht an das Tier heran und musterte es eingehend:

»Kein Zweifel, es ist Isabella!«

»Isabella? Wer in drei Teufels Namen ist Isabella?«

»Das Maultier von Emilio, dem Fuhrmann, von dem ich dir erzählte.«

»Donnerwetter, das nenne ich Zufall!«

»Zufall?« Vitus streichelte Isabella sanft über die Nüstern. Das Maultier hob den Kopf und drückte mit dem Unterkiefer seine Hand herab. Dann schnupperte es nach einer Leckerei.

»Ich habe leider nichts, mein Mädchen«, sagte er bedauernd. Wieder streichelte er das Maultier. »Womöglich ist es gar kein Zufall, dass du hier bist?«

»Du redest in Rätseln«, sagte der Magister.

»Vielleicht klärt sich bald alles auf. Isabella, geh nach Hause!«

Das Tier hörte aufmerksam zu und spielte mit den Ohren.

»Isabella, geh nach Hause!«, wiederholte Vitus.

Dann, mit einem kräftigen Schnauben, setzte sich das Maultier in Bewegung. Es ging gemächlich in nordöstlicher Richtung auf den Stadtrand zu. Ab und zu schaute es sich um, wie um sich zu vergewissern, dass die beiden Menschen ihm folgten.

»Dann wollen wir mal«, sagte Vitus.

»Kaum zu glauben, Isabella scheint jedes Wort zu verstehen«, staunte der Magister.

»Das tut sie.«

Nach etwa einer viertel Meile verdichtete sich die Häuserfront vor ihnen, und der Weg wurde zu einer schmalen Gasse. Sie hielten sich strikt im Schatten des Maultiers, obwohl sie nirgendwo mehr Licht sahen. Alle Welt schien zu schlafen.

»Hier ist der Hund begraben«, flüsterte der Magister, und wie um ihn Lügen zu strafen, erklang plötzlich ein Bellen.

Vitus stieß den kleinen Mann an und bedeutete ihm, den Mund zu halten. Isabella war stehen geblieben und streckte den Kopf in die Höhe. Ihre Ohren spielten nervös.

»Iiiiaah!«, rief das Maultier durchdringend. Dann schritt es zielstrebig auf einen Stall zu, der zu einem größeren Gebäude gehörte. Offenbar handelte es sich um eine Herberge, die von einem gewissen Pedro betrieben wurde, denn an der Fassade stand in windschiefen Buchstaben »Albergue de Pedro«. Hinter den Fenstern brannte Licht. Stimmen hallten herüber.

»Ruhe!«, keifte plötzlich eine Frau aus dem oberen Stockwerk eines Hauses. »Ruhe da unten, verdammt noch mal!« Sie trug eine schief sitzende Schlafmütze und schwenkte ein Nachtgeschirr in der Hand. Wütend kippte sie den Inhalt in einem Schwall nach unten. Vitus und der Magister sprangen zur Seite. Isabella, die etwas abbekommen hatte, tat einen Satz nach vorn. »Iiiiaah!«

Die Frau verschwand vom Fenster. »Jetzt treiben sich hier nachts schon herrenlose Esel herum!«, schimpfte sie.

Die beiden Flüchtigen hatte sie nicht bemerkt.

»Halt!« Orantes packte Pater Cullus am Arm. »Ich glaube, Isabella hat eben gerufen!«

»Das Maultier?«, fragte Cullus, mit vollen Backen kauend. Die Nachricht schien ihm nicht sonderlich interessant. Geschickt griff er mit den vier Fingern seiner linken Hand nach der Pastete, während seine Rechte den Weinbecher ansetzte. Er nahm einen tiefen Schluck und wischte sich mit dem Ärmel den Mund ab. Dann bemerkte er, dass Orantes sich Sorgen machte. Sein gutes Herz regte sich: »Du solltest nicht so unruhig sein, mein Sohn. Gewiss, der heutige Tag war nicht von Erfolg gekrönt, wenn ich daran denke, dass es uns nicht gelungen ist, Vitus aus den Fängen der Inquisition zu befreien. Aber ich versichere dir, wenn der Allmächtige es will, wird das spätestens morgen der Fall sein.«

Er legte die ganze Überzeugungskraft, zu der er fähig war, in seine Worte. Der treue Landmann brauchte nicht zu wissen, dass er, Cullus, selbst seine Zweifel hatte. »Warum machst du es nicht wie die anderen?«, fragte er gutmütig. »Sie sind auf ihren Zimmern, haben sich Gott befohlen und schlafen bereits. Kommt Zeit, kommt Rat.«

Er schob sich das Stück Wildpastete in den Mund.

»Ich verstehe Euch nicht, Pater Cullus, wie es Euch angesichts des heutigen Tages noch schmecken kann.«

»Ach, mein Sohn.« Cullus lächelte sanft. »Wenn ich fasten würde, käme Vitus doch auch nicht frei, oder? Man soll das Leben nehmen, wie es ist. Wir sind ohnehin alle sündige Kinder im Herrn.« Er schlug mit der Hand, die mittlerweile das letzte Stück Pastete ergriffen hatte, flüchtig das Kreuz. »*Te deum laudamus.*«

»Wie Ihr meint.« Orantes erhob sich. Er war leicht verstimmt, weil Cullus beharrlich »mein Sohn« zu ihm sagte, dabei war der Mönch im gleichen Alter wie er. Zudem ärgerte er sich über sich selbst, weil er dem ganzen Unterfangen nicht gelassener gegenüberstand. Aber er konnte nun mal nicht aus seiner Haut heraus. Ein bestimmtes Gefühl sagte ihm, dass heute Nacht noch etwas passieren würde.

Er besann sich: Der Schrei Isabellas hatte so geklungen, als käme er von der Straße, doch eigentlich hätte das Maultier auf der anderen Seite der Herberge im Stall stehen müssen. Irgendetwas stimmte da nicht. »Ich gehe mal nachsehen, was da los ist«, sagte er und verschwand nach draußen in die Dunkelheit.

»Tu, was du nicht lassen kannst, mein Sohn«, antwortete Cullus kauend.

Orantes entdeckte das Maultier in der Nähe der Haupttür. Es schnaubte geräuschvoll und trat ein paarmal mit den Vorderhufen aufs Pflaster. »Isabella«, sagte er scheinbar ruhig, »wo treibst du dich so spät noch herum? Komm zurück in den Stall.«

Während er auf das Tier einsprach, war es ihm, als hätte er aus dem Augenwinkel zwei Gestalten gesehen. Er erschrak innerlich. Das Herz klopfte ihm zum Zerspringen. Die Zeiten waren unsicher, besonders nachts trieb sich allerhand Diebesgesindel auf den Straßen herum. Seine Hand fuhr zum Gürtel, in dem ein langes Messer steckte. Obwohl er gut damit umzugehen wusste, hoffte er, es nicht benutzen zu müssen. »Braves Mädchen«, sagte er laut, als das Maultier folgsam hinter ihm hertrottete. Gleich würde er den Stall erreicht haben …

»Carlos Orantes?«

Jemand rief seinen Namen!

Der Landmann blieb stehen. Das Maultier, noch im Gehen begriffen, gab ihm einen Stoß nach vorn. Orantes stolperte. Instinktiv duckte er sich hinter dem Körper des Tiers. »Wer will das wissen?«, fragte er und versuchte, seiner Stimme einen selbstsicheren Klang zu geben.

»Carlos Orantes, bist du es?«, erklang die Stimme abermals, diesmal drängender.

»Ja doch, in drei Teufels Namen!«

»Gott sei gelobt und gepriesen.«

Orantes sah, wie sich zwei Schatten von der Hauswand lösten

und rasch auf ihn zukamen. Seine Hand packte das Messer, man konnte nie wissen. Doch dann verhielt er mitten in der Bewegung: »Bei der Regel der Heiligen Mutter, bist du das, Vitus?«

»Pssst, nicht so laut.« Vitus legte beschwörend den Finger an die Lippen. »Ja, ich bin's.«

»An mein Herz, Junge!« Orantes gab sich alle Mühe, seine Freude nicht hinauszuschreien. Seine Arme umfingen den Jüngling und drückten ihn mit der Kraft einer Riesenschlange. »Bist du den verfluchten Inquisitoren also entwischt! Ich kann's noch gar nicht glauben!«

Vitus befreite sich mühsam. »Darf ich dir einen Freund und Leidensgefährten vorstellen? Magister, komm her.« Der kleine Mann trat zögernd heran. »Das ist der Magister«, stellte Vitus vor, »und das ist Carlos Orantes.«

Der Bauer schüttelte dem kleinen Gelehrten kräftig die Hand. »Vitus' Freunde sind auch meine Freunde. Aber genug geredet! Wird Zeit, dass wir uns verdünnisieren. Am besten, wir verschwinden erst mal im Stall. Dann sehen wir weiter.«

Kurz darauf hatten sie sich in das Nebengebäude der Herberge geschlichen. Orantes schloss leise das Tor. »Kein Licht! Besser, wir warten, bis unsere Augen sich an das Dunkel gewöhnt haben.«

Nach ein paar Minuten deutete er zum rückwärtigen Teil des Stalls, wo acht oder neun Pferde standen: »Da hinten gibt es eine kleine Tür. Von dort führt eine Stiege in den ersten Stock der Herberge. Die Treppe scheint nie benutzt zu werden, weil sie schmal und steil ist, genau richtig also für unsere Zwecke. Oben befindet sich das Zimmer von Abt Gaudeck.«

»Wohnen Pater Thomas und Pater Cullus auch hier in der Herberge?«, fragte Vitus.

»Sie schlafen mit im Raum des Abtes. Der Ehrwürdige Vater wollte Geld sparen und meinte, dass es für ein paar Nächte auch so gehen würde. Immerhin hat er noch ein zweites Zimmer spendiert, für mich und meine Jungen.«

Inzwischen stand Orantes vor der kleinen Tür. »Wenn wir die Stiege hinaufklettern, wird es infernalisch quietschen, ob wir wollen oder nicht. Ich schlage deshalb vor, wir treten extra fest auf und singen ein paar schmutzige Lieder, dann glauben die Leute, ein paar Betrunkene kämen zurück.«

»Das Absingen schmutziger Lieder ist meine Spezialität«, sagte der Magister unternehmungslustig. »Ein Überbleibsel aus meiner Studentenzeit.«

»Dann los!«, befahl Orantes.

Sie gaben sich alle Mühe, laut und unflätig zu singen, während sie die Treppe hochstapften. Prompt meldete sich hinter der einen oder anderen Tür eine ärgerliche Stimme, doch keiner der Gäste wagte sich auf den Gang.

> *»Ich liebe den Wein,*
> *beim Mondenschein*
> *ich liebe die Weiber,*
> *und ihre Leiber ...«*

Der Magister sang am lautesten, mit lallender Zunge, während sie den Flur entlangtorkelten. Schließlich hielt Orantes vor einer Tür und klopfte kräftig.

Kurz darauf erklang die Stimme von Gaudeck: »Herein!«

Schnell schlüpften die drei in den Raum. Gaudeck und Thomas blinzelten ihnen im schwachen Schein eines Öllämpchens entgegen, noch nicht erkennend, wer sie im Schlaf gestört hatte. Dann aber fuhren sie von ihrem Lager hoch.

»Vitus!«, rief Abt Gaudeck, »dem Allmächtigen sei Dank!«

Er sprang aus dem Bett, wurde gewahr, dass er nur ein Nacht-gewand trug, und streifte sich kurz entschlossen seine Kutte darüber. »Mit allem hätte ich gerechnet, aber damit nicht!«

Es war eine seltsame Truppe, die sich am Nachmittag des 5. August südwestlich von Dosvaldes durch die dichten Wälder fortbewegte. Voran schritt ein stämmiger Bauer, ihm folgten fünf Reiter, dahinter trottete ein Maultier, und den Schluss bildeten zwei Jungen, die wie ein Ei dem anderen glichen. Sie sicherten die Gruppe nach hinten ab.

»Wie weit ist es noch bis zu der Scheune, von der Ihr heute Morgen spracht?«, fragte Abt Gaudeck nach vorn. Er saß auf einem stattlichen Zelter, während Thomas und Cullus einen Braunen ritten. Den beiden Männern dahinter hatte man die Gepäckpferde zur Verfügung gestellt, nachdem die Lasten auf die übrigen Reiter verteilt worden waren.

»Eine knappe Meile, Ehrwürdiger Vater«, antwortete Oran-tes. »Im Übrigen kann ich Euch beruhigen: Es ist unwahr-scheinlich, dass wir jemandem begegnen, hier wohnt nie-mand.«

Er war stehen geblieben und schritt nun, gleichauf mit Gau-deck, wieder aus.

»Wir sollten die Nacht in der Scheune verbringen«, sagte der Abt nach einer Weile. »Sie liegt einsam, wie Ihr erzähltet, ist regendicht und ungenutzt. Genau das, was wir brauchen.«

»Komfortabler wäre es für Euch auf meinem Hof.«

»Nein, mein lieber Orantes, und wenn Ihr es noch zehnmal anbietet, das kommt nicht in Frage. Wir wollen Euch und Eure Familie nicht in Gefahr bringen.«

»Wie Ihr meint, Ehrwürdiger Vater.« Bei manchen Dingen hatte Gaudeck einen Dickschädel aus Granit.

»Vielleicht könntet Ihr stattdessen ein paar Erkundigungen einholen. Ich möchte wissen, ob man uns verfolgt.«

»Das wird sich machen lassen.«

Die Stimme von Pater Thomas meldete sich von hinten: »Nach allem, was ich feststellen konnte, ist man uns nicht auf der Spur. Warum auch? Wir sind Mönche, die friedlich ihres Wegs ziehen, niemand weiß, dass es sich bei zweien von uns um Ausbrecher handelt.«

»Zumal keiner sie bemerkt hat, als sie mit uns die Herberge verließen«, kicherte Cullus. »Und selbst wenn, so haben sie mit ihrem alten Aussehen nichts mehr gemein!« Sein Blick glitt amüsiert über die beiden Flüchtlinge, deren Gesichtsschwellungen dank einer Salbe von Pater Thomas bereits abklangen. Vitus trug einen angeklebten schwarzen Vollbart, und sein Schädel war völlig kahl geschoren. Er sah so verändert aus, dass er sich selbst nicht wieder erkannt hätte.

Der Magister erinnerte eher an einen Jüngling als an einen Mann. Er hatte eine blonde Lockenperücke angelegt, die ihm über Haupt und Stirn wallte, dazu kam ein blonder Spitzbart. Ein blaues Wams von Antonio und eine derbe Leinenhose von Lupo rundeten seine Ausstattung ab. Insgesamt wirkte er so jugendlich, als sei er ein Bruder der Zwillinge.

»*Vestis virum reddit*«, zitierte Cullus verschmitzt. »Kleider machen Leute, wie die alten Römer zu formulieren wussten.«

»Orantes, willst du nicht auch mal für eine Weile aufs Pferd?«, fragte Vitus.

»Nein nein.« Der Landmann winkte freundlich ab. »Das Gehen macht mir nichts aus, und außerdem sind wir bald da.«

»Was ich dich die ganze Zeit fragen wollte ...« Vitus zögerte. »Was macht Isabella eigentlich bei dir, sie gehört doch ...«

»Es ist so, wie du vermutest«, half ihm Orantes. »Vor ein paar

Wochen stand sie eines Morgens auf dem Hof. Sie war allein von Punta de la Cruz zu uns gelaufen. Ich wusste sofort, dass etwas passiert war. Und leider behielt ich Recht. Emilio war am Abend vorher gestorben.«

»Das tut mir aufrichtig Leid. Ich habe ihn kaum gekannt, wie du weißt, und trotzdem war er für mich ein Freund. Lag es am Bluthusten?«

»Ja, der war's«, antwortete Pater Thomas für Orantes. »Ein Dorfjunge hatte mich verständigt, ich eilte spätabends an Emilios Bett. Er war schon sehr schwach und lag in einer großen roten Lache, die von mehreren Blutstürzen herrührte. Ich verabreichte ihm ein Sedativum, woraufhin er ruhiger wurde. Dann, nach einer Weile, bat er um die Sterbesakramente, und ich gab sie ihm. Er ging von uns mit einem Lächeln auf den Lippen.«

»Heute liegt er auf dem kleinen Friedhof neben der Kirche in Punta de la Cruz«, berichtete Orantes. »Meine Ana geht manchmal hin und legt frische Blumen aufs Grab.«

»Alles Irdische ist vergänglich«, seufzte Pater Thomas und schlug das Kreuz.

»Da vorn, auf der kleinen Lichtung, ist schon die Scheune«, sagte der Landmann.

Die Nacht in dem einfachen, zugigen Holzschuppen war sehr kalt gewesen.

Zu später Stunde noch hatten sie ein Dankgebet gesprochen, sich anschließend zur Ruhe begeben und unter den Pferdedecken Wärme gesucht. Matutin, Laudes und Prim, drei der vielen im Brevier vorgeschriebenen Stundengebete, hatten sie der besonderen Umstände wegen ausfallen lassen, dafür aber eine besonders intensive Terz abgehalten.

Jetzt, gegen Mittag, nahmen alle ein karges Mahl ein. Von den mitgeführten Vorräten gab es getrockneten Fisch, ein paar Scheiben Brot und Nüsse. Dazu tranken sie Wasser aus einer nahen Quelle.

»Weiß jemand, wo Orantes und seine Zwillinge sind?«, fragte Vitus. »Ich habe sie schon heute Morgen vermisst.«

»Der Gute hat es sich nicht nehmen lassen, die ganze Nacht für uns Wache zu halten«, antwortete Gaudeck. »Heute Morgen ist er direkt zurück nach Dosvaldes, um sich dort umzuhören, ob wir verfolgt werden. Es ist Markttag, wie er sagte, die beste Gelegenheit also, Neues zu erfahren.«

Gaudeck saß mit den anderen im Schneidersitz auf einem Heuwagen, dessen Ladefläche ihnen als Tafel diente. Sein Platz befand sich an der Stirnseite, denn er war so etwas wie der Hausherr in der Scheune, auch das Tischgebet hatte er vorhin gesprochen. »Allerdings mussten mir Orantes und seine Jungen hoch und heilig versichern, sich vorzusehen«, fuhr er fort, »wenn sie nicht zurückkämen, wäre das eine Katastrophe, sie sind in diesen Tagen unsere Augen und ...«

»Bei wem nämlich diese Dinge nicht vorhanden sind, der ist blind und tappt im Dunkeln«, unterbrach Pater Cullus unbedacht. »2. Brief des Petrus, Kapitel 1, Vers 9.«

»Ganz recht«, bestätigte Gaudeck freundlich, »und wer so fromm und bibelfest ist wie du, Cullus, der ist sicher auch gern bereit, den anderen einen Dienst zu erweisen. Du wirst deshalb die Reste der Tafel abräumen und alles peinlich säubern.«

»Jawohl, Ehrwürdiger Vater.« Cullus senkte in Demut das Haupt. »*Levi defungor poena*«, murmelte er, »da bin ich mit leichter Strafe davongekommen.«

»*Levi poena defungeris*«, entgegnete Gaudeck, der ein sehr

371

scharfes Gehör hatte. »Es wird dich nicht den Kopf kosten! Doch bevor du beginnst, wirst du das Dankgebet sprechen für die Speisen, die der Herr uns gegeben hat. Und du wirst in dieses Gebet Carlos Orantes einschließen, denn er war es schließlich, der vor ein paar Tagen zu mir kam und den Verdacht äußerte, dass Vitus in die Fänge der Inquisition geraten sei.«

»Jawohl, Ehrwürdiger Vater.« Cullus tat wie ihm geheißen. Als alle wieder aufblickten, sagte Gaudeck: »Den Pferden und unserer Ausrüstung würde ein wenig Pflege gut tun. Vitus und Herr Magister, ich darf doch auf eure Hilfe zählen?«

»Selbstverständlich.« Die beiden standen auf. »Womit sollen wir anfangen?«

»Wartet, Cullus wird es euch zeigen.«

Kurz vor Sonnenuntergang erschien ein strahlend gelaunter Orantes am Waldrand. Die Zwillinge, beladen mit einigem Gepäck, folgten ihm auf dem Fuße.

»Gute Neuigkeiten?«, fragte Gaudeck hoffnungsvoll von der Tafel herab. Er hatte gerade mit dem Rest der Gruppe eine bescheidene Abendmahlzeit eingenommen.

»Gott der Herr hat uns Erfolg beschert!« Der Stolz in Orantes' Stimme ließ keinen Zweifel aufkommen, dass er den Erfolg zu einem nicht geringen Teil auch sich selbst zuschrieb.

»Allmächtiger!« Gaudeck fiel ein Stein vom Herzen. »Eine Frage vorab: Werden wir verfolgt?«

»Nein!« Die Antwort von Orantes und den Jungen kam wie aus einem Munde.

»*Deo gratias.*« Gaudeck blickte himmelwärts, während er das Kreuz schlug. »Und nun erzählt.«

»Also«, hob Orantes an, während er sich mit seinen Söhnen zu den anderen auf die Ladefläche setzte, »wir gingen zuerst auf den Markt und horchten ein bisschen herum. Dabei verteilten wir uns, um möglichst unterschiedliche Meinungen einzuholen. Es ist in Dosvaldes nämlich so, dass die Fischhändler in der Regel besser informiert sind als die Korbmacher, um nur ein Beispiel zu nennen, aber niemand wusste von den Ereignissen im Kerker.«

»Und von einem Suchtrupp nach Vitus und dem Magister erst recht nicht«, ergänzten die Zwillinge.

»*Deo gratias!*«, rief jetzt auch Vitus. »Dem Herrn sei Dank!« Rasch sprang er auf und schob den drei Ankömmlingen eine Essschale mit getrockneten Fischen und Pilztunke hin. Die Tunke stammte vom Magister.

»Lasst's euch schmecken!«, blinzelte er freundlich.

»Um die Geschichte weiterzuerzählen«, sagte Orantes, schon kauend, »wir wollten uns natürlich nicht damit zufrieden geben, überhaupt nichts erfahren zu haben. Deshalb gingen wir direkt in die Höhle des Löwen.«

»In die Höhle des Löwen? Heißt das, ihr wart im Kerkergebäude?«, platzte Vitus heraus.

»So ist es. Und dort haben wir Dinge erlebt, mit denen wir im Traum nicht gerechnet hätten!«

»Erzählt! Macht es nicht so spannend!« Jetzt gab auch Pater Thomas seine Zurückhaltung auf. Und plötzlich fragten alle durcheinander:

»Wie seid ihr an der Wache vorbeigekommen?«

»Liegen die Verbrannten noch in der Zelle?«

»Was ist mit der Ratte?«

Der Bauer hob Ruhe gebietend die Hände: »Der Mann, den sie Ratte nennen, hat die Tat begangen.«

»Wie bitte?« Ein neuerlicher Redeschwall brach los, doch Orantes' Stimme übertönte alle:

»Ich werde der Reihe nach erzählen. Wenn ihr mich lasst.«
Es fiel ihnen schwer, doch sie zügelten ihre unbändige Neugier. Vitus gab Orantes und den Zwillingen einen Krug Wasser und einen Becher, damit sie die Mahlzeit hinunterspülen konnten.

»Danke.« Der Bauer wischte den letzten Essensrest aus dem Napf. »Nachdem wir also auf dem Markt nichts erfahren konnten, gingen wir über die Plaza auf das Kerkergebäude zu. Schon von weitem sahen wir einen Stadtsoldaten davorstehen. Der Mann wirkte unruhig, man sah ihm an, dass er etwas von den Geschehnissen wusste. An ihm galt es vorbeizukommen. Deshalb teilten wir uns. Lupo trat von rechts an den Mann heran und lenkte ihn ab, während Antonio und ich links an ihm vorbei durchs Tor schlüpften.«

»Wie hast du den Wachtposten denn ablenken können?«, wollte der Magister von Lupo wissen.

»Das war ganz einfach, ich habe ihn auf seine Waffe angesprochen. Über Waffen redet jeder Soldat gern. Ich fragte ihn, woher der Stahl für seine Hellebarde käme, ob er damit schon jemanden getötet hätte, bei welchen Kämpfen er dabei war und so weiter.« Der Zwilling hielt inne und schaute in die Runde. »Bei der Gelegenheit hat er mir auch erzählt, was er von Bischof Mateo wusste, und das war nicht wenig.«

»Doch davon später«, setzte Orantes seine Schilderung fort. »Antonio und ich schlichen uns also durch die Gänge des Kerkers und landeten glücklich vor der Tür, hinter der wir die Todeszelle vermuteten. Seltsame Geräusche drangen daraus hervor. Es war eine Art metallisches Klappern. Wir konnten uns keinen Reim darauf machen, deshalb traten wir kurz entschlossen ein.«

»Drinnen«, erzählte Antonio weiter, »stand ein Mann mit

frettchenhaften, weibischen Zügen, der ein sichtlich schlechtes Gewissen hatte, als er uns bemerkte.«

»Das muss die Ratte gewesen sein«, warf der Magister ein.

»Es war die Ratte«, bestätigte Orantes. »Sie hatte einen Gürtel, oder besser: das, was von dem Gürtel noch übrig war, in der Hand und schlug es gegen das Mauerwerk. Auf diese Weise versuchte sie, die silberne Schnalle von den verbrannten Lederresten zu befreien. Ihre Absicht war klar, sie wollte sie sich unter den Nagel reißen. Der Schreck hielt bei ihr jedoch nicht lange an: ›Wer seid ihr, was habt ihr hier zu suchen?‹, zischte sie uns entgegen. Sie stopfte sich den Gürtelrest mit der Schnalle in die Tasche und kam drohend auf uns zu. Dabei fuchtelte sie mit einem Dolch in der Luft herum.«

»War es ein wertvolles Stück mit einer ziselierten Klinge?«, fragte Vitus.

»Ich glaube, ja.«

»Dann war es Nunus. Allerdings dürfte auch er das Stück kaum rechtmäßig erworben haben.«

»Jedenfalls fuchtelte die Ratte mit dem Dolch vor unserer Nase herum, deshalb versuchte ich erst mal, sie zu beruhigen, um Zeit zu gewinnen:

›Es ist alles in Ordnung, Kumpel!‹, sagte ich zu ihr, ›wir sind Verwandte von Martínez‹, und als sie plötzlich ganz betreten guckte, sagte ich schnell: ›Keine nahen Verwandten, mein Freund, der Tote war ein Vetter zweiten Grades von mir, mein Name ist Ortega, und das ist mein Sohn Lobos.‹

›Man nennt mich Ratte‹, stellte sie sich vor, ›mein richtiger Name geht niemanden was an.‹

›Natürlich, Ratte, ich verstehe‹, antwortete ich, ›wir wären dir sehr dankbar, wenn wir die Asche von Martínez bekämen, damit wir seine Reste christlich begraben können. Unseres Wissens war er nicht als Ketzer eingekerkert, deshalb hat er Anspruch darauf.‹

›Woher wisst ihr überhaupt, was hier passiert ist?‹, fragte die Ratte plötzlich misstrauisch, ›da stimmt doch was nicht?‹

›Es hat alles seine Richtigkeit‹, entgegnete ich schnell, ›wir waren vorhin beim Alcalden, und wir hatten Glück, dass er ein paar Minuten Zeit für uns erübrigen konnte, so haben wir ihm von Martínez erzählt. Er wusste zwar nicht genau Bescheid, aber er hat uns trotzdem die Erlaubnis gegeben, seine Zelle aufzusuchen und seine Asche mitzunehmen.‹«

»›Sonst hätte uns der Wachtposten ja auch gar nicht durchgelassen!‹, sagte ich«, ergänzte Antonio.

»Das leuchtete der Ratte ein.« Orantes nahm einen Schluck Wasser aus dem gemeinsamen Becher. »Sie wurde zutraulicher, zeigte auf den Boden und sagte: ›Bedient euch.‹«

»Wie sah es in der Zelle aus?«, fragte Vitus.

»Grauenvoll!« Orantes schüttelte sich. »Das Stroh war natürlich völlig verbrannt, aber die beiden Leichen waren es keineswegs. Dazu hätte es eines richtigen Scheiterhaufens bedurft. Beide Männer sahen wie große Klumpen Holzkohle aus. Nunu war kaum wieder zu erkennen. Er muss bei seinem Tod direkt hinter der Tür gelegen haben, jedenfalls den Schleifspuren nach, die durch das Türaufdrücken entstanden waren.«

»Und Martínez?«, wollte der Magister wissen.

»Sah nicht viel anders aus.« Antonio ergriff wieder das Wort. »Allerdings war an ihm nicht rumgefummelt worden. Naja, bei ihm gab's ja auch nichts zu holen. Sein Körper war etwas weniger verbrannt als Nunus, vielleicht lag's daran, dass er nicht so fett war. Jedenfalls war er schon teilweise zu Asche geworden.« Er nahm ebenfalls einen Schluck Wasser. »Willst du auch noch mal, Vater?«

»Nein, gib Lupo davon … Wir schauten uns also die Überreste genau an, und ich wandte mich an die Ratte: ›Hast du zufällig ein Behältnis, in dem wir die Asche von Martínez transportieren können?‹

›Nein‹, antwortete sie, ›so was hab ich nicht.‹

›Schade‹, sagte ich, ›ich hätte dich gut dafür bezahlt.‹

›Ach so!‹ In ihren Augen erschien ein Glitzern. ›An was für ein Behältnis hattest du denn gedacht?‹

›Keine Ahnung‹, stellte ich mich dumm, ›vielleicht an einen Sack oder eine Kiste oder eine Kiepe?‹

Sie dachte scharf nach, plötzlich dämmerte es ihr: ›Komm mit, Kumpel‹, zischte sie, ›ich hab was für dich.‹

Sie ging zur Tür raus und ein paar Gänge weiter, Antonio und ich immer hinterher, schließlich blieb sie vor einer Zellentür stehen. Sie schloss auf und ließ uns rein. Ich muss sagen, für einen Kerker der Inquisition sah es darin gar nicht so schlecht aus: ein Bett, ein Stuhl, Schemel, Kohlebecken und so weiter. Das muss die Zelle sein, in der Vitus und der Magister saßen!, schoss es mir durch den Kopf. Während ich das dachte, hatte die Ratte schon aus einer Ecke die Kiepe hervorgezerrt:

›Die gehörte mal einem Gefangenen‹, sagte sie gleichgültig, ›genauso wie dieser Stecken. Der lagerte früher woanders, aber bei mir muss alles seine Ordnung haben. Wenn du mir für die Kiepe einen guten Preis machst, gebe ich dir den Stab noch dazu.‹

›Was geht denn überhaupt in so eine Kiepe rein?‹, fragte ich, ›gib mal her.‹

Sie gab mir die Kiepe, und ich untersuchte ihren Inhalt, um festzustellen, ob etwas fehlte. Es schien alles noch drin zu sein. Aus Vitus' Beschreibung wusste ich, dass sie einen doppelten Boden hat, in dem sein Heilbuch verborgen ist. Wie kann ich herausfinden, ob das Buch noch da ist, ohne dass ich das Geheimnis verrate?, überlegte ich fieberhaft. Dann kam mir der Einfall: Ich nahm nacheinander alle Gegenstände heraus, bis sie leer war. Dann wog ich sie prüfend in der Hand und spürte vom Gewicht her, dass der Foliant noch drin sein musste. ›Da geht allerhand rein‹, sagte ich bewundernd, ›ein schönes Stück!‹ Ich beeilte mich, alle Sachen wieder hineinzustopfen, und fragte die Ratte, was sie dafür haben wolle.

›Ein Goldstück!‹, zischte sie und streckte fordernd die Hand aus.

›Bist du von allen guten Geistern verlassen!‹, schrie ich entsetzt. ›Sehe ich aus wie einer, der Gold besitzt? Hör zu, Ratte, ich gebe dir alles, was ich habe, denn für meinen Vetter Martínez ist mir nichts zu teuer, hier …‹ Ich gab ihr drei kleine Silberstücke, die sie auch sofort annahm. So kamen wir zu Vitus' Sachen.«

»Ich muss Euch ein großes Kompliment machen, lieber Orantes«, sagte Gaudeck, und in seinen Worten schwang ehrliche Anerkennung mit, »Ihr seid mit dem Geld des Klosters sehr sparsam umgegangen.«

»Was? Ihr habt Orantes Geld gegeben, damit er meine Sachen freikaufen kann, Ehrwürdiger Vater? Ich danke Euch! Ich danke Euch!« Vitus' Augen leuchteten. Er sprang auf, beugte das Knie und küsste die Hand des Abtes.

»Nun, um der Wahrheit willen ist festzustellen, dass ich Orantes das Geld für alle Eventualitäten mitgegeben hatte. Dass er damit in der Lage sein würde, deine Habe auszulösen, konnte ich natürlich nicht voraussehen.«

»Wo sind die Sachen denn? Ich muss sie unbedingt haben!«

»Das hat doch noch Zeit«, wehrte der Magister ab. »Lass Orantes erst einmal weiter berichten.«

»Aber ich bestehe darauf!«

»Na denn.« Orantes grinste. »Antonio, geh mit Vitus hinter den Wagen, und zeig ihm, was wir mitgebracht haben.«

Kurz darauf erschienen beide wieder. Vitus strahlte: »Alles da! Was für ein Tag! Ich könnte die ganze Welt umarmen!«

»Das dürfte zu lange dauern«, meinte Orantes trocken, »aber du kannst schon mal bei mir anfangen.«

Vitus umarmte ihn kurz und heftig. »Danke!« Die Zwillinge erhielten einen kameradschaftlichen Knuff. »Das habt ihr großartig gemacht!«

»Ach, nicht der Rede wert.«

»*Decet verecundum esse adolescentem*«, meldete Cullus sich lobend. »Bescheidenheit ziert den Jüngling.«

»Und wie ging es nun weiter, mein lieber Orantes?«, fragte Gaudeck.

»Wir verließen die Zelle. Ich ging voran, hinter mir kam Antonio mit Vitus' Sachen. Als Letzter verließ die Ratte den Kerker. Sie schloss umständlich ab, es dauerte eine Weile, zumal das Schloss etwas klemmte. So kam es, dass wir schon fast am anderen Ende des Gangs waren, als sie uns endlich folgte. Antonio und ich nickten uns zu, und wir begannen zu laufen, während ich zurückschrie: ›Du Leichenfledderer, du Mörder, du Miststück …‹ Ich benutzte noch allerlei Ausdrücke mehr, die ich hier nicht wiedergeben möchte.

Zuerst guckte die Ratte ziemlich dumm, dann merkte sie, dass wir ihr die ganze Zeit etwas vorgegaukelt hatten. Aufheulend machte sie sich an unsere Verfolgung. Wir jagten durch mehrere Gänge, bis wir kurz vor dem Tor waren. Unser Vorsprung hatte sich inzwischen vergrößert. Ich lief auf den Soldaten zu, der sich noch immer mit Lupo unterhielt. ›Wachtposten!‹, rief ich, ›Wachtposten!‹

›Was ist los?‹, fragte der Mann aufgeschreckt. Ich baute mich vor ihm auf, so dicht, dass er nicht sehen konnte, wie Antonio sich hinter meinem Rücken verdrückte.

›Leichenfledderei!‹, stieß ich atemlos hervor, ›die Ratte betreibt Leichenfledderei!‹

›Wer seid Ihr überhaupt, und wie kommt Ihr ins Gebäude?‹, wollte der Posten wissen.

›Das erkläre ich Euch später!‹, sagte ich hastig, ›nur so viel: Ich handele im Auftrag des Alcalden!‹ Natürlich war das ein Schuss ins Dunkle, denn ich wusste nicht, ob er mir das abnehmen würde, doch er gab sich mit der Erklärung zufrieden.

›Ich kann meinen Posten nicht verlassen, Señor, ich …‹, hob er an, da stürzte auch schon die Ratte auf uns zu:

›Wache, halte das Schwein fest!‹, schrie sie und deutete heftig auf mich, ›das ist ein Betrüger!‹

Ich dachte, Frechheit siegt, jetzt musst du gegenhalten! ›Schwein?‹, schrie ich zurück, ›wer ist hier das Schwein? Du hast gestern vier Menschen angezündet, es waren Vitus, der Magister, Nunu und Marínez, dann hast du den Ort deiner Tat verlassen, um deine Spuren zu verwischen, und heute bist du zurückgekommen, um Leichenfledderei zu betreiben.‹

›Lüge! Lüge!‹, kreischte die Ratte. ›Die Untersuchung wird zeigen, dass ich unschuldig bin!‹

Ich schaltete rasch: Es hatte also noch keine Untersuchung stattgefunden! Das kam uns gut zustatten. ›Um zu beweisen, dass du ein Leichenfledderer bist, bedarf es keiner Untersuchung!‹, rief ich mit lauter Stimme und bemerkte, dass durch den Lärm eine Menge Neugieriger angelockt worden waren. ›Man sieht's allein schon daran, dass du diesen Dolch trägst! Es ist Nunus Waffe, du hast sie dem Toten gestohlen!‹

Die Menge fing an zu murren.

›Hm, das ist allerdings Nunus Dolch‹, sagte der Wachtposten. ›Ich selbst habe ihn kürzlich an seinem Gürtel gesehen. Wie kommst du daran, Ratte?‹

›Ich hab ihm den Dolch abgekauft, ich schwör's bei der Heiligen Jungfrau, tot umfallen will ich, wenn auch nur eins meiner Worte nicht stimmt.‹

›Besonders glaubwürdig klingt das nicht, was du da sagst‹, überlegte der Posten.

›Die Ratte lügt schneller, als der Hase laufen kann!‹, kam eine Stimme aus der Menge.

›Ja, hängt sie auf, hängen soll sie!‹, erscholl es.

›Bittte, bitte, so glaubt mir doch, ihr guten Leute!‹, heulte die Ratte. Plötzlich wies sie abermals auf mich: ›Dieser Mann ist ein Betrüger, er und sein Sohn haben die Habe von Vitus gestohlen! Eben trug der Bengel sie noch, jetzt hat er sie schon verschwinden lassen!‹ Beifall heischend schaute sie sich um.

›Was redest du da, Ratte, langsam reicht es mir‹, knurrte der Posten, ›du machst dich immer verdächtiger.‹

›Aber nein! Dieser Bengel hat geklaut, der Blitzstrahl des Herrn soll mich treffen, wenn ich lüge!‹

›Dieser Junge, den du Bengel nennst, Ratte, hat sich die letzte halbe Stunde mit mir unterhalten.‹

›Aber er ist sein Sohn!‹ Hektisch gestikulierte sie in meine Richtung.

›Ich kenne den Jungen überhaupt nicht, habe ihn nie gesehen!‹, beteuerte ich.

›Er ist keine Sekunde von meiner Seite gewichen‹, bestätigte der Soldat. ›Verarschen lasse ich mich nicht, Ratte. Du bist verhaftet.‹

Er nahm ihr den Dolch ab und überlegte laut: ›Wenn ich nur wüsste, wohin mit ihr.‹

Ich sagte: ›Darf ich Euch einen Vorschlag machen? Nehmt sein Schlüsselbund und sperrt ihn in eine leere Zelle. Wenn Ihr nachher abgelöst werdet, könnt Ihr Eurem Vorgesetzten das Verbrechen melden.‹

›Das ist ein guter Rat‹, antwortete er, nachdem er meinen Vorschlag überdacht hatte, ›ich darf aber meinen Posten nicht verlassen.‹

›Macht Euch darum keine Sorgen‹, entgegnete ich, ›ich halte hier so lange für Euch Wache.‹

Er überlegte noch ein bisschen, aber dann ließ er sich darauf ein. ›Ich danke Euch, Ihr seid sehr umsichtig‹, sagte er zu mir und verschwand mit der Ratte im Gebäude.

›Bis gleich!‹, rief ich ihm nach. Aber kaum dass er weg war, tauchte ich zusammen mit Lupo in der Menge unter. Später trafen wir uns mit Antonio am Stadtrand. Tja, und da sind wir.« Als Orantes geendet hatte, herrschte eine Zeit lang Stille, denn jeder musste verarbeiten, was der Landmann erzählt hatte. Schließlich sprach Gaudeck: »Ihr, lieber Orantes, habt mit Euren Söhnen Intelligenz, Witz und Geistesgegenwart bewiesen. Ihr wart mutig und unerschrocken, und Ihr habt dem Guten zum Sieg verholfen. Doch ohne die Gnade des Herrn wäre dies alles nicht möglich gewesen. Lasset uns deshalb gemeinsam ein Dankgebet sprechen zu Gott dem Allmächtigen, der Euch die richtigen Dinge zum richtigen Zeitpunkt tun ließ.«

Sie falteten die Hände und senkten die Köpfe. Abt Gaudeck überlegte kurz, dann verkündete er: »Für unsere Danksagung wähle ich die Worte Davids, die niedergelegt sind im 18. Psalm der Heiligen Schrift:

Ich liebe Dich, Herr, Du meine Stärke!
Der Herr ist mein Fels und meine Burg und mein Erretter,
mein Gott und mein Hort,
auf den ich mich verlasse,
mein Schild und meines Heiles Horn
und meine Zuflucht.
Gepriesen, rufe ich, sei der Herr;
so werde ich vor meinen Feinden errettet.
Amen.«

Gaudeck blickte auf und musterte die Runde. Dann nahm sein Gesicht einen spitzbübischen Ausdruck an. »Da es dem Erhabenen gefallen hat, unsere Unternehmung mit so viel Segen zu bedenken, wird er sicher auch nichts dagegen haben, wenn wir uns nach diesem Tag gebührend stärken. Cullus, steig deshalb herab von unserer Tafel, und hole eine der bauchigen Flaschen, in denen sich der *Vinum monasterii* befindet.«

»Gern, Ehrwürdiger Vater!« Cullus beeilte sich, den Wunsch seines Abtes zu erfüllen. Geschwind hüpfte er vom Wagen und erkletterte wenig später wieder die Plattform, ächzend eine gluckernde Flasche und weitere Becher balancierend. »*In vino delectatio!*«

»Und nun schenk ein«, nickte Gaudeck, »auch den Jungen.« Als alle ein gefülltes Gefäß in der Hand hielten, sagte der Abt: »Der Wahlspruch unseres Ordens heißt zwar *Ora et labora*, liebe Brüder und Freunde, aber ich denke, am heutigen Abend können wir ihn um einen Imperativ erweitern: *celebra.*«

»*Ora et labora et celebra!*«, wiederholte Cullus fröhlich und prostete mit seinem Becher in die Runde.

Orantes und die Zwillinge taten es ihm gleich, doch in ihren Gesichtern stand ein Fragezeichen.

»Man sollte nicht immer nur beten und arbeiten, sondern auch mal feiern«, half der Magister augenzwinkernd nach.

»So ist es«, bekräftigte Gaudeck. »*Bene tibi,* zum Wohle!«

Sie nahmen einen Schluck des schweren, süßen Weins und spürten, wie er ihnen Feuer gab. »Das tut gut!«, seufzte Vitus. Sein Blick fiel auf die Zwillinge. Er wollte Lupo ansprechen, doch dann zögerte er. Die Brüder waren zwischenzeitlich aufgestanden und hatten sich wieder gesetzt. War Lupo noch Lupo? Oder saß da jetzt Antonio? Es war beim besten Willen nicht zu erkennen. »Wie hält man euch beide nur auseinander?«, fragte er.

Die Zwillinge stießen sich an und grinsten. Dann antwortete der eine: »Ich verrate dir ein Geheimnis, Vitus: Ich bin Lupo, und mein Erkennungszeichen ist diese kleine Narbe an der rechten Hand.« Er zeigte sie. »Bin mal in die Türangel gekommen.«

Antonio grinste: »Wir sind zwar in allem gleich, aber das wollte ich nun doch nicht nachmachen.«

Vitus lachte und nahm einen weiteren Schluck. »Ich werd's mir merken. Würdest du uns erzählen, Lupo, was der Wachsoldat ausgeplaudert hat?«

»Aber klar. Wie gesagt, ich sprach ihn zuerst auf seine Hellebarde an, die, unter uns gesagt, nicht besonders beeindruckend war: Die Klinge war rostig und schien auch nicht besonders scharf zu sein. Trotzdem war er auf die Waffe stolz wie ein Pfau. Er faselte was von den guten Diensten, die sie ihm geleistet hätte, und zeigte mir den Winkel, in dem man sie halten muss, wenn man den anstürmenden Feind durchbohren will. Dann tat er sich dicke, dass er schon oftmals von seinem Zugführer ausgezeichnet worden sei und dass sogar der Alcalde sich lobend über ihn geäußert hätte. Das war für mich das Stichwort. Ich erinnerte mich daran, dass du, Vitus, erzählt hattest, der Alcalde hätte gesagt, er müsse sich um eine Delegation aus Burgos kümmern. Also sagte ich zu dem Posten: ›Die lobende Erwähnung des Alcalden, die kann aber nicht heute gewesen sein, denn heute hat der Bürgermeister doch die Leute aus Burgos da, mit denen er über Gott weiß was verhandelt, die ganze Stadt spricht davon.‹

›Glaubst du mir etwa nicht, Junge?‹, fragte er beleidigt.

›Doch, doch‹, sagte ich schnell, ›die Leute reden nur so viel, auch über die Vorfälle im Kerker …‹

›Aha, darüber schwätzt man also auch schon‹, antwortete er, ›also, wenn du's nicht weitersagst: In einer der Zellen sind gestern Nachmittag Gefangene bei lebendigem Leibe verbrannt. Wahrscheinlich Ketzer. Wie das passieren konnte, weiß ich nicht. Die hohen Herren erzählen unsereinem ja nichts. Der Alcalde hat meinen Zugführer angewiesen, dass ums Verrecken niemand ins Gefängnis rein darf, nicht mal die kleinste Feldmaus.‹

›Bei allen Heiligen!‹, rief ich und tat sehr erschreckt. ›Da hat der Alcalde sicher gehörig vom Bischof Mateo Bescheid gekriegt, das soll ja ein ganz scharfer Hund sein.‹

›Der Bischof? Dass ich nicht lache! Der Herr Bischof Mateo de Langreo y Nava hat heute Morgen in aller Herrgottsfrühe mit seinem gesamten Tross die Kurve gekratzt, einschließlich seiner Leibgarde; ich weiß es von dem Kameraden, der vor mir Wache schob. Der hat das Ganze beobachtet, als es sich vor der Bürgermeisterei abspielte. Muss mächtig was los gewesen sein!‹

›Aber wie man hört, sollte heute doch der Inquisitionsprozess weitergehen?‹, fragte ich.

›Und ob!‹, bestätigte er. ›Wenn da nicht gestern dieser Abt gewesen wäre. Der soll dem Bischof ganz schön Feuer unterm Hintern gemacht haben. Man sagt, er hätte sich leidenschaftlich für den Angeklagten, für diesen Vitus, glaube ich, eingesetzt. Aber Bischof Mateo ist einer, der die Konflikte scheut, im Gegensatz zu seinem Adlatus, dem Enrique. Das ist der eigentliche scharfe Hund, der erledigt die Drecksarbeit! Dieser Schiefhals, wie man ihn nennt, ist heute Morgen auf eine Trage gelegt worden, die man zum Transport über zwei Pferderücken gelegt hatte. Was ihm fehlt, weiß ich nicht, der Kamerad sagte nur, sein Gesicht wäre vor Schmerzen weiß gewesen.‹«

Lupo unterbrach sich, um an seinem Wein zu nippen. Dann setzte er seinen Bericht fort: »›Ich kann's gar nicht glauben, dass der Inquisitor nicht mehr in Dosvaldes ist‹, sagte ich und musste mich dabei gar nicht groß verstellen. ›Wo ist er denn hin?‹

›Weitergezogen nach Santander‹, erklärte der Posten wichtig, ›die baskischen Ketzer werden sich freuen, vorausgesetzt, es gibt da überhaupt noch welche.‹

›Nach Santander‹, wiederholte ich. ›Was Ihr nicht sagt! Das bedeutet ja, dass die Inquisition hier die längste Zeit gewütet hat, weil es keinen Ankläger mehr gibt.‹

›So ist es‹, antwortete er, und dann wurden wir unterbrochen durch Vaters Rufe. Das ist alles.«

Vitus griff spontan nach Lupos Hand: »Scheint wirklich so, als müssten wir uns keine Sorgen mehr machen, wir danken dir!«

Der Magister nickte. »Das tun wir. Du hast wirklich eine Menge rausgeholt aus der Wache. Respekt, Respekt! Insgesamt gesehen hat der Bursche sich nicht schlecht verhalten. Hoffentlich bekommt er keinen Ärger, weil er seinen Posten verlassen hat.«

»Ach wo«, wehrte Orantes ab, »immerhin hat er die Ratte dingfest gemacht – und damit einen Leichenfledderer, der außerdem ein Dieb ist. Vergiss nicht, die Ratte hat mir Sachen verkauft, die ihr gar nicht gehörten.«

»Ja, Vitus hat's gut.« Der kleine Mann lehrte mit einem Zug seinen Becher. »Er hat alle seine Habe aus dem Kerker zurück, aber ich, ich vermisse einen ganz bestimmten Gegenstand.«

»Du vermisst etwas? Was denn?«, wunderte sich Vitus.

»Na was wohl? Meinen Datumstein natürlich. Ich habe mir doch immer gewünscht, auf seiner Rückseite mein Entlassungsdatum, äh … ich muss wohl besser sagen: mein Fluchtdatum, einzuritzen. Nun ja, der Mensch kann nicht alles haben.«

»Wie wär's denn mit diesem?«, fragte Antonio. Er griff hinter sich und holte den Datumstein hervor.

»Ja was … ja wo … ja wie … Das gibt's doch gar nicht!«

»Ich habe ihn gestern in der Todeszelle mitgehen lassen, weil ich wusste, wie viel Euch an ihm liegt, Herr Magister.« Antonio feixte von einem Ohr zum anderen.

»Junge, ich danke dir, du weißt gar nicht, was du mir damit für eine Freude machst!« Der kleine Mann schüttelte Antonio ausdauernd die Hand.

»Wenn das so weitergeht, dürfte der *carpus* in Mitleidenschaft gezogen werden«, ließ sich Pater Thomas vernehmen. Er lächelte fein.

Erschrocken ließ der Magister die Hand fahren. »Was? Wieso? Habe ich etwas falsch gemacht?«

»Eigentlich nicht, Pater Thomas äußerte nur die Befürchtung, dass Antonios Handwurzel auf die Dauer zerquetscht werden könnte«, amüsierte sich Vitus.

»Macht euch nur lustig! Wisst ihr was? Ich werde jetzt, in dieser Minute, damit beginnen, unser Fluchtdatum einzuritzen!«

Sogleich begann der kleine Mann, sein Vorhaben in die Tat umzusetzen. »Kann ich noch etwas Wein haben?«

»Aber gern, Herr Magister!« Cullus goss ihm nach. Dann teilte er den restlichen Wein unter den anderen auf.

»*Bene tibi!*«

Geraume Zeit später, die Nacht war schon hereingebrochen, wurde Vitus von Abt Gaudeck beiseite genommen. Sie schlenderten um die Scheune herum, und Vitus bemerkte zu seiner Überraschung, dass der Klostervorsteher nach Worten suchte. »Vitus«, begann er endlich, »du warst, wenn ich richtig gerechnet habe, über vier Monate im Kerker, hast du in dieser Zeit öfter an Campodios und deine Freunde dort gedacht?«

»Ja, Ehrwürdiger Vater, das habe ich.«

»Und hast du dich auch daran erinnert, wie erbaulich die gemeinsamen Gebete, das Singen, die Andachten, die Lehrstunden, überhaupt das Einssein mit dem Allmächtigen für dich immer gewesen sind?«

»Wenn ich ehrlich bin, Ehrwürdiger Vater, habe ich daran nicht so häufig gedacht. Warum fragt Ihr?«

»Nun, Vitus, ich stelle dir diese Fragen, weil ich möchte, dass du noch einmal in dein Herz hineinhorchst, ob du nicht doch ein Zisterzienser werden möchtest. Du hast das Zeug, einmal einer unserer Besten zu werden, denn der Herr in seiner Gnade hat dich reich mit Gaben ausgestattet. Ich habe Angst, dass viele deiner hervorragenden Begabungen hier draußen, in dieser feindlichen Welt, zum Absterben verurteilt sind.«

»Jetzt verstehe ich, was Ihr meint.« Vitus dachte über die Worte des Abtes nach. Natürlich hatte er sich oft nach Campodios zurückgesehnt, besonders in der ersten Zeit seiner

Einkerkerung. Aber er hatte auch festgestellt, dass diese Gefühle im Laufe der Zeit schwächer geworden waren. Stattdessen hatte sich sein Wunsch verstärkt, in die Welt hinauszugehen. Umso mehr, als er in dem Magister einen Freund gefunden hatte, der Freud und Leid mit ihm teilte.

»Ehrwürdiger Vater«, antwortete er, »ich habe in der Zwischenzeit eine wichtige Erfahrung gemacht, nämlich die, dass die Welt ungleich vielfältiger ist als das Leben auf Campodios. Das liegt sicher auch daran, dass hinter Klostermauern alles reglementiert ist. Die Mönche, die dort arbeiten und beten, wollen es so. Sie fühlen sich wohl, wenn ihre Tage immer gleich ablaufen, Monat für Monat, Jahr für Jahr, bis zu ihrem Tod. Ich hingegen brauche die Abwechslung: egal, ob es unterschiedliche Menschen sind, denen ich begegne, unterschiedliche Landschaften, durch die ich wandere, unterschiedliche Sprachen, die ich höre. Ich brauche die Abwechslung, und ich möchte all das kennen lernen.«

»Willst du nicht wenigstens deine Klosterausbildung so weit vervollkommnen, dass du in der Lage bist, die Gelübde abzulegen?«, wandte Gaudeck ein. »Dann könntest du immerhin wählen, ob du Priester werden willst oder nicht. Die Ausbildung wäre reine Formsache, denn das erforderliche Wissen hast du schon heute.« Seine Stimme war freundlich, aber eindringlich.

»Nein, Ehrwürdiger Vater, das möchte ich nicht. Die Ausbildung, die mir am meisten bedeutete, die habe ich abgeschlossen: Ich meine das Wissen um die Heilkunde, das ich bei Pater Thomas erworben habe.«

»Das kann ich bestätigen, Ehrwürdiger Vater.« Überraschend trat Pater Thomas hinzu. Er hatte sich am Waldrand erleichtert und war auf dem Weg zurück zum Wagen. »Verzeiht, dass ich Eure Unterhaltung unbeabsichtigt verfolgt habe und dass ich in diesem Fall, nun ja, nicht *pro domo* rede, aber das, was Vitus gesagt hat, ist richtig: Ich wüsste nicht, was ich ihm in punkto Kräuterheilkunde sowie in der Cirurgia noch beibringen könnte.«

»Schon gut.« Gaudeck konnte seinen Unmut nicht ganz verbergen.

Vitus freute sich über das Lob aus so berufenem Munde und sprach weiter: »Ehrwürdiger Vater, das Kapitel Campodios ist für mich, bitte nehmt es nicht persönlich, mit dem Tod von Abt Hardinus abgeschlossen. Ich will jetzt hinaus in die Welt, denn neben den genannten Gründen gibt es einen weiteren: die Suche nach meiner Familie.«

»Nun, ich weiß, und ich verstehe dich, mein Sohn, aber verstehe auch du mich: Ich musste versuchen, dich für uns zurückzugewinnnen.«

»Ja, Ehrwürdiger Vater.«

»Heureka!«, schrie plötzlich der Magister vom Wagen her. Die drei sahen sich erstaunt an. »Was ist geschafft?«, rief Vitus zurück. Zusammen mit Gaudeck und Thomas eilte er zum Heuwagen vor der Scheune.

»Der Datumstein!« Wie eine Trophäe hielt der kleine Mann den Ziegel hoch. »Bitte sehr, hier steht's für jedermann sichtbar: das Ausbruchsdatum!«

ex: 4. August A. D. 1576

»Für jedermann sichtbar, nur leider nicht für künftige Kerkerinsassen«, entgegnete Vitus. Er hatte es eigentlich nicht sagen wollen, aber er wusste, dass der Magister früher oder später selbst darauf gekommen wäre.

»Das stimmt.« Der kleine Gelehrte hielt noch immer den Stein in die Höhe. Er überlegte. Dann blinzelte er und begann zu lächeln. »Aber es stimmt auch, dass der Stein ein Symbol gegen die Unfreiheit ist, und Unfreiheit begegnet man bekanntlich überall auf der Welt.«

Er legte den Ziegel liebevoll beiseite. »Nicht nur ein Kerkerinsasse ist unfrei, meine Freunde«, sagte er, »ein Leibeigener ist es genauso, ebenso wie ein Galeerensklave oder ein Soldat, von dem man Kadavergehorsam verlangt, obwohl er in den sicheren Tod geschickt wird. Ja, selbst ein Eheweib ist es, wenn sie einen Mann hat, der ihr den Mund verbietet. Unfreiheit hat viele Gesichter!«

Seine Hand umschloss den Stein. »Er wird Vitus und mich begleiten und uns stets daran erinnern, die Unfreiheit zu bekämpfen, wann immer wir ihr begegnen. Nicht wahr, Vitus?«

»Ja, Magister.« Vitus legte seine Hand dazu.

»Wenn ihr zusammenhaltet«, nickte Gaudeck, »wird Gott der Allmächtige euch seine Hilfe nicht versagen.«

»Und Fortuna auch nicht!«, nickte Pater Cullus freundlich. *»Fortes fortuna adiuvat!«*

Gaudeck räusperte sich: »Glück werdet ihr ab morgen brauchen, denn unsere Wege müssen sich trennen. Thomas, Cullus und ich werden den Heimweg nach Campodios antreten. Die Arbeit, die dort auf uns wartet, duldet keinen Aufschub.«

»Und ich hatte gehofft, wir könnten noch etwas länger zusammenbleiben.« Vitus stand die Enttäuschung ins Gesicht geschrieben. Doch der Abt hatte natürlich Recht. »Und was machen wir zwei jetzt?«

Der Magister gab sich wie immer optimistisch: »Ganz einfach, wir bleiben hier und spielen für eine Weile toter Mann. Wenn Gras über die Sache gewachsen ist, sehen wir weiter.«

»Nein, das werdet ihr nicht!«, widersprach plötzlich Orantes. »Der Ehrwürdige Vater und ich haben bereits gestern über dieses Problem gesprochen; wir waren uns einig, dass ihr nicht hier bleiben könnt. Allein schon, weil einem Hungrigen die gebratenen Tauben nicht in den Mund fliegen. Ihr werdet deshalb für die nächsten Wochen Gast in meinem Hause sein.«

»Hurra!« Die Zwillinge stießen sich an. »Die daheim werden staunen!«

»Haltet die Klappe«, wies Orantes seine Jungen zurecht, aber man sah, dass er es nicht böse meinte. »Ihr könnt das Angebot ruhig annehmen«, wandte er sich abermals an die Freunde, »auf dem Hof gibt es genug zu tun.«

»Also gut.« Nach kurzem Zögern gab Vitus nach. »Magister, bist du auch einverstanden?«

»Natürlich, aber ich warne dich, Orantes: Ich bin ein starker Esser!«

»Gut, dann wäre das ja erledigt!«, freute sich der Landmann. »Darauf hätte ich gern noch einen Becher getrunken.«

»Für heute ist es genug«, entschied Abt Gaudeck. »Lasst uns das Nachtgebet sprechen und schlafen gehen. Morgen wird ein schwerer Tag.«

In der ersten Dämmerung schon war die Gruppe auf, packte ihre Habe zusammen und versammelte sich im Halbkreis um Gaudeck.

»Ich will keine großen Worte machen, meine Freunde«, sagte der Abt mit ernster Stimme. »Was zu sagen war, wurde gesagt. Was zu tun ist, muss getan werden. Wohlan denn …« Eine Träne stahl sich in seine Augen. Er wischte sie fort und schlug das Kreuz. Dann faltete er die Hände:

»Der Herr segne euch und behüte euch,
der Herr führe euch auf den rechten Weg
und gebe euch Kraft,
der Herr lasse sein Antlitz leuchten über euch
und schenke euch Frieden,
auf dass es euch an nichts mangele.
Amen.«

Er winkte sie heran. »Kommt her zu mir, meine Söhne!«
Vitus, der Magister, Orantes und seine Jungen traten näher.
Gaudeck schluckte kurz und umarmte sie. »Wenn es dem
Herrn gefällt, sehen wir uns wieder.«
Als auch Thomas und Cullus sich herzlich verabschiedet hatten, stiegen die Gottesmänner auf ihre Pferde. Doch bevor sie
losritten, wandte Gaudeck sich noch einmal um: »Fast hätte
ich's vergessen.« Er griff in seine Kutte und holte einen Lederbeutel hervor. »Hier, Vitus, nimm.«
»Was ist das, Ehrwürdiger Vater?«
»Das sind acht Silberpesos und sechzehn Reales, Letztere set-
zen sich in ihrem Wert aus Achtern, Vierern und Maravedis
zusammen, damit ihr kleines Geld für den Tagesbedarf habt.
Wenn Pater Cullus sich nicht verzählt hat, hältst du insgesamt
zehn Pesos in den Händen. Ihr werdet das Geld gut brauchen
können.«
»Das kann ich nicht annehmen.«
»Das kannst du, und das wirst du. Die Brüder und ich sind
uns einig, dass ihr viel eher eine Reisekasse braucht als wir.
Deus vobiscum, meine Söhne! Der Herr sei mit euch!«
Er riss den Kopf seines Zelters herum und ritt mit den Brü-
dern davon, ohne sich noch einmal umzublicken.
»Worauf warten wir noch«, sagte Orantes nach einer Weile,

»Isabella scharrt schon mit den Hufen, sie spürt, dass es nach Hause geht.« Er gab dem Maultier einen Klaps und schritt voran. Die Zwillinge folgten.

Vitus und dem Magister blieb nicht anderes übrig, als hinterherzugehen.

Nachdem sie eine Stunde lang stramm marschiert waren, blickte Orantes sich um: »Jetzt ist es nicht mehr weit, Freunde. Da vorn, links und rechts des Wegs, seht ihr schon unsere Olivenbäume. Dahinter kommt gleich der Hof.«

Sie blickten voraus und erkannten viele Reihen knorriger alter Bäume, deren grünes Blattwerk silbrig im Wind blinkte.

»Das ist ja ein ganzer Wald!«, staunte der Magister.

»Wald wäre zu viel gesagt«, entgegnete Orantes, »es sind genau einhundertsiebenundzwanzig Stück, und alle sind uralt.«

»Wie alt?«, wollte Vitus wissen.

»Das kann niemand genau sagen. Ein paar hundert Jahre bestimmt. Ich weiß, dass schon der Vater meines Urgroßvaters immer von den ›alten Ölbäumen‹ gesprochen hat. Seht mal, wie dick die Stämme sind, für mich gibt es keinen schöneren Baum auf dieser Welt. Wusstet ihr, dass es Dutzende von unterschiedlichen Arten gibt?«

»Nein, das wusste ich nicht.« Vitus war ehrlich erstaunt. »Welche Art wächst denn hier?«

»Wir haben die Gordial, es ist eine Sorte, die besonders große Oliven von vorzüglichem Geschmack ergibt.« In Orantes' Stimme schwang Stolz mit. »Allerdings macht die Ernte jedes Jahr eine Heidenarbeit, zum Glück sind wir eine große Familie, da können viele Hände mit anpacken.«

»Vielleicht können wir euch ja auch helfen?«, meinte der Magister.

Orantes lachte. »Dann müsstet ihr mindestens bis Ende Oktober bei uns bleiben, aber da wollt ihr sicher schon längst über alle Berge sein.«

»Allerdings.« Vitus fragte sich, wo er und der Magister dann wohl wären.

»Die Erntetechniken sind sehr verschieden«, erzählte Orantes weiter. »Man kann in den Baum hinaufsteigen oder vom Boden aus sammeln. Dabei schüttelt man die Äste kräftig von Hand, damit die Früchte auf eine ausgelegte Plane herabfallen. Aber diese Methode kommt für uns nicht in Frage, weil unsere Äste viel zu stark sind.«

»Aha, und wie macht ihr es?«, fragte der wissensdurstige Magister.

»Wir kämmen die Äste aus. Dabei wird ein großer Holzkamm durch die Zweige gezogen. Aber man muss vorsichtig sein, weil sonst die jungen Triebe, die erst im Folgejahr Früchte tragen, beschädigt werden. Es gibt dazu auch eine Variante: Man stülpt sich über jeden Finger ein Ziegenhorn und benutzt dann die Hand zum Auskämmen. Nach dieser Methode hat man sogar eine Sorte benannt, es ist die Cornicabra.«

»Das alles hört sich nach viel Arbeit an«, sagte Vitus.

»Ist es auch, ein guter Pflücker schafft höchstens einen Baum pro Tag. Aber wir arbeiten nicht nur, wir feiern auch, und das kräftig: einmal im Jahr, wenn alle Olivenbauern sich in Porta Mariae treffen. Dort steht auch die Ölpresse, und das junge Öl wird mit jungem Wein gefeiert. Viele Olivenhainbesitzer haben nämlich auch noch Weinstöcke. Wir aber nicht, wir haben dafür ein paar Haselnussbäume, die in der Nähe des Hofes stehen. Da vorn ist er übrigens schon.«

Er deutete auf ein altes, solides Steinhaus, aus dessen Dach blauer Rauch emporstieg. An seiner Form ließ sich das

Wachstum der Familie gut ablesen, denn das Gebäude war wieder und wieder um Nebenräume erweitert worden.

»Es erinnert mich an die Waben eines Bienenstocks«, meinte Vitus.

»Allerdings«, bekräftigte der Magister.

»Dank meiner großen Familie werdet ihr euch darin auch so fühlen«, entgegnete Orantes grinsend. »Willkommen zu Hause!«

DAS STOTTERKIND GAGO

»G-g-g-gem-m-m-m-mhüse-e-e-e-suph-suph-sup-p-p-pe!«

Seht, Kinder, das ist ein Aaa ...« Orantes Frau Ana saß am Küchentisch und malte den Buchstaben mit Kreide auf ein Stück alten Schiefer, wobei sie ihn betont lang aussprach, »mit einem A fängt das Alphabet an ... Aaaa ... und mein Name auch: ›Ana‹.«

Blanca, Pedro, Maria und Elvira standen interessiert um sie herum.

»Und meiner?«, drängte sich die achtjährige Maria vor. Sie war das lebhafteste der Mädchen und wollte immer alles ganz genau wissen.

Ana lachte. »Dein Name fängt mit einem M an, aber das zeige ich euch später.« Sie hob den Zeigefinger und blickte geheimnisvoll in die Runde. »Es gibt aber einen Buchstaben, der uns allen gehört: Es ist das Ooo ...« Langsam schrieb sie ein großes O hin.

»Wieso gehört uns allen das O?«, wollte Blanca wissen. Nach Nina und Conchita war sie mit ihren zwölf Jahren die Drittälteste, und damit war es eigentlich unter ihrer Würde, eine solche Frage vor den Kleineren zu stellen, aber ihre Neugier war zu groß.

»Weil wir alle Orantes heißen«, antwortete Conchita aus einer Ecke des Raums, wo sie zusammen mit Nina den Brotteig für den morgigen Tag knetete.

»Richtig«, sagte die Mutter, »denn Orantes fängt mit O an.«

Sie schmunzelte, als sie sah, wie alle Kinder, selbst Nina, andächtig das O mit den Lippen formten.

»Das macht Ihr großartig, Señora«, ertönte plötzlich eine Stimme hinter ihr. Sie gehörte dem Magister. »Ich beobachte Euch schon eine ganze Weile, ich muss sagen, an Euch ist eine Lehrerin verloren gegangen.«

»Ihr übertreibt.« Ana wischte verlegen die Buchstaben von der Tafel.

»Nein, nein, das ist die Wahrheit«, versicherte der kleine Gelehrte, »glaubt mir, ich verstehe etwas davon!« Er trat einen Schritt näher. »Was ich besonders bewundere, Señora, ist, dass Ihr bei Euren vielen Aufgaben überhaupt noch Zeit findet, diesen Unterricht abzuhalten.«

Ana seufzte. »Manchmal frage ich mich auch, wie ich alles schaffe, die Arbeit wächst mir über den Kopf.«

Das stimmte in der Tat. Während Orantes tagsüber mit den Zwillingen auf dem Feld war, hatte sie im Haus alle Hände voll zu tun. Sie erhob sich mit dem ersten Hahnenschrei und weckte zunächst die Kinder, denn jedes hatte im Tagesablauf seine feste Aufgabe. Anschließend bereitete sie das Morgenmahl, das die Familie traditionell gemeinsam einnahm. Dabei halfen ihr die beiden ältesten Mädchen Nina und Conchita. Wenn Orantes fort war, galt es, die Haustiere zu versorgen, wozu Schafe, Ziegen, und Hühner zählten. Das einzige Pferd, das sie besaßen, war bei Orantes draußen auf den Feldern und zog den Pflug. Nicht zu vergessen Isabella: Nach Emilios Tod gehörte auch das Maultier zum Hofbestand und verlangte ebenso wie alle anderen Futter und Pflege.

War das Vieh versorgt, kümmerte Ana sich um die Hausarbeit. Gegen Mittag schickte sie eines der Kinder aufs Feld, damit Orantes und die Zwillinge ihr Essen bekamen. Meistens fiel diese Aufgabe dem neunjährigen Pedro zu. Besonders schwere Arbeitstage waren der Markttag in Porta Mariae, weil an diesem Tag Nina für die Hausarbeit ausfiel, ferner die Tage der Olivenernte im Herbst.

»Aber ich will nicht klagen«, sagte Ana laut, »solange alle gesund sind.« Ihr Blick fiel auf ihren Kleinsten: Gago war auch diesmal dem Unterricht nur lustlos gefolgt und hatte sich schon nach wenigen Minuten in eine Ecke gedrückt, wo er seitdem vor sich hin brütete. Der Junge machte ihr Sorgen. Gewiss, es war kein Wunder, dass er mit seiner Hasenscharte nicht so fröhlich war wie andere Jungen in seinem Alter, aber in letzter Zeit hatte er sich auffällig zurückgezogen. Sein Stottern war auch nicht besser geworden, im Gegenteil …

Wieder seufzte sie. Es war nicht leicht, seinen Kindern bei der vielen Arbeit auch noch das Schreiben und Lesen beizubringen, zumal sie nicht alle auf einmal unterrichten konnte. So hatte sie in den vergangenen drei Jahren zunächst den Zwillingen und den beiden ältesten Mädchen einige Kenntnisse im Lesen, Schreiben und Rechnen vermittelt, und in diesem Jahr nun waren die jüngeren Kinder an der Reihe. Andere Bäuerinnen hatten sie zwar schon wegen ihres Unterrichts getadelt; sie war gefragt worden, ob sie sich für etwas Besseres hielte und dergleichen mehr, aber Ana war bei ihrem Entschluss geblieben, und Orantes, der selbst lesen und schreiben konnte, hatte sie in ihrer Meinung unterstützt. Sie hoffte, dass demnächst der Schulunterricht für Bauernkinder auf Campodios beginnen würde, dann konnte sie ihre Kleinen dorthin schicken, nicht alle auf einmal, selbstverständlich nicht, dafür wurde ihre Hilfe zu sehr im Haus gebraucht, aber vielleicht abwechselnd. Später dann würde man sehen, welches der Kinder sich als besonders begabt erwies, und man konnte es Mönch oder Nonne werden lassen.

»Wisst Ihr was, Señora?«, platzte der Magister in ihre Gedanken hinein, »wenn Ihr gestattet, werde ich den Unterricht für eine Weile übernehmen! Ihr könnt Euch derweil um andere Dinge kümmern.«

Ana zögerte. Das Angebot war verlockend, aber konnte man es annehmen? Immerhin war der Besucher ein Magister, der an einer Hochschule in La Coruña gelehrt hatte. »Ach, ich weiß nicht …«

»Lasst mich nur machen.« Der Magister blinzelte fröhlich die Kinder an. »Hat jemand ein paar Holzbälle?«

»Holzbälle?« Die Kleinen verstanden nicht.

»Ihr habt richtig gehört. Bälle aus Holz.«

Kurz darauf hielt er drei Kugeln in der Hand.

»Und nun passt mal auf.« Geschickt warf der kleine Mann sie nacheinander in die Luft und jonglierte mit ihnen. Die Kinder starrten wie gebannt auf seine Hände. »Kann einer von euch das auch?«, fragte er nach einer Weile.

Sie schüttelten die Köpfe.

»Möchtet ihr, dass ich es euch beibringe?«

Die Antwort war ein Jubelschrei.

»Gut, aber erst wird gearbeitet. Wenn ich mit euch zufrieden bin, übe ich nach der Stunde mit euch, sonst nicht. Ist das klar?« Sie nickten heftig und blickten ihn erwartungsfroh an.

»Komm, Gago, mein Kleiner«, sagte Ana sanft zu ihrem Stotterkind, »wir gehen zusammen in die Küche und gucken mal, ob sich nicht etwas Leckeres für dich findet.«

»Ha-ha-ha-hab k-k-k-k-keinen Hu-hu-hu-hu-hunger.« Der Junge drehte sich um und wollte nach draußen in den Hof.

»Wo willst du denn hin, Gago?«

Er zuckte mit den Schultern und blickte unglücklich.

»Ich weiß etwas! Du könntest gleich das Mittagessen aufs Feld tragen, vier Portionen, für deinen Vater, Vitus und die Zwillinge, willst du das?«

Gago schniefte und nickte.

»Gut.« Ana schöpfte ein großes Kochgeschirr mit einer deftigen Gemüsesuppe voll, verschloss es sorgfältig und gab es ihrem Jüngsten. »Ist das auch nicht zu schwer?«

»N-n-nö.«

»Dann lauf, und sag denen draußen, sie sollen nicht so spät heimkommen.«

»Hm-m-mja.«

Sorgenvoll blickte Ana dem kleinen Jungen nach, wie er den schmalen Weg entlangstapfte, der hinaus zu den Feldern führte.

»Es sieht so aus, Vitus, als sollten wir dieses Jahr die dritte gute Ernte in Folge bekommen.« Orantes deutete hinüber zu einem seiner Felder, auf dem der Dinkel goldgelb heranreifte. »Und das, obwohl der Winter sich besonders lange gehalten hat.«

Vitus spielte mit der Schneide der Hacke, die er den ganzen Morgen benutzt hatte. Er, Orantes und die Zwillinge saßen am Wegrand und warteten auf das Mittagessen. Sie waren erschöpft und hungrig, denn sie hatten sich den ganzen Morgen mit dem Urbarmachen eines weiteren Feldes beschäftigt, einer schweren Arbeit, die Ströme von Schweiß kostete. Obwohl Vitus' Hacke scharf und neu war, hatte er nur unter großen Schwierigkeiten die zähen Wurzeln des überall wuchernden Gestrüpps heraushauen können, und er war dankbar gewesen für Antonios und Lupos tatkräftige Hilfe.

Orantes hatte währenddessen mit Pferd und Wagen die großen Feldsteine an den Rand gekarrt.

»Eine gute Ernte? Das wird auch den Grundbesitzer freuen«, antwortete Vitus.

»Don Alvaro? Sicher. Er ist zwar wie alle Hidalgos und achtet mit Argusaugen darauf, dass er nicht übervorteilt wird, aber insgesamt gesehen ist er nicht der Schlechteste. Du musst wissen, dass seine und meine Familie sich schon seit vielen Generationen kennen. Der Standesunterschied wird dadurch natürlich nicht ausgeräumt, aber vieles ist möglich, an das sonst nicht im Traum zu denken wäre.«

»Was denn zum Beispiel?«

»Nimm das Pferd, das ich in diesem Jahr anspannen kann, es ist ein Wallach, den ich Caballo nenne. Caballo gehört Don Alvaro, er hat ihn mir gegen ein geringes Entgelt für diesen Sommer überlassen. Welche Erleichterung es bringt, wenn man nicht selbst den Steinekarren ziehen muss, kannst du dir denken, vom Pflügen ganz zu schweigen. Wenn also die Ernte gut wird, und der Herr möge meine Bitte erhören, fällt es mir nicht allzu schwer, meine Pacht mitsamt der Leihgebühr für das Pferd zu bezahlen.«

»Und wenn die Ernte nicht gut ausfällt?«

»Dann hungern wir im Winter, schlachten unser letztes Vieh und hoffen auf bessere Erträge im nächsten Sommer. Das ist der Lauf der Welt. Aber lass uns nicht unken, du bist eine wertvolle Hilfe, mit deiner Unterstützung werden wir in der nächsten Woche das Korn scheffelweise auf den Dreschplatz fahren.«

Vitus legte die Hacke aus der Hand und betrachtete die Verbände an seinen Handgelenken. »Das wäre vor ein paar Tagen noch nicht möglich gewesen.«

»Du sagst es! Aber dank der Künste unseres Dorfschmieds bist du endlich deine Kette los, wenn es auch beim Erhitzen der Eisenmanschetten ganz ordentlich gezwickt hat, stimmt's?«

»Stimmt.« Das Glühendmachen der Manschetten war tatsächlich sehr schmerzhaft gewesen, obwohl Meister Fuñerto nasse Tücher zwischen Stahl und Handgelenk gestopft hatte.

»Seitdem bist du erst wirklich ein freier Mann, die letzte Äußerlichkeit, die an den Kerker erinnerte, ist mit der Kette verschwunden. Und deine Haare wachsen auch schon wieder kräftig nach. Weißt du was? Ich nehme dir den schwarzen Bart ab, der verträgt sich sowieso nicht mit deinen blonden Locken. Und die Inquisition ist ohnehin über alle Berge.«

Vitus lachte. »Gut, einverstanden.« Er und der Magister hatten sich in den letzten Tagen zunehmend sicherer gefühlt. Es schien wirklich so, als würde sich niemand mehr für sie interessieren.

Mit einer schwungvollen Bewegung riss Orantes den Vollbart ab. Kinn und Wangen, die Vitus jeden Morgen rasieren musste, bevor er die Tarnung anlegte, wurden wieder sichtbar. »Ja, das ist mein alter Vitus!«, rief der Landmann fröhlich.

Er blickte sich um. »Und jetzt hätte ich Appetit auf ein Mittagsmahl! Seht mal, da kommt es schon herbeispaziert.«

Gago kam langsam, den großen Topf vor sich hertragend, näher. Es sah aus, als hätte das Kochgeschirr Beine.

»Was bringst du uns denn Schönes, Gago?«, rief Orantes ihm erwartungsfroh entgegen.

»G-g-g-gem-m-m-mhüse-e-e-suph-suph-sup-p-p-pe!« Es dauerte mehr als eine halbe Minute, bis der Kleine das Wort heraushatte.

»Aah, Gemüsesuppe!«, freute sich Orantes. »Was ist denn alles drin?«

Gago sagte nichts. Nur sein kleiner Kopf lief rot an, und seine Oberlippe mit der hässlichen Hasenscharte zitterte.

»Ist Kohl drin?«, half Orantes nach.

Gago nickte.

»Wurzeln vielleicht auch?«

Abermals nickte der Kleine.

»Und Lauch?«

Gago schüttelte den Kopf.

»Na, dann wissen wir ja so ungefähr Bescheid«, fasste Orantes zusammen. »Komm, setz dich zu uns, mein Sohn, lass es dir schmecken.«

Gehorsam nickte der kleine Stotterer und setzte sich zwischen seinen Papa und Vitus. Die Zwillinge nahmen gegenüber Platz. Jeder nahm seinen Holzlöffel heraus und begann zu essen.

Nachdem sie ihr Mahl beendet hatten, lehnte Vitus sich bequem zurück und strich dem Jungen über den Kopf. »Was hast du denn heute Morgen erlebt, Gago?« Gago schnüffelte und blickte statt einer Antwort zu Boden.

»Gibt es denn gar nichts zu erzählen?«, fragte Vitus aufmunternd. »Du hast doch deiner Mutter sicher bei irgendetwas geholfen. Was war es denn?«

Gago begann zu weinen. Erst leise nur, dann immer stärker. Schließlich wurde sein ganzer Körper von Schluchzern geschüttelt. Hilflos strichen Orantes und Vitus ihm wieder und wieder über den Kopf, aber der Kleine ließ sich nicht beruhigen. Endlich sagte Vitus:

»Pass auf, Gago, ich habe eine Idee. Ich zeige dir jetzt, wie man eine Angelrute schneidet, und dann fischen wir zusammen. Wenn du was fängst, darfst du es behalten. Vielleicht macht deine Mutter dir sogar eine Abendmahlzeit daraus.«

Vitus' Blick ging fragend zu Orantes, dessen Nicken zeigte, dass er einverstanden war:

»Geht aber vorher am Hof vorbei und sagt der Mutter, wo ihr seid, sonst sorgt sie sich.«

»Machen wir«, versprach Vitus. Und zu Gago gewandt: »Du kommst doch mit?«

Der Kleine nickte stumm.

»Abgemacht, wer den größten Fisch fängt, hat gewonnen.«

Später, am Ufer des Pajo, schnitzte Vitus aus Weidenästen zwei Angelruten. »Du darfst niemals zu festes Holz nehmen, es muss biegsam sein, damit es nachgeben kann, wenn der Fisch daran zieht. Sieh mal.« Vitus bog eine Rute durch. »Mit Eiche oder Buche ginge das nicht.«

Gago machte große Augen und nickte eifrig.

»Am dünneren Ende der Rute machen wir einen Einschnitt, da kommt der Angelfaden dran, den befestigen wir mit einem Kreuzknoten. Kannst du einen Kreuzknoten machen?«

»N-nö.«

Vitus zeigte es. Dann löste er den Knoten wieder. »Jetzt du!«

Mit geschickten Fingern knüpfte Gago den Knoten.

»Donnerwetter, das ging aber fix! Hast du das wirklich zum ersten Mal gemacht?«

»Hm.«

»Gut, jetzt noch die Würmer ans Fadenende, dann können wir um die Wette fischen. Petri Heil, Gago!«

»Hm-m.«

Nachdem sie einige Zeit ins Wasser gestarrt hatten, zuckte es plötzlich an Gagos Angel. Die Rute spannte sich und drohte, dem Kleinen aus der Hand zu rutschen.

»Festhalten!« Vitus wollte Gago zu Hilfe kommen, doch der Kleine drehte ihm den Rücken zu und umklammerte die Rute mit aller Kraft. Er wollte den Fisch allein fangen. In seinem kleinen, fratzenhaften Gesicht bildeten sich vor Anstrengung unzählige Fältchen.

Endlich erlahmte die Gegenwehr des Fisches, Gago hatte gewonnen. Ein Prachtexemplar wurde sichtbar, etwa eine halbe Elle lang, silbrig glänzend und schwer. Vitus tötete den Fang rasch mit einem Schnitt hinter dem Kopf. »Er hat an der Oberlippe Barteln«, stellte er fest, »ich glaube, es ist eine Barbe. Gratuliere!«

Gagos Augen leuchteten.

Sie angelten noch eine ganze Weile, und Gago fing zwei weitere Fische, Vitus jedoch hatte kein Glück. Schließlich erhob er sich. »Komm, Gago, wir gehen heim, sonst sind die Fische schlecht, bevor deine Mutter sie zubereiten kann.«

Gago nickte. »J-ja-g-g-gut.«

Beschwingt eilten sie nach Hause. Kurz bevor sie den Hof erreichten, kamen ihnen Nachbarkinder entgegen, und mit Gago ging eine seltsame Veränderung vor sich. Plötzlich griff er nach Vitus' Hand und versuchte, sich hinter ihm zu verstecken.

»Hasenscharte Fratze!«, riefen die herannahenden Kinder und schnitten Grimassen, die Gagos Gesicht ähnlich sehen sollten. Vitus blieb stehen, Gago drückte sich zitternd an ihn.

»Hasenscharte Fratze!
Gago, ja der hatse!
Hasenscharte schief und krumm
macht den Gago einmal dumm:
DUMM!«,

sangen die Kinder und zeigten Gago eine lange Nase. Vitus wollte sie zur Rede stellen, doch da sangen sie schon wieder:

>*Hasenscharte Fratze!*
Gago, ja der hatse!
Hasenscharte schief und krumm
macht den Gago zweimal dumm:
DUMM! DUMM!

Hasenscharte Fratze!
Gago, ja der hatse!
Hasenscharte schief und krumm
macht den Gago dreimal dumm:
DUMM! DUMM! DU ...«

»Ruhe!«, schrie Vitus. »Ihr haltet augenblicklich den Mund, oder ich verpasse euch ein paar Maulschellen, die ihr euer Lebtag nicht vergesst!«
Die Kinder schwiegen erschreckt und steckten die Köpfe zusammen. Vitus ging drohend auf sie zu. Schleunigst machten sie sich aus dem Staub, begannen aber aus sicherer Entfernung erneut, den Spottvers zu singen.
»Mach dir nichts draus«, sagte Vitus tröstend zu Gago, »die Kinder sind selbst dumm.«
Über die Wangen des kleinen Stotterers liefen Tränen.
»Keiner von den Schreihälsen hätte den Kampf gegen den Fisch gewonnen, aber du hast's geschafft!«
Gago schluchzte.
»Komm, wir gehen nach Hause.« Vitus hoffte, dass Ana den Kleinen trösten konnte.
Doch auch die Mutter vermochte ihren Jüngsten nicht aufzu-

muntern. Ebenso wenig wie Orantes und die Zwillinge, als diese später zurückkehrten. Gago saß den ganzen Abend in einer Ecke und war nicht ansprechbar. Nicht einmal von seinen für das Abendessen köstlich zubereiteten Fischen wollte er probieren.

»Ich weiß nicht, was mit dem Kind werden soll«, seufzte Ana schließlich verzweifelt, »so geht es nicht weiter.« Sie nahm Orantes beim Arm und zog ihn aus dem Raum. Sie schien etwas besprechen zu wollen, das nicht für alle bestimmt war.

Kurz darauf waren beide zurück. Orantes steuerte auf Vitus zu, der mit dem Magister und den Zwillingen am Tisch saß und Karten spielte. »Vitus, auf ein Wort! Und auch du, Magister, wenn du einen Augenblick Zeit hättest …«

»Aber gern.« Der kleine Gelehrte warf die Karten hin. »Ich hatte sowieso ein schlechtes Blatt.«

»Die Sache ist die«, begann Orantes, nachdem sie vor die Tür getreten waren, »dass Ana und ich uns große Sorgen um Gago machen. Und das nicht erst seit heute. Der Kleine ist kaum noch ansprechbar. Früher summte er häufig ein Lied, lachte viel und spielte mit den Sachen, die er von den Größeren geerbt hat, aber in den letzten Wochen verkriecht er sich immer mehr.«

»Dabei ist er ein richtig aufgeweckter Kerl«, sagte Vitus.

»Furchtbar, mit ansehen zu müssen, wie so ein kleiner Mensch leidet!« Der Magister fuhr sich ratlos über seine blonde Perücke.

»Die Kinder haben ihn heute nicht zum ersten Mal gehänselt«, fuhr Orantes fort. »Der Spott macht alles nur noch schlimmer. Der Kleine ist jetzt fünf Jahre alt, aber sprechen tat er schon mit eineinhalb – nicht nur ›Mama‹ oder ›Papa‹ wie die anderen meiner Rasselbande, sondern richtige kleine Sätze, zum Beispiel ›Gago hat Mama lieb‹ und dergleichen.« Ein Lächeln huschte bei der Erinnerung über Orantes Züge. »Von Stottern war damals nichts zu merken. Ana und ich waren ziemlich stolz auf ihn, wir dachten, seine Intelligenz wäre so etwas wie ein Ausgleich für die Hasenscharte, die der Allmächtige dem Kind mitgegeben hatte. Aber je älter Gago wurde, desto häufiger stotterte er. Man könnte auch sagen: Je bewusster ihm wurde, dass er anders aussieht, desto unsicherer wurde er.«

»Ich habe schon von solchen Zusammenhängen gehört«, sagte Vitus nachdenklich.

»Ich würde meine rechte Hand geben, wenn ich ihn dadurch gesund machen könnte«, seufzte Orantes, »aber das ist natürlich Unsinn. Doch vorhin hatte Ana eine Idee, und deshalb spreche ich mit euch. Wir überlegten: Wenn der Grund für Gagos Stottern die Hasenscharte ist, müsste man versuchen, sie zu beseitigen. Und wenn das gelänge …«

»… würde er vielleicht wieder normal reden können. Ich beginne zu begreifen!«, rief der Magister.

»Ich habe nun gehört, äh …« Plötzlich wurde Orantes verlegen. »Also, ich habe gehört, nun, es soll Wundchirurgen geben, die so etwas operieren können.«

Er blickte Vitus direkt an und gab sich einen Ruck. »Also, frei heraus, Vitus: Könntest du unseren Kleinen heilen?«

»Durch eine Operation? Um Gottes willen!« Vitus war ehrlich erschrocken. »Solche Eingriffe sind sehr gefährlich, die Wahrscheinlichkeit einer Infektion ist hoch und der Ausgang mehr als ungewiss. Die Operierten sehen hinterher manchmal schlimmer aus als vorher.«

»Bedeutet das …?« Orantes mochte den Satz nicht zu Ende sprechen.

»Ja, Orantes, nimm's mir nicht übel, aber die Gefahren, die sich mit einem solchen Eingriff verbinden, sind weit höher als die Aussichten auf Erfolg.« Vitus legte seine Hand tröstend auf den Arm des Landmannes.

Orantes atmete ein paarmal tief durch. Die Absage musste ein schrecklicher Schlag für ihn sein. »Ich nehm's dir nicht übel, Vitus«, sagte er endlich. »Wenn du es nicht kannst, dann wird es wohl keiner können.« Langsam ging er wieder ins Haus zurück.

Nachdem Orantes mit seiner Familie die Schlafkammern aufgesucht hatte, saßen Vitus und der Magister noch eine Weile am Tisch und starrten auf eine Schüssel mit Oliven. Schließlich sagte der kleine Gelehrte: »Musstest du die Operation wirklich ablehnen?«

Vitus nahm eine Frucht. »Ja, ich hatte keine andere Wahl. Das Risiko ist sehr groß, und neben den Gründen, die ich genannt habe, ist da ein weiterer, einer, der letztlich für mich den Ausschlag gab.«

»Und?« Der Magister blickte gespannt.

»Ich habe eine solche Operation noch nie gemacht.«

Die Woche darauf verging wie im Fluge. Sie hatten alle Hände voll zu tun, die schweren Halme auf dem Feld zu schneiden, sie zu binden, auf den Wagen zu laden, heimzufahren und abschließend vor der Scheune mit der Hand zu dreschen. Sie begannen im ersten Dämmerlicht und arbeiteten bis in den späten Abend hinein, immer in der Sorge, es könnte Regen aufkommen und ihre Tätigkeit unterbrechen.

Doch sie hatten Glück. Das gute Wetter hielt an, und jeder Tag war ein Sonnentag. Einer schöner wie der andere. Vitus und der Magister hatten mittlerweile ihre ›Gefängnisfarbe‹, wie Orantes es nannte, verloren. Ihre Köpfe und Oberkörper waren tief gebräunt.

So kam der letzte Tag dieser arbeitsamen Woche. Orantes, die Zwillinge, Vitus und der Magister hatten den ganzen Vormittag ohne Pause geschuftet, denn sie wollten unbedingt mit der Arbeit fertig werden.

Endlich, als die Sonne am höchsten stand, legte Orantes die Sichel aus der Hand. »Essenspause!«, verkündete er. »Ich habe einen Bärenhunger!«

Alle ließen sich am Feldrand nieder und warteten auf Gago, der die Suppe bringen sollte. Doch eine halbe Stunde verging, ohne dass der Kleine erschien.

»Wo bleibt der Junge nur?«, knurrte Orantes.

Weitere zehn Minuten verstrichen. Auf der anderen Seite des abgeernteten Feldes sah Vitus ein paar Kinder, die lärmend vorbeizogen. Einige von ihnen erkannte er als diejenigen, die letzte Woche den Spottvers auf Gago gesungen hatten. Dann herrschte wieder Ruhe, nur der Wind strich singend über die Stoppeln.

»Ich verstehe das nicht!« Aus Orantes Worten klang jetzt echte Sorge. »Er ist doch sonst so zuverlässig.«

»Ja, seltsam.« In Vitus schoss plötzlich ein Gedanke hoch. Er sprang auf. »Ich laufe mal rasch zum Flussufer!«

»Wieso denn, was ist denn?« Orantes erhob sich ebenfalls, der Magister tat es ihm gleich. Vitus, der schon ein ganzes Stück voraus war, gab keine Antwort. Die beiden Männer hetzten hinter ihm her. »Was hast du nur? So warte doch!«

Wenige Augenblicke später erreichte Vitus das Flussufer an der Stelle, an der er mit Gago geangelt hatte. Direkt am Wasser entdeckte er das Kochgeschirr für das Mittagessen, es lag umgestürzt im halbhohen Gras.

»Gago!«, schrie Vitus, sich umblickend. »Gago!« Er spitzte die Ohren, doch nur das Rascheln des Schilfs und das Plätschern des Flusses waren zu hören.

»Gagooo!« Das war der Ruf von Orantes, der unterdessen mit dem Magister herangekommen war.

»Da!« Für den Bruchteil einer Sekunde glaubte Vitus etwas gesehen zu haben: einen kleinen Haarschopf im Wasser – Gago!

Ohne zu zögern, sprang er in den Fluss. Er war kein guter Schwimmer, doch er legte seine ganze Kraft in die Armzüge, um den Jungen zu erreichen, bevor die Strömung ihn fortgetrieben hatte. Als er auf gleicher Höhe mit ihm war, versuchte er, die Kleidung zu packen, doch immer wieder griff er ins Leere. Seine Kräfte ließen schon nach, da spürte er endlich Stoff zwischen den Fingern. Wasserschluckend und keuchend schob er sich unter den Leib des Kindes und strebte mit ihm ans rettende Ufer.

»Lebt er? Oh Gott, was machen wir nur?« Orantes' Stimme war heiser vor Angst, als er seinen Jungen in Empfang nahm.

»Umdrehen …«, keuchte Vitus, »… auf den Bauch.« Nur langsam kam er wieder zu Atem.

Orantes und der Magister beeilten sich, die Anweisung zu befolgen, aber kein Lebenszeichen kam aus dem kleinen Körper. Vitus raffte sich auf. Es ging jetzt um Sekunden. Er griff dem Jungen von beiden Seiten unter die Hüfte und hob sie ruckartig an. Wieder und wieder. Beim dritten Mal schließlich ging ein Zucken durch den Jungen, ein großer Schwall Wasser schoß aus seinem Mund. Gagos Arme begannen sich zu bewegen. Vitus verstärkte seine Bemühungen. Abermals quoll ein dicker Wasserstrahl hervor. Plötzlich hustete Gago und rang keuchend nach Luft.

»Alles in Ordnung, Gago?«

»Hm-m-mja.«

»Tut dir irgendetwas weh?«

»N-n-hö.«

»Gott sei gelobt und gepriesen!« Orantes' Anspannung entlud sich, er schluchzte auf und ließ seinen Tränen freien Lauf. »Mein Kleiner, mein Herzblatt, komm zu deinem Papa, das darfst du nie wieder machen, hörst du!«

»N-n-hö.«

»Und dir, Vitus, dir danke ich von ganzem Herzen! Ich danke dir, ich kann die Erleichterung gar nicht beschreiben, ich …«

»Lass nur, du hättest es genauso für mich getan.«

»Trotzdem! Ach, ich bin ja so froh!« Orantes stellte Gago auf die Füße. »Kannst du schon wieder gehen, mein Kleiner?«

»Hm-m-mja.«

»Wir versuchen's mal.« Doch nach wenigen Schritten zeigte sich, dass Gago noch zu schwach war. Deshalb nahm der Landmann ihn hoch und setzte ihn sich auf die Schultern. »So ist's besser, mein Kleiner, nicht wahr? Jetzt gehen wir nach Hause zu deiner Mama, und du darfst dir dein Lieblingsessen wünschen, vorher erzählst du uns aber genau, was passiert ist, in Ordnung?«

»Hm-m-mja.«

Wie sich herausstellte, hatte Gago die Nachbarskinder genau an jener Stelle des Feldwegs getroffen, an der er ihnen auch schon mit Vitus begegnet war. Sie hatten ihn umringt und abermals den Spottvers gesungen. Immer und immer wieder. In seiner Not war er schließlich davongelaufen, hinunter an den Fluss, die Kinder schreiend hinter ihm her. Eines hatte ihm ein Bein gestellt, sodass er das Gleichgewicht verlor und hingefallen war. Dabei war die ganze Suppe ausgelaufen. Die

Kinder hatten gelacht und weiter den Spottvers gesungen. Gago hatte sich die Ohren zugehalten, aber sie hatten so laut geschrien, dass er die Worte trotzdem hörte.

Endlich waren sie weitergezogen. Gago hatte sich in Grund und Boden geschämt. Er war sich vorgekommen wie der hässlichste, überflüssigste Mensch auf Erden, und so hatte er beschlossen, seinem Leben ein Ende zu machen. Er war in den Fluss gegangen, so weit wie er konnte, dann hatte er die Luft angehalten und war untergetaucht.

Am Abend dieses ereignisreichen Tages suchten alle früh ihr Lager auf, denn mit dem Nachlassen der Anspannung war die Müdigkeit über sie gekommen. »Ich bin nur froh, dass wir mit der Kornernte fast fertig sind«, gähnte Orantes, bevor er den Seinen in die Schlafkammer folgte, »am Montag können wir es etwas ruhiger angehen lassen.«

»Aber was machen wir mit Gago?«, fragte der Magister. »Nach allem, was passiert ist, können wir ihm nicht zumuten, das Essen nochmals aufs Feld zu tragen, und am Lese- und Schreibunterricht will er auch nicht teilnehmen.«

Orantes machte eine hilflose Geste.

»Gago wird bald wieder das Essen aufs Feld bringen, und er wird dabei lachen und fröhlich sein«, erklärte Vitus.

»Jetzt willst du uns auf den Arm nehmen.« Orantes blickte verärgert. »Die Sache ist zu ernst, als dass man darüber spaßen sollte.«

»Ich spaße nicht, Orantes«, entgegnete Vitus ruhig, »denn ich werde Gago operieren.«

Drei Tage später, an einem Dienstag, saß Vitus in der strahlenden Vormittagssonne auf dem Hof. Es war der Morgen, an dem er Gago operieren wollte. Er hatte sich dazu aus der Küche den großen Tisch herausgestellt, auf dem nun seine chirurgischen Instrumente lagen, allesamt sorgfältig gereinigt und vor Sauberkeit blitzend. Ihren makellosen Zustand verdankten sie dem reinen Wasser aus dem Hofbrunnen.

Daneben stand eine Schüssel, in der sich eine grünlich weiße Flüssigkeit befand, dann kam ein Napf mit Essig, dazu ein Schwamm, zwei goldene Nadeln, die ungefähr so lang wie sein kleiner Finger waren, reichlich fester Faden, ferner Wundsalbe und Pflaster. Natürlich lag auch das Buch *De morbis* griffbereit.

»Bist du so weit?« Der Magister trat aus dem Haus. In der Hand hielt er drei Bälle. »Ich habe Gago die ganze Zeit mit meinen Jonglierkünsten abgelenkt, aber langsam geht's nicht mehr. Er ist fast so aufgeregt wie Orantes und die übrige Familie.«

»Ja, ich bin so weit.« Vitus war ebenfalls nervös, doch er versuchte, äußerlich ruhig zu wirken. Er wusste aus Erfahrung, dass die Aufregung bei ihm mit dem Beginn der Operation wie weggeblasen sein würde. »Komm bitte mal her, Magister.«

»Was ist denn noch?«

»Ich hatte dich doch gebeten, mir bei dem Eingriff zu assistieren, und ich will sicherstellen, dass alles wie am Schnürchen klappt, lass uns deshalb noch einmal die einzelnen Instrumente durchgehen.«

»Wenn du meinst.«

Sie taten es. Als sie fertig waren, fragte der Magister: »Wo hast du eigentlich die ganzen Sachen her, die goldenen Nadeln und das alles?«

»Das hat mir Orantes gestern besorgt. Ein Teil unserer Reisekasse ist dafür draufgegangen, aber du bist doch einverstanden, oder?«

»Was für eine Frage!« Der Magister tat beleidigt. »Was ist das übrigens für grünliches Zeug da in der Schüssel?«

»Das ist ein Narcoticum, das ich gestern präpariert habe.«

»Woraus hast du's denn gemacht?«

»Ich habe dafür Kapseln des Schlafmohns genommen, sie eingeritzt und den heraustretenden Milchsaft aufgefangen. Dann habe ich einen Extrakt aus acht Unzen Alrauneblättern und drei Unzen Schierlingsblättern hergestellt. Milchsaft und Extrakte habe ich anschließend in so viel Wasser aufgelöst, dass die *Spongia somnifera* sie gut aufnehmen kann.«

»Die was?«

»Der Schlafschwamm. Man braucht ihn, um den Patienten zu betäuben.«

»Und die goldenen Nadeln, was hat es mit denen auf sich?«

»Die brauche ich zum Durchstoßen der Wundränder. Aber nun geh rein und hole Gago und Orantes, die anderen sollen drinbleiben, sie würden nur stören.«

»In Ordnung.«

Gleich darauf erschien Orantes mit Gago an der Hand. Der kleine Stotterer war leichenblass vor Aufregung.

»Du brauchst überhaupt keine Angst zu haben, Gago«, sagte Vitus freundlich. »Dein Papa und du, ihr setzt euch dort auf den Stuhl, und alles Weitere überlasst ihr mir und dem Magister.«

Der Kleine nickte. Er war den Tränen nahe.

»Vitus weiß genau, was er tut, es steht alles in dem dicken Buch da.« Orantes hatte sich Gago mittlerweile auf den Schoß gesetzt.

»Genau«, nickte Vitus. »Darin wird von zwei berühmten

Männern erzählt, die das, was wir gleich machen, schon vor über tausend Jahren beschrieben haben. Sie heißen Galenos und Celsus, der eine war ein Grieche, der andere ein Römer.« Gago schniefte.

»Und was die konnten, das können wir schon lange, was? Das Schönste aber ist, dass du von alledem gar nichts merken wirst. Du schläfst ein, und wenn du wieder aufwachst, ist alles vorbei. So einfach ist das!«

Gago nickte zaghaft. Die Operation schien doch nicht so schrecklich zu sein, wie er befürchtet hatte. Außerdem wünschte er sich nichts sehnlicher, als ganz normal wie andere Jungen auszusehen.

»Fein.« Vitus nahm ebenfalls Platz, und zwar so, dass er Gago direkt gegenübersaß. Er überprüfte noch einmal seine Sitzposition. Für die Operation brauchte er ideales Licht, deshalb hatte er den Eingriff auf den Vormittag gelegt. Zu diesem Zeitpunkt schien die Sonne noch schräg herab – und nicht aus dem Zenit, von wo Gagos Nase einen Schatten auf die Operationsstelle geworfen hätte. So weit war alles in Ordnung. Er rückte seinen Stuhl ein wenig zur Seite, damit auch sein eigener Kopf keinen Schatten bildete. »Kannst du schon bis zehn zählen?«, fragte er.

Der Kleine schüttelte den Kopf.

»Dann pass auf, ich mache es dir vor.« Vitus begann langsam zu zählen: »Eins … zwei …«, er nahm den Schlafschwamm, tauchte ihn in die Narkoseflüssigkeit und drückte ihn aus, »… drei …«, er presste den Schwamm behutsam in Gagos Nasenlöcher, »… vier … fünf …«, Gago schnaufte ängstlich, wobei er die Dämpfe tief einatmete, »… sechs … sieben …«, er guckte schläfrig, »… acht …«, die Augen fielen ihm zu, »… neun … zehn …«

Gago war fest eingeschlafen. Sein Körper sank nach hinten. Orantes griff mit der Rechten unter sein Kinn, um den Kopf zu stabilisieren, während seine Linke den Bauch umfasste.

»Kannst du den Kleinen so länger halten?«, fragte Vitus, während er den Schwamm fortlegte.

»Kein Problem.« Orantes wirkte gefasst. Vitus' Ruhe hatte sich auf ihn übertragen. »Was ist das für eine Narkoseflüssigkeit, in die du den Schwamm getaucht hast?«

»Es ist ein Narcoticum, dessen Rezeptur auf die Benediktinermönche vom Kloster Montecassino in Italien zurückgeht. Es ist sehr bewährt. Allerdings habe ich statt der Mohnsamen ersatzweise den Milchsaft des Schlafmohns genommen, aber wie du siehst, geht es auch so.«

Orantes nickte. »Dann los, in Gottes Namen.«

Vitus betrachtete noch einmal sorgfältig die Operationsstelle. Gagos Hasenscharte sah wie ein umgekehrtes V aus: Die Spaltung der Oberlippe setzte direkt unterhalb der Nase an, die beiden Schenkel des Vs waren fest mit dem darunter liegenden Zahnfleisch verwachsen. Gottlob war nur die Oberlippe gespalten und nicht der Kiefer darunter oder gar der Gaumen – beides wäre inoperabel gewesen. So aber beurteilte Vitus die Chancen für ein glückliches Gelingen als ausreichend. »Schläft der Kleine fest?«, fragte er zur Sicherheit noch einmal.

Orantes schüttelte Gago ein paarmal. Der Junge reagierte nicht. »Wie ein Murmeltier.«

»Wunderbar. Fangen wir an. Magister, gib mir bitte das Skalpell mit der geballten Spitze.«

»Hier.«

»Danke.« Vitus setzte die rasiermesserscharfe Klinge zwi-

418

schen Zahnfleisch und Oberlippe an und trennte die beiden Schenkel des Vs nach oben auf. Es war eine Sache von wenigen Minuten. Die schwache Blutung unterhalb der beiden Hautlappen stillte er mit Alaunstein.

»Das war der erste Schritt. Zum Glück handelt es sich bei Gago nur um ein *Labium fissum,* um eine ganz normale Hasenscharte also.«

»Was jetzt?«, fragte der Magister.

»Jetzt gibst du mir von den beiden geraden Scheren die kleinere.«

»Was hast du damit vor?«

»Ich schneide von den Rändern der Hautlappen ein Stückchen ab, damit sie später zusammenwachsen können.«

»Verstehe«, sagte der Magister, »bei Haut auf Haut würde das nicht funktionieren.«

Nachdem Vitus den zweiten Schritt vollzogen hatte, stoppte er die Blutung abermals mit Alaunstein. »Jetzt, Magister, gib mir eine goldene Nadel. Hast du den Faden durch die Öse gezogen und mit einem Knoten gesichert?«

»Hab ich.« Der kleine Gelehrte reichte das Gewünschte.

Vitus nahm die Nadel und betrachtete sie. Für das, was er vorhatte, wurden vielfach auch Silbernadeln eingesetzt, doch er war der Meinung, dass Gold als edelstes Metall weniger Infektionen hervorrief. Dann drückte er die beiden begradigten Ränder mit der linken Hand fest zusammen, setzte mit der rechten unterhalb der Nase die Nadel waagerecht an und schob sie mit einer einzigen gleitenden Bewegung quer nach links durch die beiden Oberlippenlappen hindurch – so weit, dass beide Nadelenden gleich lang aus der Haut herausragten. Als Nächstes nahm er den herabhängenden Faden, zog ihn in Form einer liegenden 8 stramm unter den Nadelenden hindurch und sorgte so dafür, dass die Wundränder sich nahtlos zusammenfügten.

Dasselbe machte er anschließend mit der zweiten Nadel ein Stück weiter unten. Als auch dies getan war, hatte sich das umgekehrte V auf ganzer Höhe geschlossen.

»Jetzt gib mir die Honigsalbe, Magister … danke.« Vitus bestrich vorsichtig die Wunde. »Und jetzt das *Emplastrum longum.*«

Der Magister reichte die lange Pflasterauflage, die von einer Wange zur anderen reichte.

Vitus legte sie so stramm an, dass die Wunde sich noch um ein Weiteres zusammenzog. Er richtete sich auf. »Geschafft! Es hat besser geklappt, als ich dachte.«

»*Deo gratias!*«, seufzte der Magister.

»Wird er jemals wieder sprechen können, wo doch die Haut so angespannt ist?«, fragte Orantes zweifelnd.

»Ganz bestimmt«, versicherte Vitus. »Es liegt in der Natur der menschlichen Haut, dass sie sehr dehnungsfähig ist. Überhaupt wird von der Operation später kaum etwas zu sehen sein. Außerdem«, Vitus lächelte und begann seine Instrumente fortzuräumen, »dürfte dein Kleinster in spätestens zwölf Jahren sowieso einen Bart tragen.«

Nach drei Tagen wechselte Vitus das erste Mal den inzwischen schon locker gewordenen Verband.

Nach sieben Tagen zog er die obere Goldnadel. Zwei Tage später folgte die andere. Zur Erleichterung aller hatte Vitus saubere Chirurgenarbeit geleistet. Die Wundränder hielten, die Narbe war bereits ein verblassender Strich, in späterer Zeit würde sie kaum wahrnehmbar sein.

Wie Orantes vermutet hatte, war die Sprachunsicherheit bei

Gago nach dem ersten Blick in den Spiegel wie fortgeblasen. Der Kleine lebte mit jedem Tag mehr auf. Und mit ihm das gesamte Haus.

»Vitus«, sagte Ana in der zweiten Woche nach der Operation, »was Ihr für uns getan habt, vermag ich nicht in Worte zu fassen, ich möchte Euch nur sagen, dass Ihr für immer einen Platz in unseren Herzen habt und dass Ihr und der Magister so lange in unserem Haus leben könnt, wie Ihr wollt. Ihr gehört jetzt gewissermaßen zur Familie.«

»Mein Weib hat wie immer Recht«, bekräftigte Orantes die Worte seiner Frau, »ich hätte es nicht besser ausdrücken können.« Er gab seiner Stimme einen forschen Klang, um seine innere Bewegung zu verbergen.

Es klopfte.

»Wer kann das sein?«, fragte der Hausherr. »Antonio, geh mal öffnen.« Der Zwilling gehorchte umgehend.

Draußen stand ein großer, schlanker Mann Ende zwanzig. Er trug ein wildledernes Hemd und Hosen aus demselben Material. Das Barett auf seinem Kopf saß unternehmungslustig schief. Er nahm es mit einer geschmeidigen Bewegung ab, bevor er sich verbeugte. »Mein Name ist Arturo«, stellte er sich vor, und ein gewinnendes Lächeln erschien auf seinen jungenhaften Zügen. »Ich bin Mitglied einer Gauklertruppe, die auf dem Wege nach Santander ist. Ihr würdet uns einen großen Gefallen erweisen, wenn wir unsere Wasservorräte an Eurem Hofbrunnen ergänzen dürften.«

»Wo lagert Eure Truppe?«, fragte Orantes zurückhaltend. Seine Erlebnisse mit fahrendem Volk waren nicht immer die besten gewesen.

»Ungefähr eine halbe Meile von hier am Wegrand, Señor«, erklärte Arturo gleich bleibend freundlich. »Wir sind unserer sieben, alles harmlose Leute. Ich versichere Euch, wir wären die Letzten, mit denen Ihr Ärger kriegen würdet.«

»So so.« Orantes, der von Natur aus ein hilfsbereiter Mann war, besiegte seine Vorsicht. Außerdem war er seit Tagen in aufgeräumter Stimmung. »Nun gut. Ihr könnt Euch mit Wasser versorgen, und Ihr dürft auch an der von Euch genannten Stelle lagern. Sie gehört zu dem Land, das ich bestelle. Verpflegen allerdings müsst Ihr Euch selbst.«

»Selbstverständlich! Ich danke Euch, Señor ...«

»... Orantes.«

»Nicht alle Brunnenbesitzer sind so großzügig wie Ihr, Señor Orantes. Wenn es Euch recht ist, komme ich nachher mit Pferd und Wagen und zwei Wasserfässern vorbei.« Sein Blick fiel auf die drei Jonglierkugeln. »Als kleinen Dank zeige ich Euch dann, wie man mit sieben Kugeln jongliert.«

Mit einer raschen Bewegung wandte er sich ab, grüßte weit ausholend mit der Hand und war verschwunden.

»Sieben Kugeln«, wiederholte der Magister nach einer Weile ungläubig, »das will ich sehen!«

Arturo hatte nicht zu viel versprochen. Nachdem die Wasserfässer gefüllt waren, wobei ihm ein Mann half, den er als Anacondus, den Schlangenmenschen, vorgestellt hatte, stellte er sich breitbeinig in die Mitte des Hofs und holte sieben leuchtend bunte Bälle aus seinen Taschen. Nacheinander warf er sie in die Luft, wobei er mit jeder weiteren Kugel die Geschwindigkeit steigerte. Schließlich waren alle Bälle in ihrer Kreisbahn und flitzten vor den Augen der Zuschauer auf und nieder.

Vitus stellte fest, dass Arturos Oberkörper nahezu bewegungslos blieb, während er mit winzigen Schritten die Unregelmäßigkeiten im Wurf ausglich. Sein Gesicht hatte vor Konzentration einen maskenhaften Ausdruck angenommen. Der Blick seiner Augen war starr auf die Kugeln gerichtet. Nach etwa einer halben Minute ließ er die Arme sinken, und alle Bälle fielen zu Boden. Er verbeugte sich.

»Bravo!« Vitus klatschte begeistert in die Hände.

»Ich hätte nie gedacht, dass so etwas möglich ist«, staunte der Magister.

»Phantastisch!«, rief Ana.

»Ich danke euch, verehrtes Publikum.« Arturo verbeugte sich tief. »Wenn die Nummer zu gefallen wusste, bin ich gern bereit, sie bei Gelegenheit zu wiederholen.«

»Wir bestehen darauf«, entfuhr es Orantes spontan. »Diese Darbietung war mehr wert als zwei Fässer voll Wasser. Wenn Eure Truppe also in den nächsten Tagen noch ein weiteres Mal Trinkwasser brauchen sollte, seid Ihr hiermit eingeladen, Euch an meinem Brunnen zu bedienen.«

»Ich hätte auch noch ein kleines Fässchen mit eingelegten Oliven«, ließ Ana sich vernehmen. »Nur für den Fall, dass Ihr für Eure Mahlzeiten noch keine Beilage habt.«

»Ich danke euch von Herzen, ihr guten Leute!« Abermals verbeugte Arturo sich tief. »Wie es der Zufall will, würden wir gern ein paar Tage von unserer beschwerlichen Reise ausruhen, und der Platz, an dem wir lagern, wäre dazu ideal. Ich nehme deshalb das Angebot gerne an.«

Er lächelte in die Runde. »Wenn Ihr gestattet, würden wir gern zurückziehen, allerdings nicht, ohne alle Anwesenden zu einer Sondervorstellung am morgigen Sonntag herzlich einzuladen.« Er wandte sich direkt an Orantes. »Wir dürfen doch mit Eurem Kommen rechnen?«

Orantes zögerte. »Was meinst du, Frau?«

»Gönn es den Kindern«, antwortete sie. »Wann kommen schon mal Gaukler oder Schausteller in unsere Gegend.«

»Also abgemacht. Morgen Nachmittag erscheint meine ganze Sippe bei Euch, einschließlich Vitus und dem Magister.«

»Wir freuen uns auf Euren Besuch!«

Arturo sprang leichtfüßig auf den Wagen, auf dem Anacondus bereits saß, ergriff die Zügel und schnalzte mit der Zunge. Langsam zog der Gaul das Gefährt mit den gluckernden Wasserfässern in Richtung Straße.

»Und du? Freust du dich auch, mein Kleiner?«, fragte Orantes seinen Jüngsten.

»Oh ja, Papa«, strahlte Gago. »Und wie!«

DER FECHTMEISTER
ARTURO

»Mit diesem Schwert hätte man mich heute Nachmittag
fast erschlagen, wenn da nicht ein besonders mutiger junger
Mann gewesen wäre, der mich gerettet hat.
Dreimal darfst du raten, wen ich meine.
Und dieser mutige junge Mann hat jetzt auf einmal
die Hosen voll, weil er allein mit einem Mädchen im Wagen
schlafen soll?«

Buenos días, meine Freunde!«, lächelte Arturo, als Orantes am nächsten Tag mit den Seinen anrückte. »Bevor
die Darbietung beginnt, möchte ich euch die Mitglieder unserer Truppe vorstellen. Die Damen natürlich zuerst.«
Er winkte mit der Hand zwei junge Frauen heran, die beide
um die zwanzig Jahre alt sein mochten. Doch das Alter war
schon alles, was beide verband, denn ihr Äußeres hätte unterschiedlicher nicht sein können.
»Dies ist Tirzah«, er deutete auf eine glutäugige Schöne mit
langen, pechschwarzen Haaren, die sich temperamentvoll verbeugte.
»Und dies Maja.« Maja war klein, blond, zierlich und offenkundig schüchtern, denn sie deutete zaghaft einen Knicks
an. »Tirzah ist die Tochter von Santor, einem Zigeunerpatriarchen, der es versteht, die Fidel wie kein Zweiter schluchzen
zu lassen.« Arturo zeigte auf einen grauhaarigen Mann, aus

dessen fleischigen Wangen eine kräftige Hakennase hervorstach.

»In Meister Zerrutti erblickt ihr einen der begnadetsten Illusionisten unserer Zeit. Er und Maja treten gemeinsam auf.« Arturo setzte eine verheißungsvolle Miene auf.

»Was sie zu bieten haben, werdet ihr gleich sehen – aber nicht glauben!«

Zerrutti deutete eine kurze Verbeugung an, wobei sein Blick interessiert auf den Zwillingen lag.

Arturo drehte sich schwungvoll und wies auf die vier Schaustellerwagen im Hintergrund, die der Gruppe als Behausung dienten. Es waren bunt bemalte, stabil gebaute Gefährte auf vier Rädern, die an der Seite über schmale Fensterläden verfügten, durch die Licht ins Innere gelassen werden konnte. An der Hinterseite befand sich jeweils eine Tür mit Verriegelung. Die Wagen hatte man, wohl wegen des besseren Schutzes vor Überfällen, im Halbkreis aufgestellt.

Der Platz, den sie auf diese Weise abgegrenzt hatten, wurde beherrscht von einer Feuerstelle, über der ein eisernes Dreibein mit Topf stand. Arturo wies zum größten der Wagen.

»Darin wohnt der viel gerühmte Doctorus Bombastus Sanussus, seines Zeichens Bader und Cirurgicus, der sich für heute allerdings entschuldigen lässt. Er sah keine Notwendigkeit für einen Auftritt, es sei denn, einer von euch ist unpässlich?«

»Es geht uns allen großartig, dank Gottes und Vitus' Hilfe.« Orantes, der für alle antwortete, deutete kurz auf Vitus.

»Äh ... umso besser!« Arturo verstand zwar nicht ganz, wollte sich aber nicht aus dem Konzept bringen lassen. »Den Schlangenmenschen Anacondus und mich kennt ihr ja bereits.«

»Wann fangt ihr endlich an?«, rief Blanca.

»Ja, anfangen, anfangen!«, krähten die anderen Kinder.

»Setzt euch bitte hier um die Feuerstelle herum. Es ist noch ein wenig Glut darin von heute Mittag, und die Wärme mag euch gut tun, wenn ihr im Gras sitzt. Die Künstler werden sich jetzt hinter die Wagen begeben und nur dann hervorkommen, wenn sie ihren Auftritt haben. Einen Applaus bitte!«

Die Orantes-Familie klatschte erwartungsfroh.

Gleich darauf erschien ein hoch gewachsener Mann, dessen Gesicht von einem Schnauzbart beherrscht wurde, der nach jeder Seite eine halbe Elle lang ausgezwirbelt war. Seinen Kopf schmückte ein hoher, feierlich anmutender Hut, der ebenso bunt war wie der lange, goldbestickte Rock, auf dem unzählige Edelsteine funkelten. Scharfe Augen erkannten sofort, dass es sich bei den Steinen um Glas handelte und bei dem Mann um – Arturo:

>*Hochverehrtes Publikum! Ich habe das große Vergnügen und die unschätzbare Ehre, euch das Programm der weltbekannten Truppe* Los artistas unicos *anzukündigen. Freut euch zunächst auf einen Mann, dem es gelungen ist, die Schwerkraft vollendet zu besiegen, freut euch auf den großen, den einmaligen Balancearo …!*«

Mit zwei, drei federnden Sprüngen war er hinter den Wagen verschwunden und kam nach wenigen Sekunden wieder hervor. Er trug jetzt die wildlederne Tracht vom Vortag. Gleichzeitig traten Tirzah und ihr Vater auf den Platz. Santor setzte seine Fidel an und spielte eine lustige Volksweise, während Tirzah eine Trommel zur Hand nahm und einen kräftigen Wirbel schlug. Arturo begann virtuos mit seinen bunten Bällen zu jonglieren. Doch diesmal steigerte er sich, indem er zunächst nur drei, dann fünf und schließlich sieben Bälle in die

Luft brachte, wobei sich jedes Mal das Tempo der Musik erhöhte.

Kurz bevor er zum Schluss kam, erschien wie zufällig ein kleiner Hund und setzte sich neben Arturo nieder. Der Jongleur warf den ersten der sieben Bälle zur Seite. »Terro, fass!«

Blitzartig sprang der Hund hoch und fing die Kugel mit dem Maul auf. Tirzah schlug dazu scheppernd zwei Becken gegeneinander. Mit der nächsten Kugel verfuhr Terro genauso. Schließlich lagen alle sieben Bälle in einer sauberen Reihe vor ihm.

»Brav, Terro!« Arturo applaudierte dem Hund.

Die gesamte Orantes-Familie fiel mit ein.

»Hochverehrtes Publikum!«, rief Arturo kurz darauf erneut in seinem Präsentationsrock, »erlebt nun den Menschen ohne Knochen, den einmaligen, den sensationellen, den legendenumwobenen Anacondus!«

Tirzah griff zu einem Schellenreifen und schüttelte ihn kräftig aus dem Handgelenk.

Die Orantes-Familie sah sich gespannt um, doch Anacondus war nirgendwo zu entdecken. »Da!«, krähte Pedro plötzlich und zeigte mit seiner kleinen Hand auf einen der Wagen. Unter den Rädern stapfte etwas Seltsames hervor. Es sah aus wie ein menschliches Paket auf Händen. Anacondus ging mit aufgerichtetem Oberkörper, wobei er die Füße hinter seinem Nacken gekreuzt hatte. Das Gesäß befand sich bei dieser Art Fortbewegung kurz über dem Boden.

Nachdem Anacondus zweimal um die Feuerstelle herumgegangen war, ließ er sich auf sein Hinterteil sinken und entflocht seine Gliedmaßen. Arturo ging applaudierend auf ihn zu. »Hochverehrtes Publikum!«, rief er, während er einen hohlen Würfel, dessen Kantenlänge kaum anderthalb Fuß maß, bereitstellte, »ihr werdet jetzt etwas erleben, das ihr nie für möglich gehalten hättet: Anacondus, der unvergleichliche Schlangenmensch, wird hier hineinsteigen und sich dabei so winzig klein machen, dass ich den Kasten mit einem Deckel verschließen kann!«

»Das glaube ich nicht«, entfuhr es dem Magister.

»Ah, der Herr Magister glaubt mir nicht!« Arturo blickte herausfordernd in die Runde. »Ist sonst noch jemand da, der an meinen Worten zweifelt?«

Keiner meldete sich. Alle dachten zwar, dass diese Nummer unmöglich sei, aber niemand traute sich, es laut zu sagen.

Der Magister fasste sich ein Herz: »Ich wette ein Viererstück, dass der Schlangenmensch es nicht schafft! Die Kiste ist so klein, dass nicht einmal der Hund von vorhin hineinpassen würde.«

»Die Wette gilt!« Arturo wandte sich an Anacondus. »Du hast gehört, worum es geht. Traust du es dir zu?«

Statt einer Antwort setzte Anacondus einen Fuß in den Würfel. Der zweite folgte. Vitus sah, dass allein die Füße des Schlangenmenschen schon fast den ganzen Boden bedeckten. Anacondus ging in die Hocke, umfasste mit den Händen von vorn seine Knöchel und zog sein Gesäß mit aller Kraft an die Fersen. Sein Körper bildete dadurch einen einzigen kompakten Klumpen. Langsam ließ er sich seitlich herabgleiten, wobei seine Unterschenkel die Länge einer Würfelkante ausfüllten und sein Rücken die gegenüberliegende Seite einnahm. Als dies geschehen war, konnte man ihn schon fast nicht mehr sehen. Lediglich ein Ellenbogen und ein Ohr ragten noch hervor. Gebannt beobachteten alle, wie der Schlangenmensch ein paarmal hin- und herruckelte, bevor er ganz verschwunden war.

Arturo sprang hinzu und legte auf den Würfel einen Deckel, der nahtlos abschloss. Dann hoben er und Santor die Kiste an und trugen sie hinter die Wagen.

Orantes und die Seinen klatschten ausgiebig.

»Ihr schuldet mir einen Viererreal, Herr Magister«, sagte Arturo, der schon wieder herbeigesprungen war, grinsend. »Ihr habt die Wette verloren.«

»Bei Gott, das habe ich.« Der kleine Gelehrte blickte verlegen um sich. »Vitus, ich fürchte, ich muss dich um einen Viererreal aus unserer Reisekasse bitten.«

»So, musst du das? Tja, wenn das so ist, gebe ich dir einen. Allerdings gehst du recht großzügig mit dem Geschenk von Abt Gaudeck um.«

»Tut mir Leid.«

Arturo rief fröhlich: »Wenn's nach mir ginge, könnten wir öfters solche Wetten abschließen! Vielleicht schon bei der nächsten Nummer?« Er sprang wieder in die Mitte des Platzes und warf sich in Positur: »Hochverehrtes Publikum! Erlebt jetzt den Großen Zerrutti mit seiner liebreizenden Assistentin Maja!«

Zerrutti war ein Mann von mittlerer Größe mit kleinen, schwarzen Vogelaugen und bemerkenswert winzigen Händen. Langsamen Schrittes betrat er den Platz, von Kopf bis Fuß in Schwarz gekleidet. Sein Hemd wies eine Unmenge glitzernder, das Auge irritierender Pailletten auf. Das Haupt wurde von einem mächtigen Turban gekrönt, in dessen Mitte ein roter Glasstein glitzerte.

Maja trug ein lindgrünes Kleid, das ihre Wespentaille besonders gut zur Geltung brachte. Sie schob einen sargähnlichen Kasten auf vier Rädern heran und stellte ihn nahe der Feuerstelle ab.

Zerrutti verneigte sich gemessen.

»Der Große Zerrutti wird jetzt den Leib der Jungfer Maja in der Mitte durchsägen, für alle erlebbar, für alle sichtbar, für alle – furchtbar! So furchtbar, dass jedem von uns die Schauer über den Rücken laufen werden, und doch wird der Jungfer kein Haar gekrümmt!«, rief Arturo mit lauter Stimme. Sein Blick traf den des Magisters. »Wer mir nicht glaubt, der sage es jetzt. Als Präsentator der *Artistas unicos* nehme ich jede Wette an.«

Der Magister schwieg.

»Nun denn, Musik!« Arturo entfernte sich geschmeidig.

Santor und Tirzah spielten eine schwere, Unheil verkünden-de Weise, während Zerrutti sich abermals verneigte und die Arme vor der Brust kreuzte. Stille trat ein.

Nach einer Zeit, die allen wie eine Ewigkeit vorkam, ging Zer-rutti auf Maja zu und blieb zwei Schritte vor ihr stehen. Plötz-lich schoss seine Rechte vor, sein Zeigefinger wies direkt zwi-schen ihre Augen. Ein unterdrückter Schrei entrang sich den Lippen der Jungfer, ihre Augen schlossen sich wie in Trance, während ihr Oberkörper zu zittern begann. Einige Augenbli-cke später stand sie wieder still. Zerrutti nahm den Arm he-runter, schritt um sie herum, griff ihr mit der Rechten in den Nacken und zog sie zu sich heran. Sie fiel ihm entgegen, steif wie ein Brett. Mit einer raschen Bewegung fing er sie auf.

»Sie befindet sich im Wachschlaf«, flüsterte der Magister Vitus ins Ohr.

»Oder sie tut nur so.«

Zerrutti war mittlerweile mit Maja auf seinen Armen hinter den Kasten getreten. Tirzah schlug einen Trommelwirbel, der sich stetig steigerte und abrupt endete, als der Magier seine Assistentin in den Kasten gelegt hatte.

Anschließend ging Zerrutti dreimal um den Kasten herum und blieb, dem Publikum zugewandt, davor stehen. Mit einer fließenden Bewegung griff er sich ins rechte Ohr und zog ein Stück schwarzes Tuch daraus hervor. Wieder und wieder griff er zu, und jedes Mal kam der Stoff weiter heraus. Schließlich hielt er das Tuch komplett in der Hand und warf es hoch in die Luft. Wie auf Wellen senkte sich der federleichte Seidenstoff herab und bedeckte den Kasten auf ganzer Länge.

Alle Augen hatten fasziniert das Fallen des Tuchs verfolgt, so dass niemand zu sagen vermocht hätte, wie plötzlich die große Säge in Zerruttis Hand gekommen war. Der Magier setzte das Werkzeug an, und tiefer und tiefer drang es durch den Stoff und durch das Holz – und zum grenzenlosen Erstaunen des Publikums waren weder Geräusche zu hören noch Späne zu sehen. Dennoch konnte kein Zweifel daran bestehen, dass Maja in dem Kasten lag und die Säge sich durch ihren Körper fraß.

Endlich hatte Zerrutti den Kasten zerteilt. Er trat nach vorn und stellte sich so, dass er den Sägeschnitt mit seinem Körper verdeckte. Theatralisch breitete er die Arme aus, murmelte eine unverständliche Formel und zog mit einer raschen Bewegung das Tuch vom Kasten.

Er war völlig unversehrt.

Mit einem graziösen Sprung befreite sich Maja – heil und gesund.

Alle sprangen auf, denn das, was sie soeben gesehen hatten, gab es nicht. Konnte es einfach nicht geben! Es war unmöglich, einen Frauenkörper in der Mitte durchzusägen und anschließend wieder zusammenzufügen. Oder war er gar nicht zerteilt worden? Wenn ja, wie war es Zerrutti gelungen, das menschliche Auge so vollkommen zu täuschen?

Zaghaft erst, dann immer stärker spendeten sie Beifall. »Das grenzt an Zauberei, Kinder«, sprach Orantes bewundernd zu seinen Sprösslingen.

»Benutzt um Gottes willen nicht das Wort Zauberei!« Wie aus dem Nichts stand Arturo plötzlich neben ihnen. »Es ist ein Wort, auf das die Inquisition in Kastilien besonders empfindlich reagiert.«

»Wem sagt Ihr das!«, versetzte der Magister. »Aber ich spreche wohl für alle, wenn ich Euch meine höchste Anerkennung für die Darbietungen Eurer Truppe zolle.«

»Nun«, Arturo zuckte geschmeichelt mit den Schultern, »ich danke Euch, aber die *Artistas unicos* sind nicht meine Truppe, wir sind gleichberechtigte Künstler, die nur der Zufall zusammengeführt hat.«

»Aber Ihr tut doch von allen am meisten«, wunderte sich Vitus, »Ihr tretet als Jongleur auf, Ihr kündigt die einzelnen Nummern an, ja, Ihr kümmert Euch sogar um Quartier und Wasser.«

»Einer muss es ja tun, und ich mache es gern.« Arturo winkte das Zigeunermädchen heran. »Wenn Ihr wollt, wird Tirzah Euch noch die Zukunft aus der Hand lesen.«

»Nein, nein, danke, kein Bedarf!« Hastig versteckte der Magister seine Hände hinter dem Rücken. »Das, was ich in der Vergangenheit erlebt habe, nimmt mir die Neugier auf die Zukunft.«

Orantes streckte die Innenseite seiner schwieligen Rechten vor. »Nun, so versucht es mal mit mir, Señorita! Bin doch gespannt, was die kommende Zeit bringt.«

»Bitte folgt mir, Señor«, bat Tirzah mit tiefer, melodiöser Stimme, »ich weissage nur im Wagen.« Ihre Hand deutete auf das Gefährt, in dem sie und ihr Vater hausten.

Ana hakte ihren Mann unter. »Ich komme mit.«

Während er Tirzah, Orantes und Ana nachblickte, sagte der Magister beeindruckt: »Ihr habt sehr viel Idealismus, Arturo, übt Ihr schon immer diese Tätigkeiten aus?«

»Nein, Herr Magister. Erst seit ungefähr drei Jahren. Vorher war ich *Maestro di scherma.*«

»Wie bitte?«

»Ich war Fechtmeister. Meine Kunst lehrte ich an einer Fechtschule in Florenz. Ich bin Italiener, wie Ihr vielleicht schon an meinem Spanisch gemerkt habt.«

»Allerdings, Eure Aussprache hört sich für spanische Ohren etwas ungewohnt an. Aber warum arbeitet Ihr nicht mehr als *Maestro di ... di ...*?«

»Als *Maestro di scherma*? Nun, der Grund ist eine Entwicklung, von der nicht nur ich betroffen bin, sondern meine Berufskollegen im ganzen Abendland. Es ist eine längere Geschichte. Wollt Ihr sie hören?«

»Unbedingt! Ich liebe Geschichten! Kommt, wir setzen uns ins Gras zu den Kindern.«

»Einverstanden.« Arturo ließ sich bereitwillig nieder. Sein Blick streifte kurz Orantes' Sprösslinge, die sich darin übten, auf Grashalmen zu blasen, was hin und wieder schauerliche Töne hervorrief. Ungeachtet dessen hob er an:

»Nun, man muss wissen, dass ab dem 14. Jahrhundert die Waffentechnik umwälzend erneuert wurde, und zwar durch Pistolen und Musketen, deren Geschosse in der Lage waren, eine Ritterrüstung spielend zu durchschlagen. Mit der Folge, dass die gepanzerten Herren ihre Unbesiegbarkeit verloren. Das Rittertum versank, stattdessen gewannen die Städte immer mehr Einfluss. Schwere Geschütze kamen auf, mit denen eine Stadtmauer erfolgreich verteidigt werden konnte, und leichte Handwaffen brachten Überlegenheit im Nahkampf. Das Schwert, häufig so klobig, dass es nur mit zwei Händen geführt werden konnte, musste dem Degen weichen, einer schmaleren Klinge, die dem Träger das blitzschnelle Agieren ermöglicht.«

Er machte eine Pause, weil das Quäken der Grashalme überlaut wurde, dann sprach er weiter: »Jeder Bürger, der etwas auf sich hielt, übte sich alsbald im Degenfechten. In vielen Metropolen entstanden nach dem Vorbild der Zünfte so genannte Fechtergesellschaften, und allerorten schossen Fechterschulen wie Pilze aus dem Boden.«

»Aber das hört sich doch alles sehr gut an!«, meinte der kleine Gelehrte.

»So weit ja, aber gerade in den letzten Jahrzehnten wurden mehr und mehr Militärverbände aufgestellt, wodurch sich die Verteidigungsaufgaben der Bürger weitgehend erledigten.« Arturo seufzte. »Seitdem besteht für den braven Kaufmann oder Handwerker kaum eine Notwendigkeit mehr, die Kunst des Fechtens zu erlernen.«

»Verstehe«, sagte Vitus. »Schade, dass Euer Talent jetzt verkümmert.«

Arturo lächelte. »Ganz so ist es nicht, hin und wieder zwingen mich die unsicheren Zeiten zum Kampf, meistens genügt dann aber mein Dussack.«

»Was ist das – ein Dussack?« Der Magister beugte sich neugierig vor. Im selben Augenblick drang der quietschende Laut eines geblasenen Halms überlaut an sein Ohr. Er wandte sich ärgerlich um. Gagos Augen blitzten vor Stolz. Mit seiner geheilten Oberlippe hatte er es geschafft, dem Gras diesen Ton zu entlocken.

»Der Dussack ist ein hölzernes Fechtgerät. Man sagt, er wäre zuerst von den böhmischen Federfechtern auf Schauturnieren benutzt worden, bevor er sich nach Deutschland und Italien verbreitete.«

»Besteht nicht die Gefahr, dass ein Gegner mit Stahlklinge Euren hölzernen Stock zerschlägt?«, fragte Vitus.

»Nein, denn bei aller Bescheidenheit darf ich sagen, dass ich zu schnell für meine Gegner bin, und selbst wenn ihre Klinge bei einer Parade auf meinen Dussack träfe, so würde sie ihm nichts anhaben können, denn er ist aus Pernambuk.«

»Pernambuk?«

»So nennt man ein besonders hartes Holz, das in der Neuen Welt wächst. Es ist ein Material, mit dem man sich ideal verteidigen kann, ohne Gefahr zu laufen, jemanden zu töten. Das Einzige, was mein Dussack hinterlässt, sind blaue Flecken oder eine gebrochene Rippe, genug allerdings, damit meine Kontrahenten eine wichtige Lehre mit nach Hause nehmen. Sie lautet: Unterschätze niemals deinen Gegner.«

»Unterschätze niemals deinen Gegner! Wie wahr, wie wahr!« Orantes, der in diesem Augenblick mit Ana zurückkam, hatte den letzten Satz des Fechtmeisters gehört. Der Landmann war glänzender Laune. Offenbar hatte Tirzah ihm für die Zukunft nur Positives prophezeit. »Doch sollte man seinen Hunger ebenso wenig unterschätzen! Ich habe ein riesiges Loch im Magen und muss jetzt unbedingt heim. Ich …«

Ein quietschender Grashalm übertönte seine Worte.

»Ruhe, zum Donnerwetter!«, polterte er los, doch als er sah, dass Gago der Urheber des schauerlichen Lautes war, zog Milde über seine Züge. »Wo war ich? Ach ja: Ana, Weib, was bringst du heute Abend auf den Tisch?«

Während Ana antwortete, bearbeitete er bereits kraftvoll Arturos Hand. »Ich danke Euch für den gelungenen Nachmittag! Ihr und die Euren dürft gerne noch ein paar Tage hier verweilen, ich sagte es schon, aber gebt mir Bescheid, wenn Ihr wieder aufbrecht. Gott befohlen für heute.«

»Ich danke Euch ebenfalls, Señor Orantes.« Arturo verneigte sich tief.

Nachdenklich blickte er dem Landmann und seiner sich entfernenden Familie nach, während Anacondus an seine Seite trat. »Ich würde mich nicht wundern«, wandte er sich an den Schlangenmenschen, »wenn unsere Truppe bald Zuwachs bekäme.«

»So, nun geht's mir wieder besser«, verkündete Orantes, während er sich behaglich in seinem Stuhl zurücklehnte. »Deine Abendmahlzeit war gut und reichlich, Weib.«

Ana errötete sanft vor Freude. Es hatte einen kräftigen, mit Speck angereicherten Bohneneintopf gegeben, der aus einer riesigen Schüssel gegessen wurde, die in der Mitte des Tisches stand. Jedes Familienmitglied hatte sich mit seinem eigenen Löffel daraus bedient, zügig und ohne viel zu reden. Man musste schnell sein im Hause Orantes, wollte man genügend von Anas schmackhafter Kost abbekommen.

Der Hausherr ergriff ein Fladenbrot von den Ausmaßen eines Fassdeckels, riss es mehrmals durch und gab jedem davon. Alle am Tisch begannen einträchtig, die Schüssel auszuwischen. »Gib mir mal die Weinflasche, Antonio.«

Antonio gehorchte umgehend.

Orantes schenkte Vitus, dem Magister, den Zwillingen und sich selbst ein. »Willst du auch, Weib?«

»Nein, Mann.« Sie hob abwehrend die Hände.

»Gut.« Der Hausherr hob seinen Becher. »Ich trinke auf die gute Kornernte in diesem Jahr und danke dafür Gott dem

Allmächtigen, ohne dessen Gnade sie nicht möglich gewesen wäre, wie überhaupt wir für alles Dank zu sagen haben, was er uns gab – auch diese Mahlzeit.« Praktisch wie er war, hatte Orantes gleich zwei Fliegen mit einer Klappe geschlagen. »Salud!« Er trank mit langen Zügen. Die anderen am Tisch folgten seinem Beispiel.

»Gibt es außer der guten Ernte noch einen anderen Anlass für deine Spendierfreudigkeit?« Der Magister wies mit seinem Becher auf die bauchige Weinflasche. Er und Vitus kannten Orantes mittlerweile gut genug, um zu wissen, dass eine gute Ernte allein den Landmann nicht dazu verleiten konnte, sonntagabends Wein auf den Tisch zu bringen.

»Nun ja …« Wider Erwarten zögerte Orantes mit der Antwort. »Ich denke, wir werden nicht mehr viele Abende gemeinsam verleben, meine Freunde.«

»Wie kommst du darauf?«

»Tja, also, dieses Zigeunermädchen Tirzah hat mir neben dem ganzen Zeug, das einem immer erzählt wird, ihr wisst schon: Gesundheit, Glück, Geld, langes Leben und so weiter, also neben diesem ganzen Sermon, den man zugegebenermaßen nicht ungern hört, prophezeit, dass zwei Menschen meiner Familie mich demnächst verlassen werden, um mit ihnen, den Gauklern, weiterzuziehen. Ich musste nicht lange nachdenken, um auf euch zu kommen, zumal ja auch Vitus nach Santander will.«

»Stimmt«, nickte Vitus. »Wenn wir mit der Gauklertruppe reisen könnten, wäre das ideal für uns.«

Orantes bediente sich aus dem Oliventopf. »Dann liege ich mit meiner Vermutung also richtig?«

Vitus und der Magister schauten sich an. Sie hatten darüber noch nicht gesprochen, aber es war klar, dass sie diese Gelegenheit nicht ungenutzt lassen konnten. »Wenn die Gaukler uns mitnehmen, gehen wir«, antwortete Vitus für beide.

Orantes schwieg darauf lange. »Schenke uns noch mal ein, Antonio«, sagte er schließlich leise. »Nichts ist für die Ewigkeit, aber ich hätte mir schon gewünscht, dass ihr ein wenig länger bleibt.«

»Genau wie ich«, bestätigte Ana. »Jetzt trinke ich auch etwas.«

Wiederum prostete Orantes allen zu: »Salud!«

Nachdem sie ihre Trinkgefäße abgesetzt hatten, meldete sich Antonio: »Du, Vater?«

»Was gibt's?« Der Ton in der Stimme des Zwillings ließ den Landmann aufhorchen.

Antonio schaute Lupo an. Der nickte seinem Bruder aufmunternd zu. »Vater, Lupo und ich, wir möchten …« Er hielt inne und blickte auf die Tischplatte. Dann nahm er sich zusammen und begann erneut: »Vater, wir würden …«

Der Mut verließ ihn.

»Was möchtet ihr, was würdet ihr? Wollt ihr mich auf die Folter spannen?« Geduld gehörte nicht zu Orantes' Tugenden.

Mittlerweile hatten sich die Augen aller auf Antonio gerichtet.

»Vater, Lupo und ich, wir möchten Vitus und den Magister begleiten, wenn sie nach Santander gehen.«

»Wie bitte?« Orantes glaubte nicht richtig gehört zu haben.

Ana, die nichts Gutes ahnte, winkte den restlichen Kindern, ins Bett zu gehen.

Als alle den Raum verlassen hatten, unterstützte Lupo seinen Bruder: »Es wäre eine gute Gelegenheit, ein Stück von der Welt kennen zu lernen, Vater.«

»Kommt nicht in Frage!«

»Vater«, setzte Antonio erneut an, »es wäre nur eine Reise bis

Santander, anschließend würden wir sofort wieder nach Hause kommen. Das versprechen wir bei der Heiligen Mutter Maria!«

»Ihr werdet hier auf dem Hof gebraucht.«

»Aber Vater, du hast doch selbst gesagt, dass die Ernte gut war und dass die wichtigsten Arbeiten getan sind. Und zum Olivenpflücken Anfang November wären wir mit Sicherheit zurück.«

Antonio wandte sich Hilfe suchend an Vitus und den Magister: »Ihr hättet doch bestimmt nichts dagegen, wenn wir mitkämen, oder?«

»Was der Magister und ich wollen, spielt keine Rolle«, entgegnete Vitus. »Ob ihr uns begleitet, entscheidet ganz allein euer Vater.«

»Und der sagt nein!«

»Vater, wir sind sechzehn Jahre alt und keine Kinder mehr, bald müssen wir sowieso aus dem Haus, weil der Hof nicht alle ernähren kann, wenn wir einmal heiraten«, machte Lupo einen weiteren Versuch.

»Ich sagte nein, und damit Schluss! Das ist mein letztes Wort!« Orantes sprang auf, die Zornesader schwoll ihm an der Schläfe. Er stürmte mit großen Schritten aus dem Raum. In der Tür verhielt er jählings und drehte sich noch einmal um: »Eine solche Reise ist viel zu gefährlich, kein Tag verginge, an dem wir uns nicht um euch sorgen würden!«

Sprach's und verschwand im elterlichen Schlafraum.

»So wütend habe ich ihn selten erlebt«, seufzte Antonio nach einer Weile.

»Es ist aussichtslos!«, stellte Lupo resignierend fest. »Aber wir haben alles versucht.«

»Euer Vater ist so viele Widerworte nicht gewohnt«, meinte

Ana entschuldigend. »Außerdem seid ihr in seinen Augen noch immer nicht mehr als große Buben.«

»Wir sind schon fast Männer!«, trumpfte Antonio auf. »Man sagt, dass die Protestanten in Holland jetzt schon Fünfzehnjährige zu den Waffen rufen, damit sie gegen die Unsrigen kämpfen, und wir dürfen noch nicht mal eine Fahrt nach Santander wagen.«

»Das kann man nicht vergleichen.« Ana hielt zu ihrem Ehemann. Im Stillen aber dachte sie an Lupos Worte, dass die Erträge des Hofs für weitere Familien nicht ausreichen würden. Kinder waren zwar ein Segen, wie die Kirche immer wieder betonte, zudem stellten sie so etwas wie eine Altersversorgung dar, aber zu viele Kinder konnten einen kleinen Pächter wie Orantes an den Bettelstab bringen. Es war einfach nicht genügend Land vorhanden, um immer mehr Mäuler satt zu bekommen. Und Don Alvaro, so gutherzig er manchmal war, fragte nicht lange warum, wenn er seine Pacht nicht voll erhielt. So gesehen, war für einen Jüngling der Gedanke gar nicht so abwegig, andere Gegenden kennen zu lernen, um dort vielleicht in einen Hof einzuheiraten oder in einer Stadt ein Handwerk zu erlernen.

Ana seufzte: »Ich werde nachher im Bett noch einmal mit eurem Vater über diese Angelegenheit reden. Aber versprechen kann ich nichts.« Sie erhob sich ebenfalls. »Gute Nacht, Señores. Gute Nacht, ihr Jungen, geht jetzt schlafen, morgen ist wieder ein langer Tag.«

Sie verließ nun den Raum, um ihren abendlichen Rundgang durchs Haus zu machen.

Nach einem Arbeitstag, der überwiegend in schweigsamer Atmosphäre verlaufen war, saß die Familie am Abend wieder zu Tisch. Der Hausherr war einsilbig, und seine trübe Laune steckte auch die anderen an. Keiner sagte viel.

Der Versuch Anas, Orantes umzustimmen, war somit fehlgeschlagen.

Nachdem das Dankgebet gesprochen war, hielt Ana die Stimmung nicht länger aus. Sie schickte die Kinder wie schon am Vortag frühzeitig zu Bett. Dann räumte sie mit raschen Handbewegungen den Tisch ab und setzte sich wieder neben ihren Mann.

»So geht es nicht weiter, Carlos Orantes!«, sagte sie und blickte ihn fest an. »In diesem Haus konnte immer über alle Probleme geredet werden, und die Familie war immer einer Meinung. Das hat uns stark gemacht. Ich wünsche, dass auch dieses Problem gelöst wird.«

Orantes grunzte: »Du musst einsehen, Weib, dass die Gefahren, die mit einer solchen Reise …«

Es klopfte kräftig an der Tür.

»Tod und Teufel! Wer ist das nun schon wieder!«, schnauzte Orantes, doch die Störung war ihm nicht unlieb, denn er spürte, dass in der Zwillings-Angelegenheit die ganze Familie gegen ihn war. »Mach mal auf, Antonio.«

Draußen stand Zerrutti.

Der Magier trug auch heute Schwarz, es schien seine Lieblingsfarbe zu sein. »Ich nicht lange halten auf«, sagte er in holprigem Spanisch, »wünsche guten Abend.«

Seine Vogelaugen blickten suchend hin und her, bis sie Antonio und Lupo entdeckt hatten. »Aah, da sie sind, si! Die Zwillinge.«

»Was verschafft mir die Ehre Eures Besuchs?«, fragte Orantes reserviert.

»Entschuldigen, Señor, ich hier wegen Tirzah.«

»Tirzah? Ihr redet in Rätseln. Aber kommt erst einmal herein. Keiner soll Grund haben, an der Gastlichkeit meines Hauses zu zweifeln.« Orantes winkte Zerrutti in den Raum und wies ihm einen Schemel an. »Und nun der Reihe nach, Meister Zerrutti. Was hat es mit dem Zigeunermädchen auf sich?«

Zerrutti nippte dankbar an dem Becher Wein, den Ana ihm zugeschoben hatte, griff dann nach einer Olive und biss ein Stückchen davon ab. Es sah aus, als würde ein Mäuschen Käse knabbern. »Tirzah mir erzählen von Wahrsagerei euch, si?«

»Ja, und?«

»Sie sagen, zwei von Familie Orantes werden Gaukler begleiten, si?«

»Ich ahne etwas«, flüsterte der Magister Vitus ins Ohr.

»So ich denken nach und kommen auf Zwillinge, gemeint sein Zwillinge, ich sicher, si?«

»Hurraaaaa!« Antonio und Lupo sprangen gleichzeitig auf. »Er will uns mitnehmen!«

»Ruhe!!!«, donnerte Orantes.

»Entschuldige, Vater.« Beide setzten sich wieder.

»Fahrt fort, Meister Zerrutti. Ich bin zwar sicher, dass Tirzah zwei andere Personen meinte, aber fahrt nur fort.«

Zerrutti schien von dem Einwand unbeeindruckt. »Ich glauben an Fügung Gott, ist Schicksal, Señor, si?« Er knabberte an einer zweiten Olive. »Magier und Illusionist wie Zerrutti kann nix besser passieren als Zwillinge, gut für … äh, tolle Nummern … Ihr einverstanden, si?«

Orantes schwieg und kämpfte mit sich.

»Ich nicht umsonst wollen! Zahlen jedem Zwillinge zwei Reales in Monat, wenn mitkommen, si?«

Ana flüsterte ihrem Mann ins Ohr: »Gib deinem Herzen einen Stoß, Mann. Die Jungen könnten auf diese Weise sogar noch etwas Geld mit nach Hause bringen. Im Übrigen hat Meister Zerrutti vielleicht sogar Recht, und die Verwechslung ist eine Fügung Gottes.«

»Und worin wollt ihr hausen, wenn ihr unterwegs seid?«, brummte Orantes halb überzeugt.

»Das ist ganz einfach, Vater!« Die Zwillinge fielen sich vor Aufregung gegenseitig ins Wort: »Wir nehmen Isabella und dazu den Wagen von Emilio! Isabella steht meistens doch nur auf dem Hof herum, und neulich hast du selbst gesagt, sie frisst dir noch die Haare vom Kopf. Auf Emilios Karren bauen wir uns einen Verschlag, darin werden wir schlafen, du wirst sehen, wir machen uns einen richtigen kleinen Wohnwagen, und das Ganze kostet dich nicht einen Maravedi.«

»Ihr scheint euch ja schon alles genau überlegt zu haben.« Orantes konnte angesichts des Eifers seiner Sprösslinge ein Schmunzeln nicht unterdrücken.

»Ich persönlich wäre froh, wenn die Zwillinge uns begleiten würden«, lächelte Vitus. »Und du, Magister?«

»Was für eine Frage! Ich natürlich auch.«

»Wie?« Zerrutti, der sich gerade die nächste Olive einverleiben wollte, verhielt mitten in der Bewegung. »Ihr kommen auch mit, si?«

»So ist es«, antwortete der Magister. »Vitus und ich müssen nach Santander, und wir würden uns euch gern anschließen. Wir wollten morgen zu euch hinauskommen und um euer Einverständnis bitten.«

»Oh, si, si, si! Ihr nicht brauchen. Ich sprechen mit anderen. Wir froh, wenn viele Zahl. Reisen sicherer, si?«

»Auch meine Jungen würden nur bis nach Santander mitreisen«, stellte Orantes klar. »Weiter auf keinen Fall. Ich überlege, ob ich sie nicht abhole. Ein Bruder von mir wohnt dort, den ich seit Ewigkeiten nicht gesehen habe. Ich könnte das Angenehme mit dem Nützlichen verbinden.«

»Dann alles klar, si?« Zerrutti sprang auf und streckte Orantes seine zierliche Hand entgegen.

»Einverstanden.« Orantes schlug ein. »Aber dass Ihr mir ein Auge auf meine Burschen habt. Ihr seid mir persönlich für das Wohlergehen der beiden verantwortlich, Señor!«

»Keine nix Sorge, ich swöre, si?« Theatralisch streckte Zerrutti die rechte Hand hoch.

»Schon gut, wir vertrauen Euch, nicht wahr, Frau?«

»Das tun wir.« Die Erleichterung stand Ana ins Gesicht geschrieben. Der Haussegen war gerettet. »Die Kinder werden morgen früh Augen machen, wenn sie die Neuigkeit erfahren.«

»Ich halte es für das Beste, wenn ich dich, Vitus, und dich, Magister, auf die anderen Wagen verteile«, sagte Arturo.

Es war am Morgen des übernächsten Tages. Die beiden Freunde und die Zwillinge waren, gezogen von Isabella, mit ihrem selbst gezimmerten Wagen nach einem tränenreichen Abschied bei den Gauklern eingetroffen. Keiner der Spielleute ließ sich zu dieser frühen Tageszeit blicken. Nur der Fechtmeister war schon auf und versorgte die Zugpferde.

Grübelnd blickte er auf die Wagen in der Runde. »Die Frage ist bloß, wie! Anacondus und ich können niemanden aufnehmen, weil unsere Ausrüstung zu viel Platz wegnimmt, und Bombastus Sanussus brauche ich gar nicht erst zu fragen.«

Er kratzte sich am Hinterkopf. »Selbst wenn ich es wollte, könnte ich es nicht, denn der Doctorus schließt sich seit Tagen ein. Er schreibt an einem Elaborat über die von ihm erfundene Sechs-Säfte-Lehre.«

»Sechs-Säfte-Lehre?« Vitus blickte interessiert.

»So jedenfalls nennt er sie. Wenn du mich fragst: alles Humbug.«

»Der Medicus scheint sich bei dir nicht allzu großer Beliebtheit zu erfreuen.«

»Sagen wir mal, sie hält sich in Grenzen.«

»Und wo willst du uns nun unterbringen?«, schaltete sich der praktisch denkende Magister ein.

»Tja, ich denke, du schläfst im Wagen von Zerrutti und Maja, und Vitus bringen wir bei den Zigeunern unter.« Arturo steckte zwei Finger in den Mund, pfiff schrill und rief: »He, Leute, kommt mal alle raus, ich habe euch was mitzuteilen!«

Es dauerte eine Weile, bis die Gaukler, gähnend und sich die Augen reibend, aus ihren Wagen geklettert waren. Vitus spähte nach dem Doctorus, aber er war nicht dabei.

»Hört zu«, begann Arturo, »dass diese vier Burschen uns begleiten, wisst ihr ja schon. Die Frage ist nur, wo Vitus und der Magister schlafen werden, deshalb habe ich mir Folgendes überlegt …« Er erklärte mit kurzen Worten seinen Plan. »Seid ihr einverstanden?«

Statt einer Antwort nickte Santor nur kurz und bedeutete Vitus, ihm zu seinem Wagen zu folgen. Auch Tirzah nahm Arturos Vorschlag ganz selbstverständlich auf.

»Si, si, si, ich einverstanden!«, ließ Zerrutti sich vernehmen. »Du, Magister, bei Maja und mir wohnen! Kommen mit, essen in Wagen, si?«

»Aber gern.« Der kleine Gelehrte ließ sich nicht zweimal bitten. »Vitus, wir sehen uns später.«

»So, und bevor ihr hier Wurzeln schlagt, kommt ihr Zwillinge mit mir!«

Zufrieden ging Arturo voran zu seinem Wagen. »Anacondus ist berühmt für seinen morgendlichen Körnerbrei.«
Der Schlangenmensch nickte geschmeichelt.

Sie hielten sich zunächst nordwestlich, um Dosvaldes möglichst weiträumig zu umfahren. Die Straße war holprig, das Gelände nur schwer übersehbar. Einzelne Höhenrücken durchzogen immer wieder das Land und sorgten dafür, dass sie nur langsam vorankamen. Ab und zu machten sie an einer Wasserstelle Halt, um die Pferde trinken zu lassen.
Arturo hatte, nach Rücksprache mit Vitus und dem Magister, eine genaue Reihenfolge für ihre Kolonne angeordnet: Santor und Tirzah saßen zusammen mit Vitus im ersten Wagen, es folgten Zerrutti und Maja mit dem Magister. Als Nächste fuhren die Zwillinge, dann kam der große Wagen des Doctorus Bombastus Sanussus, und den Schluss bildeten Arturo und Anacondus.
»Der Magister hat mir erzählt, dass du besonders scharfe Augen hast, Vitus«, hatte der Fechtmeister, kurz bevor sie losfuhren, erklärt. »Genau so einen Mann brauche ich im ersten Wagen. Je früher wir wissen, was auf uns zukommt, desto besser.«
»Ich verstehe nicht ganz.«
Arturo hatte ihm die Hand auf die Schulter gelegt. »Wir sind Gaukler, mein Freund, das heißt, dass viele Menschen uns mögen, besonders die Kinder, es gibt aber mindestens genauso viele, die uns das Leben schwer machen. Die Kirche und ihre Vertreter zum Beispiel stehen jeglicher Form von Unterhaltung, und ganz besonders der durch Spielleute, feindlich gegenüber.«
Er hatte Vitus losgelassen und auf den Platz gewiesen, wo die

Sondervorstellung für Orantes und seine Familie stattgefunden hatte. »Glaube mir, bevor unsere Truppe hier für euch auftrat, hatte ich euch genau beobachtet, und erst als ich mir sicher war, dass keiner uns bei der Kirche denunzieren würde, habe ich euch eingeladen.«

»Niemand versteht dich besser als Vitus und ich«, hatte der Magister geantwortet. »Die Erfahrungen, die wir mit der Kirche gemacht haben, könnten schlechter nicht sein. Den Fluch der Inquisition kennen wir aus eigener Erfahrung, und zwei Leidensgenossen von uns, Amandus und Felix, haben auf dem Scheiterhaufen mit dem Leben bezahlt.«

Arturo hatte teilnahmsvoll genickt. »Wir sitzen also im selben Boot. Wo war ich stehen geblieben? Ach ja: Scharfe Augen, Vitus, können uns das Leben retten. Gewöhnlich umgehen wir große Städte wie beispielsweise Burgos, welches ungefähr zwanzig Meilen westlich von hier liegt, weil in ihren Mauern die Gottesvertreter besonders scharfe Hunde sind. Auf abgelegeneren Straßen wiederum treibt sich häufig Mörderpack herum, das einem nach dem Leben trachtet. Je wachsamer wir also sind, desto besser. Ich bitte dich, alle Ungewöhnlichkeiten, die du erspähst, sofort mit lauter Stimme nach hinten zu melden. Wir sind zwar nur Gaukler, aber wir wissen uns zu wehren.«

»Ich tue mein Bestes!«

»So, wie du nach vorn beobachtest, so sichern Anacondus und ich nach hinten. Für uns gilt dasselbe: Im selben Augenblick, wo wir Gefahr sehen, melden wir sie laut nach vorn.«

Arturo hatte sich entschuldigt und war in seinem Wagen verschwunden. Kurz darauf war er mit zwei langen, gefährlich aussehenden Messern zurück gewesen. »Das sind englische Entermesser, sie liegen gut in der Hand, wenn man sie braucht.«

Am Nachmittag, als sie nach Arturos Schätzung fünfzehn Meilen zurückgelegt hatten, begann das Land ringsherum flacher zu werden. Sie verließen die letzten Ausläufer der Sierra de la Demanda, jener Bergkette, in deren schönstem Tal das Zisterzienserkloster Campodios lag.

Weiter zogen sie und kamen in die Gegend zwischen den Orten Belorado und Briviesca. Das Land war hier grüner, vereinzelt wurde sogar Wein angebaut. Vitus saß neben Santor auf dem Bock und genoss die Landschaft. Der Zigeuner hatte sich als freundlicher, aber recht schweigsamer Begleiter herausgestellt, doch Vitus war es recht, so konnte er die vielen neuen Eindrücke in Ruhe auf sich wirken lassen. In einiger Entfernung sah er am Wegrand voraus einen herrenlosen Bauernwagen stehen. Das Gefährt mutete seltsam an, denn es hatte keine Räder; seine Ladefläche lag im Sand, die Deichsel stand in spitzem Winkel nach oben.

Vitus wies mit der Hand nach vorn. »Siehst du den merkwürdigen Wagen, Santor?«

Santor gab ein zischendes Geräusch von sich und stieß einen gutturalen Laut aus. Sein Kopf flog donnernd an die Bretterwand hinter ihm. In seinem Hals steckte ein kurzer, starker Pfeil.

Vitus schrie auf. Weitere Pfeile flogen zischend heran. Vitus spürte einen schneidenden Schmerz im linken Unterschenkel. Er fuhr mit der Hand an die Stelle, doch er konnte nichts feststellen. Als er die Hand zurücknahm, war sie voller Blut. »Überfall!«, schrie er, so laut er konnte. »Überfall!« Gleichzeitig tastete er nach dem Entermesser.

Die Wagenkolonne war wie von selbst stehen geblieben.

Vitus sah, wie drei Männer hinter dem räderlosen Wagen hervorsprangen und ihre Schwerter schwangen. Neben ihm gab

Santor gurgelnde Laute von sich und versuchte mit matten Bewegungen, den Pfeil aus seinem Hals zu ziehen.

Irgendwo kreischten Tirzah und Maja.

»Alles bleibt in den Wagen!«, hörte er Arturo von hinten brüllen. »Ich komme!«

Der Fechtmeister eilte mit raschen Sätzen nach vorn. Wie ernst er die Lage einschätzte, sah man daran, dass er sich nicht auf seinen Dussack verließ, sondern einen Degen über dem Kopf schwenkte. »Das erledige ich ganz allein!«

Schon hatte er die drei Wegelagerer erreicht und verwickelte sie ins Gefecht.

Wieder hörte Vitus Santor gurgeln. Er riss seinen Blick von dem Kampf los und konzentrierte sich auf den Verwundeten.

Der Pfeil hatte beim Durchschlagen des Halses eine Hauptader verletzt, wodurch das Blut wie ein Springbrunnen aus der Wunde hervorschoss.

Jede ärztliche Kunst kam hier zu spät.

Der Zigeuner bewegte sich schon nicht mehr. Er hing jetzt wie festgenagelt an dem Pfeil. Vitus brauchte mehrere Versuche, bevor er das Geschoss herausziehen konnte. Er fing den leblosen Körper auf und bettete ihn auf den Sitz. Dann sprang er mit einem Satz vom Bock und eilte Arturo zu Hilfe.

Den Fechtmeister kämpfen zu sehen war eine Augenweide. Seine Gegner, allesamt kräftige, flinke Kerle, waren keineswegs unerfahren mit der Waffe, dennoch vermochten sie nicht, Arturo in Verlegenheit zu bringen. Das Gegenteil schien der Fall zu sein: Leichtfüßig sprang der Fechtmeister immer wieder zwei, drei Schritte nach vorn, stieß zu, zwang die Gegner in die Defensive, um sich anschließend ebenso schnell wieder zurückzuziehen.

Nach mehreren Vorstößen hatte er sich seine Gegner so

gestellt, dass sie in die schräg stehende Sonne blicken mussten. Er spielte förmlich mit ihnen, obwohl sie ständig versuchten, ihn von der Seite und von hinten zu attackieren. Blitzschnell drehte er sich um die eigene Achse, zischend schlug sein Degen zu und blockte wieder und wieder die gegnerischen Schwerter ab.

Doch die Kerle erwiesen sich als zäh. Nach einer Weile musste Vitus feststellen, dass Arturos Reflexe nicht mehr ganz so schnell waren. Plötzlich warf einer der Angreifer sein Schwert fort und hechtete mit einem mächtigen Sprung nach Arturos Beinen. Er landete im Staub, bekam aber doch die Knöchel des Fechtmeisters zu fassen und zog mit aller Kraft daran. Arturo strauchelte. Für einen Augenblick verlor er die Kontrolle über seine Waffe. Während der eine der beiden verbliebenen Angreifer seine Bemühungen verstärkte, sprang der andere um den Fechtmeister herum, um ihn von hinten mit dem Schwert zu durchbohren. Er war so auf seinen Gegner fixiert, dass er Vitus nicht bemerkte, der seine Waffe schwang und ihm die rasiermesserscharfe Klinge in den Arm schlug.

Der Angreifer stöhnte auf und ließ sein Schwert fallen. Ungläubig blickte er auf seinen halb durchtrennten Oberarm. Vitus setzte nach und schwang erneut sein Entermesser. Der Mann ergriff die Flucht.

Inzwischen hatte Arturo den Gegner auf der Erde mit einem Fußtritt ins Gesicht unschädlich gemacht und trieb nun den letzten der drei Wegelagerer vor sich her. Der Mann, jetzt ganz allein auf sich gestellt, wirkte plump und hilflos gegen Arturo, fast konnte er einem Leid tun. Der Fechtmeister schlug eine Finte, was den Gegner für den Bruchteil einer Sekunde ablenkte, und mit einem gewaltigen Sprung stieß Arturo ihm seinen Degen in die Schulter. Der Getroffene zuckte zusammen, sein Gesicht verzog sich vor Schmerzen. »Ich habe genug!«, krächzte er, bevor er sich davonmachte, so schnell seine Beine ihn noch trugen.

»Das war knapp!« Arturo rang nach Luft, während er den drei fliehenden Schurken nachblickte.

»Wollen wir sie nicht verfolgen?« Auch Vitus' Atem ging schwer.

»Nein, wozu? Wir Gaukler können es uns nicht leisten zu töten, selbst wenn es Mordbuben sind. Außerdem werden die Kerle kaum weitersagen, dass sie harmlose Reisende überfallen haben. Am besten, wir lassen das Ganze auf sich beruhen.« Immer noch atemlos ging Arturo auf Vitus zu und ergriff seine Hand. »Eigentlich müsste ich jetzt mit dir ein Hühnchen rupfen, weil du nicht wie die anderen im Wagen geblieben bist, aber ohne dich wäre ich jetzt bei den Englein im Himmel oder beim Teufel im Fegefeuer, je nachdem, was der Herrgott für mich vorgesehen hat. Ich danke dir für deine selbstlose Hilfe.«

»Ich fürchte, ich habe keine besonders gute Figur gemacht.« Arturo lächelte schief. »Das hast du in der Tat nicht. Aber beruhige dich, die drei anderen waren auch nicht viel besser. Und ich selbst habe auch schon mal mehr Luft gehabt, es fehlt halt die tägliche Übung. Doch was soll's, die Kerle verdienen, was sie bekommen haben. Ich glaube kaum, dass einer der beiden Verletzten sterben wird.«

»Santor!«, rief Vitus plötzlich. »Ich habe Santor ganz vergessen! Komm mit!« Beide hasteten zum Führungswagen zurück, doch sie hätten sich nicht beeilen müssen, denn der Zigeuner war bereits tot. Tirzah hatte seinen Kopf in ihren Schoß gebettet. Sie weinte lautlos, krampfhaft mit den Schultern zuckend, während die Gaukler betreten daneben standen. Auch der Doctorus Bombastus Sanussus hatte sich dazugesellt: Er war ein hagerer Mann mit blutleerem Gesicht, dessen herabhängende Augenlider ihm einen dauerhaft blasierten Gesichtsausdruck verliehen.

»Ich konnte dem armen Santor nicht mehr helfen«, sprach er mit gemessener Stimme. »Der Blutverlust war zu stark, eine der wichtigen Adern im Hals muss getroffen worden sein.«

Vitus trat heran. »Es könnte sich um die *Arteria laryngea superior* handeln.«

»Ja, das ist möglich«, bestätigte der Doctorus, und an seiner Stimme erkannte man, dass ihm der Begriff nicht geläufig war. Etwas Lauerndes erschien in seinem Gesicht: »Seid Ihr ein studierter Medicus, mein Freund?«

»Nein, so wie Ihr Eure Frage versteht, nicht«, antwortete Vitus wahrheitsgemäß.

»Ich habe meine Frage sehr wohl verstanden«, entgegnete Bombastus Sanussus kühl, »aber Eure Antwort nicht.«

»Ich habe an keiner Universität studiert, Doctorus.«

»Nun, das dachte ich mir.«

Sie begannen ein drei Fuß tiefes Loch am Wegrand auszuheben, um Santor zu begraben. »Wartet, ich habe eine Idee!«, rief Arturo plötzlich. »Vitus, Magister, kommt mal mit!«

Er eilte voraus zu dem räderlosen Gefährt, hinter dem die Wegelagerer sich so heimtückisch verborgen hatten. »Wir machen aus dem Aufbau einen Sarg«, erklärte er, »das sind wir Santor schuldig.«

Vitus nickte. »Ein guter Einfall. Ich gehe zurück, Werkzeug holen.«

»Seht mal!«, rief der Magister. »Ich glaube, da liegt eine Armbrust.«

»In der Tat, das ist eine«, bestätigte Arturo. Er bückte sich und hob die Waffe auf. »Sieht nach einer deutschen Arbeit aus, vielleicht aus Nürnberg oder Augsburg. Schaut mal«, er zeigte die Armbrust von allen Seiten, »Schaft, Bogen und Sehne ... die Abdrückvorrichtung ist hier, der so genannte Stecher, den Spannhebel nennt man Wippe. Diese Waffe hat eine so starke Aufschlagskraft, dass der Pfeil selbst die schwerste Rüstung durchschlägt. Ein wahres Mordgerät.«

»Das haben wir an Santor gesehen«, sagte Vitus.

»Und weil es so mörderisch ist«, fuhr Arturo fort, »hat das Laterankonzil in Rom anno 1139 die Anwendung dieser Waffe verboten – allerdings nur gegen Christen. Wusstet ihr das?«

»Nur gegen Christen?«, wiederholte der Magister ungläubig.

»Nur gegen Christen.«

»Welch ein Schwachsinn!«, ereiferte sich der kleine Mann. »Als ob der Armbrustschütze im Kampf seinen Gegner vorher fragen könnte: ›Bist du Christ?‹, und auf dessen ›Ja‹ die Armbrust fortlegte, vielleicht mit den Worten: ›Verzeihung, Kamerad, dann töte ich dich mit dem Schwert.‹«

»Ganz davon abgesehen«, ergänzte Vitus, »dass man auf diesem Konzil so tat, als wäre ein Christenleben etwas Besseres. Ich dachte immer, vor Gott seien alle Menschen gleich.«

Arturo grinste. »Ich ahne allmählich, warum ihr Schwierigkeiten mit der Mutter Kirche hattet. In einer stillen Stunde müsst ihr mir mal verraten, was ihr so alles erlebt habt.«

»Das ist eine lange Geschichte«, antwortete Vitus ausweichend. Einerseits war er sicher, dass sie Arturo vertrauen konnten, andererseits wollte er erst die anderen Gaukler besser kennen lernen. Man konnte nicht vorsichtig genug sein.

»Verstehe«, sagte Arturo, »kümmern wir uns lieber um unseren toten Freund: Ich weiß nicht, ob Santor sich zum christlichen Glauben bekannte oder nicht. Ich werde Tirzah nachher fragen. In jedem Fall hat er ein Recht darauf, dass sein Leib vor wilden Tieren geschützt wird.«

Vitus nickte. »Komm, Magister, wir holen jetzt das Werkzeug, um den Sarg zu zimmern.«

Bei der Arbeit an dem Karren fanden sie noch zwei weitere Armbrüste, dazu mehrere der kurzen, starken Pfeile. Auch das Schwert, das einer der Angreifer fortgeworfen hatte, tauchte wieder auf. Nach Rücksprache mit Arturo verteilten sie die Waffen auf die einzelnen Wagen, um bei künftigen Überfällen besser gewappnet zu sein.

Am Abend war der behelfsmäßige Sarg fertig gestellt, und sie hoben Santors sterbliche Überreste hinein. Tirzah trat hinzu und gab ihrem Vater seine Fidel, dazu einen Hammer und einen Blasebalg in den Sarg. Seine rechte Hand legte sie auf sein Herz. Als sie sich aufrichtete, begegnete sie Vitus' fragendem Blick.

»Wir Zigeuner geben unseren Toten das Wichtigste mit auf den Weg«, flüsterte sie. »Vater soll es später an nichts fehlen. Er war früher Schmied, musst du wissen, unten in Sevilla, und er hat die Musik immer geliebt.«

Danach hielten sie eine kurze, christliche Trauerfeier ab, denn Santor hatte an Gott den Allmächtigen geglaubt, obwohl er auch ein Anhänger heidnischer Bräuche gewesen war. Bevor sie den Sarg der Erde übergaben, sprach Vitus das Abschiedsgebet:

»Ich bin die Auferstehung und das Leben,
spricht der Herr,
ich bin der Weg und die Wahrheit,

denn siehe, ich lebe,
und auch du sollst leben!
Ich bin der wahre Weinstock,
von dem du Glaube und Kraft gewinnen mögest,
in Ewigkeit Amen.«

Tirzah schluchzte in den Armen von Maja, die ihr seit dem
Überfall nicht von der Seite gewichen war.
»Weine nur«, murmelte Zerruttis Gefährtin immer wieder,
»weine nur, das erleichtert es …«
Als alles vorbei war, setzte die Gruppe sich an das abend-
liche Feuer und bereitete wie immer ihre Mahlzeit zu. Tir-
zah aß so gut wie nichts und verschwand vorzeitig in ihrem
Wagen.

Als das Feuer heruntergebrannt war und alle ihre Behausun-
gen aufgesucht hatten, blieb Vitus noch eine Weile sitzen und
starrte unschlüssig in die Glut. Schließlich erhob er sich und
steuerte den Wagen von Arturo an. Er klopfte kurz.
»Herein.«
Der Fechtmeister und Anacondus lebten in einem Chaos
aus Kostümen, Zauberbällen, Keulen, Zinnbechern, Weinfla-
schen, zusammengerollten Plakaten, riesigen Schuhen, falschen Nasen, Talismanen, unterschiedlichsten Waffen, Werk-
zeugen, Kerzen, Seilen, Decken … alles türmte sich zu einem
heillosen Durcheinander auf. Dessen ungeachtet schienen die
Bewohner sich ausgesprochen wohl zu fühlen.
Arturo lag auf einer Art Bettstatt unter einem zerschlissenen
Bärenfell und hielt das am Nachmittag erbeutete Schwert in
der Hand. Terro döste am Fußende. Anacondus saß auf einer
Kiste und las in einem Folianten, der Titel lautete *De angui-*

bus. Vitus registrierte erstaunt, dass Anacondus nicht nur lesen konnte, sondern auch der lateinischen Sprache mächtig war. Das Buch handelte von Schlangen.

»Was gibt's, mein Freund?«, fragte Arturo. Seine Fingerspitzen prüften die Schärfe der Klinge.

»Nun«, Vitus wusste nicht recht, wie er anfangen sollte, »die Sache ist die: Jetzt, wo Santor tot ist, sieht es so aus, als müsste ich allein mit Tirzah in einem Wagen schlafen.« Er zögerte. »Mir macht das natürlich nichts aus, aber ich möchte nicht, dass sie sich gestört fühlt. Gerade jetzt, nachdem das alles passiert ist.«

»Hm.« Arturos Finger glitten weiter über die Schneide. Anacondus klappte das Buch zu.

»Versteht ihr, was ich meine? Vielleicht könnte Maja zu ihr ziehen, und ich quartiere mich bei Zerrutti ein.«

»Ich glaube nicht, dass dem Magier das recht wäre«, sagte Arturo langsam.

»Zerrutti und Maja sind ein Paar«, erklärte Anacondus. »Sie sind zwar nicht vor den Traualtar getreten, aber den Segen der Gaukler haben sie.«

»Ich verstehe«, sagte Vitus.

»Komm mal her.« Der Fechtmeister hielt Vitus die Waffe unter die Nase. »Mit diesem Schwert hätte man mich heute Nachmittag fast erschlagen, wenn da nicht ein besonders mutiger junger Mann gewesen wäre, der mich gerettet hat. Dreimal darfst du raten, wen ich meine. Und dieser mutige junge Mann hat jetzt auf einmal die Hosen voll, weil er allein mit einem Mädchen im Wagen schlafen soll? Meiner Treu, ihr jungen Leute habt vielleicht Sorgen!«

»Dann gehe ich am besten, entschuldigt die Störung.« Vitus wandte sich ab.

Arturo lachte. »Nun sei nicht gleich beleidigt, es war ja nicht so gemeint. Bleib, und hör mir zu.«

»Na gut, schieß los.«

»Im Grunde genommen bin ich froh, dass du bei Tirzah im Wagen wohnst, Vitus«, begann Arturo, »und das aus mehreren Gründen: Erstens möchte ich aus Sicherheitserwägungen, dass in jedem Wagen mindestens ein Mann schläft, besonders, wenn wir in der Nähe von Ortschaften gastieren; zweitens mag Tirzah dich, was ja nicht das Schlechteste ist, wenn man einen Gesprächspartner braucht; und drittens gibt es da noch unseren Doctorus Bombastus Sanussus, der ein Auge auf sie geworfen hat. Du musst wissen, dass Tirzah ihm bei seinen Auftritten assistiert – was sie im Übrigen sehr konzentriert macht. Vielleicht hat sie deshalb noch gar nicht gemerkt, dass der Doctorus ihr oftmals nicht ganz zufällig die Hand auf den Po legt. Er lobt sie zwar gleichzeitig in den höchsten Tönen, aber ich denke, man kann seine Anerkennung auch ohne Tatschereien ausdrücken.«

»Wenn das so ist, teile ich natürlich den Wagen mit ihr.«

»Glaub mir, so ist es. Ich wünsche dir eine gute erste Nacht bei den *Artistas unicos*!«

»Gute Nacht«, schloss Anacondus sich an, der sein Buch wieder aufgeschlagen hatte.

»Gute Nacht.« Vitus öffnete die Tür und stieg aus dem Wagen. »Ach, da wäre noch etwas, Arturo.«

»Ja, mein Freund?«

»Ich möchte, dass du mir das Fechten beibringst.«

Arturo stutzte für eine Sekunde. Dann ging ein Lächeln über sein Gesicht. »Aber gern! Wie wär's gleich morgen mit der ersten Lektion?«

DER DOCTORUS
BOMBASTUS SANUSSUS

»Nun, ihr guten Leute, wen plagt es an Seele oder Körper?
Nur frei heraus mit der Sprache, die erste Behandlung ist
für Gotteslohn! Niemand? So appliziere ich mir das
Balsamum vitalis *selbst, denn schließlich wirkt es auch*
gegen aufkommenden Ärger, verursacht durch
hasenfüßige Patienten!«

Am nächsten Tag verließen sie die Gegend von Belorado und Briviesca und fuhren in nördlicher Richtung weiter. Vor ihnen wand sich die Straße in unzähligen Biegungen auf und ab durch eine Landschaft, die von dichten Wäldern geprägt war, immer wieder unterbrochen von abgeernteten Feldern und kleinen, aus kümmerlichen Häusern bestehenden Dörfern. Vitus' Wagen hatte wieder die Spitze übernommen, denn Arturo hatte keinen Grund gesehen, an der Reihenfolge der Kolonne etwas zu ändern. Er war im ersten Morgengrauen an den Zigeunerwagen herangetreten und hatte kurz geklopft.

»Ich komme!« Mit vor Müdigkeit rot geränderten Augen hatte Vitus sich zur Tür getastet, entlang an einer schweren Wolldecke, die von Tirzah schon am ersten Abend zur Raumteilung aufgehängt worden war. An Schlaf war in der Nacht nicht zu denken gewesen. Tirzah hatte lange Zeit vor sich hin geweint, leise zwar, um ihn nicht zu stören, aber er hatte sich dennoch dabei ertappt, dass er gerade deshalb auf jeden ihrer Laute achtete.

Später dann hatte er versucht, sie zu trösten, indem er auf sie einsprach und von Gott und der Welt erzählte. Allmählich, ganz allmählich war sie ruhiger geworden, hatte seiner Stimme und seinen Erzählungen gelauscht und selbst von sich und ihrer Familie berichtet, bis ihm endlich, kurz vor Tagesanbruch, ihre regelmäßigen Atemzüge verraten hatten, dass sie eingeschlafen war. »Wer ist da?«

»Ich bin's, Arturo! Der Doctorus hat mich eben angesprochen, er machte den Vorschlag, im vordersten Wagen mitzufahren, und zwar neben dir auf dem Bock. Er meinte, für Tirzah sei das zu gefährlich, sie müsse im Wagen bleiben. Nach den Ereignissen gestern ist der Vorschlag nicht von der Hand zu weisen.«

»Dann sitze ich, ehrlich gesagt, lieber allein auf dem Bock.«

»Nein, das wäre nicht gut. Vier Augen sehen nun mal mehr als zwei.«

»Hm. Und wer soll den Wagen des Doctorus fahren?«, hatte Vitus wissen wollen.

»Das macht Antonio.«

»Ich kann mir trotzdem einen angenehmeren Nebenmann vorstellen. Warum kommt Anacondus nicht zu mir, und der Doctorus sitzt bei dir auf?«

»Die Frage ist berechtigt, ich habe sie mir auch schon gestellt. Es gibt eigentlich nur einen Grund: Du als Mediziner kannst dich viel besser mit ihm unterhalten.«

»Soso.«

»Ja doch. Vielleicht könntet ihr euch über seine Sechs-Säfte-Lehre oder Weiß-der-Teufel-was austauschen.«

»Also dann, in Gottes Namen«, hatte Vitus geseufzt.

Gegen Mittag befuhren sie einen besonders breiten, ausgetretenen Weg, der offenbar dem Viehtrieb diente. Unter den unzähligen Hufabdrücken erkannte Vitus die Spuren von Schafen, Rindern und Eseln. Danach wurde der Untergrund zunehmend holpriger, und er bemühte sich, das Gefährt so ruhig wie möglich zu lenken. Doch an einer besonders unwegsamen Stelle tauchte unverhofft ein mächtiger Stein auf, der das rechte Vorderrad abrupt emporhob. Der Doctorus verlor das Gleichgewicht und ergriff Hilfe suchend Vitus' Arm. »Ich bitte um Verzeihung.«

»Schon gut.« Vitus bemühte sich, freundlich zu sein. »Ihr könnt ja nichts dafür, dass die Straße so schlecht ist.«

»Wie wahr, wie wahr.« Der Doctorus warf Vitus einen Blick unter herabhängenden Lidern zu. Dann wandte er sich nach hinten und sprach durch einen kleinen Sichtschlitz in den Wagen: »Ich hoffe sehr, dass Euch nichts passiert ist, Jungfer Tirzah?« Seine Stimme war honigsüß.

Als er keine Antwort erhielt, redete er weiter, als sei nichts geschehen: »Was nimmt man nicht alles in Kauf, um den armen Menschen überall im Lande zu helfen.«

»Hm.« Vitus fiel darauf nichts ein.

»Ihr scheint einige Kenntnisse in der Heilkunst zu haben«, machte der Doctorus einen weiteren Versuch. Sein eines Augenlid hob sich etwas. »Ich für meinen Teil habe meinen *Doctorus medicinae* an der Universität zu Toledo gemacht, *summa cum laude,* wie ich hinzufügen darf.«

»Wie schön für Euch.«

»Ich habe dort anschließend jahrelang als Magister gewirkt, Ihr wisst sicher, was das bedeutet.«

»Ja, das weiß ich.«

Ohne Vitus' Antwort zu beachten, redete Bombastus Sanussus weiter: »Als Magister seid Ihr befugt, die Studenten zu unterrichten und in der Kunst des Operierens auszubilden. Eine schöne Aufgabe, wie Ihr Euch denken könnt.«

»Die Universität von Toledo ist mir ein Begriff«, entgegnete Vitus. »Zusammen mit Córdoba ist sie die wohl berühmteste Stätte in Spanien für medizinische Wissenschaften. Der Ruhm Córdobas verblasste leider im 11. Jahrhundert, doch soweit ich weiß, ist Toledo weiterhin ein Zentrum der Gelehrsamkeit.«

»Ihr seid gut informiert.«

»Sicher lange nicht so gut wie Ihr. Wie denkt Ihr über die lateinische Ausgabe des *at-Tasrif* von Abulcasis?«

»Nun, äh ... es ist ein sehr schönes Werk.«

»Es beinhaltet immerhin die wichtigsten Übersetzungstexte arabischer Medizinliteratur. Als er das *at-Tasrif* latinisierte, hat Gerhard von Cremona der Menschheit einen großen Dienst erwiesen, meint Ihr nicht auch?«

»Natürlich.«

»Es übte den nachhaltigsten Einfluss auf die Chirurgenschulen in Frankreich und Italien aus, denkt nur an Paris und Padua.«

»Ihr sagt es!« Der Doctorus lehnte sich zurück und betrachtete die vorbeiziehende Landschaft. »Jaja, der Gerhard von Cremona«, sagte er scheinbar sinnend, »die Deutschen sind schon ein tüchtiges Volk!«

»Gerhard von Cremona stammte aus Italien.«

Für den Bruchteil einer Sekunde flatterte das Augenlid des Doctorus, dann grub seine Hand sich in Vitus' Schulter. »Hoho! Hab ich Euch also doch nicht aufs Glatteis führen können! Respekt, Respekt, Ihr habt Euch einiges angelesen, junger Mann.«

»Es ist sicher nichts gegen Eure Gelehrsamkeit, allerwertester Doctorus.«

»Nun ja, wenn man der Wissenschaft so lange dient wie ich, ist es zwangsläufig so, dass man anderen überlegen ist. Das musste sogar Paracelsus anerkennen. Ihr habt von ihm gehört?«

»Sicher.«

»Nun, Paracelsus, ich lernte ihn übrigens vor zehn Jahren im Lande der Eidgenossen kennen, Paracelsus also pflegte immer zu sagen: ›Mein lieber Doctorus, wenn es jemanden auf dieser Welt gibt, dessen Heilkunst ich noch über die meine stellen würde, dann seid Ihr es!‹«

Vitus schwieg. Nur schwer konnte er sich die Bemerkung verkneifen, dass Paracelsus bereits Anfang der vierziger Jahre verstorben war.

»Was ich Philippus Aureolus Theophrastus, so hieß Paracelsus in Wirklichkeit, allerdings übel nahm, war, dass er sich später meinen Beinamen ›Bombastus‹ zu Eigen machte. Bombastus soll das Überwältigende und Überzeugende, das meine Heilkunst kennzeichnet, deutlich machen.«

Vitus schwieg weiter.

»Habe ich Euch eigentlich schon einmal ein Exemplar meiner Nuntiatio gezeigt, mit der ich meinen Auftritt in den Ortschaften anzukündigen pflege?«

Natürlich hatte er es nicht, und er wusste das auch ganz genau.

»Hier.« Der Doctorus zog ein mehrfach geknicktes Blatt aus seiner Tasche, entfaltete es und hielt es Vitus stolz vor die Nase. »Lest!«

Vitus erblickte einen längeren Text aus sauber gedruckten Frakturlettern:

Lectori salutem in domino,

es wird einem hoch geehrten Publikum bekannt gemacht, dass allhier angekommen der approbierte und examinierte Botanicus und Doctorus medicinae Bombastus Sanussus, sess- und wohnhaft zu Toledo, woselbst er studieret und gelehret und seine Kunst mit größtem Beifall sowohl bei hohen als niederen Standespersonen practicieret hat, wovon seine Attestate genügend Zeugnis abgeben mögen.

Welche Personen nun mit äußerlichen Umständen belästiget, zum Exempel fistulöse krebsähnliche Umstände, Salz- und Leibesflüsse, Star- und Augenblindheiten, Gehörlosigkeiten, Gewächse etc., mögen sich bei ihm persönlich melden.

Es werden angeboten und verordnet das hoch rühmliche Balsamum vitalis, welches nicht nur innerlich, sondern auch äußerlich zu gebrauchen; denn so jemand mit Reißen, Grimmen und Schmerzen des Leibes, Kolik, Durchlauf, weißer und roter Ruhr geplaget wäre, der nehme 25 Tropfen auf einen Löffel Honig. Äußerlich dienet dieses Balsamum für allerlei Umstände der Zähne, wie Fäulnis, Scharbock, Schmerzen, Bluten, Wackeln, für alle faulen fistulösen wie auch geschwürenen Wunden, für rote, dunkle Augen wie auch für Beißen und Brennen derselben … nur damit getupfet und ein feuchtes Flecklein darüber geleget, und man wird in kurzem aller Pein ledig sein.

So das weibliche Geschlecht auch vielen Krankheiten unterworfen und durch seine Schamhaftigkeit solche keinem Arzte offerieret und dadurch seine Gesundheit, ja sogar das Leben vor der Zeit aufopferet, so wird jenen Personen bekannt gemacht, welche sich vor dem Doctorus schämen, können zu seiner Assistentin, Señora Tirzah, kommen oder ihren Urin schicken, woraus sie ihnen sagen wird, welcher Art Umstände sie an sich haben, alldieweil sie von ihm in dieser Kunst erzogen wurde.

Item sind zu haben:
Operationen, Amputationen, Kauterisierung, Urinwahrsagerei, Kräuter-Laxiere, Tabelets, Pulver, Pillen, magnetische Pflaster und Compositionen.
Der geneigte Leser wird ersucht, dieses Druckwerk weiter kund zu machen.
Es logiert in _____ vom _____ bis _____ der von Seiner Durchlaucht dem Conde Arrayo de Montego privilegierte Doctorus Bombastus Sanussus

Vitus sah von dem Blatt auf. »Ihr habt ein reichhaltiges Programm, Herr Doctorus.«

»Auf diesem Papier ist nur ein Bruchteil meiner Kunst festgehalten, das darf ich Euch versichern.« Bombastus Sanussus steckte die Nuntiatio wieder fort, nicht ohne noch einmal darauf geblickt zu haben.

»Brrr!« Vitus brachte den Wagen zum Stehen, seine Hand wies schräg nach vorn. »Dort rechts scheint mir ein guter Platz für die Mittagsrast zu sein. Ich werde das Pferd ausschirren und füttern, wollt Ihr so freundlich sein und die anderen informieren?«

Der Doctorus war unangenehm berührt. »Mein lieber Freund, was denkt Ihr Euch? Zweifellos habt Ihr die jüngeren Beine von uns beiden, ich muss Euch also bitten, selbst zu gehen.«

Vitus schluckte seinen Ärger hinunter. »Wie Ihr meint.«

Nachdem die Mittagszeit vorüber war, das Essen hatte aus geräuchertem Flussfisch in einer Bohnentunke und Brot bestanden, kam Arturo auf Vitus zugeschlendert. Er schluckte den letzten Bissen hinunter:

»Wir dehnen die Pause ein wenig aus, Vitus, die anderen sind müde, sie wollen ein Schläfchen halten.«

»Ich für meinen Teil bin nicht müde.«

»Das trifft sich gut.« Arturo lächelte viel sagend.

»Warum?«

»Weil du jetzt deine erste Fechtlektion erhältst. Dort drüben«, er wies auf eine freie, lehmharte Fläche am Wegrand, »ist der richtige Platz. Komm mit.«

Er ging zu seinem Wagen und erschien kurz darauf wieder mit seinem Dussack und einem Degen, außerdem hielt er eine lederne Schutzmaske in der Hand. Eine zweite hatte er bereits aufgesetzt. Sein Kopf erinnerte an ein Insekt.

Vitus grinste. »Du siehst aus wie eine Gottesanbeterin!«

Arturo lachte unter seiner Maske. »Pass mal auf, dass du selbst nicht gleich zum Gottesanbeter wirst. Dann nämlich, wenn dir mein Dussack um die Ohren pfeift.«

Sie gingen zum Übungsplatz. Arturo warf Vitus die zweite Maske zu. »Setz auf!«

Vitus zog sich den ledernen Schutz über den Kopf. Er wies insgesamt vier Löcher auf: zwei für die Augen und je eines für Nase und Mund. »Es kann losgehen.«

»Nicht so schnell, mein Freund.« Der Fechtmeister nahm den mitgebrachten Degen und setzte eine hölzerne Kugel auf die Spitze. »Hier, nimm erst mal deine Waffe.«

»Wieso bekomme ich den Degen, und du nimmst nur den Holzknüppel?«

»Ganz einfach: Erstens habe ich keine zwei Dussacks, woraus zwingend hervorgeht, dass nur einer von uns einen bekommen kann, zweitens ist der Degen mit seiner Schutzkugel genauso ungefährlich, drittens endlich wird dein Degen mich niemals treffen, zumindest in den ersten Lektionen nicht.«

»Dann los!« Vitus stellte sich breitbeinig hin, umklammerte seine Waffe und wartete auf den Angriff seines Lehrers.

»Fang du an.« In Arturos Stimme lag leichter Spott.

Vitus stürmte mit großen Schritten auf den Fechtmeister zu, sich ermahnend, seine Schläge auf keinen Fall durchzuziehen, um Arturo nicht zu verletzen, doch im nächsten Augenblick musste er feststellen, dass seine Sorge unbegründet war. Der Fechtmeister hatte längst die Position gewechselt.

»Komm, Gottesanbeter, versuch's noch mal.«

Wieder sprang Vitus vor, und abermals stürmte er mit vollem Schwung ins Leere.

Ein unterdrücktes Lachen in seinem Rücken ließ ihn herumfahren. Am Wegrand hatten sich die Gaukler versammelt. Maja war es, die gekichert hatte. Sie schmiegte sich an Zerrutti. Auch Anacondus stand da, ebenso wie die Zwillinge und der Magister. Der kleine Gelehrte schüttelte aufmunternd seine Faust. »Lass dich nicht unterkriegen, Vitus!«

Tirzah war ebenfalls gekommen. Sie blickte ein wenig ängstlich, was der Doctorus zum Anlass nahm, ihr beschützend den Arm um die Schultern zu legen. Aus irgendeinem Grund ärgerte Vitus das, erneut machte er einen Satz nach vorn, um Arturo in Bedrängnis zu bringen. Doch wie bei den Malen zuvor zerteilte er mit seiner Waffe nur die Luft.

»Lass gut sein!«, rief der Fechtmeister, nachdem Vitus es noch ein paarmal versucht hatte. »Du hast so ziemlich alles falsch gemacht, was man falsch machen kann: Deine Schritte waren falsch, deine Haltung war falsch, deine Hiebe waren falsch. Ein wirklicher Gegner hätte jetzt leichtes Spiel mit dir.«

»Das gebe ich zu«, keuchte Vitus.

»Zunächst einmal ist der Degen vom Charakter her keine Hiebwaffe wie das Schwert, sondern eine Stoßwaffe. Ferner muss man wissen, dass es beim Fechten mindestens genauso auf Behändigkeit und Ausdauer ankommt wie auf Kraft.«

»Das habe ich gemerkt.«

»Siehst du, damit hast du deine erste Lektion schon gelernt. Beim Fechten ist gute Technik alles. Der Gegner kann noch so stark sein, wenn er erst einmal außer Atem ist, wird auch der Schwächste ihn besiegen. Und nun kommen wir zur Grundstellung. Sie ist die Ausgangsposition für jede Aktion. Obwohl sie etwas seltsam aussieht, hält sie den Körper optimal im Gleichgewicht, was lebenswichtig ist bei den raschen Vorwärts- und Rückwärtsbewegungen, die der Kampf erfordert. Vergiss nie: Ein Fechter, der die Balance verliert, ist so gut wie tot.«

»Ich verstehe.«

»Gut.« Arturo zog mit der Hacke einen zehn Schritt langen Strich in den Lehm. »Auf dieser Linie werden wir uns gegenüberstehen. Stelle deinen rechten Fuß auf den Strich.«

Vitus tat es.

»Jetzt drehst du den linken Fuß nach außen, bis er einen rechten Winkel zum anderen Fuß bildet. Die Hacken müssen dabei zusammenbleiben. Gut so. Und nun nimmst du den linken Fuß einen halben Schritt zurück. Ja, genau so … aber dein Oberkörper muss dabei aufrecht bleiben.«

Er korrigierte Vitus' Haltung. »Wenn du dich gerade hältst, kannst du deine Bewegungen besser ausbalancieren. Wie du im Übrigen merkst, hat sich durch die Beinstellung deine rechte Schulter nach vorne geschoben. Dadurch hast du die Trefferfläche für deinen Gegner verkleinert – ein weiterer Vorteil der Grundstellung.«

»Ich merke schon, Fechten ist schon eine Wissenschaft für sich.«

»Und wie jede Wissenschaft will sie sorgfältig studiert sein. Jetzt nimmst du die Waffe mit leicht angewinkeltem Arm hoch, der Degen muss sich dabei in einer Linie mit dem von mir gezogenen Strich befinden.«

Arturo hatte sich inzwischen in vier Schritt Abstand zu Vitus aufgestellt. »Die Spitze muss ungefähr auf gleicher Höhe mit meiner Schulter sein ... ja, so ist es richtig.«

»Kann's jetzt losgehen?«

»Nein, mein Gottesanbeter, erst nimmst du deinen linken Arm halbhoch nach hinten und winkelst ihn an ... etwas höher ... ja, so. Der linke Arm dient der Stabilisierung, ähnlich wie der Schwanz bei einer fallenden Katze.«

Arturo nahm jetzt ebenfalls die Grundstellung ein. Beide Gegner standen sich mit erhobener Waffe gegenüber. »Der Abstand zwischen den beiden Kämpfern wird Mensur genannt«, fuhr Arturo fort. »Man könnte sagen, ein Gefecht ist nichts anderes als das ständige Variieren der Mensur.« Er drehte sich um neunzig Grad, sodass Vitus genau verfolgen konnte, was er demonstrierte. »Mit dem Schritt rechts vorwärts nähert man sich dem Gegner, um die Mensur zu schließen und einen Treffer anzubringen.«

»Die Schritte scheinen beim Fechten recht klein zu sein.«

»Abwarten! Für die großen Sprünge ist es noch zu früh. Der rechte Fuß ist der Fuß des Ausfallbeins, der linke der des Standbeins. Eine eherne Regel beim Fechten besagt, dass, sobald das eine Bein bewegt wurde, das andere entsprechend nachgezogen werden muss, um die Grundstellung wiederherzustellen. Die Bewegung rückwärts funktioniert natürlich umgekehrt.« Er machte es vor. »Kapiert?«

»Kapiert.« Vitus probierte es mehrmals und wurde von Arturo korrigiert.

Als Nächstes zeigte der Fechtmeister einige Sprungvarianten und erklärte dann weiter: »Natürlich werden alle einzelnen Beinbewegungen im Gefecht miteinander kombiniert, denn nur so ist es möglich, Treffer zu landen. Die häufigsten zusammengesetzten Beinbewegungen nennen sich Patinando, Ballestra und Radoppio.« Er erklärte die Schrittfolgen. Vitus hörte gespannt zu und führte sie anschließend aus.

Unterdessen war fast eine Stunde vergangen, Vitus' Gesicht unter der Maske war schweißnass. »Greif mich an!«, befahl Arturo unvermittelt. Durch seine schlechten Erfahrungen am Anfang ging Vitus jetzt vorsichtiger zu Werke. Er wartete zwei, drei Sekunden und versuchte dann urplötzlich die Ballestra, also den Sprung vorwärts, zusammen mit einem Ausfall. Doch so schnell er auch war, Arturo reagierte schneller. Mit zwei kurzen Schritten war er seitlich zurückgesprungen und hatte Vitus' Degen fortgeschlagen. Während Vitus sich noch umdrehte, hatte der Fechtmeister ihm seinen Dussack bereits in die Seite gesetzt. »Im Ernstfall wärst du jetzt ein toter Mann«, sagte er und nahm seine Maske ab.

»Wie konntest du so genau wissen, wann ich dich angreifen würde?«

»Beobachtung und Erfahrung. Ich habe es in deinen Augen aufblitzen sehen, da wusste ich, dass es losgeht. Nichts ist wichtiger, als dem Gegner in die Augen zu sehen. Du erkennst in ihnen alles: Angst, Entschlossenheit, Irritation und eben auch jenen Funken, der dir sagt, dass er losschlägt.« Arturo nahm wieder die Grundstellung ein.

Abermals erklang in Vitus' Rücken ein Kichern. Die Gaukler schauen noch immer zu!, dachte er und wünschte sich, sie würden Mittagsschlaf halten. Er blickte sich um, und ein jäher Schmerz schoss ihm durch die Brust. Er brauchte einen Augenblick, um zu begreifen, dass Arturo mit seinem Dussack zugestoßen hatte.

»Eine weitere Regel heißt: Lass dich durch nichts und niemanden vom Kampf ablenken!«, erklärte der Fechtmeister. Er ging auf Vitus zu und nahm ihm mit einer versöhnlichen Geste die Ledermaske ab. »Für heute ist es genug. Die nächsten Male zeige ich dir, was eine Einladung ist, und wir üben Angriff, Parade und Riposte.«

»Das Ganze hatte ich mir leichter vorgestellt«, bekannte Vitus ehrlich.

»Es ist eben noch kein Meister vom Himmel gefallen. Und ein Fechtmeister schon gar nicht. Aber mach dir nichts draus. Aus dir wird auch noch ein brauchbarer Kämpfer.«

Am Abend kam Arturo mit einer guten Nachricht: »Ich habe Flusskrebse gefangen«, rief er fröhlich, »mindestes drei Dutzend! Ganz in der Nähe fließt ein Bach, und sie warten nur darauf, dass man sie einsammelt.«

Er hielt eine große, tönerne Schüssel in der Hand, die er vorsichtig an der Feuerstelle absetzte. Tirzah wollte die Tiere neugierig anfassen, doch der Fechtmeister warnte sie: »Achtung! Einige von den Schalenrittern leben noch, und was sie einmal mit ihren Scheren gepackt haben, das lassen sie so schnell nicht wieder los.«

Vitus und der Magister kamen hinzu. »Das gibt ein fürstliches Mahl!«, freute sich der kleine Gelehrte. »Wie wollen wir sie vertilgen, gekocht oder gebraten? Du als Beschaffer darfst die Zubereitung bestimmen.«

»Gekocht.«

»In Ordnung, dann lasst uns alle mit Hand anlegen, damit es schneller geht.«

Anacondus und die Zwillinge waren ebenfalls herangetreten. »Wir suchen trockenes Holz«, verkündete Antonio, und die beiden anderen nickten.

Zerrutti, Maja und Tirzah erhielten den Auftrag, alle Wagen nach verwertbaren Speisen abzusuchen und aus den restlichen Bohnen eine Suppe vorzubereiten.

Vitus und Arturo gingen zum Bach, um dort den großen Kessel auszuwaschen.

Der Magister machte sich daran, das Dreibein über der Feuerstelle aufzubauen. »Ich werde den Doctorus bitten, schon mal die Krebse zu waschen«, sagte er.

Als alle sich bald darauf wieder trafen, sah Vitus, wie der Magister verärgert die Krebse allein abschrubbte. »Ist dir eine Laus über die Leber gekrochen?«

»Dieser Doctorus steht mir bis zum Hals!« Der kleine Mann machte eine entsprechende Bewegung mit der Bürste. »Weißt du, was er mir geantwortet hat, als ich ihn bat, uns zu helfen?« Er verzog das Gesicht und machte die Stimme des Doctorus nach: ›Mein lieber junger Freund, wie stellt Ihr Euch das vor? Ich beschäftige mich gerade mit dem Studium meiner Sechs-Säfte-Lehre, und da kommt Ihr und wollt, dass ich irgendwelche Tiere wasche? Nein, bedaure …‹ So ein blasierter Affe!«

Vitus und Arturo amüsierten sich. »Wo ist der Doctorus überhaupt?«

»Wo wohl?«, fragte der kleine Mann erbost zurück. »Natürlich noch in seinem Wagen, der Herr wartet, bis alle Arbeit getan ist, um sich dann an den gedeckten Tisch zu setzen!«

Der Magister behielt Recht. Bombastus Sanussus erschien erst auf der Bildfläche, als alle Vorbereitungen beendet waren und ein köstlicher Duft nach gekochten Krebsen durch das Lager zog. Vitus, der noch rasch die große Schöpfkelle geholt hatte, bemerkte beim Zurückkommen, dass der Doctorus sich auf seinen Platz gesetzt hatte – direkt neben Tirzah. Ein Stich des Ärgers durchfuhr ihn, während er zur anderen Seite des Feuers ging, wo er noch eine Lücke fand.

»Das duftet wie alle Wohlgerüche Arabiens zusammen!« Voller Vorfreude streckte der Doctorus seine lange Nase in die Luft. »Nach der Mühe des Studierens gibt es nichts Schöneres als ein kräftiges Mahl.«

»… das andere für einen zubereitet haben«, ergänzte der Magister. Er war noch immer wütend.

Doch Bombastus Sanussus schien die Bemerkung nicht gehört zu haben. Er hielt seinen Holznapf hoch und blickte fordernd in die Runde. »Kann mir jemand auftun?«

Vitus erhob sich und fischte mit der Schöpfkelle ein paar Krebse aus dem Kessel. Sie hatten eine satte rote Farbe angenommen. »Bitte sehr.«

»Danke, mein junger Freund.« Der Doctorus griff nach einer Zange. Krachend öffnete er den ersten Panzer und stocherte mit Muße das Fleisch heraus. Anschließend hielt er es dem Zigeunermädchen hin. »Darf ich Euch von meinen Flusskrebsen anbieten, Jungfer Tirzah? Ich bin sicher, so etwas Leckeres habt Ihr lange nicht zu Euch genommen.«

Tirzah schüttelte den Kopf.

»So muss ich Euch zu Eurem Glück zwingen.« Der Doctorus lachte meckernd und streifte das Fleisch ab, das dampfend in Tirzahs Schoß fiel. »Guten Appetit!« Er nahm sich den zweiten Krebs vor, den er ebenfalls in aller Ruhe knackte.

»Vielleicht ist es Eurer Aufmerksamkeit entgangen, Doctorus«, sagte Vitus, »aber es gibt nur die eine Zange. Habt also die Güte und beeilt Euch etwas.«

»Eile mit Weile, mein junger Freund. Unangemessene Hast hat noch niemals zum Ziel geführt, nicht wahr, Jungfer Tirzah?«

Wiederum erhielt er keine Antwort, was ihn allerdings nicht zu stören schien. »Kann mir jemand die Suppe herüberschieben? Sie duftet gar zu köstlich, als dass ich sie länger unprobiert lassen möchte!«

Als niemand reagierte, half er sich selbst. Er beugte sich vor und nahm schlürfend mehrere Löffel voll. »Köstlich, köstlich!«, schnaufte er zufrieden, wobei er sich mit einem Tuch den Mund abtupfte. »Es geht doch nichts über ein gemeinschaftliches Mahl.«

»Wo Ihr gerade das Wort ›gemeinschaftlich‹ benutzt, Doctorus«, schaltete Arturo sich ein, »diese Mahlzeit verdient den Ausdruck keineswegs. Sie wird zwar gemeinschaftlich verzehrt, wobei Ihr Euch durchaus hervortut, aber sie ist nicht gemeinschaftlich zubereitet worden.«

»Ich verstehe nicht ganz, junger …«

»Und hört mit Eurem ewigen ›junger Freund‹ auf! Ich mag nicht, wenn Dinge unausgesprochen im Raum stehen. Deshalb sage ich Euch klipp und klar, was alle denken: Ihr habt bislang regelmäßig durch Abwesenheit geglänzt, wenn es darum ging, eine Arbeit gemeinsam zu verrichten, und die Zubereitung des heutigen Essens bildet da keine Ausnahme. Wenn Ihr beim nächsten Mal nicht helft, werdet Ihr ausgeschlossen.«

»Ja, das ist doch …«

»Das ist nur recht und billig. Bei uns ist sich keiner für eine Arbeit zu schade, falls Ihr das in den vielen Wochen, die Ihr mit uns reist, noch immer nicht gemerkt habt.«

»Ich protestiere aufs Schärfste gegen diesen Ton, junger,

äh …« Der Doctorus hatte sich halb erhoben, Empörung lag auf seinem Gesicht. »Ihr vergesst wohl, dass ich es bin, dem die Gruppe regelmäßig den Zulauf des Publikums zu verdanken hat. Wenn ich nicht wäre und meine Nuntiatio nicht in den Ortschaften aushinge, dann käme niemand zu Euren, äh … Darbietungen!«

»Wir wissen Eure Nuntiatio sehr wohl zu schätzen, Doctorus«, antwortete Arturo. Seine Stimme war jetzt kühl wie Eis. »Sie erspart es uns, in die Orte zu gehen und dort Reklame zu machen, was nicht ganz ungefährlich ist angesichts der Meinung der Kirche, nach der alle Gaukler und Spielleute halbe Ketzer sind. Trotzdem bleibe ich dabei: Wenn Ihr ab jetzt nicht bei gemeinschaftlichen Arbeiten mithelft, könnt Ihr in Zukunft alleine reisen.« Er blickte in die Runde. »Oder ist jemand anderer Ansicht?«

Wie nicht anders zu erwarten, war das nicht der Fall.

»Das ist nun der Dank, dass man seit Wochen für Zulauf gesorgt hat. Ich protestiere und ziehe mich zurück, nicht ohne darauf hinzuweisen, dass, vorausgesetzt, ich würde tatsächlich allein weiterreisen, diese Truppe in kürzester Zeit am Hungertuch nagen würde.« Der Doctorus erhob sich gemessen und strebte seinem Wagen zu.

»*Superbientem animus prosternet!*«, rief Vitus ihm nach.

»Wie, äh?«

»›Wir weisen Euren Protest zurück‹, sagte ich eben, Doctorus. Habt Ihr das etwa nicht verstanden?«

»Unverschämtheit! Ich sprach schon perfekt Latein, als Ihr noch in den Windeln lagt. Selbstverständlich habe ich Euch verstanden, aber ich ziehe es vor, Euch nicht zu antworten.«

»Seht Ihr, Doctorus«, Vitus lehnte sich grinsend zurück, »Ihr habt mich heute Morgen nicht aufs Glatteis führen können, dafür aber ist es mir jetzt gelungen. In Wirklichkeit sagte ich eben etwas ganz anderes zu Euch, ich sagte: ›Hochmut kommt vor dem Fall.‹«

Die Weiterfahrt am folgenden Tag verlief für Vitus erfreulich, denn der Doctorus hatte gleich am Morgen den Wunsch geäußert, er wolle seinen Wagen wieder selbst lenken. Das hatte zur Folge, dass Tirzah neben Vitus auf dem Bock saß.

»Stimmt es wirklich, dass du nicht weißt, woher du kommst und wer du bist, Vitus?«, fragte sie.

»Ja, das ist so. Der alte Abt von Campodios fand mich eines Morgens unweit des Klosters, ich lag in einem Weidenkorb und hatte eine schwere Lungenentzündung.«

»Das musst du mir erzählen.«

»Es ist aber eine lange Geschichte.«

»Bitte, Vitus!« Tirzah schaute ihn aus großen Augen an.

»Also gut.« Und Vitus erzählte ihr alles aus seinem Leben, während der Wagen friedlich durch die Landschaft rumpelte und die Gegend um sie herum immer grüner wurde. Langsam näherten sie sich dem Rudrón, einem Fluss, der nördlich verlief und dreißig Meilen weiter in den Ebro mündete.

Als Vitus geendet hatte, sagte Tirzah: »Du und ich, wir haben etwas gemeinsam, denn auch wir Zigeuner wissen nicht genau, woher wir stammen. Die Alten erzählen zwar, dass unsere Ahnen vor Tausenden von Jahren aus dem Reich der Mogule, welches noch hinter Arabien liegt, auswanderten, doch sicher ist das nicht.«

»Gibt es denn keine Aufzeichnungen eures Volkes?«

»Nein, unser Volk kennt keine Schrift, alles, was wir über unsere Herkunft wissen, entnehmen wir überlieferten Sagen und Erzählungen.«

»Und wie ging es mit der Auswanderung weiter?«

»In einem arabischen Land, in dem man heute Farsi spricht, so wird erzählt, trennten sich unsere Vorfahren in zwei Gruppen, Ben und Phen. Die Ben wanderten nach Afrika, während der Weg der Phen nach Europa führte. Von uns europäischen Zigeunern unterscheidet man wiederum die Roma, die auf dem Balkan und in der Walachei leben, die Sinti, die überwiegend durch Deutschland ziehen, und die Gitanos, die in Südfrankreich, Spanien und Portugal beheimatet sind. Ich gehöre zu den Gitanos.«

»Warum haben dein Vater und du euren Stamm eigentlich verlassen?«

Ein Schatten überzog ihr Gesicht. »Wir Zigeuner kennen keine Stämme, sondern nur die Familie. Warum Vater und ich fortgingen, ist ebenfalls eine lange Geschichte. Nimm es mir nicht übel, wenn ich sie dir nicht erzähle.«

»Entschuldige, ich wollte dir nicht wehtun.«

»Ich brauche noch ein bisschen Zeit.« Ihr Gesicht belebte sich wieder. »Da vorn steht ein Bauernhaus, meinst du, dass wir bald in Rondeña sind?«

»Ich glaube schon. Wir fahren noch ein wenig weiter, denke ich, bis wir in der Flussniederung des Rudróns sind. Dort gibt es sicher Enten, Rebhühner und anderes jagdbare Wild, und fischen könnten wir da auch.«

Als sie eine ausgedehnte Wiese am Wegrand erblickten, beschloss Vitus Halt zu machen. »Ich glaube, hier ist es schön, lass uns den anderen Bescheid sagen.«

Kurz darauf war die Wagenburg wieder gebildet, und die Gaukler beobachteten, wie der Doctorus Bombastus Sanussus sich mit einem Stapel seiner Nuntiationes zu Pferde nach Rondeña aufmachte. In seiner Begleitung befand sich Arturo, der beim Alcalden eine Genehmigung für ihren Aufenthalt in der Flussniederung erwirken wollte.

»*Hochverehrtes Publikum …!*«

Der Doctorus stand auf einem Holzpodest und hielt eine Ansprache an das neugierige Volk, das aus Rondeña herbeigeströmt war. Es war gegen 11 Uhr morgens.

»*… Señoras und Señores! In mir erblicken eure Augen den approbierten und examinierten Doctorus medicinae Bombastus Sanussus, sess- und wohnhaft zu Toledo, von wo er gekommen ist, um jedermann, ob arm, ob reich, von Schmerz und Pein, gleich welcher Art, zu befreien!*
Nicht lange gezögert, ihr guten Leute, und die Umstände genannt, die euch zwicken, meldet euch gleich jetzt und hier, meldet euch bei mir, dem hochgerühmten Doctorus Bombastus Sanussus, der schon die Ehre hatte, Seine Königliche Hoheit Don Carlos, den Sohn unserer Allerkatholischsten Majestät, in Madrid vom unheilbaren Aussatz zu befreien …«

»Glaubst du, dass unser Doctorus den Königssohn wirklich vom Aussatz geheilt hat?«, fragte der Magister interessiert. Er stand mit Vitus vorn in der Menge und verfolgte den Auftritt des Doctorus.

»Dass ich nicht lache. Aussatz ist seit Menschengedenken im *Palacio Escorial* nicht vorgekommen.«

Nacheinander ergriff der Doctorus jetzt einzelne Fläschchen und Tiegel aus einer Unzahl verschiedenster Arzneien, die er auf der Vorderkante des Podests in Reih und Glied aufgestellt hatte, und bot sie lautstark an. Dann schob er Tirzah, die neben ihm gestanden hatte, einen halben Schritt vor. Die junge Zigeunerin verbeugte sich würdevoll und trat dann wieder zurück.

»Weil auch das weibliche Geschlecht vielen Krankheiten unterworfen ist und durch seine Schamhaftigkeit es oftmals versäumt, den Heilkundigen zu konsultieren, wird hiermit bekannt gemacht, dass meine Assistentin, Señora Tirzah, in der Urinschau wohl bewandert ist und darüber hinaus auch die Urinwahrsagerei trefflich beherrscht! Wohlan, ihr guten Leute, bringt euren Urin, und euch soll alsbald geholfen werden ...«

Er blickte suchend in die Runde. Doch keiner aus der inzwischen auf über hundert Personen angewachsenen Menge traute sich nach vorn. Der Doctorus zuckte mit den Schultern. Aus Erfahrung wusste er, dass die Gaffer erst weich geredet werden mussten. Sie würden schon kommen, da war er sicher ...

»Außerdem führe ich mit mir einen weltberühmten Geheimtrank, genannt Balsamum vitalis, der nicht allein innerlich, sondern auch äußerlich von unfehlbarer Wirkung ist: bei Reißen, Grimmen und Schmerzen des Leibes, bei Kolik, Durchlauf, weißer und roter Ruhr ... wer also leidet, der nehme fünfundzwanzig Tropfen auf einen Löffel Honig ...«

Er schwenkte eine Flasche mit leuchtend grünem Inhalt und träufelte daraus die Flüssigkeit auf einen großen Zinnlöffel:

»Eins, zwei, drei, vier, fünf …« Als die Tropfen abgezählt waren, blickte er wieder ins Publikum:

>*Nun, ihr guten Leute, wen plagt es an Seele oder Körper? Nur frei heraus mit der Sprache, die erste Behandlung ist für Gotteslohn! Niemand? So appliziere ich mir das* Balsamum vitalis *selbst, denn schließlich wirkt es auch gegen aufkommenden Ärger, verursacht durch hasenfüßige Patienten!*«

Die ersten Zuschauer lachten. Schwungvoll gab der Doctorus sich selbst den Löffel. »Aaahh! Das nenne ich Wohlgeschmack! Was ein rechtes Balsamum ist, das wirkt nicht nur, das kitzelt auch den Gaumen!«

Weitere Leute lachten. Die Menge wurde zutraulicher. Bald habe ich euch so weit, dass ihr mir aus der Hand fresst!, dachte der Doctorus zufrieden. Seine scharfen Augen hatten eine gebeugte Alte erblickt, die sich beständig die Hände knetete.

»Was habt Ihr mit den Händen, Mütterchen?«, fragte er. »Lasst mich raten: Euch plagt die Gicht, und Ihr habt schon allerhand Kräutlein dagegen angewandt, aber nichts hat geholfen. Stimmt's?«

Die Alte nickte scheu. Bombastus Sanussus sprang elastisch von seinem Podest herab, ergriff das Mütterchen beim Arm und half ihm zum Gerüst hinauf. »Nun, Abuela!«, hob er mit so lauter Stimme an, dass er sicher sein konnte, auch in der allerletzten Reihe gehört zu werden, »Euch kann wie folgt geholfen werden: Man zerstampft Wermutblätter in einem Mörser zu Brei. Sodann nimmt man einen Teil Hirschmark, zwei Teile Hirschtalg und vier Teile von dem Wermutbrei. Daraus knetet man eine Salbe. Einen Menschen wie Euch, der von schwerster Gicht geplagt wird, sodass sogar seine Glieder zu zerbrechen drohen, salbt man in der Nähe eines Feuers ein, genau dort, wo es ihm wehtut, und er wird geheilt.«

Mit weit ausholender Geste ergriff er ein kleines Töpfchen. »Selbstverständlich habe ich das Präparat fertig vorrätig! Nehmt es, Abuela, geht an Euer heimisches Feuer, salbt Euch damit ein, und werdet binnen weniger Tage gesund!« Er verbeugte sich theatralisch. »Diese erste, von mir verordnete Arznei ist umsonst.«

»Ich danke Euch, Señor Doctorus, ich danke Euch!«, krächzte die Alte. Sie fiel auf die Knie und küsste Bombastus Sanussus die Hände.

»Für meine Großzügigkeit hätte ich niemand Besseren finden können!«, antwortete Sanussus galant. Zum ersten Mal klatschte die Menge.

»Ich finde, sein heutiger Auftritt unterscheidet sich erheblich von seinem sonstigen wissenschaftlichen Gehabe«, sagte der Magister, der dem Geschehen wie gebannt folgte.

»Er ist eben kein Gelehrter, sondern ein Marktschreier, der sich das Mäntelchen der Wissenschaft umgehängt hat. Auch wenn ich zugeben muss, dass er mit seiner Gicht-Rezeptur nichts falsch gemacht hat.«

»Du meinst wirklich, das Mütterchen wird geheilt durch die Wermutsalbe?«

»Nein, natürlich nicht, aber vielleicht lindert sie den Schmerz etwas, das wäre immer noch besser als nichts.«

»Sieh mal da.« Der Magister zeigte auf eine junge Mutter, die einen etwa zehnjährigen Jungen nach vorn schob.

»Zeig dem Doctorus deine Warzen«, sagte die Frau scheu und verschwand gleich wieder in der Menge.

Der Junge hielt tapfer seine Hände hoch, beide Handrücken waren bedeckt mit erbsengroßen grauen Warzen.

»Ja, was haben wir denn da? Zwei Hände voller kecker Wärzlein?«, rief Bombastus Sanussus aus. Er schien so erfreut, als hätte man ihm einen Beutel Gold geschenkt.

»Nun, gute Frau«, sprach er leutselig zu der Mutter, »gebt Acht, was ich Euch rate: Reibt die Hautwucherungen mehrmals täglich mit einem Petersilienblatt ein, aber bedenkt, dass es glatte Petersilie sein muss, und nehmt der Abwechslung halber auch mal den gelben Saft des Schöllkrauts. Das ist das probate Mittel gegen Warzen aller Art. Wenn Ihr jedoch das sicherste der sicheren Mittel wollt, so nehmt pulverisierte Eichenrinde, die mit geweihtem Wasser benetzt wurde.«

Er griff zu einem kleinen Glashafen, in dem sich ein bräunliches Pulver befand. »Hier, nehmt, das ist es, was ich meine. Gebt das Pulver auf die Hautwucherungen, und wartet so lange, bis es getrocknet ist. Wiederholt das mehrmals am Tag. Nach drei Wochen werden die Warzen verschwunden sein.«

»Ich danke Euch, großer Doctorus!« Die Frau knickste.

»Macht einen Achter oder zwei Vierer.«

»Oh!« Die Summe schien der Frau unerwartet hoch zu sein, dennoch kramte sie eifrig in ihren Kleidern nach dem Geld.

»Vielleicht könnt Ihr auch mir helfen, Doctorus?« Eine dicke Frau erklomm ächzend das Gerüst. »Ich habe einen schlimmen Zahn.« Sie hätte sich die Erklärung sparen können, denn an ihrer geschwollenen Backe konnte jedermann erkennen, was ihr fehlte.

»Nehmt Platz, gute Frau, und sperrt den Mund weit auf!« Die Dicke gehorchte, soweit es ihr möglich war.

»Die Señora hat einen faulen Backenzahn!«, teilte Bombastus Sanussus der Menge stimmgewaltig mit. Erwartungsfroh reckten die Leute die Hälse. Sie hofften, dass er gezogen werden musste, denn das Ziehen erwies sich häufig als schwierig und schmerzhaft, besonders wenn der Zahn bröckelte.

»Gegen Fäulnis verwende ich Jauchetropfen, die ich mit Hilfe eines Holzstäbchens in den Zahn träufele ... sooo, schon fertig, Señora, die Zahnschmerzen werden bald nachlassen und der Übeltäter von selbst ausfallen!« Der Doctorus sprach mit unverminderter Lautstärke, offenbar gehörte die Erklärung eines jeden Behandlungsschritts zu seiner Verkaufstaktik. Die Menge hing an seinen Lippen. »Was ich Euch jedoch noch unbedingt empfehle, Señora, ist der Erwerb von zwei Flaschen meines *Balsamum vitalis,* drei Löffel davon morgens und abends eingenommen, und Ihr werdet nie wieder unter Fäulnis zu leiden haben. Wendet Euch vertrauensvoll an meine Assistentin, Señora Tirzah!«

Die Dicke schüttelte sich, angeekelt von den Jauchetropfen, ging dann aber folgsam zu Tirzah hinüber.

Wenig später trat das Zigeunermädchen an den Doctorus heran und sprach mit gesenkter Stimme: »Da ist eine junge Frau, sie behauptet, sie sei im vierten Monat schwanger.«

»Ja, und?« Bombastus Sanussus nahm einen Schluck Wasser, denn das laute Reden ging auf die Stimme. Er ahnte, was kommen würde. Wahrscheinlich wollte das Mädchen ein Abtreibungsmittel, und das war immer eine delikate Sache. Man konnte in Teufels Küche kommen, wenn die Kirche herausbekam, dass man mit Emmanagoga, mit menstruationsfördernden Mitteln also, Schindluder trieb. »Seid Ihr sicher, dass die Kleine dichthalten wird, wenn Ihr das Mittel abgebt?«

»Ich glaube ja. Sie wirkt sehr verzweifelt.«

»Gut, gut.« Wie zufällig streifte seine Hand über Tirzahs Hüfte. Er fühlte glatte, elastische Haut unter ihrem Rock. Ein

Schauer durchrieselte seine Lenden. »Gebt ihr vom Sade-baumpulver, aber nehmt kein Geld dafür, so kann ich später sagen, ich hätte diesem Mädchen nie etwas verkauft.«

»Jawohl, Doctorus.« Tirzah verschwand hinter das Podest, wo eine hoch gespannte Decke vor neugierigen Blicken schützte. Hier pflegte sie die Frauen zu behandeln, die mit Unterleibslei-den zu ihr kamen.

Das schwangere Mädchen war ein blasses Ding, höchstens siebzehn Jahre alt, das mit den Nerven am Ende war. Es hatte verweinte Augen und knüllte nervös ein Taschentuch in der Hand. »Hier«, sagte Tirzah, »nimm das heute Nachmittag und heute Abend ein. Wenn du morgen früh noch nichts spürst, nimmst du es noch einmal.« Sie drückte dem Mädchen ein Gefäß in die Hand, in dem sich ein grünbraunes Pulver be-fand.

»Danke.« Die Kleine war den Tränen nahe. »Der Herr segne Euch! Aber was ist das überhaupt?«

»Es sind die Triebe des Sadebaums, man nennt ihn auch Jungfernpalme. Die Triebe wurden zu Pulver zerstoßen. Du machst dir damit einen Aufguss, am besten, du nimmst zwei Löffel auf einen Becher, aber merke dir: Das Wasser darf nicht kochen, sonst würden zu viele Wirkstoffe zerstört. Und lass den Aufguss eine Weile ziehen, bevor du ihn trinkst. Hast du alles verstanden?«

»Ja, danke. Danke!«

Tirzah schob die Kleine schnell beiseite, um sie unauffällig loszuwerden, doch ihr fiel noch etwas ein: »Wenn das Kind abgeht, wird es tot sein, und du wirst vielleicht große Schmer-zen haben, hier, nimm das noch dazu.« Sie ergriff eine von den zahlreichen vorpräparierten Flaschen *Balsamum vitalis* und gab sie dem Mädchen. »Das Balsamum enthält Opiumsaft, es gibt nichts Wirksameres gegen Geburtsschmerzen, aber nimm nur jeweils einen winzigen Schluck, damit du bei Bewusstsein bleibst.«

»Was bin ich Euch schuldig?«

»Nichts. Viel Glück!«

Als Tirzah zum Podest zurückkehrte, sah sie, wie einige Bürger einen hölzernen Käfig herbeitrugen. Darin hockte ein Mann von mittleren Jahren, hilflos zusammengekrümmt und ständig sabbernde Laute ausstoßend. Er hatte graue, strähnige Haare und einen wässrigen Blick. Sein Mund grinste blöde, während seine Hände die Gitterstäbe wie ein Affe umklammerten. Die Stadtbewohner setzten den Käfig auf das Podest. Der vorderste der Träger, ein stämmiger Kerl mit Vollbart und eng zusammenstehenden Augen, deutete eine Verbeugung an. »Doctorus«, sagte er so laut, dass alle ihn verstanden, »wir bringen Euch hier Ramón.« Seine Hand fuhr durch die Gitterstäbe und packte den Schwachsinnigen bei den Haaren. Dann bog er den Kopf so weit zurück, dass Bombastus Sanussus bequem in das Gesicht sehen konnte. »Ramón ist von Geburt an blöde, weshalb er in der ganzen Stadt nur der ›dumme Ramón‹ genannt wird. Wir haben nun gehört, dass Ihr auch einer Gauklertruppe vorsteht, und wir dachten, dass man Ramón dort zur Schau stellen könnte. Was haltet Ihr davon?«

Der Doctorus runzelte die Stirn, doch ehe er zu einer Antwort kam, hatte Arturo sich dazwischengeschoben: »Señor«, sagte er zu dem Vollbärtigen, und nur wer ihn kannte, merkte, wie empört er war, »die von Euch eben erwähnte Gauklertruppe hat keinen Vorsteher, aber einen Wortführer, und den seht Ihr vor Euch. Man nennt mich Arturo, und im Namen der *Artistas unicos* lehne ich Euer Ansinnen ab.«

Er holte tief Luft und fuhr fort: »Wir Spielleute vertreten die Meinung, dass jedes menschliche Leben eine Würde hat, egal, wo und in welcher Form es uns begegnet.«

»Tja, also …« Durch den Umstand, dass er es plötzlich nicht mehr nur mit dem Doctorus zu tun hatte, war der Vollbärtige aus der Fassung gebracht. »Also … Ihr müsst wissen, dass der dumme Ramón die Stadt im Laufe der Jahre schon eine hübsche Stange Geld gekostet hat, bedenkt nur, dass er täglich seine Mahlzeiten braucht und dass ständig jemand seinen, äh … Unrat fortmachen muss. Die Stadt kann sich das einfach nicht mehr leisten und ein Manicomio, ein Irrenhaus, erst recht nicht.«

»Aber, aber!« Die Miene des Doctorus war voller Verständnis. »Wenn ich mir den Mann genau anschaue, dann sitzt ihm der Narrenstein direkt unter der Kalotte. Was wäre es Euch wert, wenn ich ihn herausoperierte?«

Der Vollbärtige öffnete den Mund und blickte ratlos seine Kameraden an.

»Euer Ramón wäre nach der Extraktion des Narrensteins in weniger als zwei Wochen geheilt, könnte wieder einer Arbeit nachgehen und würde der Stadt nicht mehr zur Last fallen«, setzte der Doctorus nach. »Ich denke, das ist einen Silberpeso wert, was meint Ihr?«

Der Vollbärtige besprach sich mit seinen Männern, dann nickte er. »Wir können den Alcalden zwar jetzt nicht fragen, Doctorus, aber wir sind sicher, dass er das Geld aus dem Stadtsäckel bereitstellen wird. Wir werden die Summe vorab auslegen.«

»Wohlan denn! Hebt ihn heraus und setzt ihn auf meinen Operationsstuhl, fesselt seine Brust an die Lehne und haltet ihn an allen vier Gliedmaßen fest!«

Die Männer beeilten sich, seine Anweisungen zu befolgen.

Problemlos hoben sie den Schwachsinnigen heraus, der nicht wahrzunehmen schien, was mit ihm geschah. Er lächelte weiter blöde und stieß sabbernde Laute aus.

Ohne sich darum zu kümmern, nahm der Doctorus eine große Schere zur Hand und begann das Haupthaar vollständig abzuschneiden. Nur am Hinterkopf ließ er ein paar Strähnen stehen. Als dies getan war, tauchte er einen Pinsel in eine senffarbene Flüssigkeit und bestrich damit die Schädeldecke.

»Dieses Narkotikum wird für eine lokale Betäubung sorgen!«, rief er laut in die Menge.

Tirzah hielt inzwischen ein kleines Skalpell bereit, doch der Doctorus winkte ab. »Gib mir das große«, flüsterte er, »die Leute sollen sehen, was ich in der Hand halte.«

Sie holte das große Skalpell. Es hatte einen sichelförmigen Griff und eine sechs Zoll lange Klinge.

»So, Ihr guten Leute, die Operation beginnt!« Rasch zog Bombastus Sanussus einen Schnitt von der Stirn bis zum Hinterkopf. Der Schwachsinnige schrie auf vor Schmerzen, doch starke Arme hielten ihn fest. Ein zweiter Schnitt folgte, quer zum ersten, sodass beide Schnitte ein T bildeten. Blut lief in Strömen zu beiden Seiten des Schädels herab und besudelte die Männer. Ramón wimmerte und versuchte zuckend, sich aus der Umklammerung zu befreien.

»Ein T-förmiger Einschnitt bringt uns den Narrenstein zum Greifen nah!«, kommentierte der Operateur sein Tun. Er gab das Skalpell Tirzah, in deren Hand kurz zuvor etwas gewesen zu sein schien, doch niemand hatte darauf geachtet. Bombastus Sanussus riss mit einer unerwarteten Bewegung den Kopf des Irren nach hinten, sodass die Schädeldecke für niemanden einsehbar war. »Die Hautlappen werden auseinander geklappt!«, schrie er. »Und hervor kommt schon der ...«, er machte eine dramatische Pause, »Narrenstein!« In seiner Hand tauchte ein taubeneigroßer Stein auf, der aussah wie ein ganz gewöhnlicher Kiesel.

Die Menge klatschte Beifall.

Der Schwachsinnige atmete stoßweise.

»Jetzt nur noch zwei Ligaturen genäht!«, rief der Doctorus, während er schon mit Nadel und Faden hantierte. »Anschließend einen Leinenverband angelegt, und schon ist der Fall erledigt!«

Kurz danach richtete er sich auf. »Setzt ihn wieder in den Käfig zurück«, befahl er den Männern in normaler Lautstärke. »Sein Gehirn braucht bis zur vollständigen Regeneration noch mehrere Tage. So lange wird er auf den Unkundigen noch wie ein Schwachsinniger wirken.«

»Wir sind Euch zu großem Dank verpflichtet, Doctorus«, sagte der Vollbärtige herzlich, während seine Kameraden den Käfig davontrugen.

»Nicht der Rede wert, junger Freund. Meine Assistentin nimmt Euren Obolus entgegen.«

»Unser Vater hat Fell vor dem Auge, Herr Doctorus.« Zwei Männer, denen man ansah, dass sie Brüder waren, halfen einem Greis auf das Podest. »Er sieht auf dem rechten Auge so schlecht, dass er nur noch hell und dunkel unterscheiden kann.«

Vitus und der Magister schätzten den Vater auf weit über siebzig.

Der Alte, ein einfacher, armselig gekleideter Mann, tastete sich zu einem Stuhl. Bombastus Sanussus legte ihm jovial die Hand auf die Schulter, bevor er seine Stimme erhob:

»Der Abuelo hier hat das Fell vor dem Auge, ihr guten Leute, und für alle, die den Ausdruck nicht kennen, will ich es anders sagen: Man nennt das Leiden auch ›Graue Augen‹. Nun«, er beugte sich zu dem Alten hinab, »wie ist Euer Name?«

»Felipe«, murmelte dieser. Ihm war sichtlich unbehaglich zumute.

»Felipe kann geholfen werden, mit einer Arznei, die sich hundertfach bewährt hat! Zur Herstellung der Rezeptur nehme man die Eier der Roten Ameise und gebe sie in ein Gläschen, man verklebe es wohl, dass keines der Eier herausfallen kann. Hierauf schlage man das Gläschen in Schwarzen Teig ein. Anschließend forme man ein Brot daraus und backe dieses im Ofen. Nach dem Erkalten öffne man vorsichtig das Glas, damit es nicht zerbreche. So ist aus den Ameiseneiern ein Ameisenwasser geworden. Dieses Wasser muss vier- oder fünfmal am Tag in die Augen getan werden, jedes Mal ein Tröpflein, und schon bald, Abuelo, wird sich der Schleier von Eurem Auge lüften.«

Zur Überraschung des Doctorus schob sich der eine der Brüder mit grimmiger Miene vor. »Solche Rezepte hat unser Vater schon zu Dutzenden ausprobiert, Doctorus, und alles war für die Katz. Wir wollen, dass eine kundige Hand ihn operiert, sagt uns offen, wenn Ihr es nicht könnt.«

Der Mann hatte nicht sehr laut gesprochen, doch die am nächsten Stehenden hatten seine Worte gehört. Auch Vitus hatte mitbekommen, was der Sohn wollte. Er war gespannt, wie der Doctorus reagieren würde.

»Soll dem Väterchen jedoch innerhalb weniger Minuten geholfen werden«, schrie Bombastus Sanussus in die Menge, wobei er so tat, als wären die Worte des Sohnes nie gefallen, »gibt es nichts Wirksameres als die Operation!«

Wieder wandte er sich an den Alten: »Ihr seid doch einverstanden, Abuelo?« Felipe nickte schüchtern. »Der Eingriff ist allerdings nicht ganz billig, ich sag's Euch gleich. Einen halben Silberpeso wird es Euch kosten.«

»Keine Sorge, Doctorus«, schaltete sich der zweite Bruder ein, »wir können zahlen.«

»Wohlan, setzt das Väterchen in die Sonne, Ihr als sein besorgter Sohn mögt seine Stirn von hinten umfassen und seinen Kopf halten, der andere mag seine Hand halten.«

Bombastus Sanussus winkte Tirzah, die ihm eine Nadel für den Starstich reichte. Der Doctorus hatte dem Alten gegenüber Platz genommen, ergriff die Nadel mit der Rechten und bemerkte, dass er sie mit der linken Hand führen musste, da es sich um das rechte Auge handelte. Er schwieg jetzt und schien sich zu konzentrieren. Dann zog er mit Daumen und Zeigefinger der rechten Hand die Augenlider auseinander, während er mit der linken die Nadel ansetzte. Seine Bewegungen wirkten wenig harmonisch. Doch dann, mit einem entschlossenen Ruck, stieß er die Nadel von der Schläfenseite her ins Weiße des Auges. Der alte Mann stöhnte auf und versuchte, den Kopf zurückzuziehen, doch seine Söhne hielten ihn eisern fest. Weiter glitt die Nadel bis in die Pupille. Hier verhielt der Doctorus für einen Moment und holte tief Luft. Der alte Mann saß jetzt starr wie eine Echse in der Sonne.

»Gleich ist es vorbei, Vater«, sagte der Sohn, der ihm die Hand hielt.

Bombastus Sanussus bewegte die Nadel jetzt abwärts und drückte mit ihr die getrübte Linse nach unten, bis sie verschwunden war. Sowie er dies getan hatte, zog er die Nadel wieder heraus und sprang erleichtert auf. »Das war es schon!«, rief er der Menge zu. »Nun, Abuelo, könnt Ihr mehr erkennen?«

Der Alte blinzelte heftig, das Auge tränte stark. »Das kann ich in der Tat«, rief er nach einer Weile, »ich sehe wieder Konturen, alles ist klarer als vorher!«

»Está bien!« Der Doctorus war sehr zufrieden. »Ich mache Euch jetzt noch eine Kompresse mit meinem Ameisenwasser, anschließend verbinde ich Euch beide Augen, damit Ihr nichts sehen könnt und deshalb auch nicht in Versuchung kommt, die Augen zu bewegen. Acht Tage müsst Ihr stramm liegen und Euch schonen.«

»Ich danke Euch, Doctorus«, murmelte der Alte, während er sich mühsam mit Hilfe seiner Söhne erhob. Er war von dem Eingriff noch sehr mitgenommen.

»Was sagst du dazu, Vitus?«, fragte der Magister. »Du musst zugeben, dass alles, was er gemacht hat, sehr gekonnt wirkte.«

»Der Operateur sollte fähig sein, mit beiden Händen gleich gut zu arbeiten, da er die Starnadel am linken Auge mit der rechten und beim rechten Auge mit der linken Hand führen muss«, entgegnete Vitus. »Mir ist aufgefallen, dass er mit seiner Linken Schwierigkeiten hatte, wahrscheinlich ist er ein ausgeprägter Rechtshänder.«

»Nun mach aber mal einen Punkt!« Der Magister stieß Vitus freundschaftlich in die Seite. »Du weißt, dass auch ich nicht gerade ein Freund von unserem Doctorus bin, aber diese Operation hat er gut durchgeführt.«

»Hm.«

»Ich verstehe ja, dass ihr Ärzte untereinander zu Rivalitätsgefühlen neigt, aber was gesagt werden muss, muss gesagt wer ...«

»Doctorus, Doctorus! Bitte! Würdet Ihr Euch das einmal anschauen?« Eine dürre Frau mit spitzer Nase und schmalen Lippen hatte sich vorgedrängt und hielt Bombastus Sanussus ein Nachtgeschirr mit Deckel entgegen.

»Aber gern!« Des Doctorus Stimme übertönte den Platz. »Eigentlich wäre dies eine Aufgabe für Señora Tirzah, aber ich will Euch die Bitte nicht abschlagen. Ist das Euer Urin, gute Frau?«

»Nein, es ist der, äh … Urin meiner Schwester.« Ihr puterroter Kopf strafte sie Lügen. »Sie fühlt seit längerem einen Knoten in der Brust und hat große Sorge, dass der Krebs sie zerfrisst.«

»So will ich sehen, ob diese Sorge begründet ist!« Der Doctorus nahm das Gefäß entgegen, hob den Deckel, roch am Inhalt, verzog die Nase und goss den Urin in eine *matula* um. »Dieses kolbenförmige Glas, ihr guten Leute«, rief er mit schallender Stimme, »wird mir dazu dienlich sein, den Urin in seiner Beschaffenheit genau zu studieren. Die Uroskopie, wie die Wissenschaft die Harnschau nennt, kann nicht hoch genug bei der Diagnose einer Krankheit eingeschätzt werden!«

Er hob die *matula* gegen das Licht und dozierte weiter: »Wir Gelehrten unterscheiden insgesamt dreiundzwanzig verschiedene Harnfarben, von quellwasserhell über milchig weiß, himbeerrot, tannengrün bis hin zu taubengrau und schwarz!« Er schüttelte kräfig das Glas und betrachtete es kritisch.

Die Menge war jetzt so still, dass man nur das Rauschen des Windes und das Quaken der Frösche hörte.

»Wir sprechen von dünnflüssigem, mittelflüssigem und dickflüssigem Harn«, fuhr Bombastus Sanussus fort, »und teilen die Flüssigkeitssäule der *matula* in drei Zonen ein: die obere, die mittlere und die untere! Je nachdem, wo sich bestimmte Substanzen wie Bläschen, Tröpfchen, Wölkchen, Flöckchen et cetera absetzen, sind sie Indices dafür, was dem Patienten fehlt!« Er schüttelte die *matula* abermals, steckte einen Finger in die Flüssigkeit und kostete, ohne mit der Wimper zu zucken, davon. Nachdenklich nickte er. Wieder hielt er das Glas gegen das Licht. »Bei dem Harn Eurer Schwester schweben im oberen Glasbereich kleine Wölkchen, *nubes* genannt, sie sind ein Zeichen dafür, dass auch im oberen Teil ihres Körpers etwas im Ungleichgewicht ist.«

»Herr Doctorus, meine Schwester will keine Opera…«

»Verzeiht, ich war noch nicht am Ende. Ich komme nunmehr zur Uromantie, zur Urinwahrsagerei, die mir hilfreich ist, um zu sehen, welch ein Temperament Eure Schwester hat. Da nun der Harn von rötlicher Einfärbung ist und dazu recht dünn, will mir scheinen, dass sie ein sehr schlanker, um nicht zu sagen überschlanker Mensch ist, mit einem spitzen Gesicht, ein Mensch, der zu Wutanfällen neigt und dem die Galle leicht überläuft …«

Die Dürre schnappte nach Luft.

»… aber einen edlen Charakter hat!«, ergänzte der Doctorus glatt. Er betrachtete ihre tiefen Falten, die sich von der Nase herab um die Mundwinkel zogen. »Auch wenn sie manchmal unter Magenproblemen leidet.«

Zufrieden stellte er fest, dass die Dürre unmerklich nickte.

»Nun, gute Frau, Ihr seid nicht umsonst gekommen, Eurer Schwester kann geholfen werden, und zwar ganz ohne Operation. Nehmt für sie von meinem *Balsamum vitalis* drei Flaschen mit, sie möge morgens, mittags und abends je einen großen Löffel davon zu sich nehmen, und in Kürze wird sie ruhiger werden und der Knoten sich von selbst auflösen!«

»Ich danke Euch, Doctorus, der Allmächtige segne Eure Hände.«

»Dankt nicht mir, dankt der Wissenschaft, der ich mich verschrieben habe!« Er winkte Tirzah, die mit den verordneten Flaschen kam.

»Was hältst du von alledem, Vitus?«, fragte der kleine Gelehrte. »Ich fand seinen Vortrag über die Harnschau sehr interessant.«

»Ich halte nicht viel davon«, entgegnete Vitus düster, »und von der Harnwahrsagerei schon gar nichts. Es war doch ganz offensichtlich, dass die dürre Frau ihren eigenen Urin überreichte, aber vorgab, es sei der ihrer Schwester, weil sie sich vor den Leuten genierte. So war es für Bombastus Sanussus ein Leichtes, per Uromantie die Schwächen und Eigenschaften der ›Schwester‹ zu erkennen – sie stand ja sozusagen vor ihm.«

»Und was sagst du zur Harnschau?«

»Pater Thomas steht ihr von jeher skeptisch gegenüber, und ich teile seine Meinung. Die Wahrscheinlichkeit eines Irrtums ist bei dieser Methode viel zu hoch. Nimm als Beispiel nur einen sehr gelben Harn: Viele Uroskopisten würden auf Grund dieser Beschaffenheit auf Leberprobleme, vielleicht sogar auf eine Gelbsucht schließen. Dabei kann die Erklärung viel harmloser sein, dann nämlich, wenn der Urinbesitzer vorher reichlich Möhren genossen hat.«

»Ich verstehe«, nickte der Magister. »Und der Narrenstein? Du glaubst doch auch nicht, dass er den wirklich aus dem Schädel geholt hat?«

»Der Narrenstein war für mich der endgültige Beweis, dass unser Doctorus ein Scharlatan ist«, antwortete Vitus grimmig. »Das war übelste Menschenquälerei und Betrug dazu, schließlich hat er sich für seine Täuschung auch noch gut bezahlen lassen.«

»Er hat es sehr geschickt kaschiert.«

»Wenn ich nicht Sorge gehabt hätte, uns alle in Schwierigkeiten zu bringen, hätte ich diesem falschen Cirurgicus das Skalpell aus der Hand geschlagen!« In Vitus' Augen blitzte es.

»Wir müssen uns irgendetwas überlegen, das ihm Einhalt gebietet«, sagte der kleine Gelehrte entschlossen, »sieh nur, jetzt verhökert er für viel Geld sein *Balsamum vitalis*, und die Leute stehen danach Schlange. Die Welt will betrogen sein.«

»Gottlob ist die Vorstellung zu Ende.« Vitus beruhigte sich etwas. »Für heute kann unser falscher Doctorus keinen Schaden mehr anrichten. Am Nachmittag geben unsere Gauklerfreunde eine Vorstellung, ich bin sicher, dass es dann ebenso voll sein wird.«

»Wenigstens dafür war der Auftritt des Quacksalbers gut: Unser Gastspiel dürfte sich bis dahin herumgesprochen haben.«

Ein paar Stunden später hatten Vitus und der Magister sich unter die Zuschauer gereiht, um die Darbietungen der Gaukler gut mitverfolgen zu können. Männer, Frauen und Kinder jeglichen Alters hockten im Gras, lachten, scherzten, schwatzten, gestikulierten und konnten den Beginn der Vorstellung kaum erwarten.

»Hochverehrtes Publikum! Ich habe das große Vergnügen und die unschätzbare Ehre, euch das Programm der weltbekannten Truppe Los artistas unicos *anzukündigen.«*

Von den meisten in der Menge unbemerkt, war Arturo hinter einem Wagen hervorgekommen. Er trug wieder das prächtige, goldbestickte Kostüm, das Vitus und der Magister schon kannten. Sein riesiger Schnauzer vibrierte bei jedem Wort.

»Freut euch zunächst auf einen Mann, dem es als Einzigem gelungen ist, die Schwerkraft zu besiegen, freut euch auf den großen Balancearo!«

Federnd sprang er hinter die Wagen und kam nach wenigen Sekunden wieder in seiner Jongleurs-Tracht hervor ...

Das Programm nahm den Verlauf, den die Freunde schon kannten, doch alsbald erging es ihnen wie allen anderen Zuschauern, und sie standen ganz im Bann des Geschehens. Irgendwann fragte Vitus: »Hast du den Magier heute Mittag beobachtet? Er tat ziemlich geheimnisvoll und hat mehrfach mit den Zwillingen gesprochen.«

»Ist mir entgangen«, antwortete der Magister abwesend. Er verfolgte gerade, wie Zerrutti sich das schwarze Tuch Stück für Stück aus dem Ohr zog, um es anschließend über den Sarg mit Maja zu werfen.

»Es würde mich nicht wundern, wenn wir nachher noch etwas Neues von Zerrutti zu sehen bekämen, etwas, an dem die Zwillinge beteiligt sind. Ich habe so eine Ahnung.«

»Phantastisch!« Der Magister war aufgesprungen, denn in diesem Augenblick hatte Maja den Sarg unversehrt verlassen. »Wie ist so etwas bloß möglich!«

Auch Vitus hatte sich erhoben und klatschte Beifall. »Ich weiß es nicht. Aber eines weiß ich genau: Zerrutti wird es uns nicht verraten.«

»Schau mal, Vitus«, rief der Magister, ohne auf die Bemerkung seines Freundes einzugehen. »Da erscheint ein Clown, ich glaube, es ist Arturo.«

Arturo hatte ein safrangelbes Trikot mit großen grünen Knöpfen angelegt, das mit einem dicken Kissen ausgestopft war, wodurch er lächerlich unförmig wirkte. Dazu trug er eine blaue Perücke mit halblangen Haaren. Seine Nase maß mindestens eine halbe Elle, war zinnoberrot und mit einer dicken Warze behaftet. Er stützte sich auf ein Fass, das ihm bis zur Brust reichte.

»Hallo, Kinder!«, rief er mit tiefer, gemütlicher Stimme. »Seid ihr alle da?«

»Jaahaaaaa!«, schrien die Kleinen begeistert. Endlich war da jemand, der nur zu ihnen sprach.

»Wart ihr auch alle brav?«

»J... ja, ja.«

»Dann ist es guuut.« Arturo tat so, als hätte er die zögernde Antwort nicht bemerkt. »Ich heiße Beppinooo ... und auch ich kann zauuuubern! Soll ich es euch zeigen?«

»Jaahaaaaa!«

»Du kannst ja gar nicht zaubern!« Ganz plötzlich stand ein bohnenstangendünner Mann im Nachthemd neben Beppino. Es war Anacondus, was aber keines der Kinder bemerkte.

»Doch kann ich!«

»Kannst du nicht!«

»Kann ich wohl! Die Kinder hier glauben es auch, nicht wahr Kinder?«

»Jaaa!« – »Zauber mal was!« – »Zeig es ihm!« – »Los, Beppino!« – »Mach doch!« – »Schnell!«

»Guuut! Pass auf, Nachthemdmann«, sagte Beppino, »ich mache, dass ich wie vom Erdboden verschluckt bin. Geh du nur für einen Moment hinter die Wagen, und wenn du wieder hervorkommst, bin ich fort.«

»Aber, aber!« Der Nachthemdmann fuchtelte Beppino unter der Nase herum. »Du darfst nicht weglaufen!«

»Nein, tue ich niiicht.«

»Nun gut.« Der Nachthemdmann stolzierte hinter die Wagen.

»Psssst, Kinder«, flüsterte Beppino mit verschwörerischer Miene, drehte den Kopf und machte einen langen Hals, um zu prüfen, ob der andere auch wirklich verschwunden war. »Ich steige jetzt in dieses Fass, und wenn der dumme Nachthemdmann wiederkommt, bin ich ganz verschwunden, und er denkt, ich kann zaubern.«

»Au fein!« – »Oh ja!« – »Sei vorsichtig!«

»Psssst! Werdet ihr mich auch nicht verraten?«

»Nein.« – »Bestimmt nicht, Beppino …«

Beppino ergriff das schwarze Tuch, das Zerrutti zurückgelassen hatte, und stieg schnaufend und ungeschickt in das große Fass. Nachdem er darin verschwunden war, breiteten seine Hände über der Öffnung das Tuch aus.

»Ja, wo ist Beppino denn?« Der Nachthemdmann war zurück und schaute in alle Richtungen. Die Kinder verhielten sich mucksmäuschenstill. »Er kann doch nicht vom Erdboden verschluckt sein! Weiß jemand von euch, Kinder, wo er steckt?«

»Nein!« – »Keine Ahnung!« – »In der Tonne!« – »Nein!«

Der Magister wisperte Vitus ins Ohr: »Ein Verräter ist immer dabei, da machen selbst Kinder keine Ausnahme.«

Gottlob schien der Nachthemdmann nichts gehört zu haben, denn er suchte weiter auf der ganzen Bühne. Endlich lehnte er sich resignierend an das Fass. »Ich glaube, Beppino hat sich doch weggezaubert, oder?« Dann jedoch starrte er das Fass von oben bis unten an, und eine Erleuchtung schien ihm zu kommen. Er nickte, als hätte er begriffen. »Tja, wenn er sich weggezaubert hat, gehe ich auch weg.« Er tat drei besonders hörbare Schritte, um so zu tun, als entferne er sich, blieb dann stehen, ergriff einen riesigen Hammer und einen ebenso großen Nagel. Sein Blick lag unverwandt auf dem Fass. Nach einigen Sekunden hob sich das schwarze Tuch. Der Kopf Beppinos zeichnete sich ab.

»Vorsicht, pass auf, Beppino!«, riefen die Kinder, doch der Clown im Fass schien sie nicht zu hören. Als der Kopf sich fast gänzlich über den Rand gehoben hatte, sprang der Nachthemdmann hinzu und trieb mit schnellen Schlägen den Nagel in den Kopf.

»Was tust du, Nachthemdmann, du böser Nachthemdmann!« Die Kinder waren außer sich. Der Kopf hatte sich wackelnd wieder herabgesenkt. »Du hast Beppino totgemacht, du Böser!«

»Aber wieso denn, Beppino hat sich doch fortgezaubert! Das kann Beppino nicht gewesen sein!« Der Nachthemdmann wollte es nicht glauben.

»Doch, war er!« – »Er ist in dem Fass!«

»Was sagt ihr? Um Gottes willen, Kinder! Nein, das glaube ich nicht!«

»Doch, wirklich, er ist da drin!« – »Und jetzt ist er tot!«

»Oh Gott, was hab ich getan!« Der Nachthemdmann ließ von dem Fass ab und blickte die Kinder fassungslos an. »Das wollte ich nicht!« Er rang die Hände. »Habe ich einen Menschen getötet? Jesus, Maria und Josef, das darf nicht wahr sein!«

Und während er noch redete, änderte sich plötzlich die Betroffenheit der Kinder, und es erhob sich ein einziger Schrei: »Beppinooooo!«

»Ja, was denn …?« Der Nachthemdmann fuhr herum und

wollte seinen Augen nicht trauen. Der Clown stand feixend im Fass und hielt einen grünen Kohlkopf hoch, aus dem er einen Nagel zog.

»Das hat mir gefallen, Vitus!«, schrie der Magister über den Lärm der jubelnden Kinder hinweg. »Aber was ist das für ein grünes Ding?«

»Ein Kohlkopf.«

»Sehr gut.« Der Magister blinzelte kurzsichtig. »Was wohl jetzt kommt?«

»Ich glaube, Zerrutti tritt noch mal auf.«

Und so war es.

Kurz darauf erschien der Magier, wie immer schwarz gekleidet, in Begleitung eines Jünglings, der nur ein hautenges, rotes Trikot mit spitzenbesetzter Halskrause trug.

»Das ist Antonio«, flüsterte der Magister aufgeregt.

»Oder Lupo«, entgegnete Vitus trocken.

Zerrutti verbeugte sich tief. Sein Assistent tat es ihm gleich. Der Magier winkte, woraufhin sich aus der Wagenburg ein Gefährt löste, das langsam nach vorn kutschiert wurde. Es war ein Wagen mit flachem Aufbau, nicht sehr groß und nach oben offen. Seine Plattform war durch die Seitenwände nicht einsehbar. Auf dem Bock saß Maja, die auf ein Handzeichen Zerruttis das Pferd zum Stehen brachte.

Der Magier bückte sich zur Erde, zog eine Art Falltür hoch und bedeutete dem rot gekleideten Jüngling, in die darunter befindliche Grube zu steigen.

»Zerrutti muss irgendwann im Laufe des Tages das Loch gegraben haben«, flüsterte der Magister Vitus zu, »hast du was davon bemerkt?«

»Nein, aber das Loch liegt genau an der Stelle, wo sonst das Podest steht. Vielleicht haben Zerrutti und die Zwillinge heute gegraben, während über ihnen unser gemeinsamer Freund die Leute auf seine Art kurierte. Auf jeden Fall haben sie ganze Arbeit geleistet, denn von dem Aushub ist nichts mehr zu sehen.«

Zerrutti hatte mittlerweile die Falltür geschlossen, trat zurück und winkte den Wagen weiter heran. Maja schnalzte mit der Zunge, das Pferd zog wieder an. Als eines der Vorderräder direkt auf der Falltür stand, brachte sie das Gefährt zum Stehen. Der Magier schloss wie in Trance die Augen und breitete die Arme weit aus. Eine halbe Minute verharrte er so, dann plötzlich klatschte er kraftvoll in die Hände. Fast zeitgleich gab es einen ohrenbetäubenden Knall, gefolgt von einem grellen Blitz, der unter dem Wagen hervorschoss.

Die Menge rieb sich die Augen und erkannte zu ihrem grenzenlosen Erstaunen, dass der Assistent mit dem roten Trikot jetzt auf der Plattform des Wagens stand. Lächelnd winkte er dem Publikum zu, dann sprang er mit einer geschmeidigen Bewegung herab.

Tosender Beifall setzte ein.

Zerrutti verneigte sich mehrmals und kletterte dann zu seiner Partnerin auf den Bock. Sie winkten dem Publikum zu, während sich der Wagen entfernte.

Inzwischen war Arturo in seinem Präsentationskostüm wieder erschienen und hatte sich genau auf die Falltür gestellt.

»Hochverehrtes Publikum! Señoras und Señores!
Hiermit endet unsere Vorstellung. Die Artistas unicos *hoffen, dass es allen gefallen hat, und wünschen noch einen angenehmen Abend. Wem unsere Darbietungen ein Scherflein wert sind, den werden wir gern in unsere Gebete einschließen. Jede Gabe ist willkommen, ob in*

Naturalien oder in klingender Münze, ganz wie's be-
liebt, hasta la vista, Freunde!«

Er winkte fröhlich und riss sich dann schwungvoll seinen
großen Hut vom Kopf, den er an den Assistenten im roten
Trikot weiterreichte. Der nahm ihn und begann damit herum-
zugehen. Die Leute gaben gern und reichlich.
»Den Trick mit der durchsägten Maja habe ich noch immer nicht durchschaut«, sagte der Magister klatschend, »aber
Zerruttis letzte Nummer war für unsereinen klar: Antonio
sitzt nach wie vor in der Grube, und Lupo sammelt das Geld
ein.«
»Oder umgekehrt«, grinste Vitus.

Am anderen Morgen herrschte im Gegensatz zum vorange-
gangenen Tag trübes Wetter. Es regnete zwar nur leicht, aber
ohne Unterbrechung. Trotzdem warteten bereits viele Menschen auf die Behandlungsstunde von Bombastus Sanussus.
Vitus saß noch in seinem Wagen und hatte Pater Thomas'
Werk *De morbis* aufgeschlagen. Er wollte nachlesen, was die
weisen Ärzte bei einem Knoten in der Brust empfahlen. Fast
alle vertraten die Meinung, dass eine solche Geschwulst nicht
äußerlich behandelbar war, sondern operiert werden musste.
Quae medicamenta non sanant, ferrum sanat, ›was die Arzneien nicht heilen, heilt das Messer‹, las er bei Hippokrates.
Der große Dioskurides, der als Arzt unter den Cäsaren Clau-
dio und Nero gedient hatte, schrieb, dass ein Knoten in der
Brust umso eher heilbar sei, je früher er entfernt werde. Wobei
er darauf hinwies, dass während der Operation die Geschwulst auf keinen Fall verletzt werden dürfe, sie müsse vielmehr weiträumig aus dem Gewebe herausgeschnitten wer-

den. Vitus' Blick fiel nach draußen, denn die Menge begann unruhig zu werden.

Der Doctorus Bombastus Sanussus nahte und erklomm mit säuerlicher Miene das Holzgerüst. Die Witterung behagte ihm nicht. Immerhin, so stellte er zufrieden fest, hatte Tirzah schon sämtliche wohlfeilen Tiegel und Fläschchen am Podestrand aufgebaut. Mit schnellem Blick überprüfte er das Sortiment auf Vollständigkeit und rückte noch einmal seinen Behandlungsstuhl zurecht. »Wohlan denn«, sagte er zu sich, holte tief Luft und rief mit voll tönender Stimme in die Menge:

>*Hochverehrtes Publikum!*
Señoras und Señores! In mir erblicken eure Augen den approbierten und examinierten Doctorus medicinae Bombastus Sanussus, sess- und wohnhaft zu Toledo ...«

Vitus klappte das Buch zu und schloss es ab. Bei diesem Lärm war an eine beschauliche Lektüre nicht zu denken. Er stand auf und schlenderte zum Wagen von Zerrutti und Maja. »Guten Morgen«, sagte er eintretend, »steckt vielleicht der Magister hier irgendwo?«

»Guten Morgen, du gut geschlafen, si?« Zerrutti stand mitten in dem sorgfältig aufgeräumten Raum und zog seiner Partnerin mit taschenspielerischer Geschicklichkeit schwarze Tücher aus den Ohren. »Ich machen Übungsstunde, si?«

»Da bin ich schon!« Der Magister trat hinter einer Holzwand hervor, die eine ähnliche Funktion erfüllte wie die Wolldecke in Vitus' und Tirzahs Wagen. »Was machen wir mit dem angebrochenen Vormittag?«

»Ich wollte mal nach Arturo sehen und ihn fragen, ob wir nicht irgendetwas Sinnvolles tun können. Die Zwillinge machen sich ja bereits nützlich.« Vitus schenkte Zerrutti und Maja einen anerkennenden Blick. »Übrigens, was ihr gestern Abend mit Antonio und Lupo vorgeführt habt, war eine kleine Sensation. Kompliment!«

»Wieso Antonio und Lupo?« Zerrutti kicherte. »Für Publikum es waren nur eine einzige Junge, si? Und Arturo sein nicht hier. Er geritten nach Rondeña, wollen Sack Mehl für Brotbacken und allerlei kaufen, si?«

»Tja, denn«, meinte der Magister, »müssen wir wohl unserem gelehrten Doctorus wieder zuschauen.«

Doch als sie aus dem Wagen gestiegen waren, stellten sie fest, dass Bombastus Sanussus gerade eine Pause einlegte. Er saß mit Tirzah am Rande des Podests und schwenkte eine gefüllte *matula* in der Hand. Irgendjemand schien ihm seinen Urin zur Diagnose überlassen zu haben. Vielleicht war es auch sein eigener. Mit dozierender Stimme sprach er auf seine Assistentin ein: »... und deshalb, Jungfer Tirzah, ist der Harn des Menschen etwas ganz Besonderes. Er ist gewissermaßen das Konglomerat aller Körperflüssigkeiten, weshalb er in meiner Säftelehre die sechste und abschließende Stelle einnimmt.«

»Und die fünfte?«, fragte der Magister wenig respektvoll.

Überrascht schaute Sanussus auf. Seine Augenbrauen hoben sich, was ihn noch blasierter aussehen ließ. »Die fünfte Stelle nimmt bei mir der Schweiß ein, junger Freund.«

»Aha.«

Der Doctorus wandte sich an Vitus: »Wenn Euch die Vier-Säfte-Lehre geläufig ist, mein Freund«, er unterbrach sich, »sie ist es doch, oder?«

»Gewiss.« Vitus entschloss sich, dem Mann, der sich Bombastus Sanussus nannte, eine kleine Lehrstunde zu erteilen: »Ich will sie Euch gern erklären: Die Vier-Säfte-Lehre wurde von den antiken griechischen Ärzten entwickelt, und zwar in Anlehnung an die Lehre von den vier Elementen Feuer, Luft, Wasser und Erde. Galenos ist einer ihrer größten Vertreter, dank seiner Forschungen wurde deutlich, dass alle Vorgänge, im tierischen wie im menschlichen Körper, entscheidend auf den vier Säften und ihren Qualitäten beruhen:

Die gelbe Galle, *chole,* steht für die warm/trockene Dimension; das Blut, *sanguis,* für die warm/feuchte; der Schleim, *phlegma,* für die kalt/feuchte und schließlich die schwarze Galle, *melancholia,* für die kalt/trockene.

Besteht nun eine gleichmäßige Mischung von alledem im Körper, Eukrasia genannt, so ist der Mensch gesund, vorausgesetzt, die Säfte wirken harmonisch zusammen. Krank dagegen wird er, wenn einzelne Säfte die Oberhand gewinnen oder wenn sie zu wenig vorhanden sind. Gleiches gilt, wenn sie sich an einer Körperstelle ansammeln oder sich aus ihr entleeren. Diesen Zustand bezeichnet man als Diskrasia.

Um die inneren Vorgänge bei den Krankheiten erklären zu können, suchten und fanden die alten Ärzte für alle Leiden bestimmte Qualitäten als innere Ursachen, beispielsweise die gelbe Galle für Gelbsucht und Wundrose, das Blut für Schwindel, den Schleim für Rheuma, Asthma, Steinleiden und Schlaganfall, die schwarze Galle für Aussatz und Krebs.«

Vitus machte eine Pause, bemerkte, dass der Doctorus noch immer blasiert dasaß, und dachte: Na warte! Konzentriert sprach er weiter. »Nun zu Eurer These einer Sechs-Säfte-Lehre: Sie ist schon deshalb nicht stichhaltig, weil, wie Ihr selbst behauptet, der Urin ein Konglomerat aller im Körper befindlichen Säfte ist, somit entstammt er aus den anderen vier und kann nicht als eigenständige Flüssigkeit gewertet werden.«

»Nun, äh …« Das linke Augenlid des Doctorus flatterte, was ihn für einen Augenblick fast normal aussehen ließ, doch dann war er wieder ganz der Alte. »Ihr habt nur das Wissen eines Bücherwurms, junger Freund, was Euch fehlt, ist die Praxis.« Er erhob sich und wandte sich erneut an die Menge: »Und nun, ihr guten Leute, geht die Behandlungsstunde weiter!«

Vitus zuckte mit den Schultern. »Komm, Magister, dem Herrn Universalgelehrten ist nichts mehr beizubringen. Wir mischen uns unters Volk.« Sie traten beiseite, und neue Patienten drängten sich vor, darunter ein hagerer Mann mit geröteten Augen, der über andauernden Kopfschmerz klagte.

Der Doctorus betrachtete ihn kurz, dann stand seine Diagnose fest: »Kopfgicht habt Ihr, guter Mann, und gegen Kopfgicht hilft rasch ein Ledersäckchen mit Pechblende, das Ihr Euch aufs Haupt legt, dazu nehmt Ihr eine Walnuss in die rechte Hand, doch nur die Nuss, nicht die Schale! Schon mein Freund Paracelsus übernahm diese Therapie von mir, und sie ist tausendfach bewährt.« Er bückte sich zu seinen Medikamenten und nahm das Verordnete auf. »Hier ist der Beutel.«

Der Mann nahm ihn und tat ihn sich sogleich auf den Kopf. Dann griff er zur Nuss und betrachtete sie. »Aber wieso?«, fragte er schüchtern.

»Das menschliche Hirn, mein Freund, gleicht in seinem Aussehen einer Walnuss, begreift Ihr jetzt?«

Der Mann murmelte scheu einen Dank.

»Macht einen Vierer … der Nächste, bitte!«

Weitere Kranke sprachen auf den Doctorus ein, doch Vitus' Aufmerksamkeit wurde von einem Reiter abgelenkt, der sich in gestrecktem Galopp der Menge näherte und erst kurz vor dem Podest sein Pferd parierte.

Es war Arturo. »Vitus, he, Vitus!«

»Was ist los?«

»Ich komme direkt aus der Stadt.« Die Stimme des Fechtmeisters klang gehetzt. »Habe dort einige Besorgungen für die Truppe gemacht.« Er glitt rasch aus dem Sattel. »Die Frau des stellvertretenden Alcalden sprach mich an, ›Señor‹, sagte sie zu mir, ›in Eurer Truppe soll es einen gelehrten Medikus geben, der sein Handwerk aufs Trefflichste versteht. Ich brauche dringend seine Hilfe, denn mein Mann ist schwer krank, seit Tagen ist er rot im Gesicht, und Luft bekommt er auch kaum noch!‹«

Arturo beruhigte sich langsam. »Dann schlug sie mehrmals das Kreuz, ›gesegnet sollt Ihr sein, Señor, wenn Ihr einer schwachen Frau helft …‹ So ging es noch eine ganze Zeit lang weiter, sie erzählte, dass der Arzt von Rondeña selber unter Flüssen leide, dass ihr Mann schon lange krank wäre, wie schlimm das für die Stadt sei und so weiter und so weiter. Endlich hatte sie mich so weit, ich sagte ihr zu, dass unser Arzt sofort käme, um ihrem Gatten zu helfen.«

»Unser Doctorus ist zurzeit allerdings sehr beschäftigt«, gab der Magister zu bedenken.

»Ich habe auch nicht an Bombastus Sanussus gedacht«, entgegnete der Fechtmeister.

»Sondern?« Vitus ahnte, worauf der andere hinauswollte.

»An dich! Wir sind Gaukler, Vitus, und als solche auf Gedeih und Verderb dem Wohlwollen der Obrigkeit ausgeliefert. Wir können es uns nicht leisten, einen Mann wie den stellvertretenden Alcalden von einem zweitklassigen Medikus behandeln zu lassen. Die Therapie muss erfolgreich sein, hörst du? Sie muss!«

»Ich verstehe.«

»Machst du's?«

»In Gottes Namen, ja.«

»Ich komme mit«, sagte der Magister.

»Hm.« Vitus überlegte. »Es wäre das erste Mal, dass wir wieder in der Öffentlichkeit sind. Ein gewisses Risiko ist nicht von der Hand zu weisen, aber ich bin sicher, dass die Inquisition, sprich Bischof Mateo, inzwischen ihr Interesse an uns verloren hat.«

Er nahm, einem plötzlichen Entschluss folgend, dem kleinen Gelehrten die Perücke ab, sodass dessen braune Haare wieder sichtbar wurden. »Deine Kreuznarbe auf der Stirn ist mittlerweile so verblasst, dass du die Locken nicht mehr brauchst.«

»Dann kann auch der Spitzbart fort!« Entschlossen riss der kleine Mann sich das blonde Haarteil ab.

»Beeilt euch, bitte!«, drängte der Fechtmeister. »Ihr könnt mein Pferd nehmen. Es ist zuverlässig und ausdauernd. Und bevor ich's vergesse: Der stellvertretende Alcalde heißt Francisco de la Muralla, und seine Frau ist Doña Eugenia, sie wohnen in der Calle Córdoba.«

Vitus schwang sich mit einiger Anstrengung auf den Braunen. Der Magister kraxelte ebenfalls empor, nachdem er die Kiepe geholt und sie sich auf den Rücken geschnallt hatte. Während Vitus den Braunen vom Podest fortlenkte, bemerkten sie eine korpulente Frau, die schnaufend auf das Gerüst zuwatschelte.

»Das ist doch die Dicke mit dem faulen Zahn«, entfuhr es dem Magister.

»Stimmt, was will die denn schon wieder?«

»Doctorus!«, hörten sie die schwere Frau heulen. »Eure Jauchetropfen haben nicht geholfen und das Balsamum auch nicht. Der Schmerz ist wieder da, schlimmer als gestern. Mir ist ganz schwarz vor Augen!«

Bombastus Sanussus drehte sich erschreckt um. Nörgelnde Patienten, zumal, wenn sie ihrer Unzufriedenheit so lautstark Luft machten, verdarben das Geschäft. Er ließ von dem fieberkranken Knaben ab, den er soeben behandelte, und gab ihn in Tirzahs Obhut. »Gute Frau!«, rief er besänftigend. »Wenn die Jauchetropfen und das Balsamum nicht gewirkt haben, kommt nur noch eine Diagnose in Frage: Ihr habt den Zahnwurm!«

Die Dicke kreischte erschreckt.

»Nur keine Sorge, das haben wir gleich, es gibt da ein probates Mittel: Der Zahn muss gezogen werden – und mit ihm der Wurm. Dies geschieht«, er nahm aus seinem Instrumentenkasten eine schnabelähnlich gebogene Zange hervor, »mit dem bewährten Pelikan!«

»Komm«, sagte Vitus, »das Ziehen eines Zahns ist nicht immer ein schöner Anblick.«

Fortreitend sahen sie, wie der Doctorus das Instrument in den Mund der Dicken senkte.

»Der Herr sei gepriesen!«, rief Doña Eugenia mit quäkender Stimme. Sie war eine kompakte Frau mit ausgeprägten Flaschenschultern. Ihr Doppelkinn waberte bei jedem Wort: »Endlich seid Ihr da, Señores!«

»Wir sind so schnell gekommen, wie wir konnten, Doña Eugenia.« Der Magister deutete eine Verbeugung an. »Ich bin Ramiro García.«

»Seid Ihr der Medikus?«, fragte sie und wies auf die Kiepe.

»Nein, der bin ich: Vitus von Campodios.« Vitus nickte kurz. »Genau genommen bin ich kein Medikus, sondern Cirurgicus und Kräuterkundler.« Er wollte sich nicht mit Titeln schmücken, die ihm nicht zustanden.

»Schon recht, Ihr seid der Doctorus.«

Vitus unterdrückte die Bemerkung, dass ihm auch der Titel ›Doctorus‹ nicht zukam. »Wo liegt der Kranke?«

»Folgt mir.« Unter aufgeregtem Geplapper führte Doña Eugenia die beiden Freunde ins abgedunkelte Krankenzimmer, wo ihr überaus dicker Gemahl schwer atmend auf einem mit reichen Schnitzereien verzierten Stuhl saß. »Der Doctorus mit seinem Assistenten ist da, Liebster«, meldete sie.

Der stellvertretende Alcalde winkte schwach. »Bitte, helft mir, Doctorus, ich … ich … bekomme kaum noch Luft.«

Er hatte ein rot angelaufenes Gesicht und große Tränensäcke unter den Augen. Die Nase war bläulich verfärbt, auf den Wangen leuchteten viele violette Äderchen. Die Luft im Raum stank nach Schweiß und Urin.

»Ich tue, was ich kann, Don Francisco«, antwortete Vitus beruhigend. Er wandte sich an die Frau des Kranken: »Zieht bitte die Vorhänge an den Fenstern auf, damit die Miasmen, sofern sich welche im Raum befinden, entweichen können.«

Die korpulente Hausherrin nickte eifrig. »Gerne, sofort, Doctorus! Ich will Euch in allem folgen, was Ihr sagt!« Sie klatschte in die Hände, woraufhin prompt eine Dienstmagd im Türrahmen erschien. »Juanita, öffne die Vorhänge.«

Vitus trat an den Stuhl heran. »Don Francisco, um Euch helfen zu können, muss ich Euch gründlich untersuchen. Dazu ist es unabdingbar, dass Ihr Euch auszieht.«

»Juanita, verlasse sofort das Zimmer!«, rief Doña Eugenia erschreckt.

Nachdem die Magd fort war, zogen die drei Don Francisco mit vereinten Kräften aus. »Könnt Ihr Euch aufs Bett legen?«, fragte Vitus.

Der stellvertretende Alcalde japste wie ein Fisch auf dem

Trockenen. »Nein … dann kriege ich … gar keine Luft …
Dieser Druck im Kopf … und in der Brust … oh, diese
Schmerzen …«

»Dann muss es auch so gehen.« Vitus fühlte zuerst den Puls,
der hart und unregelmäßig war. Dann schaute er dem Kranken in den Mund und stellte fest, dass die Zunge weißlich belegt war. Schließlich drückte er in das teigige Gewebe des gewaltig angeschwollenen, mit zahllosen Schweißtröpfchen bedeckten Unterleibs. Seine Finger hinterließen tiefe Eindrücke.
»Nun, nach allem, was ich sehe, scheint die Diagnose klar zu
sein: Ihr leidet an der Wassersucht, Don Francisco.«

Die Hausherrin kreischte auf. »Wassersucht! Ist sie sehr
schlimm? Kann man sie heilen? Wie kommt das Wasser überhaupt in Don Franciscos Leib? Wir essen doch viel und gut!«

»Das glaube ich Euch alles, Doña Eugenia, ich will versuchen,
Euch die Zusammenhänge zu erklären. Anschließend beginne
ich mit der Therapie.«

Vitus nahm ein Tuch und wischte Don Francisco den Schweiß
vom Oberkörper ab. »Bei Eurem Ehegatten liegt ein Überfluss an *phlegma,* also an Schleim, vor. Das heißt, die Mischung seiner Körpersäfte hat sich weit zum Kalten und
Feuchten verschoben, wodurch sich die schon von Natur aus
phlegmatische Konstitution Eures Gatten verstärkt. Ver-
schlimmert wird dieser Umstand noch, verzeiht, wenn ich es
offen sage, durch zu reichliches und falsches Essen und: wohl
durch den Genuss von zu viel Wein.«

Er legte das Handtuch beiseite. »Magister, sei so gut, hole mir
aus der Küche zwei Schüsseln.«

»Mach ich.«

»Danke. Nun, Doña Eugenia, könnt Ihr mir sagen, wie es um
den Stuhlgang Eures Gatten steht?«

»Jesus und Maria!« Das Thema war der Hausherrin peinlich. »Ich glaube, er ist sehr, hmja … unregelmäßig.« Sie überlegte. »Aber Don Francisco hat, um sich selbst zu kurieren, bis vor kurzem nicht weniger als zwei Wochen gefastet!«

»Das ist interessant«, entgegnete Vitus, »es passt genau zum Krankheitsbild: Im Körper wurde dadurch ein Überfluss an schwarzer Galle ausgelöst, welcher eine weitere Verstärkung der kalten Komponente nach sich zieht. Als Folge daraus ergibt sich eine starke Abkühlung des Herzens, die auf die Lunge ausstrahlt. Das ruft eine mangelhafte Verbrennung der Atemluft hervor und als Folge davon wiederum eine ungenügende Versorgung mit dem vitalen Pneuma, welches durch die Verbrennung der Atemluft entsteht. Zusammenfassend möchte ich sagen: ein Mangel an Qualität des Heißen, beziehungsweise ein spektakuläres Übermaß an Kaltem, dem Prinzip des Todes.«

»Jesus und Maria!«, rief Doña Eugenia abermals und schlug verstört das Kreuz. Man sah ihr an, dass sie nichts verstanden hatte. Der Kranke stöhnte leise. »Wird er … muss er …?«, fragte sie hilflos.

»Nein, die *Hydrops anasarca*, wie wir die Wassersucht nennen, lässt sich gut behandeln, vorausgesetzt, Ihr tut alles, was ich Euch sage.«

»Das verspreche ich Euch!«

»Hier, die Schüsseln.« Der Magister war aus der Küche zurück.

»Danke, stell sie aufs Bett. Don Francisco, hört Ihr mich?«

»Ja«, flüsterte der Kranke schwach.

»Gut, als Erstes nehme ich eine Paracentese vor: Ich steche mit der Lanzette in Euren Leib, damit das Wasser ablaufen kann.« Noch bevor Don Maximó etwas einwenden konnte, hatte Vitus eine Handbreit unter dem Nabel punktiert. Gelbliches Wasser schoss heraus, das er mit der ersten Schüssel auffing.

»Aaahh … das … tut gut!«, seufzte der schwere Mann.

Nachdem die Quelle versiegt war, verschloss Vitus sie mit einem Emplastrum. »So, und nun lasse ich Euch zur Ader. Bitte macht eine Faust.«

Der Kranke gehorchte, die blauen Stränge in seiner Armbeuge traten weit hervor. Vitus nahm aus seinem Instrumentarium einen Schnäpper, spannte ihn und ließ den Dorn auf die Haut schnellen. Das hervorspritzende Blut fing er mit der zweiten Schüssel auf. Als sie halb voll war, unterbrach er den Blutstrom und band die Wunde mit einer Kompresse ab.

»Nun zu den Medikamenten: Zur Bekämpfung der Wassersucht bedarf es warmer, trockener Arzneien, denn die Krankheit ist, wie gesagt, kalter und feuchter Natur.« Er winkte die Hausherrin heran. »Doña Eugenia, gebt Eurem Gatten in den nächsten Tagen nur leichte Kost, also Gemüse, Obst und frisches Brot, von allem wenig, das ist wichtig, damit er abnimmt. Reicht ihm dazu viel Honig, denn Honig ist von Natur aus warm. Ihr dürft dem Honig von Fall zu Fall etwas Wein zusetzen, aber wohlgemerkt: nur etwas!«

Er stellte die Schüssel auf einen Tisch neben dem Bett. »Um den Stuhlgang Eures Gatten wieder zu normalisieren, rate ich Euch zu einem sanften Abführmittel: Es besteht aus fünf Löffeln Gänsefett und einem Löffel Rizinusöl. Beides zusammen lasst Ihr kurz aufkochen und verabreicht es, sobald sich das Gebräu auf Fingerwärme abgekühlt hat. Danach darf Don Francisco etwas Wein trinken. Aber nur etwas! Am besten wäre, er würde überhaupt keinen Alkohol zu sich nehmen.«

»Keinen Alkohol, jawohl, und fünf Löffel Gänsefett und ein Löffel Rizinusöl.«

»Genau. Ebenfalls wichtig ist die Stärkung des Herzens. Ich folge hier einem Rezept der Äbtissin Hildegard von Bingen, sie war eine hochgelehrte Frau, die vor langer Zeit in Deutschland lebte. Ich verordne deshalb Eurem Mann den Verzehr von rohen Kastanien. Diese Baumfrüchte haben ebenfalls eine warme Natur. Ihr könnt die rohen Kastanien auch zerquetschen und in Honig legen, Ihr würdet damit zugleich etwas für die Leber Eures Gatten tun.«

»Ich habe mir alles genau gemerkt, verehrter Vitus von Campodios. Ich weiß nicht, wie ich Euch danken soll.«

»Ich habe Eurem Gatten und Euch gern geholfen.« Vitus packte seine Utensilien wieder in die Kiepe. »Wenn Ihr Euch erkenntlich zeigen wollt, wirkt auf Don Francisco ein, dass die *Artistas unicos* noch ein paar Tage länger vor der Stadt lagern dürfen.«

»Das will ich tun! Bitte, wann werdet Ihr wieder nach Don Francisco sehen?«

»In zwei oder drei Tagen«, antwortete Vitus. »Bis dahin wird es Eurem Ehemann schon besser gehen, vorausgesetzt, Ihr haltet Euch an meine Vorgaben.«

»Das werde ich ganz bestimmt!«, versicherte sie eifrig.

»Dann darf ich mich empfehlen, und gute Besserung!«

»Adios ... danke ...«, murmelte der Kranke aus dem Hintergrund. »Es geht mir ... schon etwas besser.«

»Hasta la vista!« Vitus und der Magister verbeugten sich höflich und verließen das Haus.

Als sie zurück im Lager waren, goss es in Strömen. Eine merkwürdige Atmosphäre lag über dem Behandlungsplatz.

Nur noch wenige Menschen standen um das Podest, wild gestikulierend und aufeinander einredend. Der Doctorus war nirgendwo zu sehen, ebenso Tirzah. »Was ist passiert?«, fragte Vitus, als sie das Pferd an Arturo zurückgaben.

Der Fechtmeister blickte düster. »So ziemlich das Schlimmste, was uns widerfahren konnte: Die Dicke mit dem faulen Zahn ist während der Operation plötzlich zusammengesunken, sie keuchte und zuckte und schnappte nach Luft, und der Doctorus schüttelte sie und schrie sie an, und dann, ja dann war sie plötzlich tot, mausetot.«

»Beim Blute Christi, wie konnte das geschehen?« Der Magister ließ fast die Kiepe fallen.

»Wenn ich das Gestammel des Doctorus richtig gedeutet habe, hat sie, verursacht durch den Schmerz, eine Art Kollaps mit Herzstillstand erlitten. Unserem gelehrten Herrn Bombastus Sanussus jedenfalls scheint man keinen Vorwurf machen zu können. Er hat wirklich alles versucht: Er hat ihr ätherische Öle unter die Nase gehalten, sie angeschrien, Maulschellen verpasst, den Kopf nach unten gehalten und noch einiges mehr, aber alles war vergebens.«

Arturo band das Pferd an seinen Wohnwagen. »Ich frage mich nur immer wieder, wie man durch bloßes Zahnziehen sterben kann.«

Vitus runzelte die Brauen. »Der Verlust eines Zahns kostet sicher nicht das Leben. Ich denke, im Falle der Dicken hat das *Wie* eine große Rolle gespielt. Nach Galenos' Erkenntnissen bestehen Zähne aus Knochenmaterial, das so hart ist, dass man sie nicht in eine Reihe mit den anderen Organen stellen kann. Jeder Zahn, so lehrte er, hat eine Wurzel, diese wiederum enthält einen kleinen Nerv. Er ist die Ursache der Empfindlichkeit und des Zahnschmerzes.«

»Aber der Doctorus sprach doch von einem Zahnwurm?«, wunderte sich der Magister.

»Einen Zahnwurm gibt es ebenso wenig wie einen Narrenstein. Tatsächlich aber sind Zähne über Nerven mit dem Hirn verbunden, vielleicht hat der Doctorus bei seiner Operation einen lebenswichtigen Strang zerstört. Im Übrigen sterben dicke Menschen leichter an Herzversagen als schlanke.«

»Dann hat der Doctorus womöglich doch einen Fehler gemacht?«, fragte Arturo.

»Das lässt sich schwer sagen. Ich müsste dazu den Zahn sehen. Hat Bombastus Sanussus ihn überhaupt herausbekommen?«

»Soviel ich weiß, nicht.«

»Hm, ein angefaulter Zahn ist wegen der Brüchigkeit des Materials meistens schlecht zu ziehen. Er bröckelt beim Extrahieren.« Vitus blickte sich suchend um. »Wo ist die Tote eigentlich?«

»Ungefähr anderthalb Stunden, nachdem die Leute fortgelaufen waren, um die Nachricht brühwarm in Rondeña zu verbreiten, erschien hier ein Bruder von ihr mit zwei Nachbarn. Sie luden die Tote auf einen Wagen und schnappten sich den Doctorus. Ich habe nicht alles verstanden, was sie ihm an den Kopf warfen, nur so viel: Sie selbst würden nichts gegen ihn unternehmen, aber morgen, da könnte er sich auf was gefasst machen, dann käme der Ehemann der Dicken, sie heißt übrigens Antonia Alizón, von einer Reise zurück, und mit dem sei nicht gut Kirschen essen. Er sei ein stadtbekannter Raufbold, rachsüchtig und cholerisch, und werde dem Doctorus schon die richtige Antwort auf seine Kurpfuscherei geben.«

»Wo ist unser Wunderheiler überhaupt?«, fragte der Magister.

»Er sitzt in seinem Wagen, wo er sich verriegelt und verrammelt hat.«

»Was haltet ihr davon, wenn wir uns erst mal zurückziehen, damit wir was Trockenes auf den Leib kriegen?«, sagte der Magister, praktisch denkend. »Was geschehen ist, ist geschehen.«

»Einverstanden.« Arturo schob den Sattel, den er mittlerweile abgenommen hatte, unter seinen Wagen. »Das gemeinsame Essen fällt bei dem Regen aus, jeder isst bei sich.«

Als Vitus kurz darauf in Tirzahs Wagen trat, fand er die Zigeunerin bei einer Näharbeit vor. Ihre Körperhaltung drückte aus, dass sie über das Geschehene nicht sprechen wollte. Vitus zuckte mit den Schultern und begab sich hinter seine Wolldecke. Er nahm das Werk von Pater Thomas aus der Kiepe und las alles nach, was die großen alten Ärzte wie Herophilos, Erasistratos, Dioskurides, Celsus, Krataeus, Nikandros und Oribasios über Zähne und Zahnfäule zu berichten wussten. Endlich, am späten Nachmittag, klappte er das Buch zu, legte es weg und schloss es ab. Er überlegte kurz, ob er Tirzah jetzt ansprechen solle, unterließ es dann aber. Stattdessen beschloss er, seine Mahlzeit beim Magister einzunehmen.

Er stand leise auf und verließ den Wagen. Als er die Tür von außen zudrückte, hörte er, wie Tirzah leise weinte.

Der nächste Morgen kam und mit ihm noch mehr Regen. Das trübe Licht vermochte kaum die Dunkelheit der Nacht zu vertreiben. Schwere Schatten lagen noch wie ein Tuch über der Landschaft und färbten auf die Stimmung der Gaukler ab, als sie sich bei der Feuerstelle trafen.

»An ein Essen im Freien ist nicht zu denken«, gähnte der Magister, »zumal wir das Feuer nicht ankriegen dürften.«

Die anderen nickten. Fröstelnd schlugen sie sich die Arme um die Schultern.

»Hat jemand schon den Doctorus gesehen?«, fragte einer. Sie spähten zu der Stelle hinüber, an dem der Wagen von Bombastus Sanussus stand, und sahen – nichts.

Das große, gepflegte Gefährt war verschwunden.

»Ja, das gibt's doch nicht!«, platzte der Magister heraus. »Der hochgelehrte Herr ist letzte Nacht stiften gegangen, klammheimlich, still und leise. Hatte wohl die Hosen voll!«

»Er Angst haben vor bösem Ehemann, si!«, pflichtete Zerrutti bei. Maja schmiegte sich, so nah es ging an ihn, sie wirkte übernächtigt.

»Wir könnten ihn bestimmt noch einholen«, schlugen die Zwillinge vor.

»Nein, das führt zu nichts«, entschied Arturo nach kurzer Überlegung. »Er wird keineswegs bereit sein zurückzukommen. Wir müssten schon Gewalt anwenden, und das will ich nicht. Außerdem«, er deutete auf den Weg, der durch den Regen der vergangenen Nacht noch schlammiger geworden war, »kommen wir jetzt nur noch zu Pferde hier weg. Die Wagen würden stecken bleiben. Wir müssen bleiben, ob wir wollen oder nicht.«

Am Nachmittag, als der Regen für einige Zeit aufhörte, begann Arturo damit, das Podest auseinander zu nehmen, wobei er nicht schlecht über das staunte, was sich darunter an Krimskrams und Fortgeworfenem angesammelt hatte. Das Gerüst bestand aus etwa vier Fuß langen Brettern, die alle gleich stark waren. Der Fechtmeister legte sie Stück für Stück aneinander, bis sie schließlich aussahen wie ein Bootssteg im Gras. Dann rief er nach Vitus.

Vitus kam und stellte neugierig einen Fuß auf den Brettersteg.

»Was ist das denn?«

»Unsere neue Übungsfläche, mein Freund«, erklärte Arturo mit großer Geste. »Höchste Zeit, dass ich dir deine zweite Fechtlektion erteile. Fang!« Er warf Vitus den Degen mit der Holzkugel zu und griff selbst zu seinem Dussack.

Vitus lachte. »Wenn ich mich recht entsinne, wolltest du mir erklären, was eine Einladung ist, und mit mir Angriff, Parade und Riposte üben.«

»Ganz recht.« Arturo schwang seine Holzwaffe. »Aber zuerst setzen wir die Masken auf und wiederholen, was wir das letzte Mal gemacht haben.« Sie übten noch einmal die Grundstellung und die verschiedenen Schritte und Kombinationen, bis Vitus trotz der kühlen Temperaturen warm geworden war.

Arturo, der jede Sprungkombination selbst mitgemacht hatte, ließ es schließlich mit einer letzten Wiederholung des Sturzangriffs bewenden: eines überfallartigen Vorstoßes, der über die halbe Länge des Brettersteges ging.

»Gut so«, schnaufte der Fechtmeister, »jetzt kommen wir zur so genannten Einladung. Doch dazu muss ich weiter ausholen.« Er steckte seinen Dussack in den Gürtel. »Der Fechter von heute unterscheidet sich vom Ritter nicht zuletzt dadurch, dass er bei der Abwehr gegnerischer Hiebe auf den Schild verzichtet. Er verlässt sich auf den Degen, der, geschickt geführt, Schutz genug ist. So weit alles klar?«

»Klar.«

»Gut. Nun ist es aber so, dass du mit der Waffe nicht deinen ganzen Körper abdecken kannst, irgendeine Trefferfläche bleibt immer offen für den Gegner. Diese Fläche nennen wir Blöße. Natürlich kannst du sie schließen, aber das führt automatisch dazu, dass du an anderer Stelle deine Deckung öffnen musst und sich eine neue Blöße auftut.«

»Verstehe«, nickte Vitus, »wahrscheinlich gibt es eine ganze Reihe von Blößen.«

»So ist es, mein kluger Freund. Und wenn du eine solche Blöße dem Gegner ganz bewusst anbietest, damit er dorthin schlägt, dann nennt man das eine Einladung.«

»Also müsste es auch eine Reihe von Einladungen geben«, folgerte Vitus.

»Richtig. In der Fechtkunst gibt es insgesamt acht davon, sie hören sich an wie eure Gebetsstunden im Kloster: Prim, Sekond, Terz, Quart, Quint, Sixt, Septim und Oktav. Aber keine Bange, wir üben nur vier davon, nämlich Quart, Quint, Sixt und Oktav, denn sie genügen völlig. Alle vier führt man aus, indem man die Faust dreht und die Klinge entsprechend führt.«

Er machte jede Einladung sorgfältig vor, und Vitus wiederholte den Bewegungsablauf ein ums andere Mal.

Nach einer halben Stunde setzte der Regen wieder ein, und Arturo nahm seine Schutzmaske ab. »Schluss für heute, Vitus. Riposte und Paraden heben wir uns fürs nächste Mal auf.« Er stutzte, denn Vitus hatte nicht zugehört, sondern starrte angestrengt in Richtung Rondeña. »Ist irgendetwas?«

»Ja, schau mal da.«

Ein dreckbespritzter Reiter näherte sich zielstrebig dem Lager. Er schien es eilig zu haben, denn trotz des tiefen Matsches versuchte er immer wieder, sein Pferd in den Galopp zu zwingen. Doch der Gaul, ein schönes falbenes Tier mit schwarzer Mähne, war zu erschöpft, um gehorchen zu können.

Kurz bevor er Vitus und Arturo erreichte, riss der Reiter brutal die Zügel zurück, und das gequälte Tier stieg wiehernd hoch, so abrupt, dass seine Hufe Arturo eine Ladung Dreck ins Gesicht schleuderten.

»Wo ist der Kurpfuscher?«, herrschte der Fremde Vitus an. Er war ein vierschrötiger Mann mit kurz gestutztem Bart, dessen dunkelblauer Rock vor Schmutz starrte. Er trug lederne Reitstiefel und ein Schwert mit reich verzierter Parierstange. In seinen Augen glitzerte Hass.

»Buenos días! Wer seid Ihr, woher kommt Ihr und was wollt Ihr?«, antwortete Vitus kalt.

»Nicht so keck, Bürschchen!«, schnauzte der Fremde. »Sonst schicke ich dich dahin, wo meine Frau schon ist. Ich bin Alizón!«

»Ihr seid also der Mann jener Frau, die gestern beim Ziehen eines Zahns verstarb«, entgegnete Vitus unbeirrt. »Ich versichere Euch, dass dieses Unglück uns alle sehr getroffen hat. Nehmt mein aufrichtiges Beileid entgegen.« Auch wenn der Mann ein ungehobelter Klotz war, gebot es die Höflichkeit, ihm die Anteilnahme auszusprechen.

»Was redest du so geschraubt?« Alizón zog seine Klinge. »Ich will wissen, wo der Kurpfuscher ist, der meine Frau auf dem Gewissen hat! Oder bist du es am Ende selbst?«

»Nein. Und niemand nennt mich einen Kurpfuscher!« Langsam wurde auch Vitus wütend.

»So bist du es also doch, na warte!« Alizón ließ sich mit beachtlicher Schnelligkeit aus dem Sattel gleiten und kam drohend auf Vitus zu.

»Halt!« Arturo, der sich den Dreck aus den Augen gewischt hatte, sprang dazwischen. »Eure Wut gilt dem Falschen, Señor. Der Doctorus, nach dem Ihr fragt, hat uns letzte Nacht ohne unser Wissen verlassen. Wohin er mit seinem Gespann gefahren ist, kann ich nicht sagen.«

Alizóns Blick wanderte den völlig verschlammten Weg entlang, in dem kein Wagen mehr vorwärts kam. »Ich glaube dir kein Wort! Ich fordere dich zum Zweikampf, hier und jetzt! Tu das Spielzeug weg«, er wies mit der Schwertspitze auf den Dussack, »und lass dir den Degen von dem Kurpfuscher geben. Er ist später dran, wenn ich mit dir fertig bin.«

»Ich sage es noch einmal, Señor Alizón«, Arturo war bemüht, ruhig zu bleiben, »der Doctorus Bombastus Sanussus, der Eure Gattin gestern behandelt hat, ist über alle Berge. Glaubt mir, ich sage die Wahrheit. Lasst uns im Guten auseinander gehen, denn uns liegt nichts an Streitereien. Außerdem«, er lächelte schief, »ist das Wetter zu unfreundlich, um die Klingen zu kreuzen.«

Statt einer Antwort stellte Alizón sich zum Kampf auf. »Ich werde dir eine Lektion erteilen, du halbe Portion!«, knurrte er. Singend ließ er sein Schwert durch die Luft sausen.

»Eine Lektion durfte ich selbst gerade jemandem erteilen«, entgegnete Arturo, »aber ich lerne immer noch gern dazu. Wenn Ihr gestattet, kämpfe ich trotzdem mit meinem Dussack.«

Der Fechtmeister nahm die Grundstellung ein. Er federte leicht in den Knien, wobei er seine Holzwaffe in Schulterhöhe des Gegners hielt. »Komm, Tierquäler, lass dir das Maul stopfen.« Die Zeit der Höflichkeiten war vorbei.

»Wohlan denn, halbe Portion. Auf Tod und Leben?«

»Wie's beliebt, Tierquäler! Lass mich am Ende nur wissen, was du vorziehst.«

Beide Kontrahenten standen etwa drei Schritt voneinander entfernt und musterten sich abschätzend. Eine halbe Minute verging, in der die Augen der Gegner bereits kämpften.

Dann, für Vitus völlig unvermittelt, stürzte Alizón blitzschnell vor und setzte zu einem Hieb an, der einen Ochsen gefällt hätte – aber er traf nicht. Arturo war elegant zur Seite gesprungen und hatte den Gegner ins Leere laufen lassen.

»Ich hoffe, du hast gut hingeschaut, Vitus«, sagte der Fechtmeister und blickte seinem Gegner dabei in die Augen, »das war ein Sturzangriff, wie er unbeholfener nicht vorgetragen werden kann.«

Alizón wurde weiß vor Zorn. »Dir werd ich's zeigen!«, zischte er und stürmte erneut auf seinen Gegner ein. Wieder schlug er zu, und abermals traf er nichts als Luft. Arturo war ausgewichen und um den Angreifer herumgesprungen. Jetzt stand er im Rücken seines Gegners und lächelte.

»Unten in Andalusien, Vitus«, sagte er im Plauderton, »haben die Hidalgos ein Spiel erfunden: Sie kämpfen mit ausgewachsenen Stieren und nehmen dazu Schwerter, Dolche oder den Handspieß; hier im Norden jedoch, wo es so viele Ochsen gibt, genügt ein Knüppel.«

Verbissen stürmte Alizón ein drittes Mal vor, wobei er sein Schwert waagerecht hielt und damit um sich schlug. Er wollte so die größere Reichweite seiner Waffe nutzen und Arturos Unterkörper treffen. Doch der Fechtmeister sprang bei jedem Streich leichtfüßig einen halben Schritt zurück, bis Alizón schließlich schwer atmend stehen blieb. Langsam dämmerte es ihm, dass dies kein leichter Gang werden würde.

»Achte auf meine Körperhaltung, Vitus«, sagte Arturo, »ich biete jetzt eine Quart an.« Er nahm die rechte Hand vor den Leib und hielt die Waffe halbhoch nach links. Dadurch war die rechte Seite seines Oberkörpers ungeschützt. »Mal sehen, ob unser Tierquäler die Einladung annimmt.«

»Und ob!«, keuchte Alizón und stürzte mit ausgestrecktem Schwert vor, um seinem Gegner die Brust zu durchstoßen.

Arturo jedoch war auf der Hut und schlug im letzten Augenblick die Klinge zur Seite. Während Alizón ins Leere lief, rammte der Fechtmeister ihm sein linkes Knie mit voller Wucht in den Oberschenkel. Alizón schrie auf und krümmte sich vor Schmerz.

Arturo schlug jetzt zum ersten Mal zu.

Er traf den gebeugten Rücken seines Gegners zwischen den Schulterblättern; es gab einen dumpfen, hässlichen Laut. Alizón rang nach Luft und fiel kraftlos nach vorn auf die Knie. Das Schwert glitt ihm aus der Hand. Benommen schüttelte er den Kopf, als könne er das alles nicht verstehen.

»Die Schläge, die ich dir jetzt zeige, Vitus, stehen in keinem Lehrbuch«, fuhr Arturo scheinbar unbeteiligt fort, »aber der Volksmund würde das, was mein Dussack jetzt macht, ein ›Tänzchen‹ nennen.« Er trat auf den wehrlosen Alizón zu und versetzte ihm ein paar weitere Hiebe. Die Schläge waren leicht, aber unerhört schmerzhaft – und so dosiert, dass sie keine inneren Verletzungen hervorriefen.

»So, du Tierquäler, da ich annehme, dass du dich am Ende unseres Kampfes lieber für das Leben entscheidest, kannst du jetzt verschwinden.«

Noch immer keuchend tastete Alizón nach seinem Schwert. Seine vor Kraftlosigkeit zitternden Hände brauchten mehrere Versuche, es in die Scheide zu stecken. Dann richtete er sich mühsam auf, wobei er es vermied, den Fechtmeister anzublicken. Langsam schlich er zu seinem Pferd.

»Das Pferd bleibt hier, Tierquäler!« Vitus' Stimme war schneidend. »Es hat genug gelitten. Du reitest damit keinen Fußbreit fort!«

»Aber wie soll ich, der Matsch … ich kann nicht!«, stammelte Alizón.

Auch Arturo blickte Vitus ratlos an.

»Der Tierquäler kann auf Isabella nach Rondeña reiten«, befahl Vitus. »Sie wird, nachdem sie unseren Besucher in der Stadt abgesetzt hat, allein wieder zurückfinden.«

Und so geschah es.

DAS ZIGEUNERMÄDCHEN
TIRZAH

»Ich konnte es kaum erwarten,
diesen Blasenkatarrh loszuwerden.
Gestern Abend war ich zum ersten Mal
ohne Beschwerden, und wie du siehst,
habe ich dich gleich verführt.«

Es regnete eine ganze Woche lang, stetig, stark, in unaufhaltsamen Strömen. Die Nässe drang in jede Ritze und Fuge, ließ Nahrungsmittel verschimmeln und Kleidungsstücke klamm werden, schlug sich als Rost auf Eisen nieder und sickerte als Kondenströpfchen von der Decke – die Feuchtigkeit war allgegenwärtig. Es war, als hätte der Himmel seine Schleusen geöffnet, um auf der Erde nicht das kleinste trockene Fleckchen zu hinterlassen.

Es regnete von morgens bis abends und wieder bis morgens, und in den wenigen Minuten, da das Wasser nicht herabrann, versuchten die Gaukler, ihre nassen Kleider zu trocknen und ein Feuer zu entzünden.

Seit Menschengedenken hatte es eine solche Regenflut nicht gegeben.

Endlich, am achten Tag, stahl sich gegen Mittag ein Sonnenstrahl durch die Wolkenwände, und die Menschen atmeten auf.

Vitus verließ Tirzahs Wohnwagen und stellte sich mit geschlossenen Augen in die Wärme. Es tat gut, die Sonne wieder auf der Haut zu spüren.

»Bis du nach Rondeña zum stellvertretenden Alcalden durchkommst, dürfte es noch zwei Tage dauern. Vitus, wird's ihm besser gehen?« Tirzah war an seine Seite getreten.

»Wenn Doña Eugenia sich an meine Anweisungen gehalten hat, ja. Trotzdem: Der Magister und ich, wir sollten versuchen, morgen hinzukommen.«

Tirzah machte ein enttäuschtes Gesicht. »Als deine Assistentin müsste eigentlich ich mit.«

Während der Regentage war Arturo eines Abends in ihrem Wagen aufgetaucht und hatte Vitus gebeten, künftig die Stelle von Bombastus Sanussus einzunehmen. Vitus, der zuerst keineswegs einverstanden war, hatte schließlich zugeben müssen, dass an der Idee etwas dran war: Als Arzt der Truppe konnte er zusätzlich Geld zur Gemeinschaftskasse beisteuern und darüber hinaus eine Menge Erfahrungen sammeln, weil er mit den unterschiedlichsten Krankheiten in Berührung kam. Doch er hatte darauf bestanden, dass die Behandlungen künftig nicht auf einem Podest, vor aller Augen, durchgeführt wurden, sondern zu ebener Erde, wo er sich nicht so im Mittelpunkt fühlte.

Arturo, der das gern verhindert hätte, weil er um die Reklamewirkung fürchtete, hatte nun seinerseits einlenken müssen. Als beide sich schließlich einig waren, hatte Tirzah sich überraschend zu Wort gemeldet und darauf bestanden, Vitus' Assistentin zu werden.

»Du hast Recht«, räumte Vitus ein, »normalerweise solltest du mich begleiten. Aber in diesem Fall muss ich den Unterleib von Don Francisco untersuchen, und es wäre nicht schicklich, wenn du dabei zusehen würdest.«

»Gut, dann eben nicht.« Tirzah gab sich Mühe, nicht allzu enttäuscht zu klingen. »Ich schaue mal nach dem Falben. Ich glaube, er ist wieder ganz gesund.«

Sowie der gewalttätige Alizón auf Isabella davongeritten war, hatte Tirzah sich seines Pferdes angenommen. Es war ein prächtiges graugelbes Tier mit schwarzer Mähne, schwarzem Schweif und schwarzem Aalstrich auf dem Rücken. Tirzah hatte es mit kräftigem Futter aufgepäppelt und tagelang an seiner Seite gestanden, es gestreichelt und mit ihm gesprochen. Bien, wie sie es einfach nannte, hatte an Hals und Brust Ekzeme, die sie mit einem geheimen Rezept ihrer Zigeunermedizin behandelte.

»Was hast du Bien eigentlich gegen die Ekzeme gegeben?«, fragte Vitus.

Tirzah schaute ihn prüfend an. »Du weißt, dass ich dir das nicht sagen darf. Die Rezepte der Zigeuner sind geheim, es heißt, wenn man sie verrät, verlieren sie ihre Wirkung.«

»Das glaubst du doch selbst nicht. Ich gebe dir doch auch meine Rezepte, und sie wirken trotzdem.«

»Das ist etwas anderes.« Sie kämpfte mit sich. »Also gut, ich sage es dir: Man zerreibt Bucheckern zu Pulver und bestäubt damit die befallenen Stellen. Außerdem muss das Tier zwei Tage fasten, damit die Giftstoffe im Körper abgebaut werden können. Das Einzige, was es in dieser Zeit bekommen darf, ist Wasser mit Honig. Nach den zwei Tagen zerdrückt man frische Lauchzwiebeln und gibt sie dem Futter bei. Das ist schon alles.«

»Was? Ein Pferd, das Lauchzwiebeln frisst? Wie hast du das fertig gebracht?«

»Nun ja, es war nicht ganz leicht. Ich hatte noch ein paar Möhren, in die ich die Zwiebeln hineingedrückt habe.«

Inzwischen waren sie bei Bien angekommen, der hinter dem Wagen neben dem Braunen stand. Die Entzündungen waren dank Tirzahs Rezept schon so gut wie verschwunden.

»Bucheckern!«, staunte Vitus. »Bucheckern und Lauchzwiebeln! Ich hätte nie vermutet, dass so etwas wirkt. Aber egal, das Einzige, worauf es ankommt, ist, ob ein Rezept hilft.«

»Ich bin froh, dass du das sagst.« Tirzahs Augen leuchteten. »Bombastus Sanussus hat auf meine Medizin immer herabgesehen und sie als Teufelswerk bezeichnet, dabei kennen wir Zigeuner Mittel und Arzneien wie kein anderes Volk auf dieser Welt. Nimm allein die dicke Frau, die bei der Zahnbehandlung starb: Ich hätte ihr niemals Jauchetropfen gegeben.«

»Ich auch nicht. Ich mache dir einen Vorschlag. Bei mir kannst du deine Rezepte jederzeit einsetzen, allerdings unter einer Bedingung: Du musst mir die Inhaltsstoffe vorher nennen.«

Sie zögerte kurz. »Einverstanden«, sagte sie dann und streckte ihre Hand aus.

Sie hatte einen warmen, kräftigen Händedruck.

»Gib mir die Starstichlanzette mit dem Horngriff, Tirzah.«

»Die mit dem gelben oder dem schwarzen Griff?«, fragte das Zigeunermädchen und blickte in einen großen, ledernen Koffer, in dem Vitus' Instrumentarium seit kurzem untergebracht war. Der Koffer war ein Überbleibsel aus den Zeiten des Doctorus Bombastus Sanussus und ein Glücksfall dazu: Arturo hatte ihn unter dem Podest gefunden, als er die Übungsfläche für die Fechtlektion herstellte. Das lederne Behältnis war nur zur Hälfte mit Operationsgeräten gefüllt gewesen, sodass es noch genügend Raum für Vitus' eigene Instrumente bot. Auch der Datumstein des Magisters hatte jetzt seinen festen Platz darin.

»Die Lanzette mit dem gelben Griff.«

»Hier.«

Vitus nahm das Instrument und hielt es prüfend in der linken Hand. Es war der Nachmittag desselben Tages. Zum Erstaunen aller war es einem Karren mit besonders großen Rädern gelungen, durch den Matsch zu ihrem Lager vorzudringen. Obendrauf hatte der alte Felipe mit seinen beiden Söhnen gesessen. Sie waren gekommen, weil die Sehkraft des Greises, nachdem sie die Binde abgenommen hatten, wieder eingetrübt war wie zuvor. Eine neuerliche Operation war notwendig geworden.

Vitus führte den Stich mit der Lanzette ein paarmal probeweise aus. »Es kommt vor«, sagte er zu Felipe, der vor ihm in der Sonne saß, »dass nach der Operation die Linse aus dem Glaskörper wieder nach oben rutscht. Sie legt sich dann erneut vor die Pupille, und alles erscheint abermals wie durch einen Nebel.«

Felipe nickte bedächtig. »So ist's, Doctorus.«

»Nennt mich nicht Doctorus, sagt nur Cirurgicus.«

»Wie kann so etwas passieren, äh … Cirurgicus?«, wollte der größere Sohn, der seinem Vater den Kopf hielt, wissen.

»Meistens liegt es daran, dass die Linse nicht weit genug hinuntergedrückt wurde.« Wieder führte Vitus den Einstich probeweise mit der Linken aus. Er betrachtete das Auge vor sich. Die Lederhaut war nach der Operation verheilt, nur ein kleiner Punkt zeigte noch, wo Bombastus Sanussus die Nadel angesetzt hatte.

Er beschloss, den Einstich an derselben Stelle vorzunehmen, auf diese Weise würde er kein neues Gewebe verletzen. Überdies war der Punkt seinerzeit richtig gewählt worden, Bombastus Sanussus hatte keinen Fehler gemacht – bis auf den einen, dass er sein Behandlungsergebnis nicht kontrolliert hatte. Es empfahl sich, bei dieser Art Operation immer ein paar Minuten zu warten, um sicherzugehen, dass die Linse an ihrer neuen Position im Glaskörper blieb.

»Diesmal klappt es bestimmt, Vater«, sagte der andere Sohn, der die Hand des Alten hielt.

Vitus zog mit der rechten Hand Felipes Augenlider auseinander und stach nach kurzem Zögern die Lanzette waagerecht in die Lederhaut ein. Sie drang vor, passierte die Regenbogenhaut und landete schließlich in der Pupille, wo sie von außen sichtbar wurde. Er nahm das Instrument wieder zurück, jetzt wusste er, wie tief er einstechen musste. Abermals führte er die Lanzette ein und ertastete mit der Spitze die Oberkante der Linse. Behutsam drückte er sie abwärts. Es ging zunächst leicht, dann deutlich schwerer. Teile des Aufhängebandes hielten sie offenbar zurück. Wahrscheinlich ist das der Grund für das Scheitern der ersten Operation, schoss es ihm durch den Kopf.

Er versuchte es erneut und überwand den Widerstand. Als er die Lanzettenspitze samt der getrübten Linse durch die Pupille nach unten wandern sah, war er versucht aufzuhören, doch er drückte weiter, so tief es ging. Er wollte nicht den Fehler des Doctorus wiederholen.

Felipe zog vor Schmerz die Luft durch die wenigen Zähne, die ihm verblieben waren. Es hörte sich an wie das Zischen einer Schlange. Seine Söhne redeten beruhigend auf ihn ein.

Vitus versuchte, seine ganze Konzentration in die Spitze der Lanzette zu legen, und drückte die Linse noch ein letztes Stück nach unten. Dann nahm er das Instrument hoch und registrierte zufrieden, dass die Linse nicht nachkam. Mit einer schnellen Bewegung zog er die Lanzette heraus.

»So, fertig.« Er reichte dem Alten eine Kompresse. »Hier, drückt Euch das aufs Auge, und ihr«, er wandte sich an die beiden Söhne, »helft eurem Vater auf. Setzt euch dort drüben ins Gras, und genießt die Sonne nach den langen Regentagen. Ich komme in ein paar Minuten noch einmal zur Kontrolle.«

»Vielen Dank, Cirurgicus.«

Die beiden Söhne unterhielten sich leise, als Vitus kurz darauf zu ihnen trat. Sie hatten es sich im Gras bequem gemacht und aßen gemeinsam ein Stück Käse. Felipe wirkte klein und zerbrechlich, er hatte sichtlich Schmerzen.

Die Söhne schauten unverwandt in eine Richtung, während sie mechanisch kauten.

Vitus folgte ihrem Blick. In einiger Entfernung sah er Zerrutti, Maja und die Zwillinge unter der großen Steineiche stehen, die auf der rechten Seite das Halbrund ihrer Wagenburg begrenzte. Antonio kletterte den Baum hoch und befestigte eine große Plane in luftiger Höhe, anschließend warf er mehrere Seile hinunter, an denen Lupo den Stoff abspannte.

Zerrutti beobachtete sie von unten und gab ständig Anweisungen. Als sie fertig waren, sah es aus, als trüge die Eiche eine dreieckige Mütze. Der Magier winkte und stellte sich dann direkt unter den Baum. Mit überraschender Kraft warf er ein starkes Tau senkrecht hoch. Es verschwand für den Betrachter auf halber Höhe unter der Plane und straffte sich plötzlich wie die Sehne eines Bogens. Vitus staunte, es sah aus, als hätte das Seil ein Eigenleben bekommen, doch dann fiel ihm ein, dass Antonio im Geäst saß. Wahrscheinlich hatte er das Tau gefangen und an einem Ast verzurrt.

Kopfschüttelnd riss Vitus sich von dem unverständlichen Treiben los und widmete sich wieder Felipe: »Spätestens jetzt müsste die Linse wieder hochgerutscht sein, falls die Operation nicht geklappt hat«, sagte er zu ihm. »Nehmt mal die Kompresse fort.«

Der Alte tat wie ihm geheißen. Sowie Licht auf die Pupille fiel, begann er heftig zu blinzeln. Vitus kniete neben ihm nieder. »Seht Ihr mich?«

»Ja, ich sehe Euch, der Nebel ist verschwunden.«

»Das ist gut!« Vitus untersuchte noch einmal sorgfältig das Auge und drückte gegen das untere Lid, doch die Linse blieb an ihrem vorgesehenen Platz. »Ich verbinde Euch jetzt beide Augen, aus demselben Grund, wie es der Doctorus gemacht hat. Bitte entfernt das Tuch nicht vor Ablauf einer Woche.«

Als er fertig war, schob sich der größere der Söhne das letzte Stück Käse in den Mund und sprach kauend: »Cirurgicus, wir sind Euch zu großem Dank verpflichtet, jedoch ...«, er hielt inne und nahm einen neuen Anlauf. »Die Sache ist die, wir wollen Euch gern etwas geben, aber wir haben nicht mehr so viel Geld.«

»Ihr schuldet mir nichts. Ihr habt eine Arbeit bezahlt, und diese Arbeit hatte einen Mangel. Ich habe also nichts weiter getan als nachgebessert.«

»Hört, hört!« Der Magister hatte sich unbemerkt zu ihnen gesellt. »Das klang ja fast wie ein juristischer Exkurs! Darf ich die Herren trotzdem unterbrechen und ein gemeinsames Mahl anbieten? Dank meiner nicht nachlassenden Bemühungen brennt das Feuer wieder.«

Der Vorschlag wurde gerne angenommen, und bald saßen alle, einschließlich der Zerrutti-Truppe, um einen großen, dampfenden Suppentopf, aus dem sich jeder mit seinem Löffel bediente. »*Ratum et gratum!* Kräftig und angenehm! So muss ein Süppchen sein«, verkündete der Magister.

Nachdem sie es sich hatten schmecken lassen, stand die Sonne schon schräg, sodass es höchste Zeit für Felipe und die Seinen wurde. »Komm, Vater«, sagte der größere Sohn, »wir müssen aufbrechen, ehe es dunkel wird.«

»Hast Recht.« Der Greis ließ sich auf die Beine helfen. Dann nestelte er mit der Hand umständlich an seinem Verband herum. »Herr Cirurgicus«, begann er, »ich möchte Euch nochmals danken. Eure Hände verstehen ihr Handwerk besser als die Eures Vorgängers.« Er nickte ein paarmal mit dem Kopf, wie um seine Worte zu bestätigen, und schlurfte in Richtung Karren fort. Seine Söhne folgten ihm.

Als das Gefährt davonrumpelte, blickten alle ihm hinterher. »Seltsam«, sagte der Magister nach einer Weile, »seitdem der hochgelehrte Doctorus Bombastus Sanussus sich verdrückt hat, ist die Stimmung viel harmonischer.«

Niemand widersprach ihm.

»Morgen früh«, sagte Vitus, »fahren wir zu Don Francisco nach Rondeña.«

Rondeña war eine kleine Stadt von wenigen hundert Einwohnern, die überwiegend aus grob zusammengehauenen Holzhäusern bestand. Die Straßen waren lehmig und ungepflastert. Dicke, matschige Pfützen behinderten überall das Fortkommen. Die Menschen, die sich vor die Tür wagten, stolzierten wie Störche ihres Wegs, um keine nassen Füße zu bekommen.

Am Kirchplatz wurde das Bild, das sich dem Fremden bot, freundlicher, denn um das kleine steinerne Gotteshaus mit dem separaten Glockenturm hatte man ein paar Rosenbeete angelegt. Durch den ausgiebigen Regen der vergangenen Tage hatten die Blüten ein besonders intensives Rot angenommen.

Doch es gab noch einige andere Häuser, die ebenfalls aus Stein gebaut waren. Sie standen in unmittelbarer Nähe der Kirche und erfreuten das Auge durch die bunten Blumen, die die Fenster schmückten, und den frischen Kalk an den Wänden. Eines davon gehörte Francisco de la Muralla, dem stellvertretenden Alcalden von Rondeña.

»Ich dachte schon, Ihr würdet gar nicht mehr kommen, Doctorus!«, quäkte Doña Eugenia, während sie Vitus und dem Magister im Vorhof entgegeneilte. Sie schien zu glauben, dass widrige Straßenverhältnisse für Ärzte und ihre Gehilfen nicht existierten.

Vitus überlegte, ob er einen neuerlichen Versuch machen sollte, Doña Eugenia davon zu überzeugen, dass er kein Doctorus sei, unterließ es dann aber. »Wie geht es Don Francisco?«, fragte er, während sie das Haus betraten.

»Der Herr sei gelobt und gepriesen! Es geht ihm schon viel besser. Seit gestern arbeitet er wieder.« Sie winkte die beiden Freunde am Krankenzimmer vorbei in den hinteren Trakt des Hauses. »Er ist in seinem Studierzimmer.«

Don Francisco saß hinter einem schweren, eichenen Tisch, auf dem sich ein großer Haufen Papiere türmte. Er blickte auf, als sie eintraten, runzelte die Brauen und legte das Dokument beiseite, in dem er gerade gelesen hatte. Dann ging ein Lächeln über sein Gesicht. »Mein Lebensretter!«, schnaufte er. »Willkommen in meiner bescheidenen Hütte.«

»Wie ich sehe, könnt Ihr wieder beschwerdefrei sitzen, Don Francisco.« Vitus stellte fest, dass der Hausherr insgesamt viel besser aussah als beim letzten Mal. Er schien wieder leidlich Luft zu bekommen, auch seine Gesichtsfarbe hatte ihren unnatürlichen Ton verloren. »Ihr scheint Euch an meine Anweisungen gehalten zu haben.«

»Worauf Ihr Euch verlassen könnt, Doctorus!«, antwortete Doña Eugenia für ihren Gatten. »Punkt für Punkt!« Ihr Doppelkinn waberte.

Vitus lächelte. »Dann wird es nicht nötig sein, dass Ihr Euch für die Nachuntersuchung freimacht, Don Francisco.«

»*Deo gratias*«, seufzte der Hausherr.

Vitus trat heran und fühlte den Puls. Er war kräftiger und regelmäßiger. Dann schaute er dem Patienten in den Mund. Die Zunge war zwar noch immer belegt, aber lange nicht mehr so weiß wie bei seiner ersten Visite.

»Wie steht es mit dem Wasser in den Beinen und im Unterleib?«, fragte er.

»Schon viel besser geworden, Doctorus, viel, viel besser!« Abermals war es Doña Eugenia, die für ihren Gatten antwortete.

»Euer Ehemann sollte allerdings nicht so enge Strümpfe tragen, vielleicht findet sich in seiner Garderobe ein weit geschnittenes Beinkleid, das nicht so einschnürt.«

»Jawohl, Doctorus.«

»Und jetzt gebt bitte Juanita Bescheid, sie möge mir eine Schüssel besorgen, ich werde Euren Gatten noch einmal zur Ader lassen.«

Die korpulente Hausherrin klatschte in die Hände und erteilte der herbeieilenden Juanita den entsprechenden Auftrag. Vitus sagte ernst: »Don Francisco, Ihr habt erfreuliche Fortschritte gemacht, es ist daher gut zu verstehen, dass Ihr schon wieder Eurer Arbeit nachgehen wollt, jedoch: Unterschätzt die *Hydrops anasarca* nicht! Sie ist eine tückische Krankheit, die immer wieder auftritt, wenn man nicht nach ihr lebt. Das heißt: nach wie vor leichte Kost, wenig Wein und möglichst viel Bewegung. Dann werdet Ihr wie von selbst abnehmen und darüber hinaus nie wieder Probleme mit dem Stuhlgang haben.«

Don Francisco nickte.

»Noch eins: Ihr scheint eine Natur zu haben, die zu hohem Druck in den Adern neigt. Das ist auf die Dauer nicht gesund. Abhilfe schaffen könnt Ihr dadurch, dass Ihr gehörig abnehmt, wozu ich Euch bereits riet, die andere Möglichkeit besteht im Aderlass. Ich werde ihn jetzt nochmals vornehmen, und ich rate Euch, ihn künftig einmal im Monat vom hiesigen Bader machen zu lassen. Es muss nicht immer viel sein, was man Euch abzapft, nur ungefähr die Menge, die ich Euch gleich entnehme. Am besten, Ihr merkt sie Euch.«

Abermals nickte Don Francisco.

»Hier ist die Schüssel.« Juanita knickste und übergab sie dem Magister.

Der gab sie an Vitus weiter. »So bin ich auch zu etwas nütze«, grummelte er.

Nachdem Don Francisco Blut abgegeben hatte, knöpfte er sich umständlich die Spitzenmanschette wieder zu und schickte Juanita hinaus. »Übrigens, Doctorus, da war vor einigen Tagen ein Bürger bei mir, der Euren Kopf forderte, sein Name ist Alizón.«

»Alizón? Ja, ich hatte bereits das Vergnügen mit ihm. Warum will er meinen Kopf?«

»Er behauptete, Ihr hättet seine Frau getötet.«

»Das ist völlig aus der Luft gegriffen!« Vitus spürte, wie der Ärger in ihm hochstieg. »Lasst mich erklären, was sich in Wirklichkeit abspielte.«

»Ich höre.« Don Francisco lehnte sich aufmerksam zurück.

Vitus und der Magister schilderten, wie es zum Tod der Antonia Alizón gekommen war, wobei sie auch den Kampf zwischen Arturo und dem rachsüchtigen Ehemann der Verstorbenen nicht unerwähnt ließen.

»Wir haben ihn anschließend auf unserem Maultier nach Hause geschickt, weil er sein Pferd, einen schönen Falben, fast zu Schanden geritten hatte«, erzählte Vitus. »Isabella, so heißt das Maultier, fand den Weg später allein zurück in unser Lager.«

»Das ist ja ganz erstaunlich! Welch kluges Tier!«, rief Doña Eugenia.

»Den Falben haben wir gesund gepflegt und in Alizóns Haus abgegeben, bevor wir zu Euch kamen.« Der Magister grinste. »Zum Glück war er nicht da, er ist weiß Gott kein angenehmer Zeitgenosse.«

»Da habt Ihr Recht«, bestätigte Don Francisco, »mir gefällt er auch nicht. Dennoch ist er in der Stadt nicht ohne Einfluss. Seit unser Alcalde vor einem halben Jahr plötzlich verstarb, bemüht er sich hartnäckig um diesen Posten.« Er zuckte mit den mächtigen Schultern. »Wenn Ihr so wollt, ist er ein Konkurrent von mir, vielleicht sogar ein Widersacher.«

Seine Hand nahm ein schön gearbeitetes Federmesser auf. Er begann damit zu spielen. »Jedenfalls habe ich seine Forderung abgelehnt, weil ich mir gleich dachte, dass da etwas nicht stimmt. Alizón wollte übrigens noch etwas anderes: Er verlangte von mir, dass ich Eure Aufenthaltsgenehmigung für nichtig erkläre, und zwar auf der Stelle.«

»So ein Schweinehund!«, entfuhr es dem Magister.

Don Francisco legte das Federmesser beiseite. »Ich habe diese Forderung ebenfalls zurückgewiesen, Ihr könnt also bis auf Widerruf an Eurem Lagerplatz bleiben. Das hatte ich übrigens gleich nach Eurer Ankunft auch schon Arturo, Eurem Wortführer, zugesagt. Und dabei bleibt es.«

»Wir danken Euch sehr für Eure Großzügigkeit, Don Francisco!« Vitus und der Magister verneigten sich. »Wenn Ihr erlaubt, verabschieden wir uns jetzt.«

»Ich erlaube es. Doch bevor Ihr geht, nehmt Ihr noch dies.« Er beugte sich ächzend vor und drückte Vitus einen Geldbeutel in die Hand. »Nur ein bescheidenes Scherflein, wenn man bedenkt, dass Ihr mir das Leben gerettet habt.«

Das Lager war in heller Aufregung, als sie zurückkamen.

Tirzah hockte im Gras und bemühte sich verzweifelt, Antonio, der zu ihren Füßen lag, einen Trank einzuflößen. Doch der Zwilling lag in tiefer Ohnmacht.

Lupo stand daneben und betete mit geschlossenen Augen.

Zerrutti stieß wie aufgezogen immer nur den einen Satz hervor: »Das ich nicht gewollt, si! Das ich nicht gewollt, si! Das ich nicht gewollt, si!«

Arturo rannte wie ein Huhn hin und her und versuchte, die Gaukler zu beruhigen. Terro, auf den sich die Unruhe übertragen hatte, kläffte fortwährend.

»Was, um Himmels willen, geht hier eigentlich vor?« Keiner hatte das Eintreffen von Vitus und dem Magister bemerkt.

Die Antwort war ein Wortschwall, der sich von allen Seiten über sie ergoss. Erst durch geduldiges Nachfragen ergab sich allmählich der Ablauf des Geschehens: Zerrutti hatte mit den Zwillingen eine neue Nummer eingeübt. Dazu waren Antonio und Lupo auf die Steineiche gestiegen und hatten, oben in den Ästen sitzend, das vom Magier hochgeworfene Tau aufgefangen und verknotet. Diesen Vorgang hatten sie mindestens zwei Dutzend Mal geprobt.

Schließlich hatte Zerrutti das Tau auch am Boden fixiert, sodass es stramm gespannt war, worauf Antonio und Lupo daran Turnübungen gemacht hatten, besonders den seitlichen Hang mit ganzer Drehung. Zerrutti war irgendwann von Maja fortgerufen worden, und auch Lupo ging nach einiger Zeit, nachdem es ihm zu langweilig geworden war. Allein Antonio war geblieben. Er hatte noch einmal in den Gipfel klettern wollen, um sich von dort, am Tau turnend, auf die Erde herabzulassen.

Als Antonio nach einer Stunde noch immer nicht ins Lager zurückgekehrt war, hatte Lupo ein ungutes Gefühl beschlichen. Er war geradewegs wieder zur Eiche gegangen, wo er am Fuß des Baums eine große Blutlache entdeckte. Voller Angst hatte er nach Zerrutti, Arturo und Anacondus gerufen und dann mit ihnen überall nach Antonio gesucht, bis Anacondus endlich eine grauenvolle Entdeckung machte: Der Vermisste hatte die ganze Zeit noch im Geäst der Eiche gehangen – und ohne Unterlass war sein Blut herabgetropft.

Es war sehr schwierig gewesen, Antonio vom Baum herunterzuholen, denn trotz all ihrer Bemühungen blieb er weiterhin ohnmächtig. Als sie ihn endlich unten hatten, wurde deutlich, dass neben den Schrammen und Schürfwunden, die er davongetragen hatte, sein rechtes Handgelenk erheblich verletzt war. Die Pulsader lag offen, niemand wusste, wie viel Blut er schon verloren hatte, aber es war so viel, dass kaum noch Hoffnung bestand.

Tirzah blickte Vitus mit verweinten Augen an. »Ich weiß nicht mehr, was ich machen soll. Ich versuche die ganze Zeit, ihm das wertvollste Elixier, das ich habe, einzuflößen, aber er nimmt es nicht auf. Die Ohnmacht ist zu tief.«

Vitus hockte sich neben ihr ins Gras und griff nach Antonios Handgelenk. Der Puls war so schwach, dass er ihn kaum spürte. An der Halsschlagader war es ebenso. Er hielt dem Zwilling den Handrücken vor die Nasenlöcher, um zu prüfen, ob er noch atmete. Er tat es, doch der Luftzug war nur noch ein Hauch.

»Was wolltest du ihm geben?«, fragte Vitus.

»Meinen Lebenstrank. Er besteht aus einer Hand voll Mistelblättern, dreizehn grünen Eicheln, Wein und Krötenpech.«

»Das Elixier mag gut sein«, antwortete er, »aber es nützt nichts, solange es nicht verabreicht werden kann.« Hinter sich hörte er plötzlich jemanden aufschluchzen. Er drehte den Kopf und sah Lupo. Auch die anderen standen jetzt in seinem Rücken und beobachteten jede seiner Handbewegungen. In ihren Augen war Antonio bereits tot.

Jäh wurde ihm das ganze Ausmaß der Katastrophe bewusst: Vor ihm lag ein sterbender Junge, für den er sich verantwortlich fühlte, nicht zuletzt, weil er dem Vater zugeredet hatte, ihn ziehen zu lassen. Und dieser Junge war durch keine Heilkunst der Welt mehr zu retten! Denn einen Ersatzstoff für Blut gab es nicht.

Er zwang sich, klaren Kopf zu behalten.

Welche Vorgänge liefen jetzt im Körper des Sterbenden ab? Durch den hohen Blutverlust war der Leib so geschwächt, dass die Atemtätigkeit fast aufgehört hatte. Daraus ergab sich eine ungenügende Zuführung von Atemluft, was wiederum eine mangelnde Versorgung des vitalen Pneumas zur Folge hatte. Das Pneuma jedoch konnte, ohnehin kaum mehr vorhanden, nicht durch den Körper transportiert werden, weil nicht genügend Blut vorhanden war.

Alles hing vom Blut ab.

Ihm fiel ein, dass manche Ärzte Experimente gewagt hatten, bei denen sie versuchten, Tierblut auf den Menschen zu übertragen. Doch alle diese Bemühungen hatten unweigerlich den Tod des Patienten nach sich gezogen.

Nein, Pferdeblut, das sie einem ihrer Braunen hätten abzapfen können, durfte er auf keinen Fall nehmen. Wenn er es trotzdem täte und Antonio sterben würde, könnte er Orantes niemals wieder unter die Augen treten …

Fieberhaft überlegte er weiter: Was für Tiere galt, galt leider auch für Menschen.

Nahezu alle Fälle, in denen ein anderer Mensch Blut für einen Verletzten gespendet hatte, waren tödlich ausgegangen. Gewiss, im Werk *De morbis* waren ein, zwei Beispiele erwähnt, in denen Bluttransfusionen zum Erfolg geführt hatten, doch niemand wusste genau, warum. Das Wahrscheinlichste war noch, grübelte er, dass in diesen wenigen Fällen das Blut von gleicher Art gewesen war. Wenn das stimmte, bedeutete es im Umkehrschluss, dass es viele verschiedene Blutsorten geben musste, die sich nicht miteinander vertrugen. So würde sich auch die hohe Todesrate bei Transfusionen erklären …

Trotzdem: Seine ganzen Überlegungen waren wertlos, denn man würde erst hinterher wissen, ob die Blutsorten zueinander passten oder nicht. Und dann war es wahrscheinlich zu spät. Das Risiko war viel zu hoch, auf gut Glück jemanden für eine Transfusion zu suchen.

Abermals schluchzte Lupo hinter ihm.

Lupo …

Lupo!

Das konnte die Lösung sein! Lupo war seinem Bruder in allem so ähnlich wie ein Ei dem anderen. Warum also sollte nicht auch sein Blut von gleicher Beschaffenheit sein? Wenn das aber so war, dann gab es eine Möglichkeit!

»Tirzah, haben wir irgendwo ein Röhrchen, an dessen Ende sich ein elastischer Ball befindet?«

»Wie lang und wie dick soll das Röhrchen denn sein?« Sie wusste zwar nicht, worauf er hinauswollte, stellte aber keine langen Fragen.

Er erklärte ihr genau, was er meinte.

»Ich glaube, so etwas habe ich«, sagte sie schließlich, »soll ich es holen?«

»Ja, schnell. Jetzt zählt jede Sekunde.«

Wenige Augenblicke später war sie wieder zurück und hielt das Gewünschte in den Händen. Es war eine Klistierspritze. Sie bestand aus einer Rindsblase, die oben und unten mit einer Verschlussnaht abgedichtet war. Obendrauf saß ein Trichter.

Vitus nahm das Gerät und betrachtete es prüfend. Es schien heil und sauber zu sein. »Gut, ich brauche es gleich. Zunächst legen wir Antonio so hin, dass seine Beine erhöht sind, damit das wenige Blut, das er noch hat, in seinen Kopf fließen kann.«

Sie legten seine Unterschenkel auf einen Schemel und warfen ihm eine Pferdedecke über, um seinen Körper zu wärmen. Als das geschehen war, überprüfte Vitus, ob das verletzte Handgelenk nach wie vor fest abgebunden war. Dann ergriff er Lupo bei der Hand: »Fühlst du dich stark genug, deinem Bruder zu helfen?«

»Ich würde alles tun, damit er nicht stirbt! Alles!«

»Gut. Ich möchte, dass du Blut spendest, damit wir es Antonio geben können. Es ist die einzige Überlebensmöglichkeit, die ich sehe.«

»Hat er denn noch eine Chance?« In Lupos Augen glomm Hoffnung auf.

»Es ist ein Versuch. Er kann Erfolg haben, er kann aber auch fehlschlagen. In diesem Fall wird Antonio, nun … du weißt schon. Aber wie gesagt, wenn es überhaupt eine Möglichkeit gibt, dann ist es diese.«

Er bedeutete Lupo, auf einem zweiten Schemel Platz zu nehmen und eine Faust zu machen. »Es wird gleich etwas zwicken, wenn ich in die Armbeuge einsteche.« Er nahm den Schnäpper, den er normalerweise zum Aderlass brauchte, und schlug damit den Blutstrang auf.

Lupo verzog keine Miene.

Sofort sprang Blut mit einem kräftigen Strahl aus der eingeritzten Stelle. Vitus fing es mit dem Trichter auf und wartete, bis die Rindsblase gefüllt war. Er bedeutete Tirzah, Lupos Arm nicht zu fest abzubinden. »Ich glaube, ich brauche später noch mehr.«

Er nahm Antonios verletzten Arm hoch und ritzte ihn ebenfalls mit dem Schnäpper ein. Dann steckte er das Klistier in die entstandene Aderöffnung und presste die Rindsblase langsam und stetig zusammen.

Lupos Blut floss in Antonio über.

Es würde den Arm hinunterströmen, sich im ganzen Körper verteilen und seine lebensspendende Kraft bis in alle Winkel tragen. Immer vorausgesetzt, er hatte sich nicht geirrt.

Er wiederholte den Vorgang ein zweites, drittes und sogar ein viertes Mal. Zuletzt war Lupo ähnlich weiß im Gesicht wie sein Bruder, der noch immer am Boden lag und kein Lebenszeichen von sich gab.

»Wir müssen aufhören«, sagte Vitus schließlich.

Lupo winkte schwach mit der Hand. »Mach weiter, wenn es notwendig ist, ich habe noch viel Kraft.« Doch jeder sah, dass er völlig erschöpft war.

»Nein.« Vitus richtete sich mühsam auf. Er hatte über eine

Stunde konzentriert in gekrümmter Haltung neben dem Schwerverletzten gehockt. Jetzt tat ihm jeder Muskel im Rücken weh.

»Soll ich dich massieren?«, fragte Tirzah fürsorglich.

»Dafür ist keine Zeit.« Er wandte sich an die Umstehenden, die während der ganzen Behandlung kein Wort gesprochen hatten. »Ist euch irgendetwas an Antonio aufgefallen, während ich die Infusionen gegeben habe? Hat er sich bewegt? Haben seine Augen geflattert? Hat ein Muskel gezuckt?«

Alle, auch Tirzah, schüttelten den Kopf.

So hatte er sich wohl doch getäuscht, als er vor ein paar Minuten dachte, dass Antonios Gesichtsfarbe sich ein wenig belebt hätte. Er unterdrückte die aufkommende Verzweiflung. Immerhin: Seit Beginn der Infusionen war eine lange Zeit vergangen, und Antonio hatte keine Abwehrreaktion gezeigt.

Er legte eine Kompresse auf die Einstichstelle und fühlte automatisch nach dem Puls.

Der Herzschlag war stärker geworden.

Ungläubig fühlte er abermals.

Nein, er hatte sich nicht geirrt. Der Puls war schon kräftiger! Das bedeutete: Mehr vitales Pneuma durchströmte Antonios Körper, und wenn das stimmte, musste auch der Atem kräftiger geworden sein. Er beugte sich hinunter, befeuchtete einen Finger und hielt ihn vor die Nasenlöcher des Verletzten. Ein schwacher, aber deutlicher Zug war zu spüren. Ein Triumphgefühl durchschoss ihn, aber er zwang sich, seine Freude nicht laut hinauszuschreien. Wenn nicht alles täuschte, würde Antonio bald aufwachen.

»Tirzah«, sagte er scheinbar gelassen, »erzähl mir von deinem Lebenstrank. Wie stellt man ihn her?«

»Meinen Lebenstrank?« Sie wunderte sich, dass er jetzt an so etwas denken konnte. »Nun, der Hauptbestandteil ist die Mistel, aber es muss eine sein, die auf einer Eiche gewachsen ist. Und sie darf nur zu mitternächtlicher Stunde gepflückt worden sein.«

»Warum ist der Zeitpunkt so wichtig?«

»Wegen der kosmischen Kräfte, die sich nur bei Mondlicht entfalten.«

»Und wie geht es weiter?« Vitus beobachtete Antonio.

»Sofort nach dem Pflücken werden die Mistelblätter klein gezupft und in eine dunkle Flasche gefüllt. Anschließend werden dreizehn grüne Eicheln dazugegeben.«

»Und dann?«

»Dann wird die Flasche mit trockenem Wein aufgefüllt, mit einem Korken verschlossen und anschließend mit Krötenpech versiegelt.«

Vitus glaubte, ein winziges Wimpernzucken bei Antonio festgestellt zu haben.

»Dein Lebenstrank ist recht aufwendig in der Herstellung.«

»Oh, mit dem, was ich eben aufzählte, ist es noch lange nicht getan.« In ihrer Stimme lag Scheu. Sie hatte Vitus zwar versprochen, ihm die Zusammensetzung der geheimen Rezepte zu verraten, aber ihr war unbehaglich zumute angesichts der vielen Zuhörer. Sie war nicht sicher, ob sie das Einverständnis ihrer Großmutter, der Phuri Dai der Familie, gehabt hätte. Andererseits vertraten manche weisen Heilerinnen die Ansicht, dass die Medizin der Zigeuner von O'del, dem Guten, für alle Menschen vorgesehen sei, und nach einigem Zögern entschied sie sich weiterzusprechen.

»Die Flasche muss für die Dauer von zwölf Wochen vergraben werden, und zwar so, dass ihr Hals genau in Richtung Sonnenaufgang zeigt.«

Vitus war jetzt sicher, dass Antonio gleich aufwachen würde. »Was bewirkt der Trank genau?«, wollte er wissen. Er glaubte zwar nicht an die besonderen Rituale, die zur Herstellung des Elixiers notwendig sein sollten, aber er wusste um die Heilkräfte der Mistel.

»Der Lebenstrank aktiviert alle Abwehrkräfte des Körpers – auch die gegen den Tod! Die Mistel mit ihrer geheimnisvollen Kraft bringt alle Säfte des Körpers ins richtige Gleichgewicht und stärkt das Herz. Sie ist die wichtigste Heilpflanze überhaupt, was man schon an den vielen Namen sieht, die man ihr gegeben hat: Hexenkraut, Donnerbesen und Kreuzholz sind nur einige davon.«

Antonios Lider hatten sich einen winzigen Spalt geöffnet, was jedoch nur Vitus aufgefallen war, da die anderen sich auf Tirzah konzentrierten.

»Antonio!«, rief Vitus. »Hörst du mich?«

Der Zwilling schlug vollends die Augen auf. »Was ist … passiert?«, fragte er mit schwacher Stimme.

»Hurraaa!« Der Magister war der Erste, der begriffen hatte, was vor sich gegangen war. »Er lebt!«

»Antonio!«, rief Lupo.

»Er ist durchgekommen, si?« Aus Zerruttis Stimme klang unsägliche Erleichterung.

Plötzlich redeten alle durcheinander.

Tirzah nahm einen Löffel und flößte Antonio von ihrem Lebenstrank ein. Das Elixier machte seinem Namen alle Ehre, denn der Kranke schien sich jetzt rasch zu erholen. Sein Gesicht gewann zusehends an Farbe, er versuchte sich aufzurichten.

Tirzah drückte ihn sanft wieder zurück. »Nicht so schnell, Zwilling«, sagte sie. Ihr Ton klang mütterlich, obwohl sie selbst höchstens zwei Jahre älter war. »Nur nichts überstürzen, du springst noch früh genug wieder herum.« Abermals gab sie ihm von ihrem Lebenstrank.

»Das schmeckt scheußlich!« Antonio schüttelte sich.

»Aber es hilft.«

Antonio ließ seinen Blick in die Runde schweifen. Plötzlich entdeckte er die blassen Züge von Lupo. »Fehlt dir was, Bruder?«, fragte er teilnahmsvoll.

Lupo schluckte, um nicht erneut in Tränen auszubrechen. »Nein, gar nichts.«

Sie verbrachten zwei weitere Wochen in ihrem Lager vor den Toren Rondeñas, und in dieser Zeit herrschte, gleichsam als Ersatz für die katastrophale Regenperiode, schönstes Spätsommerwetter.

Die wärmende Sonne, das regelmäßige Essen und nicht zuletzt Tirzahs Pflege sorgten dafür, dass Antonio und auch Lupo rasch wieder vollständig hergestellt waren. Schon nach wenigen Tagen übten sie schon wieder mit Zerrutti ihre geheimnisvolle Nummer, während Vitus endgültig die Nachfolge des Doctorus Bombastus Sanussus antrat.

Zu seiner Freude hatten die Städter sich nach kurzer Zeit angewöhnt, jeden Morgen gegen 11 Uhr den Cirurgicus der *Artistas unicos* aufzusuchen, um sich gegen allerlei Krankheiten behandeln zu lassen. Meist waren es Leiden wie Rheuma, Gicht und Rückenschmerzen, dazu kamen die verschiedensten Verletzungen, wie sie bei der täglichen Arbeit entstanden. Gegen alle diese Arten von Beschwerden wusste Tirzah eine beachtliche Anzahl an wirksamen Salben und Heiltränken aus ihrer Zigeunermedizin einzusetzen.

Aber auch andere Krankheiten waren nicht selten, darunter

Frauenschmerzen, die Tirzah mit einem Trank aus Hirtentäschel, Frauenmantelkraut und Hafer bekämpfte. So hatte sie eines Tages auch Juanita, der Magd von Doña Eugenia, helfen können, und Vitus hatte bei dieser Gelegenheit erfahren, dass es dem stellvertretenden Alcalden gut ging.

Wenn Vitus und Tirzah mit ihrer Behandlungsstunde fertig waren, trennten sich gewöhnlich ihre Wege. Tirzah kümmerte sich häufig mit Maja um das Essen, das am Abend aufs Feuer kommen sollte, und Vitus erhielt von Arturo eine Fechtlektion. Er hatte weitere Fortschritte gemacht und wusste mittlerweile gut mit der Klinge umzugehen.

Im Laufe der nächsten Tage kamen immer weniger Bürger Rondeñas zu den *Artistas unicos* hinaus, es schien so, als hätten Vitus und Tirzah allen Kranken geholfen und sämtliche Familien das Gauklerprogramm gesehen.

Deshalb packte die ganze Truppe eines Morgens ihre Sachen zusammen und begab sich gegen Mittag wieder auf Wanderschaft. Der letzte Kranke, ein Jüngling, der unter Amputationsschmerzen im linken Oberarm litt und von Tirzah ein Balsamum dagegen bekommen hatte, nahm einen Brief an Don Francisco mit, in dem sich Vitus im Namen der Truppe verabschiedete und für die erwiesene Gastfreundschaft bedankte.

Gemächlich zogen sie am westlichen Ufer des Rudrón nach Norden. Abgesehen von dem fehlenden Gefährt des Doctorus war die Reihenfolge der dahinziehenden Wagen genau wie beim letzten Mal: Vitus führte die Kolonne an, und Arturo bildete mit Anacondus den Schluss. Das Wetter war, trotz der kürzer werdenden Tage, immer noch sonnig und warm. Frühmorgens nach dem gemeinsamen Frühstück pflegten sie aufzubrechen, fuhren, bis die Sonne am höchsten stand, rasteten dann an einem schattigen Plätzchen und machten sich anschließend wieder auf, um kurz vor Einbruch der Dunkelheit das Nachtlager aufzuschlagen.

Nur gelegentlich unterbrachen sie die ruhig ablaufenden Reisetage, um bei einem am Weg liegenden Gehöft Halt zu machen und dem Bauern Nahrungsmittel wie Hühner, Mehl, Käse, Bohnen oder auch ein halbes Schwein abzukaufen. Wenn es sich ergab, traten sie abends in ihrer Wagenburg auf, wobei der Magister, nachdem er die Assistenz bei Vitus an Tirzah abgegeben hatte, sich mehr und mehr zu einem tüchtigen Akrobaten entwickelte. Im Kerker hatte er schon großes Geschick beim Jonglieren mit Bällen gezeigt, doch jetzt vervollkommnete er seine Fähigkeiten und trat sogar als Antipodist in einer Solonummer auf: Er legte sich rücklings hin, nahm die Beine in die Höhe und balancierte auf den Fußsohlen bunte, hölzerne Rollen, die Arturo ihm zuwarf. Das Publikum, das noch nie eine derartige Fertigkeit gesehen hatte, war regelmäßig begeistert.

Als sie den Ebro erreichten, lernten sie einige Bauernfamilien kennen, die sie baten, länger zu bleiben, denn die Darbietungen der *Artistas unicos* waren das Ereignis des Jahres.

Arturo, der Vitus mehr und mehr in seine Überlegungen einbezog, schlug vor, eine vier- bis fünftägige Reisepause einzulegen, nicht nur, um den Anwohnern einen Gefallen zu erweisen, sondern auch, um den Pferden eine längere Rast zu gönnen. Sie trugen der Gruppe ihre Gedanken vor, und gemeinsam beschlossen sie zu bleiben.

Vitus nutzte die Zeit, um einige leichte Fälle zu kurieren. Meistens handelte es sich um Harmloses wie Erkältungen, Hexenschuss, Kopfgicht oder Gliederreißen. Doch am zweiten Morgen stürzte eine Mutter heran, die ein keuchendes, nach Luft ringendes Kind im Arm hielt. Man sah, dass es in wenigen Minuten ersticken würde, denn die Bewegungen seiner Ärmchen wurden zusehends matter.

»Um der barmherzigen Mutter Gottes willen, tut etwas, Cirurgicus, tut etwas! Ich weiß nicht mehr ein noch aus!« Die verzweifelte Frau hielt Vitus das Kind entgegen.

Tirzah eilte hinzu, betrachtete den Kopf des Kleinen und wechselte dann einen schnellen Blick mit Vitus. »Ich denke, ich weiß, was es hat: Wir Zigeuner nennen diesen Zustand Bräune, es ist eine tückische Fieberkrankheit, bei der die Atemwege sich so sehr schließen, dass der Kranke keine Luft mehr holen kann und jämmerlich erstickt.«

Vitus nickte. Die Diagnose deckte sich mit seiner. »Wie lange ist das Kind schon krank?«, fragte er die Mutter.

»Mein Paco? Wartet …«, der Frau fiel es schwer, sich zu konzentrieren. »Seit zehn Tagen ungefähr.«

»So lange schon?« Der Frau jetzt Vorhaltungen zu machen, dass sie nicht früher ärztlichen Rat eingeholt hatte, war nutzlos. Vitus öffnete dem Jungen den Mund, und ein süßlichfauler Geruch schlug ihm entgegen. Im Rachen entdeckte er einen bräunlichen Belag. Die Öffnung unterhalb des Zäpfchens war völlig zugeschwollen. »Wenn der Kleine nicht innerhalb der nächsten Minute zu Atem kommt, stirbt er. Ich werde ihm deshalb die Luftröhre aufschneiden.«

Die Mutter schrie entsetzt.

»Beruhigt Euch, Señora, und überlasst das Ganze mir.« Vitus versuchte, Gelassenheit zu verbreiten, obwohl er selbst alle Kräfte brauchte, um nicht in Hektik zu verfallen. »Tirzah, halte den Jungen ruhig und drück ihm den Kopf in den Nacken, ich werde zwei Fingerbreit unterhalb des Kehlkopfs einschneiden.«

Tirzah gehorchte, Vitus setzte das Messer an. Er drückte die Spitze in die Haut, und ein paar Blutstropfen quollen hervor. Es war eine neue Erfahrung für ihn, ein Kind auf Leben und Tod zu operieren: Es war anders und schwerer, und es kostete ihn Überwindung, das Skalpell zu führen. Er schnitt tiefer ein. Zu seiner Erleichterung blutete die Wunde kaum. Endlich hörte er ein Rasseln und Blubbern aus der Tiefe des Halses.

Er hatte die Luftröhre getroffen.

Paco gab einen krächzenden Laut von sich – es war der erste Atemzug ohne den Umweg über Nase oder Mund! Vitus ergriff rasch ein Röhrchen, das wie ein hölzerner Schilfhalm aussah, und steckte es schräg nach unten in die geschaffene Öffnung, so weit, bis er sicher sein konnte, dass es fest in der Luftröhre saß. Dann bat er Tirzah um ein Emplastrum, in dessen Mitte er ein Loch für den Holzhalm schnitt. Anschließend fixierte er Pflaster und Halm mit einem Verband um den Hals.

Paco atmete mittlerweile fast wieder regelmäßig, seine Bewegungen wurden ruhiger.

Vitus blickte auf. Die Mutter hatte die ganze Zeit mit geschlossenen Augen neben ihnen gestanden und stille Hilferufe an Gott den Allmächtigen gesandt. »Eure Gebete sind erhört worden, Señora! Das Kind ist gerettet.«

Die Bäuerin fiel auf die Knie und versuchte, Vitus' Hand zu küssen.

Er war peinlich berührt. »Lasst das, bitte. Ich habe nur getan, was getan werden musste. Habt Ihr noch mehr Kinder?«

Die Frau nickte unter Tränen. »Ja, fünf. Alles Mädchen.«

»Die Bräune ist hoch ansteckend, sie tritt sehr häufig bei Kindern unter zehn Jahren auf, aber man hat auch schon von Erwachsenen gehört, die sie bekommen haben. Am besten, Ihr haltet dieses Kind von Euren anderen fern, damit sie sich nicht auch noch anstecken.«

Abermals füllten sich die Augen der Frau mit Tränen.

»Beruhigt Euch, Señora, noch ist es ja nicht so weit. Erst wollen wir sehen, dass wir Euren Stammhalter«, er unterbrach sich, »wie heißt Paco überhaupt weiter …?«

»Utrillos. Ich selbst bin Belleza Utrillos.«

»… dass wir den kleinen Utrillos wieder gesund bekommen, Señora. Meine Assistentin gibt Euch dazu ein fiebersenkendes Mittel mit, das Ihr ihm dreimal täglich mit etwas Milch einflößt. Ihr werdet sehen, er erholt sich schnell. Mit fortschreitender Gesundung werden auch die Atemwege wieder abschwellen. Besucht mich mit Paco in zwei Tagen wieder, ich denke, wir können ihm dann die Atmungshilfe entfernen.«

»Kann er denn überhaupt etwas essen, jetzt, wo ihm dieses Ding im Hals steckt?«

»Ja, denn die Nahrungsaufnahme erfolgt durch die Speiseröhre, die von dem Eingriff ja nicht betroffen ist, dennoch: Pacos Rachen ist so zugeschwollen, dass er kaum etwas Festes schlucken kann. Gebt ihm darum heute und morgen eine kräftige Fleischbrühe zu trinken, dazu viel Wasser, das füllt den Magen und unterdrückt das Hungergefühl.«

»Gott sei gelobt und gepriesen!«

»Allerdings wird Paco die nächsten Tage nicht sprechen können, denn der Luftstrom aus den Lungen, der normalerweise durch den Kehlkopf und die Stimmbänder nach oben streicht, ist durch das Röhrchen abgeleitet worden. Doch er wird es wieder können, sobald ich die Atmungshilfe entfernt habe.«

»Ich verstehe.« Die Frau wischte dem Kind liebevoll die Nase. Sie nahm dazu ein großes, schon häufig benutztes Schnäuztuch.

»Und noch etwas, Señora: Putzt Ihr mit diesem Tuch auch die Nasen Eurer anderen Kinder?«

»Ja, warum, Cirurgicus?«

»Lasst es in Zukunft lieber bleiben.«

Vitus wusste selbst nicht genau, weshalb er diesen Rat gab, doch er hatte das sichere Gefühl, dass es für die Kinder besser war.

Nach zwei Tagen erschien Señora Utrillos wieder, begleitet von ihren sechs Kindern, die wie die Orgelpfeifen an ihrer Hand marschierten. Vitus dachte an Orantes' Nachwuchs und musste lächeln. »Nun Señora, ich hoffe, es geht Paco besser?«

»Oh ja, Cirurgicus!« Die Frau deutete einen Knicks an. »Sehr viel besser.«

Vitus blickte die Bäuerin jetzt zum ersten Mal richtig an und sah, dass sie ein schönes Gesicht mit großen Augen und einem weichen Mund besaß. Sie zählte etwa dreißig Jahre, wirkte aber nicht so verbraucht wie viele gleichaltrige Frauen.

»Paco, mach einen Diener«, flüsterte sie dem Kleinen ins Ohr. Dann lächelte sie Vitus an, und er registrierte, dass sie weiße, ebenmäßige Zähne hatte. Der Junge trat vor und machte eine kurze Verbeugung, wobei er den Holzhalm, der nach wie vor in seinem Hals steckte, mit der Hand festhielt.

Vitus nahm den Kleinen auf den Arm. Er atmete beschwerdefrei durch die Nase. Auch das Fieber war verschwunden, wie seine kühle Stirn bewies. »Paco, ich werde jetzt das Hölzchen aus deinem Hals ziehen. Vielleicht wird das ein bisschen weh-tun, aber du bist ja schon fast ein richtiger Mann, und deshalb wirst du auch nicht weinen, oder?«

Paco schüttelte heftig den Kopf.

»Gut.« Er setzte den Kleinen auf eine Kiste und gab ihm mit dem Schlafschwamm eine geringe Dosis Narkotikum in die Nase. Er hatte die Menge so gewählt, dass der Junge in jedem Fall noch halb bei Bewusstsein bleiben würde. Dann wickelte er den Verband ab. Die Wundränder um den Holzhalm waren gottlob nicht entzündet. »Den Verband brauchst du nun nicht mehr«, sagte er, doch der Knabe reagierte kaum.

Beruhigt zog Vitus das Holz mit einem sanften Ruck heraus. Die Wundränder, jetzt ihres Haltes beraubt, schlossen sich leicht. »Tirzah, gib mir bitte Nadel und Faden, ich werde eine einfache Ligatur setzen.« Seine Augen waren unverwandt auf die Wunde gerichtet, während er seine Hand fordernd aus-streckte. »Tirzah! Hörst du mich?«

»Ja, sicher doch.« Tirzahs Stimme wirkte aus unverständli-chen Gründen leicht verärgert.

»Gib mir bitte Nadel und Faden.«

Endlich erhielt er das Gewünschte, und er begann die Stiche zu setzen. »Señora Utrillos, was ist mit den fünf Mädchen, die Ihr mitgebracht habt. Sind sie gesund?«

»Ich bin nicht ganz sicher, Cirurgicus, am besten, Ihr seht sie Euch selbst einmal an.«

Vitus verknotete den Faden und schnitt ihn ab, dann gab er Paco in die Obhut von Tirzah. »Gut, ich möchte vor allem den Rachenraum untersuchen.« Folgsam stellten sich die Kin-der vor ihn hin und sperrten den Mund auf. Vitus nahm den Stiel eines Holzlöffels und drückte damit die Zunge herunter. Er bemerkte, dass zwei der Mädchen unter einer leichteren

Form der Bräune litten, doch das Stadium war in beiden Fällen nicht so ausgeprägt, dass es zu Atembeschwerden führte. Es schien so, als hätte die Krankheit ihre ganze Kraft an dem kleinen Paco ausgelassen.

»Cirurgicus?«

»Ja, Señora?«

»Ich habe noch eine Frage.« Belleza Utrillos machte eine Pause, das Thema schien ihr nicht angenehm zu sein: »Meine Schwiegermutter, sie wohnt bei uns auf dem Hof, leidet häufig unter Hexenschuss, und ich wollte Euch fragen, ob Ihr vielleicht etwas …«

»Natürlich, wendet Euch am besten direkt an meine Assistentin.« Er nickte Tirzah zu. »Du hast doch sicher ein Balsamum oder ein Pulver gegen derlei Beschwerden?«

»Ja, das habe ich, Vitus.«

»Gut. Dann gib der Señora davon und dazu noch etwas von dem fiebersenkenden Mittel für die Kinder.«

»Wie du wünschst.«

Vitus fragte sich, warum Tirzah so förmlich war.

Und wieder zogen sie weiter.

Nachdem sie den Ebro an einer seichten Stelle überquert hatten, führte sie ihr Weg Richtung Villarcayo und Cillernelo de Bezana zu mehreren kleinen Seen, die im Quellgebiet des großen Flusses lagen. Unmittelbar am Ufer des einen schlugen sie ihr Lager auf, denn Arturo und Vitus waren der Meinung, dass der Fischreichtum des Gewässers ihrem Speisezettel gut tun würde.

Noch am selben Abend gaben sie ihre erste Vorstellung vor den neugierigen Landbewohnern. Es war in mancherlei Hinsicht eine Premiere.

Arturo und Anacondus hatten ihre Darbietungen noch um eine gemeinsame Seiltanznummer erweitert, bevor sie als Clown und Nachthemdmann auftraten. Die Täuschung mit dem Kohlkopf im Fass kam wie immer besonders gut bei den Kleinsten an.

Auch der Magister als Antipodist heimste viel Beifall ein, bevor Zerrutti scheinbar Maja zersägte.

Dann endlich hielten alle, auch die Gaukler, den Atem an, denn der Magier versprach eine neue, nie da gewesene Sensation:

»Hochverehrtes Publikum, ihr jetzt sehen große Zerrutti mit einmalige Tonio, welcher zu gleicher Zeit kann sein an verschiedenste Punkte der Erde, si …?«

Er verbeugte sich schwungvoll, seine Vogeläuglein leuchteten, Tirzah im Hintergrund ließ einen Trommelwirbel folgen, woraufhin Antonio, im Handstand laufend, sich auf Zerrutti zubewegte. Der Magier ergriff den rechten Fuß des Zwillings und schüttelte ihn zur Begrüßung.

Das Publikum kicherte.

Tonio sprang auf die Füße und ging nun Arm in Arm mit Zerrutti zu einer starken, hohen Buche, deren Baumkrone im Schein eines darunter brennenden Feuers gut sichtbar war. Eine mützenartige Plane deckte die Krone ab. Die Zuschauer verfolgten gespannt, wie Tonio affengleich nach oben kletterte, wo er alsbald unter dem Stoff verschwand.

Zerrutti, der am Fuß der Buche stand, wuchs wie von Zauberhand ein starkes, schneeweißes Tau in die Hand, das er am Boden befestigte und dann, mit kraftvollem Schwung, direkt über sich hochwarf. Im selben Augenblick, wo es, der

Schwerkraft gehorchend, hätte herunterfallen müssen, spannte es sich und stand senkrecht wie von selbst in der Luft.

Die Menge klatschte. Ein Knirps in der hintersten Reihe schrie: »Das hat Tonio festgebunden!« Einige Leute lachten.

»Das hat er wahrscheinlich tatsächlich«, sagte der Magister, der rasch wieder in seine normalen Kleider geschlüpft war und nun mit Vitus die Darbietung verfolgte.

Derweil machte sich Zerrutti an einem der Abspannseile zu schaffen. Plötzlich öffnete sich die Baummütze in der Mitte, und Antonio wurde wieder sichtbar. Er hing jetzt hoch oben am Seil. Zur grenzenlosen Verblüffung aller Zuschauer war das Tau nicht an irgendeinem Ast festgebunden, sondern stand kerzengerade allein da, weiß in das grüne Blätterdach der Buche hineinragend.

»Wie ist das möglich?«, raunte der Magister.

»Ich weiß es nicht«, flüsterte Vitus zurück.

Mit katzenartiger Gewandtheit vollführte Tonio jetzt eine Reihe von Turnübungen, die das Publikum nach kurzer Zeit mit rhythmischem Klatschen begleitete. Schließlich zog Zerrutti abermals von unten an einem der Halteseile, wodurch die Baummütze sich wieder schloss und den Blick auf Tonio verdeckte.

Keine fünf Sekunden später zog der Magier den Stoff wieder auseinander, und der Turner war verschwunden.

Die Menge wollte ihren Augen nicht trauen.

Zerrutti löste rasch weitere Haltetaue, was zur Folge hatte, dass die ganze Baumbedeckung unter windähnlichem Rauschen herabsank.

Wo war Tonio der Turner?

So lang die Zuschauer ihre Hälse auch machten – nirgendwo in der Baumkrone war er zu entdecken.

Der Magier rief verzweifelt immer wieder seinen Namen hinauf in das Blätterdach, doch der Turner schien sich in Luft aufgelöst zu haben.

Ein Zittern durchlief Zerrutti. Er begann herzzerreißend über den Verlust seines Partners zu weinen. Die Menge war jetzt mucksmäuschenstill und litt mit.

Dann plötzlich, mit gewaltigem Krachen, explodierte ein Feuerwerkskörper direkt vor Zerruttis Füßen, eine Falltür sprang auf, und heraus schnellte ein menschlicher Körper, der genau dasselbe Trikot trug wie Tonio. Der Junge, der dem Turner aufs Haar glich, landete neben dem Magier und schloss ihn überglücklich in die Arme.

War es Tonio? Konnte es Tonio sein?

Ja, es war Tonio! Ein Zweifel war ausgeschlossen. Die Zuschauer sprangen hoch und klatschten heftig.

Doch nicht alle im Publikum zeigten sich so begeistert. Nicht wenige Menschen blickten scheu, ja sogar ängstlich drein.

War doch echte Zauberei im Spiel?

Unruhe machte sich breit, schon steckten einige Leute die Köpfe zusammen und schickten sich an, den Platz zu verlassen, als plötzlich ein Ruck durch die Menschen ging. Abermals konnten sie nicht glauben, was sie sahen:

Tonio, der Turner, hatte sich verdoppelt. Neben ihm stand ein Jüngling, der ihm aufs Haar glich!

Nur langsam begannen die Leute zu begreifen, dass sie es mit Zwillingen zu tun hatten und dass sich dadurch der Zaubertrick ganz einfach erklären ließ: Tonio musste sich unbemerkt an der Hinterseite des dicken Buchenstamms herabgelassen haben, während alle Augen auf dem verzweifelten Zerrutti geruht hatten. Dann war er nach hinten in den Schatten der anderen Bäume verschwunden, hatte sich dort versteckt, um schließlich wieder hervorzukommen und, zusammen mit Lupo, das Rätsel zu lösen. Erst zaghaft, dann immer stärker werdend, setzte gewaltiger Jubel ein. Die Menschen klatschten, diesmal mit uneingeschränkter Begeisterung, bis ihnen die Hände wehtaten.

Der Magister, der wie alle anderen aufgesprungen war, schrie: »Hätte nie gedacht, dass Zerrutti freiwillig seine Tricks preisgibt, aber wie man sieht, kommt's an!«

»Es war auch schwer genug, ihn dazu zu bewegen, das kannst du mir glauben.«

»Wieso?« Der Magister unterbrach sein Klatschen. »War das etwa deine Idee?«

»Arturos und meine. Wir fanden, dass es besser ist, wenn die Leute sehen, dass bei uns alles mit rechten Dingen zugeht. Sind wir erst an höherer Stelle als Hexer denunziert, ist der Kerker nicht mehr weit.«

»Bei den Hörnern des Leibhaftigen! Wer wüsste das besser als wir.« Der Magister schwieg betreten. »Hätte selbst auch draufkommen können. Aber der Mensch neigt zum Vergessen, wenn es ihm gut geht.« Erneut begann er zu klatschen. »Trotzdem finde ich es bemerkenswert, dass ihr Zerrutti von seiner Geheimniskrämerei heruntergekriegt habt.«

»Wir haben ihn einfach daran erinnert, dass die Nummer mit dem Clown und dem Nachthemdmann nicht halb so gut ankäme, wenn sie am Schluss nicht mit dem Kohlkopf erklärt würde. Manchmal ist es besser, man spielt mit offenen Karten. Außerdem hat Zerrutti immer noch seine Sägenummer mit Maja, bei der bis heute niemand weiß, wie sie funktioniert.« Vitus nahm den Magister beim Arm, und gemeinsam schlenderten sie zur Wagenburg zurück.

»Richtig. Und auch da dürften die Leute jetzt glauben, dass es kein Teufelswerk ist, weil sie gesehen haben, dass alles andere sich erklären lässt.«

»Möchtest du nicht von der Suppe, Tirzah?« Vitus stand neben dem großen Kessel und hielt die Schöpfkelle in der Hand. »Sie ist wirklich gut.«

»Nein danke.«

»Aber du musst etwas essen!« Er blickte Hilfe suchend in die Runde. »Wir kampieren jetzt schon drei Tage hier, und in der ganzen Zeit hast du kaum etwas zu dir genommen. Was ist mit dir los?«

Tirzah schürzte trotzig die Lippen und blickte ins Feuer. »Ich habe keinen Hunger. Lass mich in Ruhe.«

»Wie du meinst.« Vitus zuckte mit den Schultern und setzte sich zu den anderen.

Er würde schon herausbekommen, was sie hatte.

An den folgenden Tagen fuhren sie beständig nach Norden, weiter und immer weiter, am Ufer eines Flusses, den die Einheimischen Besaya nannten.

Eines Abends überraschte Vitus Tirzah, wie sie in gekrümmter Haltung hinter dem Wagen stand und die Hände in den Schoß presste. Als sie bemerkte, dass er sie sah, wollte sie fortlaufen, doch Vitus war schon neben ihr. »Was hast du, Tirzah? Es sieht so aus, als hättest du Schmerzen?«

»Es ist nichts. Es geht mir gut.« Sie richtete sich wieder auf und versuchte, ein gleichgültiges Gesicht aufzusetzen.

»Tirzah!« Vitus wurde energisch. »Nicht nur, dass du seit Tagen kaum isst, nicht nur, dass du so tust, als wäre ich Luft für dich, nein, jetzt lügst du mich auch noch an. Du hast Schmerzen, das sieht doch ein Blinder. Also, was ist los?«

Tirzah brach in Tränen aus.

Vitus fühlte die Hilflosigkeit, die alle Männer befällt, wenn sie sich einer weinenden Frau gegenübersehen. »Komm, komm«, flüsterte er, »so war's ja nicht gemeint, ich dachte nur, dass du Schmerzen hättest im, äh … Unterleib.«

Tirzahs Schluchzen verstärkte sich. Er kam sich sehr unbeholfen vor und nahm sie in den Arm. »Weine doch nicht.«

Zu seiner Überraschung wurde sie plötzlich ganz weich und legte den Kopf an seine Schulter. »Hab ich auch.«

»Was hast du?« Er verstand nicht.

»Ich hab Schmerzen im Unterleib.« Sie schluckte, aber ihr Kopf blieb an seiner Schulter. »Schon seit Tagen.«

Fast fühlte er so etwas wie Erleichterung. Dadurch also erklärte sich ihr merkwürdiges Verhalten! »Vielleicht hast du einen Blasenkatarrh?« Unwillkürlich zog er sie ein wenig fester an sich.

»Das habe ich auch schon gedacht«, murmelte sie. »Ich habe große Schmerzen beim … beim …«

»Beim Wasserlassen?«

»Ja. Ich habe Medizin genommen, aber es ist nicht besser geworden.«

»Seit wann nimmst du die Medizin?«

Sie dachte nach, während ihr Kopf noch immer an seiner Schulter ruhte und eines ihrer langen schwarzen Haare ihm die Nase kitzelte. Es duftete nach Lavendel. »Seit ungefähr einer Woche, mehrmals am Tag.«

»Dann müsste die Entzündung längst abgeklungen sein.« Er überlegte laut: »Die Tage werden zusehends kürzer, und morgens und abends ist es schon empfindlich kühl. Vielleicht ist die Krankheit deshalb immer wieder aufs Neue ausgebrochen. Wie heißt es so richtig in der Heilkunde? ›Was die Kälte bringt, muss die Wärme wieder wegnehmen.‹ Nur: Die Wärme muss die richtige sein, und man muss ihr ausreichend Zeit geben, damit sie ihre heilende Kraft entfalten kann.«

Sie begann wieder zu zittern. Er sah, wie sie die Zähne zusammenbiss und ihre Hände wieder zum Schoß fuhren. Ein neuer Schmerzanfall durchzuckte sie.

»Höchste Zeit, dass ich etwas unternehme«, sagte er entschlossen. »Ich hätte längst merken müssen, dass dir etwas fehlt.« Er löste sich von ihr und ging voran in den gemeinsamen Wagen. Dort angelangt, holte er das Buch *De morbis* hervor und begann darin zu blättern.

Nach einiger Zeit, Tirzah hatte so lange still auf ihrer Seite der Wolldecke gewartet, schlug er das Buch wieder zu. »Darf ich zu dir hinüberkommen?«

»Ja, natürlich.«

»Ich weiß jetzt, wie wir das Leiden bekämpfen«, sagte er eifrig, während er die Kräutersäckchen betrachtete, die über ihrem Bett von der Decke herabhingen. »Wir benötigen dazu Goldrute, Kamillenblüten und Leinsamen. Den Samen zerstoßen wir, anschließend kommen die Blüten der Kamille und die Blätter der Goldrute dazu. Dann gießen wir alles in einer großen Schüssel mit heißem, aber nicht zu heißem Wasser auf.«

»Aha.« Tirzah hatte aufmerksam zugehört. »Und dann?«

»Nimmst du ein Sitzbad, und zwar den ganzen Tag über.«

Tirzah wunderte sich: »Aber Vitus! Du hast morgen Vormittag wieder Behandlungsstunde, und ich muss dir assistieren. Wie soll ich da ein Sitzbad nehmen?«

»Lass mich nur machen«, sagte er geheimnisvoll. »Ich brauche dazu nur eine Säge.«

Die Patienten, die Vitus am darauf folgenden Morgen behandelte, wunderten sich über seine Assistentin, die wie festgeklebt auf einem klapprigen Stuhl saß, während der Cirurgicus geschäftig hin- und hereilte.

»Eigentlich müsste es genau umgekehrt sein«, murmelte eine alte Aschesammlerin empört. Sie sprach leise, aber doch so laut, dass Vitus ihre Bemerkung hörte.

»Was müsste denn genau umgekehrt sein, Abuela?«, fragte er freundlich.

Die Alte fühlte sich ertappt, wollte aber nicht klein beigeben.

»Eigentlich solltet Ihr es sein, Cirurgicus, der sitzt, und Eure Assistentin dort«, sie deutete missbilligend mit dem Kopf zu Tirzah hinüber, »müsste die Handlangerdienste tun.«

Vitus lachte. »Das lasst nur meine Sorge sein, Abuela! Wenn ich mich nicht irre, sammelt Ihr die Asche auf den Höfen ein und tragt sie dann zum Seifenmacher. Wie dieser dann die Seife herstellt, kann Euch egal sein, nicht wahr?«

»Ja, schon.« Die Alte hatte keine Ahnung, worauf Vitus hinauswollte.

»Bei Euch nun liegt ein hartnäckiger, berufsbedingter Husten vor, gegen den ich Euch einen Saft aus Efeublättern verschreibe. Wie dieser hergestellt wurde, nämlich im Sitzen durch meine Assistentin, kann Euch ebenfalls gleichgültig sein. Habt Ihr mich verstanden?«

»Ja, Cirurgicus.« Der Alten dämmerte es. »Was bin ich dafür schuldig?«

»Fragt meine Assistentin.«

Die Aschesammlerin schob sich widerstrebend zu Tirzah hinüber. »Was bin ich Euch schuldig?«

»Nichts, Abuela.« Tirzah, die jedes Wort der Unterhaltung mit angehört hatte, zeigte sich unerwartet großzügig.

Als die Alte fort war, blickte Vitus sich um. Für heute, so schien es, konnte er die Behandlungsstunde beenden. Er ging zu Tirzah, die noch immer wie festgewachsen auf ihrem Stuhl saß. »Wie geht es dir?«

»Ein kleines bisschen besser.« Sie lächelte.

»Schön!« Er freute sich ehrlich. »Wird Zeit, dass wir den Aufguss erneuern.«

Tirzah raffte ihren langen, bis zur Erde reichenden Rock hoch und erhob sich. Die Schüssel, aus der die heilenden Dämpfe nach oben gestiegen waren, wurde sichtbar. Ebenso das Loch, das Vitus noch am Abend zuvor in die Sitzfläche gesägt hatte. Sie beobachtete ihn, wie er fürsorglich die Kräutermischung zusammenstellte und mit dem Ellenbogen die Temperatur des Aufgusswassers maß. Als er fertig war, richtete er sich auf.

»Setz dich vorsichtig wieder drüber, ich bin nicht sicher, ob die Temperatur gut ist.«

»Sie wird es sein.« Ihre Augen leuchteten, während sie Platz nahm und sich dabei vorkam wie eine Henne auf dem Ei. »Du bist ein wundervoller Arzt.«

An einem der nächsten Abende hatte Vitus sich weiter vom Lager entfernt, als er ursprünglich wollte, doch das Sammlerglück war ihm hold gewesen: Er hatte im angrenzenden Wald nahezu alle Kräuter gefunden, die er zur Auffrischung seiner Vorräte brauchte. Jetzt aber brach die Dunkelheit herein, und er musste machen, dass er zurückkam, wollte er noch die Hand vor Augen sehen. Er überlegte gerade, dass ihm nur noch einige der prächtig ausgebildeten Exemplare des Zinnkrauts fehlten, die er in der Nähe des Lagers entdeckt hatte, als ihn ein langer, klagender Schrei zusammenfahren ließ.

Er lauschte angespannt.

Nichts …

Hatte er sich getäuscht?

Da! Wieder dieser seltsame Schrei! Entschlossen setzte Vitus seinen Weidenkorb ab. Er wollte der Sache auf den Grund gehen. Geräuschlos tastete er sich durch das Unterholz in die Richtung vor, aus der er den Ruf vernommen hatte. Nach wenigen Schritten erblickte er durch das Geäst einer Kiefer die Gestalt einer Frau, die ihr Gesicht der untergehenden Sonne zuwandte.

Tirzah.

Das Zigeunermädchen stand da wie in Trance, stocksteif, mit geschlossenen Augen. Plötzlich riss sie beide Arme hoch, spreizte die Hände und stieß abermals den kehligen, sich am höchsten Punkt brechenden Klageschrei aus. Dann jedoch, anders als zuvor, begann sie zu singen. Vitus hörte eine sich langsam dahinziehende, elegische Weise, die von Tirzah mit sparsamen Körperbewegungen unterstrichen wurde. Er hätte gerne verstanden, was sie sang, aber er kannte die Sprache nicht; er merkte nur, dass die Melodie an Tempo gewann, die Bewegungen der Sängerin schneller wurden, schneller und schneller, während ihre Füße kraftvoll und rhythmisch auf den Boden stampften.

Je länger er dem Geschehen folgte, desto mehr beschlich ihn ein Gefühl, als würde seine Anwesenheit etwas entweihen.

Was hier geschah, war nicht für seine Augen und Ohren bestimmt.

Vorsichtig ging er die wenigen Schritte zu seinem Sammelkorb zurück, nahm ihn auf und schlug den Weg zur Wagenburg ein.

Die Fensterläden auf seiner Seite des Wagens hatte er, im Gegensatz zu seiner sonstigen Gewohnheit, geschlossen. Dämmriges Licht umgab ihn.

Er wollte schlafen, um wieder gesund zu werden.

Schon den ganzen Tag über hatte er Halsschmerzen verspürt, deren Ursache er in einer Erkältung vermutete. Vor einer Stunde war er deshalb vom Lagerfeuer aufgestanden, hatte eine Entschuldigung gemurmelt und heimlich einen lindernden Trank zu sich genommen, den er mit einer nicht zu kleinen Portion Bilsenkraut angereichert hatte. Bilsenkraut gab angenehme Gedanken und schöne Träume.

Tirzah fiel ihm ein, die jetzt noch bei den anderen saß und die Reiseroute für die nächsten Tage besprach.

Tirzah.

Tirzah konnte wundervoll erzählen. Die vergangenen Abende hatten sie lange am Feuer gesessen und nicht gemerkt, wie die Zeit verging. Er hatte sich dabei ertappt, dass er ihr oftmals gar nicht zuhörte, weil der Duft ihres Haars ihn ablenkte …

Lavendel. Ihr Haar roch so betörend nach Lavendel. Und ihre Haut, ihr Mund, ihre Lippen, die so viele Wörter formten, von denen jedes einzelne ihm besonders wichtig erschien – alles das machte sie so unvergleichlich begehrenswert. Seltsam, dass er das nicht schon am Anfang bemerkt hatte.

Was sie wohl jetzt tat? Zu dumm, dass er nicht bei ihr und den anderen sein konnte. Aber er musste sehen, dass er gesund wurde. Morgen früh würden wieder Patienten auf ihn warten und auf seine Hilfe hoffen. Er würde sie behandeln, zusammen mit Tirzah. Tirzah … Er lag auf dem Rücken und hatte ihr Bild so deutlich vor Augen, als stünde sie leibhaftig vor ihm.

So wie an jenem Tag, als er ihr die Sitzbäder verschrieben hatte. Am späten Nachmittag hatte sie, als sie sich unbeobachtet glaubte, ihren Rock gehoben, um sich die Scham mit einem Tuch zu trocknen. Doch er hatte sie gesehen, und er hatte nicht fortblicken können. Wie so oft in den letzten Tagen erschien auch jetzt wieder ihr seidig-glänzendes schwarzes Dreieck vor seinen Augen, und er verlor sich ganz in der Vorstellung, wie es sein müsse, tief, ganz tief, dort einzudringen.

Welch verwerflichen, sündigen Gedanken gab er sich da hin! Andererseits, träumen durfte man. Und die Gedanken gehörten nur ihm, sie waren seine eigenen, er würde sie mit niemandem teilen – am allerwenigsten mit Tirzah, die wahrscheinlich gar nichts von ihm wissen wollte.

Er spürte, wie sein Glied hart wurde und sich emporreckte. Der Trank begann zu wirken. Das Verlangen brannte lichterloh in ihm. Wenn Tirzah jetzt hier wäre, würde ich ihr sagen, ja, was würde ich ihr sagen?

»Ich habe dich gesehen«, würde ich ihr sagen, »deinen süßen Schoß, den ich mit meinem Glied durchbohren möchte, den ich in seiner ganzen Tiefe ausloten will, der mich umschlingen soll, mich packen soll, mich nie wieder loslassen soll …«

Alles Unsinn. Aber träumen durfte man.

»Ich wusste, dass du mich angesehen hast«, antwortete sie mit leiser Stimme. »Ich habe es sehr genossen.«

Träume.

Er griff zu seinem Schaft, der prall und hart war und vor Verlangen pulsierte; er wollte sich Erleichterung verschaffen, doch eine andere Hand war dazwischen und schob die seine beiseite.

Träumte er oder war das Wirklichkeit?

»So, wie du mich geheilt hast, so will ich dir höchste Lust schenken«, sagte Tirzah mit ihrer melodiösen Stimme. Er hörte das Knistern des Stoffs, als sie ihren Rock hob und sich langsam, ganz langsam auf ihn setzte.

Sie lag in seiner Armbeuge und spielte mit den Haaren auf seiner Brust. »Ich wusste, dass es so kommen würde«, flüsterte sie, »ich habe mich seit Tagen danach gesehnt.«

Vitus küsste sie leidenschaftlich auf den Mund. »Ich habe es mir genauso sehr gewünscht, aber ich hätte nie gedacht, dass du mich willst.«

»Du Dummer.« Sie richtete sich halb auf und strich sich über ihre Lippen, denn Vitus' Küsse waren heftig und hart, ihm fehlte jegliche Erfahrung. »Ich konnte es kaum erwarten, diesen Blasenkatarrh loszuwerden. Gestern Abend war ich zum ersten Mal völlig ohne Beschwerden, und wie du siehst, habe ich dich gleich verführt.«

Vitus lachte. Er nahm sie wieder in den Arm. »Wann der Tag wohl anbricht?«

»Ist mir einerlei.« Sie kuschelte sich an ihn. »Ich möchte, dass die Zeit stillsteht.«

»Tirzah ist ein schöner Name«, flüsterte er.

»Es ist ein jüdischer Name. Die Vorfahren meiner Familie haben lange in einem Land namens Palästina gelebt. Viele Frauen in unserer Sippe tragen diesen Namen.« Sie ergriff seine rechte Hand und begann mit seinen Fingern zu spielen. »Sind deine Halsschmerzen besser?«

»Ja.« Er küsste sie abermals auf den Mund, diesmal sanfter. »Zum Glück konnte ich neulich abend im Wald meinen Kräutervorrat auffrischen, so hatte ich alles für einen guten Heiltrank.«

Ihm fiel ein, dass er sie bei dieser Gelegenheit heimlich beobachtet hatte. »Ich habe dich übrigens zufällig an diesem Abend gesehen, aber ich wollte dich nicht stören, denn du schriest so schrecklich verzweifelt und sangst so traurig.«

»Oh!« Sie ließ von seiner Hand ab. Er spürte, wie sie sich innerlich versteifte. Doch gleich darauf hatte sie sich wieder gefangen. Sie hauchte einen Kuss auf seine Fingerspitzen und legte seine Hand auf ihre Brüste.

»Du hast mich beim Singen des Klageliedes gesehen«, sagte sie. »Wenn ein Gitano, also einer von uns Zigeunern, stirbt, verlangt es die Sitte, dass ein Todeslied gesungen wird. Ebenso wie es Brauch ist, dass wir die Unsrigen verbrennen. Aber als Vater ermordet wurde, war dafür keine Zeit, wie du weißt, deshalb habe ich wenigstens das Klagelied nachgeholt.«

Sie kuschelte sich noch fester an ihn. »Der Schrei, den du dabei gehört hast, ist der Klageschrei, der *quejío*. Er ist ein besonderer Ausdruck unserer Trauer.«

Er spürte ihren Herzschlag unter seiner Hand. »Aber du hast auch so merkwürdig mit den Füßen aufgestampft.«

»Was du gesehen hast, nennen wir Flamenco, es ist unsere Möglichkeit, Gefühle auszudrücken – Flamenco besteht aus drei Elementen, dem *kante,* also dem Singen, dem *baile,* Tanz, und der *toque,* der musikalischen Begleitung, meistens mit der Gitarre. Das wichtigste der drei Elemente ist aber der Gesang, denn nach ihm richten sich Tanz und Musik.«

»Es war ganz anders als alles, was ich bisher an Musik und Tanz gesehen habe.«

»Wir Gitanos sind auch ganz anders als alle anderen Völker, und deshalb haben wir es unten in Andalusien ähnlich schwer wie die Juden und die Mauren. Stell dir vor, die Payos, wie wir die Nicht-Zigeuner nennen, haben in den großen Städten des Südens Gitanerías eingerichtet, Viertel, in denen wir zusammengepfercht leben müssen, weil wir von unseren Sitten und Gebräuchen nicht lassen wollen. Sie heißen Triana in Sevilla, Santiago in Jerez, San Fernando in Cádiz. In diesen Stadtvierteln vegetieren wir auf engstem Raum, in den unwürdigsten Verhältnissen, wir, ein Volk, dem die Freiheit über alles geht!« Vitus wusste nicht, was er darauf antworten sollte. Er spürte, wie sich ihr Herzschlag beschleunigte, wie Ohnmacht und Zorn in ihr wuchsen angesichts der Unmenschlichkeiten, über die sie sprach. Zart streichelte er ihr mit der freien Hand über den Rücken.

»In den Gitanerías steht die Wiege des Flamenco«, erzählte sie weiter. »Wir, mein Vater Santor und ich, kommen aus Sevilla, wo wir unsere Familie verlassen mussten.«

»Magst du darüber reden?«

»Ja, heute ja. Du hast mich schon einmal danach gefragt, aber damals war ich noch nicht so weit.« Wieder küsste sie die Hand, die auf ihrer Brust lag. »Jetzt ist es anders. Also, hör zu: Es ist ungefähr anderthalb Jahre her, als ich Rubo heiraten sollte. Mein Vater, meine Mutter und unsere ganze Familie, wir alle lebten damals in Triana. Es ging uns nicht gut, aber es ging auch nicht schlecht. Wir hatten uns auf die Umstände eingestellt. Vater arbeitete als Schmied, denn dieser Beruf ist einer der wenigen, die ein Zigeuner ausüben darf. Er hatte die Hochzeit schon vor langer Zeit mit Rubos Vater ausgemacht, alle Feierlichkeiten und Geschenke waren immer wieder bis ins Kleinste abgesprochen worden. Meine Mutter wollte mir ihr Brautkleid überlassen, ein kostbares Familienstück, das sogar schon von meiner Großmutter und deren Mutter bei ihrer Hochzeit getragen wurde.«

»Du hast dir deinen Bräutigam nicht selbst ausgesucht?«

»Nein, das ist bei uns Gitanos nicht üblich. Aber es war für mich auch kein Problem. Du musst wissen, dass die Liebe und der Zusammenhalt innerhalb einer Zigeunerfamilie sehr stark sind. Wir achten und verehren unsere Eltern, es würde uns niemals einfallen, ihnen nicht zu gehorchen. Ich gebe aber zu, dass ich insgeheim recht froh war über die Wahl meiner Eltern, denn Rubo war ein stattlicher junger Mann, mit blitzenden Augen und einem verwegenen Gesichtsausdruck.« Sie seufzte. »Er hatte immer gute Laune und lachte gern.«

»Soso.«

»Du brauchst nicht eifersüchtig zu werden!«, erriet sie seine Gedanken. »Das alles kommt mir heute vor, als wär es hundert Jahre her. Also, am Abend vor der Hochzeit wollte ich zu meiner besten Freundin gehen, die in einer Parallelgasse wohnte, um mir von ihr eine goldene Halskette mit einem wunderschönen Turmalin auszuleihen, denn nach langem Überlegen war ich zu dem Schluss gekommen, dass diese Kette am besten zu meinem Hochzeitskleid passte. Dann, ja, dann passierte es.«

Er spürte, wie sie erschauerte und sich an ihn drückte. »Du brauchst es mir nicht zu erzählen, wenn es dir zu schwer fällt.«

»Doch, ich will darüber sprechen.« Sie atmete tief aus. »Es war vor einem dunklen Toreingang. Er kam und griff nach mir, ich wehrte mich, doch er war stark, sehr stark, ich zappelte, ich schrie, doch es schien mich keiner zu hören. Er schleppte mich in eine Ecke, stieß mich zu Boden und fiel über mich her.«

»Wer war das, wer?« Vitus hatte sich ruckartig aufgerichtet, eine Welle des Zorns überflutete ihn.

»Ein Junge namens Tibor.« Sie streichelte ihn beruhigend und zog ihn wieder zu sich herunter. »Der Name sagt dir nichts. Er war aus der Nachbarschaft, erst fünfzehn, aber schon stark wie ein Mann. Ich wehrte mich mit aller Kraft, aber er schlug mich und zwang meine Beine auseinander; ich kratzte, ich biss, ich bespuckte ihn, er lachte bloß, meine Gegenwehr schien ihn nur noch hemmungsloser zu machen, Blut spritzte auf das Pflaster, ich war damals noch, ich war noch ...«

»Du warst noch Jungfrau.«

»Ja. Die Jungfräulichkeit ist das Wichtigste überhaupt für eine junge Zigeunerin. Ist sie verloren, aus welchem Grund auch immer, ist das Mädchen in den Augen der Männer unzüchtig und wertlos.« Die schreckliche Erinnerung ließ sie innehalten, doch entschlossen sprach sie weiter: »Irgendwann ließ er endlich von mir ab. Ich schleppte mich nach Hause, wo sofort ein ungeheurer Aufruhr entstand. Kaum hatte Vater alles erfahren, sprang er auf und eilte aus dem Haus. Irgendwann im Laufe der Nacht, niemand schlief, denn an Schlaf war nicht zu denken, hörten wir ihn zurückkommen. Er setzte sich schwer atmend auf seinen Platz beim Küchenfeuer und sagte nur: ›Ich habe das Schwein getötet, die Hochzeit wird nicht stattfinden.‹«

»Du tust mir so Leid.«

»Meine Vergewaltigung und die abgesagte Hochzeit sprachen sich wie ein Lauffeuer in Triana herum. Die Familie von Tibor schwor Rache, und uns war klar, dass wir von Stund an keine ruhige Minute mehr haben würden. Die Blutrache, musst du wissen, ist unter den Gitanos weit verbreitet. Drei Tage kämpfte Vater mit sich, dann stand sein Entschluss fest: Er veranlasste, dass die Familie des Toten unsere gesamten Ersparnisse als Entschädigung erhielt, und legte sich selbst eine weitere Strafe auf – er wollte fortgehen. Auf diese Weise hoffte er, weiteres Blutvergießen zu vermeiden.«

Sie nahm seine Hand, die wieder auf ihrer Brust lag, küsste sie und legte sie an ihren Platz zurück. »Die Entschädigungssumme, die wir zu zahlen hatten, war uns egal, uns ging es nur darum, dass Vater blieb. Wir versuchten, ihn umzustimmen, besonders meine Mutter flehte ihn an, sie nicht zu verlassen, doch er war durch nichts von seiner Entscheidung abzubringen. Noch am selben Abend packte er sein Bündel zusammen, umarmte uns und ging zur Tür hinaus. Es passierte von einer Sekunde zur anderen. Wir saßen da und konnten es nicht fassen.«

»Und du, was wurde aus dir?«

»Ich bin noch in derselben Nacht ebenfalls fortgegangen. Ich wollte ihn suchen, wollte nicht, dass er allein ging. Ich dachte, ich müsste an seiner Seite sein, schließlich war ich, wenn auch ungewollt, die Schuldige an der ganzen Katastrophe.«

»Wie hast du ihn gefunden?«

»Ich wusste, dass es am Rande von Triana eine alte Akazie gab, die er besonders liebte. Er pflegte sie aufzusuchen und sich darunter zu setzen, wenn er allein mit sich und seinen Gedanken sein wollte. Dort traf ich ihn noch in der Nacht an. Er musterte mich und nickte kurz, das war alles. Ich bin überzeugt, er hatte damit gerechnet, dass ich ihm folgen würde. An seinem Nicken erkannte ich, dass es ihm recht war, wenn ich ihn begleiten würde. Am Morgen stahlen wir uns ungesehen aus der Gitanería heraus und trafen gegen Mittag auf drei Wagen, die am Wegrand standen. Sie gehörten Arturo, Anacondus und dem Doctorus. Sie nahmen uns auf, weil Vater gut mit der Fidel umzugehen wusste und weil ich, wie du weißt, ein bescheidenes Wissen in der Zigeunermedizin habe.«

»Drei Wagen?«, fragte Vitus erstaunt.

»Arturo und der Schlangenmensch besaßen zu der Zeit jeder ein Gefährt. Sie gaben uns Anacondus' Wagen und zogen zusammen in den von Arturo. Es war ganz unkompliziert. Von diesem Zeitpunkt an hatten Vater und ich ein neues Zuhause: die *Artistas unicos.*« Sie seufzte. Draußen wurde es hell, und Vitus spürte plötzlich, wie müde sie war.

»Schlafe jetzt«, flüsterte er zärtlich.

Der Glasschleifer
Joaquin

*»Du bekommst den Beryll selbstverständlich umsonst,
aber warte, erst mal wollen wir feststellen,
ob es nicht einen anderen gibt,
durch den du noch besser sehen kannst.«*

So sieht es aus, wenn einer sich tapfer fürs Vaterland geschlagen hat!«, rief der seltsame Gast. Er reckte seinen schlecht verheilten Armstumpf noch einmal herausfordernd in die Höhe, bevor er mit der verbliebenen Linken eine Ledermanschette darüber stülpte. »Oder ist jemand anderer Meinung?«

»Gewiss nicht«, antwortete der Wirt des Casa de la Cruce friedfertig. Ihn interessierte es ebenso wenig wie die anderen Gäste, ob der komische Kauz dort hinten in der Ecke seine rechte Hand auf dem Schlachtfeld gelassen hatte oder nicht. Wichtig war allein, dass in seiner Taverne gehörig gezecht wurde, und dafür hatte nicht zuletzt jener Schreihals gesorgt. Allerdings: Wenn der so weitermachte, würde es gut sein, ihm eine Suppe oder ein Stück Brot zu spendieren. Nicht unbedingt aus Nächstenliebe, sondern vielmehr, um ihn eine gewisse Zeit ruhig zu stellen. Schreihälse verdarben auf die Dauer das Geschäft. »Ihr habt vollkommen Recht, Señor.«

»Dann will ich's zufrieden sein!«, tönte der Kauz, während er um die Manschette einen Lederstreifen schlang und mit Hilfe seiner Zähne einen Knoten hineinknüpfte. Die Manschette wies am Ende zwei Greifbacken auf, die mittels eines Gewindes auf- und zugeschraubt werden konnten. Staunend sah der Wirt zum wiederholten Male, wie der Mann die Greifbacken über den Henkel seines Weinbechers schob, sie zuschraubte und auf diese Weise das Gefäß anheben konnte:

»Ich trinke auf Seine Hoheit den Herzog von Alba, unter dem zu kämpfen ich bis anno 1569 die Ehre hatte.« Keiner der anderen Gäste tat es ihm nach, was ihn allerdings nicht zu stören schien. Er trank mit tiefen Zügen.

»Oben in den Habsburgischen Niederlanden war's«, erzählte er unaufgefordert weiter, »wo wir die verfluchten Protestanten das Fürchten lehrten.« Er setzte den Becher vorsichtig ab und wischte sich mit dem Lederstumpf über den Mund. »Hab meine Schwerthand dabei gelassen, im ehrlichen Kampf!«

Dass er seine Hand in Holland verloren hatte, stimmte, doch war dies geschehen, als er mit seinen Kameraden eine Mühle aufbrach, um an frisches Mehl heranzukommen. Durch einen unglücklichen Zufall war dabei seine Hand in die laufenden Walzen des Holzgetriebes geraten – seitdem wusste er, was Tantalusqualen sind.

Und seitdem schlug er sich schlecht und recht durchs Leben. Er war kein übler Kerl, der nichts gegen ehrliche Arbeit hatte, doch er hatte erfahren müssen, dass ein Mann ohne rechte Hand nur die Hälfte wert war. Trotzdem hatte er es geschafft, in Amsterdam eine Handwerksausbildung zu erhalten. Er verdankte dies weniger seinem Geschick als der Tatsache, dass es überall auf der Welt Menschen gibt, die ihr Mäntelchen nach dem Winde hängen, um sich bei den Herrschenden einzuschmeicheln. In seinem Fall war es ein jähzorniger, trinkfreudiger Diamantenschleifer gewesen, der sich mit den spanischen Militärbehörden gut stellen wollte – und ihm deshalb eine Chance gegeben hatte. So war er, fast dreißigjährig, noch einmal in die Lehre gegangen. Der Greifmechanismus seiner Armmanschette hatte sich dabei als sehr nützlich erwiesen.

Dennoch hatte Joaquin de Todos, so hieß der Mann, noch nie in seinem Leben einen Diamanten zum Brillanten geschliffen. Das lag daran, dass sein Lehrherr nicht nur opportunistisch war, sondern auch geizig. Joaquin war nur erlaubt worden, an minderwertigem Glas das Schleifen zu üben, und als er eines Tages endlich einen billigen schmutzig gelben Beryll bearbeiten durfte, war das Schicksal ihm nicht hold gewesen: Trotz aller Mühe hatte er den Stein verdorben, was ein ungeheures Geschrei seines Meisters nach sich gezogen hatte – und das strikte Verbot, jemals wieder einen Edelstein anzurühren.

Also hatte Joaquin von Stund an nur noch mit Glas arbeiten dürfen. Doch weil er von Natur aus ein Mensch war, der sich nicht unterkriegen ließ, hatte er sich angewöhnt, diesen Werkstoff trotzdem Beryll zu nennen ...

Nachdem er zwei Jahre lang ausschließlich Vasen und Gefäße bearbeitet hatte, fing er an, auch Linsen zu schleifen. Es waren Glasscheiben, die sich manche älteren Leute vors Auge hielten, um besser sehen zu können. Etwas später hatte er damit begonnen, diese Scheiben unter der Hand zu verkaufen, mit dem Erfolg, dass er zum ersten Mal während seiner Lehrjahre etwas Geld besaß.

Im Verlaufe weiterer Monate hatte er es zur Perfektion in der Linsenschleifkunst gebracht und unzählige Glasscheiben mit den verschiedensten Krümmungen hergestellt. So war er in der Lage, jede Fehlsichtigkeit ausreichend zu korrigieren – eine Kunst, die jedoch im Verborgenen schlummerte, denn weder sein geiziger Meister noch dessen Zunftbrüder hatten jemals Interesse an seiner Tätigkeit gezeigt.

Dann, kurz vor Ende seiner Lehrzeit, war etwas eingetreten, das sein ganzes weiteres Leben veränderte: Den Meister hatte der Schlag getroffen, und genauso unvermittelt war Joaquin auf der Straße gelandet. Als Spanier in feindlicher Provinz, ohne Arbeit und halb verkrüppelt, war ihm nichts anderes übrig geblieben, als seine Schritte zurück in die Heimat zu lenken. Doch bevor er aufbrach, hatte er sich noch, sozusagen als ausgleichende Gerechtigkeit, mit einem guten Sortiment der verschiedensten Linsen eingedeckt.

Diese Glasscheiben trug er immer bei sich, ebenso wie einen Apparat, der ihm zum Schleifen und Polieren der Linsen diente: Er bestand aus einem Trittbrett, welches über Räder, Gestänge und Riemen eine Schmirgelscheibe ins Rotieren brachte – alles handlich zusammenlegbar und leicht zu transportieren. Die Vorrichtung diente ihm außerdem zum Schleifen von Gestein, sofern es sich lohnte und das Material schöne Farben oder Strukturen aufwies. Beides, Linsen und Steine, verkaufte er mit unterschiedlichem Erfolg auf seinem Weg in den Süden.

»Gickgack, Schwerthand ab! Hast ja noch den linken Greifling.« Eine fistelnde Stimme sprach Joaquin von der Seite an. Sie gehörte zu einem krummen Männchen in einem himmelblauen Gewand. Die Äuglein des Kleinen blitzten, während er sich ungefragt setzte. Sorgfältig legte er dabei einen roten Holzkasten ab, den er zuvor an einem Riemen um den Hals getragen hatte.

»Haste mal'n Finnchen Funkel?« Plötzlich hielt der Gnom eine Tasse in der Hand und schielte begehrlich auf Joaquins Weinkrug.

Der Glasschleifer lehnte sich abschätzend zurück. Dieser befremdliche Zeitgenosse war nicht der erste komische Vogel, dem er auf seiner Reise begegnete. Er musterte den Zwerg eingehend: klein, um nicht zu sagen winzig, bucklig, hässlich, mit einem fischähnlichen Mündchen, das sich des Rotwelschen bediente. Warum spricht der Winzling so kariert?, fragte er sich. Zwei Möglichkeiten kamen nach seiner Erfahrung in Betracht: Entweder der Kleine wollte sich ihm als Gleichgesinnter zu erkennen geben, oder er wollte ihn verunsichern. Warte, Bürschchen!, dachte er, das werde ich gleich herausfinden. Zuerst einmal will ich so tun, als verstünde ich nichts. Dann sehen wir weiter. »Ich weiß nicht, was du meinst!«, sagte er laut.

»Obde 'n bisschen Wein erübrigen kannst, Kamerad«, fistelte der Zwerg. Er hob die Tasse so aufdringlich nah unter Joaquins Nase, dass der daraus hätte trinken können.

»Du bist der Fünfte oder Sechste, der bei mir mithalten will«, log Joaquin ungeniert. Der Zwerg konnte das nicht nachprüfen, denn er war gerade erst gekommen. »Wenn das so weitergeht, halte ich bald den ganzen Laden frei.«

»Papperlapp! Der Ohrhansel is ja noch fast voll.«

»Ohrhansel?«

»Der Krug, Stürchenschnalzer.«

»Und wenn schon.« Joaquin zog demonstrativ an seinem Hosenträger und wölbte den Leib nach vorn. »Habe Bauchschmerzen, brauche den Wein als Medizin dagegen.«

»Der Satterich übelt? Musst halt das Hintergeschirr abspannen, 's knautscht doch nur.«

»Kommt nicht in Frage. Außerdem ist mir kalt im Magen, da kommt ein wärmender Trunk gerade recht.« Der Glasschleifer fragte sich, was der Zwerg ihm diesmal antworten würde.

»Nebbich! Wenn der Satterich schibbert, musste es mit 'ner Wärmkugel versuchen.« Eifrig nestelte der Gnom in seinem Holzkasten, nahm ein paar Medizinfläschchen heraus und förderte darunter ein kleines, ballähnliches Gebilde zutage.

»Was ist das?« Joaquin schielte misstrauisch auf die Kugel. Sie hatte eine weißliche Farbe, die Oberfläche erinnerte an großporige Haut.

»Begneißde des nich? 's is 'ne Wärmkugel, die mussde runterschlucken, un schon haste de Witze wieder im Speisfang.«

»De Witze im Speisfang?«

»De Wärme im Magen, Strohputzer! 's gibt nix Bessres gegen Leibschmerzen als Wärme durch meine Wärmkugeln. Nur ein Realchen der Rundling«, die Stimme des Gnoms war jetzt zuckersüß, »und schon isser dein.«

»Gib mal her.« Joaquin nahm ihm das Wundermittel aus der Hand. Es war überraschend schwer. Der Glasschleifer roch daran und verzog die Nase. Das Ding stank penetrant nach abgestandenem Fleisch. Und irgendwie nach Haut. Plötzlich wusste er, was er in der Hand hielt: Es war eine von Hühnerhaut umspannte Kugel. Gott allein wusste, was darin war.

»Behalt deinen Schweinkram, Kreipel!«, sagte Joaquin laut, wobei er bewusst den rotwelschen Ausdruck für Zwerg benutzte. Er wusste jetzt, dass der Winzling ihn ausnehmen wollte.

»Wiewas? Was tarrt das zinken?«

»Schäl den Mondschein, Fischgeist! Willst mich betuppen, mich anbeulen, was? Schaufel dich fort!« Joaquin war ebenfalls in der Lage, sich als Himmelsfechter auszudrücken. Sprache, das war auch seine Erfahrung, konnte ein gutes Mittel zum Zweck sein, selbst wenn es nur darum ging, dem Wirt eine Mahlzeit aus dem Kreuz zu leiern. Genau deshalb hatte er vorhin so vom Leder gezogen, und wenn er von diesem Winzling nicht unterbrochen worden wäre, hätte es wahrscheinlich auch geklappt.

Der Zwerg glotzte ihn an, sein Mündchen bewegte sich kaulquappengleich, während er nach Worten suchte. Dann, jählings, weiteten sich seine Äuglein vor Entsetzen.

»Da ist die bucklige Sau!« Drei kräftige Burschen waren in die Taverne gestürmt und schossen auf den Zwerg zu.

»Hilf mir!«, fistelte der Kleine. Er bemühte sich, hinter Joaquins Rücken Schutz zu finden, doch schon war der erste der drei Eindringlinge heran, packte ihn, hob ihn wie eine Puppe hoch und presste ihn gegen die Wand.

»Was macht ihr Burschen da, der Kleine hat euch nichts getan!«, rief der Glasschleifer, nachdem er sich vom ersten Schrecken erholt hatte.

»Hast du 'ne Ahnung! Das Fischmaul hier hat einen der Unsrigen mit seinen Wärmkugeln fast vergiftet«, gab der erste Bursche zur Antwort. Die beiden anderen hatten sich unterdessen links und rechts vom Zwerg aufgebaut und drückten ihm die Arme gegen die Mauer. Das Männchen stand da wie Christus am Kreuz. »Halt dich raus, wenn du keinen Ärger kriegen willst.«

»Schon gut, Kumpel.« Joaquin war das Hemd näher als der Rock.

Der erste Bursche trat zurück, holte aus und schlug dem Zwerg die Faust ins Gesicht. Der Kleine stieß einen quietschenden Laut aus.

»Gib's ihm, Taco!«, schrie einer der beiden anderen.

Abermals nahm der erste Bursche Maß, verhielt für einen Augenblick, um die Situation voll auszukosten, und schlug dann krachend zu. Das Männchen zappelte wie ein Frosch, konnte sich aber nicht aus der Umklammerung befreien.

Ein dritter Hieb, stärker noch als die beiden zuvor, traf das Gesicht. Blut spritzte zu Boden. Die Bewegungen des Zwergs wurden matter. Sein Kopf fiel nach vorn. »Dies als Entgelt für das, was du mit deiner Wärmkugel angerichtet hast«, keuchte der erste Bursche.

Der rechts Stehende griff in die roten Haarbüschel des Zwergs und riss ihm den Kopf hoch, damit der nächste Schlag sein Ziel finden konnte.

Jetzt hielt es Joaquin nicht länger auf dem Platz. Er konnte zwar nicht behaupten, dass er den Winzling besonders mochte, aber das da kam einer Hinrichtung gleich! Er prüfte den Sitz seiner eisernen Greifbacken, die sich schon manches Mal im Handgemenge bewährt hatten, doch im selben Augenblick sprang ein neuer Gast hinzu und fiel dem Peiniger in den Arm.

»Es ist genug!«, rief der Mann mit entschlossener Stimme. Obwohl er sehr schlank war, schien er über erhebliche Körperkräfte zu verfügen, denn er drehte dem ersten Burschen mühelos den Arm auf den Rücken. »Los, Vitus, hilf mir, dieses Trauerspiel zu beenden.«

Ein anderer Gast, der bislang in der Tür gestanden hatte, näherte sich zögernd. Er war Anfang zwanzig, blond, mit klaren, ausdrucksstarken Zügen. In seinem Gesicht arbeitete es heftig, während er, ohne die beiden anderen Peiniger zu beachten, auf den Zwerg zuschritt. »Arturo«, sagte er leise, »das ist der Zwerg, der mich in den Kerker gebracht hat.«

Bei seinen Worten hob der Winzling das Gesicht. Ihre Blicke trafen sich. Dann schlug der Gnom die Augen nieder.

»Aber ich helfe dir trotzdem.« Der Blonde sprang auf den

Linken der Peiniger zu und schlug ihm mit parallel ausgestreckten Armen beide Fäuste auf den Kopf. Es gab einen dumpfen Laut, der Mann taumelte und ließ den Zwerg los. Der rechte Bursche war unterdessen Taco zu Hilfe gekommen und hatte ihn befreien können. Beide bearbeiteten jetzt den Mann, der Arturo genannt wurde, mit einem Gewitter aus Hieben und Stößen. Der Schlanke versuchte, unter ihnen wegzutauchen, doch es gelang ihm nicht. Der Blonde sprang hinzu und half seinem Kameraden. Gemeinsam landeten sie ein paar schwere Schläge bei Taco und dem rechten Burschen. Sie selbst mussten auch einiges einstecken. Schließlich, nach zähem Kampf, wichen die beiden Schläger zurück.

Doch da, der Bursche links! Joaquin hatte gar nicht mehr auf ihn geachtet. Jetzt kam der Kerl wieder heran, ein langes Messer in der Hand. Er schwang die Waffe hin und her, um im Kampfgetümmel nicht einen seiner Kumpane zu treffen. Das ging zu weit! Ohne zu überlegen, sprang Joaquin über den Tisch und zog dem Halunken die eiserne Greifzange über den Schädel. Der Mann heulte auf und stolperte zur Seite; seine Hand fuhr zum Hinterkopf, wo Blut aus einer tiefen Risswunde hervorlief. Er wurde blass vor Schreck und stahl sich hinaus.

Die beiden anderen Angreifer waren mittlerweile in eine Ecke des Gastraums gedrängt worden, wo sie, mit den Armen ihr Gesicht abdeckend, ängstlich dastanden.

»Wir geben auf«, stöhnte Taco.

»Feiglinge!« Der Schlanke spuckte vor den beiden aus. »Einen Zwerg verprügeln, zu mehr reicht's bei euch wohl nicht! Macht, dass ihr rauskommt.«

Mit eingezogenen Köpfen eilten sie davon.

»Ich danke dir, Kamerad!« Der Schlanke kam mit ausgestrecktem Arm auf Joaquin zu und ergriff seine linke Hand. »Ohne deine mutige Hilfe wären wir mit den Burschen nicht so leicht fertig geworden. Ich bin Arturo, Fechtmeister, Jongleur und Wortführer einer Truppe, die sich *Los artistas unicos* nennt.«

»Gern geschehen.« Joaquin war plötzlich froh, dass alles vorbei war. Es hätte auch anders ausgehen können, das wusste er aus zahllosen Schlägereien, die er als Soldat miterlebt hatte. »Ich heiße Joaquin.«

»Und ich bin Vitus«, erklärte der Blonde. »Ich danke dir ebenfalls.«

»Wirt!«, rief Arturo. »Bringe jedem in der Gaststube einen Krug Wein, die Rechnung geht auf die *Artistas unicos,* die beste Gauklertruppe Spaniens, die seit heute hier im schönen Torrelavega gastiert, mit einem unglaublichen, sensationellen, nie da gewesenen Programm!«

Ein bisschen Reklame konnte bei dieser Gelegenheit nicht schaden.

In den Wirt, der wie gelähmt hinter seinem Tresen gestanden hatte, kam Bewegung. Zustimmende Rufe wurden laut, die Zecher drängten sich heran, gratulierten zu der mutigen Tat und wussten tausend Erklärungen, warum gerade sie nicht hatten eingreifen können.

»Jemand muss sich um den Zwerg kümmern!«, fiel Vitus plötzlich ein. Er wandte sich der Mauer zu, an der das Männchen traktiert worden war.

Doch der Winzling war verschwunden.

»Weiß jemand, wo der Zwerg ist?«, fragte Vitus laut. »Er muss behandelt werden.«

Niemand hatte das Männchen gesehen.

»Er trug so einen merkwürdigen roten Holzkasten mit

Fläschchen und Medikamenten darin, und er holte daraus eine Wärmkugel hervor«, erinnerte sich Joaquin. »Vielleicht liegt der Krempel noch irgendwo herum und gibt Auskunft über ihn.« Joaquin begann Tische und Boden abzusuchen.

»Wärmkugel?«, fragte Vitus.

»Ja, ein übel riechender, mit Hühnerhaut überzogener Ball, den man gegen Magenbeschwerden schlucken soll.«

Auch der Holzkasten und die Wärmkugel waren fort.

»Nun ja.« Vitus runzelte die Stirn. »Ehrlich gesagt empfinde ich für den Zwerg kein großes Mitleid, trotzdem hätte ich mir seine Verletzungen ansehen müssen.«

»Jetzt lasst uns erst mal einen Schluck trinken.« Arturo zog Vitus und Joaquin an den Schanktisch.

»Jawohl!« Der Glasschleifer erhob mit der Linken seinen Becher und blickte sich um, bis er die Aufmerksamkeit aller auf sich gelenkt hatte. Dann stand er auf:

»Ich trinke auf Seine Hoheit, den Herzog von Alba!«, rief er mit tönender Stimme – und brach unvermittelt ab. Die Macht der Gewohnheit hatte ihm einen Streich gespielt. »Äh …, also, tja, und natürlich auf meine Freunde Vitus und Arturo, die edlen Spender!«

»Auf Vitus und Arturo!«, riefen die Leute und widmeten sich ihren Weinbechern. Ihr Interesse an den beiden Rettern war damit erloschen.

»Und? Was treibst du so, Joaquin, wenn du nicht gerade rüpelhafte Burschen mit deinen Greifbacken streichelst?« Arturo nahm einen tiefen Schluck.

Der Glasschleifer erzählte ausführlich, was er oben im Holländischen erlebt hatte und wie er zu dem Beruf des Glasschleifers gekommen war.

»Neben den Linsen verkaufe ich noch geschliffene Steine«,

fuhr er nicht ohne Stolz fort. »Hier!« Er kramte in seinem Bündel und holte ein paar Exemplare hervor. Jedes war einzeln in einem Kästchen verpackt.

»Die sind hübsch!«, staunte Vitus. »Darf man sie anfassen?«

»Selbstverständlich.«

Auf dem Tisch lagen Steine in unterschiedlichsten Farben und Größen. Die meisten jedoch wiesen Rottöne auf.

»Viele deiner Steine sind rot, warum?«, fragte Vitus.

»Nun«, Joaquin schob seine Greifbacken über den Becherhenkel und schraubte sie zu, dann hob er das Gefäß an und trank. Staunend sahen seine neuen Freunde ihm dabei zu.

»Hin und wieder muss ich ein bisschen üben«, lächelte er, »aber zu deiner Frage, Vitus: Ihr seid Gaukler und Spielleute, deshalb muss ich euch nicht groß erklären, dass erst die Geschichte, die man zu einem Gegenstand erzählt, diesen zu etwas Besonderem macht.«

Abermals hob er den Becher an. »Seht, dies ist ein ganz normales Trinkgefäß. Aber nur so lange, bis ich euch verrate, dass einst Seine Majestät Karl V. persönlich daraus getrunken hat, als er hier auf der Durchreise war.«

»Das hat er natürlich nicht«, stellte Vitus grinsend fest.

»Du sagst es.«

»Aber was hat das mit der Farbe deiner Steine zu tun?« Arturo wog eines der Exemplare abschätzend in der Hand.

»Bei meinen Steinen ist es genauso. Auch zu ihnen gibt es eine Geschichte: Erst breite ich sie auf einem schwarzen Tuch aus, damit ihre Farben besonders gut zur Geltung kommen, dann erzähle ich den Leuten einiges über das Große Werk.«

»Das Große Werk?«

»Die Zubereitung des Steins der Weisen. Ihn herzustellen, gibt es verschiedene Möglichkeiten, doch herrscht unter den

Alchemisten weitgehende Einigkeit über die Abfolge der Farben, die bei dem Großen Werk auftreten. Es sind erstens *melanosis* – die Schwarzfärbung, zweitens *leukosis* – die Weißfärbung, drittens *xanthosis* – die Gelbfärbung und zuletzt *iosis* – die Rotfärbung. Die letzte Stufe, die rote Farbe, zeigt die Reife an, in Analogie zum Reifezustand vieler Früchte. Der Rote Löwe ist deshalb ein Geheimname für den Stein der Weisen.«

»Und das alles erzählst du dem Volk, das staunend vor deinen Steinen steht?« Arturo legte den Lappen fort und nahm einen weiteren Schluck Wein.

»Das und noch einiges mehr.«

»Und welchem deiner Steine misst du die Kraft des Steins der Weisen zu?« Vitus wies fragend auf den Tisch.

»Keinem! Ich überlasse es ganz der Phantasie meiner Käufer, Zusammenhänge herzustellen.«

»Nicht ungeschickt, aber auch nicht ungefährlich«, wandte Arturo ein.

»Iwo! Wenn einer misstrauisch wird oder mich alchemistischer Umtriebe bezichtigt, sage ich ihm, dass er selbst Alchemist ist. Wenn er mich dann empört anschaut, erkläre ich ihm, dass nach dem großen Paracelsus jeder menschliche Körper Alchemist ist, also auch der seine: Sein Körper transmutiert die aufgenommenen Stoffe und erzeugt dabei neue, was allein schon dadurch bewiesen ist, dass der Mensch keinen Stoff aufnimmt, der so fest ist wie der Zahnschmelz.«

Vitus sagte nachdenklich: »Du kennst dich gut aus in der alchemistischen Kunst.«

»Halb so wild. Klappern gehört zum Geschäft.«

»Ich kenne jemanden, der sich gern mit dir darüber unterhalten würde.«

»Ich auch«, bekräftigte Arturo. »Was hieltest du davon, dich unserer Truppe anzuschließen?«

Die Kranke glühte vor Fieber. Sie lag auf einem Marktkarren, dessen Boden man mit Stroh notdürftig ausgepolstert hatte. Ihre Angehörigen, der Mann und die Kinder, standen teilnahmslos daneben. Es handelte sich um eine etwa fünfunddreißigjährige Frau, die über Schmerzen im Rücken und in der Seite klagte.

Vitus befand sich mit Tirzah vor dem gemeinsamen Wohnwagen und erwog, was zu tun sei. »Wie lange ist Eure Frau schon krank?«, fragte er den Mann.

»Weiß nich, wir sin vonner Küste.«

»Aha.« Mit dieser Auskunft konnte Vitus nicht viel anfangen. Die Küste lag zwanzig bis dreißig Meilen entfernt, je nachdem, welchen Weg man einschlug. Er versuchte es anders: »Auf dem Weg hierher, hatte Eure Frau da auch schon Fieber?«

»Ja, glaub schon.«

Die Kranke verzog plötzlich das Gesicht, würgte, hustete qualvoll und spuckte vom Wagen herunter. Vitus sah, dass der Auswurf schleimig und eitrig war. »Kann es sein, dass Eure Frau schon seit einer Woche oder länger Fieber hat? Überlegt genau!«

»Ja, weiß nich. Glaub schon.«

Aus dem Mann war nicht viel herauszuholen. Auch seine Kinder wirkten nicht viel aufgeweckter. »Aber Euren Namen kennt Ihr wenigstens?«

»Ja, wieso?«

Vitus atmete tief durch. »Würdet Ihr ihn mir auch verraten?«

»Ja.« Der Ehemann blickte erstaunt drein, er schien Vitus' ungeduldigen Ton nicht zu verstehen. »Ich bin Ramos López, un das is meine Frau.«

Vitus verkniff sich die Bemerkung, dass ihn dieser Hinweis nicht sonderlich überraschte. »Nun, Señor López, alles deutet darauf hin, dass Eure Frau eine schwere Lungenentzündung hat, vielleicht noch eine Rippenfellentzündung dazu.«

Tirzah nickte bestätigend, während sie der Patientin den Mund sauber wischte.

Vitus fuhr fort: »Das Stadium ist sehr weit fortgeschritten, Señor, weshalb ich Euch auch nach der Fieberdauer fragte. Sie kann für die Behandlung von Bedeutung sein.«

Er sah den stumpfen Gesichtsausdruck des Mannes und seufzte. Es würde keinen Zweck haben, diesem Menschen zu erklären, dass nach der Lehre des Hippokrates bei einer Pneumonie dem Fieber und dem Husten ein Auswurf folgt, der zunächst schleimig und zäh ist, nach dem achten oder neunten Tag jedoch eitrig zu werden beginnt.

»Ja, so«, sagte der Mann. »Isses gefährlich?«

»Immerhin so ernst, dass Eure Frau hier bleiben muss.« Vitus blickte sich suchend um. »Die Frage ist nur, wo wir sie unterbringen.«

Tirzah wässerte ein Stück Verbandstoff und kühlte der Kranken damit die Stirn. »Natürlich bei uns«, sagte sie mit großer Selbstverständlichkeit. »Señora López schläft auf deiner Seite, wir beide auf meiner. Die Wolldecke ist Trennung genug.«

»Wie du meinst.«

»Am besten, wir bringen sie gleich in unseren Wagen.«

»Du hast Recht, wir dürfen keine Zeit verlieren.«

»Und Ihr, Señor«, wandte Tirzah sich an den Ehemann, »sucht Euch eine Bleibe in Torrelavega, oder Ihr fahrt zurück an die Küste. Die Behandlung Eurer Frau wird länger dauern, vor einer Woche ist sie nicht wieder reisefähig.«

»Ja, so. In einer Woche dann.« López drehte sich, ohne seine Frau eines weiteren Blickes zu würdigen, um und bestieg den Karren. Nachdem auch seine Kinder aufgesessen waren, schnalzte er mit der Zunge. Sein Brauner trottete gehorsam los. »Fahrn zurück anne Küste«, waren seine letzten Worte.

Die Patientin war in einen unruhigen Schlaf gefallen. Vitus und Tirzah lagen auf der anderen Seite der Wolldecke und waren bemüht, sich möglichst leise zu lieben. Zunächst hatten sie, eingedenk des Zustands der Kranken, Zurückhaltung geübt, doch die Natur war stärker gewesen: Sie hatten sich geküsst, liebkost, gestreichelt und schließlich, als Tirzahs Schenkel sich wie von selbst öffneten, hatte Vitus nicht länger widerstehen können.

Behutsam bewegte er sich in ihr, spürte die Glut ihres Schoßes, fühlte, wie sie sich ihm entgegendrängte, ihn umfing und gänzlich aufnahm. Es war ein Gefühl, so stark, so übermächtig, dass er sich auf die Lippen beißen musste, um nicht laut aufzustöhnen. Als er merkte, dass er sich nicht mehr lange zurückhalten konnte, drehte er sich mit ihr, ohne sie zu verlassen, auf die Seite.

»Warum?«, wisperte sie an seinem Ohr.

»Ich weiß nicht, wie laut ich geworden wäre.«

Am Zucken ihrer Schultern spürte er, dass sie lachte.

Er küsste ihre Halsbeuge und genoss das Gefühl, einfach in ihr zu sein.

Der Tag war anstrengend gewesen: Nachdem López davongefahren war, hatten er und Tirzah der Kranken ein heißes Arcanum mit Extrakten des rundblättrigen Sonnentaus verabreicht, wodurch der Hustenreiz abgeklungen war. Dann hatte Tirzah an den schmerzenden Stellen Olivenöl in die Haut eingerieben und anschließend Senfpackungen aufgebracht. Die Patientin hatte alles apathisch über sich ergehen lassen, hatte nur ab und zu nach ihrer Familie gefragt und war wieder in ihren dämmerartigen Zustand verfallen. Später hatte sich ihre Temperatur weiter erhöht, doch Vitus und Tirzah waren sich einig, dass abends das Fieber ohnehin zu steigen pflegte. Sie wollten den anderen Morgen abwarten.

Vorsichtig zog Vitus sich aus Tirzah heraus. »Ich muss immer an Señora López denken«, flüsterte er. »Bist du mir böse, wenn wir aufhören?«

Statt einer Antwort kuschelte sie sich an ihn.

Joaquin war mit den Gauklern übereingekommen, seine Glasscheiben und Steine während Vitus' Behandlungsstunden anzubieten. Er stand mit seinen Waren am anderen Ende der Wagenburg, um den Cirurgicus durch die Lautstärke seiner Anpreisungen nicht zu stören. Vor sich hatte er einen Tisch aufgebaut, der mit einem schwarzen Laken bedeckt war. Einige von Vitus' wartenden Patienten, aber auch Schaulustige und Müßiggänger, hatten sich um ihn geschart. Staunend betrachteten sie die bunten Steine.

»Sind das Heilsteine?«, fragte ein teuer gekleideter vierschrötiger Mann, der den Arm in der Schlinge trug.

»Es gibt Steine, Halbedelsteine, Edelsteine und – den Stein der Weisen«, antwortete Joaquin, ohne genau auf die Frage einzugehen. »Ein jeder, ihr guten Leute, hat seine Vorzüge, aber es geht nichts über den Stein der Weisen: jenen Stein, der von so intensiver roter Farbe ist.«

Auf seinem Tisch lagen zahlreiche rote Steine in unterschiedlichsten Schattierungen.

»Erzählt mir von diesem Stein!«, forderte der Vierschrötige begierig. »Man sagt, man könne Gold damit herstellen.«

»Es gibt nichts, was der Stein der Weisen nicht vermöchte«, erklärte Joaquin feierlich. »Doch seine Herstellung ist eine Kunst für sich: Man muss wissen, dass der Stein der Weisen in Wirklichkeit ein Pulver ist, ein rotes Pulver ...«, seine Stimme nahm einen geheimnisvollen Klang an, »das Pulver der Projektion!«

»Warum heißt es dann Stein?«

»Die Weisen nennen das Pulver Stein, weil es wie ein Stein die Eigenschaft hat, dem Feuer zu widerstehen. Der rote Leu, wie es auch genannt wird, kommt in die Schmelze eines unedlen Metalls, wo es alsbald dafür sorgt, dass das perfekte Metall, also Gold, entsteht.«

»Und? Haltet Ihr ein solches Pulver feil?« Der Magister hatte sich zu den Schaulustigen gesellt. Er blinzelte den Glasschleifer freundlich an.

Joaquin grinste. Die Frage war zwischen ihnen abgesprochen. Sie gab dem Glasschleifer Gelegenheit, mit einem klaren Nein zu antworten, um allen Verdächtigungen und Unterstellungen einen Riegel vorzuschieben. »Oh nein!«, rief er aus. »Und wenn ich den Stein hätte, ich würde damit sowieso kein Gold herstellen.«

»Nanu?«, wunderte sich der Magister.

»Dem *Lapis mineralibus,* wie wir den Stein auch nennen, wohnen drei Eigenschaften inne: Erstens transmutiert er Metalle, zweitens ist er, in Wein aufgelöst, eine Universalmedizin, und drittens wirkt er darüber hinaus als ewiges Licht. Dazu wird ein Quantum des Steins in eine Glasampulle eingeschmolzen, wodurch sie ununterbrochen leuchtet, ohne jegliche Zufuhr von Brennstoff.« Joaquin breitete wie ein Priester die Arme aus. »Die letzte Möglichkeit würde ich wählen.«

»Hm.« Der Magister schien schwer nachzudenken. »Könnte man denn einen Eurer roten Steine zu Pulver mahlen?«

»Nun«, Joaquin zögerte, »das ist natürlich möglich. Aber meine Steine sind sehr teuer, besonders die roten.«

»Tja dann …«, der Magister hob bedauernd die Schultern.

»Was wollt Ihr für diesen haben?« Dem Vierschrötigen war ein Geistesblitz gekommen. Er wies auf einen handtellergroßen rot marmorierten Stein.

Joaquin stöhnte auf. »Oh, ausgerechnet der! Mein Lieblingsstück! Hab ihn unter dem Altar einer ausgebrannten Kirche entdeckt. Nur der Allmächtige weiß, wie er dahingekommen ist. Ich glaube, von dem kann ich mich nicht trennen.«

»Wie viel?«, knurrte der Vierschrötige.

»Ich weiß nicht. Eigentlich ist der Stein unverkäuflich. Nun, Euch zuliebe, sagen wir: vierundzwanzig Reales oder drei Silberpesos.«

Der Vierschrötige schnappte nach Luft. »Das ist, das ist …«

Joaquin war sehr zerknirscht. »Ich wusste, dass ich Euch enttäuschen muss.«

»Ich nehme ihn!«

»Die Welt will betrogen sein«, kicherte der Magister, während er mit Joaquin den letzten Schaulustigen nachblickte. Neben dem Vierschrötigen hatten noch drei andere Zuschauer Steine gekauft und einen hübschen Batzen Geld in die Kasse gebracht. Doch mit der Zeit hatte das Interesse der Menge nachgelassen, und die meisten Leute waren jetzt auf dem Weg hinüber zu Vitus, angelockt von den Schmerzensschreien einiger Kranker.

»Ich wollte dem Vierschrötigen eigentlich gar keine drei Silberpesos abnehmen, aber irgendwie hat mich der Teufel geritten«, meinte Joaquin.

»Es traf ja wohl keinen Armen.«

»Nein. Außerdem mochte ich ihn nicht. Nun hat er für seine Dummheit zahlen müssen.« Joaquin begann seine Sachen zusammenzupacken.

»Was tun, um dem lieben Gott nicht die Zeit zu stehlen?«, überlegte der Magister laut. »Meine Übungseinheit fürs Antipodieren habe ich bereits hinter mir, die Zwillinge sind in die Stadt gefahren, Anacondus und Arturo studieren eine neue Nummer ein, Zerrutti und Maja ebenso ... Vielleicht sollten wir Vitus ein wenig bei seiner Kunst zusehen.«

Er spähte hinüber zur anderen Seite der Wagenburg. »Kannst du erkennen, was er gerade macht?«

Joaquin schaute auf. »Wieso? Er ist gar nicht da, ich sehe nur Tirzah.«

»Ach so.« Der Magister blinzelte. »Bin stark kurzsichtig.«

Der Glasschleifer blickte interessiert. »Du bist stark kurzsichtig?«

»Von Kindesbeinen an, mein Freund. Der liebe Gott hat mir zwar insgesamt eine gute Gesundheit mit auf den Lebensweg gegeben, insofern will ich mich nicht beklagen, nur an der Sehstärke, da hat er ziemlich gespart.«

»Das wusste ich nicht. Warte mal.« Joaquin kramte unter seinen Glaslinsen und hielt schließlich eine besonders dickbauchige hoch. »Schau mal hier durch. Erkennst du Tirzah?«

Der Magister tat wie ihm geheißen. Er schluckte. Blinzelte. Sagte lange Zeit nichts. Joaquin tat langsam der Arm weh.

»Phantastisch«, hauchte der kleine Gelehrte endlich. »Dass es das gibt! Nicht zu fassen!«

»Kannst du was erkennen?«

»Ob ich was erkennen kann? Mensch, Joaquin, ich sehe eine neue Welt! Alles ist auf einmal so klar! Da kommt Vitus zurück, phantastisch!«

»Freut mich, dass die Scheibe dir hilft.«

»Hilfe ist gar kein Ausdruck! Was ist das für ein tolles Ding, ich weiß, die Lateiner nennen es Spekulum, aber das hier ist anders, besser …«

»Es ist eine Linse, Magister, mehr nicht.«

»Und das Material?«

»Beryll.«

»Aha. Nie gehört. Wie viel kriegst du dafür? Ich muss das Ding unbedingt haben!«

Der Glasschleifer lachte. »Du bekommst den Beryll selbstverständlich umsonst, aber warte, erst mal wollen wir feststellen, ob es nicht einen anderen gibt, durch den du noch besser sehen kannst.«

Nacheinander probierten sie eine Reihe weiterer Gläser aus, doch es zeigte sich, dass Joaquin gleich beim ersten Mal die richtige Linse erwischt hatte. »Jetzt zum anderen Auge«, setzte er munter fort, »denn die Fehlsichtigkeit ist am geringsten, wenn beide Seiten korrigiert werden.«

Das andere Auge, ebenfalls kurzsichtig, erforderte ein weniger dickes Glas, hier dauerte es eine geraume Weile, bis Joaquin die richtige Linse herausgefunden hatte.

»Und nun?«, fragte der Magister neugierig. »Ich kann doch nicht den ganzen Tag herumrennen und mir dabei die Scheiben vor die Nase halten.«

»Das sollst du auch nicht. Das erledigt ein Gestell für dich. Es sitzt auf der Nase und hat zwei lange Bügel, die hinten über die Ohren gelegt werden. Das Ganze ist so praktisch, dass du es nach kurzer Zeit gar nicht mehr spüren wirst.«

In der nächsten halben Stunde befestigte Joaquin die Gläser am Gestell, prüfte, bog, korrigierte, bis es bequem auf des Magisters Nase saß.

»Es ist wirklich wie eine neue Welt«, flüsterte der kleine Mann andächtig, nachdem er abermals einen langen Blick durch die Linsen geworfen hatte. Dann nahm er den Apparat ab und steckte ihn in die Tasche. »Bin gespannt, was Vitus dazu sagt.«

»Gut, dass ihr da seid«, begrüßte sie der Cirurgicus ernst, als sie auf ihn zutraten. »Ich habe eben nach Señora López gesehen, ich fürchte, es geht bald zu Ende mit ihr.«

»So schlimm steht es?«, rief der kleine Gelehrte erschreckt. Die Köpfe einiger Schaulustiger flogen zu ihm herüber.

»So schlimm, ja. Ich versuche die ganze Zeit, irgendwo Schröpfkugeln aufzutreiben, um sie auf die vergifteten Stellen zu setzen, aber es ist nichts zu machen. Der Apotheker von Torrelavega hat keine.« Vitus zuckte resigniert mit den Schultern. »Wenn das Fieber morgen, spätestens übermorgen nicht sinkt, wird sie wohl sterben.«

»Könntest du nicht operieren?«, fragte Tirzah, die Vitus' chirurgische Instrumente forträumte. Für heute war die Behandlungsstunde beendet.

»Nein.«

»Aber warum denn nicht?«

»Weil es einfach nicht geht.« Vitus' Stimme hatte etwas Endgültiges. »Zu dumm, dass wir nicht wenigstens Schröpfkugeln haben.«

»Ach was!«, sagte der Magister forsch. »Euch wird schon etwas einfallen, irgendwie schafft ihr's bestimmt.« Er nickte Vitus und Tirzah aufmunternd zu. »Habe ich euch eigentlich schon erzählt, dass meine Kurzsichtigkeit verschwunden ist? Ich besitze jetzt Augen wie ein Adler.«

»Wie bitte?«

»Seht mich an!« Schwungvoll setzte der kleine Gelehrte sich das Gestell auf die Nase.

»Ja, das ist doch ... Mensch, Magister! Du siehst aus wie eine Libelle!« Trotz der ernsten Situation musste Vitus lachen, Tirzah fiel mit ein.

»Schön, dass eure Laune sich langsam bessert«, sagte der Magister spitz, »wenn auch auf meine Kosten.«

Vitus nahm ihn in den Arm. »Nichts für ungut! Ich finde es großartig, wenn du dieses Ding da hast.«

»Frag mich nach irgendetwas da hinten am Waldrand«, verlangte der Magister halb versöhnt.

»Warte.« Vitus spähte zu den Bäumen hinüber. Die Entfernung betrug etwa eine halbe Meile. Weit und breit war nichts Ungewöhnliches zu entdecken, nur ein Kind, das auf dem Weg lief, der durch den Wald nach Torrelavega führte. Es bewegte sich flink, sein Kleid flatterte im Wind und gab dem Bild etwas Lustiges, gleich würde es zwischen den Bäumen verschwinden.

»Schnell, Magister, siehst du das Kind dort am Waldrand?« Der kleine Mann blickte in die gezeigte Richtung. »Aber klar, so deutlich, als stünde es neben mir.«

»Gut, welche Farbe hat sein Kleid?«

»Wenn's weiter nichts ist!« Der Magister gab sich souverän. »Es ist hellblau.«

Señora López war nur noch Haut und Knochen. Wieder lag eine Nacht voll unruhigen, fiebrigen Schlafs hinter ihr – eine

Nacht, die keine Besserung gebracht hatte. Im Gegenteil, an diesem Morgen ging es ihr schlechter denn je.

»Ich weiß wirklich nicht mehr, was ich machen soll«, murmelte Vitus, als er ihren Puls fühlte. Selbst der Weidenrindensud, den die Kranke regelmäßig erhielt, zeitigte nicht die mindeste Wirkung.

Sie wurde immer schwächer. Der Körper verglühte förmlich, das Fieber fraß die letzten Kräfte. Irgendetwas, und zwar möglichst rasch, musste geschehen. Er riss sich von seinen Gedanken los und sagte müde: »Tirzah, ich hole dir frisches Wasser für die Umschläge.«

Er nahm eine Schüssel und stelzte vorsichtig zur hinteren Tür, denn durch die Habseligkeiten der Kranken war es im Wagen noch enger geworden. Wenigstens der Morgen schien schön zu sein, mit Sonnenschein und frischer, klarer Luft. Er stieß die Tür auf, atmete tief durch und wollte die kleine Stufe davor hinuntersteigen. Doch mitten in der Bewegung verharrte er.

Fünf Schröpfgläser lagen da.

Fünf kugelrunde, schöne Schröpfgläser.

Er bückte sich neugierig, denn in einer der Kugeln hatte er ein Stück Papier entdeckt. Er klaubte es heraus und entfaltete es. Darauf stand:

Für Vitus von Campodios.
Von einem, der es gut meint.

Kopfschüttelnd steckte er die Nachricht ein.

Was war zu tun? Zunächst mussten die Gläser in Sicherheit gebracht werden, damit niemand versehentlich auf sie trat. Vorsichtig hob er sie auf und trug sie in den Wagen, wo er sie

Tirzah präsentierte. »Ein unbekannter Spender hat uns zu Schröpfkugeln verholfen.«

»Wie? Wer?« Ihr Kopf erschien über der Wolldecke, hinter der sie Señora López die nächtliche Senfpackung entfernte.

»Ich habe keine Ahnung.« Er las ihr die geheimnisvolle Botschaft vor. Erst jetzt fiel ihm auf, dass die Handschrift winzig klein war.

»Brennt die Öllampe auch gut?«, rief Vitus über die Wolldecke hinweg. Er kam sich sehr unnütz vor.

»Ja, alles ist so, wie der Herr Cirurgicus es befohlen hat.« Tirzahs Ton war leicht gereizt. Sie befand sich auf der anderen Seite und hatte den Oberkörper von Señora López völlig bloßgelegt, was auch der Grund dafür war, dass Vitus nicht mit ans Krankenbett durfte. Der Anstand, und natürlich die Heilige Mutter Kirche, verboten es, eine nackte, verheiratete Frau zu betrachten – sofern es nicht die eigene war.

»Du hältst die Öllampe unter die Öffnung der Kugel, damit die Flamme die darin befindliche Luft verschlingt. Sowie das geschehen ist, musst du den Glaskörper auf die vergifteten Stellen drücken. Die Kugel neigt dazu, sich wieder mit Luft voll zu saugen, kann es aber nicht, weil sie auf der Haut sitzt. Statt der Luft saugt sie also die Haut an, und dort, wo in der Kugel vorher Luft war, sammeln sich jetzt die Giftstoffe aus dem Körper.«

»Ja, Herr Cirurgicus, Ihr habt es mir mindestens schon zehnmal erklärt.«

»Entschuldige. Es ist so ein hilfloses Gefühl, derart abgekapselt zu sein. Ich weiß ja, dass du es gut machst.«

Eine Weile hörte er Tirzah geschäftig hantieren. Er hätte sie gern gefragt, wie sie zurechtkam, aber er traute sich nicht.

Zum x-ten Male nahm er das Buch *De morbis* zur Hand, um nachzuschlagen, was bei einer schweren Lungenentzündung zu tun war. Wenn alles nichts mehr half, das wusste er, kam nur noch ein operativer Eingriff in Frage, um das Empyem zu leeren, den Eiterherd also, der sich seitlich unter den Rippen angesammelt hatte. Doch genau hier setzte die Schwierigkeit ein, bei der ihm auch der klügste medizinische Ratgeber nicht helfen konnte – es war dieselbe Problematik wie beim Schröpfen: Als Mann durfte er die schamhaften Körperteile eines Frauenkörpers nicht in Augenschein nehmen, geschweige denn sie operieren. Nur das war der Grund, warum er den Eingriff bisher abgelehnt hatte.

Ratlos legte er das Buch wieder fort. Er hatte in den letzten Wochen manchmal vergessen, sein Abendgebet zu sprechen, doch heute, das nahm er sich vor, würde er den Allmächtigen anrufen und um die Gesundung seiner Patientin flehen.

Oder um einen göttlichen Wink.

»Ich muss handeln, muss etwas tun, muss den Tod abwenden, der schon voller Häme durch die Tür in diesen Wagen schaut. Herrgott im Himmel, hilf mir, schenke mir die Erkenntnis, die notwendig ist, um das Leben dieser Frau zu retten!«

Vitus betete mit der ganzen Inbrunst, zu der er fähig war. Es musste doch einen Weg geben!

Tirzah neben ihm schlief schon tief und traumlos. Sie hatte einen anstrengenden Tag hinter sich, an dem sie keine Minute zur Ruhe gekommen war. Dennoch hatte sie ganze Arbeit geleistet, auch bei Señora López. Die Schröpfkugeln, die sie aufgebracht hatte, davon war er überzeugt, hatten perfekt gesessen, doch bewirkt hatten auch sie nichts.

Er starrte in das matte Licht der Kerze, die er gegen seine

trüben Gedanken noch brennen ließ. Es war wie verhext. Tirzah und er fochten seit Tagen einen verzweifelten Kampf, aber der Welt um sie herum schien das völlig egal zu sein. Jedes Ding, jeder Gegenstand im Wagen, alles strahlte Gleichgültigkeit aus. Nichts schien unwichtiger als das Leben der Señora López. Tote Materie um sie herum. Tot, so tot, wie bald auch die Kranke da drüben sein würde. Kleider, Gerätschaften, der Tisch … Dinge auf dieser Seite der Wolldecke, die zusammengerückt worden waren zu drangvoller Enge, Ausdruck der Bemühungen, ein Leben zu retten. Seine Kiepe, der Stecken, Tirzahs Kräutersäckchen, die von der Decke herabhingen … Erstaunlich, was alles hier noch Platz gefunden hatte.

Dazu die seltsame Puppe: Es war eine Holzpuppe, die naturgetreu einen nackten Frauenkörper darstellte, mit Gliedmaßen, die beweglich waren, einer Vulva, deren Labien farblich abgesetzt waren, vollen Brüsten, auf denen die einzelnen Schnitte für die Krebsamputation kenntlich gemacht worden waren. Mit aufgemalten Rippen, die sich auf dem Brustkorb abzeichneten.

Die Rippen dieser Puppe …

Allmächtiger Vater im Himmel, ich danke dir! Die Puppe ist die Rettung!

»Tirzah! Pssst … Tirzah!«

Es dauerte eine Weile, bis Tirzah wach wurde. Als sie die Augen aufschlug, sah sie, wie Vitus aufgeregt mit der Holzfigur hantierte:

»Sieh her, Tirzah! Das ist doch die Puppe, an der die Patientin dem Arzt zeigt, wo sie Beschwerden hat, richtig?«

»Richtig.« Tirzah gähnte. »Hast du mich deshalb etwa geweckt?«

»Um Gottes willen, nein, hör zu: Am Körper der Puppe werden wir die einzelnen Maßnahmen zur Rettung von Señora López durchgehen. Ich zeige dir genau, wo der Giftbereich unter der Haut sitzt, und du wirst ihn mit dem Messer beseitigen. Schnitt für Schnitt, genau nach meinen Anweisungen, die ich dir von dieser Seite der Wolldecke gebe.«

Langsam verstand Tirzah. »Du willst, dass ich an deiner Stelle operiere? Das kann ich nicht.«

»Natürlich kannst du das. Du hast doch auch die Schröpfkugeln perfekt gesetzt. Hast dich sogar noch beschwert, dass ich dir dauernd Ratschläge gegeben habe.«

»Ich weiß nicht.«

»Komm, wir gehen jetzt die einzelnen Schritte durch.« Vitus schlug sein Buch auf und begann vorzulesen: »Die Entleerung des Empyems erfolgt, indem der Cirurgicus zwischen der dritten und vierten echten Rippe, gezählt von unten nach oben, eine Öffnung herstellt.« Er nahm die Puppe und wies auf den entsprechenden Bereich. »Diese Öffnung muss in einem Abstand von sechs- bis siebenfacher Fingerbreite von der Wirbelsäule angebracht werden.« Er zeigte den Punkt für den Einschnitt. »Die Öffnung erfolgt mit dem Glüheisen oder mit dem Rasiermesser.«

Er blickte auf. »Du nimmst natürlich ein Skalpell – welches, zeige ich dir später. Weiter: Der Operateur soll schrittweise so schneiden, dass man die Spitze des Messers auf den unteren Teil der Rippe richtet, damit weder Adern noch Nerven abgeschnitten werden.«

Sie nickte zaghaft.

»Es ist ganz leicht, du schaffst es bestimmt.«

Wieder nahm er das Buch und ging erneut die Schritte sorgfältig mit ihr durch. Als er fertig war, tat er es nochmals. Und nochmals. So lange, bis er das Gefühl hatte, dass sie sich ihrer Sache sicher war.

»Gut«, sagte sie schließlich müde, »ich versuche es gleich morgen früh.«

»Nein!« Er blickte sie fest an. »Jetzt.«

Nachdem er die hintere Wagentür und die Fensterläden sperrangelweit aufgerissen hatte, trat Vitus aufatmend an das Krankenlager heran. Der Ekel erregende Geruch begann zu entweichen. Er rührte von den zahllosen rötlich gelben Eiterspritzern her, mit denen Wände und Boden bedeckt waren.

Señora López hatte die lebensgefährliche Operation überstanden.

Tirzah war dabei, die Spuren fortzuwischen. Ihre Bewegungen wirkten bleiern. Sie hatte nicht nur den ganzen gestrigen Tag gearbeitet, sondern auch die Nacht durchoperiert. Vitus nahm sie in den Arm. Sie begann zu weinen, vor Erschöpfung und vor Erleichterung.

»Du hast es großartig gemacht«, flüsterte er. »Ich konnte es zwar nicht sehen durch die verdammte Wolldecke, aber ich wusste, dass du es schaffen würdest.«

»Ich kann nicht mehr«, sagte sie tonlos, »bitte bring mich zu Bett.«

»Natürlich.« Er hob sie auf und trug sie die wenigen Schritte zum gemeinsamen Lager. »Ruh dich aus.« Er küsste sie und deckte sie zu, doch seine letzten Worte hörte sie schon nicht mehr. Sie schlief bereits.

Er ging zur anderen Seite hinüber, um Tirzahs Arbeit fortzusetzen. Während er die Spuren beseitigte, wanderten seine Gedanken zurück zur vergangenen Nacht. Tirzah hatte bei dem Eingriff sehr viel Mut bewiesen. Sie hatte, trotz schlechter Beleuchtung und mangelnder Erfahrung, die Ruhe bewahrt und konzentriert gearbeitet. Das Skalpell war von ihr die ganze Zeit sicher geführt worden, nur einmal hatte sie entsetzt aufgeschrien. Er war hochgefahren und hatte schon das Schlimmste befürchtet, aber es war nur ihre Reaktion auf den Eiterstrahl gewesen, der ihr plötzlich aus dem Empyembereich entgegenschoss. Später dann hatte sie nach seinen Anweisungen einen Eiterabfluss gesetzt, denn auch nach erfolgreichem Eingriff pflegten sich noch eine Zeit lang Giftstoffe zu bilden.

Als die letzten Operationsspuren beseitigt waren, ergriff er das Handgelenk der Kranken, deren Oberkörper von Tirzah züchtig abgedeckt worden war. Der Puls der Señora schlug etwas stärker als am Vortag, wie er zufrieden feststellte, auch ihr Schlaf war besser geworden, sie atmete insgesamt tiefer und ruhiger.

Mit Gottes Hilfe würde sie genesen.

Er dachte daran, dass ihr Ehemann spätestens übermorgen wieder im Lager erscheinen würde, und er hoffte, die Kranke würde bis dahin reisefähig sein, denn auch ihn zog es weiter. Er wollte nach Santander, wollte endlich dort ankommen. Flüchtig dachte er an Tirzah und daran, was aus ihr werden würde, wenn er sich nach England einschiffte, schließlich liebte er sie …

Allerdings konnte er sich nur schwer vorstellen, sein gesamtes künftiges Leben mit ihr zu teilen. Wie immer an dieser Stelle schob er den Gedanken beiseite. Kommt Zeit, kommt Rat, sagte er sich. Santander jedenfalls war in greifbare Nähe gerückt. Man schrieb jetzt Anfang Oktober, und er rechnete damit, spätestens in einer Woche die Küstenstadt zu erreichen.

Der Eitergestank hatte sich verzogen.

Er schloss die Tür und ließ die Fensterläden einen Spalt offen.

Dann streckte er sich müde neben Tirzah aus.

Zwei Tage später kreuzte López mit seinen Kindern auf. »Wir sin vonner Küste«, nuschelte er zur Begrüßung, während er seine Kappe zwischen den Händen drehte.

»Ich weiß, Ihr habt es uns beim letzten Mal schon verraten.« Vitus war dabei, mit Tirzahs Hilfe ein starkes Brechmittel aus Essig und Senf anzurühren. Ein kleiner Junge lag gekrümmt vor ihm und hielt sich den Leib. Seine Mutter hatte ihn am Vorabend gebracht und den Verdacht geäußert, der Junge hätte heimlich Vogelbeeren gegessen und sich daran vergiftet. Vitus und Tirzah hatten zunächst versucht, ihm Milch einzuflößen, doch der Junge war nicht in der Lage gewesen, sie aufzunehmen. Statt der Giftbeeren, die seinen Körper von innen zerstörten, hatte er immer wieder nur den Kuhsaft erbrochen, und die Gaffer, die dem Geschehen mit langen Hälsen zusahen, hatten auch nicht helfen können.

»Senfkörner brauchte ich! Gute, scharfe Senfkörner für ein wirksames Brechmittel!«, hatte Vitus schließlich verärgert ausgerufen, denn Tirzahs gesamter Vorrat war für die Senfpackungen der Señora draufgegangen.

So hatte er dem Jungen zunächst ein Schlafmittel mit Opium verabreicht, in der Hoffnung, ihm würde es am anderen Morgen besser gehen.

Doch das war nicht der Fall gewesen.

Stattdessen hatte Vitus Senfkörner erhalten.

Sie befanden sich in einem Säckchen, das am selben Platz wie die Schröpfkugeln abgelegt worden war. Wieder war ein Zettel dabei gewesen:

Für Vitus von Campodios.
Von einem, der es gut meint.

»So, das Brechmittel ist fertig.« Vitus flößte es dem Jungen ein und sah mit Erleichterung, wie er fast im selben Augenblick zu würgen begann. Klumpige, rotbraune Brocken quollen ihm aus dem Mund.

»Für die Behandlung Eurer Frau, Señor, ist meine Assistentin zuständig«, sagte er, López' Frage vorausahnend.

Der Mann von der Küste drehte den Kopf, bis Tirzah in seinem Gesichtsfeld erschien. Sie stand zwei Schritte entfernt, Mörser und Stößel noch in der Hand. »Die Frau soll mit zurück.«

»Ihr könnt froh sein, dass Señora López überhaupt noch lebt!« In Tirzahs Stimme schwang Ärger mit. Sie verkniff sich, den Mann über die Schwere der Operation aufzuklären. Genauso gut hätte sie gegen eine Mauer sprechen können. »Kommt mit, und helft Eurer Frau auf. Wenn Ihr langsam und vorsichtig an die Küste zurückfahrt, mag es mit dem Transport gehen.«

»Ja, so.« López stand mit offenem Mund da.

»Ich sagte, helft Eurer Frau. Sie kann noch nicht alleine gehen.«

»Ja, so, ja.« Endlich setzte sich der Mann in Bewegung. Die Kinder folgten ihm langsam.

Die Patientin saß vor Tirzahs Wagen auf einem Baumstumpf. Sie war fieberfrei. Ihre Augen wirkten wieder klar, die Haut ihres Gesichts, das sie der wärmenden Mittagssonne entgegenstreckte, hatte im Laufe der letzten beiden Tage wieder Farbe bekommen. Kein Zweifel: Sie war über den Berg.

Als man sie mit vereinten Kräften auf López Wagen platziert

hatte, dick eingehüllt in einen langen Wollschal, sprach sie zum ersten Mal nach ihrer Operation: »Señorita«, sagte sie zu Tirzah mit noch schwacher Stimme, »ich weiß nicht, wie ich Euch danken soll.«

Ihre Augen wanderten zu ihrem Mann, der schon auf dem Kutschbock Platz genommen hatte. »Sicher hat er Euch kein Geld gegeben.«

»Nein, nicht einen Maravedi.«

Sie beugte sich vor. »Ich sag's Euch im Vertrauen: Er ist ein Knauserer, wie er im Buche steht, tut immer so, als könnte er nicht bis drei zählen, weil er herausgefunden hat, dass dadurch vieles im Leben billiger wird.«

Sie machte eine Pause, denn das Atmen fiel ihr noch ziemlich schwer. »Ehe man einem Blöden mühsam erklärt, warum eine Sache etwas kostet, erledigt man sie lieber umsonst, stimmt's?«

Tirzah musste lächeln. »Stimmt, Señora.«

»Nun, der Herr ist mein Zeuge: Ich würde Euch Geld geben, wenn ich welches hätte. Aber ich besitze etwas anderes.« Sie griff sich unter den Schal und förderte eine kleine, goldene Madonna hervor, die ihr an einer Kette um den Hals hing. Sie nahm sie ab. »Für Euch, mit Gottes Segen.«

Tirzah fühlte, wie ihr Tränen in die Augen stiegen. Die Worte der Frau hatten sie tief berührt. »Das kann ich nicht annehmen, Señora.«

»Doch, das könnt Ihr.« Señora López legte die Madonna in Tirzahs Hand und schloss ihr die Finger darum. »Gott weiß, dass Ihr sie verdient habt.«

»Ohne meine Berylle wäre ich nur ein halber Mensch!«, verkündete der Magister am nächsten Morgen. »Ich weiß gar nicht, wie ich die letzten dreißig Jahre ohne sie ausgekommen bin.«

Er saß mit den anderen um das Dreibein, wo Maja die Reste der Suppe vom vergangenen Abend aufgewärmt hatte. »Vitus, gib doch mal das Fladenbrot rüber.«

»Die Sehkraft des Menschen verändert sich im Laufe eines Lebens«, warf Joaquin ein, während er den Löffel in den Greifmechanismus seiner Ledermanschette spannte. »Je älter man wird, desto schwächer werden auch die Augen. Entsprechend stärker müssen dann die Linsen sein.«

»Ich weiß nicht, welche Berylle ich in zehn Jahren brauche«, nickte der Magister zustimmend, »aber meine jetzigen sind scharf genug, um dort hinten bei den Felsen zwei Pferdewagen zu erkennen.«

Es stimmte. Zwei bunt bemalte Gefährte näherten sich ihrem Rastplatz. Die Wagen waren von ähnlicher Bauart wie die ihren, nur etwas größer. Vor jedem liefen zwei Braune.

»Die Pferde sind gut im Saft«, stellte Arturo nach einer Weile fest. »Scheint sich nicht um Tierschinder zu handeln.«

»Ich glaube, es sind Leute aus meinem Volk«, sagte Tirzah.

»Sie kommen her direkt, si?« Zerrutti durchbrach seine Regel, bei Essenseinnahme generell nicht zu sprechen.

»Sie kommen doch wohl in friedlicher Absicht?« Maja ergriff unwillkürlich den großen Schöpflöffel. Sie hatte die Schreckensbilder des letzten Überfalls noch nicht vergessen.

Arturo erhob sich. »Ich denke schon. Aber Vorsicht ist immer geboten. Es ist sowieso ein kleines Wunder, dass wir bisher kein zweites Mal angegriffen wurden. Vitus, Anacondus, kommt, wir holen unsere Waffen.« Er machte sich auf den Weg.

»Wir verlangen ebenfalls Waffen. Wir sind keine Kinder mehr!«, meldeten sich die Zwillinge.

»Und ich kein Blinder!« Der Magister rappelte sich ebenfalls auf. »Ich verlange ein Entermesser oder so etwas.«

Arturo war stehen geblieben. »Scheint so, als wollten die *Artistas unicos* sich plötzlich zu einem wehrhaften Fähnlein mausern.« Er grinste. »Das wird nicht nötig sein, immerhin, ihr bekommt die Waffen, aber anschließend setzen wir uns mit verborgenen Klingen wieder ans Feuer.«

Kurz darauf war jeder wieder an seinem Platz und blickte gespannt auf die Wagen, die jetzt schon sehr nahe waren. Auf dem ersten Kutschbock saß ein braun gebrannter, sehniger Mann, der ihnen zuwinkte. Auf dem zweiten eine ältere Frau, die in bunte Tücher gehüllt war.

Kurz vor dem Feuer brachte der Sehnige seine Tiere zum Stehen und sprang vom Wagen. »Ich grüße euch!«, rief er und verbeugte sich kurz. »Ich sehe, ihr seid fahrendes Volk wie wir, deshalb nehme ich mir die Freiheit, euch bei der Morgenmahlzeit zu stören. Darf man sich mit ans Feuer setzen?«

»Selbstverständlich.« Höflich erhob sich Arturo, nachdem er den anderen bedeutet hatte sitzen zu bleiben. »Wir nennen uns *Los artistas unicos,* und Freunde sind uns stets willkommen. Allerdings sind wir im Augenblick etwas knapp an Nahrungsmitteln, sodass wir euch höchstens noch Suppe anbieten können.«

»*Los artistas unicos* seid ihr?« In der Stimme des Ankömmlings lag Respekt. »Wir haben von euch gehört, euer Ruf ist euch bis Santander vorausgeeilt.«

»Zu viel der Ehre.« Arturo winkte ab, obwohl ihn das Kompliment freute.

»Entschuldigt, ich vergaß uns vorzustellen.« Der Neue winkte zu seinen Wagen. »Kommt heraus, es besteht keine Gefahr.«

Der Magister flüsterte hinüber zu Vitus: »Die sitzen mit einem mulmigen Gefühl in ihren Gefährten und sind wahrscheinlich bis an die Zähne bewaffnet – genau wie wir. Welch eine groteske Situation!«

»Ich bin Roman Dukañas, und das ist meine Frau Preciosa mit dem Rest der Familie.« Die bunt gekleidete Frau, die den zweiten Wagen kutschiert hatte, näherte sich mit drei fast erwachsenen Kindern, zwei Jungen, die im Alter der Zwillinge waren, und einem Mädchen, das etwas jünger als Tirzah sein mochte.

Der größere der beiden Burschen ging noch einmal zurück zum hinteren Wagen und kam wenige Augenblicke später mit einem Braunbären heraus. Der Bär war, aufrecht laufend, fast so groß wie sein Begleiter. Er trug ein buntes, mit Glöckchen verziertes Ledergeschirr um den Kopf, dazu einen Nasenring mit Kette, an der ihn der Bursche führte.

»Komm, mein Alter, schnapp ein bisschen frische Luft hier unter dem Baum, heut brauchst du nicht zu arbeiten.«

Er band den Bären an den Stamm einer hohen Kiefer, ein Plätzchen, das dem Tier zu gefallen schien, denn es ließ sich sofort nieder und kratzte sich zufrieden.

»Das ist Zarpo«, erklärte Roman, »ein wichtiges Familienmitglied, weil er durch seine Tanzkünste unseren Unterhalt bestreiten hilft.«

Arturo nickte. »Ist er gefährlich?«

»So gefährlich wie ein Lamm. Er ist dreizehn Jahre alt und mit meinen Kindern zusammen aufgewachsen.«

»Gut.« Arturo war beruhigt. »Nehmt Platz.«

»Wir haben die letzten zwei Nächte in einer der Höhlen des Felsmassivs kampiert, die ›Höhlen von Altamira‹ nennen sie die Einheimischen«, erzählte Roman. »Ursprünglich kommen wir aus Sevilla, hatten dort aber, wie viele unseres Volkes, Ärger mit der Kirche. Nicht, dass wir den Herrgott verleugnet hätten, nein, wir wollten nur nicht ohne Unterlass beten und unsere eigenen Bräuche vernachlässigen. Drei Jahre ist das nun schon her.« Er hielt erwartungsvoll seinen Napf hoch.

»Das übernehme ich.« Tirzah war überraschend aufgestanden und hatte Maja den Schöpflöffel aus der Hand genommen. Sie gab Roman von der Suppe.

Der sehnige Mann musterte sie. »Entschuldige, wenn ich es frei heraus sage, aber ich glaube, du gehörst wie wir zu den Gitanos.«

»Du hast Recht.« Das Zigeunermädchen errötete vor Freude. »Ich bin Tirzah. Tirzah, die Tochter von Santor.«

»Moment mal«, Roman sperrte vor Staunen den Mund auf, »doch nicht von Santor, dem Schmied?«

»Doch«, antwortete sie leise, »von Santor, dem Schmied.«

»Ja, wo ist dein Vater denn?«

»Er ist ... er ist ...« Sie schlug die Hände vors Gesicht und rannte fort.

»Habe ich was Falsches gesagt?« Verstört blickte ihr Roman hinterher.

»Das hast du wohl, mein Freund«, seufzte Arturo. »Santor wurde vor nicht einmal zwei Monaten bei einem Überfall auf unsere Wagenkolonne ermordet.«

»Herrgott im Himmel, wenn ich das gewusst hätte!« Der Zigeunermann stellte seinen Napf abrupt auf den Boden. Die Hälfte der Suppe schwappte über. »Was mach ich nur?«

»Am besten gar nichts«, mischte sich Preciosa ein. Sie hatte eine Stimme wie ein Mann. »Tirzah wird zurückkommen, wenn sie sich beruhigt hat. Ich kenne Santors Leute. Sie lassen sich leicht von Gefühlen überwältigen, aber sie sind eigentlich sehr zäh.«

»Du müsstest Berylle feilhalten, die in der Lage sind, unsichtbare Menschen sichtbar zu machen«, sagte der Magister zu Joaquin, während er zum wiederholten Mal durch sein Nasengestell spähte und nach Tirzah Ausschau hielt. »Wo bleibt das Mädchen bloß?«

Der Glasschleifer grinste und zuckte die Schultern. »Preciosa ist auch seit geraumer Zeit fort«, sagte er dann, »Roman allerdings scheint das nicht zu sorgen.«

Den Eindruck machte der Zigeunermann wirklich nicht. Er genoss die Ruhepause sichtlich und plauderte angeregt mit Arturo. »Weißt du übrigens«, sagte er gerade, »dass wir unserem Bären die Eckzähne nicht ausgebrochen haben?« Er wies hinüber zu der Kiefer, in deren Schatten Zarpo döste. Das Tier hatte reichlich Nüsse bekommen, dazu, dem besonderen Anlass entsprechend, einen mit Honig bestrichenen Fladen Brot. »Trotzdem wird man oftmals als Bärenschinder gescholten, dabei lieben wir Zarpo, und Zarpo liebt uns. Wenn wir ihm heute die Freiheit geben würden, müsste er verhungern.«

»Wahrscheinlich hast du Recht, so hab ich's noch gar nicht gesehen«, antwortete Arturo.

»Die Bären in Spanien haben mit uns Zigeunern viel gemeinsam: Sie werden ebenso verfolgt. Da ist es nur natürlich, dass wir uns zusammentun. Wir Zigeuner haben keine geschriebene Geschichte, weshalb alle Welt glaubt, wir hätten keine Vergangenheit. Und keine Zukunft. Wir haben kein Land, das uns gehört, keinen König, der uns regiert, keinen Besitz, keine Ansprüche, keine Fürsprecher … Unser einziger Hort ist die Familie. Aus ihr schöpfen wir Kraft.«

Vitus, der mit einem Ast in der Glut stocherte, blickte zu Roman hinüber und dachte, dass ihm selbst es auch nicht besser erging, im Gegenteil, er hatte nicht einmal eine Familie. Wieder fiel ihm Santander ein, der Ausgangspunkt für seine eigentliche Suche. Würde Tirzah ihn nach England begleiten? Und: Wollte er das überhaupt?

»Da kommt Tirzah!« Der Magister hielt triumphierend sein Nasengestell hoch. »Ich habe sie als Erster entdeckt! Sie ist in Begleitung von Preciosa.«

Beide Frauen waren hinter einer Buschgruppe aufgetaucht und steuerten gemächlichen Schrittes das Lager an. Jetzt legte Preciosa Tirzah die Hand auf die Schulter und sprach auf sie ein. Dann nickte sie und ging zu ihrem Wagen.

Vitus sah, dass Tirzah auf ihn zukam.

Aus irgendeinem Grund, er wusste nicht, aus welchem, begann sein Herz schnell und hart zu klopfen. Ihr Gesichtsausdruck wirkte entschlossen. Was mochte sie wollen?

»Vitus, bitte«, sagte Tirzah, ohne die Umsitzenden zu beachten, »ich muss mit dir reden.« Ihre Augen wanderten zur anderen Seite des Lagers.

»Ich komme.« Er erhob sich und folgte ihr.

Als sie außer Hörweite waren, blieb Tirzah vor einem Ginsterbusch stehen und sah ihm direkt in die Augen. »Vitus«, flüsterte sie, »Vitus, ich ...«

»Ja?« Ein eiserner Ring legte sich um seine Brust.

»Vitus, ich werde morgen mit den Dukañas weiterziehen.« Jetzt, wo es heraus war, fühlte sie sich befreit. »Sie fahren zurück nach Süden, dahin, wo es immer warm ist, in die Sonne, in die Heimat.«

»Aber, aber ...« Er merkte nicht, dass er stotterte. »Ich wollte doch mit dir nach England.«

»Wolltest du das wirklich?«

»Ja, das wollte ich«, antwortete er und kam sich schäbig vor, dass er nicht die Wahrheit sagte. »Das heißt, ich war noch nicht ganz sicher. Aber wir gehören doch zusammen.«

»Nein, Vitus.« Sie lächelte traurig. »*La patria del Gitano es la propria sangre,* wie wir Zigeuner sagen. ›Die Heimat des Gitanos ist sein eigenes Blut.‹ Ich werde mit den Dukañas reisen und wieder eine Familie haben. Preciosa nimmt mich auf.«

»Aber du kennst sie doch gar nicht.«

»Ich kenne sie nicht. Aber sie kennt mich. Sie erzählte mir, dass sie mich als kleines Mädchen öfter in den Armen meiner Mutter sah. Sie sagt, ich könnte bei ihnen bleiben, so lange ich will. Oder auch zum Rest meiner Familie zurückgehen.«

»Und was sagt Roman?«

»Roman würde sich über eine weitere Tochter freuen.«

»Ja dann … Ich weiß nicht, was ich sagen soll.« Hilflos zuckte er mit den Schultern.

»Dann sag nichts.«

Er sah, wie sich ihre Augen mit Tränen füllten, während sie seinen Kopf zu sich herabzog.

»Leb wohl, mein wundervoller Arzt.«

Der Wirt Pancho

»Schrei nicht so. Hier haben die Wände Ohren!«

Der schwere Mann tat einen unbeholfenen Sprung und landete auf der Mole. Er taumelte leicht, fing sich aber noch rechtzeitig, bevor er gegen einige leere Wasserfässer prallte. »Ihr wartet hier, bis ich zurück bin«, knurrte er die sieben Matrosen an, die ihn mit dem Beiboot übergesetzt hatten. »Keiner verlässt den Kahn.«

»Jawohl, Bootsmann.«

»Und haltet euer gottverfluchtes Maul!« Der Blick des Mannes glitt nach Westen über das Wasser des Hafens von Santander, das an diesem Spätnachmittag wie flüssiges Erz war. Es herrschte kaum Wind, nur hier und da kräuselte die See sich leicht. Ein paar Küstensegler waren unterwegs, einmastige Schaluppen mit Lateinersegel, die respektvoll an einer mächtigen Galeone vorbeilavierten.

Der große Segler ankerte draußen, etwa eine halbe Meile vor dem Hafen, im tieferen Wasser. Bis vor wenigen Tagen jedoch hatte die *Cargada de Esperanza* noch auf dem Helgen der Schiffswerft gelegen, zerschunden von einem Sturm, den sie auf dem Westmeer abgewettert hatte.

Jetzt war sie wieder ein stolzer Anblick, eine viermastige Galeone, die über insgesamt neun Segel verfügte, Rahsegel und Lateinersegel, und zweiundvierzig Kanonen, dazu vier Drehbassen für den Nahkampf.

Die Augen des Bootsmannes wanderten weiter zu den Hafenanlagen, den Kränen, Warenstapeln, Trossen und schweren Eisenringen, an denen die Leinen der ankommenden Schiffe festgemacht wurden. Die Luft schien rein zu sein an diesem windstillen Sonntag. Niemand beachtete sie. Die Sonne würde in wenigen Minuten untergehen.

Der Bootsmann riss seinen Blick los. »Wenn man euch fragt, von welchem Schiff ihr seid, sagt ums Verrecken nicht *Cargada de Esperanza*, lasst Thorkil irgendwas auf Norwegisch antworten, das versteht hier keiner. Ansonsten stellt ihr euch blöd, was euch ja nicht schwer fällt.«

Einige im Boot lachten pflichtschuldigst.

»Noch mal: Wer sich aus dem Staub macht, schmeckt die Neunschwänzige.«

»Jawohl!« Der Bootssteurer an der Pinne grüßte zackig.

Besänftigt wandte der schwere Mann sich ab und schritt schnell die Mole entlang, bis er den Kai erreicht hatte, wo er alsbald im Schatten der Schuppen verschwand. Es war nicht notwendig, dass man ihn sah. Vorsichtig setzte er seine Schritte im Halbdunkel weiter. Es roch nach Schlick, Kot, faulem Fisch und Pech. Eine Ratte huschte vor ihm davon, er sprang beiseite und hätte vor Schreck fast aufgeschrien. Trotz seines wuchtigen Körpers und seiner Stellung an Bord gehörte er nicht zu den Mutigsten.

Als er in der Altstadt angekommen war, bog er in eine enge Gasse ein, an deren Ende ein zweistöckiges, windschiefes Holzgebäude stand. Es war ein über hundert Jahre altes Haus, das schon bessere Tage gesehen hatte. Ein Engländer hatte es vor dreißig Jahren erworben und eine Herberge mit Schankbetrieb daraus gemacht. Seitdem hieß es El Inglés. Diese Bezeichnung war geblieben, auch als der Engländer gestorben war und ein neuer Wirt die Herberge übernommen hatte. Der jetzige nannte sich Pancho, was nicht sein richtiger Name war – aber der tat, wie vieles in diesem Haus, nichts zur Sache.

Der Bootsmann umkurvte das Gebäude und bestieg auf der Rückseite eine knarrende Holztreppe, die außen an der Hauswand emporführte. Als er im zweiten Stock angelangt war, verhielt er schwer atmend. »Pancho?«

»Pssst!« Eine Fensterlade öffnete sich. »Hier bin ich.« Die Stimme gehörte einem etwas dicken, bartlosen Kopf. »Komm durchs Fenster, Battista.« Die blauschwarzen, glatt rasierten Wangen des Wirts zitterten bei jedem Wort.

Der Bootsmann zwängte seinen schweren Körper durch die schmale Öffnung. »Hättest gern einen anderen Raum für unser Schäferstündchen aussuchen können«, brummte er.

»Ging nicht. Bin fast komplett belegt.« Pancho schenkte zwei kleine venezianische Gläser mit einer gelblichen Flüssigkeit voll. »Trink.«

»Was ist das?«

»Izarra, guter baskischer Likör, der hebt die Laune, wärmt den Magen und hält dazu die Stange steif!« Pancho lachte glucksend.

»Sehr witzig.« Dem Bootsmann war nicht zum Scherzen zumute.

»Salud.« Pancho hob sein Glas.

»Salud.«

Nachdem beide getrunken hatten, wischte Battista sich den Mund. »Zum Geschäft. Wie viele hast du?«

»Keinen.«

»Waaaaas? Sag das noch mal.«

Pancho zuckte mit den Schultern. »Tut mir Leid. Die Zeiten sind schlecht.«

Battista dachte an den Ärger, den er bekommen würde. »Du hast wirklich keinen?«

»Nein. Ich kann mir keine aus den Rippen schneiden. Nach der Bartholomäusnacht, anno 72, ging das Geschäft eine Zeit lang gut, wie du weißt, aber in den letzten Monaten …« Abermals zuckte der Wirt mit den Schultern.

Battista war um Fassung bemüht. »Ich kann versuchen, meine Vorgesetzten für einen oder zwei Tage zu vertrösten.«

»Ich tu, was ich kann.«

»Ich brauche welche, verdammt noch mal, und du hast sie mir zugesagt.«

»Schrei nicht so. Hier haben die Wände Ohren!«

»Ich scheiß auf deine Wände! Wenn du nicht bald lieferst, wird deine Bruchbude den roten Hahn kennen lernen.« Battista erhob sich wütend.

»Ja doch, ja! Ich tu, was ich kann, wirklich!« Der Wirt schien eingeschüchtert. Er zog den Bootsmann wieder zurück auf den Stuhl. »Komm, trink noch einen.« Er schenkte das Glas ein zweites Mal voll.

»Gut.« Battista trank. »Wir bleiben in Verbindung. Spätestens übermorgen musst du liefern. Und vergiss nicht: Wenn du versagst, fackele ich dir die Bude ab!« Schwerfällig begann Battista die Außenleiter hinabzuklettern.

Pancho blickte ihm nach. »Spuck nicht so große Töne, Freundchen«, murmelte er zwischen den Zähnen. »Ich lass dich noch ein paar Tage zappeln, dann zahlst du einen besseren Preis.«

Als Battista noch einmal hochblickte, winkte er ihm lächelnd nach.

Orantes ritt am Kai entlang und betrachtete staunend das quirlige Treiben um ihn herum. Der Hafen von Santander war viel lauter, als er ihn in Erinnerung hatte: ein lebendiges, pulsierendes Gemisch aus den unterschiedlichsten Tätigkeiten.

Händler schrien ihre Angebote hinaus, Arbeiter hämmerten an Transportkisten, Lastenträger stemmten Säcke hoch, Kutscher trieben ihre Pferde an, Offiziere bellten Befehle, Hühner gackerten, Schweine quietschten, überall lagen und standen Gegenstände herum: Seekisten, Farbtöpfe, Stoffballen, Tauwerk, Segeltuch, Tierkäfige, dazu Fässer jeglicher Art, Wasserfässer, Weinfässer, Bierfässer, Fässer mit Schnaps und Brandy, Talg und Tran, Lampenöl und Essig; es schien nichts zu geben, was nicht mit einem Fass transportiert werden konnte.

Mehrere Matrosen, die, obwohl es noch heller Vormittag war, heftig getrunken hatten, sangen obszöne Lieder, während sie an Orantes vorbeitorkelten.

»Willst du Tabak?«, krächzte plötzlich eine Stimme in seinem Rücken.

Orantes fuhr herum und erblickte einen seltsamen Vogel, kunterbunt, mit großen rotschwarzen Knopfaugen und einem raubvogelartigen Schnabel. Das Tier saß auf einer hohen Stange, dicht am Wasser.

»Willst du Tabak?«, erscholl es erneut.

Ein Vogel, der sprechen konnte? Das ging nicht mit rechten Dingen zu! Orantes bekreuzigte sich schnell.

Ein alter Mann trat hinzu. Er lachte Orantes verschmitzt an.

»Habt Ihr noch nie einen Papageien gesehen, Señor?«

»Bei Gott, das habe ich nicht!« Orantes hatte sich wieder in der Gewalt. »Seid Ihr Bauchredner oder so was?«

Wieder lachte der Mann. »Bewahre! Es ist Lora, die zu Euch spricht, sie möchte wissen, ob Ihr Tabak wollt.«

»Moment, wie heißt diese Vogelart, Papoga …?«

»Papagei. Es sind gesellige Tiere, sie kommen aus Neu-Spanien.«

»Aha.« Orantes betrachtete den Papageien. Zu seiner Überraschung schien der Vogel mit ihm dasselbe zu tun, denn er legte den Kopf schief und beäugte ihn.

»Willst du Tabak?« Diesmal konnte kein Zweifel bestehen: Die Worte waren aus dem Schnabel des Tiers gekommen, während der Besitzer nicht einmal den Mund verzogen hatte.

»Nun, Señor, wollt ihr Tabak?«, wiederholte der alte Mann lächelnd. »Ich habe erstklassige Ware zu verkaufen.«

»Ich weiß nicht einmal, was Tabak ist«, musste Orantes zugeben. »Bin erst das zweite Mal in Santander.«

»Tabak wird aus den Blättern der Tabakpflanze hergestellt. Ein würziges Kraut, das gegen allerlei Beschwerden des Leibes und der Seele wirkt. Es kommt ebenfalls aus Neu-Spanien, wie meine Lora.«

Er strich dem Vogel liebevoll über das Gefieder und gab ihm eine Haselnuss. Staunend beobachtete Orantes, wie Lora mit ihrer schwarzen, fleischigen Zunge die Nuss im Schnabel hin- und herbewegte, um sie besser knacken zu können.

»Die Eingeborenen der Neuen Welt rauchen den Tabak in Pfeifen. Wartet, ich zeige Euch eine.« Der alte Mann holte aus einer Kiste eine Röhre hervor, an deren Ende ein wulstiger Kopf mit Öffnung saß. »Dahinein stopft man den Tabak, sodann entzündet man ihn mit einem Fidibus, während man gleichzeitig mit dem Mund den Rauch durch das Röhrchen zieht.«

Orantes blickte skeptisch. »Das würde bedeuten, dass man den Qualm im Mund hat? Wollt Ihr mich auf den Arm nehmen?«

»Bewahre, nein! Einen Augenblick, ich mache es Euch vor.«

Schnell und geschickt stopfte der Alte die Pfeife, setzte sie in Brand und paffte dicke Wolken aus dem Mund. »Etwas Gesünderes gibt es nicht, Señor!«

»Aha.« Orantes dachte an ein Mitbringsel für Vitus. »Wie viel wollt Ihr für den Tabak und die Pfeife haben, mein Freund?« Der alte Mann nannte den Preis.

Orantes zögerte kurz, dann schlug er ein. »Gut, ich nehme beides, vorausgesetzt, Ihr lasst mir einen Vierer ab.«

Der Alte stutzte. Dann ging ein schiefes Lächeln über sein Gesicht »Dafür, dass Ihr vom Lande seid, Señor, seid Ihr ganz schön ausgeschlafen. Aber sei's drum: Ich bin einverstanden.«

Die Ware wechselte den Besitzer.

Orantes tippte grüßend an seine Kappe und schlug seinem Pferd die Hacken in die Flanken. »Komm, Caballo, wir müssen weiter.« Doch nach wenigen Schritten brachte er den Hengst wieder zum Stehen. »Fast hätte ich's vergessen: Könnt Ihr mir sagen, mein Freund, wie ich zur Herberge El Inglés komme?«

»El Inglés?«, wiederholte der Alte gedehnt. »Nicht die feinste Adresse, wenn Ihr mir die Bemerkung erlaubt. Ich an Eurer Stelle würde mir eine andere Bleibe suchen.«

»Ich will dort nur meine Söhne abholen«, versetzte Orantes. »Sie sind gestern Abend angekommen.«

»Dann ist es ja gut.« Man sah, dass der Alte ihn nicht verstanden hatte.

Der Landmann wollte nicht unhöflich sein. »Meine Söhne Antonio und Lupo gehören zu den *Artistas unicos,* die vor der Stadt kampieren. Ich komme gerade von dort.« Ein warmes Gefühl durchströmte ihn, als er an das herzliche Wiedersehen mit den Gauklern dachte.

»Ah, *Los artistas unicos*? Die sollen sehr gut sein!«

»Danke.« Orantes fühlte sich als Vater geschmeichelt. »Eigentlich hätten die Jungen bei den anderen bleiben können, aber sie haben zwei Freunde von mir begleitet, die eine Passage nach England nehmen wollen. Der eine nennt sich Vitus, der andere Magister. Man sagte mir, alle vier wären im Inglés abgestiegen.«

»Jetzt verstehe ich. So könnt Ihr zwei Fliegen mit einer Klappe schlagen: Eure Söhne abholen und gleichzeitig Euren Freunden Lebewohl sagen.«

»So ist es.«

»Sagt Euren Freunden, sie sollen auf sich aufpassen.«

»Wie meint Ihr das?« Angesichts der zweiten Warnung wurde Orantes hellhörig.

»Nun, Señor, Santander ist eine Hafenstadt. Und in Hafenstädten passiert viel.« Der Blick des Alten schweifte über das Wasser bis hinaus zur Reede, wo eine große Galeone am Anker schwojte. Es hatte aufgebrist. Das windstille Wetter vom vergangenen Tag schlug um. Die See begann kabbelig zu werden.

»Mehr will ich dazu nicht sagen.«

»Vitus, mein Junge, Magister, altes Haus!« Orantes stand breitbeinig im Schankraum des Inglés und schrie seine Freude heraus. »Lasst Euch umarmen!« Er stürzte auf die beiden zu und erdrosselte sie fast.

»Geht es Euch gut, ach, ich weiß ja, dass es euch gut geht, Arturo hat es mir erzählt, ich soll euch von allen grüßen, sie fahren morgen weiter nach San Sebastian, wo sind eigentlich meine Jungen, diese Schlitzohren, habe direkt Sehnsucht nach ihnen, was heißt Sehnsucht, wenn jemand Sehnsucht hat, ist es

Ana, mein treues Weib, ich bin ja so froh, euch zu sehen, ich bin ja so froh, euch zu sehen!«

»Wir glauben dir«, ächzte der Magister, während er sich mühsam aus Orantes Umklammerung befreite.

»Ja, wie siehst du denn aus?« Orantes bemerkte erst jetzt das Nasengestell im Gesicht des Magisters. »Wie eine Mischung aus Gecko und Stubenfliege!«

»Derlei Vergleiche bin ich mittlerweile gewohnt.« Der kleine Gelehrte lachte säuerlich. »Aber ich nehme sie gern in Kauf, denn durch die Berylle habe ich wahre Adleraugen bekommen.«

»Deine Jungen sind im Stall bei Isabella und dem Wagen. Sie machen, wenn auch schweren Herzens, alles für eure Rückreise fertig«, sagte Vitus und atmete tief durch. Der Landmann hatte auch ihm den Brustkorb fast eingedrückt.

»Ja, die Rückreise ...« Orantes kam langsam wieder zur Besinnung. »Wenn's nach mir ginge, würde ich noch ein paar Tage hier bleiben und mit euch abends einen trinken, aber die Pflicht ruft. Die Olivenernte steht in zwei Wochen an, das ist so sicher wie das Amen in der Kirche. Wollte eigentlich noch José, meinen Bruder, hier besuchen, aber ich werd's wohl lassen. Weiß ja noch nicht mal, wo er wohnt, geschweige denn, ob er noch lebt.«

»Vater!« In der Tür standen die Zwillinge.

»Ihr Burschen!« Orantes' Augen wurden feucht. »Habe gehört, dass ihr eurem alten Vater keine Schande gemacht habt. An mein Herz!«

Die Umarmungsprozedur wiederholte sich.

»Wirt!«, rief der Landmann, nachdem er seine Sprösslinge freigegeben hatte. »Drei Krüge Wein vom Besten, und für meine Söhne, äh ...«

»Ebenfalls Wein«, grinste Antonio. »Zwei Krüge, vom Besten.«

»Ja, natürlich«, Orantes tippte sich an die Stirn, »ihr seid ja jetzt erwachsen.«

»Kommt sofort.« Pancho pustete seine blauschwarzen Wangen auf. »Gibt es etwas zu feiern, Señor?«

»Allerdings.« Orantes war in seinem Element. »Wiedersehen und Abschied zugleich! Bringt Braten, Pastete, Suppe ... oder was ihr sonst Gutes auf dem Feuer habt. Wir wollen tafeln, bevor wir reisen.«

»Reisen? Ich hoffte, die Herren würden uns ein paar Tage die Ehre geben?«

»Es geht nicht, Wirt. Meine Söhne und ich brechen in Kürze auf. Wir wollen noch am Abend bei den Gauklern vor der Stadt sein und bei ihnen die Nacht verbringen. Aber tröstet Euch: Vorher gebe ich Euch Gelegenheit, mir noch eine hübsche Rechnung für Speis und Trank aufzumachen.«

»Wie der Herr befiehlt.« Pancho verbeugte sich und winkte zwei Mägde heran. »Nehmt die Bestellungen der Señores auf und lest ihnen die Wünsche von den Augen ab.« Dienernd verließ er den Raum.

»Bevor ich es vergesse«, Orantes griff in seine Rocktasche, »habe hier ein kleines Mitbringsel für Vitus.« Mit großer Geste übergab er den Tabakbeutel und die Pfeife. »Im Beutel ist ein Kraut aus Neu-Spanien, man raucht es in dieser Pfeife gegen alle Beschwerden des Leibes und der Seele.«

»Heilsamer Rauch? Interessant!« Vitus' Augen leuchteten. »Ich danke dir.«

»Keine Ursache! Allerdings musst du das Geschenk mit dem Magister teilen.« Orantes grinste. »Seine Gesundheit liegt mir genauso am Herzen.«

Die folgenden Stunden vergingen wie im Fluge. Der Nachmittag war schon halb vorbei, als Orantes plötzlich aufschreckte. »Wir reden und reden, dabei müssten wir längst unterwegs sein! Wirt, die Rechnung!«

Pancho erschien umgehend, die fetten Wangen voller Seifenschaum. Orantes hatte ihn bei seiner Rasur gestört. »Ich habe die Rechnung schon vorbereitet, Señor.« Er verbeugte sich tief. »Allerdings, wenn Ihr gestattet, würde ich Euch gern einen Vorschlag unterbreiten: Was hieltet Ihr davon, angesichts der fortgeschrittenen Stunde, die Nacht hier zu verbringen? Ich würde Euch mein bestes Zimmer geben.«

»Kommt nicht in Frage, Wirt. Euer Angebot ehrt Euch, aber es geht nicht.« Eine Falte bildete sich über Orantes' Nasenwurzel.

»Nun, das Zimmer würde Euch nichts kosten, es wäre durch die Begleichung der Rechnung mitbezahlt.«

»Ich sagte Nein.«

»Ich widerspreche Euch ungern, Señor, aber vergesst nicht, dass draußen ein Wetterumschwung stattfindet. Es könnte ungemütlich werden. Sehr ungemütlich. Das Zimmer hingegen, das ich Euch anbiete, hat einen warmen Kamin, und für, äh … für angenehme Unterhaltung könnte ich ebenfalls sorgen.« Er zwinkerte viel sagend mit einem Auge.

Langsam erhob sich Orantes und schob seinen vierkant gebauten Oberkörper vor. »Wirt«, sagte er leise, »Ihr kennt mich nicht, deshalb will ich Euch die Versuche, mich hier festzuhalten, nicht weiter verübeln. Ich versichere Euch jedoch, wer mich kennt, der hätte schon längst sein Maul gehalten!«

»Ich verstehe.« Pancho blickte zur Seite.

»Wie viel?«

»Bitte? Was meint Ihr?«

»Die Rechnung! Wie viel bin ich Euch schuldig?«

Pancho nannte die Summe.

Orantes griff nach seiner Geldkatze und wollte zahlen, doch die Zwillinge hinderten ihn daran. »Das übernehmen wir, Vater! Wir haben in den letzten Monaten eine hübsche Stange Geld verdient.«

»Zapperlot!« Der Landmann freute sich. »Aus Kindern werden Männer. Ich bin stolz auf euch.«

»Vielleicht hätte Orantes doch auf den Vorschlag des Wirts eingehen sollen.« Der Magister spähte durch die Fensterläden nach draußen. Die Ostseite des Hafens lag in seinem Blickfeld. Eine starke Strömung, gepaart mit einem Westwind, der bald Sturmstärke erreichen würde, drückte das Wasser gegen die Mole. Kleine Lastensegler und Leichter, die dort vertäut waren, schaukelten bereits wie Spielzeugschiffe in einem Waschzuber.

»Wenn Orantes sich etwas vorgenommen hat, dann führt er es auch durch«, entgegnete Vitus. Seit der Landmann sich mit seinen Söhnen auf den Weg gemacht hatte, war über eine Stunde vergangen. »Wahrscheinlich ist er längst bei unseren Freunden und plaudert angeregt am Lagerfeuer, während wir hier festgenagelt sind, bis uns ein Schiff nach England mitnimmt.«

»Komm, verdirb dir nicht selbst die Laune.«

»Hast Recht, aber diese ägyptische Finsternis geht aufs Gemüt.« Vitus entzündete eine weitere Kerze. Schwarze Sturmwolken hatten mittlerweile das letzte Tageslicht geschluckt. Im Hafen tanzten die Hecklaternen der Schiffe wie aufgeregte Glühwürmchen.

»Sauwetter, verdammtes!« Ein stattlicher Mann stand unvermittelt im Schankraum. »*It's raining cats and dogs!*«

Der Ankömmling war in den Vierzigern und hatte einen sommersprossigen, roten Schädel, der in scharfem Kontrast zu der kobaltblauen Farbe seiner Kappe stand. Mit einer energischen Bewegung nahm er die Kopfbedeckung ab, während an seiner Ölkleidung das Wasser in Bächen herunterlief. »Da mag man die faulste Teerjacke nicht in die Wanten jagen!«

Als er Vitus und den Magister entdeckte, besann er sich. »Buenas noches, Señores.«

Die Freunde erwiderten den Gruß.

Umständlich hängte der Fremde seinen Mantel an einen Haken. Anschließend wrang er die Kappe aus und stülpte sie darüber. »He, Wirt, gibt es bei Euch einen anständigen Brandy?«

»Selbstverständlich, mit meinem Brandy kann man Tote erwecken, Herr Kapitän.«

»Woher wollt Ihr wissen, dass ich Kapitän bin?« Der Fremde blickte misstrauisch. »Bin das erste Mal hier.«

Pancho verbeugte sich tief. »Nun, Señor, Ihr seht aus wie einer. Wenn es trotzdem nicht so sein sollte, bitte ich doch vielmals um Entschuldigung.« Er machte sich daran, aus einem der an den Wänden stehenden Fässer einen Krug abzufüllen.

»Nun, zufällig stimmt es«, brummte der Ankömmling halb besänftigt. »Den Krug randvoll, wenn ich bitten darf!«

»Aye, aye, Sir.«

»Dass ich Engländer bin, habt Ihr wohl auch schon bemerkt?«

»So ist es, Sir.« Pancho übergab vorsichtig den übervollen Krug.

»Ist es gestattet?« Der Kapitän trat an den Tisch der beiden Freunde.

»Es ist uns eine Ehre, Herr Kapitän.« Der Magister machte eine einladende Geste. »Setzt Euch.«

»Loom, Gordon Loom«, stellte sich der Fremde vor, während er Platz nahm. »Kapitän und Eigner der *Swiftness,* einer 16-Kanonen-Frachtgaleone mit zwei Cannonperiers, sechs Culverins, acht Sakers und dem schönen Heimathafen Plymouth.«

»Das ist mein Freund und Weggefährte Vitus von Campodios, seines Zeichens Cirurgicus und Pharmakologe«, antwortete der kleine Gelehrte, »ich selbst heiße Ramiro García, bin Magister der Jurisprudenz und komme aus La Coruña – einer Hafenstadt im äußersten Westen.«

»Ich weiß, ich weiß«, nickte Loom, während er einen tiefen Zug direkt aus dem Krug nahm, »bin vor vielen Jahren mal um Haaresbreite am Cabo de Finisterre vorbeigeschrammt.« Seine wasserhellen Augen wandten sich Vitus zu. »Und Ihr, Señor, Ihr seid Cirurgicus?«

»Ganz recht. Ich habe die letzten Monate bei einer Gauklertruppe, den *Artistas unicos*, gearbeitet. Wir zogen über Land; bei dieser Gelegenheit habe ich manchen interessanten Fall kennen gelernt.«

»Soso.« Loom nickte, nahm abermals einen kräftigen Schluck und rieb abwesend mit dem Daumen an seiner Lederweste. Vitus vermutete, dass er dies öfter tat, denn die Stelle glänzte wie ein gut gewichster Soldatenstiefel.

»Soso«, wiederholte Loom. »Was Ihr nicht sagt.«

»Stimmt irgendetwas nicht?«, fragte Vitus irritiert.

»Aber nein!« Loom unterbrach abrupt den Reibevorgang. »Was trinken die Herren?«

»Wir haben bereits einiges getrunken«, entgegnete Vitus. »Ich möchte nicht unhöflich sein, aber …«

»Kein Aber! Habt Ihr schon mal Brandy versucht?« Ohne die Antwort abzuwarten, schenkte er Vitus und dem Magister aus seinem Krug ein. »Den müsst Ihr unbedingt probieren.«

Vitus nahm vorsichtig einen Schluck. Das Zeug brannte wie Feuer auf der Zunge und stieg unangenehm in die Nase. Er merkte, wie seine Augen zu tränen begannen. »Ziemlich stark, der Trank«, japste er.

»Ist ein guter Rachenputzer«, bestätigte Loom. »Sagt mir, Cirurgicus, habt Ihr Erfahrungen mit Hieb- und Stichwunden?«

»Selbstverständlich.«

»Mit Prellungen, Quetschungen, Verstauchungen, Gelenkauskugelungen?«

»Ja, sicher.«

»Mit Schnittwunden, Platzwunden, Schusswunden, mit Arm- und Beinbrüchen und mit Amputationen?«

Vitus schmunzelte. »Ihr versteht es, einen auszufragen. Bis auf Amputationen bin ich in allen Behandlungskünsten wohl bewandert. Die letzten zwei Monate durch die Bauerndörfer waren eine gute Schule für mich.«

Loom hob seinen fast leeren Brandykrug an und schielte bedauernd hinein. »Amputationen wären auch nicht so wichtig«, murmelte er mehr zu sich selbst, »sind schließlich nicht im Krieg mit den Dons, noch nicht jedenfalls, da fliegen einem die Kugeln nicht so oft um die Ohren.«

»Wie meint Ihr?«

»Ich sagte, dass Amputationen nicht so häufig vorkommen, wenn man keine feindlichen Breitseiten einstecken muss.«

»Nachdem Ihr meinen Freund so eingehend befragt habt«, meldete sich der Magister, »gebt bitte auch mir eine Auskunft: Welchen Hafen steuert Ihr als nächsten an?«

Loom rieb erneut an seiner Weste. Seine Seemannsaugen blickten hinaus durch die in den Angeln klappernden Fensterläden und schätzten den Sturm ab. »Plymouth in England, Sir«, antwortete er schließlich. »Es geht nach Hause, vorausgesetzt, dass meine Ankertrossen halten und mein Schiff nicht gegen die Kaimauer geworfen wird.«

Der Magister nahm sein Nasengestell herunter und blinzelte Vitus triumphierend zu. Der nickte. Daraufhin schob der kleine Mann die Berylle wieder an ihren Platz und blickte Loom direkt in die Augen. »Nun, Herr Kapitän, könntet Ihr uns als Passagiere mitnehmen?«

Loom lehnte sich zurück, grinste und entblößte ein Pferdegebiss. »Euch schon, Herr Magister, gegen gute Bezahlung, versteht sich. Den Cirurgicus allerdings nicht.«

»Wie bitte?« Vitus fuhr hoch. »Mein Geld ist genauso gut wie seines!«

Loom lachte. »Ich meinte nur, dass Ihr nicht als Passagier mitfahren könnt. Als Cirurgicus hingegen seid Ihr mir höchst willkommen.«

Vitus brauchte einige Sekunden, bis er den Sinn von Looms Worten erkannt hatte, dann musste auch er lachen. »Ihr habt einen überraschenden Humor, Herr Kapitän!«

Loom streckte seine Pranke aus. »Kost und Logis sind für Euch selbstverständlich frei. Arbeit, das heißt, die Versorgung von Verwundeten und Kranken, fällt ganz unterschiedlich an, immer dann, wenn die Situation es erfordert. Schlagt Ihr ein?«

Vitus packte Looms Rechte. »Mit Freuden! Allerdings bitte ich darum, dass der Magister García, der in der Heilkunst ebenfalls bewandert ist, mein Assistent wird.«

Loom zögerte kurz, dann nickte er. »Ihr versteht Euer Geld

zusammenzuhalten. Ich bin einverstanden. Allerdings nur unter einer Bedingung.«

»Ja?«

»Dass Ihr, Gentlemen, noch einen Brandy springen lasst.«

»Natürlich! Gern! Herr Wirt, noch drei Krüge Brandy!«

Pancho nahte dienernd mit dem Gewünschten.

»Kapitän Loom«, Vitus schob dem Seemann einen vollen Zinnkrug über den Tisch, »wir freuen uns darauf, unter Euch dienen zu dürfen. Doch gestattet eine Frage: Womit handelt Ihr?«

Loom prostete den Freunden zu und nahm erst mal einen kräftigen Schluck, bevor er antwortete. »Färbeholz, Cirurgicus. Färbeholz von der brasilianischen Küste, der verteufeltsten Ecke der Neuen Welt, wo die Luft so schwül ist, dass man unter der Zunge schwitzt und das Fieber ganzjährig grassiert! Habe dort auch meinen alten Schiffsarzt begraben.« Er fuhr sich mit der Hand über das stoppelige Kinn und nahm einen weiteren Schluck. »Wo war ich? Ach ja, Färbeholz. Es ist, wie der Name schon sagt, Holz von sehr starker Eigenfarbe, meistens Rottöne, nach dem unsere heimischen Wollhändler ganz verrückt sind. Wie überhaupt viele Dinge aus der Neuen Welt in England sehr begehrt sind: Tabak, Kakao, Tierhäute, Lamawolle, flüssiger Amber, Zucker und natürlich Gold und Silber, um nur einiges zu nennen. Die spanischen Admirale, Eure hohen Herren, sehen es allerdings nicht gern, wenn sich unsereins in der Karibik herumtreibt und mit Waren von dort zurückkommt, doch solange man ihre Schatzgaleonen nicht angreift, knirschen sie nur mit den Zähnen.«

»Señores, entschuldigt die Störung.« Pancho nahte schon wieder. »Ich erwarte in wenigen Minuten weitere Gäste. Es wird wahrscheinlich sehr voll werden. Und eng. Darf ich Euch deshalb in unseren kleinen Nebenraum bitten? Er ist sehr geschmackvoll eingerichtet, ein kleiner Tisch mit hübscher Decke, gepolsterte Stühle, ein Seestück an der Wand ...«

»Wir haben nichts gegen Enge im Schankraum. Eng ist es immer am gemütlichsten, das ist jedenfalls meine Erfahrung.« Loom lehnte sich zurück und nahm einen Schluck. Vitus sah, dass sein Krug schon wieder fast leer war. Der Mann konnte saufen wie ein Loch, während er selbst den Alkohol schon ziemlich spürte. Dem Magister schien es ebenso zu gehen.

»Ihr tätet mir einen großen Gefallen, Herr Kapitän.«

»Warum sollte ich Euch einen Gefallen tun, Wirt?« Loom schien Pancho nicht sonderlich zu mögen, doch das hatte er mit Vitus und dem Magister gemeinsam.

»Es wäre mir einen großen Brandy wert.«

»Aber für alle!«, stellte Loom klar.

»Nein, ich möchte ...«, wollte Vitus einschieben.

»Schon recht«, unterbrach ihn der Kapitän. »Wir kriegen noch drei Krüge Brandy und lupfen sie im kleinen Zimmer.« Er stand auf und steuerte die Tür zum Nebenraum an. »Aber dass Ihr uns keine Vertreterinnen des weiblichen Geschlechts vorenthaltet, Wirt!«

»Aber nein.« Pancho lächelte gequält. »Unter den eintreffenden Gästen sind keine Damen. Geht nur schon hinein, Señores, die Magd bringt Euch gleich das Versprochene.«

Battistas Laune hatte sich rapide verschlechtert. Seit Stunden saßen er und seine Männer in einer muffigen Abstellkammer des Inglés und fragten sich, wann endlich der Wirt ihnen Bescheid geben würde. Bescheid darüber, dass die Lieferung komplett sei.

Sie hatten gegen Mittag das große Beiboot der *Cargada de Es-*

peranza zu Wasser gelassen und waren nur unter erheblichen Schwierigkeiten an die Mole gelangt. Wie eine Nussschale hatte das Boot im aufgewühlten Hafenbecken getanzt. Ein paarmal hatte Pancho in der Zwischenzeit nach ihnen gesehen, die Kerzen erneuert und sie jedes Mal inständig gebeten, sich ruhig zu verhalten. Kriecherisch hatte er Wein angeboten, doch Battista hatte abgelehnt. Für das, was er vorhatte, brauchte er Männer mit klarem Kopf. Außerdem waren sie im Dienst.

Was dachte dieser Pancho sich eigentlich? Wollte der ihn nur hinhalten, oder stimmte es tatsächlich, dass er noch weitere Männer liefern konnte?

»Wie lange sollen wir hier eigentlich noch warten?«, maulte einer der Ruderer, ohne Battista direkt anzusprechen.

»So lange, bis ich dir Fischkopf sage, dass du nicht mehr warten musst!«, schnauzte der Bootsmann. Er hoffte inbrünstig, dass es bald so weit sein würde.

Sein Blick fiel auf die drei in Zivilkleidern steckenden Gestalten, die in tiefer Bewusstlosigkeit vor ihm auf dem Boden lagen. Jammerlappen allesamt!, wie er abfällig feststellte. Landratten ohne Seebeine, die das Geld, das er für sie gezahlt hatte, nicht wert waren. Doch es war schwer, in diesen Zeiten Männer zu pressen. Keine Seele schien zur See gehen zu wollen. Da musste eben nachgeholfen werden.

Battista fragte sich zum soundsovielten Male, ob seine Besatzung bei diesem Orkan überhaupt zurückrudern konnte. Es waren zwar ausgesucht kräftige Kerle, aber bei diesen Böen?

Nur gut, dass dicke Fender aus Hanf die Bootshaut vor der Molenmauer schützten.

Wo Pancho nur blieb?

Pancho befand sich in der schmutzigen Küche der Herberge und betrachtete abschätzend das weißliche Pulver in der Glasflasche, die vor ihm auf dem Tisch stand. Er hatte keine Ahnung, um welche Substanz es sich bei dem Zeug handelte, er wusste nur, dass einem davon die Sinne schwanden.

Vorausgesetzt, die Menge stimmte.

Aber genau das war sein Problem. Würde die vorhandene Menge noch reichen, um die drei Gäste, die er extra im kleinen Zimmer abgesondert hatte, außer Gefecht zu setzen?

Der große Kapitän schien Brandy wie Wasser saufen zu können. Bei ihm war er keineswegs sicher, ob das Zeug wirken würde. Anders bei seinen beiden Zechkumpanen: Der eine war recht mickrig und sah überdies höchst lächerlich aus mit dem Gestell auf seiner Nase – da musste man keine Sorge haben, dass das Zeug seinen Dienst tun würde. Auch der andere, dieser Blonde, der so ernst dreinschaute, mochte schnell bewusstlos werden. Nachdenklich kratzte sich der Wirt die blauschwarze Wange. Es hörte sich an, als zöge man einen Käse über die Reibe.

Wieder kehrten seine Gedanken zu dem ungeschlachten Engländer zurück. Je mehr er überlegte, desto sicherer wurde er, dass die Menge nicht mehr für drei ausreichte. Er musste sie auf die beiden kleineren Männer beschränken, dann würde es garantiert wirken, und er konnte Battista endlich Vollzug melden. Und seinen Lohn kassieren.

Lohn für insgesamt fünf neue Teerjacken der *Cargada de Esperanza:* fünf goldene, glänzende, hübsche Dublonen, eine für jeden Mann. Blieb nur die Schwierigkeit mit dem riesigen Kapitän, diesem englischen Großmaul.

Pancho war Baske und nicht Spanier, was einen großen Unterschied machte. Dennoch schätzte er die Männer von der britannischen Insel genauso wenig wie die Iberer. Engländer waren sehr von sich eingenommen, sehr mutig und sehr gefährlich – als konkurrierende Händler zur See ebenso wie als kapernde Korsaren.

Zu schade, dass er diesen Kapitän nicht zu Boden schicken konnte, aber es half nichts. Er musste ihn unter irgendeinem Vorwand fortlotsen.

Aber wie?

Plötzlich hörte der Wirt über das Heulen des Windes hinweg ein tiefes Grollen. Ein Gewitter nahte heran.

Ein Gewitter mit Donner und Blitz.

Das war die Lösung.

Der kleine Raum war wirklich hübsch. Er schien nicht besonders oft genutzt zu werden, denn alle Einrichtungsgegenstände sahen neu aus. Bis auf ein Gemälde an der Wand, das ein Schiff im Sturm zeigte. Das Bild schien schon vor langer Zeit entstanden zu sein, wie die verblichenen Farben bewiesen.

Von seinem Platz aus konnte Vitus es gut betrachten. »Ein schönes Bild«, sagte er, »es zeigt den Sturm, die See und das Schiff sehr wirklichkeitsnah.«

»Das stimmt.« Loom und der Magister wurden jetzt auch auf das Gemälde aufmerksam. Die Magd erschien und reichte den Brandy herein. Sie ergriffen die Krüge und erhoben sich, um die Einzelheiten des Seestücks besser erkennen zu können.

»Es handelt sich bei dem Segler um eine Karavelle«, erklärte Loom, dessen Interesse als Seemann geweckt war. »Solche Schiffe hatte man noch vor wenigen Jahrzehnten. Man erkennt sie in erster Linie daran, dass der Bug kein Kastell trägt. Der Freibord mittschiffs ist niedrig, die Aufbauten am Heck sind dagegen recht hoch. Karavellen hatten keine vier Masten wie viele Galeonen heute, sondern drei oder auch nur zwei. Es könnte ein Spanier sein, wenn er das rote Lateinerkreuz im Segel führen würde, dem ist jedoch nicht so«, er beugte sich interessiert vor, um noch besser sehen zu können, »statt dessen scheint eine Art Wappen daraufgemalt zu sein. Ich erkenne den englischen Löwen und eine Kugel mit zwei Segeln darin.«

»Es ist … es ist …« Vitus war bleich geworden. »Sieh nur, Magister, ist dieses Wappen nicht ganz ähnlich wie meines?«

»Was sagt Ihr?« Loom war so gefesselt, dass er nicht auf Vitus' Worte geachtet hatte.

»Es könnte mein Wappen sein!«

»Euer Wappen?« Loom konnte nicht folgen.

Aufgeregt erklärten Vitus und der Magister dem Kapitän die Hintergründe.

Als sie geendet hatten, setzte Loom krachend seinen Zinnkrug ab. »Worauf wartet Ihr noch, Cirurgicus!«, rief er mit Kommandostimme. »Wo habt Ihr Euer Wappen versteckt? Heraus damit, dass man es mit diesem vergleichen kann!«

Rasch knöpfte Vitus sich Wams und Hemd auf. Das rote Damasttuch mit der blitzenden Goldstickerei wurde sichtbar.

»Bei allen Tritonshörnern!«, entfuhr es dem Kapitän, nachdem er den Kopf ein paarmal hin- und hergewendet hatte, um die Zeichen zu vergleichen. »Die Wappen sind absolut identisch.«

»Wartet, ich will mal sehen, wie das Schiff heißt.« Der Magister schielte über sein Nasengestell hinweg und versuchte den Namen am Schiffsrumpf zu entziffern. Dann nahm er es ab, denn es ging besser ohne. »S-p-a-r- …«, buchstabierte er mühsam.

Loom schob den kleinen Gelehrten mit sanfter Gewalt beisei-

te. »Lasst mich mal. Ich vermute, es ist ein englischer Name.«
Seine Lippen formten die einzelnen Lettern zu einem ganzen
Namen. »S-p-a-r-r-o-w, ja, Sparrow!«, rief er begeistert.
»Was bedeutet das?«, fragte Vitus, dem das Wort nichts sagte.
»Sparrow, Cirurgicus«, antwortete Loom, »ist der Name ei-
nes kleinen Vogels in meiner Heimat, man nennt ihn, glaube
ich, in Eurer Sprache ›Sperling‹.«
»Sparrow.« Vitus formte mit den Lippen das fremde Wort.
»Das klingt hübsch.«
»Mensch, Vitus!«, überlegte der Magister eifrig. »Gut möglich, dass die *Sparrow* einem deiner Vorfahren gehört hat, warum sonst sollte sie dieses Wappen tragen! Dein Ahnherr ist
damit über die Ozeane geschippert, vielleicht, um Handel zu
treiben oder neue Länder zu entdecken.«
»Das könnte durchaus sein«, stimmte Loom zu. »Der Kon-
struktion nach war sie kein Kriegsschiff, viel zu behäbig gebaut, ich schätze das Verhältnis von Länge zu Breite auf höchstens drei zu eins. Außerdem war die *Sparrow* nur schwach
bestückt. Ich erkenne gerade mal vier Geschütze.«
»Ich muss mich erst mal setzen«, sagte Vitus.
Er war englischer Abstammung.
War er es wirklich?
Es konnte immer noch der pure Zufall sein, dass er ein Damasttuch besaß, dessen Wappen mit dem der *Sparrow* über-
einstimmte.
»Ich kenne das Wappen nicht, Cirurgicus«, hörte er die Stimme von Loom wie aus weiter Ferne, »aber das muss nichts be-
sagen, in London wäre es wahrscheinlich ein Leichtes, das …«
Ein ohrenbetäubendes Krachen über ihnen unterbrach seine
Worte. Der Donner war so gewaltig, dass ihnen die Trommel-
felle fast platzten. Loom schüttelte den Kopf wie eine Bull-

dogge und griff erneut zum Zinnkrug. »Die Gäste, die der Schleimer von Wirt erwartet, haben sich, verzeiht den Ausdruck, beschissenes Wetter für ihre Sauftour ausgesucht.«

»Da habt Ihr wohl Recht«, pflichtete der kleine Gelehrte bei. »Wenn sie überhaupt kommen.«

Vitus sagte nichts. Seine Gedanken waren ganz woanders.

»Das Wetter erinnert mich an einen Orkan, den ich mal auf der *Thunderbird* abgeritten habe. Es muss zwanzig Jahre her sein. Anno 55 oder 56 war's.« Selbst Looms Zunge wurde allmählich langsamer.

»Erzählt, wenn Ihr mögt.« Der Magister spürte, dass Looms mitteilsame Phase begann.

»Es war ein Orkan, wie ich ihn niemals vorher und nachher erlebt habe. Die ganze Fahrt stand von Anfang an unter einem unglücklichen Stern. Wir hatten eine Frau an Bord, irgendeine Lady, deren Namen niemand kannte. Damit nicht genug, war sie auch noch schwanger. Und natürlich musste sie das Kind ausgerechnet in der Orkannacht kriegen.«

»Ein Kind, geboren in einer Orkannacht?«, fragte der Magister halb interessiert.

»So ist es.« Looms Gedanken schweiften in der Vergangenheit. »Wollten eigentlich den großen Schlag über das Westmeer segeln, aber der Sturm machte uns einen Strich durch die Rechnung. Wären um Haaresbreite an der Küste der Froschfresser zerschellt, nun ja …« Er nahm einen Schluck Brandy. Dem Magister fiel auf, dass es nur ein kleiner war. Auch Seebären schienen nicht unbegrenzt trinken zu können.

»Jedenfalls«, setzte Loom seine Erzählung fort, »kam in dieser Nacht alles zusammen: der Orkan, die Frau an Bord, die Geburt, die Havarie und so weiter. Unser Schiffsarzt, der vom Kapitän beauftragt worden war, das Kind aus dem Leib der

Lady zu ziehen, hatte natürlich keine Ahnung von Geburtshilfe, ach ja, so eine komische alte Schachtel war noch dabei: Hebamme war sie und hatte Haare auf den Zähnen. Sie soll sich mit dem Kapitän gehörig in der Wolle gehabt haben, na ja, da war sie bei Hippolyte Taggart genau an der richtigen Adresse. Hervorragender Seemann übrigens, bin niemals unter einem besseren gefahren. War Segelmeister damals, nun ja …«

Er genehmigte sich einen weiteren Schluck. »Die Zeit vergeht, aber ich werde nie vergessen, wie wir ums Cabo de Finisterre gehinkt sind und mit eingeklemmtem Schwanz in Vigo einliefen. Waren alles andere als ein stolzer Anblick, Lecks überall und kein Mast, keine Spiere, keine Stenge mehr ganz.«

Ein Blitz machte für den Bruchteil einer Sekunde den Raum taghell. Loom fluchte und hielt die Hand schützend vor seine Augen. Es folgte ein Donner, der das alte Haus erbeben ließ.

»Ihr habt eine Menge erlebt, Herr Kapitän«, schaltete Vitus sich ein. Er hatte sich gezwungen, den letzten Sätzen Looms zuzuhören, um seine wie ein Karussell kreisenden Gedanken abzuschütteln. Es brachte nichts, sich den Schädel darüber zu zermartern, welche englische Familie sein Wappen führte. Er würde es heute nicht erfahren, morgen nicht und vielleicht sogar niemals.

»Das könnt Ihr laut sagen, Cirurgicus«, bestätigte Loom. »Doch am besten von alledem ist mir in Erinnerung geblieben, was sich im Hafen von Vigo zutrug.«

»Was geschah dort?«

»Nun, ich glaube, es war am zweiten Tag unserer Liegezeit, als mittags plötzlich ein großes Geschrei unter Deck anhob. Lord Pembroke war's, der Begleiter der Lady. Ein ziemlicher Fatzke, stank vor Geld, war der Eigner der *Thunderbird*. ›Hat jemand meine, äh … Schutzbefohlene gesehen?‹, rief er ständig. Man stelle sich vor: Er sagte tatsächlich ›Schutzbefohlene‹, dieser Geldsack. Natürlich wusste niemand, wo die Lady war, woher auch! Der Lord hatte sie abgeschottet wie seine eigenen Eier.«

Er rülpste laut. »Verzeiht den Ausdruck, Gentlemen.« Dann fuhr er fort: »Wir suchten den ganzen Tag nach ihr, Pembroke stand uns ständig auf den Füßen, jammerte und rang die Hände, faselte immer was von Verantwortung, die er übernommen hätte und welch ein Verlust es wäre, wenn die Lady abhanden käme. Nun, um es kurz zu machen: Das Einzige, was wir noch rausbekamen, war das, was uns ein Bierfahrer am Abend erzählte. Er hatte eine junge, schöne Frau auf der östlichen Ausfallstraße gesehen, die ein rotes Bündel trug und sehr entkräftet zu sein schien. Gutmütig wie er war, hatte er ihr angeboten, sie mit zurück in die Stadt zu nehmen, aber daraufhin geriet sie völlig aus dem Häuschen.« Loom zuckte mit den Schultern. »Wie die Weiber halt sind.«

»Ein rotes Bündel trug sie?« Vitus war ein Verdacht gekommen, so ungeheuerlich, dass er ihn nicht zu Ende denken mochte. »Was für ein Rot war das? Könnte es so wie das meines Damasttuchs gewesen sein?«

Loom schnaufte und begann seine Weste zu massieren. »Ihr könnt Fragen stellen, Cirurgicus! Woher soll ich das …« Er unterbrach sich und sperrte den Mund auf. »Moment mal, Ihr wollt doch damit nicht sagen, Ihr glaubt doch nicht …?«

»Kapitän Loom, Sir!« Ein junger Bursche in klatschnasser Kleidung stand plötzlich in der Tür. Er hatte ein Milchgesicht mit dunklen Augen. »Sir, Ihr befehligt die *Swiftness,* sagte man mir.«

»Ja und, was ist?«

Das Milchgesicht holte tief Luft und deutete einen Gruß an, dann haspelte es seine Meldung hervor: »Sir, durch den Blitz vorhin ist etwas Schreckliches passiert, also, der Blitz, er ist auf Eurem Schiff eingeschlagen!«

»Beim Seetang der Sargassosee!« Mit einem panthergleichen Satz war Loom auf den Beinen. »Bist du sicher, Bursche?«

»Ganz sicher, Herr Kapitän, hab's mit eigenen Augen brennen sehen.«

»Ich komme!« Loom war schon unterwegs.

»Sollen wir Euch begleiten?« Der Magister rückte aufgeregt an seinem Nasengestell.

»Wir könnten vielleicht löschen helfen?«, schlug Vitus vor.

»Ja, vielleicht.« Loom kam noch einmal zurück und stolperte dabei fast über Pancho, der ein Tablett mit drei venezianischen Gläsern trug, einem roten, einem grünen und einem blauen.

Der Wirt nahm das blaue auf. »Hier, Herr Kapitän, stärkt Euch noch schnell.«

Loom, dem der Kopf schwirrte, nahm das Glas, stürzte den Inhalt hinunter und wollte los.

»Was ist mit Eurer Bezahlung, Herr Kapitän? Ihr habt kräftig gebechert, wenn die Bemerkung gestattet ist, die Rechnung beläuft sich auf …«

»Das mit der Bezahlung erledigen wir«, fiel Vitus dem Wirt ins Wort. »Lasst den Kapitän zurück auf sein Schiff.«

»Ich danke Euch, Gentlemen! Wir sehen uns morgen.« Loom verschwand in höchster Eile.

»Trinkt erst mal einen auf diesen Schrecken, Señores.« Die Stimme Panchos klang besorgt. Er hielt den beiden Freunden das Tablett mit dem grünen und dem roten Glas hin. »Die Bezahlung kann warten.«

»Was ist das für ein öliges Zeug?« Der Magister gab sich keine große Mühe, höflich zu sein.

»Oh, Señor, etwas, von dem Ihr sicher schon gehört habt. Izarra nennen wir Basken es – es ist ein Trank, der gut bekommt und einen klaren Kopf gibt.«

»Den können wir in der Tat jetzt brauchen.« Vitus ergriff eins der Gläser. Der Magister nahm das andere.

»Wir trinken, gehen nach oben, holen unsere Sachen, zahlen und dann: nichts wie zum Hafen«, erklärte der Magister. Beide tranken ihr Glas auf einen Zug aus.

»Ich habe mir erlaubt, das Gepäck der Señores schon nach unten schaffen zu lassen«, dienerte Pancho. In seinen Augen glitzerte es.

»Sehr praktisch, Ihr scheint hellseherische Fähigkeiten zu besitzen, weil Ihr um unsere rasche Abreise wusstet«, wunderte sich Vitus.

»Ja, die habe ich!«, kicherte der Wirt. Sein Gesicht wirkte plötzlich sehr aufgedunsen und wurde wechselweise etwas schmal und voll. »Hellseherische, sehr einträgliche Fähigkeiten.«

»Was ist plötzlich los mit meinen Beryllen?«, fragte der Magister verstört. Er nahm das Nasengestell ab und kam dabei leicht ins Taumeln. »Manche Farben im Raum verännern … ännern … verändern sich.«

»Das geht mir auso … auso … auch so.« Vitus musste sich zusammenreißen, damit der Alkohol ihm die Zunge nicht lähmte. Er sah, dass nicht nur das Gesicht des Wirts arbeitete, sondern mittlerweile der ganze Körper. Panchos fette Hand fuhr zu einer gelben Wange, das Kratzen ergab einen Donner, lauter als alles Dagewesene. Seine Figur wurde größer und kleiner, veränderte sich laufend, schien über dem Boden zu schweben, zu tanzen und sich in Luft aufzulösen. Wo war der Wirt?

»Mangisser, Mangi …«, lallte Vitus, »wassis, soss nichsoviel trinkn …«

Jäh wurde ihm klar, dass er eine ähnliche, ganz ähnliche Situation schon einmal erlebt hatte, und er kämpfte dagegen an. Doch es war vergebens. Er nahm jetzt kaum noch etwas wahr, sah schemenhaft den Magister zu Boden gleiten, sich dabei teilend, in einen Magisterkörper und in einen anderen Leib, hellblau von Kopf bis Fuß und ihm wunderlich bekannt vorkommend. Der Raum begann sich zu drehen, schneller und immer schneller, zu einer kunterbunten Farbpalette, die nichts und niemand auf dieser Welt anhalten konnte. Er bäumte sich auf, wollte durch das Dickicht der Farben hindurchtauchen, erkannte Käfer mit Armen und Beinen, schwarz, haarig, drohend, mit großen Greifern, die ihn packten und ihn das Fliegen lehrten …

DER KAPITÄN MIGUEL DE NÁJERA

»Um der Barmherzigkeit der Gebenedeiten willen,
verratet mir, wie diese bucklige Missgeburt
die Arbeit eines ganzen Mannes tun soll!«

Pullt, Jungs, pullt!« Battista schrie aus Leibeskräften gegen den Sturm an. »Pullt um euer Leben …«
»Und zieh! … Und zieh! … Und zieh!« Der Bootssteurer wollte ihm nicht nachstehen und feuerte die erschöpften Männer ebenfalls an. Nur noch wenige Bootslängen trennten sie von der *Cargada de Esperanza*, die wild an ihren Ankertauen zerrte.

Die Strömung, die, durch orkanartige westliche Böen verstärkt, das Boot immer wieder auf die Mole zugetrieben hatte, war in den letzten Minuten schwächer geworden. Zudem war es der Besatzung der *Cargada* gelungen, die Galeone so herumzunehmen, dass Battista mit seinem Boot aus Lee-Position heranrudern konnte.

Bei Gott, sie würden es schaffen! Battista, der nicht besonders religiös war, beschloss in der nächsten Kirche, die ihren Kurs kreuzte, eine Kerze anzuzünden. »Pullt, Jungs, pullt!«, schrie er abermals so laut, dass selbst die Matrosen auf der *Cargada* seine Stimme hörten.

Noch eine Bootslänge! Vor ihnen hob und senkte sich der gewaltige Schiffskörper der Galeone, während helfende Hände auf dem Hauptdeck ihnen eine Leine zuzuwerfen versuchten. Das Boot befand sich zeitweise auf einer Höhe mit dem riesigen Achterkastell, dem Kommandostand von Kapitän Miguel de Nájera, und war Sekunden später wieder tief unterhalb der Geschützpforten, die bei diesem Wetter nicht nur fest geschlossen, sondern zusätzlich abgedichtet worden waren.

Battista gelang es nach mehreren Versuchen, das Tau zu fangen und damit eine Klampe auf dem Dollbord zu belegen. Sein Blick fiel auf die fünf Gestalten, die gefesselt am Bootsboden lagen. Ein Knäuel von Leibern, mit Kleidern, denen die Nässe alle Farbe genommen hatte. Nur ein billiger, hellblauer Fetzen schimmerte da und dort durch. Fast beneidete er die Burschen, sie waren noch immer bewusstlos und bekamen von alledem hier nichts mit! Panchos Ohnmachtstrank hatte ganze Arbeit geleistet. Blieb nur zu hoffen, dass die Kerle jemals wieder aufwachten. Wenn nicht, dann … doch daran wollte Battista, Erster Bootsmann und altbewährter Decksoffizier, lieber nicht denken.

Kapitän Nájera saß festgeschnallt am Kartentisch in seiner Kajüte und blickte nicht ohne Stolz auf seine Rechte, die eine schlanke, grüne Flasche hielt. Sie enthielt Madeira-Wein, kostbaren, köstlichen Wein, von dem nichts, aber auch gar nichts vorbeigeschenkt werden durfte, selbst bei diesem Seegang nicht.

Er bedauerte, dass niemand ihm soeben zugesehen hatte, als er, hochkonzentriert, das kostbare Nass in das durch eine Halterung stabilisierte Kristallglas gefüllt hatte.

Kein Tröpfchen war danebengegangen.

Abermals senkte er den rechten Arm, passte den speziellen Augenblick relativer Ruhe ab, in dem die *Cargada de Espe-*

ranza völlig durchgesackt war und sich anschickte, wieder auf einen Wellenberg zu klettern, und goss weiter ein.

Auch diesmal: kein Tropfen vorbei!

Ärgerlich schaute er zur Tür der Kajüte. Niemand der Besatzung, nicht einmal sein persönlicher Diener José, hielt es bei diesem Wetter für nötig, ihm Gesellschaft zu leisten. Nichts war zu hören, außer dem heulenden Sturm, dem Ächzen der Takelage und dem Geblöke der Schafe, die auf Deck in ihren Käfigen eingepfercht waren. Lebendes Frischfleisch, das bis zu seinem Verzehr nichts weiter tat, als seinerseits zu fressen!

Sein Blick wanderte weiter, blieb an der geräumigen, an Steuerbord befindlichen Kapitänskoje haften und dem in die Bordwand eingelassenen Kackstuhl mit dem dunkelgrünen Vorhang gegen neugierige Blicke. Der Raum unterhalb der Koje war gut genutzt; er diente als Schapp für allerlei Waffen. Allerdings waren die Klappen durch den Seegang aufgesprungen und einige Enterbeile herausgefallen. Sie lagen vor einer schweren, leider noch leeren Schatzkiste, die so massiv gebaut war, dass sie selbst bei diesem Wellengang nicht verrutschte.

Abermals wanderte sein Blick und erfasste den großen Esstisch, an dem er mit seinen Offizieren tafeln würde, bewegte sich weiter, hin zu der Wandvitrine aus Nussbaumholz, die einige weitere Kristallgläser barg, und zu dem Waschtisch mit der Schüssel und dem großen Wasserkrug darin. Beide Gegenstände wurden von ihm nicht benutzt, denn das Waschen des Körpers, das war bekannt, schwächte einen Mann nur. Schüssel und Krug waren aus blauweiß gemustertem chinesischem Porzellan und schimmerten fahl im flackernden Licht der großen Hecklaterne, das durch die Rückfenster der Galerie in die Kajüte fiel.

Sein Reich!

Aber eines ohne Untertanen.

Wieder ärgerte er sich darüber, dass man ihn allein in seiner Kajüte sitzen ließ. Alle behaupteten, wegen der Unterbesetztheit draußen mit Hand anlegen zu müssen!

Nájera gab einen abfälligen Laut von sich, hob das Glas aus der Halterung und stellte dafür die Flasche hinein. Bei der heiligen Mutter, dann musste er eben mit sich selber trinken: »Ich leere dieses Glas auf das Gelingen der großen Unternehmung, die vor mir liegt!«, rief er gegen die Decksbalken. »Auf dass ich reich, reich, reich werde …!«

Er stülpte seine schmalen Lippen über den Glasrand und trank mit geschlossenen Augen. »Aaah!« Das tat gut.

Seine Leibschmerzen, über die er in letzter Zeit häufig zu klagen hatte und die er auch jetzt wieder spürte, ließen etwas nach. »Mutter Maria, Du Gebenedeite, ich danke Dir!«

Als das Glas leer war, bemerkte er zum wiederholten Male, dass es auf seinem fest mit den Decksplanken verschraubten Tisch keine zweite Halterung gab. Suchend blickte er sich um. Keine weitere Abstellmöglichkeit, denn erheben konnte er sich nicht, schließlich war er angeschnallt, und er würde es auch nicht riskieren sich loszumachen. Viel zu gefährlich bei diesem Seegang! Nun, er würde diese Kajüte in den nächsten Monaten noch ganz genau kennen lernen – so genau wie seine eigenen, leeren Taschen.

Doch wenn erst die Sklavenladung an Bord war, würde alles anders aussehen. Sklaven von Guineas Küste, schwarzes Gold …

Kurz entschlossen nahm Nájera den Madeira wieder aus der Halterung, tat stattdessen das Glas hinein und trank den Rest des Weins aus der Flasche. Dann holte er weit mit der Rechten aus und schleuderte sie mit aller Kraft gegen das Balkenknie in der hinteren Ecke des Raums.

Als er den gläsernen Splitterregen niedergehen sah, kam Genugtuung in ihm auf. Das würde eine Menge Arbeit für José sein!

Niemand an Deck hörte sein höhnisches Lachen.

»Wie sind die Segeleigenschaften der *Cargada*, Steuermann?« Nájera war noch immer an seinen Stuhl geschnallt, obwohl der Orkan in der vergangenen Nacht weitergezogen war und die See sich am Morgen beruhigt hatte. Die Galeone machte bei raumem Wind zügige Fahrt Kurs Westnordwest.

»Sie liegt recht gut im Wasser, Capitán.« Der Blick von Fernandez, einem älteren Seemann mit grauem Bart und kraftvollen Händen, ging hinaus durch die Fenster der Heckgalerie, wo am Horizont die spanische Nordküste vorbeizog. »Die Landratten auf der Werft in Santander haben getan, was sie konnten.«

Vor etwa einem Jahr hatte die *Cargada de Esperanza* sich noch am anderen Ende der Welt befunden. Sie war, aus Cádiz kommend und im Konvoi fahrend, im Spätherbst 1575 unbehelligt in Nombre de Dios eingetroffen. Dort, am Isthmus zwischen Nord- und Südamerika, hatte sie Wein, Olivenöl, Papier, Bücher, Kleidung und andere Gebrauchsgegenstände gelöscht – heiß begehrte Dinge für die Landsleute, die fern der Heimat Spaniens Interessen vertraten. Anschließend war sie, wie ihre Schwesterschiffe, bis unters Schanzkleid mit Gold, Silber und Juwelen beladen worden.

Die Rückfahrt hatte sich ebenfalls als friedlich herausgestellt, bis dann, auf Höhe der Azoren, plötzlich Sturm aufgezogen war. Er hatte tage- und nächtelang so gewaltig geblasen, dass von der aus vierzehn Schiffen bestehenden Armada nicht weniger als fünf Segler sanken. Auch die *Cargada de Esperanza* hatte es fast erwischt: Vollends entmastet und nur unter einem Notrigg laufend, hatte sie Cádiz gerade noch erreicht.

Neun Schiffe schwer beschädigt und fünf komplett verloren, das war die Bilanz nach der Überfahrt gewesen. Eine Bilanz, die das ewige Problem fehlender Galeonen in der Flotte noch akuter gemacht hatte. Deshalb war Befehl ergangen, die Havaristen auf die großen Häfen des Landes zu verteilen und dort so schnell wie möglich auszubessern.

Die *Cargada* hatte es hoch in den Norden nach Santander verschlagen, wo sich alsbald herausstellte, dass die ständig leeren Kassen der Krone keine Reparatur erlaubten.

Da war Kapitän Miguel de Nájera auf den Plan getreten.

Er hatte das Geschäft seines Lebens gewittert, sein bescheidenes Vermögen zusammengekratzt und den Behörden angeboten, die Reparaturkosten zu übernehmen. Als Gegenleistung sollte ihm das Schiff drei Jahre lang zur Verfügung gestellt werden. Es war ein Vorschlag gewesen, der beiden Seiten half: der Krone, weil ihre Galeone kostenlos wieder instand gesetzt wurde – und Nájera, weil er ein ganzes Schiff zum Reparaturpreis bekam. Zwar nur für drei Jahre, aber bis dahin, da war er sicher, würde der Sklavenhandel ihn unermesslich reich gemacht haben.

So hätte Nájera ein rundum zufriedener Mann sein können, zumal er, um die Kosten zu drücken, nur das Allernotwendigste an der *Cargada* hatte ausbessern lassen, wäre da nicht das leidige Problem mit der Besatzungsstärke gewesen. Battista, der Bootsmann, hatte ihm zwar bis kurz vor dem Ablegen immer wieder neue Männer versprochen, aber mehr als ein gutes Dutzend Leute waren nicht zusammengekratzt worden. Und das zu einem sündhaft teuren Preis pro Mann.

Handel mit Menschen!, dachte Nájera angewidert, wobei ihm nicht in den Sinn kam, dass er sich anschickte, in Kürze genau dasselbe zu tun. Er fuhr sich mit der Hand über den Leib. Die Schmerzen links unterhalb des Brustbeins waren heute erträglich.

»Wie lange, Steuermann, brauchen wir noch bis zum Cabo de Finisterre?«, fragte er und überlegte, ob er es wagen konnte, sich vom Stuhl abzuschnallen.

Fernandez musterte den Mann, dem er seit kurzem unterstellt war. Don Miguel, wie er sich an Land anreden ließ, war ein kleiner Mensch, dem der Wein bereits in jungen Jahren einen kugelförmigen Wanst beschert hatte. Das allein war nichts Besonderes, es gab, wie der Steuermann wusste, viele Kommandanten, die einen guten Tropfen schätzten. Nájera jedoch wies eine Reihe weiterer Merkmale auf. So liebte er schreiend bunte Kleidung, die er so oft wie möglich wechselte. Heute jedoch trug er notgedrungen die Ausstattung von gestern: gelbe Schnallenschuhe, violette Seidenstrümpfe und eine bauschige Pumphose mit blau-schwarz-rot abgesetzten Streifen. Dazu ein sattgrünes Wams mit Dutzenden kleiner, pinkfarbener Stoffknöpfe. Fernandez hatte es aufgegeben, sie zu zählen, denn es war unmöglich.

Dafür hatte die zweite Eigenschaft des Kapitäns gesorgt: Der Mann vermochte kaum eine Minute ruhig zu bleiben, ständig musste er sich bewegen. Es grenzte an ein Wunder, dass er es so lange angeschnallt auf seinem Stuhl ausgehalten hatte. Dazu kam, dass er dauernd Respekt von seinen Männern erheischte und zum Jähzorn neigte, wenn er glaubte, dass man ihm nicht genügend davon entgegenbrachte.

Fernandez sah, wie Nájera sein Glas absetzte, es wieder aufnahm und es abermals absetzte. Dann blickte der Kommandant zweifelnd auf seine am Stuhl festgeschnallten Oberschenkel und gab damit den optischen Beweis für seinen schlechtesten Charakterzug.

Nájera war ein feiger Hund.

Er, Fernandez, hatte schon unter vielen Kommandanten gedient, aber selten war ihm ein solcher Versager untergekommen. Dennoch: Der Kapitän an Bord kam gleich nach Gott und König. Sein Wort war Gesetz, mochte er noch so unfähig sein. Fernandez trat auf die Galerie und spähte zur Küste hinüber. »Wir sind ungefähr auf Höhe der Stadt Ribadesella, Capitán«, meldete er in dienstlichem Ton, »es scheint weiter aufzuklaren. Bei anhaltendem Wind dürften wir übermorgen Nachmittag das Cabo de Finisterre erreicht haben.«

»Gut, gut.« Nájera schielte noch immer auf seine Anschnallgurte. »Ihr behauptet, es klare auf. Seid Ihr sicher?«

Fernandez' erfahrenes Auge prüfte nochmals Wolken, Wind und Wellen. »Jawohl, Capitán, absolut.«

»Dann schnallt mich los.«

Fernandez näherte sich mit gebührendem Respekt. »Ihr gestattet?« Er löste die Riemen.

Als Nájera sich ächzend erhob und die Arme weit von sich streckte, musste Fernandez an sich halten, um nicht zurückzuspringen, denn der Kommandant stank unter den Achseln wie ein voll gemisteter Pferdestall. »Ähem … Capitán, ich würde gern einen Strich nördlicher halten, wegen der Strömungen unter Land.«

Nájera nickte.

Während Fernandez den entsprechenden Befehl nach draußen gab, nahm der Kommandant das Kristallglas aus der

Tischhalterung und tat es, benutzt wie es war, zurück in den Nussbaumschrank. »Ist es eigentlich bei dem guten Dutzend Männern geblieben, die Battista, äh ... aufgetrieben hat?«, fragte er unvermittelt.

Fernandez war von der Frage überrascht. Es gehörte nicht zu seinen Aufgaben, sich um die Mannschaftsstärke zu kümmern. Er war Steuermann und Navigator und das seit mehr als zwanzig Jahren. »Ich weiß es nicht, Capitán«, erklärte er. »Ich weiß nur, dass wir für die *Cargada* mindestens hundertzwanzig Mann brauchen, sonst ist sie bei Schlechtwetter nicht beherrschbar.«

»Hundertzwanzig Mann?« Nájera fuhr sich mit der Hand über den Leib. Er wusste, dass es risikoreich war, eine weite Reise mit Unterzahl anzutreten. Man würde monatelang auf See sein, Krankheiten, Verletzungen und Todesfälle würden die Männer dezimieren, dazu kam der gefürchtete Scharbock, welcher Schwäche, Blutgerinnsel und Zahnausfall verursachte. Matrosen, die an dieser Krankheit litten, waren nach kurzer Zeit nicht mehr zu gebrauchen. Andererseits: Je weniger Männer auf seinem Schiff fuhren, desto geringer die Entlohnung am Ende der Reise. Er rechnete die Zahl der Mannschaften, der Decksoffiziere und der Offiziere zum wiederholten Male zusammen, doch er kam nach wie vor nur auf knapp neunzig Köpfe, bitter wenig, wenn man bedachte, dass davon später auch noch die Wachen für die Sklaven gestellt werden mussten.

»Ich will diese Landratten sehen, die von Battista an Bord geholt worden sind«, befahl Nájera. Er setzte sich, stand wieder auf, nahm abermals Platz und rief: »José!«

Die Tür flog auf. »Capitán?«

»Battista soll die Neuen von letzter Nacht vorführen, und

zwar unverzüglich.« Nájera, der mittlerweile wieder aufgestanden war, setzte sich erneut. Sein Blick ging verlangend
zum Nussbaumschränkchen.

»Jawohl, Capitán! Sofort, Capitán!«

»Und bring mir eine Flasche Madeira mit.«

»Jawohl, Capitán!« José grüßte zackig, drehte sich auf dem
Absatz und stürzte davon.

»Halt!« Nájera griff in die Schublade des Kartentischs und
holte eine kleine Sanduhr hervor. Er stellte sie auf den Kopf.
Augenblicklich begannen die feinen Quarzstäubchen nach
unten zu rieseln. »Mein Drei-Minuten-Glas, du weißt, was
das bedeutet?«, fragte er lauernd.

José, der abrupt stehen geblieben war, schluckte. »Jawohl,
Capitán.« Nájeras Drei-Minuten-Glas hatte bereits während
der Werftliegezeit traurige Berühmtheit erlangt. Alles, auch
das offenkundig Unmögliche, musste bei Nájera innerhalb
dieser Zeit erledigt sein.

»Spätestens wenn der Sand durchgelaufen ist, stehen die Kerle
angetreten auf dem Hauptdeck, sonst lasse ich dich kielho-
len.«

»Jawohl, Capitán!«

»Ein sehr schönes Stück, Capitán«, sagte Fernandez, als José
verschwunden war, und deutete auf die Sanduhr. »Darf ich's
mal näher anschauen?«

»Aber bitte, bedient Euch.« Nájera fühlte sich geschmeichelt.
Der Steuermann nahm das Glas und hielt es gegen das Licht.
»Wirklich eine sehr schöne Arbeit, Capitán!«, rief er bewundernd. »Sieht aus, als wäre das Glas bei Orayá & Curo in Sevilla gefertigt, aber sicher bin ich nicht.«

»Tja, ich weiß nicht, ich …«

»Erlaubt, dass ich nachsehe«, unterbrach Fernandez höflich

und drehte das Glas, um die Unterseite zu begutachten. Der Sand rieselte zurück. Der Steuermann tat, als merke er es nicht. »Nein, ich kann keinen Hinweis auf den Hersteller entdecken, Capitán.« Er zuckte bedauernd mit den Schultern und stellte die Sanduhr wieder zurück.

Nájera sprang auf und lief puterrot an. »Das habt Ihr mit Absicht getan, Steuermann!«

»Ich weiß nicht, was Ihr meint, Capitán.« Fernandez war die Ahnungslosigkeit selbst.

»Ich lasse mich von Euch nicht für dumm verkaufen! Glaubt Ihr, ich hätte nicht bemerkt, dass Ihr das Glas unter einem Vorwand zurückgedreht habt? Ihr denkt, als Offizier wärt Ihr vor meiner strafenden Hand sicher, aber da irrt Ihr, ich …«

Abermals wurde er unterbrochen, diesmal von José, der in den Raum stürzte und Meldung machte. »Capitán, melde gehorsamst: Battista hat die neuen Matrosen wie befohlen antreten lassen!« Er grüßte vorschriftsmäßig und übergab dann die gewünschte Flasche. »Hier, Euer Wein, Capitán.«

Der Anblick der Flasche besänftigte den Kommandanten fast augenblicklich. Er nahm sie und hielt seine Nase über den Korken, wobei er die Augen genießerisch schloss. Ein köstlicher, süßsäuerlicher Duft stieg ihm in die Nase. Das Verlangen auf ein großes Glas Madeira wurde unbezwingbar. Er gab die Flasche zurück. »Öffne sie und schenke mir ein.«

»Jawohl, Capitán!« José beeilte sich, den Befehl auszuführen.

»Lass dir Zeit.« Nájera setzte sich. Der Gedanke, dass die Matrosen draußen auf ihn warten mussten, hob seine Laune um ein Weiteres. Wahrscheinlich hatten die Burschen die Hosen gestrichen voll. Wenn nicht durch die Seekrankheit, dann aus Angst vor ihm, dem strengen Kommandanten. Seine Hand fuhr prüfend über die linke Seite seines Leibes. Alles in Ordnung, der Schmerz hatte sich zurückgezogen. Schwungvoll ergriff er das Kristallglas und leerte es mit einem Zug. Dann, abschließend, gürtete er sich mit seinem Zierdegen. »Wohlan, ich komme!«

»Wind hat um drei Grad nach Süd gedreht, Capitán, ich habe Kurs beibehalten lassen«, meldete Don Alfonso de Oyón, der Erste Offizier, stramm. Er stand an Oberdeck, wo er das Antreten der neuen Männer beobachtet hatte.

»Danke, Don Alfonso. Ich darf Euch bitten, den Steuermann und mich zu begleiten«, antwortete Nájera liebenswürdig. Unter spanischen Edelleuten herrschte ein gepflegter Umgangston, zumindest so lange, wie Normalsterbliche in der Nähe waren.

Gemessenen Schrittes steuerten sie an den Steuerbord-Feldschlangen vorbei nach vorn zur Querreling, die das Oberdeck begrenzte. Nájera blieb stehen, legte die Hand auf den reich mit Schnitzwerk verzierten Holzlauf und gab den neuen Männern Gelegenheit, ihn zu betrachten. Er tat so, als ginge sein Blick hinaus auf die See. Nach geraumer Zeit, als er spürte, dass die Landratten zunehmend unruhiger wurden, beschloss er, sie nicht länger zappeln zu lassen. Er wandte sich Battista zu und nickte.

»Capitán, dreizehn neue Matrosen zur Meldung angetreten!«

»Gracias.« Nájera musterte die Männer. Wie nicht anders zu erwarten, war es ein bunt zusammengewürfelter Haufen, der sich ihm da präsentierte. Wahrscheinlich kein einziger Seemann darunter. Vielleicht mit Ausnahme des alten Graukopfs, der ganz links außen stand. Ja, der mochte Seebeine haben. Die anderen allerdings … Ein Dicker war wie immer dabei, nun, der würde, schneller als ihm lieb war, schlank werden, ein lang aufgeschossener Spindeldürrer stand da, dann kamen ein paar nichts sagende Gesichter, sodann der Professorentyp, der niemals fehlte, wobei jener dort tatsächlich wie einer aussah, die Augengläser jedenfalls verliehen ihm etwas Gelehrtes. Daneben ein mittelgroßer Blonder, ebenfalls nicht dumm aussehend, bei näherer Betrachtung sogar recht viel versprechend …

»Battista, stellt mich den neuen Männern vor!« Nájera trommelte mit den Fingern auf der Reling.

»Halt!« Zu seiner Verwunderung sah Nájera, dass der Blonde vorgetreten war und die Unverschämtheit besaß, ihn direkt anzusprechen. »Mein Name ist Vitus von Campodios, zusammen mit meinem Freund …«, er griff neben sich und zog den kleinen, gelehrt Aussehenden nach vorn, »mit meinem Freund Ramiro García wurde ich letzte Nacht widerrechtlich an Bord gebracht. Ich verlange sofortige Kursänderung und …«

Ein heftiger Schlag ließ ihn taumeln. Battista hatte ihm ein Tampenende über den Kopf gezogen. Der Blonde ging in die Knie, richtete sich aber sofort wieder auf. Er schien ein zäher Kerl zu sein. Nájera genoss das Schauspiel. Jetzt wandte sich der Bursche mit blitzenden Augen an Battista. »Das macht Ihr nicht noch einmal«, sagte er gefährlich leise.

Statt einer Antwort holte der Bootsmann ein zweites Mal aus. »Dir werd ich's zeigen, du Hurensohn!«

»Lasst gut sein, Battista.« Nájera hatte sich entschlossen einzuschreiten. »Der Mann erhält morgen Vormittag, Punkt 10 Uhr Glasen, dreißig Peitschenhiebe, das wird ihm eine Lehre sein.«

»Herr Kapitän!« Jetzt erdreistete sich auch dieser Gelehrtentyp, das Wort zu ergreifen. »Ich protestiere gegen das, was hier geschieht. Ich bin Magister der Jurisprudenz. Was Ihr mit uns macht, erfüllt den Tatbestand der Freiheitsberaubung!«

»Was du nicht sagst.« Nájera wollte nicht ausschließen, dass der Kleine Recht hatte, aber er musste ein Exempel statuieren.

»Jetzt sind es schon vierzig Hiebe, die dein blonder Freund erhält, nur weil du dein Maul nicht halten kannst.«

»Aber ich …«

»Fünfzig Hiebe.«

Zufrieden sah Nájera, wie der kleine Mann mit den Schultern zuckte und in die Reihe zurücktrat. Der Blonde tätschelte ihm beruhigend den Arm. Er schien der Klügere der beiden zu sein, denn er hielt sich jetzt zurück.

»Battista, stellt mich den Männern vor«, sagte Nájera zum zweiten Mal.

»Jawohl, Capitán!« Der Bootsmann schlug das Tampenende in seine offene Hand. »Also, Leute, vor euch steht Don Miguel de Nájera, Spross eines alten kastilischen Adelsgeschlechts und Kapitän Seiner Katholischen Majestät Philipps II.« Abermals ein Schlag in die Handfläche. »Der König selbst hat es sich nicht nehmen lassen, Don Miguel vor vielen Jahren eigenhändig das Kapitänspatent zu überreichen.«

Ein Raunen ging durch die Männer. Nájera registrierte es mit Befriedigung.

»Die Taten Don Miguels, die er auf vielen gefahrvollen Reisen in die Neue Welt vollbracht hat, sind weit über die Grenzen Spaniens bekannt. Sie trugen dazu bei, dass die Sonne im Reiche Seiner Majestät nicht mehr untergeht. Die Feinde unseres Kommandanten sprechen seinen Namen mit Ehrfurcht aus …«

Nájera sah, wie der Blonde den kleinen Gelehrten anstieß und grinste. Offenbar ließ er sich von der Ansprache nicht beeindrucken. Den Namen des Mannes, Philus, Vistos oder so ähnlich, musste er sich merken.

»… Don Miguel legt im Übrigen keinen Wert darauf, mit seinem vollen Namen angesprochen zu werden. Es genügt, wenn ihr den Kommandanten mit ›Capitán‹ anredet. Gibt er einen Befehl, antwortet ihr unverzüglich mit ›Jawohl, Capitán!‹. Habt ihr das kapiert?«

Hier und da kam ein zögerndes »Jawohl«.

»Ich habe euch nicht richtig verstanden«, knurrte Battista.

Das »Jawohl« wurde lauter.

»Es heißt: ›Jawohl, Bootsmann!‹«

»Jawohl, Bootsmann!«

»Wie bitte?«

Er wiederholte das Spielchen noch ein paarmal, bis die Antwort der Männer so laut war, dass man sie durchs ganze Schiff hörte.

»Gut so!«, mischte sich endlich Nájera ein. »Als Kapitän erwarte ich von jedem unbedingten Gehorsam. Befehle werden grundsätzlich prompt ausgeführt – egal, wie sie lauten, egal, ob ihr sie versteht.« Seine Rechte zog unversehens den Degen und richtete ihn auf die Männer. »Habt ihr mich verstanden?«

»Jawohl, Capitán!«

»Du da«, die Degenspitze deutete auf den Alten mit dem grauen Haar, »wie heißt du?«

»Klaas, Capitán.«

»Du bist Seemann, Klaas, nicht wahr?«

»Jawohl, Capitán, seit dreiundvierzig Jahren.« Der Graukopf streckte sich.

»Dann bist du sicher schon einmal ausgepeitscht worden?«

»Äh … jawohl, Capitán!«

»Das ist gut.« Nájera lächelte hintergründig. »Zieh dein Hemd aus.«

Der Alte wurde fahl im Gesicht. »Aber Capitán …«

»Maul halten! Ich habe gesagt, auf diesem Schiff werden Befehle prompt ausgeführt.«

»Jawohl, Capitán.« Eingeschüchtert gehorchte der Alte.

»Und nun dreh dich um.«

Vitus erblickte einen Rücken, der über und über mit schlecht verheilten, wulstigen Narben bedeckt war. Der Magister neben ihm zog hörbar die Luft ein.

»Wo hast du die Hiebe bekommen?«, fragte Nájera ungerührt.

»Auf der *Santiago* war's, vor sechs oder sieben Jahren, Capitán.«

»Und wofür?«

»War zu langsam in den Wanten, Capitán.«

»Pah«, machte Nájera geringschätzig, »du brauchst nur etwas Übung, das ist alles.«

»Jawohl, Capitán.« Der Alte nickte ergeben.

»Nun.« Nájera lächelte, denn ihm war ein grausamer Gedanke gekommen. »Ich sehe, du stimmst mir zu, deshalb wirst du gleich jetzt eine Lektion nehmen.« Er schnippte mit den Fingern. »Mein Drei-Minuten-Glas!«

Eilig wurde der Gegenstand herbeigebracht.

»Da haben wir's ja schon. Höre, Alter, hier im unteren Teil des Glases erkennst du eine gewisse Menge Sand. Drehe ich das Glas, fließt er langsam durch die Verengung nach unten, siehst du, so … Das Ganze dauert genau drei Minuten, und in diesen drei Minuten wirst du Folgendes machen.«

Er schritt nach rechts an den Niedergang zum Hauptdeck und wies auf die Steuerbord-Rüste des Hauptmasts. »Du kletterst vom Schanzkleid auf die Rüste, enterst die Wanten hinauf bis zum Mars«, seine Hand deutete hinauf zum Krähennest, das in vierzig Fuß Höhe über ihren Köpfen schwebte, »du steigst in den Mars, rufst laut und vernehmlich ›Es lebe der Capitán!‹, enterst weiter hoch bis zur oberen Rah, wechselst dort hinüber auf die Backbord-Wanten und kletterst wieder herab.«

»Aber Capitán, bei allem Resp…«

»… nicht ohne im Mars wieder Zwischenstation zu machen und ›Es lebe der Capitán!‹ zu rufen.«

»Capitán, Verzeihung, das schaffe ich nicht!« Der Alte blickte verzweifelt nach oben.

Mehr und mehr Männer hatten sich unterdessen auf dem Hauptdeck eingefunden und gafften neugierig. Dinge dieser Art sprachen sich wie ein Lauffeuer herum. Wie bei einer Auspeitschung!, dachte Fernandez angewidert. Nur dass dabei die Männer in Reih und Glied standen. Hier jedoch kam er sich vor wie auf einem Jahrmarkt. »Bootsmann da Silva!«, rief er laut. »Sorgt dafür, dass alle Gaffer, deren Hand nicht fürs Schiff gebraucht wird, in Dreierreihe antreten! Beeilung, wenn ich bitten darf.«

»Jawohl, Steuermann!« Da Silva, der Zweite Bootsmann der *Cargada*, brüllte ein paar Befehle. Sekunden später herrschte wieder Ordnung an Deck.

Don Alfonso, der die Ereignisse bisher schweigend verfolgt hatte, schluckte. Als Erster Wachoffizier wäre es eigentlich seine Aufgabe gewesen, die Ordnung wiederherzustellen, doch er hatte es übersehen. Seine Erfahrung mit dem Schiffsbetrieb hielt sich in Grenzen, was nicht zuletzt daran lag, dass er sein Offizierspatent mehr seiner Abstammung als seiner Tüchtigkeit verdankte. »So sieht das Ganze sehr viel besser aus!« rief er, um irgendetwas zu rufen.

»Schon recht, Don Alfonso.« Nájera war leicht verärgert: erst die Unterbrechung durch Fernandez und nun auch noch durch den Ersten! Ein Mangel an Respekt, der normalerweise disziplinarische Maßnahmen erfordert hätte, im Augenblick jedoch nicht in Frage kam. Der Graukopf war wichtiger.

Er schritt zurück zur Querreling, bemüht, sich nichts anmerken zu lassen. Seine Augen suchten und fanden den Alten. »Damit du mit der notwendigen Dienstfreude an deine Aufgabe herangehst, verspreche ich dir ein Fässchen Sherry, wenn du sie bewältigst. Sollte es dir jedoch nicht gelingen, schmeckst du morgen früh die Peitsche. Zusammen mit dem blonden Grinser.«

»Capitán!« Fernandez trat an Nájera heran. Er sprach sehr leise, damit nur der Kommandant ihn hören konnte. »Ich mache gehorsamst darauf aufmerksam, dass selbst unsere gewandtesten Männer das nicht schaffen würden.«

Nájera, der Widerreden satt, lief rot an. Er überlegte, ob er auch Fernandez die Peitsche androhen sollte, doch der Steuermann wurde als Navigator noch gebraucht. »Ich kann mich nicht erinnern, Euch um Eure Meinung gefragt zu haben!«

»Verzeihung, Capitán.« Fernandez wandte sich ab. Es gelang ihm nur schwer, seinen Zorn über diesen Leuteschinder zu verbergen. Zum hundertsten Mal verfluchte er die Admiralität, die seine Bitte um Versetzung auf ein anderes Schiff abgelehnt hatte. Neben sich hörte er Nájera laut zählen:

»Eins, zwei, drei – und los!« Der Kapitän drehte das Glas um und stellte es, für alle gut sichtbar, auf der Reling ab, während Klaas schon in fliegender Hast zu klettern begann. Dutzende von Augenpaaren folgten ihm, wie er, käfergleich, zunächst zügig vorankam.

Vitus' scharfe Augen wanderten beständig hin und her – zwischen dem Kletterer in den Wanten und dem Sand in der Uhr. Als fast die Hälfte durchgerieselt war, erreichte Klaas atemlos den Mars, schwang sich hinein und keuchte: »Es lebe der Capitán!«

Dann hetzte er weiter. Auf Höhe der oberen Rah war das Sandglas schon zu drei Vierteln durchgelaufen. Spätestens jetzt sah jeder, dass der Graukopf es nicht schaffen würde. Vitus' Augen wanderten wieder nach unten, zu Nájera und seinen Offizieren. Don Alfonso stand da, blasiert bis in die Zehenspitzen, aber der andere, der Steuermann, schien nicht einverstanden zu sein mit dem, was sich über seinem Kopf abspielte …

Klaas' Bewegungen wurden unsicherer, die Menge an Deck spürte seine Angst, als er zu den Backbord-Wanten hinübergrätschte und den Abstieg begann.

Der Magister stieß Vitus mit dem Ellenbogen an: »Runter müsste es schneller gehen als rauf«, flüsterte er, »vielleicht schafft er's ja doch.«

»Hoffen wir's.«

Da strauchelte Klaas.

Sein linkes Bein tappte ins Leere, vorbei an der daumendicken geteerten Trosse. Das rechte glitt ab …

»Aaaaah!« Ein Schatten aus verzweifelt rudernden Armen und Beinen flog ihnen von oben entgegen und schlug neben der Backbordreling auf. Der Laut war dumpf wie ein Paukenschlag.

Einige Männer bekreuzigten sich. Fernandez schrie vom Oberdeck: »Wer kann, hilft ihm, die anderen treten weg, aber dalli, hier gibt es nichts mehr zu glotzen!«

Nájera verzog säuerlich das Gesicht, der Graukopf hatte ihm das Spiel verdorben. Jäh erlosch sein Interesse an den Geschehnissen. Mit Verletzten, Kranken oder Toten mochte er nichts zu tun haben. Er steckte sein Messinstrument ein und strich sich mit der Rechten über den Bauch. Als hätte das Schicksal ihm einen Wink geben wollen, hatte während der Kletterpartie sein Leibschmerz wieder eingesetzt. Nun, er wollte nicht abergläubisch sein. Er würde sich zurückziehen und ein großes Glas Madeira zur Beruhigung trinken. Eilig entfernte er sich.

Vitus hockte schon neben dem Verunglückten. Klaas lag auf dem Rücken, die Arme ausgebreitet, das linke Bein unnatürlich abgespreizt. Sein Atem rasselte. Das Gesicht mit den geschlossenen Augen war gerötet. Vitus fühlte den Puls – er war noch zu schnell und deshalb nicht aufschlussreich. »Hörst du mich?«

Der Graukopf antwortete nicht. Doch wenigstens lebte er. Vitus machte einen erneuten Versuch. »Klaas!«

»Wir helfen dir.« Ein paar kräftige Kerle kamen herbeigeeilt. »Sollen wir ihn fortschaffen?«

»Nein, ich will erst sehen, ob er innere Verletzungen hat. Magister, hilf mir, den Mann zu drehen, sonst erstickt er noch an seiner eigenen Zunge.«

Die Männer entfernten sich, blieben aber in einigem Abstand stehen.

Behutsam drehten sie Klaas auf die Seite. Ein Stöhnen ging durch seinen Körper. Vitus untersuchte die Mundhöhle, forschte nach Blut darin, schaute in die Nasenlöcher, in die Ohren, fand auch dort kein Blut und war fürs Erste zufrieden. »Gottlob scheinen Lunge und Hirn in Ordnung zu sein, auch das Herz schlägt schon ruhiger.« Er prüfte die Bewegungsfähigkeit der einzelnen Gliedmaßen, indem er sie beugte und streckte. Neben einigen hässlichen Quetschungen und

Schürfwunden war festzustellen, dass Klaas das linke Bein gebrochen hatte, ob kompliziert, das würde sich gleich zeigen.

»Könnt Ihr sagen, ob er durchkommt?« Unverhofft war Fernandez herangetreten. Er hatte, von den sicheren Handgriffen Vitus' beeindruckt, das herabsetzende ›Du‹ vermieden.

Vitus erhob sich höflich. »Soweit ich sehe, hat er keine inneren Verletzungen. Er wird bald aufwachen.«

»Seid Ihr Arzt oder Feldscher?«

»Nein, ich habe zwar ab meinem zehnten Lebensjahr eine chirurgische Ausbildung im Kloster Campodios erhalten, aber ich besitze kein ›weltliches‹ Examen.«

Fernandez nickte. »Richtig, Ihr nanntet Euch vorhin Vitus von Campodios, stimmt's?«

»Jawohl, Steuermann.« Vitus lächelte. Fernandez schien unter den Offizieren der einzige Mensch zu sein.

»Vitus – und weiter?«

»Weiter nichts, nehmt, wenn es Euch nichts ausmacht, meine Herkunft als Namen: Vitus von Campodios, oder nennt mich einfach Cirurgicus. Dies ist übrigens der Magister García, er ist Jurist, arbeitet aber als mein Assistent.«

»Gut, Señores, äh … ich bleibe zunächst bei Vitus.« Fernandez wunderte sich über den fehlenden Nachnamen, fragte aber nicht weiter. »Wenn Ihr den Mann versorgt habt, meldet Ihr Euch bei mir. Meine Kammer liegt direkt über der Kajüte des Kapitäns.«

»Jawohl, Steuermann.«

Fernandez grüßte lässig und begab sich nach achtern.

Vitus sprach einen athletischen Matrosen an, der unweit von ihnen an Deck saß und Tauenden zusammenspleißte. Der Mann trug ein ärmelloses Hemd und verfügte über bemerkenswerte Oberarmmuskeln. »Wie heißt du?«

»Rod.« Der Mann grinste fröhlich. »Rod wie Roderic. Von den Orkney-Inseln hoch im Norden.«

»Kannst du uns helfen, Klaas zu verarzten?«

»Ich habe zwar gerade Wachdienst unter Battista, aber ich mach alles, was du sagst, solange du mir den Kraken vom Leib hältst.«

»Den Kraken?«

»Battista, den Kraken. Wir nennen ihn so, weil er für seine Fangarme berühmt ist. Fängt Leute an Land und bringt sie an Bord, na ja, ihr habt's ja am eigenen Leib erfahren. Battista ist, genau wie der Capitán und Don Alfonso, erst in Santander aufs Schiff gekommen.«

»Es gibt also eine Art Stammbesatzung und dazu Neue, so wie wir, die erst später dazugestoßen sind?«, fragte der Magister interessiert.

»So ist's. Während unserer Werftliegezeit sind nämlich jede Menge Leute abgehauen, hatten keine Lust, im Hafen zu vergammeln, sind lieber nach Frankreich hoch und haben sich dort ein Schiff gesucht.«

»Und diejenigen, die fort sind, mussten ersetzt werden. Zum Beispiel durch Männer wie uns«, ergänzte Vitus. »Ich verstehe.«

»Genau.«

»Zurück zu Klaas: Hol mir bitte als Erstes meinen Instrumentenkoffer. Er liegt neben meiner Kiepe im Vorschiff.«

»Kein Problem. Bin schon unterwegs.«

Überraschend schnell war Rod zurück, und Vitus kümmerte sich zunächst um die leichteren Verletzungen. Als er sich dem Bein zuwandte, schlug Klaas die Augen auf, blinzelte ein paarmal und wollte sich erheben, doch der Schmerz riss ihn zurück. »Himmel und Hölle!«, ächzte er. »Was ist los?«

»Du bist aus den Wanten gefallen, erinnerst du dich nicht?«

»Doch … schon.« Klaas blickte zum Hauptmast empor, dann nach achtern, wo Nájera auf dem Oberdeck gestanden hatte. »Heilige Mutter Maria, ich danke dir, der Menschenschinder ist fort!« Abermals wollte er aufstehen. »Autsch, mein Bein!«

»Ruhig, das wird schon wieder.« Vitus klopfte ihm auf die Schulter. »Du hast Riesenglück gehabt.«

Doch Vitus ahnte nichts Gutes, als er die linke Hosenröhre am Oberschenkel aufschnitt. Er zog den Stoff zum Fuß hin fort und blickte auf das nackte Fleisch. Eine Handbreit unter der Kniescheibe standen Schien- und Wadenbein weiß, spitz und hässlich durch die Haut hervor.

»Das wird Schwerarbeit«, murmelte er mehr zu sich selbst. »Um den Bruch zu richten, müssen wir gemeinsam am Fuß ziehen, bis die Knochen wieder in ihre alte Position zurückgleiten.« Er schürzte überlegend die Lippen. »Das wird Schwerarbeit«, wiederholte er.

»Schwierigkeiten?«, fragte Klaas ängstlich.

»Nein, nein. Hör mal, Rod, mein Narkotikum ist alle, kommst du irgendwie an Brandy heran?«

»Auf diesem Schiff gibt es keinen Alkohol«, griente der muskulöse Mann, wobei sein Gesicht in tausend Fältchen zersprang, »jedenfalls nicht für gemeine Teerjacken wie unsereinen.«

»Zu dumm.«

»Aber man hat so seine Quellen.« Rods gute Laune war unerschütterlich. »Ich besorg von dem Stoff, so viel ich kann.«

Sie flößten Klaas eine ganze Kanne Brandy ein und warteten zwanzig Minuten. Dann schnarchte der Alte wie ein Sägewerk. Rod kniete sich hin und hielt den Oberkörper des Graukopfs von hinten fest, während Vitus und der Magister am Bein zogen.

Dann wechselten sie: Vitus hielt Klaas fest, und der Magister und Rod zogen.

Dann hielt der Magister Klaas fest, und Vitus und Rod zogen. Und dann gaben sie es auf.

»So geht es nicht«, keuchte Vitus. »Wir ziehen und ziehen, und im selben Augenblick, wo wir loslassen, stoßen die Knochen wieder nach außen durch.«

»Du hast Recht«, überlegte der Magister. »Wir brauchten eine Kraft, die sein Bein langsam gerade richtet und dann in dieser Position hält.«

»Während Klaas' Oberkörper so unverrückbar fest sein müsste, als wäre er an den Mast gefesselt«, nickte Vitus.

Rod schlug sich gegen die Stirn. »Und warum machen wir das nicht? Wartet, ich hole Tauwerk und eine Talje!« Er eilte mit Riesenschritten davon.

Kurz darauf war er zurück. Sie banden Klaas am Hauptmast fest und legten die Talje bereit. »Was wir eine Talje nennen, bezeichnet ihr Landratten als Flaschenzug. Das ist aber schon der einzige Unterschied«, erklärte Rod fröhlich. »Hier, über die beiden Blöcke läuft das Seil hin und zurück, und am offenen Ende zieht man sie zusammen – ganz einfach.«

Er demonstrierte es. Seine Augen leuchteten. Dann beugte er sich herab, legte eine Tauschlinge um den Fuß und zog sie zu. »An diesem Stropp befestigen wir den einen Block, und den anderen, wartet mal …«, seine Augen blickten suchend umher, »genau: an der Verkeilung des Beiboots.«

»Dann wollen wir mal.« Der Magister spuckte in die Hände. Der Schotte schüttelte den Kopf. »Du brauchst kaum Kraft beim Ziehen, aber warte …«, seine Stimme wurde vorübergehend ernst, »bevor wir anfangen, ein Gebet!«

Er blickte am Hauptmast hoch, wo über dem bewusstlosen Klaas ein farbenprächtiges Madonnenbild angebracht war, es zeigte die Mutter Maria mit dem Jesuskind. Rod bekreuzigte sich und sprach:

> *»Heilige Mutter Gottes, wir bitten Dich,*
> *steh uns bei und sorge dafür,*
> *dass der Sünder Klaas bald wieder gesund wird.*
> *Amen.«*

Es war kein sonderlich beeindruckendes Gebet, aber Vitus hoffte, dass es helfen würde. »Amen«, wiederholte er.

»Amen«, sagte auch der Magister.

Fünf Minuten später waren Knie- und Wadenbein wieder an ihrem Platz, und die Talje sorgte dafür, dass die Knochen blieben, wo sie waren. Sie versorgten die Wunde, holten den Zimmermann und ließen von ihm mit dem Zugmesser zwei gehöhlte Holzschienen anfertigen, in die das Bein fest eingeschalt wurde. Danach war es stabil wie ein Stock.

Klaas konnte, wenn auch mühsam und mit schmerzverzerrtem Gesicht, schon wenige Stunden später wieder die ersten Gehversuche machen.

»Don Alfonso!«, schnarrte Nájera am nächsten Morgen, »darf ich annehmen, dass Ihr mir zutraut, bis vierzehn zählen zu können?«

Dem Ersten schwante nichts Gutes. »Aber selbstverständlich, Capitán.«

Nájera schob die Unterlagen auf dem Kartentisch beiseite und begann übergangslos, an einem schönen, in Silber eingefassten Gänsekiel zu nesteln. »Dann werdet Ihr auch Verständnis für meine Überraschung haben, dass bei den Proviantkosten vierzehn Dublonen für Schweine vermerkt sind. Vierzehn, Don Alfonso, und nicht dreizehn!«

»Jawohl, Capitán.« Jetzt wusste der Erste, dass ein mittlerer bis schwerer Hurrikan heranzog. »Schweine« war in der Liste der Deckname für die gepressten Männer.

»Könnt Ihr, Don Alfonso, mir dann gütigst erklären, wieso bei einem Preis von einer Dublone pro Schwein nur dreizehn an Bord gekommen sind?« Und bevor der Erste antworten konnte: »Überlegt Euch genau, was Ihr sagt, Don Alfonso. Als Mann gleicher Herkunft könnt Ihr von mir zwar ein gewisses Verständnis dafür erwarten, dass Ihr von der perfekten Ausübung Eurer Pflichten weit entfernt seid, nichtsdestoweniger hört bei Geld die Freundschaft auf. Wer also, Don Alfonso, hat sich die zu viel bezahlte Dublone in die Tasche gesteckt?«

»Das Ganze kann nur eine Verkettung unglücklicher Umstände sein, Capitán!« Der Erste drehte nervös am untersten Knopf seiner Uniformjacke. »Soviel ich weiß, hat Battista direkt mit dem Zahlmeister abgerechnet, nachdem er auf meinen Befehl die, äh … ›Schweine‹ an Bord gebracht hatte.«

»Soso, Ihr nennt es also eine Verkettung unglücklicher Umstände, wenn ich betrogen werden soll.« Im Stillen amüsierte Nájera sich köstlich. »Und wer, bitte schön, ist verantwortlich für den Zahlmeister?«

»Nun, Capitán, das bin ich, aber ich muss …«

»Und wer ist verantwortlich für den Bootsmann?«

»Nun, ich, Capitán.« Don Alfonso senkte ergeben den Kopf. Er wusste, dass er in der Falle saß.

»Demnach gibt es nur drei Möglichkeiten«, Nájera beobachtete die Finger des Ersten, die unverändert an dem Knopf drehten, »entweder der Zahlmeister hat die Dublone, oder Battista hat die Dublone, oder aber …«, er machte eine bedeutungsvolle Pause, »Ihr habt sie selbst.«

»Nein, Capitán!«, heulte der Erste auf. Der Knopf sprang ihm aus den Fingern und kullerte vor Nájeras Koje. »Capitán, Ihr müsst mir glauben, dass ich von diesen Vorgängen nicht die leiseste Ahnung habe.«

»Wie von allen Dingen hier an Bord«, ergänzte Nájera süffisant. Er blickte zur Flasche Madeira, die wie immer griffbereit neben der Glashalterung stand, legte den Gänsekiel fort und fuhr sich automatisch über den Leib. Das Druckgefühl hatte sich verstärkt. Es würde nicht mehr lange dauern, und er musste seinen ersten Schluck an diesem Tag nehmen.

Seine Gedanken kehrten zurück zu dem Fall. In Anbetracht der hohen Beträge, die er in Schiff und Ausrüstung gesteckt hatte, erschien der Verlust von einer Dublone eher geringfügig. Umso mehr, als Don Alfonso sie ganz sicher nicht hatte – das war bei einem spanischen Hidalgo schlicht undenkbar. Überlegenswerter war schon, dass Battista oder der Zahlmeister dahinter stecken konnten. Andererseits: Eine offizielle Untersuchung würde wie üblich im Sande verlaufen – die Kerle würden sich nur gegenseitig die Schuld zuschieben. Nein, da war es besser, die Dinge auf sich beruhen zu lassen und dem Ersten Feuer unter dem Hintern zu machen. Der konnte das vertragen. Er, Nájera, würde am Ende der Reise die Dublone ohnehin wieder vereinnahmen. Auf wessen Kosten, würde sich noch zeigen. »Don Alfonso, ich gehe selbstverständlich davon aus, dass Ihr mit den Geschehnissen nichts zu tun habt.«

»Ich danke Euch, Capitán!« Der Erste witterte Morgenluft.

»Dennoch ist es eine unfassbare Verfehlung, die Ihr Euch zu Schulden habt kommen lassen.« Nájera, der an diesem Morgen eine himbeerrote Weste aus schwerem Atlas trug, strich sich abermals über den Leib, denn der Schmerz verstärkte sich. »Ich erwarte in, sagen wir, spätestens drei Tagen die vollständige Aufklärung des Falls.«

»Jawohl, Capitán.« Don Alfonsos Miene verdüsterte sich wieder. Er hatte keine Ahnung, wie er aus diesem Schlamassel herauskommen sollte.

»Capitán, Capitán, verzeiht die Störung!« José platzte zur Kajütentür herein. »Der Steuermann bittet, Euch seine Aufwartung machen zu dürfen, es wär sehr dringend.«

»Auch das noch«, brummte Nájera. Er machte eine herrische Geste mit der Hand. »Ihr dürft Euch empfehlen, Don Alfonso.« Dann griff er zur Flasche, um sich einen Madeira einzuschenken.

Der Erste nutzte den unbeobachteten Augenblick, bückte sich, hob den Knopf auf und prallte fast mit Fernandez zusammen, der gerade eingetreten war. Ohne den Steuermann zu beachten, eilte er hinaus.

»José, lass uns allein.« Nájera nahm einen Schluck und fühlte, wie der Wein ihm wärmend die Kehle hinunterrann.

»Jawohl, Capitán.«

Nájera nahm einen weiteren Schluck. Die beruhigende Wirkung des Alkohols verstärkte sich.

»Capitán, auf ein Wort.« In Fernadez' Tonfall lag ungewohnt viel Respekt. Er stand in strammer Haltung da.

»Was gibt's?« Nájera hielt es zunächst nicht für nötig, Fernandez bequem stehen zu lassen. Er spielte lieber mit seinem Kristallglas. Das Licht der Morgensonne brach sich dutzendfach in dem schönen Schliff. Draußen war die dritte Wache an

Deck, und soeben hatte der Doppelschlag der Schiffsglocke signalisiert, dass es 9 Uhr vormittags war, mithin eine Stunde vor der von ihm befohlenen Auspeitschung.

»Capitán, die *Cargada* macht gute Fahrt, habe vorhin die Logleine auswerfen lassen und über vier Knoten Geschwindigkeit gemessen.«

»Sehr schön. Ja und?«

»Der Wind hat leicht geschralt während der ersten Wache, bläst jetzt aber wieder stetig aus Ostsüdost.«

Nájera seufzte. »Steuermann Fernandez, wäret Ihr wohl so freundlich, mir zu sagen, was Ihr eigentlich wollt?«

»Jawohl, Capitán, mit Eurer Erlaubnis möchte ich auf den blonden Mann und auf seinen Freund zu sprechen kommen.«

Der Leibschmerz hatte sich, trotz des Weins, wieder verstärkt. Nájera bewegte unruhig seine Hände und verzog das Gesicht, bevor er einen weiteren, diesmal sehr großen Schluck nahm. Je mehr Madeira er trank, desto geringer wurde der Schmerz, das wusste er aus Erfahrung. Er bediente sich erneut. Noch ein, zwei Gläser, dann würde er beschwerdefrei der Auspeitschung beiwohnen können. »Von welchen Männern sprecht Ihr?«

»Von Vitus von Campodios und seinem Freund Ramiro García, dem Magister der Jurisprudenz, Capitán. Beide haben sich auf meinen Befehl hin gestern Abend bei mir gemeldet. Ich wollte etwas mit ihnen besprechen ...« Er brach ab.

»Ich weiß jetzt, welche Männer Ihr meint.« Nájeras Gesicht verschloss sich. »Ich höre.«

»Capitán, ich ... ich wollte Euch bitten, den beiden die Strafe zu erlassen.«

»Steuermann Fernandez!« Wie von der Tarantel gestochen

schnellte Nájera in die Höhe. »Wie kommt Ihr denn dazu, hinter meinem Rücken mit zwei Straffälligen zu konspirieren?«

»Capitán, ich habe dabei in erster Linie an das Schiff gedacht.« Fernandez reckte das Kinn. Er hatte sich vorgenommen, Nájera um Straferlass zu bitten, und er würde so schnell nicht lockerlassen. »Vitus von Campodios ist Cirurgicus und Pharmakologe, und sein Freund arbeitet ihm als Assistent zu. Zwei Ärzte, Capitán, sind genau das, was wir brauchen, spätestens in Neu-Spanien, wo überall das Fieber grassiert. Warum jemanden außer Gefecht setzen, wenn er uns nützlich sein kann!«

»Ich habe Auspeitschung befohlen, und dabei bleibt es.« Eher fielen Mittag und Mitternacht zusammen, als dass er, Nájera, einen Befehl zurücknahm. Er setzte sich wieder, griff zum Glas und – erstarrte mitten in der Bewegung.

Der Schmerz hatte ihn angesprungen wie ein Tier.

Hatte ihm die Zähne ins Gedärm geschlagen.

Scharf und nadelspitz.

Nájera schwankte, das Glas entfiel seiner Hand. Röchelnd sank er, mit dem Kopf voran, zu Boden.

»Capitán!« Mit zwei großen Schritten war Fernandez heran. Der Kommandant lag neben dem Kartentisch, klein und krumm und stoßweise atmend. Der Steuermann überlegte nicht lange. »José!«, schrie er so laut, dass man ihn bis ins Orlogdeck hörte. »Schaff mir diesen Vitus herbei!«

»Ihr müsst Euch entspannen, Capitán. Versucht, gleichmäßig und langsam Luft zu holen.«

Zusammen mit dem Magister kniete Vitus vor dem am Boden kauernden Nájera. Fernandez stand an der Tür und verfolgte mit Argusaugen die Untersuchung. Er hatte dafür gesorgt, dass die Ereignisse sich nicht herumsprachen.

Vorsichtig drückte Vitus den Oberkörper des Kommandanten nach hinten. Nájera, der jetzt ruhiger atmete, schien in dieser Position Erleichterung zu spüren. Vitus fühlte den Puls, der hart und schnell ging. Anschließend legte er seine Hand prüfend auf die Stirn. Sie war schweißnass. »Bitte steht auf, Capitán.«

Das Rollenspiel hatte sich gewandelt. Nájera gehorchte ohne Einwände. Doch kaum hatte er sich aufgerichtet, verstärkte sich wieder die Qual. Abermals kam die Hand und half ihm. »Vergesst nicht, Euch zu entspannen, Capitán. Wenn Ihr gestattet, untersuche ich Euch jetzt.«

»Jaaa«, keuchte Nájara.

Minutenlang tasteten Vitus' Hände mit aller Sorgfalt den Oberkörper ab, während der Magister den Kommandanten stützte. Die Bauchdecke war straff wie ein Trommelfell, aber an keiner Stelle ließ sich etwas Anormales erfühlen oder eine Geschwulst ertasten. Endlich ruhten Vitus' Finger dicht oberhalb der linken Leiste, dort, wo die Haut sich besonders unnachgiebig spannte. »Capitán, ich muss Euch einige Fragen stellen.«

Der Kommandant nickte matt.

»Die Fragen sind etwas, äh … delikater Natur, aber wichtig für die Diagnose.«

»Schon … schon recht.«

»Gut. Um Euch zu schonen, werde ich die Fragen so stellen, dass Ihr nur nicken oder den Kopf schütteln müsst. Ich nehme an, dass Ihr seit Tagen keinen Stuhlgang hattet.« Vitus' Hand deutete auf den grünen Vorhang, hinter dem sich der Kackstuhl befand. »Ist das richtig?«

Kurzes Zögern. Dann ein Nicken.

»Ihr habt aber regelmäßig gegessen?«

Nicken.

»Schwere Kost?«

Schulterzucken.

Vitus' Blick fiel auf die angebrochene Flasche auf dem Tisch.

»Trinkt Ihr in letzter Zeit häufig Madeira, um die Schmerzen zu lindern?«

Mehrmaliges Nicken.

»Seid Ihr denn auch sicher, dass Euer Körper genügend Bewegung hat?«

Zögern.

»Nun, Capitán, ich denke, ich kann Euch beruhigen. Da Euer Puls kräftig schlägt, Ihr kein Fieber habt und nichts auf eine ernstliche Erkrankung hindeutet, scheint es sich nur um eine Verstopfung zu handeln.«

Nájera starrte ihn ungläubig an.

»Ich gebe zu, dass es fast zu einfach klingt. Aber Blähungen können wie mit Messern in den Leib schneiden. Sorgt in Zukunft dafür, dass Ihr Euch mehr bewegt, und trinkt weniger von dem schweren Rotwein. Er hat eine stopfende Wirkung, regt keinesfalls die Darmtätigkeit an. Und noch etwas: Rubbelt Euch einmal täglich mit einem nassen Tuch den Leib ab, das regt die Verdauungssäfte an.« Der letzte Rat war zwar Unsinn, würde aber dafür sorgen, dass der Kommandant nicht mehr so stank.

Nájera, der innerlich aufatmete, fand wieder zu seiner alten Arroganz zurück. »Und was rät mir unser Hippokrates, damit ich zu Stuhle kommen kann?«

»Das ist in der Tat die Schwierigkeit, Capitán.« Vitus tat, als hätte er die Anspielung nicht gehört. »In der Regel wirkt ein

Sud aus Faulbaumrinde sehr stuhllösend, auch Feigen oder Trockenpflaumen tun Wunder.«

»Ebenso wie die Einnahme von mehreren Löffeln Rizinus«, warf der Magister ein. Sein Gesicht verriet nicht, wie sehr er Nájera die durchschlagende Wirkung gönnte.

»All das dürften wir aber kaum an Bord haben«, überlegte Vitus weiter. »Oder gibt es eine Schiffsapotheke?« Er schaute Nájera fragend an.

Nájera gab den Blick weiter an Fernandez.

»Es gibt eine, sie befindet sich in der Kammer von Don Alfonso.« Der Steuermann deutete über sich an die Decke, wo sich der Raum des Ersten neben dem seinen befand. »Aber Ihr werdet darin kaum das Benötigte finden.«

»Wenn das so ist«, entschied Vitus, »soll der Schiffskoch eine besonders salzige Brühe zubereiten. Damit, Capitán, dürfte Euer Problem schnell aus der Welt sein.«

»Ich werde das veranlassen«, sagte der Magister.

»Nein, ich kümmere mich darum.« Fernandez verschwand bereits durch die Tür.

»Gut. In der Zwischenzeit, Capitán, werde ich Euch massieren. Wenn Ihr gestattet ...«

Behutsam begannen Vitus' Hände den steinharten Leib des Kommandanten durchzukneten. Er arbeitete sich mit sanften, kreisenden Bewegungen vor, die sich, von der Mitte des Körpers ausgehend, langsam jener Zone über der linken Leiste näherten, die für den Sitz des Dickdarms bekannt war. Nájera verspürte deutlich eine entspannende Wirkung. Er ertappte sich dabei, dass ihm die Prozedur keineswegs peinlich war, und versuchte, tief und gleichmäßig durchzuatmen. Die Hände auf seinem Leib arbeiteten derweil unermüdlich weiter, ruhig, fest, Sicherheit ausströmend.

»Die Brühe, Capitán.« Fernandez war zurück und bot dem Kommandanten einen großen, dampfenden Becher an.

Nájera ergriff das Gefäß und roch daran. »Wo ist mein Diener?«, fragte er, sich wundernd, warum der Steuermann den Trank persönlich gebracht hatte.

»Ich habe ihn mit einer anderen Arbeit betraut, Capitán.« Fernandez blickte Nájera fest ins Gesicht. »Ich habe ihn zu Don Alfonso geschickt, damit er die Auspeitschung absetzt.« Nájera nickte unmerklich und nahm den ersten Schluck.

Im trüben Schein der Laterne rückte der Magister sein Nasengestell mehrmals zurecht, um besser sehen zu können. Er saß, lässig an den Fockmast gelehnt, im Mannschaftslogis unter dem Vorkastell. »Was sind das für seltsame blauschwarze Striche und Punkte?«, fragte er neugierig und tippte auf Rods rechten Oberarm.

Der Schotte lachte. »Das ist eine Tatauierung. Hab sie mir von einer Eingeborenen im Pazifischen Ozean machen lassen.« Er spannte den Bizeps an. Die Zeichen dehnten und formten sich zu einem kantigen Kopf mit schmalen Lippen, einem stilisierten Bart und großen Augen. Sechs Pfeile, drei von links und drei von rechts, zeigten von außen auf Ohren und Wangen.

Der kleine Gelehrte grinste. »Ich hoffe, sie war nicht so hässlich wie dieser Unhold?«

»Gewiss nicht. Die Inselmädchen jenseits der Molukken sind von großer Schönheit und ebenso großer, äh … Gastfreundschaft, wenn du verstehst, was ich meine.« Rod grinste viel sagend. »Habe zwei Reisen auf einem Portugiesen in jene Ecke der Welt mitgemacht und bin dabei bis Cathai und Cipangu vorgedrungen, riesige Länder, die auch China und Japan genannt werden. Ich sage euch, die Portugiesen sind hinter den Gewürzen her wie der Teufel hinter der armen Seele, naja«, er unterbrach sich, um ein sackähnliches Musikinstrument hervorzuholen, »mir war's recht, habe selbst einen hübschen Anteil abgekriegt.«

»Warum hat das Mädchen dir die Tatauierung beigebracht?«, fragte Vitus. Er hatte das Gespräch nur mit einem Ohr verfolgt, weil er mit Klaas' Bein beschäftigt war. Vier Tage nach dem Unglück hatten die Wundränder sich schon gut geschlossen.

»Tatauieren tun sich die Eingeborenen alle, warum, weiß ich nicht genau«, antwortete Rod. »Sie sprechen ein höllisches Kauderwelsch, das kein Mensch versteht, aber ich glaube, es hängt mit ihrer Religion zusammen, jedenfalls soll der Kopf auf meinem Arm einen Gott darstellen. Sie ritzen einem die Linien mit einer scharfkantigen Muschel oder einem Knochenstichel in die Haut und reiben anschließend Ruß oder Holzkohle rein. Merkwürdigerweise entzünden sich die Stellen selten, und nachdem sie verheilt sind, ist man tatauiert. Die Figuren sind unauslöschlich, man trägt sie ein Leben lang mit sich herum.« Rod blies kräftig in ein Röhrchen an seinem Musikinstrument, woraufhin sich der Sack leicht wölbte.

»Kannst du gleich mal nach meiner Narbe sehen, Vitus?«, fragte ein großer Mann mit dunkelblondem Vollbart und deutete auf seine linke Wange. »Sie tut heute wieder höllisch weh.« Er trug die Kleidung der spanischen Infanteriesoldaten, von denen es insgesamt nur zehn an Bord gab. Kapitän Nájera hatte nicht mehr in Sold nehmen können, obwohl er es gern getan hätte, nicht zuletzt der gefahrvollen Reise wegen, die ihnen bevorstand.

»Lass die dämliche Narbe, Gonzo! Komm her, du bist dran.«

Einer seiner Kameraden, die drei Schritte weiter am Boden hockten, hielt ihm die Würfel entgegen.

»Wartet einen Augenblick.« Vitus kramte in seiner Instrumententasche, in der Hoffnung, irgendwo noch eine lindernde Salbe gegen schmerzendes Narbengewebe zu entdecken. Doch er fand nichts. Auch die Schiffsapotheke, die ihm zur Verfügung gestellt worden war, half nicht weiter. Der große, hölzerne Kasten mit dem Einsatz für dreißig Fläschchen barg gerade mal ein einziges Pülverchen, das gegen den Scharbock wirken sollte – was Vitus allerdings stark bezweifelte. Er zuckte mit den Schultern. »Tut mir Leid, Gonzo, ich habe keine Narbencreme. Aber einen guten Tipp: Immer wenn du pinkelst, richte es so ein, dass du einen Teil der Flüssigkeit in der Hand auffängst. Damit reibst du dann die Narbe ein.«

Gonzo bekam große Augen. »Was? Ich soll …?«

»Genau. Urin enthält eine heilsame Säure für die Haut, glaub mir!« Er klopfte dem Soldaten beruhigend auf die Schulter. »Versuch's ein paar Tage, und berichte mir d…«

Ein lang gezogener, quäkender Laut, der durch das ganze Deck zog, unterbrach ihn. Rod hatte den Sack seines Instruments unter den Arm geklemmt und drückte dagegen, während er mit den Fingern auf einer Pfeife spielte. Seltsamerweise blies er aber nicht hinein, vielmehr wurde die Pfeife durch die Luft aus dem Sack gespeist. Vitus sah, wie Rod ab und zu in ein anderes Röhrchen blies, und schloss daraus, dass er dadurch den Luftvorrat im Sack immer wieder auffüllte. Neben der Pfeife, die Rod spielte, gab es noch eine andere, die, nur durch den Luftdruck, einen dauernden durchdringenden Ton aussandte.

»Aufhören mit der Katzenmusik!«, schrie einer der Infanteristen. »Man versteht ja sein eigenes Wort nicht!«

»Ruhe, verdammt!«, tönte es von anderer Seite, wo einige Männer schlafen wollten. Sie lagen sanft schaukelnd in Hängematten, einer Einrichtung, die man den Wilden in Neu-Spanien abgeschaut hatte.

Rod grinste und ließ sich nicht stören. Er fuhr fort, den ledernen Sack zu drücken und mit den Fingern Melodien zu spielen. Schließlich begann er noch zu singen, in einer Sprache, die ähnlich quäkend wie seine Musik klang.

»Ich weiß nicht«, sagte der Magister nach kurzer Zeit, »zum Mitsingen lädt seine Darbietung nicht gerade ein, und dieses Gälisch, oder wie er seine Sprache nennt, versteht sowieso kein Mensch. Ich glaube, ich schnappe noch ein wenig frische Luft.« Als Arzt-Assistent war er genau wie Vitus vom Wachdienst befreit und konnte, wenn nicht gerade eine Behandlung anstand, mit seiner Zeit tun und lassen, was er wollte.

»Ich komme mit.« Vitus blickte in die Runde, »noch jemand, der uns begleitet?« Doch Klaas schüttelte den Kopf und Rod sang selbstvergessen weiter. Die Proteste der Kameraden prallten an ihm ab wie Kartätschenkugeln an einer Schiffswand.

Vitus öffnete die schwere Eichentür an Steuerbord und trat mit dem Magister hinaus aufs Deck. Die Tür war nur eine von vieren am Fuß des vorderen Kastells: zwei führten nach achtern auf das Hauptdeck, zwei nach vorn auf den Galion, den Vorbau, der über den eigentlichen Bug des Schiffs hinausragte. Dort befand sich das, was die Matrosen *jardín* nannten, der »Garten«. Sie meinten damit Bänke, die längs der Reling angebracht waren und über kreisrunde Löcher verfügten. Wer durch sie nach unten blickte, sah nur die Bugwelle. Ein Matrose, der seinen Darm entleeren wollte, sagte gewöhnlich: »Ich geh mal eben in den Garten«, lief durch das Mannschaftslogis nach vorn und setzte sich über ein solches Loch. Bei einer Besatzungsstärke, die manchmal Hunderte von Männern betrug, ging es unter dem vorderen Kastell wie im Taubenschlag zu. Ein Grund mehr, warum dort die Mannschaften untergebracht waren – und nicht die Offiziere.

»Der Wind bläst recht hübsch«, meinte der Magister und schaute wie ein alter Seebär zum Himmel. Ein blasser Mond tauchte das Deck in schwaches Licht. Die Takelage knarrte im Wind, und über ihnen spannte sich, einem riesigen Harnisch gleich, das Großsegel – prall, hart und silbrig glänzend. Es herrschte kein Betrieb an Deck, der stete Wind meinte es gnädig mit den Männern der Wache: Sie dösten zwischen aufgeschossenem Tauwerk, lehnten an Luken und Käfigen oder hatten sich zwischen aufgestapelten Segeln verkrochen. Nur die angespannten Gesichtszüge des Rudergängers schienen im Licht der Kompassbeleuchtung herüber, und an der Heckreling des Kommandodecks stand eine hohe Gestalt, die im Schein der Hecklaterne wie eine Silhouette wirkte: Don Alfonso.

»Und es ist kalt«, antwortete Vitus, während er sich die Arme um die Schultern schlug, um warm zu werden. Sie gingen langsam auf das Beiboot zu, das mit seinen stattlichen Ausmaßen einen Großteil des Hauptdecks einnahm. In dem großen Boot befand sich noch ein weiteres, kleineres, das üblicherweise benutzt wurde, um Frischwasser und Proviant an Bord zu nehmen. Beide Boote waren mit schwerem, wasserdichtem Segeltuch gegen überkommende Seen abgedeckt. Im großen Beiboot war, wie Vitus von Rod wusste, eine Notration Hartbrot, Pökelfleisch und Bohnen untergebracht, dazu ein kleines Fässchen mit Wasser. »Komm, wir gehen auf die Leeseite, da ist es geschützter.«

Sie umkurvten die Boote und stellten sich fröstelnd in den Windschatten. Die frische Luft war eine Wohltat nach dem muffigen Gestank aus Schweiß, Urin und Erbrochenem, der ständig wie eine Glocke über dem Mannschaftslogis hing.

»Ich habe gehört, die Reise geht nach Guinea, um dort den Negerhäuptlingen ihre Untertanen abzuschwatzen?« Der kleine Gelehrte blies in seine Hände.

»Stimmt, Fernandez erwähnte so etwas. Ich hatte übrigens nicht den Eindruck, als wäre er mit dem Zweck der Reise einverstanden.«

»Nein, er ist Seemann und kein Sklavenhändler.« Der Magister schüttelte die Hände aus. »Ich habe ihn gefragt, wo wir auf der Fahrt nach Süden Zwischenstation machen, auf den Kanaren oder auf Madeira, aber er wusste es nicht. Ich denke, die Route hängt einzig und allein von diesem launischen Kapitän Nájera ab, den du von seinen Blähungen befreit hast.«

»Egal, wo wir Station machen«, Vitus senkte die Stimme, »wir sollten fliehen, sobald wir im nächsten Hafen sind.«

»Vitus?« Die Stimme des Magisters klang ganz klein.

»Ja?«

Der kleine Gelehrte schwieg.

»Was ist, Magister?«

»Ich habe nichts gesagt.«

»Du hast doch eben ›Vitus‹ gesagt.«

»Habe ich nicht.«

»Vitus?«

»Tatsächlich, du warst es nicht.« Diesmal hatte Vitus den Magister beobachtet. »Aber wer war es dann?«

»Vitus?« Wieder erklang das Stimmchen, etwas lauter und mutiger jetzt. Eine Hand, klein wie die eines Kindes, erschien unter der Abdeckplane des großen Bootes und begann die Verzurrung zu lösen.

»Ein blinder Passagier!«, rief der Magister, dessen Worte vor Aufregung lauter als beabsichtigt ausfielen. »Woher kennt er deinen Namen?«

Rasch halfen sie der kleinen Hand beim Öffnen der Plane. Vitus schaute sich um. Niemand an Bord schien sich für sie zu interessieren. Beherzt griff er zu und stützte den kleinen Körper, der über das Dollbord kraxelte und vor seinen Füßen auf dem Deck landete. Die Gestalt richtete sich auf. »Danke, Vitus«, sagte sie mit fistelnder Stimme, zupfte sich das hellblaue Gewand zurecht und schaute hoch.

Es war der Zwerg.

»Du wieder?« Vitus trat einen Schritt zurück. »Wie kommst du überhaupt aufs Schiff?«

»Genau wie du.« Das Männchen blickte treuherzig. »Hab mich unter den Haufen Benusselter geschmuggelt, die Battista an Bord gegohlt hat. War die letzten Wochen, seit der, äh … Sache im Casa de la Cruce immer in deiner Näh, hab dich nie aus den Glotzern gelassen.«

»Du bist das also!«, platzte der Magister heraus. »Du bist der Zwerg, der Vitus in den Kerker gebracht hat.«

»Wui, wui.« Der Kleine blickte zu Boden. »'s tut mir Leid, wirklich Leid, 's schwör ich bei der heiligen Marie.«

»Und was verschafft uns die Ehre?«, fragte Vitus reserviert.

»Wollt's wieder quittmachen.« Der Kleine starrte noch immer auf die Decksplanken. »Hast mich gerettet im Casa de la Cruce, wo ich dich doch in die Krax gelotst hab, 's is mir noch nie passiert, dass einer, den ich, den ich … dass so einer mir hilft, un da dacht ich, da wollt ich …«

Das Männchen brach ab, gab sich einen Ruck und blickte Vitus in die Augen. »Hab's wirklich quittmachen wollen un will's auch jetzt noch!«

»Hm. Könnte es sein, dass du, sagen wir, ›gute Beziehungen‹ zu Schröpfkugeln und Senfkörnern hast?«

»Ja, 's war ich.« Die Äuglein des Winzlings blitzten im fahlen Mondlicht. »Hab's besorgt, als ich spitzgekriegt hatt, dass du's brauchst. 's war gar nich leicht, das kannste holmen.«

»Das glaub ich dir gern.«

»Auch im Inglés war ich. Wollt dich noch warnen vor dem Gesöff, doch du hattest's schon intus, da bin ich mit an Bord un hab mich versteckt.«

»Da denkt man an nichts Böses und wird auf Schritt und Tritt verfolgt«, wunderte sich der Magister. Er schaute Vitus ratlos an. »Was machen wir jetzt mit ihm?«

»Das frage ich mich auch!«, ertönte eine Stimme hinter ihnen. Sie fuhren herum und blickten in das triumphierende Gesicht von Don Alfonso. Der Erste Offizier hatte sich herangeschlichen und genoss sichtlich die Situation. »Wir haben zwar Männer unterschiedlichster Statur an Bord, aber ich kann mich nicht erinnern, dass ein Zwerg dabei war.«

»Wie meint Ihr das?« Der Magister hielt es für das Beste, sich erst einmal dumm zu stellen.

»So, wie ich es sage.« Die Stimme von Don Alfonso wurde dienstlich. »Es gibt keinen Zwerg, der zur Besatzung gehört, also ist dieser Knirps unbefugt an Bord gekommen und damit ein blinder Passagier. Ich hoffe, er kann seine Reise bezahlen, anderenfalls wandert er hinter Gitter.«

»Der Mann ist genau wie der Magister García und meine Wenigkeit an Bord gekommen, Señor«, schaltete sich Vitus ein, »nämlich in diesem Boot.« Er schlug auf die Bordwand neben sich.

»Und das unter dem eindeutigen Tatbestand der Freiheitsberaubung«, ergänzte der Magister. Sein Gesicht verriet, wie sehr ihm der Gesprächsverlauf gefiel.

»So, tja.« Don Alfonso wurmte es, dass er darauf keine passende Antwort hatte. Als Initiator von Battistas Presskommando wusste er natürlich um das gewaltsame Anbordbringen der letzten dreizehn Männer – und um die Tatsache, dass Nájera höchst unzufrieden mit der geringen Ausbeute war. Dazu kam noch diese leidige Geschichte mit dem fehlenden vierzehnten Mann, die immer noch der Aufklärung bedurfte …

Ein Gedanke keimte in ihm auf, formte sich und hob seine Laune wieder:

»Ihr habt natürlich Recht, Señores«, sagte er, und seine Stimme klang plötzlich honigsüß, »bei dem Mann handelt es sich keineswegs um einen blinden Passagier.« Er beugte sich nach unten, wo der Zwerg unsicher von einem Bein aufs andere trat. »Wie ist dein Name?«

»Ich hab 'ne Menge Namen. Pedro oder Franco. Oder Jaime oder Juan oder sonst wie. Kannst dir einen ausklauben.«

»Ich denke nicht daran.« Don Alfonso war so begeistert von seiner Idee, dass er die unangemessene Antwort überging. »Ich werde dich Enano nennen, Enano wie Zwerg.« Der Winzling, der jetzt Enano hieß, nickte ergeben. »Folge mir!« Mit raumgreifenden Schritten ging der Erste nach achtern, zielstrebig in Richtung Kapitänskajüte.

Nájera deutete auf die Karte vor sich, auf der die Umrisse Westafrikas festgehalten waren. »Hier, Steuermann, dieses Gebiet ist unser Ziel.« Sein mit einem blutroten Karneol geschmückter Mittelfinger zeigte auf einen Küstenstreifen am

Golf von Guinea, in dessen Mitte eine Stadt namens El Mina lag.

»El Mina«, murmelte Fernandez nachdenklich, während er die Karte studierte. »Das ist ein Ort, in dem es von Portugiesen nur so wimmelt, man schürft Gold dort, müsst Ihr wissen.«

»Gold!« Nájeras Augen blickten sehnsüchtig. »Wenn wir's in unseren Besitz bringen könnten, brauchten wir die Sklavenfahrerei nicht.«

»Unsere Besatzung ist, mit Verlaub, nicht besonders kampferfahren, Capitán, und mit den zehn Infanteristen an Bord ist auch kein Krieg zu gewinnen.« Fernandez gehörte zu den wenigen, die sich nicht für Gold oder andere Reichtümer interessierten, seine einzige Liebe galt der See, den großen Ozeanen mit ihren navigatorischen Herausforderungen.

»Ich weiß, ich weiß.« Nájera griff zum Weinglas, nahm einen Schluck zur Stärkung, stellte es wieder ab und setzte es dann, kurz entschlossen, ein weiteres Mal an seine schmalen Lippen. Die Mahnungen Vitus', dem Madeira nur in Maßen zuzusprechen, damit die Verstopfung sich nicht wiederhole, hatte er schon nach zwei Tagen in den Wind geschrieben – es ging ihm besser, und nur das zählte. »Mit den Portugiesen da unten ist nicht gut Kirschen essen.«

Fernandez nickte. »Seit dem Vertrag von Tordesillas anno 1494, in dem wir uns verpflichtet haben, nur die Länder jenseits des großen Westmeers in Besitz zu nehmen, haben sie sich in den Negerländern ganz schön breit gemacht. Man sagt, sie beuten die Eingeborenen bis aufs Blut aus. Alles, was von dunkler Hautfarbe ist und arbeiten kann, zwingen sie unter ihre Knute: in den Goldminen, auf den Zuckerrohrplantagen oder als Ware, die nach Übersee geht.«

»Und von dieser Ware wollen wir uns einen Gutteil sichern«, versetzte Nájera schwungvoll. Der angeekelte Tonfall seines Steuermanns war ihm nicht aufgefallen. »Wir müssen nur heimlich in den Golf hineinschlüpfen und an einer Stelle ankern, an der niemand uns vermutet. Vielleicht zwanzig oder dreißig Meilen südlich von El Mina, dort soll es Negerhäuptlinge geben, die ihre Untertanen gegen billige Äxte und dergleichen eintauschen.«

Der Kommandant redete sich langsam warm. »Die Inseln São Tomé und Príncipe müssen wir vorher natürlich unbemerkt passieren, was meint Ihr, sollen wir zwischen ihnen hindurchkreuzen oder sie von Süden kommend umfahren?«

Es klopfte kräftig.

»Nein!«, rief Nájera aufblickend. »Ich will jetzt nicht gestört werden!«

Doch Don Alfonso hatte sich schon durch die Tür hereingeschoben. Er zerrte ein Männchen hinter sich her, zwergenklein, mit feuerrotem Haarschopf. »Melde gehorsamst, Capitán, hier ist der vierzehnte Mann!«

»Wie was?« Nájera starrte auf den Winzling und begriff nicht.

»Der vierzehnte Mann, der neulich fehlte, Capitán, Ihr wisst doch, auf der Liste mit den ›Schwei…‹« Der Erste brach ab, denn ihm war eingefallen, dass Fernandez von dem Presskommando nichts wusste.

Nájera dämmerte es. Widerstrebend betrachtete er den Zwerg genauer. Was er sah, gefiel ihm überhaupt nicht. Der Knirps war klein, schwächlich, bucklig und ganz gewiss kein Seemann. Wer für diese Figur eine ganze Dublone – eine Dublone aus seiner Schatulle! – bezahlt hatte, musste verrückt sein. Wut schoss in ihm hoch, mit Don Alfonsos Ernennung zum Ersten Offizier hatte er den Bock zum Gärtner gemacht.

»Don Alfonso!«, rief Nájera erbost. »Um der Barmherzigkeit der Gebenedeiten willen, verratet mir, wie diese bucklige Missgeburt die Arbeit eines ganzen Mannes tun soll!« Und als der Erste die Antwort schuldig blieb: »Ich kann mir keine Aufgabe vorstellen, die solch ein Gnom bewältigen könnte!«

Er wandte sich beifallheischend an Fernandez. »Oder Ihr etwa, Steuermann?«

Fernandez betrachtete den Zwerg, der bislang noch kein Wort gesagt hatte, obwohl sein Fischmündchen sich ständig öffnete und schloss. Er versuchte, sich in die Lage des Winzlings zu versetzen, und kam zu dem Schluss, dass die Art, in der hier über ihn gesprochen wurde, in höchstem Maße beleidigend sein musste. Dass der Kleine nicht freiwillig an Bord gekommen war, stand fest. Er, Fernandez, hatte schließlich Augen im Kopf und sehr wohl bemerkt, dass eine ganze Reihe von Männern gepresst worden war. Männer, die keine Seeleute waren, die Fehler begingen und deshalb fortwährend Bekanntschaft mit Battistas Tampen machten. Fernandez spürte Mitleid. Warum auch immer dieser Knirps so spät aufgetaucht war, ihm musste geholfen werden. »Ich schlage vor, den Neuen als Hilfskoch einzusetzen, Capitán, die Wachen haben sich schon beschwert, dass León, der Koch, allein keine warme Mahlzeit zustande kriegt.«

»Wieso das?« Nájera, der glaubte, für den Schiffsproviant ein Vermögen ausgegeben zu haben, witterte erneut Unrat.

»Weil neben dem eigentlichen Kochen noch viele andere Arbeiten anfallen, Capitán: Entzünden und Unterhalten des Feuers, Trinkwasser aus den Fässern im Laderaum heraufholen, Tiere schlachten, Fleisch einsalzen, Trockenfisch wässern, Erbsen pahlen, Bohnen schnippeln, Hartbrot von Maden be freien, Essen ausgeben, Kessel und Kellen reinigen, Asche entfernen …«

»Gut, gut.« Nájera war beruhigt. Solange es nicht an seinen Geldsäckel ging, war ihm die Arbeit an der Feuerstelle egal. »Don Alfonso, seid so gut, und begleitet den neuen, äh … Mann zum Koch, er soll ihn einweisen. Und nun entschuldigt mich, ich habe zu tun.«

Er beugte sich wieder über die Karte. »Wo waren wir stehen geblieben, Steuermann?«

»Beim Anschleichen im Golf von Guinea.«

Der Navigator Fernandez

»Ich werde meine Cargada *nicht im Stich lassen,*
werde mit ihr die letzte Fahrt antreten.«

Wie geht es dem Mann?«, fragte Fernandez. Der Steuermann stand an der hinteren Backsdeckswand, nahe der Feuerstelle, und hob, wie es seine Art war, den Kopf, um Wind und Wetter zu prüfen.

Die Galeone war in den letzten zwei Wochen die gesamte Westküste der Iberischen Halbinsel hinabgesegelt und stand mittlerweile auf der Höhe von Gibraltar. Der Wind hatte sich, was zu dieser Jahreszeit ungewöhnlich war, mehr als Freund denn als Feind erwiesen, weil er beständig aus Nordwest bis Nordost blies, aus Richtungen also, die dem südlichen Kurs der großen Galeone sehr zustatten kamen.

»Er hat einen gebrochenen Mittelfinger«, antwortete Vitus, der gerade die Behandlung eines kleinen Franzosen beendete, dessen Nase an die Farbe blühenden Mohns erinnerte. »Henri ist in den nächsten Wochen nur bedingt diensttauglich.«

Vitus schnitt mit der Schere den Verband ab, den er um den verletzten Finger gelegt hatte. Der Magister nahm den verbliebenen Stoff entgegen und verstaute ihn sorgfältig im Instrumentenkoffer. Man würde den Rest bei anderer Gelegenheit noch gebrauchen können.

Die Versorgung eines Bruchs war im Grunde genommen so einfach, dass jeder sie vornehmen konnte: Man schiente den Finger, indem man ihn fest mit dem daneben liegenden verband – so stützte das eine Glied das andere. Man musste nur aufpassen, dass der Stoff fest, aber nicht zu fest, saß.

Fernandez runzelte die Stirn. Wieder ein Mann weniger für die Bedienung der Segel. Henri konnte, wenn überhaupt, nur noch für leichtere Arbeiten eingesetzt werden, doch das Problem war, dass es auf einem seegehenden Schiff keine leichten Arbeiten gab. Er würde den kleinen Franzosen bestenfalls als Läufer gebrauchen können, vielleicht auch als Hilfe für den Segelmacher, dem er das Tuch halten konnte, oder als Ausguck. Bei schwerem Wetter jedoch galt die alte Regel: »Eine Hand für den Mann, eine Hand für das Schiff«, und spätestens dann würde Henri ein Totalausfall sein.

»Ich werde dich fürs Erste als Ausguck einsetzen«, entschied Fernandez. »Ab mit dir in den Fockmast. Aus dem Mars meldest du mir jedes Segel, das sich am Horizont zeigt.«

»Oui, oui!« Henris leuchtende Nase bewegte sich eifrig auf und nieder. Dann fiel dem frisch gebackenen Ausguck ein, dass seine Antwort unvorschriftsmäßig ausgefallen war. »Jawohl, Steuermann!«

»Dann los.« Fernandez wandte sich lächelnd an Vitus. »Habt Ihr Lust, mich aufs Kommandantendeck zu begleiten? Ich muss dort die Höhe nehmen, um unsere Position zu bestimmen. Natürlich seid auch Ihr, Magister García, dazu eingeladen.«

»Mit Vergnügen!« Die Antwort der beiden kam wie aus einem Munde.

»Gut, dann folgt mir.«

Am achteren Niedergang des Oberdecks angelangt, grüßte Fernandez höflich hinauf und fragte: »Drei Mann auf Kommandantendeck, Capitán?«

Nájera zögerte kurz, dann schnarrte er: »Genehmigt.«

Die Aussicht von der Heckreling, dem höchsten Punkt der Galeone, war phantastisch. Man stand wie auf einem Hügel und blickte zu Tal – alles vor ihnen wirkte spielzeughaft klein. Die Männer der Wache, durch das günstige Wetter untätig herumstehend, bewegten sich unter ihnen wie Puppen. An Backbord und Steuerbord rauschte die See vorbei: lange, graugrüne Wellen, die hin und wieder eine Schaumkrone trugen. Der massive vordere Aufbau, der ihnen den Blick auf die Galionsfigur, eine Nachbildung der Schwarzen Madonna von Montserrat, verwehrte, hob und senkte sich im Takt der heranziehenden Wogen. Dann und wann schossen Gischtspritzer am Bug empor, so hoch, dass sie sogar das Backsdeck unter Wasser setzten. Vitus sah jetzt, wie sinnvoll der Ort für die Feuerstelle gewählt war, denn sie befand sich wind- und wassergeschützt hinter dem vorderen Kastell.

Fernandez blickte auf das Stundenglas mit seinem durchlaufenden Sand und dann zum Himmel. »Ich denke, die Sonne steht jetzt am höchsten, doch ich werde zur Sicherheit die Messung in zehn Minuten wiederholen.« Er griff neben sich, wo in einem Schapp unter dem Schanzkleid mehrere Instrumente verstaut waren, und holte ein Holzgerät hervor, das wie ein Kreuz aussah – bestehend aus einem Längs- und einem Querstab. Er nahm es am langen Ende und richtete es wie ein Schwert in die Sonne, gleichzeitig stellte er den Querstab senkrecht auf. Dann kniff er das linke Auge zusammen und begann den Querstab vor- und zurückzuschieben, bis sein oberes Ende in der Mitte des Sonnenballs lag und das untere genau auf der Linie des Horizonts. Anschließend fixierte er mit einer kleinen Schraube die Stellung des Querstabs und legte das Gerät zurück auf die Reling.

»Was um alles in der Welt habt Ihr da gemacht?«, platzte der Magister heraus.

»Ich habe die Höhe der Sonne über der Kimm festgestellt, um unsere Breitenposition zu bestimmen«, antwortete Fernandez, während er sich das von der Sonneneinwirkung tränende Auge rieb.

Der kleine Gelehrte staunte. »Wie? Mit diesem Ding da?«

»Genau.« Fernandez blinzelte ein paarmal. »Dieses Ding nennt man Kreuzstab. Ihr wollt sicher wissen, wie die Messung damit im Einzelnen vonstatten geht, doch dazu muss ich etwas weiter ausholen.«

»Nur zu, wir haben Zeit.« Der Magister lehnte sich bequem an die Reling unter der Hecklaterne, während Vitus sich gespannt vorbeugte. Mittlerweile war Don Alfonso zu Nájera gestoßen, der gelangweilt an der Backbordreling auf und ab stolzierte.

»Gut«, hob Fernandez an, »vielleicht ein Wort vorweg: Es klingt ein wenig verwirrend, wenn man davon spricht, die ›Höhe‹ zu nehmen, um die ›Breite‹ festzustellen. Nun, mit der ›Höhe‹ ist, ich sagte es eben, die Höhe der Sonne über dem Horizont gemeint. Mit der Breite ist es etwas komplizierter. Wie Ihr sicher wisst, ist die Erde eine Kugel …«

»… auch wenn das manche kirchliche Herren noch immer nicht wahrhaben wollen!«, unterbrach der Magister, der sich die Bemerkung nicht verkneifen konnte.

»… eine Kugel, die man, um die Navigation überhaupt zu ermöglichen, in Breiten- und Längengrade eingeteilt hat. Bleiben wir zunächst bei den Breitengraden. Man kann sie sich am besten als unsichtbare Linien vorstellen, die sich waagerecht um unseren Globus herumziehen. Die längste Linie verläuft naturgemäß um die Mitte, wir nennen sie Äquator. Sie entspricht o Grad. Nach Norden, wie auch nach Süden, werden die Breitengrade von o bis 90 eingeteilt. Je höher, beziehungsweise tiefer, der Breitengrad verläuft, desto kürzer die Umlauflinie um den Globus. Der Breitengrad 90 ist keine Linie mehr, sondern praktisch ein Punkt – der Pol. Den 10. Breitengrad nördlich des Äquators, um ein Beispiel zu nennen, bezeichnet der Navigator als ›10 Grad nördlicher Breite‹ – entsprechend ›10 Grad südlicher Breite‹. Santander, unser Ausgangspunkt, liegt ungefähr auf 43,5 Grad nördlicher Breite, unser Reiseziel, der Golf von Guinea, etwa auf 1 Grad nördlicher Breite, so weit alles klar?«

Die Freunde nickten. »Klar.«

»Um festzustellen, auf welcher Höhe man sich in Nord-Süd-Richtung, oder auch Süd-Nord-Richtung, befindet, muss man wissen, dass die Erde sich selbst und gleichzeitig auch um die Sonne dreht. Diese Bewegungen bringen es mit sich, dass die Sonne scheinbar im Osten aufgeht und im Westen unter. Auf ihrer Bahn, die sie während des Tages zurücklegt, steht sie mal tiefer und mal höher am Himmel, am höchsten jedoch am Mittag.«

»Auch klar.«

»Der entscheidende Punkt ist, dass der höchste Stand der Sonne durchaus unterschiedlich hoch ist – je nachdem, auf welchem Breitengrad man sich befindet. Der Höchststand der Sonne hier vor der afrikanischen Küste beispielsweise liegt höher als der von Santander.«

»Jetzt dämmert's mir langsam«, rief der Magister, »und aus dem Höhenunterschied leitet Ihr den Breitengrad ab.«

»Das heißt«, schaltete Vitus sich ein, »dass Ihr eine bekannte Vergleichsgröße haben müsst.«

»So ist es, Señores!«

»Und es heißt außerdem, dass es irgendwelche Aufzeichnungen geben muss, aus denen hervorgeht, wie dieser Unterschied sich auf den Breitengrad auswirkt«, setzte Vitus nach.

»Richtig«, freute sich Fernandez, »es gibt entsprechende Tabellen.«

»Und wie ist nun der von Euch festgestellte Wert? Ich habe Euch nur den Querstab bewegen sehen, auf diese Weise könnt Ihr ihn wohl kaum ermittelt haben?«

»Doch, denn ich habe den Querstab fixiert! Seht her.« Der Steuermann hielt den beiden das Gerät dicht unter die Augen. Erst jetzt bemerkten sie, dass auf dem Längsstab eine Messingskala eingelassen war. »Dort, wo der Querstab fixiert wurde, lese ich auf der Skalierung den Zahlenwert ab, den ich dann in meinen Tabellen wieder finde, mit dem Hinweis, auf welchem Breitengrad ich bin.«

»Und auf welchem sind wir?« Der Wissensdurst des Magisters war wieder einmal unersättlich.

Fernandez lachte. »Um Euch das genau zu sagen, müsste ich in meine Kajüte gehen, wo die Tabellenbücher liegen, aber wir dürften auf ungefähr 35,5 Grad nördlicher Breite liegen, das heißt, wir segeln zehn, zwanzig Meilen südlich der Höhe von Tanger.«

Vitus überlegte: »Aber bei Euren Berechnungen dürft Ihr nicht übersehen, dass die Sonne zu verschiedenen Jahreszeiten unterschiedlich hoch am Himmel steht, man kann, sagen wir, eine Mittagsmessung in Tanger vom heutigen Tag nicht mit der Mittagsmessung eines anderen Orts vergleichen, die vom 20. Juni stammt. Der Vergleich funktioniert nur dann, wenn von diesem Ort ebenfalls eine Mittagsmessung vom heutigen Tag vorliegt.«

»Und«, nahm der Magister den Faden auf, »da Ihr Eure Messung täglich durchführt, müsst Ihr von Eurer Vergleichsgröße den Wert für jeden Tag im Jahr kennen, also insgesamt dreihundertfünfundsechzig Werte.«

»Ihr habt in allen Punkten Recht, Señores. Ich bin beeindruckt, man merkt, dass Ihr es gewohnt seid, wissenschaftlich zu denken.« Fernandez notierte sich die von der Messingskala abgelesene Zahl. Dann übergab er Vitus den Kreuzstab, damit er ihn näher betrachten konnte.

»Und wie weit befinden wir uns westlich von Tanger?«, fragte der Magister, von Fernandez' Lob angeregt.

»Westlich von Tanger? Das genau festzustellen, Magister García, ist ungleich schwieriger, um nicht zu sagen unmöglich. Wie ich Euch erklärte, kann jeder fähige Navigator die geographische Breite anhand der Sonne bestimmen, schließlich geht sie jeden Tag auf und auch jeden Tag wieder unter, und wenn sie einmal von Wolken verdeckt wird, dann erscheint sie eben am nächsten oder übernächsten Tag, aber es gibt bis heute keinen Piloten, der exakt die geographische Länge berechnen kann. Denn wonach soll er sich richten? Angenommen, er führe, seinem Kompass folgend, direkt nach Westen, das würde bedeuten, dass jeden Morgen die Sonne in seinem Rücken aufgeht, und jeden Abend vor seinen Augen unter. So weit, so gut, aber woher soll er wissen, welche Strecke er zurückgelegt hat? Natürlich kann er gissen lassen und dadurch …«

»Gissen lassen? Was heißt gissen?«, unterbrach der Magister.

»Entschuldigt, das könnt Ihr ja nicht wissen: Um die Geschwindigkeit eines Schiffs zu messen, wirft man am Bug die so genannte Logleine aus, das ist eine Leine, in die in gleichmäßigen Abständen Knoten geknüpft sind. An ihrem Ende befindet sich das so genannte Logscheit, ein Holzbrett, das flach auf dem Wasser schwimmt. Das Logscheit treibt achteraus und zieht die Leine mit den Knoten hinter sich her. Nach einer bestimmten Zeit stellt man fest, wie viel Leine mit wie vielen Knoten ausgelaufen ist. Wenn es beispielsweise drei Knoten sind, sagt man, ›das Schiff läuft drei Knoten‹. Bei regelmäßiger Messung kann man unter idealen Bedingungen ungefähr feststellen, wie weit man sich in vierundzwanzig Stunden fortbewegt hat. Diese Entfernung zählt man zu der vom Vortag hinzu und erhält einen neuen Standort, den ›gegissten Ort‹. Nach dieser Methode hat sich übrigens auch Kolumbus über das große Meer vorgetastet, anno 1492 …

Doch wie gesagt, das Problem ist bis heute nicht gelöst, auch wenn sich erfahrene Kapitäne durch genaue Beobachtung der Winde, Strömungen, Wasserfarben, Walarten, Seevögel und Ähnliches behelfen können. Die Festlegung der Längenposition ist und bleibt ein Rätsel, meiner Meinung nach übrigens nur aus einem einzigen Grund.«

»Und der wäre?« Vitus reichte den Kreuzstab an den Magister weiter. Der kleine Mann rückte eifrig seine Berylle zurecht, um das Gerät in allen Einzelheiten bestaunen zu können.

»Meiner Theorie nach liegt der Grund darin, dass es noch keine seetauglichen Präzisionsuhren gibt, Señores.«

»Uhren, wieso Uhren?«, fragte Vitus, während der Magister probehalber den Stab in die Sonne hielt.

»Nun, ich muss erneut ein wenig ausholen.« Fernandez' Blick ging zum westlichen Horizont, wo er kurz verweilte, dann kam er zur Sache: »Wie Ihr wisst, braucht die Erde für eine ganze Drehung von dreihundertsechzig Grad genau vierundzwanzig Stunden – also einen Tag. Das für sich allein ist noch nichts Besonderes, doch liegt in dieser Tatsache der Schlüssel zur Lösung. Interessant wird es nämlich, wenn man bedenkt, dass die Erde in, sagen wir, einer Stunde somit ein Vierundzwanzigstel ihrer Eigendrehung bewältigt. Das bedeutet: Sie bewegt sich um ein Vierundzwanzigstel von dreihundertsechzig Grad weiter, also um fünfzehn Grad.«

Der Steuermann blickte Vitus fragend an, während der Magister versunken mit dem Zeigefinger über die Skalierung des Kreuzstabs fuhr.

»So weit klar«, nickte Vitus und wiederholte: »Die Erde dreht sich in einer Stunde um fünfzehn Grad weiter.«

»Wenn jetzt der Pilot eines Schiffs, das sich auf See befindet, mittags beim Höchststand der Sonne seine Schiffsuhr auf 12 stellt, braucht er nur noch eine zweite Uhr, die ihm die Zeit seines Ausgangshafens anzeigt. Beträgt der Unterschied eine Stunde, weiß er, dass er sich um fünfzehn Grad westlicher oder östlicher Länge von seinem Startpunkt entfernt hat.«

Vitus brauchte einen Augenblick, um diesen Gedankengang nachzuvollziehen. »Je nachdem, ob die Schiffsuhr eine Stunde mehr oder weniger anzeigt«, ergänzte er dann.

»Richtig. Liegt die Uhrzeit des Ausgangspunkts eine Stunde hinter der Schiffsuhr zurück, also 11, befinde ich mich auf östlichem Kurs …«

»… und bei 1 Uhr auf westlichem.«

»Genau.« Fernandez redete sich langsam warm bei seinem Lieblingsthema. »Allerdings muss man bedenken, dass fünfzehn Grad Länge, auf Entfernung umgerechnet, gewaltige Unterschiede in sich bergen. Am Äquator, wo der Erdumfang am größten ist, entsprechen sie einer riesigen Strecke, doch zu den Polen hin wird diese Strecke immer geringer und nähert sich der Null. Wie groß die Entfernung meiner fünfzehn Grad ist, hängt also vom Breitengrad ab, dessen Berechnung ich Euch bereits erklärte.«

»Auf diese Weise hättet Ihr beide Koordinatenwerte, um jeden Punkt der Erde zu ermitteln.«

»Wäre da nicht das Problem der präzisen Zeitmessung auf dem Meer, Vitus! Wie ich schon sagte, gibt es keine ausreichend genauen seefesten Uhren. Bedenkt, dass ein Schiff manchmal Monate, vielleicht Jahre auf den Ozeanen fährt und während dieser ganzen Zeit der Chronometer, den Ihr im Ausgangshafen an Bord genommen habt, kaum Gangabweichungen aufweisen darf, trotz Hitze und Kälte, trotz Salz und See und Luftfeuchtigkeit, trotz ständigen Schlingerns, Stampfens und Arbeitens des Schiffskörpers! Bedenkt weiterhin, dass schon wenige Grad an Ungenauigkeit sich zu einer Fehlberechnung von vielen hundert Meilen auswirken können. Nein, nein, eine solche Uhr ist noch nicht erfunden, und ich werde es wohl auch nicht mehr erleben.«

Fernandez seufzte und fixierte abermals den Horizont im Westen. Über der Kimm waren einige dunkle Wolkengruppen aufgezogen. Auch Nájera und Don Alfonso blickten angestrengt dorthin, wobei sie fast den Halt verloren, denn die Galeone lehnte sich in diesem Augenblick stark nach Backbord über.

»Hooo! Segel an der Kimm!«, erscholl gleichzeitig Henris Stimme vom Fockmast herab.

Fernandez blickte auf und formte die Hände zu einem Trichter: »Nationalität feststellen!«

»Ich glaube, es ist ein Engländer, Steuermann!«

Wieder krängte die *Cargada* stark.

»Rudergänger, welcher Kurs liegt an?«

»Befohlener Kurs Südwest zu Süd, Steuermann!«, ertönte prompt von unten die Antwort. »Habe soeben aber nach Süd korrigiert.« Der Mann am Kolderstab, unsichtbar für die

Männer auf dem Kommandantendeck, hatte selbsttätig gehandelt, und das war gut so, denn durch die jählings im rechten Winkel von Steuerbord einfallenden Böen drohte das Schiff zu kentern.

»Gut gemacht«, rief Fernandez und ärgerte sich insgeheim, dass er über seinem Vortrag die Schiffsführung vergessen hatte. Die Tatsache, dass Nájera oder Don Alfonso genauso auf die Windveränderung hätten achten können, vermochte ihn wenig zu trösten. »Wir gehen mit dem Heck durch den Wind! Bootsmann Battista!«

»Steuermann?«

»Fertig machen zur Halse, neuer Kurs Ostsüdost!«

»Jawohl, Steuermann, fertig machen zur Halse, neuer Kurs Ostsüdost!«, bestätigte Battista vom Hauptdeck aus, um anschließend die Männer der Wache an die Brassen zu scheuchen. »Neuer Kurs Ostsüdost!«, wiederholte auch der Rudergänger und betätigte den Kolderstab, einen vertikal verankerten Hebel, mit dessen unterem Ende die schwere Ruderpinne bewegt wurde.

»Was fällt Euch ein, Fernandez!« Urplötzlich stand Nájera vor dem Steuermann und spuckte Gift und Galle. »Wie kommt Ihr dazu, mir die Befehlsgebung aus der Hand zu nehmen? Glaubt Ihr, ich könnte mein Schiff nicht alleine führen?« Das glaubte Fernandez allerdings, doch hütete er sich, es laut zu sagen. Stattdessen nahm er stramme Haltung an. »Ich bitte um Verzeihung, Capitán, ich wollte Euch nur entlasten. Selbstverständlich hättet Ihr dieselben Befehle erteilt wie ich.«

»Soso, und warum sollte ich das getan haben?«, knurrte der eitle Mann.

»Weil Euch die gefährliche Krängung des Schiffs natürlich genauso aufgefallen ist, Capitán.«

»Das ist sie allerdings«, schnarrte Nájera. »Andererseits: Die *Cargada* ist ein gutes Schiff, das sich nicht gleich von jedem Lüftchen umpusten lässt.«

»Mit Respekt, Capitán, aber die *Cargada* ist recht wacklig in den Verbänden. Auch habe ich an den sich nähernden Engländer gedacht. Man weiß bei diesen Burschen nie, was sie im Schilde führen.«

»Papperlapapp!« Nájera ließ Fernandez stehen wie einen dummen Jungen und schrie übers Schiff: »Befehl belegt! Alten Kurs wieder aufnehmen!«

»Recht so, Capitán!«, schmeichelte Don Alfonso im Hintergrund.

Aufgescheucht wie ein Hühnerhaufen beeilte sich die Besatzung, den Befehl ihres Kommandanten auszuführen. Endlich drehte sich der Bug wieder nach Steuerbord, als eine erneute Bö, viel stärker noch als die beiden zuvor, von der Seite in die Segel schlug.

Das war der Tod der *Cargada*. Sie neigte sich so stark über, dass ihre Backbordreling ins Meer eintauchte. Leinen brachen. Segel flatterten. Blöcke krachten herab. Verzweifelte Schreie gellten über die Decks. Wer sich nicht festhielt, schlitterte Hals über Kopf in die See. Dann, plötzlich, erklang ein Rumpeln im Vorschiff, grollend und gefährlich wie aus dem Bauch eines urweltlichen Tiers: Zwei Steuerbordgeschütze hatten sich losgerissen, polterten tonnenschwer abwärts und rissen ein scheunentorgroßes Loch in die Schiffswand. Wasser schoss tosend in den Leib der *Cargada*. Sie verlor übergangslos an Fahrt, wodurch der Fockmast, in dessen Mars der arme Henri saß, zerbarst. Sein Todesschrei klang hell und spitz und wurde übertönt von einem lang gezogenen Ächzen, das durch das gesamte Schiff lief.

Fernandez hatte die Katastrophe mit wachsendem Grauen verfolgt. *Cargada de Esperanza*!, dachte er verzweifelt, während er sich an den Stock der Hecklaterne klammerte. Der Name »Mit Hoffnung beladen« klang jetzt wie ein Hohn. Er schätzte, dass in wenigen Minuten alles vorbei sein würde. »Ich werde meine *Cargada* nicht im Stich lassen, werde mit ihr die letzte Fahrt antreten«, murmelte er entschlossen.

»Nein, das werdet Ihr nicht!« Eine Hand packte ihn am Oberarm. Fernandez fuhr herum und blickte in die grauen Augen des Cirurgicus. »Ihr werdet Euch zusammennehmen und versuchen zu überleben.«

Fernandez nickte benommen, während er, ohne sich der Sinnlosigkeit seines Tuns bewusst zu werden, den Kreuzstab sorgfältig wegschloss. Vor ihm, am Fuße des nun fast waagerecht stehenden Hauptmasts, entwickelte die Madonna ein Eigenleben und fiel in das alles verschlingende Nass. Die Gebenedeite hatte das Schiff verlassen!

»Kommt jetzt!« Energisch zog Vitus, auf der Innenseite des Schanzkleids stehend, den Steuermann mit sich nach vorn. Der Magister tauchte von irgendwoher auf und schloss sich ihnen an.

Unter den wenigen Männern, die sich auf dem Hauptdeck hatten halten können, erblickte Vitus auch den Zwerg. Enano winkte zu ihnen herüber und kletterte ins Mannschaftslogis, das kaum noch aus dem Wasser ragte. Meine Instrumente!, schoss es Vitus durch den Kopf. Sie befinden sich noch dort. Ich brauche sie! Die Skalpelle, die Lanzetten, die Sonden, die Haken … und das Buch *De morbis,* die größte Kostbarkeit, die ich besitze! Sie musste um jeden Preis gerettet werden! In fieberhafter Eile hangelte er sich an Tauen und Relingstücken entlang in Richtung Bug. »Folgt mir!«

Doch die *Cargada* kam ihm zuvor. Mit ohrenbetäubendem Krachen brach sie in der Mitte entzwei. Ihr hinterer Teil rauschte, mit dem Heck nach oben, steil hinab in die Tiefe. Vitus fühlte, wie das Deck sich von seinen Füßen löste, ihm für den Bruchteil einer Sekunde das Gefühl der Schwerelosigkeit vermittelte, bevor die See nach ihm griff und schäumend über ihm zusammenschlug.

Das war es also, dachte er.

DER KORSAR
SIR HIPPOLYTE TAGGART

»Unsere Beute sind spanische Schatzgaleonen,
und zwar jene, die sich jedes Jahr,
feige wie ein Schwarm Sardinen,
zu einer Armada zusammentun,
um gemeinsam das Westmeer zu überqueren.«

Die *Falcon* war ein feines Schiff – mit achtzig englischen Fuß Kiellänge zwar nicht so groß wie die *Cargada de Esperanza*, dafür moderner bewaffnet, mit Culverins, Half-Culverins und etlichen Sakers: Kanonen, die nicht so schwer waren wie die der Spanier, dafür deutlich weit tragender. So konnte sie sich selbst ungleich größere Gegner gut vom Leibe halten und sie aus sicherer Entfernung beschießen. Die *Falcon* war fest gebaut, aus bester englischer Eiche, und ihr Vorkastell war, im Gegensatz zu Schiffen spanischer Bauart, bei weitem nicht so hoch. Das brachte ihr den Vorteil, dass sie seitlich einfallenden Winden weniger Angriffsfläche bot.

Sie verfügte über vier Masten, deren zwei vordere Groß-, Mars- und Bramsegel trugen, die beiden hinteren je ein Lateinersegel. Wenn sie unter vollem Zeug dahinpreschte, türmten sich ihre Segel wie Pyramiden über dem Wasser. Insgesamt wirkte sie so wohlproportioniert, geschmeidig und kraftvoll wie der Raubvogel, der ihr Namensgeber war – und der ihr als Galionsfigur am Bug voranflog.

Vitus stand nur zwei Stunden, nachdem man ihn gerettet hatte, in sorgfältig ausgerichteter, quer zum Oberdeck verlaufender Linie neben den wenigen Kameraden, die überlebt hatten. Den Kreuzmast im Rücken blickten sie wartend, erstarrt zu Salzsäulen, hinauf zum leeren Kommandantendeck.

Am Ende der Linie, die aus ihm, dem Magister, Rod, Gonzo, Fernandez sowie zwölf weiteren Überlebenden bestand, schritt ein rothaariger Hüne auf und ab, während zwei Maate wie die Schießhunde darauf achteten, dass keiner von ihnen aus der Reihe tanzte. Der Hüne war gut sechs Fuß groß, vollbärtig und von kraftvoller Statur.

»Alles hört auf mich!« Vitus registrierte überrascht, dass er Spanisch sprach, wenn auch mit einem Akzent, als würde er im Mund einen Mehlkloß bewegen. »Der Kommandant muss jeden Moment erscheinen. Wenn ihr ihn seht, glotzt nicht auf Deck herum, sondern guckt geradeaus. Wenn er euch begrüßt, antwortet ihr laut und deutlich ›Guten Tag, Sir!‹ Wenn er euch einen Befehl erteilt, antwortet ihr ›Aye, aye, Sir!‹, das ist hier an Bord so üblich. Ansonsten sucht ihr euch einen Punkt über seiner linken Schulter, den ihr fortwährend anstarrt. Dann habt ihr genau den Gesichtsausdruck, der für gute Disziplin steht.«

Die Männer, die nicht kräftig genug »Aye, aye, Sir!« riefen, bekamen umgehend mit dem Starter, einem kurzen Tauende, eins zwischen die Rippen.

»Aye, aye, Sir!«

Lautes, dienstfreudiges Antworten schien in allen Marinen der Welt Pflicht zu sein.

»Gut so.« Der Hüne schien zufrieden. Er wandte sich dem Kommandantendeck zu, auf dem in diesem Augenblick eine hagere Gestalt erschien, die eine abgetragene, aber peinlich saubere englische Marineuniform trug.

Der Rotblonde grüßte stramm: »Sir, ich melde siebzehn Mann wie befohlen angetreten. Kein Engländer darunter, aber ein Schotte. Der Rest sind Spanier.«

»Danke.« Die Antwort kam knapp und befehlsgewohnt. Captain Taggart trat mit zwei Schritten an die Querreling, legte die Hände darauf und sagte zunächst nichts. Er war zufrieden mit dem, was er sah: siebzehn seefeste Burschen, von denen manche zwar schmal wie die Heringe waren, aber immerhin, die Kerle waren durchgehend jung, mit Ausnahme des einen, der mindestens vier Jahrzehnte auf dem Buckel haben mochte, vielleicht auch fünf – so wie er selbst.

Die Zufriedenheit, die Taggart über seinen Fang empfand, trug er keineswegs zur Schau. Vielmehr war sein Gesichtsausdruck so grimmig, dass manchem der Angetretenen eine Gänsehaut über den Rücken lief. Taggart grinste im Stillen. Die Burschen würden noch früh genug merken, dass er gar nicht in der Lage war, freundlich zu gucken. Schuld daran war ein spanisches Schwert, das ihm vor Jahrzehnten die linke Gesichtshälfte gespalten hatte. Die Wundränder waren später schief zusammengewachsen, wodurch ihm fortan der linke Mundwinkel herabhing und für einen immer während den Ausdruck des Zorns sorgte.

»Guten Tag, Überlebende.« Taggart sprach ein fehlerfreies, wenn auch langsames Spanisch.

»Guten Tag, Sir!«, schallte es ziemlich einträchtig zu ihm empor. Die Männer waren also instruiert worden, wie sie ihn anzureden hatten. Taggarts Zufriedenheit wuchs. Finsteren Blicks und in kerzengerader Haltung fuhr er fort:

»Willkommen auf meinem Schiff. Ab heute seid ihr unter

Männern, die ich zu Recht die Besten nenne. Es sind Männer, die sich vor nichts fürchten, Männer, die dem Teufel ein Ohr absegeln, Männer, die eisern zusammenhalten, Männer, die mir treu sind bis in den Tod.«

Er machte eine Pause, rückte seinen Degen zurecht und bemerkte zu seiner Freude, dass die Burschen wie gebannt an seinen Lippen hingen.

»Diese Männer nennen sich mit Stolz ›Falken‹. Wer glaubt, dass auch in ihm ein solcher Mann steckt, hat die Möglichkeit, auf diesem Schiff anzuheuern. Danach geht seine Vergangenheit niemanden mehr etwas an. Nun?« Er schaute grimmig nach unten.

Die Überlebenden scharrten unschlüssig mit den Füßen.

Das überraschte Taggart nicht. Er schnaufte und setzte nach: »Allerdings werdet ihr auf meinem Schiff keinen einzigen Feigling finden. Sollte sich jemand von euch dazuzählen, so will ich ihn gern auf der nächsten Insel absetzen. Die anderen jedoch treten einen Schritt vor, damit sie vereidigt werden können.«

Voller Genugtuung sah Taggart, dass alle fast gleichzeitig vortraten. Man musste einen Burschen eben nur bei seiner Ehre packen, dann reagierte er wie gewünscht.

Auf ein Kommando des Hünen hin traten drei Trommler, ein Fiedler und zwei Flötisten auf der Steuerbordseite an. Sie hoben ihre Instrumente und spielten ein kurzes Stück, das von der Besatzung des Schiffs, die ihre Arbeit für einen Augenblick unterbrochen hatte, voller Inbrunst mitgesungen wurde:

> *Brave bird,* Falcon, *brave bird,*
> *fights like an eagle,*
> *fights like a knight,*

fights by day
and fights at night,
spreads horror and spreads hurt,
brave bird, brave bird,
Falcon, *brave bird …«*

So klang es machtvoll über die See, und die Überlebenden spürten zum ersten Mal den besonderen Geist, von dem dieses Schiff beseelt war.

Taggart war womöglich noch ein wenig gerader geworden.
»Ich sehe, dass keiner von euch ein Feigling ist; ich hatte auch nichts anderes erwartet.«
Er hob die Hand. »Ich spreche euch jetzt die Eidesformel vor, anschließend sagt ihr ›Ich schwöre es, so wahr mir Gott helfe.‹ Also:

Ich schwöre bei Gott dem Allmächtigen,
seinem eingeborenen Sohn
und dem Heiligen Geist,
dass ich Sir Hippolyte Taggart,
der die Ehre hatte, von Ihrer Majestät
Königin Elisabeth I. von England
eigenhändig zum Ritter geschlagen zu werden,
treu und aufopfernd dienen will.
Ich erkenne an, dass sein Befehl Gesetz ist,
ich gelobe Gehorsam in jeder Situation.
Ich stehe ein mit meinem Leben
für die gemeinsame Sache.«

»Ich schwöre es, so wahr mir Gott helfe!«, schallte es zu Taggart herauf.

»So …«, der Kommandant verhielt und betonte das nächste Wort ganz besonders, »*Falcons!* Jetzt seid ihr welche von uns. Ihr habt damit die gleichen Rechte und Pflichten wie jeder andere Matrose an Bord. Ihr seid nichts Besseres und nichts Schlechteres.«

Die Männer nickten beeindruckt und traten wieder zurück in die Linie.

»Meinen Namen habt ihr durch den Schwur bereits erfahren: Sir Hippolyte Taggart, Ritter Ihrer Majestät. Wer jedoch auf den Gedanken käme, mich mit ›Sir Hippolyte‹ anzusprechen, stünde kurz vor einer innigen Begegnung mit der Neunschwänzigen.«

Taggart hasste nur wenige Dinge auf dieser Welt, doch zu dem Wenigen gehörte auch sein Vorname.

»Aber legen wir die Peitsche beiseite. Sagt ›Aye, aye, Sir‹ oder ›Aye, aye, Captain‹, und ihr werdet in mir einen Menschen kennen lernen, der so fürsorglich und harmlos ist wie eine englische Gouvernante.« Sein rechter Mundwinkel verzog sich zu einem Grinsen. Es entstand ein makabrer Kontrast zu dem herabgezogenen linken.

»Das ist im Übrigen John Fox.« Taggart deutete auf den rotblonden Hünen. »Mister Fox, ich darf Euch zu mir aufs Kommandantendeck bitten.«

Der Hüne gehorchte prompt. »Aye, aye, Sir!«

»Stellt Euch neben mich … gut.« Er legte Fox die Hand auf die Schulter, eine Geste, die für den vertrauten Umgang sprach, den die beiden miteinander pflegten. »Mister Fox ist mein Erster Offizier und damit meine rechte Hand. Wenn mein Wort auf diesem Schiff Gesetz ist, ist seines das Evangelium. So weit alles klar?«

»Aye, aye, Sir.« Die Männer standen zwar nach wir vor in

strammer Haltung da, aber sie waren innerlich nicht mehr so angespannt. Sie spürten, dass Taggart kein Leuteschinder war und dass jeder unter seinem Kommando eine faire Chance erhalten würde.

»Wie ihr vielleicht schon gemerkt habt«, fuhr der Kommandant fort, »sind die Männer auf diesem Schiff Korsaren. Freie Männer der See! Freibeuter, die nichts mit den Pfeffersäcken im Sinn haben, sondern die Spanier jagen …«

Er unterbrach sich, denn er hatte gesehen, dass einige der Neuen bei seinen letzten Worten sichtlich zusammengezuckt waren.

»Warum so erschrocken, Leute? Auf diesem Schiff gibt es keine Dons, sondern nur *Falcons*!«

Einige der Männer nickten erleichtert.

»Unsere Beute sind spanische Schatzgaleonen, und zwar jene, die sich jedes Jahr, feige wie ein Schwarm Sardinen, zu einer Armada zusammentun, um gemeinsam das Westmeer zu überqueren.«

»Wobei uns nicht die Hinreise, sondern vielmehr die Rückreise nach Cádiz interessiert«, ergänzte John Fox.

»So ist es. Auf der Rückreise bersten die Dons vor Gold und Silber, vor Diamanten und Juwelen, und es ist nur recht und billig, dass wir es ihnen abnehmen, denn sonst käme alles auf Spaniens und Europas Märkte, würde dort die Preise hochtreiben und unserem guten englischen Handel schaden – das jedenfalls hat mir Ihre Majestät, unsere *Lady of the Seas,* versichert, als sie mir im Frühjahr anno 1572 meinen Kaperbrief ausstellte.«

Taggart ertappte sich dabei, dass er geschwätzig geworden war. »Nun denn«, sagte er knapp, »Mister Fox, lasst die Musikanten wegtreten und macht weiter mit den neuen Männern, ich habe noch ein anderes Gespräch zu führen.« Er nickte kurz und steuerte seine Kajüte an.

»Aye, aye, Sir.« Fox grüßte, gab die entsprechenden Befehle und stieg wieder aufs Oberdeck hinunter. Als der Kommandant außer Sichtweite war, sprach er mit normaler Stimme weiter: »Ihr könnt euch was auf diesen Vortrag einbilden, Männer, gewöhnlich redet der Captain nicht so viel, aber ...«

»Äh ... Señ ... Sir ... ich kann ni...«, unterbrach plötzlich der Magister den Hünen. Der kleine Mann verdrehte die Augen, schwankte halb um die eigene Achse und schlug auf das Deck. Als sei sein Schwächeanfall ansteckend, fiel Gonzo Sekunden später ebenfalls um.

»Maat McQuarrie!« Die Stimme des Hünen schallte über das gesamte Oberdeck und sorgte dafür, dass ein kleiner, drahtiger Schotte blitzschnell herbeilief.

»Sir?«

»Schnappt Euch ein paar Männer, und lasst die beiden wegschaffen. Sie sollen Brühe bekommen und sich im Mannschaftslogis erholen ... He, du, von ›Rührt euch!‹ war nicht die Rede!«, fuhr er Vitus an, der sich niedergekniet hatte, um zu helfen.

»Sir, die Männer sind meine Freunde, ich bin ...«

»Du bist still, mein Sohn, denn du stehst im ›Stillgestanden‹, und wer im ›Stillgestanden‹ steht, der rückt und rührt sich nicht – selbst wenn ihm der Großmast auf den Kopf fällt.«

Fox, der von Natur aus gutmütig war, setzte hinzu: »Mach dir um deine Freunde keine Sorgen, sie sind nicht die Ersten, die wir hochpäppeln.«

Als Gonzo und der Magister fortgeschafft waren, trat er näher an die Linie der Neuen heran. »Meinetwegen steht jetzt bequem. Ich sehe, dass es bei euch erheblich an Drill hapert, doch ich verspreche euch, dass sich das bald ändern wird. Also, bildet einen Halbkreis. Als *Falcons* habt ihr nicht nur Pflichten, sondern auch Rechte, und eines dieser Rechte ist, dass die Schiffsführung ihre Männer niemals im Unklaren darüber lässt, welchen Kurs wir laufen. Wie der Captain bereits sagte, sind unsere Beute Schatzgaleonen, und wir befinden uns auf dem Weg nach Kuba, wo wir uns auf die Lauer legen werden, um die Spanier abzufangen, wenn sie, wie jedes Frühjahr, voll gestopft mit Gold die Rückreise nach Cádiz antreten. Man ist dort sozusagen an der Quelle und verfehlt die Dons nicht so leicht wie auf offener See. Hawkins, Le Testu und andere Korsaren machen's auch so und sind ähnlich erfolgreich wie unser Captain. Aber wir verachten auch nicht einen fetten Kauffahrer mit anderer Ladung, sofern sie sich Gewinn bringend in England verscherbeln lässt. Deshalb freuten wir uns schon, als wir heute Mittag die *Cargada* erblickten; sie sah viel versprechend aus, bevor sie absoff. Nun ja, unser Pech war euer Glück, denn ihr gehört zu den Wenigen, die wir retten konnten.«

»Und dafür möchte ich, äh … Verzeihung, Sir«, Fernandez trat vor und streckte seine Rechte aus, »möchte ich Euch herzlich danken. Ich denke, ich spreche da auch im Namen der anderen.«

»Tja, hm, natürlich.« John Fox schlug ein.

Vitus sah zu seiner Belustigung, dass der Hüne verlegen geworden war, und streckte ebenfalls die Hand vor. »Ich danke Euch auch.«

Plötzlich wollten alle ihm die Hand schütteln.

»Schon recht, Männer. Macht nicht so viel Wind, sondern hört mir zu, damit ihr anschließend was zwischen die Zähne kriegen könnt und zum Dienst eingeteilt werdet.«

713

»Sir!« Ein junger Bursche eilte herbei und grüßte.

»Was gibt's, Tom?«

»Empfehlung vom Captain, Sir. Er bittet Euch und drei der Männer in seine Kajüte. Sie heißen Vitus von äh … Campoda … Compo … jedenfalls Vitus, García und Fernandez.«

»Danke. Wegtreten, Tom!« Fox wandte sich zur Gruppe: »Wer von euch ist Fernandez?«

»Hier, Sir.«

»Ah, der Danksager. Und Vitus?«

»Hier, Sir.«

»Und der dritte Mann, wie hieß er noch gleich?«

»Ramiro García, Sir, er ist einer der beiden Ohnmächtigen von vorhin«, erklärte Vitus.

»Gut, dann ist er entschuldigt. McQuarrie!«

Der Maat, der in diesem Augenblick zurückkam, stand stramm. »Sir?«

»Schafft die Gruppe zum Koch. Er soll den Männern außer der Reihe was geben, damit sie nicht vom Stängel fallen. Anschließend werden sie in die Mannschaftsliste eingetragen, damit alles seine Ordnung hat. Teilt sie dann den Wachen zu, ich verlasse mich ganz auf Euch.«

»Aye, aye, Sir!«

»Mitkommen, ihr beide!« Der Hüne packte Vitus und Fernandez und schob sie in Richtung Kapitänskajüte. »Bin gespannt, was der Alte von euch will.«

Die Kajüte von Kapitän Taggart war ein Spiegelbild seiner Persönlichkeit: nicht viele, aber wertvolle Möbel, die so ausgerichtet waren, dass ihre Ecken genau über den Quadraten des schachbrettartig gemusterten Segeltuchteppichs standen. Dazu ein großer, seefest verschraubter Tisch, an dem zehn

Männer bequem speisen konnten, ein drehbarer Globus aus spanischem Besitz, ebenfalls fest mit dem Deck verbunden, weitere Stühle und ein großflächiger Kartentisch, auf dem sich Seekarten und Navigationstabellen türmten, hier und da beschwert von nautischen Instrumenten wie Abgleichzirkel, Reißfeder und Winkelfasser.

Unter dem großen Heckfenster, hinter einem Paravent, hatte der Kommandant den Stuhl zur Darmentleerung sowie eine Waschgelegenheit platzieren lassen. Er liebte Helligkeit und frische Luft bei den Tätigkeiten, die der Körper verlangte.

Vitus und Fernandez betraten hinter dem breiten Rücken von John Fox die Kapitänskajüte. Taggart saß in kerzengerader Haltung am Kartentisch. Und auf einem der einzelnen Stühle neben ihm – der Zwerg Enano.

»Danke, John, dass Ihr so schnell gekommen seid«, sagte Taggart, noch bevor Fox Meldung machen konnte.

»Gern geschehen, Sir.«

Taggart blickte auf und bemerkte das grenzenlos erstaunte Gesicht von Vitus, der den Zwerg wie einen Geist anstarrte.

»Wenn ich Arzt wäre wie Ihr, Vitus von Campodios, würde ich bei Euch auf einen akuten Anfall von Paralyse tippen.«

»Ich, äh, Sir … mein Name … woher?« Es geschah nicht oft, dass Vitus die Worte fehlten.

Taggarts rechte Gesichtshälfte grinste. »Wie ich sehe, ist mir die Überraschung gelungen.« Er deutete auf einen Teller mit Biskuits, der vor ihm auf einer Seekarte zwischen der Insel Madeira und den Kanarischen Inseln stand. »Bedient Euch, meine Herren. Es ist nur gerecht, dass auch Ihr etwas bekommt – genau wie Eure Kameraden zurzeit beim Koch.«

Vitus und Fernandez zögerten.

»Greift nur zu. Die Dinger hat mein Weib persönlich gebacken, daheim auf der schönen Isle of Wight. Sehr zu empfehlen.« Er nahm selbst eines, biss krachend hinein und kaute. »Sind hart wie der Zahn des Narwals, salzwasserfest und halten hundert Jahre. Nun greift schon zu, auch Ihr, John.«

»Ergebensten Dank, Sir.« John Fox nahm sich als Erster, denn er kannte bereits die Resultate der Backkünste von Taggarts Frau.

»Der Zwerg«, Taggarts Blick streifte kurz Enano, »war der Erste, den wir aus dem Wasser fischen konnten. Ich selbst verfolgte die Rettungsaktion und bat ihn sofort in meine Kajüte. Die Gründe dafür, nun … die tun nichts zur Sache.«

»Aye, aye, Sir, wui, wui!«, fistelte der Winzling vergnügt. Er kniff ein Auge zu und blinzelte Vitus an.

»Enano erzählte mir vieles von Euch, Vitus, ebenso von einem Magister namens Ramiro García«, Taggart unterbrach sich, »wo ist der Mann überhaupt?«

»Verzeihung, Sir.« Vitus hatte die Sprache wieder gefunden: »Er hatte vorhin einen Schwächeanfall, und ein Mann namens Gonzo ebenfalls. Man kümmert sich bereits um beide.«

»Gut.« Die kurze, knappe Auskunft gefiel Taggart. Der Zwerg an seiner Seite hatte offenbar nicht zu viel versprochen. »Enano sprach außerdem von Euch, Mister Fernandez. Nun, wenn das, was ich hörte, auch nur annähernd stimmt, kämt Ihr mir wie gerufen.«

Der Kommandant nahm ein weiteres Biskuit. »Das gilt auch für Euch, Vitus von Campodios. Ihr seid, dem Vernehmen nach, ein außergewöhnlich begabter Arzt und damit genau das, was ich brauche, denn unser jetziger Doktor Jeremy Hall kann in letzter Zeit seine Arbeit kaum noch tun – die Gicht, müsst Ihr wissen.«

Taggart war, wie er es liebte, schnell auf den Punkt gekommen. Aufmerksam musterte er sein Gegenüber.

»Jawohl, Sir.« Vitus' Augen wanderten zwischen Taggart und Enano hin und her, während er fieberhaft überlegte. »Es wäre mir eine Ehre, bei Euch an Bord arbeiten zu können, aber ich habe leider alles verloren: meine Instrumente, meine Literatur, das Kräutersortiment. Ich besitze nur noch das, was ich auf dem Leibe trage.«

»Gickgack«, fistelte fröhlich der Zwerg. »Tuste nich, Vitus, tuste nich! Hab die Kiepe mit dem Wälzer un auch den Eisenschnitzerkoffer rausgekätscht!« Er beugte sich unter den Tisch, wo tatsächlich alle Sachen lagen. Der Deckel des Instrumentenkoffers stand, durchs Seewasser verbogen, an einer Seite hoch. Der Datumstein grüßte durch den Spalt. Sogar der Stecken lag dabei. Der Winzling hob die Kiepe auf. »Noch alles fillvoll, Vitus, das schwör ich bei der heiligen Marie.«

Es war wie ein Wunder. Seine Kiepe war wieder da! Ebenso alle anderen Dinge! »Danke, Enano.« Vitus schluckte. »Das vergess ich dir nie!«

»Blausinn! Sind quitt wir zwei, wui?« Der Zwerg blickte treuherzig.

»So weit, so gut.« Taggart schätzte Unterbrechungen nicht sonderlich. »Nehmt Ihr das Angebot an, Cirurgicus?«

»Ich akzeptiere.« Vitus strahlte. »Aber ich habe eine Bitte: Der Magister García muss mein Assistent werden.«

»Das war ohnehin vorgesehen.«

»Danke, Sir.«

»Schön. Nun zu Euch, Mister Fernandez. Von Euch wird mir berichtet, Ihr wäret ein tüchtiger Navigator. Selbstverständlich bin ich bereit, das zu glauben, doch gestattet mir zuvor eine Frage: Wie gut kennt Ihr Euch in den karibischen Gewässern aus?«

In Fernandez' Augen blitzte Stolz auf: »Sir, ich denke, ich kenne sie wie meine Westentasche.«

»Das wollte ich hören. Ist Euch zufällig die Inselgruppe südöstlich der Isla de Pinos bekannt?«

»Das ist sie, Sir. Ich nehme doch an, Ihr meint die Cayman-Inseln.«

»Richtig. Zwei Fragen dazu: Erstens, wie nennt sich die Bevölkerung dieser Inseln?«

Fernandez wirkte für einen Augenblick verblüfft, dann ging ein Lächeln über seine Züge. »Die Cayman-Inseln sind nicht bewohnt, Sir, jedenfalls waren sie es bis vor vier Jahren nicht, als ich dort vorbeikam. Insofern kann ich Eure Frage nicht beantworten.«

Taggarts rechte Gesichtshälfte hob sich. Der Spanier ließ sich nicht ins Bockshorn jagen, das gefiel ihm. »Die zweite Frage im Ernst: Kennt Ihr Euch dort mit Winden, Strömungen, Untiefen und sonstigen Besonderheiten aus?«

»Jawohl, Sir.« Fernandez hielt einen kurzen Vortrag, der mit seemännischen Einzelheiten gespickt war.

»Schön. Das genügt mir.« Taggart hob Einhalt gebietend die Hände. »Seid Ihr bereit, als Segelmeister und Zweiter Offizier auf meinem Schiff zu dienen?«

»Mit Freuden, Sir.«

»Das müssen wir begießen.« Taggart erhob sich, schritt zu einem Regal und entnahm ihm eine bauchige Flasche Brandy. »John, seid so freundlich und schaut mal nach draußen, wo Tipperton sich wieder rumtreibt. Er soll sich, so schnell ihn seine Schiffsschreiberbeine tragen, in meine Kajüte verfügen und die Offiziersliste mitbringen. Wenn er nicht binnen zwei

Minuten hier mit Feder und Tinte erscheint, kalfatere ich ihm die Furche im Hintern zu.«

»Aye, aye, Sir.« John Fox verschwand grienend.

»Und mit Euch, meine Herren, habe ich das Vergnügen, auf die Gesundheit und das Wohlergehen unserer erlauchten Königin, auf Ihre Majestät Elisabeth I. von England, zu trinken.« Taggart hob die inzwischen von Enano gefüllten silbernen Pokale. »Sie lebe lang und friedlich bis an das Ende Ihrer Tage.«

Er nahm einen gehörigen Schluck. »Und wenn's nach mir ginge, auch unverheiratet. Philipp II., dieser schwermütig dreinblickende Dauerbeter, sollte sich lieber eine feurige andalusische Hure greifen, nicht wahr, Gentlemen?«

Fernandez schluckte. Er war es nicht gewohnt, dass man so über seinen König sprach. Doch das, was Taggart gesagt hatte, war nicht ganz von der Hand zu weisen. »Aye, aye, Sir!«, nickte er deshalb tapfer.

»Auf das Wohl Ihrer Majestät!« Vitus, der nur einen sehr kleinen Schluck genommen hatte, setzte das Glas vorsichtig auf dem Zehnpersonentisch ab.

»Es lebe Elisabeth!«, sagte der Zwerg schnörkellos, ganz gegen seine sonstige Art.

»Ihr habt mich rufen lassen, Sir?« Tipperton schlüpfte hinter dem Hünen in die Kajüte. Er war ein verweichlichter, schmächtiger Mann, so schmächtig, dass er erst sichtbar wurde, nachdem John Fox schon in der Mitte des Raums stand.

»Das habe ich allerdings.« Taggart hasste leere Floskeln. »Wenn es nicht so wäre, wäret Ihr nicht hier, stimmt's?«

»Sehr wohl, Sir. Aye, aye.« Tipperton hatte etwas Butlerhaftes in seinen Bewegungen. Er verbeugte sich tief und schritt gemessen auf den Kartentisch zu, um dort seine Schreibutensilien abzulegen und die Offiziersliste auszurollen. Es sah aus, als striche er ein Hasenfell glatt.

»Dann tragt die Herren Vitus von Campodios, Fernandez, äh, wie ist Euer Vorname, Mister Fernandez?«

»Manuel, Sir.«

»Manuel Fernandez und Ramiro García in die Offiziersliste ein.« Er nannte die Funktionen der einzelnen Männer und die ihnen zustehenden Beuteanteile nach Beendigung der Fahrt.

Tippertons Feder kratzte eifrig über das Papier. Ab und zu landete ein Klecks zwischen den Buchstaben, was Taggart stirnrunzelnd beobachtete.

»Wenn Ihr fertig seid, lasst die beiden Herren unterschreiben, der Magister García mag es später nachholen.« Taggart war bereits dabei, die Gläser neu zu füllen. »Und verkleckst das Datum nicht: Heute ist Sonnabend, der Abend vor dem Sonntag. Wir schreiben den 27. Oktober im Jahre des Herrn 1576.«

»Aye, aye, Sir.« Tipperton nahm eine neue Feder.

Das Fenster in der Kammer von Doktor Jeremy Hall war winzig klein und ließ kaum Tageslicht herein. Nur ein paar verirrte Strahlen der Spätnachmittagssonne streiften das Gesicht des Arztes, der schmerzverkrümmt in seiner Koje lag. Mit seinen zweiundsechzig Jahren war er in einer Zeit, in der die Menschen durchschnittlich kaum fünfunddreißig wurden, ein uralter Mann.

»Mein Name ist Vitus von Campodios, Sir«, stellte Vitus sich vor. Nach dem Gespräch bei Kapitän Taggart und einer kurzen Mahlzeit in der Kombüse des Kochs hatte er in Begleitung des Magisters und des Zwergs den alten Schiffsarzt aufgesucht. »Ich bin Arzt und Cirurgicus wie Ihr.«

Er wies auf seine Begleiter. »Dies ist mein Assistent, der

Magister Ramiro García, und dies mein Freund Enano, der Zwerg.«

Die beiden verbeugten sich. Der Magister blinzelte kurzsichtig, denn seine Berylle waren mit der *Cargada* untergegangen. Hall nickte matt.

»Kapitän Taggart hat den Magister und mich Eurer Kammer zugeteilt, Sir. Ich hoffe, Ihr habt nichts dagegen, wenn wir in diesem Raum schlafen?«

»Natür ... lich nicht, mein ... Jun ... ge.« Hall sprach abgehackt vor Schmerzen, mit krächzender Stimme. Er hob grüßend die Hand, und die Ursache seiner Qualen wurde sichtbar: Die Gelenke seiner Finger waren knotig verdickt, die Hände selbst klauenartig gekrümmt wie die Fänge eines Raubvogels.

»Erlaubt, dass ich Euch untersuche.« Behutsam nahm Vitus die Hände des Kranken und zog sie ins Licht. Die Knoten waren rot, dick und von gummiartiger Beschaffenheit. Schon die leiseste Berührung ließ den alten Arzt aufstöhnen. Vitus schlug die Decke zurück und besah sich die Füße. Sie sahen ähnlich wie die Hände aus. Besonders die Grundgelenke der großen Zehen waren angeschwollen. »Ihr habt wahrhaftig die Gicht, Doktor Hall, und Ihr habt Euch einen denkbar schlechten Ort ausgesucht, sie zu kurieren.«

Hall winkte ab. »Hab seit ... zwanzig Jahren ... das Zipperlein ... werd's mit ins ... Grab neh ... men.«

»Aber nein.« Vitus forschte in seiner Kiepe vergeblich nach Kräutern, die vom Salzwasser nicht verdorben waren. »Sag mal, Enano, du hattest doch im Casa de la Cruce noch das kleine rote Holzkästchen. Wo ist das eigentlich geblieben?«

»'s is zu den Fischen, Vitus, als Battista uns zur *Cargada* geschockelt hat.« Der Zwerg kratzte sich bedauernd die Haarbüschel. »Un die Güldmücken, die ich dir zurückstochen wollt, sind auch mit baden gegangen.«

»Meine Goldescudos würden uns hier sowieso nichts nützen. Aber vielleicht wären ja ein paar brauchbare Arzneien im Kästchen gewesen.«

»Iwo, 's war mehrstens nur Maschierpulver.«

»Gift? Nun, ich hätt's mir denken können.« Vitus kramte weiter und entdeckte schließlich noch ein paar unversehrte Wallwurzeln. Mit Hilfe des Magisters zerquetschte er sie und legte die Masse auf die schmerzenden Stellen. Anschließend fixierte er sie mit vorsichtig angelegten Kompressen.

Erst jetzt sah Vitus sich genauer in der Kammer um. Auf der gegenüberliegenden Seite gab es zwei ungenutzte Schlafkojen, und an der Wand darüber befand sich ein Medizin- und Instrumentenschrank, der aussah, als wäre er schon Jahre nicht mehr geöffnet worden. Vitus klappte ihn auf. In dem von Spinnennetzen durchzogenen Schapp hingen zahlreiche Amputationsinstrumente, darunter eine Reihe scharfzahniger Knochensägen. Am Boden standen Fläschchen mit Arzneien, eines davon trug die Aufschrift *Opium liquidum*.

Er wandte sich erneut an Hall. »Meist geht die Gicht mit einem Ungleichgewicht der Körpersäfte einher, Doktor. Ihr als erfahrener Arzt wisst dies natürlich viel besser als ich, dennoch: Häufig findet sich im Zusammenhang mit dem Zipperlein irgendwo ein Eiterherd im Körper. Manche Ärzte vertreten die Meinung, solche Herde seien die Ursache der Gicht.«

Hall schwieg.

Vitus lächelte flüchtig. »Ich für meinen Teil glaube, dass dies stimmt. Doch gestattet die Frage: Wisst Ihr von einer Eiteransammlung in Eurem Körper? Vielleicht in einer der Mandeln?«

»Wui, oder in einem der hintren Beißer?«, ergänzte Enano.

Hall deutete auf seine rechte Wange. »Habe ... seit Jahren eitriges ... Zahnfleisch.«

»Hm.« Vitus überlegte. »Um Eure Mundhöhle genau zu untersuchen, reicht das Licht nicht.«

»Vielleicht fühlt Doktor Hall sich morgen ein bisschen besser«, meinte der Magister tröstend. »Dann könnten wir ihn an Deck bringen und dort die Behandlung durchführen.«

»Nein!« Der alte Arzt fuhr erschreckt hoch und sank qualvoll stöhnend zurück. »Will nicht ... zum ... Gespött der Männer ... werden.«

»Natürlich nicht, Doktor Hall. Ich schlage vor, wir warten erst einmal morgen oder übermorgen ab. Wenn es Euch dann besser geht, kann ich mir Eure Zähne immer noch ansehen – hier in der Kammer, beim Schein einer Laterne.« Vitus deckte den Kranken wieder zu.

»Danke ... für Euer ... Verständnis ... kann mich ... nicht selbst behandeln ... bin nur ein einfacher ... Knochenflicker.«

»Das seid Ihr nicht, und Ihr wisst es auch. Erlaubt, dass wir uns entfernen. Wir sehen uns später.« Er nickte freundlich, legte seine Kiepe auf eine der freien Kojen und verließ mit seinen Kameraden den Kranken.

»Bevor wir nachsehen, wie es Rod und den anderen im Mannschaftslogis geht, eine Frage, Enano.« Vitus war unter dem Großsegel stehen geblieben und hielt den Zwerg an der Schulter fest.

»Bist wohl neugierig, wiewu der Kaptein so knäbbig zu mir war?«

»Erraten. Taggart ist zwar ein Mann nach meinem Geschmack: bärbeißig, geradeheraus und gerecht. Aber er ist auch ein Mann, der seine Gefühle kaum zeigt. Um so seltsamer fand ich, dass er sich dir gegenüber ganz anders benahm. Fast so, als seist du ein Familienmitglied von ihm.«

»Bist kess im Kopf, Vitus. Hast's fast erraten.« Der Winzling fuhr sich leicht verlegen über die rötlichen Haarbüschel. »'s is so, dass von Taggarts Streichlingen einer auch 'nen Buckel hat. Der Stenz is wohl so altrisch wie ich. Drum hat der Kaptein mich gleich abgegriffen un in seinen Bau bugsiert. War hullig zu mir, hat was von Schicksal gefaselt un dass ich ihn an sein eignes Blag erinner. Nu, hab ihm ein wenig Garn gesponnen, halb stimm, halb nich stimm, muss ja nich gleich alles wissen, der neugierige Rock.«

»Und dann hast du von mir, dem Magister, Fernandez und den anderen berichtet?«

»Jija, sollt ich's nich?« Die Äuglein des Winzlings blickten, als könnten sie kein Wässerchen trüben.

Vitus musste lachen. Auch der Magister, der schon wieder ganz der Alte war, prustete los. »Klar doch, du abgebrochener Riese, hast uns damit einen großen Gefallen getan. Als ob du das nicht wüsstest!«

Ein paar Tage später, nachdem es Doktor Hall durch die Wallwurzauflagen ein wenig besser ging, war es Vitus und dem Magister gelungen, den alten Mann zu einer Operation auf dem Oberdeck zu überreden. Sie halfen ihm hinaus und platzierten ihn auf einem Stuhl mit schräg stehender Rückenlehne. Hall blinzelte in die Vormittagssonne. Bewegungslos wie ein Reptil hielt er die knotigen Hände in die wärmenden Strahlen.

»Ihr könnt ruhig die Augen ganz schließen, Doktor«, sagte Vitus. »Vertraut mir.«

»Das tu ich, mein Junge.« In Halls Stimme schwang Unsicherheit mit. Dennoch schloss er die Lider.

»Sind die Schmerzen in Euren Gelenken heute erträglich?«

Hall nickte.

»Soll ich den Spreizer schon einsetzen, Vitus?«, fragte der Magister dazwischen. Er hielt ein von Vitus selbst geschnitztes, hölzernes Instrument in der Hand, das einem Hufeisen glich. Es sollte dazu dienen, dem alten Mann die Mundwinkel auseinander zu halten.

»Noch nicht.«

Vitus wandte sich an Hall: »Sir, Ihr kennt sicher die segensreiche Wirkung eines Schlafschwamms?«

Der alte Arzt nickte matt. Dann wurde er überraschend energisch. »Ich will nicht bewusstlos sein, will genau mitkriegen, was Ihr macht!«

»Keine Sorge, Sir, das werdet Ihr. Das Opium aus dem Instrumentenschrank reicht ohnehin nur für eine geringe Dosis. Allerdings muss ich den Schwamm direkt in Eure Mundhöhle drücken, denn die Substanz wirkt nur dann ausreichend, wenn sie in Kontakt mit den Schleimhäuten kommt.«

Hall sperrte den Mund so weit wie möglich auf.

»Setz den Spreizer ein, Magister.«

»Mach ich … gut so?« Der kleine Mann überprüfte noch einmal den Sitz des Holzstücks.

»Ich denke, ja.« Vitus spähte in den Mund und blickte auf das, was von Halls bräunlichen Kauwerkzeugen übrig war. Das Fleisch daneben schimmerte gelblich und gallertartig. Im Oberkiefer waren alle Zähne bis auf zwei ausgefallen. Vitus presste den Schwamm in den Mund und drehte ihn ein paarmal herum. Hall gab einen erstickten Laut von sich.

Der Magister hielt jetzt den Hinterkopf des Doktors.

»Wird das Zahnfleisch schon taub, Sir?«

Hall öffnete die Augen und schloss sie wieder. Vitus wertete das als Bestätigung. Mit dem kräftigen Schnabel eines Pelikans erfasste er den ersten Zahn und versuchte ihn zu lockern. Ein Stück brach ab. Hall atmete tief durch. Vitus nahm das Teilchen mit einer Pinzette heraus und versuchte es erneut. Wieder brach ein Stückchen Zahn ab.

So ging es nicht.

Scheinbar gelassen sagte er: »Der sichtbare Teil der Zähne ist brüchig wie Holzkohle; die Wurzeln allerdings sitzen sehr fest.« Er nahm ein Skalpell zur Hand, das in seiner Form einem Federmesser glich. Am Spreizer vorbei schob er es hinein und begann das eitrige Zahnfleisch fortzuschneiden.

Halls knotige Hände ballten sich auf seinem Schoß. Er hatte sichtlich Schmerzen.

»Leider kann ich Euch keine weitere Dosis mit der *Spongia* geben, Sir, das Opium ist aufgebraucht.«

Hall zuckte mit den Schultern.

Vitus schnitt das Fleisch an den Zahnhälsen auf der gesamten Kieferlänge ab. Es blutete kaum.

Als der Streifen ans Licht kam, schlug Hall die Augen auf und nuschelte: »Ihr macht das sehr gut, mein Junge.«

»Danke, Sir.« Vitus schnitt weiteres Zahnfleisch heraus. Aus dem Mund drang fauler Geruch, der zum Glück vom Seewind schnell davongeblasen wurde.

Die braunen Zahnruinen standen jetzt frei, rötlich gelbliche Flüssigkeit sammelte sich im Mund. Vitus tupfte sie fort und griff dann abermals zum Pelikan. Die Schnabelenden des Instruments konnten jetzt besser die Stümpfe umfassen. Mit geballter Faust und hochkonzentriert schob er das Werkzeug hin und her und bemerkte zu seiner Freude, dass der erste Backenzahn sich lockerte. Er verstärkte seine Bemühungen und hielt wenige Augenblicke später den gezogenen Zahn hoch.

»Da haben wir einen der Verursacher Eurer Gicht, Sir.«

»Wenn's nur so wär, mein Junge«, seufzte Hall.

Der Magister wischte ihm die Lippen ab.

»Danke, mein Sohn.« Trotz der Qualen schien Hall erleichtert. Seit Jahren war es das erste Mal, dass nicht die Schmerzen seiner Gicht, sondern deren Ursachen behandelt wurden. Im Verlaufe der nächsten Stunde zog Vitus die restlichen Backenzähne. Als alles vorbei war, ergriff Hall Vitus' Rechte und nuschelte: »Danke, mein Junge, so einer wie Ihr hätte meinen Zähnen schon früher über den Weg laufen müssen.«

»Schon recht, Sir. Wir wollen nun abwarten, ob im Verlauf der Woche Eure Gichtbeschwerden zurückgehen.«

Hall nickte eifrig: »Bin davon überzeugt, habe schon jetzt ein befreites Gefühl! Nochmals von Herzen Dank … Cirurgicus.« Es war das erste Mal, dass er Vitus so nannte.

Vitus, der Magister, Rod und McQuarrie betraten den »Garten« im äußersten Bug und überprüften noch einmal die Windverhältnisse. Kräftige Böen fielen an diesem Morgen von Backbord ein, was sie veranlasste, auf der Steuerbordseite Platz zu nehmen. Wer sich erleichtern wollte, tat gut daran, sich in Lee zu setzen.

Ein Doppelschlag der Schiffsglocke klang hell vom Achterschiff zu ihnen nach vorn und meldete, dass es 9 Uhr war. Alle vier hatten sich angewöhnt, zu dieser Stunde im »Garten« zu erscheinen, um hier, während der notwendigen Verrichtungen, in Ruhe zu plaudern. Das gemeinsame Sitzen hatte etwas Vertrautes und Entspannendes und war, wie Vitus betonte, in seiner Regelmäßigkeit sehr gesund.

»Wenn man so hoch über dem Wasser thront, kommt man sich vor wie ein Vogel, der was fallen lässt«, grinste Rod. »Wie dieser Falke da vorn.« Er deutete auf die Galionsfigur.

»Wieso heißt das Schiff eigentlich *Falcon* und nicht Sperber oder Bussard oder Habicht?«, fragte der ewig wissensdurstige Magister.

»Der Name Falke war eine Idee vom Alten«, antwortete McQuarrie. »Er erzählte mir mal in einer Hafenkneipe, wie er draufgekommen ist: Es muss mindestens fünfzehn Jahre her sein. Es war ein Herbsttag auf der Isle of Wight, und er beobachtete, wie ein Wanderfalke sich auf seine Beute herabstürzte. Die Schwingen und der Schwanz zeigten dabei ein Flugbild, das den Alten genau an die Form eines Ankers erinnerte. Damals nahm er sich vor, irgendwann mal ein Schiff zu besitzen, das den Namen *Falcon* trägt.«

»Ein schönes Schiff«, nickte Vitus.

»Aber in mancherlei Hinsicht anders als die alte *Cargada de Esperanza*«, entgegnete der Magister.

»Die spanischen Galeonen können es mit den neuen englischen nicht aufnehmen.« Wenn es um die Bauweise von Schiffen ging, war McQuarrie in seinem Element. »Seht nur den Fockmast der *Falcon:* Er steht vor dem vorderen Aufbau und besitzt eine Schräge voraus. Ein Spanier dagegen hat den Fockmast direkt im Vorkastell sitzen, das im Übrigen viel höher ist als unseres. Wir *Falcons* reden deshalb auch gar nicht mehr von einem Kastell, sondern nur noch von einem Vor- oder Backsdeck.«

»*Falcon,* hooo! Schiff Backbord voraus!«, tönte es plötzlich laut über ihnen. Der Ausguck im Mars hatte Meldung gemacht.

»Welche Nationalität?« Als hätte er auf die Nachricht gewar-

tet, rannte John Fox die Kuhl entlang in Richtung Bug.
»Kannst du was erkennen, Bursche?«

»Nein, Sir. Tut mir Leid, Sir. Handelt sich aber um ein kleineres Schiff, Dreimaster, glaube ich.«

»Aaachtung! Kommandant kommt nach vorn!«, rief ein Mann der Steuerbordwache.

John Fox eilte zurück zu seinem Kapitän. »Schiff Backbord voraus, Sir, noch nichts Näheres erkennbar. Soll ich ›Klar Schiff zum Gefecht!‹ pfeifen lassen?«

»Nein, Mister Fox.« Taggart hielt ein langes, mit Vergrößerungslinsen versehenes Holzrohr in der Hand. »Ich will den Burschen erst mal genau studieren.«

»Aye, aye, Sir.«

Unter den Augen der gesamten Mannschaft schritt Taggart weiter, erreichte das Backsdeck und begann in die Wanten des Fockmasts zu steigen. Auf halber Höhe hielt er inne und blickte auf die vier Männer im »Garten« herab. Vitus, der Magister, Rod und McQuarrie hatten so schnell es ging ihr Geschäft beendet und die Hosen hochgezogen. Jetzt schauten sie verlegen nach oben.

»Das lob ich mir!«, rief Taggart. Seine rechte Gesichtshälfte hob sich. »Die Herren halten Disziplin und kacken im Gleichtakt. Weitermachen!«

»Aye, aye, Sir.« Die Bestätigung der vier klang etwas lahm. Hier und dort kicherte jemand.

Taggart kletterte die Wanten weiter hinauf, doch nach ein paar Stufen verhielt er abermals. »Ach, ehe ich's vergesse: Cirurgicus und auch Ihr, Magister García: Ich gebe heute Abend ein kleines Dinner in meiner Kajüte, würdet Ihr mir die Freude Eurer Anwesenheit machen?«

»Aber selbstverständlich, gern, Sir!«

»Schön. Und meine Empfehlung an Doktor Hall, mit dem Ihr die Kammer teilt. Auch er ist mir willkommen.«

»Wir werden es ausrichten, Sir«, versicherte Vitus.

»Dann ist es abgemacht. Sagen wir um 8 Glasen?«

Ohne eine Antwort abzuwarten, stieg er weiter nach oben.

»Nicht schlecht, nicht schlecht, Männer.« Taggart, der an der Stirnseite des Zehnpersonentischs saß, klatschte höflich den Musikanten zu, die für einen Augenblick pausierten. »Was war das für ein Stück? Ich kenne es nicht.«

»Das Stück heißt *Who shall me let?*, Sir. Man hört es in jüngster Zeit häufig bei Hofe«, antwortete der Flötist.

»Soso.« Taggarts Interesse hatte bereits nachgelassen.

»Man tanzt die Volta danach, Sir. Das ist ein neuer, schneller, recht gewagter Springtanz, bei dem die Partner einander anfassen. Ihre Majestät soll ihn besonders schätzen.«

»Tanzen, brrr, ich hasse Tanzen!« Taggart schüttelte sich. »Ein Gehopse, das ausschließlich dazu erfunden wurde, fremde Frauen anfassen zu dürfen, ohne dass einem gleich der Ehemann aufs Dach steigt.« Er besann sich. »Immerhin, wenn unsere Lady diese, äh … Volta schätzt, soll es mir recht sein.«

»Noch etwas von dem gewürzten Pökelfleisch, Sir?« Tipperton, der an diesem Abend zum Butler umfunktioniert worden war, hielt Taggart ein dampfendes Tablett hin. »Es wären auch noch Klöße da.«

»Nein, ich platze bereits. Gebt lieber den jungen Leuten.« Taggart deutete auf Vitus, den Magister, John Fox und den Zwerg. »Wir älteren Semester halten uns lieber an Hochprozentiges, was, Doktor?« Er griff zur Brandykaraffe und schenkte dem Arzt kräftig ein.

»Danke, Sir.« Hall wirkte recht munter. Er schien seinen verlorenen Beißwerkzeugen nicht nachzutrauern, denn ohne sie hatte er einen Grund mehr, sich der flüssigen Nahrung zu widmen.

Taggart bediente auch Fernandez reichlich. »Auf unsere Königin! Gott schütze sie!«

»Auf die Königin!« Alle erhoben sich und prosteten sich zu.

»Noch etwas von dem blau geäderten Schimmelkäse, Sir? Der Koch hat extra weißes Brot dazu gebacken.« Tipperton war schon wieder da.

Taggart winkte ab und schenkte neu ein. Der Trinkspruch auf die Königin wiederholte sich.

»Wenn das so weitergeht, sind wir bald alle blau wie die Veilchen«, flüsterte der Magister Vitus zu.

»Was sagtet Ihr, Magister García?« Taggart schätzte es nicht, wenn an seinem Tisch geflüstert wurde. »Sprecht nur recht laut, damit wir alle etwas davon haben.«

»Tja, äh … Sir«, schaltete der kleine Gelehrte schnell, »ich sagte gerade, dass der Wind aufgefrischt hat.« Der Informationsgehalt seiner Erklärung war allerdings gering, denn seit der Begegnung mit dem fremden Schiff, das sich als schwach bewaffneter englischer Kauffahrer herausgestellt hatte, war der Wind stetig stärker geworden. Die *Phoenix*, so hieß das Schiff, war auf dem Weg in die Neue Welt, wo Baldwin, ihr Kapitän, gute Geschäfte zu machen hoffte.

»Ich danke Euch für diese überraschende Information, Magister García.« Der ironische Unterton in Taggarts Stimme war nicht zu überhören. »Immerhin: Tipperton, geht hinaus und schickt mir Maat McQuarrie her.«

Als der Schotte wenige Augenblicke später auf der Bildfläche erschien, erblickte er einen festlich gedeckten, sich unter diversen Speisen biegenden Tisch, der sanft im Kerzenschein schimmerte. So gut müsste es unsereiner auch mal haben!, dachte er, während er laut sagte: »Melde mich wie befohlen, Sir.«

»Danke, McQuarrie. Wollte wissen, ob draußen alles seine Ordnung hat.«

»Wir haben nur noch Mars- und Bramsegel angeschlagen, Sir. Wenn's noch mehr bläst, müssen wir weiteres Tuch wegnehmen, ich schlage vor, die Marse. Die Lateiner sind auch schon runter.«

»Sehr schön. Der Erste Offizier oder ich werden später an Deck kommen und nach dem Rechten sehen.« Taggart musterte den Schotten freundlich. »Sorgt unterdessen dafür, dass eine Extraration Brandy an die Wache ausgegeben wird, sie wird's brauchen bei dem Wetter.«

McQuarrie straffte sich. »Aye, aye, Sir. Danke, Sir!«

»Gut. Wegtre…«

Unvermittelt brach Taggart ab, denn ein überkommender Brecher war krachend auf das Backsdeck geschlagen und hatte das Schiff in sämtlichen Verbänden erzittern lassen.

Taggart verzog keine Miene. »Es braut sich tatsächlich was zusammen. John, seid so freundlich und begleitet McQuarrie an Deck. Ich denke, wir sollten jetzt gleich Tuch wegnehmen.«

»Aye, aye, Sir.« Der Hüne sprang auf.

»Und noch etwas: Je einen Mann zur Verstärkung in den Ausguck und ans Ruder. Sorgt dafür, dass Strecktaue auf dem Oberdeck gespannt werden. Ich will keinen Mann in der Kuhl verlieren. Alle Verkeilungen und Verzurrungen sind nochmals zu überprüfen, besonders die Haltetaue der Kanonen. Die Freiwache soll sich bereithalten für den Fall, dass die Wachgänger Verstärkung an den Brassen brauchen. Und nehmt unsere Notenbändiger mit ihren Instrumenten gleich mit, für sie beginnt wieder der Ernst des Lebens.«

»Aye, aye, Sir.« Der Erste fackelte nicht lange und drängte McQuarrie und die Musikanten hinaus.

»So, und nun, Tipperton, räumt das Mahl ab, ehe uns die Teller um die Ohren fliegen.«

»Sehr wohl, Sir.«

»Gehen wir zum gemütlichen Teil des Abends über.« Taggart erhob sich, glich automatisch ein Rollen des Schiffs aus, verschwand hinter dem Paravent und kam kurz darauf wieder hervor, drei Flaschen Wein in den Händen haltend. »Rheinwein«, erklärte er. »Ließ mir einen größeren Posten in Portsmouth an Bord bringen, habe eine Schwäche für diesen Tropfen.«

Er stellte die Flaschen in die dafür vorgesehenen Tischhalterungen und wartete, bis der Schreiber abgeräumt und die Gläser gefüllt hatte. »Ich trinke mit Euch, Gentlemen, auf das Gelingen unserer Mission. Mögen die dicksäckigen Dons uns im neuen Jahr vor die Rohre laufen!«

Als wollte das Meer darauf eine Antwort geben, hob eine gewaltige See das Schiff an und brachte das Heck und mit ihm die gesamte Kajüte ins Rollen. Doch Taggarts geübte Hand hielt das Glas eisern in jeder Schiffslage aufrecht.

»Draußen ist so weit alles klar, Sir.« John Fox war zurück und stand in der Kajütentür. Seewasser lief ihm in Bächen am Ölzeug herunter. Er streifte den Mantel ab und übergab ihn Tipperton.

»Danke, John. Bedient Euch, wir sind schon beim Wein.«

Fox schenkte sich ein, nahm Platz und spreizte die Beine, um dadurch mehr Stabilität beim Sitzen zu haben. »Netter kleiner Sturm, Sir, aber unsere *Falcons* halten sich wacker.«

»So muss es sein. Zusammenhalt ist's, worauf es ankommt. Kann mich noch genau an einen Orkan erinnern, bei dem es mich und das Schiff fast erwischt hätte. Ist wohl zwanzig oder mehr Jahre her. Der Einzige, der zu jener Zeit schon mit mir fuhr, seid Ihr, John, wisst Ihr noch? Als Moses und Pulveräffchen …«

»Ganz recht, Sir.« Der Erste nahm einen Schluck und verkeilte sich noch fester in seinem Stuhl. »War meine erste Reise und mein erster Sturm. Erinnere mich noch genau an jede Einzelheit, besonders als gegen Morgen diese mysteriöse Lady ein Kind zur Welt brachte.«

»Ja, es war eine seltsame Fahrt. Von Anfang an steckte der Wurm drin. Kein Wunder, mit dieser Frau an Bord, deren Name kein Mensch kannte. Nur der Lord, in dessen Begleitung sie sich befand, hat ihn wohl gewusst. Egal, das Kind bekam sie jedenfalls, wenn ich nicht irre, mit Hilfe unseres ewig betrunkenen Doktor Whitbread, dem bei diesem Vorgang ein wahrer Drache von Hebamme zur Hand ging. Na ja, die Lady Unbekannt verließ uns später mit ihrem Kind im spanischen Vigo, klammheimlich, ohne dass es jemand gemerkt hätte. Der Lord beschwor mich: ›Captain Taggart …‹«

»Captain! Wartet, Sir, ich …« Vitus fiel es plötzlich wie Schuppen von den Augen: Taggart! Der Name war ihm die ganze Zeit schon vertraut vorgekommen. Taggart, so hieß auch der Kapitän, den Loom erwähnt hatte in jener Nacht, als man sie im Inglés zum Dienst auf der *Cargada* gepresst hatte!

»Sir, kennt Ihr vielleicht einen Mann namens Loom?«

»Loom … Loom. Gordon Loom?«

»Ja, Sir.« Vitus hielt den Atem an.

Taggart setzte sein Glas ab. »Natürlich kenne ich Gordon Loom. Gewaltiger Kerl. Tüchtiger Seemann. Reibt sich mit der Daumenkuppe ständig das Wams blank. Loom war auch bei jener Höllenfahrt dabei, war mein Segelmeister auf der *Thunderbird,* so hieß der Kahn. Guter Gott, wenn ich an die Segeleigenschaften dieses Potts denke! Warum fragt Ihr, Cirurgicus?«

»Könnte es sein, Sir, dass dieser Gordon Loom heute Handelsfahrten in die Karibik unternimmt?«

»Sicher, sicher. Habe mal gehört, er hätte sich eine Fracht-Galeone angeschafft.« Taggart musterte Vitus neugierig. »Jetzt aber heraus mit der Sprache, woher kennt Ihr Loom?«

»Aus einer Herberge namens El Inglés in Santander, Sir. Dort erzählte er dem Magister und mir ebenfalls von dieser Sturmnacht. Und auch er sprach von der unbekannten Lady. Er sagte genau wie Ihr, sie sei in Vigo von Bord gegangen und spurlos verschwunden. Wisst Ihr noch mehr über diese Frau?«

Taggart schüttelte den Kopf. »Nein, tut mir Leid. Der Lord, mit dem wir nach England zurücksegelten, war redselig wie eine Auster.«

Er drehte sich zu seinem Ersten Offizier. »Oder wisst Ihr noch etwas, John?«

Der Hüne hob bedauernd die Hände.

»Gegenfrage, Cirurgicus.« Taggarts Augen verengten sich. »Was ist an dieser Lady so wichtig?«

»Sie ist vielleicht meine Mutter.«

»Sie ist vielleicht Eure ... Bei allen Teufelsrochen! Wie meint Ihr das?« Taggart nahm erst mal einen kräftigen Schluck.

»Es ist ja keineswegs sicher!« Vitus hob die Stimme, weil plötzlich alle durcheinander redeten. »Warum ich das glaube, ist eine lange Geschichte. Sie fängt damit an, dass ich ein Findelkind bin ...«

In der nächsten Stunde erzählte er, was ihm bisher widerfahren war. Manches schilderte er ausführlich, anderes nur knapp. Und einiges, wie den Grund für seine Einlieferung in den Kerker, ließ er ganz aus. Der Zwerg war ihm dankbar dafür.

Als Vitus geendet hatte, herrschte zunächst Schweigen. Dann erhob sich Taggart, grinste schief, balancierte auf Seebeinen hinter seinen Paravent und war kurz darauf mit drei weiteren Flaschen Rheinwein zurück. »Taufwasser! Dafür, dass Ihr womöglich an Bord meines Schiffs geboren wurdet.«

Er reichte die Flaschen an Tipperton weiter, der sich beeilte, sie zu öffnen. »Eines verstehe ich allerdings noch immer nicht: Was lässt Euch so ernsthaft hoffen, dass die unbekannte Lady Eure Mutter ist?«

»Ich gebe zu, dass es kaum mehr als eine Vermutung sein kann, Sir.« Vitus' Stimme zitterte. Je mehr er von seiner Vergangenheit berichtete, desto aufgeregter wurde er. »Aber zwei Gründe sprechen dafür: Erstens erzählte Kapitän Loom uns, dass die Lady bei ihrem Verschwinden in Vigo ein schweres, rotes Bündel bei sich gehabt habe. Das Tuch des Bündels könnte identisch sein mit dem Damasttuch, das ich seit meinem Fortgang von Campodios bei mir trage. Es ist mein wichtigster Besitz, von dem ich mich bis heute zu keiner Zeit getrennt habe.«

»Beruhigt Euch, und nehmt einen Schluck.« Taggarts Stimme klang fast väterlich. »Cheers!«

»Cheers! Wie wir außerdem wissen, wandte sich die Lady landeinwärts. Gut möglich also, dass sie in östliche Richtung weiterwanderte und eines Tages in die Gegend von Campodios gelangte.«

»War das schon der zweite Grund?«

»Ja, Sir, der zweite Grund ist recht vage, wie ich zugebe.«

»Nun, ich kenne vielleicht noch einen dritten. Ihr erzähltet uns eben, dass Ihr am 9. März anno 56 in der Nähe des Klosters gefunden wurdet. Es ist der Tag, den Ihr als Euren Geburtstag feiert. Genau genommen seid Ihr natürlich früher geboren worden. Vielleicht einen oder anderthalb Monate. Wie ich mich zu erinnern glaube, segelten wir mit der *Thunderbird* Ende Januar 56 von Portsmouth ab. Wenn meine Annahme stimmt, müsstet Ihr folglich ein paar Tage später als Ende Januar 56 das Licht der Welt erblickt haben, vielleicht Anfang Februar. Nach jener Sturmnacht brauchten wir rund eine Woche, um, arg gebeutelt wie wir waren, nach Vigo zu kriechen. Dies alles vorausgesetzt, hätte Eure Mutter, sofern sie es wirklich war, drei bis vier Wochen Zeit gehabt, um ins Landesinnere und in die Nähe des Klosters zu kommen. Eine realistische Zeitannahme, wie ich denke.«

»Aber warum sollte ausgerechnet Campodios das Ziel der Unbekannten gewesen sein, Sir?«

»Vielleicht war es ja gar nicht ihr Ziel«, antwortete der Magister für Taggart. »Vielleicht war es purer Zufall, dass sie dort hingelangte. Sie war in der Nähe, und es ging ihr wahrscheinlich alles andere als gut. Man darf nicht vergessen, dass sie kurz vorher ein Kind geboren hatte, dazu kam die Reise über Hunderte von Meilen, die ja auch kein Zuckerschlecken war. Im Übrigen ist es recht gebräuchlich, Säuglinge, für die nicht ausreichend gesorgt werden kann, vor ein Klostertor zu legen.«

»Zu viele Vermutungen, zu wenig Tatsachen«, seufzte Vitus.

»Cirurgicus, Ihr erwähntet eben ein rotes Damasttuch«, schaltete Doktor Hall sich ein. »Und Ihr sagtet ferner, es sei Euer wichtigster Besitz, von dem Ihr Euch noch nie getrennt hättet?«

»Das ist richtig«, bestätigte Vitus. »Ich trage es immer direkt auf dem Leib.«

»Und vorhin erzähltet Ihr von Eurer Begegnung mit Captain Loom in dieser Engländerkneipe, im, äh …?«

»Inglés.«

»Richtig, El Inglés. Dort habt Ihr gemeinsam ein Seestück betrachtet, eine Karavelle, wie Ihr sagtet, die ein Wappen im Segel führt, das jenem auf Eurem Tuch genau entspricht.«

»So ist es«, antwortete Vitus. Er fragte sich, worauf der alte Arzt hinauswollte.

»Eine interessante Duplizität.« Halls wässrige Augen umfingen neugierig Vitus' Oberkörper. »Zufällig kenne ich mich in der Heraldik ein wenig aus, besonders in der englischen. Würdet Ihr so freundlich sein und Rock und Hemd ablegen?«

Vitus zögerte.

»Nur zu«, fistelte der Zwerg eifrig. »Runter mit der Rinde!«

»Sir, gestattet Ihr?«

»Keine Einwände.« Taggart machte eine großzügige Geste. »*Nuda veritas,* wie Ihr lateinischen Doctores zu sagen pflegt, ›die nackte Wahrheit‹, sie möge ans Licht kommen.«

Als wenige Augenblicke später das goldgestickte Wappen vor Halls Augen erstrahlte, sagte der alte Arzt lange Zeit nichts; aufmerksam studierte er die feinen Details: den fauchenden Löwen, das stilisierte Schiff in der Kugel, die symmetrisch angeordneten Segel mit dem Schwert und dem Kreuz darin.

»Collincourt«, meinte Hall endlich.

»Wie bitte?«

»Collincourt«, wiederholte der Arzt. »Es kann kein Zweifel bestehen, dass es sich um das Wappen der Collincourts handelt.«

»Wisst Ihr mehr über die – Collincourts?« Vitus versuchte,

738

seine Anspannung zu verbergen, während er sich hastig wieder ankleidete.

»Nicht sehr viel. Nur dass es ein altes Geschlecht ist, das eine Reihe berühmter Seefahrer hervorgebracht hat.« Hall besann sich. »Das Seestück aus dem Inglés könnte demnach einem Collincourt gehört haben, wie es allerdings nach Spanien gekommen ist, weiß Gott allein.«

»Und wo leben die Collincourts? Könnt Ihr auch das beantworten?«

»Nicht präzise. Es heißt, sie hätten einen Familiensitz in West-Sussex, in den South Downs nahe der Kanalküste. Den genauen Standort müsstet Ihr erfragen, wenn Ihr auf englischem Boden seid.«

»Vitus Collincourt!« Der Magister hob sein Glas. »Das klingt nicht schlecht. Mit Eurer Erlaubnis, Captain Taggart, trinke ich auf den Mann, von dem wir jetzt wissen, wie sein Nachname lautet.«

»Cheers!« – »Salud!« – »Assusso, knäbbig, knäbbig!«

»Vielleicht ist es wirklich mein Nachname, Magister«, sagte Vitus. »Vielleicht aber auch nicht.« Er spürte die Furcht vor der Enttäuschung, falls die Spekulationen sich als Luftschlösser erweisen sollten. Solange er keine Gewissheit hatte, wollte er nicht daran glauben. Und doch: Schon jetzt faszinierte ihn der Gedanke, ein Collincourt zu sein.

»Nun ja.« Taggart kam wieder auf den Boden der Tatsachen. »Ihr werdet einsehen, Cirurgicus, dass wir Euretwegen nicht extra nach England zurücklaufen können. Unser Ziel sind die spanischen Gold- und Silberschätze, und ich will für alle Ewigkeiten in der Hölle schmoren, wenn ich sie nicht erwische!«

»Das verstehe ich, Sir.«

»*Falcon,* hooo! Schiffe Steuerbord voraus! Schiffe!«

»Wie viele sind es?« Taggart, der sich mit Vitus und Fernandez auf dem Kommandodeck neben dem Flaggenstock befand, legte den Kopf in den Nacken, um den Ausguck im Hauptmars besser sehen zu können.

»Ich glaube drei, Sir! Gerade sehe ich, dass sie sich beschießen, Sir!«

»Was, die beschießen sich? Medusen- und Gorgonenschiss!« Taggart fluchte mit Inbrunst. »Mister Fox!«

»Zur Stelle, Sir.« Der Erste kam von mittschiffs herbeigeeilt, wo er das Entrosten der Rüsteisen kontrolliert hatte.

»Lasst ›Klar Schiff zum Gefecht!‹ pfeifen. In spätestens zehn Minuten ist die *Falcon* feuerbereit, wenn nicht, spleiße ich die Männer an ihren Dochten zusammen.«

»Aye, aye, Sir. Das wird nicht nötig sein.« Die Augen des Hünen blitzten, während er die notwendigen Befehle über die Decks brüllte.

»Mister Fernandez, wie ist unsere Position?«

Der Zweite musste nicht lange überlegen. »Wir liegen ziemlich genau auf 30 Grad, fünfzig Minuten nördlicher Breite, Sir. Habe erst vor einer Viertelstunde die Höhe genommen.«

»Und die Länge?«

»Nicht ganz so genau zu bestimmen, Sir, aber ich schätze, dass zwei winzige portugiesische Eilande, die Ilhas Selvagens, querab an Backbord liegen.«

»Kenne sie. Liegen nur ein paar Meilen nördlich der Kanaren. Gehören trotzdem zur Madeira-Gruppe.« Taggart kniff die Augen zusammen, aber noch war von Deck aus nichts zu sehen. »Tipperton!«

Der Schreiber steckte den Kopf aus der Kajüte des Kapitäns. »Sir?«

»Mein Okular, aber ruckartig!«

Als er das Gerät endlich bekommen hatte, es handelte sich um eines der ersten Fernrohre überhaupt, welches dank des Zusammenwirkens zweier Linsen in der Lage war, Gegenstände stark zu vergrößern, stieg Taggart in die Wanten des Hauptmasts. Unter ihm verwandelte sich die *Falcon* in einen Ameisenhaufen: Überall liefen, sprangen, eilten Männer umher, planlos und unübersichtlich für das unkundige Auge, doch voller System für den, der sich auskannte.

John Fox stand wie ein Fels in der Brandung und brüllte seine Befehle: »Ruder dreifach besetzen! Marsch, Marsch! Rackham, zu mir!«

Der zweite Maat der Backbordwache eilte herbei. »Sir?«

»Lasst einen Strich nach Steuerbord anluven, nehmt noch zwei oder drei Männer der Steuerbord-*Falcons,* sie sollen die Backborder bei den Brassen unterstützen. Waffen ausgeben! Bogenschützen in die Gefechtsmarse, Musketenschützen verteilen sich aufs Vor- und Achterschiff! Wer nicht Schütze ist, empfängt Beile und Entermesser! Dorsey: Sorgt umgehend dafür, dass ein paar Männer Eurer Wache an den Rahnocken die Kampfsicheln aufsetzen! Geschützführer! Geschützführer Batteriedeck!«

Zwei Männer, Mahon und Reffles, eilten aus den Tiefen des Schiffs herbei.

Mahon war für die Backbord-, Reffles für die Steuerbordkanonen verantwortlich. »Sir?«

»Wie sieht's aus?«

»Geschützpforten sind bereits geöffnet, Sir. Die Crews laden noch, sind aber spätestens in zwei Minuten so weit.«

»Sehr schön. Vielleicht schlagt Ihr diesmal die Crews vom Oberdeck. Nach dem Laden Geschütze ausrennen und Lafetten sichern. Luntenstöcke bereithalten. Vollzugsmeldung, sowie Ihr gefechtsbereit seid.«

»Aye, aye, Sir.«

»Und nicht vergessen: Sand ausstreuen, damit die Männer nicht in ihrem eigenen Blut ausrutschen. Kugeln bereitlegen für weitere Salven. Was machen unsere drei Schiffsjungen?«

»Betätigen sich als Pulveräffchen, Sir, schaffen den Nachschub direkt zu den Geschützen.«

»Gut. Abtreten.«

Die beiden Gunner entfernten sich im Laufschritt.

»Ich denke, ich gehe besser auch, Mister Fox«, sagte Vitus, der bis dahin fasziniert dem scheinbar chaotischen Treiben zugesehen hatte. »Ich werde vorsorglich im Orlogdeck einen Verbands- und Amputationsplatz einrichten. Der Magister wird mir helfen. Kann ich ein paar Männer zur Verstärkung haben? Sie müssten allerdings Blut und blanke Knochen sehen können.«

»Hier an Bord kann jeder Blut sehen, Cirurgicus, das ist nichts Besonderes. Aber wenn es zum Enterkampf kommt, was der Herrgott verhüten möge, brauchen wir jeden Mann. Ich kann Euch also nichts versprechen, doch Moment«, der Hüne schnippte mit den Fingern, »Ihr könnt Enano haben, wäre Euch damit geholfen?«

»Danke, ja.« Vitus eilte davon.

»John!« Taggart sprang mit einem für seine Jahre erstaunlich großen Satz zurück aufs Deck. »Die *Phoenix* ist dabei! Als ob ich's nicht geahnt hätte! Habe sie an ihren Segeln erkannt. Zeigt darin eine goldene Schwinge, von zwei Löwen umrahmt.«

»Die *Phoenix*, Sir? Tatsächlich?«

»Genau die.« Taggart gab das Okular an Fernandez weiter, der es auf die mittlerweile mit bloßem Auge erkennbare Schiffsansammlung richtete. »Der andere Segler ist ebenfalls ein Engländer: Es handelt sich um die *Argonaut* unter Kapitän Timothy Evans. Ihr kennt Evans?«

»Flüchtig, Sir. Er ist Korsar wie wir, allerdings nicht besonders vom Glück begünstigt, wie man hört.«

»Das ist richtig.« Taggart spähte mit bloßem Auge zu den Schiffen, über denen sich immer größer werdende Rauchschwaden entwickelten. »Wahrscheinlich hat er sich deshalb mit dem dicken, nach Beute riechenden Spanier angelegt. Der Don hat nicht weniger als drei Batteriedecks, mit schwersten Kalibern, ein Riesenschiff, sage ich Euch! Evans muss tollkühn oder verrückt oder völlig verarmt sein, dass er es mit diesem Gegner aufnimmt. Sieht auch schon ziemlich zerrupft aus, seine *Argonaut*. Hat nicht so weit tragende Geschütze wie wir, deshalb musste er wohl näher ran. Sein Kreuzmast jedenfalls ist schon bei den Fischen. So gesehen, kann Evans wirklich von Glück sagen, dass Baldwin ihm mit seiner *Phoenix* zu Hilfe gekommen ist, auch wenn er dem Don höchstens ein paar Nadelstiche versetzen kann.«

»Und habt Ihr den Spanier identifizieren können, Sir?«

»Nein. Habe selten so ein schwimmendes Ungetüm gesehen, immerhin: äußerst wehrhaft, der Bursche. Wenn das so weitergeht und wir nicht eingreifen, ist die *Argonaut* bald Kleinholz – und die *Phoenix* allemal.«

»Ich denke, Sir«, meldete jetzt Fernandez, »es handelt sich um die *Nuestra Señora de la Caridad*, ein Schwesterschiff der *Nuestra Señora de la Concepción*, die unter spanischen Matrosen wegen ihrer schweren Bestückung den Spitznamen *Cacafuego* hat, was so viel wie ›Feuerspeier‹ bedeutet.«

»Danke, Zweiter.« Taggart ließ sich das Okular zurückgeben und blickte erneut hindurch.

»Aber auch das Schwesterschiff der *Cacafuego* kann verdammt gut Feuer speien«, stellte er kurz darauf trocken fest, als auch der Hauptmast der *Argonaut* brach. Der Leib des Schiffs, das nach den fünfzig griechischen Helden benannt worden war, die das Goldene Vlies in Kolchis holten, krängte bereits deutlich nach Backbord. »Evans soll um Gottes willen zusehen, dass er Abstand hält! Wenn der Spanier erst einmal auf Enterreichweite heran ist, dann gute Nacht. Der Bursche muss Hunderte von Soldaten haben.«

John Fox knurrte: »Der Spanier zeigt uns sein Heck, als gäbe es uns nicht, während seine Steuerbordseite sich mit der Backbordbatterie der *Argonaut* beharkt. Allerdings schießen Evans' Männer nur noch Einzelfeuer, für Breitseiten langt es nicht mehr, die ganze Schiffswand sieht aus wie ein löchriger Kessel. Ich schlage vor, Sir, wir geben einen Strich Backbordruder, zwar kommen wir dann in Leeposition, aber die Dons dürften kaum einen Vorteil daraus schlagen, dafür werden unsere Culverins an Steuerbord schon sorgen.«

»Steuerbordbatterie klar zum Feuern, Sir!«, kam es in diesem Augenblick von Reffles. Fast gleichzeitig meldete Mahon die Backbordseite gefechtsbereit.

Taggart vernahm es mit Genugtuung, was er allerdings nicht zeigte. Die Zeit bis zur Kampfbereitschaft hatte keine zehn Minuten gedauert. Das war nicht schlecht, wenn auch noch nicht gut genug. Das Nachladen der Guns würde sogar noch schneller gehen. »Wir greifen genauso an, wie Ihr es vorgeschlagen habt, John. Bitte veranlasst dazu alles Notwendige. Mit unserer größeren Reichweite wird die *Señora* kräftig Schläge einstecken müssen, ohne selbst welche austeilen zu können. Wäre doch gelacht, wenn wir die Dons nicht sturm-reif schießen würden.«

»Aye, aye, Sir.«

»Dann los.« In Taggarts Augen blitzte es, während er seinen Degen zurechtrückte. »Das Tänzchen mag beginnen.«

Es war, als würden sich die Donner eines Gewitters direkt über ihren Köpfen entladen. Jeder Schlag teilte sich ihnen unmittelbar mit, ließ ihre Körper zusammenzucken, dröhnte in ihren Ohren und ließ sie spüren, wie zerbrechlich klein sie waren. Vitus schätzte, dass seit Beginn ihres Eingreifens eine halbe Stunde vergangen war. Was mochte oben an Deck vorgehen? Wie stand die Schlacht? Er sehnte sich danach, etwas tun zu können – und sorgte sich gleichzeitig um die Gesundheit der kämpfenden *Falcons*.

Wooommmmm!

Wieder eine schwere Salve der eigenen Steuerbord-Batterie. Durch die Kraft des Rückstoßes legte die *Falcon* sich nach Backbord über. Vitus fasste sich an die Ohren, die er, genau wie die Gunner über ihm, mit einem über dem Kopf zusammengeknoteten Schal zu schützen versuchte – allerdings war die Wirkung bei dem infernalischen Lärm gleich null.

»Wie der Fuchs in der Falle!«, rief der Magister.

»Was sagst du?«

»Wir sitzen hier wie der Fuchs in der Falle!«, schrie der kleine Gelehrte nochmals. »Wenn wir einen Unterwassertreffer kriegen, saufen wir in Sekunden ab!«

»So weit ist es noch nicht. Wenn ich's richtig mitbekommen habe, hat der Spanier bisher nur zwei oder drei Breitseiten abgefeuert, und die lagen allesamt zu kurz.«

Vitus inspizierte zum wiederholten Mal den Operationstisch und richtete daneben die Aderpressen und die Knochensägen aus. Alles lag für den schnellen Einsatz parat: Verbandstoff, verschiedene Nadeln zum Setzen von Ligaturen, Skalpelle, Lanzetten, Schienen, Zangen, Haken und Pinzetten jeder Größe. Dazu der Kugelholer, ein Gerät, an dessen langem, dünnem Griff eine hohle Halbkugel mit scharfen Rändern saß. Man stieß die Halbkugel in den Schusskanal und versuchte, mit schälenden Bewegungen das Geschoss darin einzufangen. Gelang dies, zog man den Kugelholer auf die gleiche Weise wieder heraus.

Gegen die Schmerzen hatte Vitus sich mehrere Flaschen Brandy geben lassen. Alkohol war das einzige Narkotikum, auf das er zurückgreifen konnte, denn Opium für die *Spongia somnifera* war nicht mehr vorhanden.

»Irgendwann ruft der Große Machöffel uns sowieso, un wir müssen abstieben.« Der Zwerg saß wie ein Püppchen auf einem der Beistelltische.

Wommm!, klang es entfernt. Das musste abermals ein Gruß der *Señora* gewesen sein.

»Habt ihr's auch geschallt?« Enanos Fistelstimme wurde lauter. »Ich glaub, der dämische Span!«

Ein dumpfes Krachen unterbrach ihn. Es folgte ein Zittern, das sich durch den gesamten Schiffsleib zog. Die *Falcon* war getroffen worden! Doch wo? Die drei blickten sich um. Jeden Augenblick konnten Sturzbäche von Seewasser in den Schiffsleib dringen und sie jämmerlich absaufen lassen. Quälend langsam verstrichen die Sekunden, aber nichts dergleichen geschah. Stattdessen gellten kurz danach Rufe über das Oberdeck, Segelkommandos gingen stakkatohaft hin und her, und sie bemerkten, wie der Rumpf sich um die eigene Achse drehte. Dann hörten sie die Backbordgeschütze der *Falcon* aufbrüllen.

»Jedenfalls bleiben wir keine Antwort schuldig«, grinste der Magister. Er blinzelte stark, denn zwei der fünf Laternen, in deren Licht Vitus operieren wollte, waren zu Boden gefallen und in tausend Stücke zersprungen.

»Wui, wui.« Der Zwerg machte sich daran, die Scherben zu beseitigen.

Am Ende des Raums, dort, wo der Niedergang zum Batteriedeck hinaufführte, erschien plötzlich ein Pulk Matrosen. Die Männer hoben vorsichtig zwei Verwundete die Stufen herab. Vitus hatte keine Zeit, den mangelnden Lichtverhältnissen nachzutrauern. Immerhin konnte er sehen, dass der erste Mann einen eigenartig starren Blick hatte. Sein Kopf rollte kraftlos auf den Schultern hin und her. Vitus vermutete einen Schock. »Legt ihn auf den Tisch.«

»Aye, aye, Sir.«

Der andere Mann sah schlimmer aus. Ihm war der Unterarm bis zum Ellenbogen weggerissen worden. Blut schoss in Stößen aus dem Armstumpf hervor. »Magister, die Aderpresse! Schnell!«

»Bin schon dabei.« Der kleine Gelehrte platzierte den Verletzten auf einem Stuhl.

Vitus gab seiner Stimme einen gleichmütigen Klang, als er den Führer der Gruppe ansprach: »Wie sieht es denn oben aus, äh ...?«

»Fulham, Gunner Fulham, Sir!« Der Mann nahm Haltung an. »Meine Kameraden und ich stehen an der dritten Steuerbord-Culverin.« Er grinste flüchtig. »Um Eure Frage zu beantworten, Sir: Es sieht nicht schlecht aus. Gleich zu Beginn ließ der Erste gruppenweise auf den Hauptmast der *Señora* feuern, tja, und schon mit der dritten Salve haben wir ihn abgesägt.«

»Sehr gut, allerdings scheinen auch wir etwas abbekommen zu haben?«

»Nicht der Rede wert, Sir. Feindlicher Treffer im Galion. Viel Splitterholz. Die beiden Verletzten hier waren als Scharfschützen auf dem Backsdeck postiert, deshalb hat's sie erwischt.

Na ja, der Captain ließ anschließend wenden, damit die Steuerbordgeschütze nicht zu heiß werden und die Backbord-Gunners auch mal drankommen, aber wie gesagt, die Dons müssen gehörig einstecken.«

»Das ist ja beruhigend. Sind noch mehr Männer verletzt?«

»Soviel ich sehen konnte, nein.« Fulham zog fast bedauernd die Schultern hoch.

»Gott sei Dank.« Vitus sah zum Magister hinüber, der mit Hilfe des Zwergs den Armstumpf fachgerecht behandelte. Der andere, starr dreinblickende Mann war noch immer nicht zu sich gekommen. Was hatte der Mann? Vitus fühlte den Puls und spürte – nichts. Er horchte die Brust ab – nichts. Dann begriff er.

Der Mann war tot.

Aber wodurch? Nirgendwo war ein Blutstropfen zu sehen. Keine Schramme, keine Quetschung, nicht die kleinste Hautabschürfung. Nur dieser starre, seelenlose Blick. Vitus schloss dem Mann die Augen, drehte ihn auf den Bauch und erkannte die Ursache: Genickbruch. Irgendein umherschwirrender, scharfkantiger Gegenstand hatte ihn tödlich im Nacken getroffen. Ein deutliches Hämatom, etwa vier Zoll lang und quer zum Hals verlaufend, war der Beweis dafür.

»Ist er tot, Sir?«, fragte Fulham in Vitus' Rücken.

»Ja. Nehmt ihn runter, Männer, legt ihn dort hinten auf den Boden. Und dann tretet ab. Oben werdet ihr dringender gebraucht.«

»Aye, aye, Sir.« Fulham gehorchte und verschwand mit seinen Leuten. Vitus trat zum Magister. Der Verletzte saß zusammengesackt auf seinem Stuhl und hatte einen glasigen Blick, doch war dieser Zustand vermutlich nicht auf die Schmerzen zurückzuführen. Dafür sprach die Tatsache, dass er die Brandyflasche in kürzester Zeit geleert hatte.

»Der Mann ist ziemlich weg«, meinte der kleine Gelehrte, während er den verwundeten Arm auf dem Operationstisch festschnallte. »Er dürfte kaum noch etwas spüren.«

»Gut. Ich mache jetzt zwei halbmondförmige Schnitte in den Stumpf – einen vorn und einen hinten.« Vitus tat es und trennte anschließend Gefäße, Sehnen und Muskeln darunter durch. Dann klappte er die entstandenen Hautlappen nach oben, und der angesplitterte Oberarmknochen wurde sichtbar. Blut tropfte erneut aus dem Stumpf. Der Zwerg sprang herbei und zog die Gewindemuttern der Aderpresse fester.

»Danke, Enano, halte die Hautlappen jetzt mit den Wundhaken hoch; Magister, nimm den Spitzkauter und brenne die Wunde aus.«

Nachdem das geschehen war, griff Vitus zur Säge und trennte ein gutes Stück des Oberarmknochens ab. »Enano, nimm die Wundhaken fort, damit ich die Hautlappen nach unten klappen und über dem Knochen vernähen kann.«

Als er mit allem fertig war, hörte er ein helles Klingen in seinen Ohren, und er fragte sich, was das zu bedeuten habe. Dann erkannte er den Grund:

Die Kanonen über ihnen schwiegen.

»Um es kurz zu machen, *Falcons:* Ihr habt euch recht wacker geschlagen.«

Taggart stand an der Querreling und blickte grimmig auf seine Männer hinab, die sich an Oberdeck versammelt hatten. »Die Dons haben den Schwanz eingekniffen und sind auf und davon. Wir werden sie nicht verfolgen, *Falcons!* Wir werden, wie sich das für zivilisierte Menschen gehört, den Kameraden drüben helfen, bevor sie absaufen.«

Sein Kopf wies über die See, wo zehn Schiffslängen weiter die *Argonaut* mit schwerer Schlagseite vor sich hin dümpelte.

»Die Spanier in der Karibik laufen uns nicht weg, so wahr ich hier stehe. Wenn es so weit ist, möchte ich ihnen die Hölle heiß machen. Kann ich mich auf euch verlassen?«

Zustimmende Rufe wurden laut. »Aye, aye, Sir!« – »Jederzeit, Sir!« – »Sie sollen unser Eisen fressen!« – »Genau, und dafür schnappen wir uns ihr Gold!«

Allgemeines Gelächter machte sich breit.

»Gut!« Taggart hob die Hand, und die Männer verstummten augenblicklich. »Wir werden also noch zwei oder drei Tage hier bleiben. Ich habe befohlen, dass die Maate McQuarrie und Dorsey mit jeweils zehn Männern ihrer Wache zur *Argonaut* übersetzen und bei den Reparaturarbeiten helfen. Sie nehmen das große Boot. Das kleine wird der Cirurgicus mit seinem Team benutzen, um drüben ein Notlazarett einzurichten. Wir selbst haben hier ja auch noch einiges gerade zu biegen, der Erste wird die Arbeiten leiten. So weit alles klar?«

»Aye, aye, Sir!«, erscholl es im Chor.

Taggart schnaufte und zupfte zufrieden eine nicht vorhandene Falte an seiner Uniformjacke glatt. »Schön. Genug geschwätzt, an die Arbeit!«

»Gott sei Dank, dass Ihr da seid, Sir. Ihr seht zwar aus wie ein Gunner, aber ich nehme an, Ihr seid der Arzt?« Der Mann an der Deckspforte der *Argonaut* lächelte flüchtig, bevor er salutierte und auf Vitus' Kopf wies.

»Der bin ich.« Vitus brauchte einen Augenblick, um zu begreifen, dass er noch immer den Schal gegen den Kanonenlärm trug. Ihn jetzt herunterzureißen, käme einem Eingeständnis gleich, wie peinlich ihm sein Aussehen war. Er beschloss, das Tuch an seinem Platz zu lassen. »Mein Name ist Vitus von Campodios, aber es genügt, wenn Ihr mich Cirurgicus ruft. Und mit wem habe ich das Vergnügen?«

»Richard Catfield, Sir. Erster Offizier auf diesem Schiff.« Catfield war ein mittelgroßer Mann mit hellblauen Augen, die aus seinem pulvergeschwärzten Gesicht besonders hervorstachen.

»Das sind meine Assistenten, der Magister García und der Zwerg Enano.«

»Willkommen.« Wenn Catfield sich über Vitus' ungewöhnliche Helfer wunderte, so zeigte er es jedenfalls nicht. Er grüßte nochmals höflich, so, als wäre alles um ihn herum in schönster Ordnung. Dabei stand er inmitten eines Trümmerfelds aus geknickten Hölzern, gekappter Takelage und umgekippten Kanonen. Eines der Oberdeckgeschütze war sogar durch die Planken hindurch aufs Batteriedeck gestürzt und hatte einen riesigen Krater hinterlassen. Nur wenige Männer waren zu sehen; sie wirkten entkräftet und mutlos. Über allem lag ein seltsames, regelmäßiges Geräusch.

»Was sind das für Laute?«, fragte Vitus, sich umblickend.

»Die Handpumpen, Cirurgicus. Wir haben mehrere Unterwassertreffer erhalten und müssen ständig lenzen.«

»Aha.« Vitus setzte sich in Bewegung. »Die Maate McQuarrie

und Dorsey mit ihren Männern werden jeden Augenblick hier sein, so lange müssen Eure Leute noch durchhalten. Wo kann ich mein Lazarett aufbauen?«

»Tja.« Catfield kratzte sich am Kopf. »Ich denke, der Alte hätte nichts dagegen, wenn er noch lebte, deshalb: am besten in der Kapitänskajüte, da ist es geräumig und der meiste Platz.«

»Kapitän Evans ist tot?«

»Aye. Hat ein sauberes Loch in die Brust erhalten, der Arme. War ein Musketenschuss aus einer Richtung, mit der er nicht gerechnet hatte: Der Schütze stand oben im Gefechtsmars des Hauptmasts und feuerte von dort hinunter. Sehr ungewöhnlich, müssen gewaltigen Bammel vor uns gehabt haben, die Dons. Normalerweise schickt man keine Musketiere in die Marse wegen der Feuergefahr für die Segel. Tja, nur eine Minute später haben Eure Gunner den Hauptmast umgelegt. Schicksal …«

»Verstehe. Lasst die Verwundeten und Sterbenden in die Kajüte bringen.«

»Aye, aye, Cirurgicus, braucht Ihr sonst noch irgendwelche Hilfe?«

»Nein, wir kommen schon klar. Vorwärts!«

»Da ist eine junge Lady, die unbedingt zu Euch in die Kajüte will, Cirurgicus«, meldete ein Matrose wenig später. »Ich hab ihr schon gesagt, das hier wär nichts für Damen, aber sie lässt sich nicht abwimmeln.«

»Ist sie verletzt? Wo kommt sie überhaupt her?« Vitus und der Magister versorgten gerade die klaffende Oberschenkelwunde eines alten Maates, während der Zwerg, der schon sämtliche Instrumente auf dem Kartentisch ausgebreitet hatte, ein Feuer im Kohlebecken anzündete, damit später darin die Brenneisen erhitzt werden konnten.

Um Vitus und den Magister herum lagen zahlreiche Leidensgenossen des Alten – stöhnend und sich vor Schmerzen windend.

»Sie hat sich von der *Phoenix* übersetzen lassen, Sir. Zusammen mit zwei oder drei weiteren Verletzten.«

»Es ist gut. Wie ist Euer Name, Matrose?«

»Miller, Sir, Signalgast und Läufer.«

»Danke. Abtreten, Miller.« Vitus begab sich zur Kajütentür. Er würde der Dame schon klarmachen, dass aufdringliche Weibspersonen in seiner Situation wenig hilfreich waren. Ein paar deutliche Worte wirkten sicher Wunder.

Draußen erblickte er als Erstes einen ihm zugewandten Rücken mit gertenschlanker Taille. Der Rücken steckte in einem salamandergrünen Kleid, dessen Farbe zu dem leuchtenden Rot der lang herabfallenden Haare in einem bemerkenswerten Kontrast stand.

»Señorita, äh … Lady, Madam, ich …« Er biss sich auf die Lippen. Er war es nicht gewohnt, einer schönen Dame etwas abzuschlagen. Jetzt drehte die Unbekannte sich ihm zu, und in ihrem Gesicht erschien ein zauberhaftes Lächeln.

Es war ihm, als ginge die Sonne auf.

»Habt Ihr Zahnschmerzen, Sir?« Die graugrünen Augen der Fremden blickten spöttisch. Der Mund, der die Frage gestellt hatte, war voll und ausdrucksstark.

»Ich, äh … wieso?«

Der verdammte Schal!

Er trug noch immer dieses lächerliche Stück Stoff um den Kopf. Mit einem energischen Ruck riss er es ab. »Nein, mir geht es gut.« Er versuchte, seiner Verlegenheit Herr zu werden. Niemals zuvor hatte er eine so schöne junge Frau gesehen. Er wusste, wenn er sie direkt anschaute, würde er rot werden wie ein Jüngling. Das durfte nicht sein.

»Hört, äh … Lady«, sagte er, während er sich bemühte, an ihr vorbeizublicken, »was da drinnen abläuft, ist nichts für schwache Nerven. Ihr würdet nur Elend zu sehen bekommen: gebrochene Glieder, zersplitterte Knochen und jede Menge Blut.«

»Wir Frauen sehen jeden Monat Blut.«

»Äh … wie bitte?«

»Ihr wisst schon, was ich meine.« Die Fremde hob ihren Rock und kletterte gewandt über das Süll. Schlanke, seidenbestrumpfte Fesseln wurden sekundenlang sichtbar. »Dass ihr Männer immer glaubt, ihr müsstet alles allein schaffen. Ich helfe Euch, und damit basta! Bitte sorgt dafür, dass die drei Schwerverletzten von der *Phoenix* ebenfalls hereingebracht werden.«

Sprach's und verschwand in der Kajüte.

»Gebt mir bitte die mit Zinnkraut angereicherte Honigsalbe.« Vitus streckte die Hand fordernd aus, während seine Augen weiterhin auf der Einschusswunde in der Schulter eines jungen Matrosen verweilten. Der Bursche hatte Glück gehabt. Die Verletzung war nicht allzu ernst: Die Musketenkugel hatte keinen Knochen durchschlagen und war zudem recht schnell mit dem Kugelholer herauszuoperieren gewesen. Über der Arbeit hatte Vitus seine Sicherheit wieder gefunden. Seine Befehle an die schöne Fremde waren freundlich, aber knapp. »Es ist die in dem blauen Döschen.«

»Hier.«

»Danke.« Vitus beobachtete aus den Augenwinkeln die Hände der Fremden, die jetzt beruhigend auf der anderen Schulter des Verletzten lagen. Sie waren schmal und feingliedrig, und dennoch konnten sie geschickt und energisch zupacken, wie er in den vergangenen Stunden bemerkt hatte. Er seufzte unhörbar. Gottlob war der Matrose der letzte Patient. Im Hintergrund des Raums verabreichten der Magister und Enano einen Trank aus Mistelkraut an alle Verwundeten, die etwas aufnehmen konnten.

Vitus spürte jeden Knochen im Leib, und der Rücken tat ihm weh. Er ertappte sich dabei, dass er sich fragte, wie die Fremde sich wohl fühlte. Hatte ihr das alles nichts ausgemacht? Sie war doch nur eine schwache Frau – und höchstens zwanzig Jahre alt! »Wir arbeiten jetzt schon eine kleine Ewigkeit zusammen, und Ihr wisst noch immer nicht, wie ich heiße«, murmelte er, während er den Schulterverband anlegte. »Mein Name ist Vitus von Campodios.«

»Sehr angenehm.«

Ihre Blicke trafen sich, und abermals war es ihm, als ginge mit ihrem Lächeln die Sonne auf.

Verdammt! Er spürte, dass er schon wieder unsicher wurde. Wieso sprachen der Zwerg und der Magister eigentlich so völlig normal mit ihr? Bei ihnen schien es keinen Unterschied zu machen, ob sie in das Gesicht einer hässlichen alten oder einer schönen jungen Frau schauten. Unsensible Tölpel! Völlig unempfindlich für den Liebreiz einer jungen Lady …

»He, Magister, he, Enano, legt diesen Burschen zu den anderen! Aber vorsichtig bitte.«

»Wartet, ich helfe euch.« Mit der größten Selbstverständlichkeit packte die Fremde mit an, als die beiden seinen Befehl ausführten.

Vitus stand da und kam sich irgendwie ausgeschlossen vor.

»Wenn man's genau nimmt«, begann er mühsam erneut, »ist

›Campodios‹ nicht mein Nachname, sondern nur das Kloster, in dem ich aufwuchs: Campodios in Nordspanien. Meinen richtigen Namen kenne ich nicht, ich bin ihm aber auf der Spur.«

»Was sind schon Namen.« Zum ersten Mal musterte die Fremde ihn ohne den spöttischen Augenausdruck. »Der eine ist von edlem Geschlecht, aber ein Schwein; der andere ein armer Schlucker, aber ein feiner Kerl. Wenn Ihr mich fragt: Mir ist die zweite Sorte lieber.«

»Das habt Ihr großartig gesagt, Lady!« Der Magister ergriff spontan die Hand der jungen Frau und schüttelte sie kräftig. »Mir aus dem Innersten gesprochen.«

»Wui, wui!«, skandierte der Zwerg.

»Da Ihr aber, Cirurgicus, mir nur Euren Vornamen nennen könnt, mag auch der meinige genügen.« Wieder dieser spöttische Gesichtsausdruck!

»Und wie darf ich Euch anreden?« Vitus versuchte, seine Worte nicht allzu aufgeregt klingen zu lassen.

»Arlette.«

Kapitän Taggart blickte finster vom Kommandantendeck hinab aufs Oberdeck der *Falcon,* wo die Besatzungsmitglieder aller drei Schiffe angetreten waren. Die Männer hatten ein exaktes Karree vor dem Hauptmast gebildet und trugen eine ungewohnt ernste Miene zur Schau.

Die Trauerfeier für die gefallenen Matrosen sollte in wenigen Minuten beginnen.

Taggart musterte die Offiziere, die auf dem rechten Flügel Aufstellung genommen hatten, fixierte dann die Decksoffiziere zu seiner Linken und abschließend die Mannschaften ihm gegenüber. Er schätzte die Zahl der Versammelten auf einhundertsiebzig Köpfe, die Lady von der *Phoenix* nicht mitgerechnet. Sie stand dicht neben dem Cirurgicus und wirkte in ihrem giftgrünen Kleid neben den überwiegend in Grau- oder Brauntönen gekleideten Männern wie ein Paradiesvogel. Er schnaufte. Schönen Frauen stand er von Natur aus skeptisch gegenüber. Allerdings, die Lady dort unten schien erstaunlicherweise nicht nur bildhübsch zu sein, sondern auch einen passablen Verstand zu haben. Eine höchst seltene Kombination, wie er aus Erfahrung wusste. Nun ja, ihn ging das nichts an. Eine Frau an Bord, das war immer ein heikles Ding. Umso wichtiger, dass er die Feier rasch hinter sich brachte, damit Baldwin mit seiner *Phoenix* weiterkam – und mit ihm die Lady. Ärgerlich nur, dass er sich auch von dem Cirurgicus würde trennen müssen, denn es war natürlich nicht zu verantworten, die Schwerverletzten ohne ärztliche Betreuung auf der *Argonaut* zu lassen. Er selbst würde sich wieder mit Hall begnügen müssen, dem es aber, Gott sei gedankt, besser ging. So viele Tote! Er wollte nicht in Timothy Evans' Haut stecken, wenn der vor seinen Schöpfer treten und sich dafür verantworten musste …

Taggart schnaufte abermals und bemerkte zu seinem Ärger, dass er gedanklich abgeglitten war. Es half nichts, er musste jetzt ein paar Worte sprechen und die vorgesehenen Bibelworte zitieren. Also sprach er:

»*Männer der* Argonaut, *der* Phoenix *und der* Fal…«

Bei allen Planken fressenden Teredowürmern! Siedend heiß fiel ihm ein, dass er vergessen hatte, die Lady an erster Stelle anzusprechen …

»... ahem, und der Falcon: *Unter denen, die in den vergangenen Tagen Großartiges geleistet haben, möchte ich als Erstes Lady Arlette nennen, der wir alle zu großem Dank verpflichtet sind! Ohne ihre aufopferungsvolle Pflege stünde es um manchen von uns heute wesentlich schlechter.*

Ich habe die traurige Pflicht, Männer, unseren Toten ein paar Worte auf ihren letzten Weg mitzugeben, und möchte dies mit einem Zitat aus dem Zweiten Brief des Paulus an Timotheus tun. Da heißt es im Kapitel 4, Vers 5 folgende:

... und die Zeit meines Abschieds ist gekommen.
Ich habe den guten Kampf gekämpft,
ich habe den Lauf vollendet,
ich habe Glauben gehalten;
hinfort steht für mich bereit die Krone der Gerechtigkeit,
welche mir der Herr, der gerechte Richter,
an jenem Tage geben wird,
nicht mir aber allein,
sondern auch allen, die seine Erscheinung lieben.«

Taggart blickte auf und sah, dass seine Worte richtig verstanden worden waren. Er wusste, dass andere, besonders die Priester, an dieser Stelle zu einer umfangreichen Interpretation der Zeilen anheben würden, doch das war seine Sache nicht. Er hatte den Toten attestiert, dass sie einen guten Kampf gekämpft hatten, und das stimmte auch so. Ihr Lebenslauf war jetzt vollendet, und sie würden die Krone der Gerechtigkeit erhalten. Das mochte genügen. »Lasset uns beten!

»Our Father who art in heaven,
hallowed be Thy name,
Thy kingdom come,
Thy will be done on earth as it is in heaven.
Give us this day our daily bread,
and forgive us our trespasses
as we forgive those who trespass against us ...«

Als ihm das »Amen« der Versammelten entgegenscholl, atmete er insgeheim auf. »Die Zeremonie möge beginnen.«

Jetzt waren andere dran. Die Musikanten, die Ehrengarde, John Fox, der seine Befehle brüllte, die sechs Totenträger, mit deren Hilfe die sterblichen Überreste der Gefallenen auf eine Gräting gelegt wurden, von wo aus man sie, unter der englischen Fahne hinabgleitend, dem Meer übergab.

Endlich war alles vorbei, die siebenundvierzig Toten ruhten, mit einer Kanonenkugel am Bein, am Grund des Meers, und man konnte wieder zum normalen Dienst übergehen.

Plötzlich schob sich Baldwin an seine Seite: »Sir Hippolyte, auf ein Wort.« Er war ein kleiner Mann mit bemerkenswert großem Kopf und wiehernder Lache, die er oft und gern zu Gehör brachte. Noch allerdings war seine Miene dem Anlass entsprechend.

»Was gibt's?« Taggarts Erleichterung schlug in leichte Verärgerung um. Der Kerl hatte ihn beim Vornamen genannt. Immerhin, es gab Schlimmere als Gideon Baldwin. Dafür, dass er Kauffahrer und kein Krieger war, hatte er sich tapfer verhalten.

»Nun, Sir Hippo...«

»Nicht so förmlich, alter Junge. Sagt einfach ›Taggart‹, wir sind schließlich unter uns.«

»Gut gebrüllt, Löwe!« Baldwin lachte lauthals.

Taggart tat es fast Leid, den Mann unterbrochen zu haben, zumal der Kaufmann ihn jetzt vertraulich am Ärmel packte. »Ich möchte Euch einladen, Taggart! Als Dank dafür, dass Ihr uns so spontan zu Hilfe geeilt seid. Kommt mit Euren Offizieren und von mir aus auch mit dem Zwerg. Richard Catfield von der *Argonaut* hat ebenfalls schon zugesagt, er ist dort leider der einzige überlebende Offizier.«

»Ich weiß nicht recht …«

»Kommt, Taggart!« Baldwin knuffte dem Kommandanten auffordernd in die Seite. »Ich habe ein paar exzellente Weine im Bauch meines Schiffs versteckt.«

»Zufällig auch deutschen Rheinwein?«

»Zufällig auch den.«

Das gab den Ausschlag.

Vitus konnte den Blick nicht von Lady Arlette lassen. Sie trug an diesem Abend ein Kleid, das der neuesten höfischen Mode entsprach. Es war von taubenblauer Farbe, hatte weite, bauschige Ärmel und eine tief herabgezogene, verführerisch enge Korsage. Der Rock war ausladend und spannte sich anmutig über einem Gestell von Fischbein. Dazu hatte sie eine Kette aus roten Korallen um den Hals gelegt und einen Granat über den behandschuhten rechten Mittelfinger gestreift.

Sie saß ihm direkt gegenüber und unterhielt sich auf das Lebhafteste mit Catfield, der an Baldwins Tafel zu ihrem Tischherrn erkoren worden war.

Überhaupt waren alle Anwesenden bester Laune. Nach anfänglicher Steifheit hatte sich zunehmend gute Stimmung breit gemacht, was nicht zuletzt an dem hervorragenden Essen und dem reichlich fließenden Rheinwein lag.

»Die Dons sind auch keine besseren Navigatoren als wir«, frotzelte John Fox gerade, während er sich ein Stück Plumpudding in den Mund schaufelte, »oder laufen sie etwa freiwillig ständig auf die Riffe in der Karibik?«

»Das nicht gerade«, hielt der Magister grinsend dagegen, »aber sie gönnen euch die Schätze einfach nicht. Ehe ihr sie bekommt, vergolden sie lieber die Fische.«

»Das ist gut!«, wieherte Baldwin. »Die Fische vergolden!« Er verschluckte sich, keuchte und rang nach Luft, was Lennart, seinen Ersten, dazu verleitete, ihm den Rücken zu klopfen.

»Die Fische vergolden! Das ist gut!« Der Kaufmann konnte sich nicht beruhigen. Er winkte Tipperton zu, der auch an diesem Abend als Ordonnanz herhalten musste. »Schenkt dem Magister Rheinwein nach, die Bemerkung muss begossen werden.«

»Gold, Gold, fuchsiges Gold!«, rief der Zwerg.

»Nochmals Wein für alle!« Baldwin, dessen Zunge schon etwas stolperte, machte eine raumgreifende Bewegung.

»Für mich nicht, danke.« Taggart erhob sich unerwartet, griff zur Serviette und wischte sich abschließend den Mund. »Lasse mich jetzt zurück zur *Falcon* rudern, morgen ist auch noch ein Tag. Dann trennen sich unsere Wege, Baldwin. Ihr setzt wieder Kurs Neue Welt, und wir müssen sehen, was wir mit der *Argonaut* machen.«

»Sir, wir begleiten Euch selbstverständlich.« Die *Falcons* hatten sich wie ein Mann erhoben.

Baldwin protestierte: »Aber nicht doch, wir haben uns doch gerade erst warm getrunken, nicht wahr? Taggart, Eure Leute können doch noch …«

»Schon recht.« Der Kommandant lächelte halbseitig. »Habe Verständnis für Euch junges Gemüse, feiert nur weiter.«

Die *Falcons* setzten sich wieder.

Taggart beugte sich über den Tisch und schüttelte Baldwin die Hand. »Danke für das Essen, mach's gut, alter Pfeffersack!«

»Pfeffersack! Er hat Pfeffersack gesagt!«, wieherte Baldwin, der nicht daran dachte, Taggarts Hand loszulassen. »Also dann.« Er wurde übergangslos ernst. »Ich habe auch zu danken … Pirat! Ohne Euch und Eure *Falcons* wären wir alle nicht mehr.«

»Ich begleite Euch trotzdem, Sir«, meldete sich Fernandez, »zähle mich ebenfalls nicht mehr zum jungen Gemüse.« Er nickte den anderen freundlich zu.

»Genehmigt.« Taggart steuerte die Tür an. »Dann, Zweiter, pfeift mal den Steurer vom kleinen Boot herbei.«

Als die beiden fort waren, entstand eine Stimmungspause, die jedoch abrupt von einem erschreckten Ausruf Arlettes unterbrochen wurde: »Großer Gott! Ich glaube, ich habe vorhin in meiner Kabine die Kerze brennen lassen. Ich denke, ich sehe besser gleich nach. Überhaupt, Gentlemen, es ist schon spät, ich …«

»Aber ich bitte Euch«, fiel ihr Catfield geschmeidig ins Wort, »erlaubt mir, dass ich Euch diesen Gang abnehme.« Ohne ihre Reaktion abzuwarten, erhob er sich und verließ den Raum. Arlette zuckte mit den Schultern und nippte an ihrem Glas. »Um ehrlich zu sein, wollte ich mich bei der Gelegenheit verabschieden, aber einem Kavalier alter Schule sollte man nicht widersprechen.« Sie blickte Vitus spöttisch in die Augen. »Es gibt heutzutage so wenige davon.«

Himmel noch mal! Vitus hoffte, dass er nicht rot wurde. »Wie Ihr meint, Lady.« Warum neckte ihn diese Person eigentlich ständig, er hatte ihr doch keinerlei Anlass dazu gegeben!

»Tipperton«, hörte er Baldwins leicht verwaschene Stimme,

»es ist Zeit, dass wir was Anständiges zu trinken bekommen. Holt den steifen Brandy, wir gehen zum gemütlichen Teil des Abends über.«

»Aye, aye, Sir.« Tipperton nickte gottergeben.

»Ich fürchte, Kapitän Baldwin, dass Brandy nicht ganz mein Geschmack ist.« Arlette lächelte entwaffnend. »Lasst mich darum gehen, auch wegen der brennenden Kerze, die mir nicht mehr aus dem Kopf will. Mister Catfield wurde sicher irgendwo aufgehalten, er wäre sonst längst wieder hier.«

Sie erhob sich, Baldwins stürmischen Protest mit einer graziösen Handbewegung unterbindend.

»Kommt wenigstens noch mal für ein paar Minuten zurück!«, quengelte Baldwin. »Ich schwöre bei den Tit…, äh, bei den Lippen der Aphrodite, dass dann für Euch ein extrakühles Glas Rheinwein bereitsteht, Lady Arlette! So reizende Damengesellschaft wie die Eure hat man nicht alle Tage.«

Die Herren am Tisch nickten einträchtig.

»Nun gut.« Arlette lächelte, während ihr Blick unversehens auf Vitus ruhte. »Euren Überredungskünsten, Herr Kapitän, kann ich nicht widerstehen.« Mit raschelnden Röcken schlüpfte sie hinaus. »Behaltet Platz, Gentlemen.«

»Uff!« Baldwin wischte sich mit der Serviette den Nacken trocken. Beim Essen geriet er leicht ins Schwitzen, besonders bei einem so ausgiebigen wie diesem. »Habe selten eine so gut gebaute junge Stute gesehen. Wenn man sie erst einmal an sich gewöhnt hat, dürfte sie sehr rittig sein!« Er lachte meckernd.

Vitus sah die Speisereste zwischen seinen Zähnen und fühlte Ärger in sich hochsteigen. »Ich finde diesen Vergleich ziemlich unpassend, Sir«, sagte er steif.

»Habt Euch verliebt in sie, wie?«

»Davon kann keine Rede sein.«

»Kann ich gut verstehen.« Baldwin überging Vitus Antwort. »Hatte selbst in jungen Jahren mal eine Rothaarige, ein Teufelsweib, sage ich Euch. Haare wie Kupferdraht. Darf gar nicht daran denken, wie sie mir damals die Kraft aus den Lenden sog.«

Mit der Hartnäckigkeit des Betrunkenen ließ er sich anschließend über die Frauen im Allgemeinen und die Rothaarigen im Besonderen aus. Vitus verging schon nach wenigen Minuten die Lust, dem seichten Geschwätz zuzuhören, stattdessen widmete er seine Aufmerksamkeit der Tür. Arlette musste jeden Augenblick zurückkommen. Eigentlich hätte sie schon längst wieder da sein müssen!

Und wenn sie es sich anders überlegt hatte und in ihrer Kammer geblieben war?

Nein, das sah ihr nicht ähnlich.

Wieder war eine Minute vergangen. Baldwin sprach mittlerweile nur noch mit sich selbst; die anderen am Tisch waren zusehends einsilbiger geworden. Der starke Brandy nach dem schweren Mahl tat seine Wirkung.

»Ich sehe mal nach, was da los ist.« Vitus erhob sich kurz entschlossen.

Draußen schlug ihm der kalte Nachtwind scharf ins Gesicht. Der Wellengang war jetzt stärker als noch am Nachmittag. Die *Phoenix* machte kaum Fahrt, dafür sorgte der Treibanker, den die Mannschaft nach achtern ausgelegt hatte. Die Hecklaternen der *Falcon* und der *Argonaut* grüßten schwach herüber. Auf dem Backsdeck sah er zwei helle Flecken: die Wachgänger. An ihrer gekrümmten, sitzenden Haltung erkannte er, dass sie schliefen. Auf Taggarts *Falcon* wäre so etwas undenkbar gewesen. Aber dies war nicht Taggarts Schiff.

Wenige Schritte von Vitus entfernt schimmerte Licht unter

der Überdachung des Ruderstands hervor. Fetzen eines Lieds klangen herauf. Wenigstens der Rudergänger schien auf dem Posten zu sein.

Suchend blickte Vitus sich um. Erst jetzt wurde ihm bewusst, dass er keine Ahnung hatte, wo die Kabine von Lady Arlette lag. Ein erstickter Laut ließ ihn herumfahren. Dahinten vor der Poop, dem kleinen stabilen Kajütaufbau, welcher den Passagieren als Unterkunft diente, bewegten sich zwei Schatten!

Mit wenigen Sätzen sprang er zu der Stelle und erkannte zwei Körper, die heftig miteinander rangen. Kein Zweifel, das war der Rücken von Catfield! Und wer war die zweite Person? Arlette!

Die junge Frau wehrte sich verzweifelt gegen die Zudringlichkeiten des Burschen, der sie, zwischen ihren Beinen stehend, brutal an sich presste und ihren geschmeidigen Körper nach hinten bog, damit sie ihm zu Willen war.

»Hilfe!«, hörte Vitus jetzt ihre Stimme. »Hilfe, hilf ...«

Ein dumpfer Schlag brachte sie zum Schweigen. Ohne eine Sekunde nachzudenken, stürzte er vor. Wie durch einen Schleier nahm er ihre kleinen Fäuste wahr, die verzweifelt auf dem Rücken des Angreifers trommelten. »Lasst sie in Ruhe, Catfield!«, schrie er und trat dem Mann in die Kniekehle. Catfield knickte ein und fuhr herum, in seinen Augen noch die Vorfreude auf das, was er sich in wenigen Augenblicken nehmen würde. Vitus konnte nicht anders: Mit aller Kraft schlug er dem Burschen die Faust ins Gesicht. Noch mal. Und noch mal. Ein Knochen knirschte. Blut spritzte. Catfield gab einen unverständlichen Ton von sich, griff ziellos mit den Händen in die Luft und brach am Schanzkleid zusammen.

Arlette taumelte auf Vitus zu und krallte sich an seinem Wams fest. Ihr Atem ging stoßweise. Er wusste nicht, wohin mit seinen Händen. Würde sie es gestatten, wenn er, selbstverständlich in allen Ehren, den Arm um ihre Schultern legte? Er wagte es nicht.

Endlich wurde sie ruhiger. Noch immer klammerte sie sich an ihn. Niemand an Deck hatte den Überfall bemerkt. »Der Herr hat, so scheint's, Schwierigkeiten, sein Temperament zu zügeln«, sagte sie, bemüht, ihren spöttischen Plauderton wieder zu finden.

Er nickte stumm. Er fühlte nichts als grenzenlose Erleichterung, dass er noch rechtzeitig gekommen war.

Plötzlich ging ein Zucken durch ihren Leib, und zu seinem Entsetzen sah er, wie ihre Augen sich mit Tränen füllten.

»Dieser Unhold!«, brach es aus ihr hervor. »Dieser gemeine Schuft! Er wollte mir tatsächlich Gewalt antun!« Sie weinte jetzt hemmungslos. Nichts war mehr übrig von der spöttischen, selbstbewussten Lady, der alle zu Füßen lagen – nichts, nur eine verzweifelte junge Frau.

»Nicht weinen«, stammelte er. »Bitte nicht weinen.« Er umfasste ihre Taille und stützte sie. »Nicht weinen«, hörte er sich immer wieder sagen, während sie darum rang, ihre Fassung wiederzugewinnen. Endlich beruhigte sie sich. Ihr Gesicht war jetzt dem seinen ganz nah, und er spürte den betörenden Duft ihrer Haut.

»Danke, Vitus.« Sie schluckte. »Ich muss furchtbar aussehen.« Zwischen ihren Tränen erschien langsam wieder das bezaubernde Lächeln. »Bitte, bringt mich in meine Kabine.«

Vitus und Arlette saßen eng umschlungen auf der schmalen Koje und blickten in die verlöschende Kerze, die auf einem hölzernen Tritt neben ihnen stand.

Beim Eintreten war er so kühn gewesen, seine Hand an ihrer Taille zu lassen, und zu seiner Überraschung schien ihr die Berührung nicht unangenehm zu sein. Kaum dass sie saßen, hatte sie sich abermals an ihn geschmiegt, obwohl es dafür gar keinen Grund mehr gab.

Oder gab es doch einen?

Ihm schwirrte der Kopf. Andere Männer, das wusste er, hätten jetzt eine geistreiche Plauderei begonnen, ihr Wissen versprüht und mit ihren Taten geglänzt, aber ihm war der Hals wie zugeschnürt. »Die Kerze geht gleich aus«, sagte er schließlich und kam sich sehr töricht vor.

»Ich weiß«, lächelte sie und blickte ihn an. Ihre graugrünen Augen wirkten im Zwielicht schwarz. »Und es stört mich überhaupt nicht, Vitus von Campodios. Ich liebe dich nämlich.«

Er glaubte, nicht richtig gehört zu haben.

Sie küsste ihn sacht. »Ich wusste es im ersten Augenblick, als ich dich aus dem Lazarett treten sah.«

»Aber, aber ... ich sah doch so unmöglich aus, mit meinem Gunner-Schal um den Kopf.«

Sie lachte leise. »Als ob es darauf ankäme.«

»Ich glaube, ich liebe dich auch.« Seltsam, wie leicht ihm diese bedeutenden Worte über die Lippen kamen. Es war ein Satz, den er Tirzah gegenüber nie ausgesprochen hatte. Aber Arlette war nicht Tirzah ... Er küsste sie sanft auf jene Stelle ihrer Wange, die Catfield getroffen hatte. Sie war leicht gerötet, aber schon morgen würde man nichts mehr davon sehen. Der Docht fiel vollends in das verbliebene Wachs, und das Licht verlöschte mit einem Zischen.

»Geh jetzt nicht«, flüsterte sie.

Als er erwachte, war es bereits heller Tag. Ein einfacher Glockenschlag drang zu ihm in die Kabine. Es musste also bereits halb neun sein! Er fuhr hoch und blickte sich um.

Wo war Arlette?

Sicher war sie nur kurz nach draußen gegangen, um irgendetwas zu erledigen. Rasch stand er auf und begann sich anzukleiden, während seine Augen im Raum umherwanderten. Als er das rote Damasttuch um seinen Körper wickelte, fiel sein Blick auf eine große Truhe, die er gestern Abend nicht bemerkt hatte. Die Truhe war geschlossen, und auf dem Deckel, neben den kunstvoll geschmiedeten Eisenbeschlägen, prangte etwas, das ihm sehr vertraut vorkam.

Sein Wappen.

Ungläubig trat er heran und betrachtete jede Einzelheit des Zeichens, verglich sie mit denen auf seinem Damasttuch und kam zu dem Schluss, dass völlige Übereinstimmung bestand. Das Wappen der Collincourts! Hier auf dieser Truhe, auf diesem Schiff!

Aber was hatte Arlette damit zu tun?

Zweifellos gehörte die Truhe ihr, und wenn das stimmte, war sie eine Verwandte von ihm. Eine Collincourt! Sich fertig ankleidend beschloss er, trotz seines schlechten Gewissens die Truhe zu öffnen. Arlette würde Verständnis dafür haben, wenn er ihr die Gründe erklärte.

Der Deckel hob sich knarrend. Vitus erblickte zunächst mehrere Kleider, dann eine schwere, eiserne Kassette, die wahrscheinlich Geld und Schmuck enthielt, dazu zwei, drei Hutschachteln und eine Reihe versiegelter Pergamentrollen. Ein großes rotes Siegel fiel ihm besonders ins Auge, denn der Wachsabdruck zeigte ebenfalls das Wappen der Collincourts. Magisch davon angezogen griff er danach.

»Was machst du da?« In der Tür stand Arlette und runzelte die Stirn.

»Ah, da bist du ja.« Vitus versuchte, sich seine Verlegenheit nicht anmerken zu lassen. Die Nacht mit ihr war zwar unbeschreiblich schön gewesen, und er hatte sich ihr so nah gefühlt wie nie zuvor einer Frau, aber jetzt war Tag, und er hatte die Hand in ihrer Truhe.

»Ich wollte nur einmal sehen, ob es deine Truhe ist.« Er merkte selbst, wie lahm das klang. »Also, das Zeichen auf dem Deckel«, hob er abermals an, »ist identisch mit meinem Wappen!« Das war schon besser. Er strahlte sie an, während er die Arme öffnete und auf sie zuging.

»Lass das, bitte. Mir ist jetzt nicht danach.« Sie schob sich an ihm vorbei und beugte sich über die Truhe, kramte geraume Zeit darin und kam zu dem Schluss, dass noch alles da war. »Ich bin auf diesem Schiff schon mehrfach bestohlen worden, natürlich nicht von dir, aber man wird misstrauisch.« Sie lächelte leicht.

Vitus atmete auf. »Du bist eine Collincourt, nicht wahr? Ich bin vielleicht auch ein Collincourt, ist das nicht ein Riesenzufall?«

»Wie bitte?« Ihr Lächeln verschwand und machte einer steinernen Miene Platz.

»Ich habe dasselbe Wappen wie du, trage es seit meinem Weggang von Campodios immer mit mir herum.«

»Das hätte ich nicht gedacht«, flüsterte sie tonlos.

»Nicht wahr? Aber es stimmt. Ich trage wirklich dasselbe Wappen wie du.«

»Ein Lügner und ein Hochstapler.« Ihr Blick ging durch ihn hindurch. »Bei der heiligen Mutter, das hätte ich nicht gedacht.«

»Aber wieso, glaubst du mir etwa nicht?« Er lachte auf und kam sich albern vor. »Ich bin ein Findelkind, der alte Abt Hardinus selbst hat mich vor dem Kloster gefunden, ich war eingewickelt in ein Tuch, auf dem das Wappen der Collincourts eingestickt ist. Ich trage es immer ...«

»Hinaus!«, unterbrach sie ihn.

»Aber Arlette, Liebste, mein Wappen ist auch dein Wappen, vorausgesetzt, ich bin tatsächlich ein Collincourt, aber das wird sich bald herausstellen, ich ...«

»Hinaus!« Aufschluchzend drängte sie ihn zum Ausgang, schob ihn mit bemerkenswerter Kraft über das Süll und knallte die Tür hinter ihm zu.

Er stand da wie ein begossener Pudel.

»Sir?«

»Äh, ja?«

Von der Seite war Miller, der Läufer und Signalgast, an ihn herangetreten und grüßte zackig. »Captain Taggart schickt mich, Euch abzuholen, Sir, nachdem Ihr gestern Nacht nicht zurückgekommen seid.« Er grinste viel sagend. »Wollt Ihr zur *Falcon* oder zur *Argonaut* übergesetzt werden?«

»Hmja.« Vitus war von der Entwicklung der Ereignisse überrollt. Im Augenblick schien es zwecklos zu sein, das Gespräch mit Arlette fortzusetzen. Zu dumm, dieses Missverständnis! Nun, er würde es irgendwann am Vormittag ausräumen. »Ich möchte auf die *Argonaut*, muss mich um die Verwundeten kümmern.«

Unter den gegebenen Umständen war es sicher ganz gut, Taggart nicht gleich unter die Nase zu kommen.

»Gern, Sir.« Miller grüßte erneut zackig. »Ich darf vorangehen, Sir?«

Auf der *Argonaut* stellte sich heraus, dass der Magister und Enano schon ganze Arbeit geleistet hatten. Für Vitus blieb nicht viel zu tun übrig. Er stand neben den Verwundeten wie ein Außenseiter, stellte Fragen, die schon beantwortet worden waren, verwechselte Medikamente und Diagnosen und redete die Verletzten mit falschem Namen an. Man musste blind sein, um nicht zu erkennen, dass er mit seinen Gedanken ganz woanders war.

»Was ist los?«, fragte der Magister schließlich. »Als dein bester Freund habe ich ein Recht darauf, das zu erfahren.«

»Ich auch, ich auch«, echote der Zwerg.

»Also schön.« Vitus seufzte und blickte sich um, dann steuerte er eine Ecke der Kajüte an, wo sie ungestört reden konnten. »Als ich gestern Abend nachsehen wollte, wo Lady Arlette blieb, geschah Folgendes …«

Er berichtete alles über Catfields Vergehen und über Arlettes Truhe mit dem identischen Wappen. Die Einzelheiten der Nacht ließ er aus, und seine Freunde waren taktvoll genug, nicht danach zu fragen.

»Und was sagte Lady Arlette nun dazu, dass ihr verwandt seid?«, wollte der Magister wissen.

»Sie fand's knäbbig, wui?«

»Nein, ganz im Gegenteil, sie hat es mir nicht geglaubt. Es ist einfach alles schief gelaufen.«

Er erzählte mit hängendem Kopf, wie er mit dem Arm in der Truhe von ihr überrascht worden war.

Als er geendet hatte, sagte der Magister: »Kopf hoch, Vitus, so mutlos hab ich dich ja noch nie gesehen, stehst hier rum wie bestellt und nicht abgeholt! Das Ganze ist doch nur ein Riesenmissverständnis. Weißt du was? Genug Lazarettdienst für heute, wir fahren jetzt rüber zur *Phoenix,* und ich werde dem Fräulein persönlich bestätigen, dass alles, was du gesagt hast, der Wahrheit entspricht.«

»Vielleicht hast du Recht. Gehen wir.«

Doch als sie vor die Kajüte traten und querab nach Steuerbord blickten, sahen sie nur die *Falcon,* und auch an Backbord war der Kauffahrer nicht zu entdecken, ebenso wenig wie vor dem Bug und achteraus.

Die *Phoenix* war fort.

»Ich habe es so eingerichtet, dass wir für eine Weile ungestört sein werden«, sagte Taggart finster blickend. »Dafür, dass Ihr letzte Nacht nicht zurückgekommen seid, erwarte ich eine triftige Erklärung.«

Vitus nickte ergeben. Er saß Taggart am Kartentisch gegenüber und haderte mit seinem Schicksal.

»Ich hatte Euch und den anderen *Falcons* zwar Erlaubnis erteilt, ein wenig länger mit Baldwin zu feiern, aber von einer Übernachtung auf der *Phoenix* war nicht die Rede. Im Übrigen seid Ihr der Einzige, der meine Großzügigkeit diesbezüglich ausgenutzt hat.«

»Sir, ich kann nur sagen, dass es mir aufrichtig Leid tut. Ich bitte um Entschuldigung.«

»Ist das alles, was Ihr mir zu sagen habt?«

»Nein, Sir, selbstverständlich nicht.« Abermals schilderte Vitus Catfields Vergehen an Arlette, erzählte, wie er eingegriffen hatte, und kam schließlich, wiederum unter Umgehung der Liebesnacht, zu der Übereinstimmung zwischen ihrem und seinem Wappen.

Taggart, der, je länger Vitus redete, immer ruhiger geworden war, sagte schließlich: »Was Ihr da erzählt, Cirurgicus, sind eigentlich zwei Geschichten. Die eine, nämlich die, ob Ihr ein Collincourt seid und damit ein Verwandter von Lady Arlette, geht mich nichts an.« Seine Stimme wurde härter. »Die andere ist der Vorfall mit Catfield.«

»Ich gebe zu, Sir, mein Bericht klingt etwas, äh … aus der Luft gegriffen, zumal Lady Arlette fort ist und meine Angaben nicht mehr bestätigen kann, aber ich versichere Euch, es ist die reine Wahrheit.«

»Ich weiß«, entgegnete Taggart zu Vitus' Überraschung. »Catfield ist gestern Nacht mit den anderen *Falcons* auf mein Schiff zurückgekehrt und hat sich mir heute Morgen freiwillig gestellt. Der Kerl hatte den Anstand, für seine Untat geradezustehen. Schwor Stein und Bein, er hätte Lady Arlette nur einen Kuss rauben wollen und alles Weitere sei ein schreckliches Missverständnis gewesen. Dennoch hätte ich ihn am liebsten in Eisen legen lassen, was ich allerdings nicht tun konnte. Immerhin ist er Offizier, deshalb steht er nur unter Arrest.«

»Was habt Ihr mit ihm vor, Sir?«

»Ich weiß es noch nicht. Doch zurück zu Euch. Ich würde sagen: Schwamm über die Sache, niemand soll vom alten Taggart behaupten, er wäre nachtragend.«

»Verbindlichsten Dank, Sir.« Vitus war ehrlich erleichtert.

»Sir, Verzeihung, wenn ich störe.« Tipperton stand in der Tür und sah aus wie das Fleisch gewordene schlechte Gewissen.

»Ich verzeihe gar nichts, wenn ich ausdrücklich befohlen habe, nicht gestört zu werden!«, bellte Taggart.

»Sir, aber … Verzeihung, jene Männer, die auf die *Argonaut* befohlen sind, wollen Euch etwas übergeben, Sir, die Matrosen sitzen bereits im Boot, klar zum Übersetzen, deshalb erlaubte ich mir …«

»Sollen warten, die Burschen!« Die Blitze in Taggarts Augen schleuderten Tipperton wieder vor die Tür.

»Es sind Männer auf die *Argonaut* befohlen worden, Sir?«, fragte Vitus.

»In der Tat. Mit den paar Leuten, die das Gefecht überlebt haben, ist sie nicht zu segeln. Deshalb bin ich, während Ihr Tage und Nächte auf der *Phoenix* verbracht habt, nicht untätig gewesen: Habe bereits heute Morgen unter meinen *Falcons* zehn Freiwillige ausgesucht, darunter auch Rod, den Schotten, der ein erfahrener Seemann ist. Ich wünschte, ich hätte mehr von seiner Sorte. Die Überfahrt der *Argonaut* nach England wird ein heißer Ritt. Sie ist zwar einigermaßen dicht, aber wehe das kleinste Stürmchen zieht auf.«

Taggart schnaufte unzufrieden. »Ganz zu schweigen von dem Problem der Schiffsführung: Evans ist gefallen, der arme Bursche, und Catfield ist hinter Schloss und Riegel. Werde mich wohl von McQuarrie trennen müssen und ihn zum Ersten auf Zeit befördern. Dann mag er die *Argonaut* heimsegeln, aber weiß Gott, beneiden tue ich ihn nicht darum.«

Vitus kam spontan ein Gedanke: »Sir, ich schlage vor, Catfield eine Chance zu geben. Ich bin überzeugt, er ist kein schlechter Kerl, und die Tatsache, dass er sich freiwillig gestellt hat, spricht ebenfalls für ihn. Setzt ihn wieder als Ersten ein. Die Rückreise nach England, von der Ihr selbst sagt, dass sie besonders schwierig werden wird, wäre eine gute Bewährungsprobe für ihn.«

»Hm, habe selbst auch schon mit dem Gedanken gespielt, wäre eine elegante Möglichkeit. Allerdings: Der Mann hat eine Nase wie Brei, und ich weiß sehr wohl, wo er die herhat.« Taggart grinste innerlich, als er sah, wie Vitus die Lippen zusammenpresste. »Er hat den *Falcons* heute Nacht erklärt, ein Block hätte sich plötzlich gelöst und sei ihm gegen die Nase geflogen, doch das hat ihm natürlich keiner geglaubt. Wilde

774

Gerüchte kursieren seitdem über die Ursache seiner Verunstaltung.«

»Ich könnte mich auf der Rückreise um die Nase von Catfield kümmern, Sir.«

»Ihr?« Taggart gab seiner unversehrten Gesichtshälfte einen erstaunten Ausdruck. »Das würde bedingen, dass ich Euch ebenfalls auf die *Argonaut* versetze.«

»Jawohl, Sir.«

»Hm.« Taggart wollte seinen Cirurgicus noch ein wenig zappeln lassen, obwohl diese Maßnahme sich förmlich aufdrängte, spätestens, seitdem feststand, dass die *Argonaut* gerettet werden konnte. Jetzt, wo sie wieder schwimmfähig war, wollte er unbedingt, dass sie nach England zurückkehrte, denn er wusste, dass Evans in Portsmouth Familie hatte: eine Frau und noch ein paar Kinder dazu, wenn er sich richtig erinnerte. Die mussten was zu beißen haben und waren deshalb auf das Schiff und die damit verbundenen Erwerbsmöglichkeiten angewiesen. Selbst wenn es nicht wieder für große Fahrt flottgemacht werden konnte, war es wenigstens zu verkaufen. Er entsann sich sehr wohl, wie es ihm und den Seinen in den fünfziger Jahren ergangen war …

Taggart merkte, dass seine Gedanken abglitten, und schalt sich dafür. Laut sagte er: »Ich weiß nicht, Cirurgicus, ich weiß nicht.«

»Mit allem Respekt, Sir.« Vitus wählte seine Worte sehr sorgfältig: »Ich denke, die Verwundeten auf der *Argonaut* brauchen meine Pflege, deshalb wäre es notwendig, dass ich zu ihr hinüberwechsle.«

»Und natürlich auch, damit Ihr in England Eure Familiennachforschungen weitertreiben könnt.«

»Ich gebe zu, Sir, dieser Hintergedanke war durchaus dabei.«

»Ihr seid wenigstens ehrlich.« Taggart blickte Vitus direkt in die Augen. »Ich akzeptiere Euren Vorschlag, wenn ich auch sagen muss, dass mir der Gedanke, Euch zu verlieren, nicht sonderlich lieb ist. Ich denke außerdem, dass ich Eure Anregung aufgreifen und Catfield noch eine Chance geben sollte. Tipperton! Tip-per-ton!«

Endlich, nach zwei Minuten, erschien der Gerufene. »Verzeihung, Sir, Ihr wolltet doch nicht gestö…«

»Was ich wollte und was ich nicht wollte, müsst Ihr mir nicht vorhalten!«, schnauzte Taggart. »Catfield soll herkommen, aber ein bisschen plötzlich.«

»Aye, aye, Sir.«

Diesmal dauerte es keine Minute, und Catfield stand in vorschriftsmäßiger Haltung vor Taggart. Er wirkte ruhig, dennoch musste er große Schmerzen haben. Sein Riechorgan stand in einem unnatürlichen Winkel zur rechten Seite ab. »Melde mich wie befohlen, Sir.«

»Gut. Tipperton, Ihr könnt gehen.«

Taggart kam sofort zur Sache. »Catfield, ich habe mich entschieden, Euch eine Chance zu geben. Ihr werdet die *Argonaut* als verantwortlicher Schiffsführer nach Portsmouth segeln, unterstützt von weiteren Männern der *Falcon,* die ich hiermit unter Euer Kommando stelle.«

»Sir, ich … Sir?« Catfield brauchte eine Weile, um sein Glück zu begreifen. Dann strahlte er: »Danke, Sir, ergebensten Dank! Ich werde Euch nicht enttäuschen!«

»Bedankt Euch beim Cirurgicus, seine Fürsprache hat den Ausschlag gegeben.«

»Der Cirurgicus?« Abermals brauchte Catfield Zeit, um die überraschende Wendung des Gesprächs zu verdauen. Dann jedoch eilte er auf Vitus zu und schüttelte ihm stürmisch die

Hand. »Cirurgicus, ich danke Euch ebenfalls! Ich kann nur nochmals dasselbe sagen: Ich werde alles tun, was in meinen Kräften steht, um die *Argonaut* zu retten. Und ich möchte Euch versichern, äh, wegen gestern Abend, ich hätte nie …«

»Catfield«, unterbrach Taggart, »Ihr werdet auf der Rückreise noch genügend Gelegenheit haben, dem Cirurgicus Erklärungen abzugeben.« Er nahm einen starken Bogen Papier zur Hand, auf dem in schön geschwungenen Buchstaben eine von Tipperton vorbereitete Adresse stand:

An die Ehefrau des Schiffskapitäns Timothy Evans,
persönlich zu übergeben durch:

»Euer Vorname, Catfield?«
»Richard, Sir.«
Der Kommandant griff zur Feder, tauchte sie in ein voluminöses Tintenfass und schrieb sorgfältig unter den Zweizeiler:

Richard Catfield!

»So.« Taggart löschte die Tinte mit Sand und rollte mehrere Dokumente in das Papier ein, bevor er es versiegelte. Dann tat er es in eine Segeltuchtasche. »Hier, Catfield. Zu treuen Händen. Nach Eurer Ankunft in Portsmouth macht Ihr als Erstes den Wohnsitz der Witwe Evans ausfindig und sucht sie unverzüglich auf. Sodann händigt Ihr der Frau diese Rolle aus. Sie enthält ein Beileidsschreiben von mir und eine Order an meine Bank, dass ihr die Summe von, äh … nun ja, das spielt keine Rolle. Die Frau muss schließlich über die Runden kommen.«

»Danke, Sir, Ihr könnt Euch auf mich verlassen.«
»Sir?«

»Ja, Cirurgicus?«

»Ich bitte um die Erlaubnis, meine Freunde, den Magister García und den Zwerg Enano, nach England mitnehmen zu dürfen. Vorausgesetzt natürlich, sie wünschen es selbst.«

Taggart grinste schief. »Den Verlauf unseres Gesprächs vorausahnend, habe ich bereits mit beiden gesprochen. Sie erklärten gemeinsam, dass sie sehr gern nach England gingen, allerdings nur unter der Voraussetzung, dass Ihr ebenfalls geht.«

»Dann ist es abgemacht?« Jetzt strahlte auch Vitus.

»Abgemacht«, nickte Taggart. »Tipperton! Tip-per-ton! Verdammt noch mal, wo bleibt die Schlafmütze?«

Der Schreiber stürzte herbei. »Zur Stelle, Sir!«

»Führt mich und die beiden Offiziere jetzt hinaus zu dieser Abordnung. Ihr faseltet vorhin von irgendetwas, das mir übergeben werden soll.«

»So ist es, Sir.«

Draußen, in der wärmenden Nachmittagssonne, hatte Dorsey die *Falcons* auf dem Oberdeck antreten lassen. Alle Männer standen peinlich genau ausgerichtet mit ernsten Gesichtern da. An der Steuerborddeckspforte befand sich McQuarrie und blickte auf das Beiboot hinunter, das unruhig auf den Wellen dümpelte. Seine Fender rieben sich knirschend an den Barkhölzern des großen Schiffsrumpfs. Im Boot saßen die künftigen *Argonauts,* zu Vitus' Freude auch der Magister und Enano, der Zwerg. Der kleine Gelehrte winkte heftig herauf und deutete auf mehrere Bündel zu seinen Füßen. Vitus sah, dass es sich um seinen gesamten Besitz handelte. Es war gut, so treue Freunde zu haben, jetzt, da er Arlette verloren hatte. Arlette …

Er zwang seine Gedanken wieder an Deck. Neben McQuarrie

stand Rod, der etwas Blitzendes in der Hand hielt. Der hagere Schotte mit den gewaltigen Oberarmen löste sich von der Reling und trat vor Taggart hin: »Sir, ich habe den Auftrag, Euch im Namen der *Ex-Falcons* dieses zu überreichen.«

Er hielt ein Astrolabium hoch, ein vergoldetes Instrument zur Bestimmung der Breite durch Messung des Sonnenstands. »Als Dank und als Erinnerung, Sir!«

Vitus fragte sich, wo die Männer diese Kostbarkeit aufgetrieben hatten, und erkannte, dass nur eine einzige Quelle dafür in Betracht kam: Baldwin. Er hoffte, dass der Kauffahrer die Männer nicht allzu sehr geschröpft hatte.

Taggarts Miene war nachdenklich geworden. Er nahm das Astrolabium entgegen und fand erstaunliche Worte: »Das ist nett von euch, Männer, aber das kann ich nicht annehmen.« Er setzte das Gerät auf der Reling ab. »Es ist viel zu kostbar und damit als Geschenk unziemlich.«

Ein enttäuschtes Raunen ging durch die im Boot sitzenden Matrosen.

»Aber ich will euch meinerseits danken. Auch wenn ihr Halunken der lahmste Haufen seid, mit dem ich je gefahren bin.« Taggart grinste so breit, dass sich fast die starre Gesichtsseite mitverzog.

Einige Leute kicherten.

»Ruhe!« Taggart hob die Hand. »Ihr sollt wissen, dass auf euch der härteste Törn eures Lebens zukommt. Unterschätzt deshalb eure Aufgabe nicht. Seid wachsam. Vermeidet Kämpfe. Schlängelt euch so durch. Betet, dass Poseidon die Backen nicht aufpustet. Und: Haltet zusammen wie das Pech zwischen den Planken, sonst geht ihr zu den Fischen. Vergesst nie: Die *Argonaut* ist nichts weiter als ein zugeklebtes Sieb.«

Taggart schnaufte kurz. Alle Augen waren auf ihn gerichtet,

selbst der Ausguck im Fockmars blickte – vorschriftswidrig – zu ihm herab. »Sie nach Hause zu segeln, ist eine echte Herausforderung, Männer. Ich stelle sie deshalb unter den Befehl desjenigen Offiziers, der sie am besten kennt: unter den Befehl von Richard Catfield!«

Catfield trat vor und verbeugte sich knapp, was den Vorteil hatte, dass man seine Nase für einen Augenblick nicht sah. Die Matrosen im Boot blickten erstaunt, ließen sich aber weiter nichts anmerken. Wenn der Alte zu diesem Entschluss gekommen war, dann hatte das seine Richtigkeit.

»Und nun, Männer, entbinde ich euch ausdrücklich von dem Eid, den ihr mir geschworen habt. Macht's gut … *Argonauts*!«

Taggart drehte sich um und verhielt mitten in der Bewegung, denn das Astrolabium stand noch auf der Reling. Verwundert hob er das Messinstrument in die Höhe. »Potzblitz, ein Astrolabium!«, rief er so laut, dass man ihn bis zum Galion hören konnte. »Welch eine Kostbarkeit! Irgendjemand hat es hier vergessen. Nun, er kann sich glücklich schätzen, dass ich es gefunden habe, denn bei mir ist es sicher. Ich hebe es auf, bis der Besitzer sich bei mir meldet.«

Unter dem dröhnenden Jubel seiner Männer stapfte Kapitän Sir Hippolyte Taggart zurück zu seiner Kajüte.

DER SCHLOSSHERR
COLLINCOURT

»Ich habe es geahnt,
aber nicht zu hoffen gewagt.
Es ist unser Wappen,
das Wappen der Collincourts,
und du bist in seinem Besitz.«

Die Kaufleute und Arbeiter auf der alten Pier von Portsmouth staunten nicht wenig, als sich am Vormittag des
10. Dezember 1576 eine böse zugerichtete, kaum noch
schwimmfähige Galeone zwischen Schuten und Leichtern he-
ranlavierte.

Die *Argonaut* hatte ihr Ziel erreicht.

Wie Kapitän Taggart vorausgesagt hatte, war die Rückfahrt
ein einziger Kampf gegen die Elemente gewesen. Neben den
widrigen Meeresströmungen und den heulenden Herbststür-
men vor dem Kanal hatten die notdürftig abgedichteten Lecks
von Tag zu Tag mehr Probleme bereitet. Wasser war zunehmend in den Schiffsleib gedrungen. Schließlich, vor über einer
Woche, hatte man dazu übergehen müssen, rund um die Uhr
zu lenzen.

So kam es, dass die *Argonaut* unter dem ständigen Tack-tack
ihrer Pumpen einlief. Ein Aufatmen ging durch die Decks,
als schwere Leinen an Galion und Achterschiff zur Pier hi-

nüberflogen und geschickt und gewandt um die Poller gelegt wurden.

Völlig erschöpft erschienen die *Argonauts* an Deck, darunter auch Vitus, der während der Rückreise nicht nur die Verwundeten versorgt, sondern wie jeder andere auch tief unten im Schiff an den Pumpen gestanden hatte.

An seiner Seite befand sich ein langgesichtiger älterer Mann, dessen besonderes Kennzeichen die stark nach oben gebogene Nase war. Der Mann hieß Bothwell Soaps und war Kammerherr. Er hatte das Pech gehabt, dass seine schwerreiche Herrschaft, Mister und Mistress Thornstaple, bei dem Gefecht mit der *Señora* ums Leben gekommen war, was ihn dazu bewogen hatte, nicht in die Neue Welt weiterzureisen, sondern ins vertraute England zurückzukehren.

Soaps mit seinem vornehmen Gehabe war harmlos. Er tat niemandem etwas zuleide, war allerdings schwerlich länger als wenige Minuten zu ertragen. Trotzdem hatte Vitus sich wiederholt mit ihm unterhalten, denn er kannte sich gut in den alten Adelsgeschlechtern aus. Und, noch wichtiger, er wusste, dass der Sitz der Collincourts Greenvale Castle war – Mittelpunkt eines nicht unbedeutenden Besitzes, zu dem auch ein Gutsbetrieb gehörte, rund fünfzehn Meilen nördlich von Worthing, einem kleinen Fischerdorf am Kanal.

»Wenn ich mir die Bemerkung erlauben darf, Sir«, sagte er jetzt zu Vitus, »mir fällt ein Stein vom Herzen.«

»Mir auch, Soaps.« Vitus spähte nach dem Magister und dem Zwerg, die sich um das Gepäck kümmern sollten. Nachdem er sich bereits am Morgen von der Besatzung verabschiedet hatte, hielt ihn jetzt nichts mehr auf dem Schiff. Es drängte ihn, nach Greenvale Castle zu kommen und endlich Licht in seine Vergangenheit zu bringen.

»Cirurgicus!« Von der Seite schob sich Catfield heran. Er hatte bis eben das Anlegemanöver überwacht, das trotz der Havarien wie am Schnürchen geklappt hatte.

Überhaupt war festzustellen, dass Catfield seine Aufgabe ohne Fehl und Tadel erledigt hatte. Er war unermüdlich auf den Beinen gewesen und hatte sich kaum eine Mütze voll Schlaf gegönnt. Wind, See, Wetter, Kurs, Leckagen, Steuerbarkeit – es gab nichts, um das er sich nicht gekümmert hatte. Das bewiesen seine vom Schlafmangel geröteten Augen.

»Was gibt's?«

»Cirurgicus, jetzt wo wir's geschafft haben, wollte ich mich noch einmal bei Euch bedanken.« Catfield hielt ihm die schwielige Rechte hin.

Vitus schlug zögernd ein. »Aber wofür denn?«

Catfield kratzte sich ungeniert an der Nase, die dank Vitus' Behandlung wieder halbwegs salonfähig war. »Ihr wisst schon wofür.«

»Ach so.« Wieder einmal spielte Catfield darauf an, wie großartig er es fand, dass Vitus sich, trotz des Vorfalls mit Arlette, bei Taggart für ihn verwendet hatte. Langsam ging er einem damit auf die Nerven. »Nicht der Rede wert.«

»Ich werde das nicht vergessen, Sir. Wer weiß, vielleicht habe ich eines Tages Gelegenheit, es wieder gutzumachen.«

»Das habt Ihr doch längst. Nicht an mir, doch an der Witwe Evans. Sie hat zwar ihren Mann verloren, aber dank Eures Einsatzes wenigstens nicht das Schiff. Im Übrigen: Um den Gang zu ihr beneide ich Euch nicht.«

Catfield seufzte. »Das ist wohl wahr, Sir. Aber ich muss es irgendwie hinter mich bringen.«

»Ihr schafft es bestimmt.« Vitus wollte es jetzt kurz machen. »Ich wünsche Euch für die Zukunft viel Glück.«

»Danke, Sir! Alles Gute auch für Euch!« Catfield nahm Haltung an und grüßte zackig.

Soaps verabschiedete sich ebenfalls.

»Da sind wir schon!« Der Magister nahte, den Zwerg im Schlepptau. Beide waren mit den gemeinsamen Habseligkeiten bepackt. »Hier, dein Stecken und deine Kiepe, Vitus. Von uns aus kann's losgehen.«

Als Vitus wenige Augenblicke später seinen ersten Schritt auf englischem Boden tat, war alle Erschöpfung vergessen.

Die Kutsche, in der sie östlich entlang der Küste fuhren, war altersschwach, hatte steinharte Sitze und keine Federn. Jede Unebenheit am Boden, und war sie noch so klein, durchrüttelte sie vom Kopf bis zu den Zehen. Draußen war es kühl, der frische Dezemberwind pfiff durch die offenen Fenster und ließ sie frösteln. Vorn auf dem Bock saß ein Mann, der sich als Hank Swaizy vorgestellt hatte.

Swaizy war ein knochiger Mittvierziger mit der unangenehmen Eigenschaft, ständig die Nase hochzuziehen. Doch abgesehen davon schien er ein verträglicher Mann zu sein, der zudem fürsorglich mit seinen beiden Pferden umging. Außerdem hatte er sich mit einem Fahrgeld begnügt, das unter dem seiner Konkurrenten lag.

»Was gäbe ich dafür, wenn wir die Strecke in einem Boot bei ruhiger See zurücklegen könnten!«, rief der Magister, als eine der unzähligen Bodenwellen ihn wieder einmal unsanft emporschleuderte.

»Wui, wui, 's geht ganz schön auf die Krächlinge«, stöhnte der Zwerg.

»Genießt lieber die Landschaft.« Vitus blickte hinaus.

In der Tat sah die Gegend so idyllisch aus, als wollte sie die

Fahrgäste für das mühselige Fortkommen entschädigen: Der Raureif vom Morgen hatte sich gehalten und deckte wie eine Zuckerschicht Felder, Wälder und Wiesen zu. Kleine Dörfer tauchten hin und wieder auf, verschlafen wirkend, denn die Zeit der Ernte war vorbei.

»Seit ich meine Berylle nicht mehr habe, ist es mit dem Gucken nicht weit her.« Der Magister blinzelte.

»Sir!« Swaizy auf dem Bock drehte den Kopf nach hinten und suchte Blickkontakt mit Vitus. »In fünf Minuten oder so sind wir in Chichester. Sollten übernachten dort, wenn's beliebt.«

»Übernachten? Muss das sein?« Vitus war mit seinen Gedanken schon am Ziel.

Swaizy schniefte. »Ich fürchte ja, Sir, 's sind noch mindestens vierzig Meilen bis Greenvale Castle, und wir haben Spätnachmittag. Sollten im Four Bullocks Quartier nehmen, 's ist sauber dort und billig.«

»Wie billig?«, hakte der Magister sofort nach. Er war für die Reisekasse zuständig.

»Ein paar Schillinge wird's schon kosten, Sir. Aber 's Essen ist dann schon dabei, und 's ist recht gut.«

»Soso. Euer Wort in Gottes Ohr.«

»Verlasst Euch drauf.« Swaizy zog vernehmlich die Nase hoch. Den Schleim, der dieserart in seinen Rachen gelangte, sammelte er genüsslich, bevor er ihn geballt an den Wegrand spie.

Die ersten Häuser des nächsten Orts erschienen am Horizont. »Chichester, Gentlemen«, sagte Swaizy.

Am nächsten Morgen fuhren sie zeitig weiter, machten mittags eine kurze Rast und entdeckten am frühen Abend einen bemoosten Wegweiser:

»Sind schon seit 'ner Weile auf dem Besitztum der Collincourts«, meldete Swaizy. »Dauert nicht mehr lange, und wir sind da, Gentlemen.«

Vitus nickte. »Danke, Swaizy.«

Vor ihnen fuhr seit einigen Minuten eine andere Kutsche, ein schwarzes, lackglänzendes Gefährt, das weitaus prächtiger und komfortabler aussah als das ihre. »Der hat womöglich dasselbe Ziel wie wir«, mutmaßte der Magister. »Warum in drei Teufels Namen sitzen wir nicht bei dem drin!«

Ein Bauernhaus tauchte rechts vor ihnen auf, klein und in schlechtem Zustand, mit vielfach geflicktem Reetdach und bröckligen Wänden. Eine Steinmauer grenzte das Gelände zur Straße hin ab. Als die vordere Kutsche auf gleicher Höhe mit dem Haus war, schoss plötzlich ein großer Hofhund heran. Das Tier bellte heiser aus einem gewaltigen Brustkasten, umkreiste die Pferde und schnappte nach ihnen.

Und dann ging alles sehr schnell: Die Gäule wieherten schrill, stiegen hoch und fielen in einen ungestümen Galopp. Verzweifelt knallte der Kutscher mit der Peitsche, doch die Zugtiere in ihrer Panik reagierten nicht darauf. Schon hatte der Wagen gefährliche Schieflage, lief nur noch auf den zwei rechten Rädern, als ein Gemarkungsstein herannahte, ihn anhob und mannshoch in die Luft warf. Die Deichsel brach, das Geschirr löste sich, die Pferde stoben davon, während das Gefährt wie eine riesige Holzkiste zu Boden krachte.

Voller Schreck sahen die drei Freunde, dass der Kutscher und ein weiterer Mann durch die Luft flogen und zehn, zwölf Yards entfernt niederfielen. Während der zweite Mann, der Kleidung nach ein älterer Gentleman, wie leblos liegen blieb, erhob sich der Kutscher gleich darauf wieder und begann fluchend seine Kleider abzuklopfen.

»Vorwärts!«, befahl Vitus.

Swaizy, der während der Geschehnisse nicht wenig Mühe darauf verwendet hatte, die eigenen Gäule ruhig zu halten, schnalzte mit der Zunge.

Sekunden später sprang Vitus vom ausrollenden Wagen herab, den Koffer mit den Instrumenten in der Hand. »Magister, komm! Enano, kümmere dich um den Hund!«

Aus dem Augenwinkel beobachtete Vitus, wie der Zwerg ohne zu zögern auf das riesige Tier zusteuerte, das mit hechelnder Zunge am Wegrand stand. Er ließ es an seiner Hand schnuppern, worauf es mit dem Schwanz wedelte und Platz machte, so, als wäre nichts gewesen.

»Gut.« Vitus wandte sich dem Gentleman zu, der leichenblass vor ihm im Gras lag. Der Mann war um die siebzig, von gepflegtem Äußeren, teuer, aber nicht protzig gekleidet. Sein Barett mit der kunstvoll gearbeiteten Smaragdbrosche war einige Schritt entfernt im Staub liegen geblieben; trotz seines Alters hatte der Unbekannte volles, weißes Haar.

»Sir, könnt Ihr mich hören?« Vitus prüfte den Atem des Verletzten. Gottlob, er war da, und auch der Puls war vorhanden. Dennoch reagierte der Mann nicht.

Vitus schlug ihm mehrmals mit der flachen Hand gegen die Wangen. »Sir, so wacht doch auf!«

Endlich begannen die Lider des Mannes zu flattern.

»Sir, Ihr hattet einen Unfall mit der Kutsche, könnt Ihr Euch daran erinnern?«

Der Fremde nickte schwach.

Vitus atmete auf. Wenn sein Gedächtnis noch funktionierte, so war das ein gutes Zeichen. »Macht Euch keine Sorgen, ich bin Arzt und werde Euch gleich untersuchen. Zuvor möchte ich Euch noch ein paar Fragen stellen, um sicherzugehen, dass Ihr wieder völlig bei Euch seid.«

Abermals nickte der Fremde.

»Welches Datum schreiben wir heute, Sir?«

»Dienstag, den 11. Dezember anno 1576.« Die Stimme des alten Herrn klang belegt.

»Sehr gut, Sir. Und wie ist Euer Name?«

»Lord Collincourt.«

Mrs Catherine Melrose war eine korpulente Frau mit kleinem Kopf und gewaltigem Busen. Von den neunundfünfzig Jahren ihres bisherigen Lebens hatte sie dreiundvierzig auf Greenvale Castle verbracht, zunächst als Magd, dann als Kochgehilfin und schließlich, seit nunmehr dreißig Jahren, als Köchin. Ihr Reich befand sich im linken Flügel des kleinen, U-förmigen Schlosses. Zu ihren Untergebenen zählten eine zweite Köchin, zwei Gemüseputzerinnen, eine Fleischbereiterin und weitere Hilfskräfte.

Heute hatte Mrs Melrose alle Hände voll zu tun. Der alte Lord war seit einer Woche geschäftlich in London und wurde am Nachmittag zurückerwartet. Bei seiner Ankunft sollte er, das war für Mrs Melrose Ehrensache, ein besonders reichhaltiges, köstliches Mahl vorfinden.

»Hast du den bunten Koriander zur Hand, Mary?«, fragte sie mit ihrer hohen, quäkenden Stimme, während ihre kräftigen Hände mit dem Tranchiermesser einen Schnitt in das Schweinswildbret taten. Sie wollte prüfen, ob das Fleisch schon rosig war.

»Ja, Mrs Melrose, hab ich.« Mary deutete langsam auf einen in der Nähe stehenden Napf. Sie war ein liebes, gutmütiges

Ding, doch von einem Temperament, das dem einer Wegschnecke glich.

»Schön, dann verteilst du ihn jetzt auf dem Mandelkäse. Aber mach, dass es hübsch aussieht, versuch ein Muster zu legen: Rundbogen, Spitzbogen, Sterne oder so etwas. Denk an die Kirche in Balcombe.«

»Ja, Mrs Melrose.« Mary begann ihre Hände zum Koriandernapf auszustrecken.

Mandelkäse war eine Spezialität von Mrs Melrose. Es handelte sich um ein Kunstwerk, das aus passierten Mandeln, Wasser, Rosenwasser, Safran sowie einem Stück nicht zu scharfem, geschnetzeltem Kuhmilchkäse zubereitet wurde. Das Rezept, das sie wie ihren Augapfel hütete, hatte ihr vor Jahren ein Küchenmeister der Dominikaner verraten.

Draußen entstand Unruhe. Mrs Melrose blickte zum Fenster und stellte fest, dass es schon dämmerte.

Rufe erklangen. Sollte das der Lord sein? Sie erkannte die aufgeregten Stimmen von Hyron Twigg, dem Schlossverwalter, und Hartford, dem Butler Seiner Lordschaft. Irgendetwas musste da los sein, das war gleich zu merken, und ihr schwante, dass es nichts Gutes war.

Sie eilte hinaus auf den Vorplatz.

Vorsichtig hoben Vitus und Swaizy den Lord aus der Kutsche, die vor der Freitreppe des Schlösschens Halt gemacht hatte. Der alte Mann, der jetzt auf eigenen Beinen stand, atmete pfeifend. Er musste große Schmerzen haben, auch wenn er sich bemühte, sie nicht zu zeigen. Swaizy stützte den schwankenden Leib.

»Schnell, eine Trage!«, rief Vitus.

Das Personal, wohl an die fünfundzwanzig Männer und

Frauen unterschiedlichsten Alters, war herbeigelaufen und steckte unsicher die Köpfe zusammen.

»Eine Trage, Leute! Wisst ihr nicht, was eine Trage ist?«, hakte der Magister ungeduldig nach.

Eine kompakte, ältere Frau fasste sich als Erste. »Ich fürchte, wir haben so etwas nicht, Gentlemen«, erklärte sie und deutete einen Knicks an. »Ich bin Mrs Melrose, die Köchin.«

»Schön, Mrs Melrose, dann sorgt bitte dafür, dass rasch ein Stuhl besorgt wird«, befahl Vitus. »Wir werden Euren Herrn darauf setzen und so in sein Schlafzimmer tragen.«

»Jawohl, Sir.«

»Sir, mit Eurer Erlaubnis werde ich selbst mich darum kümmern. Ich bin übrigens Twigg, der Verwalter.«

Endlich kommt Leben in die Leute!, dachte Vitus, um gleich darauf feststellen zu müssen, dass der persönliche Einsatz des Verwalters sich im Heranwinken zweier Knechte erschöpfte. Immerhin liefen die beiden schnurstracks zur Treppe.

»Danke, Twigg.«

»Und ich bin Hartford, der persönliche Diener Seiner Lordschaft.« Hartford machte eine tiefe Verbeugung, die angesichts der aufkommenden Hektik deplatziert wirkte.

Wenig später wurde der alte Herr nach oben getragen.

»Den Stuhl hier vors Bett«, ordnete Vitus an, als sie in den Privatgemächern des Schlossherrn angekommen waren. »Ich werde Seine Lordschaft noch einmal gründlich untersuchen, dazu bitte ich alle, die mir nicht helfen können, hinaus.«

Als nur noch er, der Magister, Enano und Hartford, der sich nicht abwimmeln ließ, im Raum waren, atmete Vitus auf. »Wie fühlt Ihr Euch jetzt, Mylord?«

»Schon besser. Wenn nur die vermaledeiten Schmerzen nicht wären.«

»Darum kümmere ich mich sofort. Seid Ihr damit einverstanden, wenn Hartford Euch den Oberkörper freimacht? Ich kann Euch dann besser untersuchen.«

Lord Collincourt nickte. »Sicher. Er tut's ja jeden Abend.«

»Danke, Mylord.«

»Mit wem habe ich eigentlich das Vergnügen?«

Vitus zögerte kurz. Zum jetzigen Zeitpunkt über eine mögliche Verwandtschaft zu sprechen, wäre sicher verfrüht. Das musste warten. »Verzeihung, Mylord, ich vergaß, uns vorzustellen: Man nennt mich Vitus von Campodios. Das ist mein Assistent und Freund, der Magister Ramiro García. Er ist von Hause aus Jurist. Und hier haben wir Enano, den Zwerg.«

Der kleine Gelehrte und der Winzling verbeugten sich. »Es ist uns ein Vergnügen, Mylord.«

»Vitus von Campodios …«, wiederholte der Schlossherr nachdenklich, ohne auf die beiden anderen einzugehen. »Campodios? Was bedeutet Campodios?«

Vitus erklärte es ihm.

»Ein Spanier seid Ihr also. Aus einem Zisterzienserkloster. Nun, für mich seht Ihr eher wie ein Normanne aus.«

»Darüber können wir vielleicht später reden. Ihr gestattet …«

Vitus betastete den Schädel des Verletzten von allen Seiten, stellte zu seiner Erleichterung nichts Ungewöhnliches fest und klopfte daraufhin mit großer Sorgfalt den Oberkörper ab. Besonders in der Rippengegend verspürte der alte Mann stechende Schmerzen, die sich beim tiefen Einatmen noch steigerten.

»Atmet flach«, riet Vitus freundlich. »Die *costae,* also Eure Rippen, abzutasten, unterlasse ich besser, doch ich möchte Euch bitten, ein paar Schritte mit geschlossenen Augen zu tun.«

Der alte Lord gehorchte. Er bewegte sich in Richtung Schlaf-
zimmerfenster, langsam zwar, aber ohne das Gleichgewicht
zu verlieren.

»Wie steht es mit Eurem Sehvermögen? Keine Schleier vor
den Augen? Nichts, was Ihr doppelt wahrnahmt?«

»Alles ganz normal«, antwortete der Lord. In seinen Mund-
winkeln zeigte sich, trotz allem, leiser Spott. »So normal jedenfalls, dass ich jede Wette annehmen würde: Ihr seid der am
unspanischsten aussehende Spanier von ganz England. Doch
Scherz beiseite: Warum sollte etwas mit meinen Augen nicht
in Ordnung sein?«

»Reine Formsache, Mylord. Und das Hörvermögen?«

»Wie immer, denke ich.«

»Sehr schön.« Vitus wollte den alten Mann nicht beunruhi-
gen, deshalb verschwieg er den Grund für seine Fragen: Ein-
geschränktes Seh- oder Hörvermögen galt als Indiz für den
Schädelbruch. Er wandte sich an den Diener:

»Da ich annehme, Hartford, dass Ihr Euren Herrn nach wie
vor nicht aus den Augen lassen wollt, muss ich den Zwerg bitten, mir in der Küche heißes Wasser und ein paar Meerrettichwurzeln zu besorgen. Ist kein Meerrettich da, tun's auch
Zwiebeln. Bist du so gut, Enano?«

»Wui, Vitus, bin schon unterwegs.«

»Was habt Ihr nun im Einzelnen festgestellt?« Lord Collincourt setzte sich stöhnend auf den Bettrand.

»Ihr habt großes Glück gehabt, Mylord. Ihr seid haupt-
sächlich mit Kopf und Brustkorb auf den Boden geprallt,
wobei gottlob nichts Tragisches passiert ist. Die Schädel-
knochen, insbesondere das Dach, die Kalotte, scheinen heil
geblieben zu sein, nur auf der rechten Rumpfseite habt Ihr
zwei oder drei Rippen gebrochen. Neben den Schmerzen,

die Ihr dort verspürt, dürfte auch Euer Kopf gewaltig brummen.«

»Das trifft wahrhaftig zu.«

»Streckverband für die Rippen?«, fragte der Magister knapp.

»Ja.« Vitus schaute den alten Herrn aufmunternd an.

»Wir machen Euch jetzt einen festen Verband, damit die Rippen ruhig gestellt sind und verheilen können. Bleibt einfach so sitzen, es geht gleich los. Der Magister ist ein Meister im Verbinden. In der Zwischenzeit bereite ich alles für einen schmerzlindernden Trank vor. Ich denke, Weidenrinde mit einer Prise getrockneter Opiummilch wird bei Euch Wunder wirken. Dazu machen wir Euch, je nachdem, einen Meerrettich- oder Zwiebelwickel für den Nacken.«

»Ich bin Euch sehr verbunden, Vitus von Campodios. Vielleicht ist es eine Fügung des Schicksals, dass ich Euch traf.«

»Heilige Mutter Gottes, was soll ich nur mit meinem schönen Mandelkäse und dem Schweinswildbret machen? Der Lord kann doch nichts essen in seinem Zustand! Dazu die gefüllten Tauben, der gebackene Hecht ...« Mrs Melrose stand in ihrer Küche und rang die Hände.

In dem großen, von der Kochstelle verrußten Raum war das gesamte Gesinde versammelt und aß zu Abend. Stallknechte, Dienstboten, Gärtner, Mägde und Küchenhilfen saßen an langen Bänken um den Tisch, verzehrten geröstetes Brot und gebratene Heringe und redeten über die ungewöhnlichen Ereignisse des Nachmittags.

»Na was wohl! Gebt's einfach uns! Aber wie ich Euch kenne, haltet Ihr Euch lieber an den Spruch ›Selber essen macht fett‹, und das sieht man ja auch!«, rief Keith, der vorlauteste der Stallburschen. Er war ein drahtiger Achtzehnjähriger mit stark abstehenden Ohren, der ausgesprochen hatte, was alle wussten: Lieber hackte sich Catherine Melrose die Hand ab, als dass sie damit etwas unter die Leute verteilte.

»Sag das noch mal!«

»Selber ess… autsch! Schlagt mich nicht, Mrs Melrose! Wer weiß, wozu ich Euch diese Nacht noch dienlich sein kann, hahaha!«

»Dienlich? Du? Pah!«

»Komm, Catherine!«, rief einer der älteren Diener feixend, »lass es mich dir besorgen! Du weißt doch, wo die größten Würste hängen!«

Ein Dritter schrie: »Catherine, oh Catherine, erhöre lieber mich! Eine stramme Köchin braucht auch was Strammes in der Hose!«

Die Dienerschaft johlte ausgelassen. Mrs Melrose war nicht sehr beliebt.

»Jetzt reicht's aber, ihr Gesindel, ihr elendes Lumpenpack! Hinter einem großen Maul steckt alleweil ein kleiner Pinsel. Ihr Burschen könnt nichts anderes, als den lieben langen Tag fressen, saufen, huren und Maulaffen feilhalten. Und ihr tranigen Mädchen seid nicht viel besser. Verdammt will ich sein, wenn ich auch nur ein Gran von meinen Köstlichkeiten abgebe!«

Wutschnaubend starrte die Köchin von einem zum anderen und erblasste jäh, als ihr Blick auf die Tür fiel: »Jesus, Maria und Joseph, das muss der Leibhaftige sein!«

Dort stand ein buckliger, schief grinsender Winzling mit brandrotem Haar. »Seid Ihr die Bratwachtel hier im Gehäus?«, fragte der Zwerg.

»Ich … nein, ja …« Die Köchin griff sich verlegen an den Busen.

»Die Lauscher auf, ich stell mich vor: Bin Enano, Gevatter des berühmten Cirurgicus Vitus von Campodios, ohne den der Lord gewisslich jetzt kalt wär.«

»Sagt, wie geht es dem Lord?« – »Ist er schwer verletzt?« – »Wird er wieder gesund werden?«, schwirrten die Fragen plötzlich von allen Seiten heran.

»Leben wird er wie's Fischlein im Quoll. Dank der Künste des Cirurgicus, des Magisters un nich zuletzt der meinigen!« Es war nicht Enanos Art, sein Licht unter den Scheffel zu stellen. »Wollt Ihr mithalten, Zwerg?«, fragte einer der Stallknechte und deutete einladend auf einen Teller mit Heringen. »Es ist genug für alle da.«

»Was sagste, Stürchenschnalzer? Ich soll mitspachteln? Da geckeln die Hühner! Muss wieder hoch un zu Hilfe sein. Hopp, hopp, Schnalzer, steck mir das große Tablett von der Wand.«

»Wozu denn das?«, fragte der Mann eingeschüchtert.

»Wozu denn das?«, äffte Enano ihn nach. Er hatte, bevor er in die Küchentür trat, einer alten Gewohnheit folgend gelauscht und erfahren, was die Köchin den anderen vorenthielt. »Zum Tragen, Blitzmerker! Der Lord schiebt Kohldampf. ›Enano, geht in die Küche zur guten Mrs Melrose und bittet um etwas Schweinswildbret und andere Leckereien!‹, gassert er eben zu mir.«

Der Mann beeilte sich, dem Wunsch des Zwergs nachzukommen.

»Ei, ei, Frau Bratwachtel, nun ladet drauf, was schmerft.« Mit säuerlicher Miene füllte die Köchin das Tablett.

»Vergelt's Gott, 's wird dem altrischen Lord munden!«, fistelte Enano und dachte: wenn nicht dem Lord, dann Vitus, dem Magister und mir.

Unter den verlangenden Blicken aller trug er die Speisen zur Tür. »Der Rest vom Gepäck soll unter die Dienerei! Haltet Euch dran, Frau Bratwachtel.«

»Jawohl, äh …«

»Un äh ich's vergess«, der Zwerg drehte sich noch einmal um, »ich brauch noch heißes Wasser un Meerrettichwurzeln. Steckt nur alles mit drauf.«

»Heißes Wasser und Meerrettichwurzeln?« Catherine Melrose verstand die Welt nicht mehr.

Doch sie gehorchte.

Lord Collincourt lag in seinem Bett und genoss, wie es seine Gewohnheit war, die Sekunden zwischen Halbschlaf und endgültigem Erwachen. Heute war Sonntag, der 23. Dezember, und wie es schien, meinte der Wettergott es gut. Zum Kirchgang reichten seine Kräfte noch nicht, aber mit Glück würde er ein paar Schritte im Schlossgarten spazieren gehen können. Fast zwei Wochen war es jetzt her, dass der blonde Arzt, der sich Vitus von Campodios nannte, ihn mit seinen Assistenten betreute; eine Behandlung, die ihm sehr angenehm gewesen war, nicht nur wegen ihrer erstaunlichen Wirksamkeit, sondern auch wegen der ruhigen, gewinnenden Art des Cirurgicus.

Vitus von Campodios … ein Geheimnis lag über diesem jungen Mann, und er wollte nicht länger Odo Collincourt heißen, wenn er es nicht noch vor Weihnachten herausbekäme! Sollte seine Vermutung sich als richtig erweisen? Nein, der Gedanke war zu absurd!

Lord Collincourt drehte sich langsam auf die Seite, was ihm an diesem Tag schon leichter fiel, und begann sich aufzurichten. Die Rippen schmerzten nach wie vor, als bohre ihm jemand ein Messer in die Seite, doch er hatte den Eindruck, das Messer sei nicht mehr ganz so spitz.

Als er saß, atmete er durch. Es war ihm zum ersten Mal gelungen, sich allein aufzurichten. Das war ein gutes Zeichen. Seine Zuversicht auf einen Spaziergang im Freien wuchs. Auch der Hunger regte sich. Er beschloss, das Frühstück mit dem Cirurgicus einzunehmen.

»Hartford.«

»Mylord?« Der Butler erschien mit fragendem Gesichtsausdruck, der sich jäh wandelte, als er bemerkte, dass sein Herr mit einiger Anstrengung versuchte, sich zu erheben. »Großer Gott, wartet, Mylord, ich helfe Euch!«

»Danke, Hartford. Und nun kleide mich an. Danach möchte ich mit dem Cirurgicus im Grünen Salon frühstücken. Nichts Schweres, kein Fleisch, keinen Fisch, vielleicht ein wenig Pastete für mich, Weizenbrot, Käse und einen Kräutertrank.«

Eine halbe Stunde später begab sich der Lord, umdient von Hartford, in den Grünen Salon, einen kleinen, nach Süden liegenden Raum, der seinen Namen den vielen Pflanzen verdankte, die sommers wie winters dort gehalten wurden. Er nahm ächzend Platz. »Danke, Hartford. Die junge Marth soll servieren. Für mich wie befohlen, für den Cirurgicus etwas Kräftiges. Mrs Melrose soll sehen, ob noch Lamm von gestern Abend übrig ist, dazu vielleicht ein paar Eier. Ihr wird schon etwas einfallen.«

»Guten Morgen, Mylord!« Vitus strahlte, als er wenig später im Salon erschien. »Fürs erste Aufstehen habt Ihr Euch einen schönen, sonnigen Tag ausgesucht. Allerdings wäre es mir lieber gewesen, Ihr hättet mir vorher Bescheid gesagt.«

»Woraufhin Ihr mir das Aufstehen prompt verboten hättet,

nicht wahr?« Lord Collincourt deutete auf den Platz gegenüber. »Setzt Euch.«

»Danke. Doch ehrlich, um die Wahrheit zu sagen: wahrscheinlich ja. Ich bin ohnehin erstaunt, wie schnell die Gene-
sung bei Euch fortschreitet. Im Normalfall brauchen Rippen-
brüche mindestens einen Monat, wenn nicht zwei, bis sie aus-
kuriert sind.«

Der Lord, dem aufgefallen war, dass Vitus sich bei allem, was
er sagte, präzise ausdrückte, fragte nach: »Zwischen einem
und zwei Monaten ist aber ein großer Unterschied, Cirurgicus, besonders, wenn man Schmerzen hat.« Er winkte Marth
herein, die scheu mit den Speisen in der Tür wartete.

»Das ist es in der Tat, Mylord.« Vitus sah, wie das Mädchen
schnell und geschickt aufdeckte und sich dann entfernte.
Lamm und eine würzige Wildpastete, dazu eine Eierspeise mit
Speck, so heiß, dass sie noch dampfte! Ihm lief das Wasser im
Mund zusammen, doch er beherrschte sich.

»Und woran liegt es, dass so etwas nicht genauer vorausgesagt
werden kann?« Der alte Herr biss in ein Stück Käse, dann fiel
ihm auf, dass Vitus noch nicht aß. »Bitte nehmt Euch selbst.
Ich wollte ein zwangloses Frühstück, ohne Bedienung, nur
für uns beide.«

»Danke, Mylord.« Vitus wählte kaltes Lamm und probierte die Pastete dazu. »Die Heilung eines Knochens hängt von
so vielen Faktoren ab, dass sich nie mit Sicherheit vorhersa-
gen lässt, wann sie abgeschlossen ist. Zunächst einmal kommt
es auf die Art des Bruchs an, dann darauf, um welchen Knochen es sich handelt, denn es gibt einige, die brauchen sehr
lange, um zusammenzuwachsen, zum Beispiel das Schienbein, andere wiederum benötigen nicht so viel Zeit, wie das
Schlüsselbein. Die Heilgeschwindigkeit ist zudem bei jedem

Menschen verschieden, doch lässt sich generell sagen, dass Knochen bei Jüngeren schneller zusammenwachsen als bei Älteren.«

»Sehr interessant, Cirurgicus.«

»Dazu kommt, aber das ist nur eine Vermutung von mir, die Ernährung.« Vitus schob sich eine Portion Ei in den Mund. »Einfach gesagt: Wer kaum oder schlecht isst, hat weniger Aussicht auf schnellen Heilerfolg.«

»Da kann ich ja von Glück sagen, dass ich immer aufzuessen pflege.« Lord Collincourt lächelte fein und wischte sich abschließend den Mund. »Esst nur weiter, Cirurgicus, bis Ihr satt seid. Ich kann mich erinnern, als ich so alt war wie Ihr, konnte ich Unmengen in mich hineinschlingen.«

»Danke, Mylord.«

»Im Anschluss an unser Frühstück möchte ich mit Euch im Schlossgarten ein wenig spazieren gehen. Bei der Gelegenheit würde ich gern mehr über Euch erfahren. Ihr mögt es neugierig nennen, aber ich …«

»Aber nein, Mylord, ganz und gar nicht. Es wird mir ein Vergnügen sein, Euch Auskunft zu geben. Ich fürchte nur, dass ich nicht alle Fragen beantworten kann.«

»Wir werden sehen.« In Lord Collincourts Augen lag ein seltsamer Glanz.

»Greenvale Castle wurde anno 1183 von einem meiner vielen Vorfahren erbaut«, erzählte der Lord im Plauderton, während er, von Vitus gestützt, durch die sorgfältig für den Winter vorbereiteten Anlagen schritt. »Sein Name war Edward Collincourt. Ihr findet sein Porträt wie viele andere neben der großen Treppe, die in die oberen Gemächer führt. Habt Ihr Euch die Gemälde schon angeschaut?«

»Nur flüchtig, Mylord, wie ich gestehen muss. Ich habe mir in den vergangenen Tagen mehr die Umgebung des Schlosses angesehen, es ist wunderschön hier. Alles ist irgendwie vertraut, so, als würde ich es schon immer kennen.«

»Hm.« Lord Collincourt schaute fort, denn er wollte nicht, dass Vitus seinen Gesichtsausdruck sah. »Dann ist Euch sicher auch nicht aufgefallen, dass die Köpfe der Collincourts durchaus sehr unterschiedlich sind, aber alle eines gemeinsam haben – das tiefe Grübchen im Kinn.«

Er deutete auf sein eigenes Gesicht. »Wie Ihr seht, habe ich es auch. Und wie der Zufall es will, Ihr ebenso.«

Ohne Vitus' Antwort abzuwarten, steuerte er auf ein kleines Rondell zu, das aus einer immergrünen Ligusterhecke bestand. »Hier befindet sich eine Bank, Cirurgicus, die zu meinen Lieblingsplätzen gehört. Ich hänge dort häufig meinen Gedanken nach.«

Als sie sich gesetzt hatten, blickte der alte Herr Vitus direkt in die Augen. »Und nun erzählt mir aus Eurem Leben, am besten von Anfang an. Doch zuvor verratet mir, was in der Tasche steckt, die Ihr am Gürtel tragt und zu der Ihr die ganze Zeit herunterschielt.«

»Diese Tasche, Mylord«, Vitus zögerte unwillkürlich, »ist vielleicht der Schlüssel zu meiner ganzen Geschichte.«

Langsam, fast widerstrebend, öffnete er sie und holte das rote Damasttuch hervor.

»Was ist das für ein Tuch?«

»Es ist mein Wickeltuch, Mylord. Man entdeckte mich darin am 9. März anno 1556, und der Finder war der Abt des Klosters Campodios, der ehrwürdige Vater Hardinus.«

Vitus begann das Tuch auseinander zu falten. Das golddurchwirkte Zeichen wurde sichtbar. »Als Anhaltspunkt für meine

Herkunft habe ich nur dieses Wappen, Mylord, ich nehme an, es kommt Euch bekannt vor.«

»Ich … ich …«, die jetzt zitternden Finger des alten Mannes krallten sich in Vitus Unterarm, während er nach Worten rang. »Ich habe es geahnt, aber nicht zu hoffen gewagt. Es ist unser Wappen, das Wappen der Collincourts, und du bist in seinem Besitz.«

Jählings fasste er sich ans Herz. »Großer Gott! Jean, was ist mit dir geschehen? Jean!«

»Jean, Mylord?«, drängte Vitus, der angesichts der Reaktion des alten Mannes blass geworden war. »Wer ist Jean?«

»Jean ist … deine Mutter.«

»Du musst dich in Geduld fassen«, sagte der Magister am Nachmittag zu Vitus, während sie einen gemütlichen Ausritt zum nahe gelegenen See machten. »Du bist jung, und er ist ein alter Herr. Die Neuigkeiten waren einfach zu viel für ihn. Er muss sie erst einmal verkraften. Heute Abend ist es immer noch früh genug, alles über deine Mutter zu erfahren.«

»Sicher«, seufzte Vitus. »Trotzdem war ich völlig überrascht, dass er plötzlich zurück zum Schloss wollte. Er war ziemlich aus dem Häuschen.«

Der kleine Gelehrte parierte sein Pferd und blickte auf das vor ihnen liegende Gewässer mit der kleinen, von Stock- und Krickenten bevölkerten Insel in der Mitte. »Gib ihm Zeit zum Nachdenken, und setz dich heute Abend, so wie er's möchte, mit ihm am Kamin zusammen.«

»Willst du nicht dabei sein?«

»Kommt nicht in Frage. Ich bin zwar dein bester Freund, aber Familie bleibt Familie, da misch ich mich nicht ein. Ansonsten weißt du's ja: Wenn du jemanden brauchst – der Zwerg und ich sind immer an deiner Seite.«

Der kleine Gelehrte blinzelte heftig.

»Hartford, stell den Wein dort auf dem Spieltisch ab und leg noch etwas Holz aufs Feuer. Dann lass uns allein.«

»Sehr wohl, Mylord.« Hartford zog ein beleidigtes Gesicht, tat wie ihm geheißen und verschwand.

»Seine Neugier ist manchmal eine Plage.«

Der alte Lord rutschte in seinem Kaminstuhl hin und her, bis er eine Position gefunden hatte, die ihn schmerzfrei sitzen ließ. Dann hob er seinen Pokal und prostete Vitus zu.

»Cheers, mein Junge! Dies ist ein großer Augenblick für das Haus Collincourt – und für dich.«

»Cheers, äh … wie kann ich Euch eigentlich anreden?«

»Ich bin dein Onkel: Onkel Odo. Genau genommen dein Großonkel. Trinken wir darauf.« Der Lord nahm einen kräftigen Schluck.

Vitus tat es ihm gleich. »Und wie sind wir miteinander verwandt?«, fragte er dann und bemühte sich, trotz seiner Aufregung gefasst zu klingen. »Könnt Ihr mir das erklären?«

»Das kann ich, und das werde ich auch.« Der alte Herr lächelte sanft. »Aber erst, nachdem du mir deine Geschichte erzählt hast.

»Gern, Onkel. Wenn Ihr erlaubt, lege ich vorher noch ein paar Scheithölzer bereit.« Vitus stand auf und holte welche aus dem Gestell. Die Beschäftigung lenkte ihn ab und ließ ihn ruhiger werden. »Meine Geschichte ist nämlich ziemlich lang …«

Während Vitus erzählte, fiel ihm auf, wie oft er seine Abenteuer schon geschildert hatte, und er hoffte, dieses Mal würde es das letzte Mal sein. Er ließ nichts aus und fügte nichts hinzu, sondern schilderte präzise, was ihm widerfahren war.

Er erzählte von Freunden und Feinden, die seinen Weg gekreuzt hatten, beschrieb die Landschaften, durch die er gekommen war, schwärmte von der Weite des Meers und landete endlich auf der *Phoenix,* wo er mit Kapitän Baldwin und den *Falcons* das Dinner eingenommen hatte. Anschließend gestattete er sich die einzige Ungenauigkeit, indem er die Nacht und den Streit mit Arlette verschwieg und lediglich erzählte, wie sehr er sich in sie verliebt habe.

»Mit Gottes Beistand schafften wir es schließlich, auf der *Argonaut* heil nach England zu kommen, und bereits einen Tag später lernte ich Euch, wenn auch unter unglücklichen Umständen, kennen«, schloss er.

»Ja, so ist es wohl.« Odo Collincourt wiegte sinnend den Kopf. »Wenn ich dir nennen sollte, welches das Schönste oder das Schrecklichste deiner Erlebnisse war, wüsste ich es bei der Fülle kaum zu sagen, aber das Überraschendste, das fiele mir sofort ein: Es ist dein Zusammentreffen mit Arlette. Sie war die Sonne meiner alten Tage, mein Kleinod auf Greenvale. Dass sie von hier aufbrach, um in die Neue Welt zu gehen, hat mich seinerzeit bis ins Mark getroffen, doch nun bist du statt ihrer da. Gott ist groß, und seine Güte ist unermesslich.«

»Wie bin ich mit Arlette verwandt, Onkel?«

Der alte Herr seufzte. »Als du eben von deiner Liebe zu Arlette sprachst, war mir klar, dass dies deine erste Frage sein würde. Nun gut, ich wollte eigentlich anders anfangen, aber ich war auch einmal jung, und darum kann ich dich verstehen. Lass mich überlegen: Arlette ist eine Cousine von dir, und zwar eine, Augenblick …«, er rechnete mit gerunzelter Stirn nach, »eine Cousine sechsten Grades. Sie ist die einzige Tochter meines Sohnes Richard, der vor nunmehr sechzehn Jahren auf See blieb. Seine Frau Anne, eine geborene Gifford, starb zu dieser Zeit im Kindbett bei der Geburt ihrer zweiten Tochter. Das kleine Wesen überlebte ebenfalls nicht, sodass Arlette fortan nur mich hatte.

Ich war Großvater und Vater in einem für sie. Dazu Freund und Vertrauter. Habe ihr sogar die ersten Tanzschritte beigebracht. Hier im Kaminzimmer war's, ich weiß es noch wie heute. Ja, meine Arlette …«

Der alte Herr seufzte abermals. »Die schönen Jahre, wo sind sie geblieben?« Er griff zum Weinpokal und stöhnte auf, denn seine Bewegung war zu hastig gewesen.

»Wartet, Onkel, ich helfe Euch.« Vitus stopfte ihm ein Kissen in die Seite, damit er wieder schmerzfrei sitzen konnte.

»Danke, Junge. Doch nun zu dir und dem Geschlecht der Collincourts. Es ist normannischen Ursprungs. Der Stammbaum unserer Familie lässt sich bis ins 10. Jahrhundert zurückverfolgen. Zum ersten Mal in das Gesichtsfeld der Geschichte jedoch traten wir in der Gestalt von Roger Collincourt, der mit Wilhelm dem Eroberer über den Kanal setzte und am 14. Oktober anno 1066 die Schlacht auf dem Senlac Hill schlug, eine Schlacht, die auch als Battle of Hastings bekannt ist. Dabei stritt Roger neben Toustain le Bec, der das Petrusbanner schützend über Wilhelm hielt.

Es war ein grausames, blutiges Treffen, bei dem es auf beiden Seiten unzählige Tote gab. Schließlich siegte die größere Feldherrnkunst Wilhelms über König Harald und seine schwer bewaffneten Housecarls.

Solltest du in späteren Tagen einmal die französische Stadt Bayeux aufsuchen, kannst du dort einen Wandbehang betrachten, der weit über zweihundert Fuß lang ist und den

Auszug der Normannen und ihre Eroberung Englands in kunstvoll gestickten Bildern zeigt. Auf diesem Teppich wirst du auch Roger Collincourt entdecken, deinen streitbaren Urahn, dessen Blut in dir rollt, denn du bist der vierzehnte Collincourt in direkter Linie.«

»Und was ist mit Jean, meiner Mutter?«, fragte Vitus, der wie gebannt zugehört hatte.

»Um dir mehr über Jean zu erzählen, überspringe ich am besten viele Generationen und beginne mit deinem Urgroßvater. Er hieß James Collincourt und war ein großer Seefahrer und Entdecker. Sein Schiff hieß *Sparrow,* es war eine Karavelle, die zu ihrer Zeit einige Berühmtheit erlangte und deshalb von mehreren Künstlern gemalt wurde. Allerdings: Wie das von dir erwähnte Seestück der *Sparrow* nach Santander in dieses Gasthaus gelangte, weiß der Erhabene allein ...

Doch zurück zu James Collincourt: Er hatte mit seiner Frau zwei Söhne: William und mich, Odo. Während ich mit meiner Frau Mary, sie möge in Frieden ruhen, nur den einen Sohn Richard bekam, der Arlettes Vater werden sollte, hatte mein Bruder William zwei Kinder: Jean, deine Mutter, und Thomas. Thomas wurde anno 1531 geboren und fuhr schon als Zwanzigjähriger über das große Westmeer, auf eine Insel namens Roanoke Island, wo er sein Glück als Tabakpflanzer machen wollte. Jean kam anno 1534 zur Welt. Sie war ein wunderschönes Mädchen, in vielerlei Hinsicht ist Arlette ihr ähnlich.

Als Jean Anfang zwanzig war, verliebte sie sich in einen Burschen aus Worthing, ein Umstand, von dem die Familie zunächst nichts wusste, der jedoch nach wenigen Monaten unübersehbar wurde: Jean war schwanger und wollte um nichts in der Welt den Namen des Vaters preisgeben. Du kannst dir vorstellen, wie hoch damals die Wogen in der Familie schlugen. Nach langem Hin und Her erklärte Jean sich schließlich bereit, zu Thomas in die Neue Welt zu gehen und sich dabei standesgemäß von Lord Pembroke begleiten zu lassen. Thomas hatte geschrieben, dass er drüben sehr erfolgreich sei und dass unter den englischen Pflanzern ein großer Wunsch nach heiratsfähigen Frauen aus der Heimat bestünde – eine gute Gelegenheit für Jean also, sich dort zu verehelichen und dem Kind einen anständigen Namen zu geben. Und dieses Kind, Vitus …«

»… bin ich?«

»So ist es. Oder vielmehr: So müsste es sein. Denn heute Nachmittag, als ich über alles nachdachte, fiel mir ein, dass man Jean auf ihrem Weg durch Spanien das Damasttuch auch entwendet haben könnte und dass es, theoretisch zumindest, an anderer Stelle mit einem anderen Säugling darin wieder aufgetaucht ist.«

»Eine sehr unwahrscheinliche Möglichkeit, wenn Ihr mich fragt, Onkel.«

»Ja, mein Junge, dennoch: In diesem Fall wärst du kein Collincourt. Und so lange nicht erwiesen ist, dass Jean es war, die ihr Kind in dem roten Damasttuch vor Campodios aussetzte, so lange fehlt auch das letzte Glied in der Beweiskette um deine Herkunft.«

»Das schreckt mich nicht.« Vitus erhob sich und erneuerte die Kerzen im Kandelaber auf dem Spieltisch. »Für mich ist nur das Gefühl wichtig, hier meine Wurzeln gefunden zu haben – wenn auch die Verwandtschaftsverhältnisse ein wenig verwirrend sind.«

»Man muss sie kennen, dann ist es ganz einfach.« Der Lord lächelte und hielt Vitus seinen Pokal zum Nachschenken hin.

»Wenn man von einigen sehr entfernten Verwandten und meiner Wenigkeit absieht, gibt es nur noch Thomas, Arlette und dich. Thomas und Arlette sind auf der anderen Seite des Meers – bleibst also nur noch du.«

»So glaubt Ihr, dass ich Jeans Sohn bin?«

»Natürlich. Ich spüre es genau. Schon damals, als Pembroke mit hängenden Schultern zurückkam, um Bericht zu erstatten, hatte ich das feste Gefühl, dass in dieser Sache noch nicht das letzte Wort gesprochen war. Irgendwann, das wusste ich, würden Jean oder ihr Kind wieder auftauchen.«

»Was spielte eigentlich Lord Pembroke für eine Rolle?«

»Allan Pembroke war ein alter Freund der Familie, der als Kind noch deinen Urgroßvater James gekannt hat. William hatte ihm mal eine hohe Summe geliehen, als er Spielschulden begleichen musste. Seitdem hatte mein Bruder bei ihm eins gut.

Ich kann mich noch erinnern, wie Pembroke sich drehte und wand, um Jean nicht hinüberbringen zu müssen, aber letzten Endes kam er nicht aus dieser Verpflichtung heraus. Er heuerte dann mit unserem Geld eine Besatzung an und stach mit Jean auf seiner *Thunderbird* in See. Das Weitere weißt du. Vielleicht noch so viel: Bei Pembrokes Rückkehr gab es nicht nur helle Aufregung um Jeans Verschwinden, sondern auch einen heftigen Streit um die hohen Schiffsreparaturkosten in Vigo. Pembroke wollte das Geld ersetzt haben, William dagegen verlangte die Summe für die Besatzung zurück, da Pembroke seinen Auftrag nicht erledigt hatte. Nun ja, zwei Jahre später starb William aus Gram über das spurlose Verschwinden seiner Tochter. Das jedenfalls behauptete Elisabeth, seine Frau, die ihm drei Jahre später folgte.«

Eine Pause trat ein.

Vitus, dessen Gedanken immer wieder um Arlette kreisten, sah, dass der alte Herr müde wurde. »Sagt, Onkel, es ist doch seltsam, dass Arlette ebenfalls in die Neue Welt wollte, genau wie Jahre zuvor Jean?«

»Ach, Arlette, meine Arlette … Sie ist ein Temperamentsbündel, mal himmelhoch jauchzend, mal zu Tode betrübt. Wenn sie strahlt, erhellt sich das Zimmer, wenn nicht, herrscht Finsternis überall. Sie ist noch sehr jung, Vitus, und sprunghaft in ihrem Verhalten. Anders kann ich es mir nicht erklären, dass es für sie eines Tages zur wichtigsten Sache der Welt wurde, nach Roanoke Island zu gehen und Thomas, ihren Verwandten, kennen zu lernen. Vielleicht wollte sie auch einfach heraus aus dem Einerlei des Landlebens. Ich weiß es nicht. Du kannst mir jedenfalls glauben, dass ich mich mit Händen und Füßen dagegen gewehrt habe, aber gegen Arlette ist kein Kraut gewachsen, wenn sie sich etwas in den Kopf gesetzt hat.«

Draußen in der Dunkelheit begann es zu schneien. Dicke Flocken sanken in stetiger Flut herab, sanft, weiß, alle Geräusche dämpfend. Zum Weihnachtsfest würde Schnee liegen.

Der alte Mann fröstelte und versuchte aufzustehen. Vitus sprang hinzu und half ihm.

»Danke, mein Junge. Ich bete jeden Tag darum, dass der Allmächtige über Arlette wacht.«

Er trat mit vorsichtigen Schritten an den Kamin und streckte seine Hände der Wärme entgegen. Im Schein der heruntergebrannten Glut sah sein Gesicht sehr alt aus. »Nicht wahr, du wirst bei mir bleiben und sie eines Tages zurückholen?«

»Das werde ich«, sagte Vitus fest.

EPILOG

Der Winter anno 1577 kam mit klirrendem Frost. Schon Mitte Januar waren Flüsse und Seen von einer dicken Eisschicht bedeckt. Ein scharfer Nordwestwind blies, und es schneite tagelang. Die Landschaft versank unter Massen von Schnee. Jeglicher Verkehr kam zum Erliegen, und wer dennoch gezwungen war, sein Haus zu verlassen, der musste sich Schritt für Schritt vorankämpfen, wobei ihm der Atem in weißen Wolken vor dem Gesicht stand. Glücklich konnte sich schätzen, wer vorgesorgt hatte und über wohl gefüllte Vorratskammern verfügte.

Auch auf Greenvale Castle schien das Leben stillzustehen. Die Menschen rückten zusammen und dankten dem Allmächtigen, dass er ihnen im vergangenen Jahr eine gute Ernte beschert hatte.

Vitus und der alte Lord verbrachten viele Stunden gemeinsam am Kaminfeuer. Aus ihrer anfänglichen Sympathie füreinander war rasch eine tiefe Verbundenheit geworden. Sie stellten fest, dass es, trotz ihres großen Altersunterschieds, kaum etwas gab, über das sie nicht in gleicher Weise dachten. Darüber hinaus fanden sich sogar Gemeinsamkeiten in ihrem Leben, denn Lord Collincourt hatte in jungen Jahren einige Schiffsreisen unternommen, und er wusste noch gut, wie es an Bord eines Seglers zuging. Seine Fahrten hatten ihn bis in die Karibik geführt, weshalb sein besonderes Interesse Taggart und dessen Kaperfahrt galt.

Bei ihren Kaminplaudereien geschah es nicht selten, dass der Magister ihnen Gesellschaft leistete. Der kleine Gelehrte erwies sich auch hier als ein lebhafter und einfühlsamer Gesprächspartner, dazu kam, sehr zur Freude des Lords, dass er das Schachspiel gut beherrschte. Nachdem Vitus ebenfalls die Figuren zu setzen gelernt hatte, konnte jeder gegen jeden spielen.

Auch dem Zwerg Enano war ein Schachzug gelungen – allerdings auf anderem Gebiet: Er hatte es verstanden, die bis dahin als uneinnehmbar geltende Mrs Melrose für sich zu gewinnen. Kaum hatte das Techtelmechtel der beiden sich herumgesprochen, sorgte es auch schon im ganzen Schloss für Gelächter und nicht enden wollenden Gesprächsstoff. Doch den listigen Winzling focht das nicht an, da er jetzt an der Quelle aller leiblichen Genüsse saß.

Vitus musste in dieser Zeit häufig an Arlette denken. Es gab Augenblicke, da er sich mit jeder Faser seines Herzens nach ihr sehnte. Ihr Lächeln, ihre Natürlichkeit, ihre Weiblichkeit – alles das erschien wieder und wieder vor seinem inneren Auge, so deutlich, als stünde sie vor ihm. Viele Male griff er zu Feder und Papier, um das grausame Missverständnis, das zu ihrer Trennung geführt hatte, aufzuklären – und genauso oft legte er beides wieder beiseite, denn er fand einfach nicht die richtigen Worte. Sie ihrerseits, das wusste er, würde ihm niemals nach Greenvale Castle schreiben, schließlich war er in ihren Augen ein Lügner und Hochstapler, der ganz gewiss nicht auf dem Schloss lebte. Doch fragte er sich sorgenvoll, warum nicht wenigstens sein Onkel eine Nachricht von ihr erhielt.

Wenig später traten bei Lord Collincourt die ersten Anzeichen der Zitterkrankheit auf. Es war ein tückisches Leiden, bei dem der Kranke seine Hände keinen Augenblick ruhig zu halten vermochte, seine Stimme einem kaum vernehmbaren, monotonen Singsang glich und seine Schritte mit der Zeit so winzig klein wurden, dass sie ihn nicht mehr vorwärts trugen. Vitus wusste, dass alle ärztliche Kunst hier versagte. Die Krankheit führte unweigerlich zum Tod, doch konnten bis dahin Jahre vergehen – bei immer stärker auftretenden Beschwerden, bis hin zur völligen Hilflosigkeit.

Angesichts dieser tragischen Entwicklung kamen Vitus seine Sehnsüchte klein und unbedeutend vor. Er beschloss, von Stund an alles zu tun, um seinem Onkel die Zeit, die ihm noch verblieb, so angenehm wie möglich zu machen. »Einer trage des andern Last«, so hieß es in der Heiligen Schrift, und Vitus wollte die seine in Demut hinnehmen. Denn Gott hatte es gut mit ihm gemeint. Er hatte seine Hand schützend über ihn gehalten und in den Augenblicken höchster Lebensgefahr dafür gesorgt, dass er den Namen »Vitus« zu Recht trug. Er hatte ihm gute Freunde an die Seite gestellt. Und er hatte ihm den Weg zu seinem Zuhause gewiesen. Seinem Ratschluss wollte er sich beugen. Auch auf die Gefahr hin, Arlette vielleicht nie wieder zu sehen.

Alles lag in Seiner Hand.

Wolf Serno
Der Chirurg von Campodios

Roman

Oktober 1577. Vitus, der junge Wanderchirurg aus Spanien, hat sich nach London zu seinen adligen Verwandten durchgeschlagen. Dort gilt schon bald sein ganzes Bestreben der Suche nach Arlette, jener schönen, unerschrockenen Frau, die er auf der Überfahrt nach England kennen gelernt, dann aber aus den Augen verloren hat. Die einzige Spur, die er von ihr findet, weist in die Neue Welt, zu einer Insel jenseits des Atlantischen Ozeans. Erst nach langem Bemühen gelingt es Vitus, sich als Schiffsarzt auf einer Galeone zu verdingen; und so begibt er sich auf die gefahrvolle Passage nach Übersee ...

Nach dem Bestseller »Der Wanderchirurg« kommt hier die lang erwartete Fortsetzung der abenteuerlichen Reise des spanischen Medicus' Vitus von Campodios!

Knaur Taschenbuch Verlag

Wolf Serno
Tod im Apothekenhaus

Roman

Hamburg im 18. Jahrhundert: Eines Nachts wird der Apotheker Teodorus Rapp hinterrücks überfallen und bewusstlos geschlagen. Als er wieder erwacht, sind seine Kleider blutüberströmt. Er eilt in seine Apotheke und entdeckt dort - sich selbst! Wer ist der geheimnisvolle Doppelgänger? Hat er es etwa auf Teodorus' wertvolle Naturaliensammlung abgesehen oder stecken andere Motive hinter den rätselhaften Vorgängen?

Knaur Taschenbuch Verlag